T5-ARN-202

JUBILÄUMSBAND
HEYNE  VERLAG

HEYNE
BÜCHER

In derselben Reihe erschienen
außerdem als Heyne-Taschenbücher:

HEYNE
JUBILÄUMS
BAND

CRIME

Fünf ungekürzte Romane

WILHELM HEYNE VERLAG
MÜNCHEN

HEYNE JUBILÄUMSBÄNDE
Nr. 50/25

QUELLENHINWEIS

Mickey Spillane DER PANTHER KEHRT ZURÜCK/THE DEEP
Copyright © 1961 by Mickey Spillane
Copyright © der deutschen Übersetzung
by Wilhelm Heyne Verlag GmbH & Co. KG, München
Deutsche Übersetzung von Werner Gronwald

Barry Fantoni IN EINER LANGEN REGENNACHT/MIKE DIME
Copyright © 1980 by Barry Fantoni
Copyright © der deutschen Übersetzung
by Wilhelm Heyne Verlag GmbH & Co. KG, München
Deutsche Übersetzung von Sepp Leeb

Lawrence Block DIE MÖRDER-LADY/MONA
Copyright © 1970 by Lawrence Block
Copyright © der deutschen Übersetzung
by Wilhelm Heyne Verlag GmbH & Co. KG, München
Deutsche Übersetzung von Ludwig Nagel

James M. Cain WENN DER POSTMANN ZWEIMAL KLINGELT.../
THE POSTMAN ALWAYS RINGS TWICE
Neuauflage des Heyne-Taschenbuches 1779
DIE RECHNUNG OHNE DEN WIRT
Copyright © 1934 by James M. Cain
Copyright © renewed 1962 by James M. Cain
published by arrangement with Alfred A. Knopf, Inc.
Copyright © der deutschen Übersetzung
by Rowohlt Verlag GmbH, Reinbek bei Hamburg
Deutsche Übersetzung von Hilde Spiel und Peter de Mendelssohn

Jonathan Valin BIS AUF DIE KNOCHEN/THE LIME PIT
Copyright © 1980 by Jonathan Valin
Copyright © 1981 der deutschen Übersetzung
by Wilhelm Heyne Verlag GmbH & Co. KG, München
Deutsche Übersetzung von Sepp Leeb

3. Auflage

Copyright © 1987 by Wilhelm Heyne Verlag GmbH & Co. KG, München
Copyright der Einzelrechte s. Quellenhinweis
Printed in Germany 1989
Umschlagfoto: ZEFA Bildagentur/Vloo, Düsseldorf
Umschlaggestaltung: Atelier Schütz, München
Gesamtherstellung: Presse-Druck Augsburg

ISBN 3-453-00681-X

Inhalt

MICKEY SPILLANE

Der Panther
kehrt zurück

1

Lange bevor ich an Ort und Stelle war, hörte ich das Losungswort. Es schwebte durch die regnerische Abendluft von New York und drang in einer Kneipe nahe bei der Columbus Avenue an mein Ohr. Eine Frauenstimme flüsterte es:

»Der Panther ist zurückgekommen –«

Sie hatte schon viel getrunken, und als ihr der Barkeeper das Wort abschneiden wollte, lachte sie laut und schrill.

»Angst habt ihr – alle habt ihr Angst vor ihm.« Sie sah mich schief an. »Du auch?«

»Vielleicht –«

»Und vielleicht tut es dir auch leid, daß Bennett tot ist?« fragte sie herausfordernd.

Der Barkeeper tippte ihr auf den Arm.

»Sei lieber still, Tally.«

Aber sie war nicht zum Schweigen zu bringen, und mir war es recht so.

»Still sein, weil Bennett tot ist?« rief sie. »Erst war er ein kleiner Gauner, und dann ist er ein großer Gauner geworden, und jetzt weinen alle kleinen Bennett-Freunde um ihn. Es ist zu komisch.« Sie sah mich an, und ihr Blick begann verschwommen zu werden. »Weißt du, meine Junge, warum sie wirklich weinen?«

»Erzähl es mir.«

»Erst muß ich was trinken.«

»Sie bekommt nichts mehr«, sagte der Barkeeper.

»Geben Sie ihr ein Glas.« Er sah mich an, griff dann nach der Flasche und schenkte ihr ein. Das rotblonde Mädchen auf dem Barhocker neben mir blinzelte mir zu und leerte das Glas.

»Nun erzähl es mir«, sagte ich.

»Klar erzähl ich es dir. Alle kleinen und großen Gangster von hier bis Brooklyn wollen jetzt gern Bennetts Organisation übernehmen. Aber sie haben Angst – Angst vor dem Panther.«

Ich sah sie über mein Glas hinweg an.

»Du weißt wohl nicht, wer der Panther ist, wie?« fragte sie.

»Tally –«, sagte der Barkeeper.

»Ach, halt's Maul«, sagte sie. »Ich habe keine Angst vor ihm. Auch wenn er irgendwo eine große Nummer ist – größer als Bennett je war. Er war immer größer als Bennett. Schon als Junge hat er als einziger in der Straße ein Schießeisen getragen.« Sie kicherte trunken vor sich hin. »Ein rauher Bursche – und jetzt kommt er zurück.«

»Wirklich?«

»Darauf kannst du dich verlassen. Er und Bennett waren so etwas wie Blutsbrüder.«

»Du weißt ja eine ganze Menge von den beiden«, sagte ich.

Ihr verschwommener Blick wurde für einen Moment klar und hart.

»Dieser lausige Bennett – er hat meine Schwester mit dem weißen Zeug süchtig gemacht. Mit sechzehn hat sie Selbstmord begangen. Ich war damals neun. Dieses Schwein – dieses verdammte Schwein.«

Sie sah mich an. Ihr Blick wurde wieder verschwommen.

»Der Panther soll noch schlimmer sein als Bennett – heißt es. Er ist vor langer Zeit von hier verschwunden, hat Bennett das Revier überlassen und wollte sich woanders etwas Neues aufbauen. Aber jetzt kommt er zurück, und das ist vielleicht ganz gut so.«

»Warum?«

»Keiner von den Burschen hier weiß, wie er aussieht.« Sie kicherte wieder vor sich hin. »Feine Sache. Alle haben Angst vor ihm, und keiner weiß, wie er aussieht – und ob er allein kommt oder mit einer ganzen Bande. Sicher ist, daß er Blut sehen will. Er hat versprochen, mit allen abzurechnen, die seinem alten Freund Bennett zu nahe getreten sind.«

»So ist das also«, sagte ich.

»Ja. Und sie sollen sich nur alle gegenseitig umbringen – den Panther auch.«

»Harte Worte, Mädchen«, sagte ich.

»Verdammt, sag nicht Mädchen zu mir. Bennett hat mich immer so genannt.«

»Dann nenn ich dich eben auch so.«

»Du denkst wohl, weil du mir ein Glas spendiert hast, kannst du frech werden?« Ihre Stimme wurde wieder schrill. »Wer bist du überhaupt?«

Ich griff in die Tasche nach einem Geldstück und warf es auf die Theke. Als ich Tally wieder ansah, waren ihre Augen groß und dunkel vor Furcht, und sie konnte den Blick nicht von der Stelle wenden, wo sie meinen 38er-Colt im Schnellhalfter unter der Jacke gesehen hatte.

»Du bist –«, flüsterte sie.

»Ein Fremder«, sagte ich und trat an den Garderobenständer, wo mein feuchter Trenchcoat hing. »Für dich vorläufig noch ein Fremder.«

Bevor ich in die Regennacht hinaustrat, wandte ich mich noch einmal um. Tally und der Barkeeper blickten mich an.

»Wie ist dein Nachname, Tally?« fragte ich.

Ihre Stimme war nur ein Flüstern.

»Lee –«

»Wohnst du in der Nähe?«

»An der Hundertdritten –«

Ich wartete.

»Über Brogans Gemüsehalle.« Ihre Unterlippe begann zu zittern. »Ich rede manchmal ein bißchen viel. Was ich da eben gesagt habe...«

»Ist schon in Ordnung, Tally«, unterbrach ich sie. »Du kannst allen Leuten erzählen, daß heute ein Fremder angekommen ist. Du kannst allen beschreiben, wie er aussieht. Vielleicht interessiert es den oder jenen.«

2

Wilson Batten hatte sein Büro in dem neuen Gebäude, das man anstelle des alten Greenwood Hotel errichtet hatte. Die Fassade wirkte im Dunst der Regennacht wie eine helle Kulisse.

Da die Fenster im zweiten Stock erleuchtet waren, überquerte ich die Straße und trat durch die Glastür in die Eingangshalle. An der Wand neben dem Lift hing die Tafel mit dem Verzeichnis der Hausbewohner. Das Rechteck des zweiten Stocks enthielt nur ein Schild: WILSON BATTEN, RECHTSANWALT.

Ich holte den Aufzug herunter und fuhr hinauf. Im Vorzimmer schlüpften zwei Mädchen eben in ihre Regenmäntel.

»Wir machen gerade Schluß«, sagte die eine.

»So?«

»Warten Sie auf eines der Mädchen?»

Ich nahm den Hut ab und schüttelte die Nässe heraus.

»Daran hatte ich nicht gedacht.«

»Was wollen Sie dann?«

»Wilse —«

»Wen?«

»Wilse. Den Chef. Batten.«

Ihre Augen weiteten sich vor Erstaunen.

»Aber nicht jetzt. Sie können nicht —«

»Jetzt«, sagte ich.

Die Stimme hinter mir klang ruhig, aber mit einem Unterton von Autorität und versteckter Drohung.

»Gibt es Schwierigkeiten, Thelma?«

»Er will Mr. Wilson sprechen.«

»Ach so? Ich fürchte, dazu ist es im Augenblick zu spät —«

Ich drehte mich langsam um und sah ihn an. Er hatte sich nicht sehr verändert. Immer noch war er der großartig tüchtige Bursche, der sich unentbehrlich machen konnte, aber nicht genug Genialität hatte, um ganz in die Spitzenklasse vorzurücken. Eines mußte man Augie jedoch lassen: er stand immer auf seiten der Gewinner. Dafür hatte er eine Nase.

Sein Gesicht blieb unbewegt, nur sein Blick wurde unruhig. Einen Moment strafften sich seine Schultern, aber dann entspannte er sich wieder.

»Sie wollen also Mr. Batten sprechen?«

Ich nickte zustimmend.

»Ihr Name bitte?«

»Erinnerst du dich nicht, Augie?« Ich begann zu grinsen. »Panther. Sag Wilse, der Panther ist da.«

Die Sehnen unter seinem Kinn begannen sich zu straffen. Er erinnerte sich plötzlich. In seinem Gehirn ging eine schnelle Überlegung vor sich, und er kam zu der Schlußfolgerung, daß im Augenblick nichts zu befürchten sei.

»Natürlich hätte ich mich erinnern sollen«, sagte er mit seiner angenehmen, selbstsicher klingenden Stimme. »Aber Sie haben sich verändert, Panther.«

»Wir verändern uns alle.«

Er sah mich forschend an.

»Sie wirken irgendwie größer, Panther.«

»Größer?« wiederholte ich. »Ein gutes Wort.«

Den Haupteindruck in Wilsons Büro machten Mahagoni und Gauguin. Das war so überwältigend, daß der Mann hinter dem

Schreibtisch dadurch unwillkürlich kleiner wirkte. Er schaute zu mir hoch – geschniegelt und gebügelt, das Haar gelichtet, aber immer noch dunkel.

»Hallo, Wilse«, sagte ich.

»Panther.« Er stand auf und streckte mir die Hand hin. »Ich freue mich, dich wiederzusehen. Ich freue mich.«

Ich übersah seine ausgestreckte Hand.

»Das glaube ich. Du bist sicherlich mehr als froh, Wilse.«

Sein Gesicht war eine berufsmäßige Maske der Höflichkeit, aber ich wußte, was in seinem Innern vorging. Mit dem Fuß zog ich mir einen Stuhl heran, setzte mich und warf meinen Hut auf den Boden. Augie wollte sich danach bücken, aber ich sagte:

»Laß ihn liegen.«

Er hielt inne, warf Batten einen Blick zu und trat zurück.

»Der alte Wilse«, sagte ich. »Der Dieb von Harlem –«

»Also hör einmal, Panther!«

»Sei still, wenn ich spreche, Wilse.« Ich lächelte, und sein Blick versuchte die Bedeutung dieses Lächelns zu erforschen.

»Du hast einen langen Weg zurückgelegt von der alten Mietskaserne hinterm Broadway, von dem alten Batty Batten bis zu Mister Wilson Batten, Rechtsanwalt. Tüchtig für einen Dieb, aber doch nicht viel mehr als eine Menge Erfolgslegenden, die ich kenne.«

Ich stand auf, schlenderte durch das Zimmer und betrachtete die verschiedenen Gauguin-Gemälde. Die Hälfte waren Originale, die andere Hälfte ziemlich teure Kopien.

»Du hast dich fein herausgemacht –«

»Panther –«

Als ich mich umdrehte und Batten angrinste, hielt er mit offenem Mund inne.

»Batten, du bist ein Dieb«, sagte ich. »Du bist ein gerissener Winkeladvokat, der Erfolg gehabt hat. Früher einmal hast du dich mit Hehlerei beschäftigt. Du hast alles gekauft, was ich stehlen konnte. Du hast die Jungens gedeckt, die mit dem teuren Schnee und Hanf und anderen sogenannten Glücksbringern handelten, und warst ein guter Kontaktmann zwischen gewissen Klienten und gewissen entgegenkommenden Polizisten.«

»Ich habe dich einige Male herausgepaukt, Panther.«

»Das hast du getan, und du hast dich gut dafür bezahlen lassen.« Ich trat näher an den Schreibtisch und schaute auf ihn hinab. »Damals war ich viel jünger.«

»Du warst ein kleiner Gewohnheitsverbrecher«, sagte er mit sanfter Herausforderung.

»Aber ich war nicht besonders ängstlich.« Ich setzte mich auf den Schreibtischrand. »Erinnerst du dich an Lenny Sobel? Erinnerst du dich noch an die Nacht, als der König mit seinem Hofstaat anrückte, um dir einen Betrug heimzuzahlen? Damals haben Bennett und ich dich für alles entschädigt, was du je für uns getan hast.«

»Also schön. Du warst damals schon ein harter Bursche.«

Ich schüttelte den Kopf.

»Nicht direkt, mein Freund. Du weißt, was ich war.«

»Dein Fall gehörte ins Gebiet der Jugendkriminalität.«

»So war es.« Ich nickte ihm zu und lächelte breit. »Und jetzt bin ich erwachsen. Verstehst du?«

»Ich verstehe.«

»Hast du Bennetts Testament?« fragte ich.

»Ja.«

»Ist alles in Ordnung?«

»Ich war sein Rechtsberater.«

»Was steht im Testament?«

Er sah mich einen Moment durchdringend an, so, als wolle er meine Widerstandskraft abschätzen.

»Unter gewissen Bedingungen bist du sein Erbe.«

»Was für Bedingungen?«

»Erstens: daß du innerhalb von zwei Wochen nach seinem Tode hier eintriffst.«

»Es ist der vierte Tag.«

Er nickte.

»Zweitens, daß du die Identität seines Mörders aufdeckst.«

»Nett von ihm.«

»Er hatte großes Vertrauen zu dir, Panther.«

»Wollte er nur, daß ich die Identität seines Mörders aufdecke? Nicht mehr?«

»Er wollte mehr, aber das wäre nie wirksam geworden – juristisch, meine ich.«

»Noch eine Frage, Wilse. Wem gegenüber soll ich die Identität des Mörders aufdecken?«

»Du bist sehr scharfsinnig, Panther.«

Er öffnete ein Schubfach, zog ein Zeitungsblatt heraus und schob es mir hin. Zwei Spalten mit der Überschrift: ›Gerüchte aus der Unterwelt‹ von Roscoe Tate, waren rot umrandet.

Ich brauchte den Artikel nicht noch einmal zu lesen. Der Haß eines Mannes hatte sich darin in Druckerschwärze verwandelt. Ein Haß, der sich gegen drei Menschen in der Welt richtete: gegen mich, Bennett und sich selbst.

»Soll ich Roscoe die wahren Zusammenhänge beweisen?« fragte ich.

»Nicht unbedingt. Nur eben die Identität des Mörders herausfinden.« Ein Lächeln zuckte um Battens Mundwinkel. »Aber auch das dürfte nicht leicht sein.«

»Nein, bestimmt nicht. Er haßt mich ziemlich hartnäckig.«

Sein Lächeln wurde breiter.

»Das ist nicht der Grund.«

Ich warf ihm einen schnellen Blick zu.

»Tate denkt, du bist der Mörder, Panther.«

»Ein verrückter Bursche.«

»Aber er hat Gründe für seinen Verdacht.«

»Nur weiter«, sagte ich.

»Bennett hat viel zusammengebracht. Von dir hat man seit fünfundzwanzig Jahren nichts gehört. Vielleicht hast du gewußt, wie gut er dasteht, und dir ausgerechnet, daß er sich an die Vereinbarung halten würde, wonach der Überlebende von euch beiden den anderen beerbt und... nun, sich um den Mörder kümmert?«

»War es ein Mord, Wilse?«

»Man glaubt es jedenfalls.«

»Ich verstehe. Jetzt sag mir noch etwas. Wer erbt, falls ich den Fall nicht klären kann?«

Sein Lächeln wurde noch breiter.

»Ich. Ich bekomme alles.«

»Schlauer Junge«, sagte ich.

»Ganz recht.«

»Vielleicht muß ich dich töten, Wilse –?«

Er wurde käsig bleich.

»Damit kämst du nie durch –«

»Vielleicht würde mich das trotzdem nicht zurückhalten –«

Sein Gesicht wurde plötzlich so schlaff wie das eines alten Mannes. In fünfundzwanzig Jahren war er so mächtig geworden, daß ein gewaltsamer Tod für ihn so gut wie ausgeschlossen gewesen war. Jetzt blickte er zum ersten Male dieser Möglichkeit wieder mitten ins Gesicht.

»Was steht mir zu, wenn ich die Bedingungen des Testaments erfülle?« fragte ich.

»Vielleicht sollte ich dir das Testament vorlesen –«

»Sag es mir nur selbst, Wilse. Du wirst mich nicht belügen. Ich habe keine Angst.«

Er sah an mir vorbei, als er die Vermögenswerte aufzählte.

»Der Cosmo-Taxi-Dienst, das alte Klubhaus, einige Grundstücke, und zwar Miethäuser, Bauparzellen und Garagen..., ich stelle dir die Liste auf. – Fünfzigprozentige und höhere Beteiligungen an vier Geschäftsunternehmen und einer Brauerei.«

»Hübsch«, sagte ich. »Ist auch Bargeld vorhanden?«

»Zehntausend bei deinem Erscheinen – also jetzt. All die anderen Vermögenswerte sind fällig, wenn du die Bedingungen des Testaments erfüllt hast.«

Ich streckte grinsend meine Hand aus. Wilson Batten schaute auf die Hand, dann in mein Gesicht, und plötzlich zerbrach ein dünnes Lächeln den harten Zug um seinen Mund. Er öffnete die mittlere Schreibtischschublade, zog einen gelben Barscheck heraus und legte ihn mir auf die Handfläche.

»Die letzte Frage«, sagte ich. »Bis wann muß ich die Bedingungen erfüllen?«

In seinem Lächeln lag versteckter Hohn.

»Eine Woche. Meinst du, es bis dahin zu schaffen, Panther?«

Ich faltete den Scheck zusammen, steckte ihn in die Tasche und stand auf.

»Keine Schwierigkeit. Das ist viel Zeit.«

Als ich zur Tür ging, fühlte ich seinen Blick auf mich gerichtet. Ich drehte mich noch einmal um und vermittelte ihm einen kleinen Vorgeschmack dessen, was ihn erwartete.

»Kommst du mit, mein Junge?« sagte ich zu Augie.

Er sah Wilse nicht einmal an, als er sagte:

»Gewiß, Mr. Panther.«

Wie ich schon sagte: Augie wußte immer, an wen er sich halten mußte.

Roscoe Tate war der erste Junge aus unserem Häuserblock gewesen, der eine Arbeit angenommen hatte. Mit vierzehn Jahren verkaufte er in der Stoßzeit von achtzehn bis zwanzig Uhr an den U-Bahn-Eingängen Zeitungen und brachte für seinen Vater neues Geld zum Vertrinken heim. Ein Jahr später sagte er dem Alten, er solle sich zum Teufel scheren. Er rief die Polizei und erstattete

Anzeige wegen mangelnder Unterhaltsleistung und tätlicher Angriffe gegen Frau und Kinder, konnte den Fall durchfechten und ernährte seine Familie von dieser Zeit an.

Inzwischen waren fünfundzwanzig Jahre vergangen, und er schrieb jetzt für die Zeitungen, die er früher verkauft hatte. Sein Vater hatte sich zu Tode getrunken, seine Mutter wohnte in Los Angeles bei einer verheirateten Tochter, und Roscoe lebte in einem ewigen Kriegszustand mit dem Straßenviertel, in dem er groß geworden war. Unglückseligerweise konnte er sich nicht dazu überwinden, von dort wegzuziehen.

Er saß in Hymies Delikatessenladen vor einem Sandwich mit Geflügelleber und einem Telefon und blickte mit gerunzelter Stirn auf einige Notizen, die er gerade gemacht hatte. Ich ging die Stuhlreihe entlang und zog einen altertümlichen Lehnstuhl hinter der Speisetheke hervor. Hymie schaute auf und wollte schimpfen, weil jemand es gewagt hatte, seinen Privatthron zu berühren. Aber als er mich ansah, wurde sein Gesicht starr.

Während ich mich hinsetzte, sagte Roscoe, ohne aufzuschauen: »Sie werden Unannehmlichkeiten bekommen, mein Freund.«

Ich lachte leise, und für kurze Zeit war dies der einzige Laut im Laden. Er schaute auf.

»Panther«, sagte er leise.

»Hallo, Roscoe.«

»Du Halunke, hast du neun Dollar und vierzig Cent bei dir?«

»Natürlich.«

»Gib sie her.« Er tippte mit dem Zeigefinger auf die Theke. »Hier.«

Ich zählte das Geld auf seine Notizen. Vor langer Zeit hatte ich ihn einmal verprügelt und ihm seinen Wochenlohn aus der Hosentasche genommen. Jetzt lachte ich, als Roscoe das Geld nahm und in seine Jackentasche schob.

Sein Gesicht war verkrampft. Sicherlich wünschte er sich jetzt, nur einmal so groß und kräftig wie ein richtiger Mann zu sein.

»Verdirb mir nicht den Spaß, du Bastard«, sagte er. »Ich habe mir geschworen, dir eines Tages das Geld abzunehmen.«

»Willst du Zinsen haben?«

»Sprich nicht so verdammt herablassend.« Er fuhr sich über die Lippen und blickte mich voller Haß an. »Ich hatte gehofft, das Geld zu bekommen, wenn du tot bist.«

»Du hast es jetzt zurückbekommen. Bist du noch böse?«

»Du Laus, du elende Laus.« Er sah mich lauernd an, und als ich nur grinste, zischte er böse: »Was willst du also?«

Ich zuckte mit den Schultern.

»Ich weiß nicht – noch nicht. Aber ich suche jemanden. Kannst du mir folgen?«

»So ungefähr.«

»Du weißt, weshalb ich zurückgekommen bin?«

»Ja«, sagte er. »Ich glaube, ich weiß es. Du willst die Organisation übernehmen, die du geerbt hast. Die ganze Bande von primitiven Halbidioten, die dazu gehört – das ganze Rattennest von Korruption und Verbrechen. Bennett hat dir das alles vermacht.«

»Nett von ihm, nicht wahr?«

»Es ist nur ein Haken dabei: du mußt gemein und schäbig genug sein, das alles auch halten zu können.«

Ich sah ihn lange an.

»Bist du sicher, daß ich deswegen zurückgekommen bin?«

»Natürlich. Eine Million Dollar und die dazugehörige Bande. Das ist doch für dich eine große Sache. Wenn du es halten kannst. Aber Mord ist eine harte Anklage – und leicht genug zu beweisen.«

Ich lächelte nicht mehr.

»Du kleiner Wirrkopf. Ich bin nicht wegen einer Million Dollar zurückgekommen. Ich brauche keine Bande und keine Million.« Ich hielt einen Moment inne. »Ich habe ihn nicht umgebracht, du Idiot. Meinst du, ich würde das wirklich fertiggebracht haben?«

Sein Gesichtsausdruck veränderte sich. Die Starrheit wich einer nervösen Erregtheit.

»Dann weißt du also, wer es war? Bennett hat dir das auch hinterlassen?«

Ich stand auf und schob den Sessel zurück.

»Ich bin aus einem einzigen Grund zurückgekommen. Ich will den Burschen erwischen, der Bennett umgebracht hat. Begreifst du das?«

Seine Stimme war nur ein Wispern.

»Ich verstehe.« Er sah mich in einer Art wütendem Triumph an. »Also finde ihn. Ich bin dir dabei gern behilflich. Ich hoffe, du bringst diesen Kerl um, damit ich dann endlich dir den Garaus machen kann. Wenn du wüßtest, wie ich mich danach sehne, deinen Nachruf zu schreiben. Ich hoffe, du mistest diesen ganzen Saustall aus – dezimierst von mir aus das ganze Straßenviertel, wenn es sein muß. Fast alle Kinder hier sind im Schatten dieses lausigen Bennett aufgewachsen, und irgendwie habe ich das Gefühl, daß du noch schlimmer bist.«

»Na, gut«, sagte ich. »Jetzt hast du deine Rede gehalten.«

»Ich bin noch nicht am Ende.« Er schaute böse zu mir auf. »Ihr wart alle größer als ich, aber ich habe keine Angst. All die Halunken hier kennen mich und wissen, wie ich denke. Ich nehme in meinen Zeitungsartikeln kein Blatt vor den Mund. Aber sie wissen, daß ich recht habe. Und mich umzubringen, wäre auch zu riskant für diese Halunken. Dann würde die Polizei endlich scharf durchgreifen und das ganze erbärmliche Rattennest endgültig ausräuchern. Deshalb lassen sie mich zufrieden.«

»Was hat das mit uns beiden zu tun?« fragte ich.

Er begann zu lächeln – es war kein freundliches Lächeln.

»Bennett ist tot, und ich denke, du wirst der nächste sein. Das ist gut.« Sein Lächeln wurde breiter. »Du hast eine Menge Unannehmlichkeiten geerbt, Panther. Du wirst es schon noch merken.«

»Ich habe noch mehr geerbt«, sagte ich.

»Was?«

»Ich muß mich um Helen kümmern, die hübsche Helen.«

Jedes seiner Worte klang leise, aber böse und eindringlich.

»Ich selbst werde dich umbringen, wenn du ihr nahe kommst, Panther. Laß deine dreckigen Hände von dem Mädchen.«

»Ist das Liebe, Tate? Oder Anbetung aus der Ferne?«

Sein Fluch klang noch sanfter als die Worte.

Ich sagte:

»Sie hat zu Bennett gehört, also ist sie gewissermaßen ein Teil der Erbschaft.«

»Du wirst bald sterben, Panther.«

»Nicht von deiner Hand, mein Kleiner. Dafür lebst du zu sehr in der Welt von Gesetz und Ordnung. Du könntest wohl mit dem Gedanken spielen, aber die Tat nie ausführen.« Ich lächelte ihn an. »Übrigens, Helen soll sich ja ganz groß herausgemacht haben – am Broadway aufgetreten sein und so weiter. Solche Mädchen sind doch gar nicht dein Typ. Wie kommt es, daß du in sie verliebt bist?«

Seine Lippen bewegten sich beim Sprechen kaum.

»Ich bin nicht in sie verliebt. Dein Gedächtnis ist schlecht, Panther.« Sein Blick wurde düster. »Sie ist meine Halbschwester, weißt du das nicht mehr?«

Das hatte ich tatsächlich vergessen.

»Ich werde durchaus sittsam sein, mein Junge«, sagte ich. »Nur komm mir nicht in die Quere, sonst müßte ich dich ein bißchen in die Mache nehmen.«

»Wie in den alten Tagen!«

»Genauso.«

Ich sah, wie sein Blick über mein Gesicht glitt und die alten Narben und Kratzer betrachtete, die das Kennzeichen der ›Dschungelbrut‹ sind.

»Was willst du wissen, Panther?« fragte er unvermittelt.

»Wie ist Bennett gestorben?«

»Du liest doch Zeitungen.«

»Stimmt. Aber ich möchte es von dir hören.«

Tate zuckte mit den Schultern.

»Als es klingelte, öffnete er die Wohnungstür, und der Mörder schoß. Er traf seinen Hals.«

»Mit einem 22er-Revolver«, fügte ich hinzu.

»Ja, und dicht genug, um einen Pulverring zu erzeugen.«

»Mit einer Damenpistole«, sagte ich nachdenklich.

Er lächelte spöttisch.

»Mach dir keine Sorgen um deine Erbschaft. Helen hat ihn nicht erschossen. Sie war an dem Abend auf einer Probe.«

»Wo war Dixie?«

»Er hat auch ein Alibi.«

»Das behaupten die Zeitungen. Bennett hatte ihn hinuntergeschickt um Whisky zu holen. Nun, was sagst du dazu?«

»Die Sache geht in Ordnung. Bennett hat ihn in dem Laden angerufen und ihm gesagt, er solle noch eine Kiste Bourbon mitbringen. Der Ladeninhaber hat die Bestellung entgegengenommen und seinen Angestellten mit Dixie zurückgeschickt. Sie haben die Leiche gemeinsam gefunden.«

»Und alle haben das geglaubt?«

»Weil es stimmt. Der Ladenbesitzer hat nämlich erklärt, daß er mit Bennett ein Kodewort vereinbart hatte, um sicherzugehen, daß Bennett selbst anrief und nicht die Hälfte der Bande auf Bennetts Rechnung Schnaps abholte.«

»Also Dixie hat nichts damit zu tun. Wer hat dann Bennett erschossen?«

»Frag die Polizei.«

»Ich frage jetzt dich, ich will von dir einige Hinweise.«

Tates faltiges Gesicht schien noch mehr in sich zusammenzuschrumpfen.

»Ich wollte, ich könnte dir einen Hinweis geben, Panther«, sagte er. »Denn ich möchte gern dabeisein, wenn du versuchst, den Deckel von einem dampfenden Topf zu nehmen.«

»Von was?«

»Von deiner Erbschaft.«

3

Es hatte wieder zu regnen angefangen, einer jener leichten New Yorker Nieselregen, die eine undefinierbare Trübseligkeit an sich haben und den Asphalt und die Häuser mit einem fahlen, häßlichen Schimmer überziehen.

Ich stand dem hundert Jahre alten Gebäude gegenüber, das zwar eine neue Fassade erhalten hatte, aber immer noch die gleiche Atmosphäre ausströmte. Das Schild war ebenfalls neu. Das alte hatte aus Druckbuchstaben bestanden, dieses hier war aus Neonröhren. Doch die Inschrift lautete immer noch:

RITTER DER NACHT – PRIVATKLUB

Bennett ist immer ein romantischer Bursche gewesen, dachte ich. Bis zu seinem Ende hat er an dem alten Spruch festgehalten: *Einmal ein Ritter – immer ein Ritter.*

Für ihn hatte es keinen Bruch mit der Vergangenheit gegeben. Die elegantesten Wohnungen und luxuriösesten Klubs in der Stadt hatten ihm gehört, aber sein Hauptquartier war das alte Haus geblieben, wo die ›Ritter‹ ihre Raubzüge begonnen hatten.

Vom Beginn bis zum Ende war die einzige Veränderung eine Sache des Höhenunterschieds gewesen. Die Ritter hatten im Keller angefangen und waren im Laufe der Zeit immer eine Etage höher gestiegen, bis ihnen schließlich das ganze Haus gehörte.

Und jetzt tagten die Ritter wieder hinter den absichtlich schmutzig gehaltenen Fenstern, die fast wie Milchglasscheiben wirkten. Der König war tot. Sie mußten sich bemühen, einen neuen zu finden.

Ich überquerte die Straße und stieß die Tür auf. Zum ersten Male stand kein Posten am Eingang. In früheren Zeiten hatte jeweils einer von den kleineren Geistern diese Pflicht übernehmen müssen. Ohne Klubkarte kam man nicht hinein.

Auf den Treppen lag immer noch derselbe Läufer. Die Löcher waren inzwischen größer geworden, das war der einzige Unterschied. Im Geländer war eine Kerbe, die Bunny Krepto in der Nacht vor seiner Ermordung hineingeschnitzt hatte, und am oberen Treppenabsatz war das abgebrochene Ende des Geländers inzwischen von Tausenden von Händen glattpoliert worden.

Ich stieß die Tür mit dem Fuß auf, und sie schwang lautlos nach innen. Der Aufpasser stand mit beiden Händen in den Hosentaschen da und beobachtete schläfrig die Vorgänge jenseits der Bar.

Wie in den alten Tagen, dachte ich. Es hatte sich nicht viel verändert. Nur daß nicht mehr eine Bande von Jungen auf Apfelsinenkisten und Holzbänken hockte, sondern daß jetzt dicke Bäuche und Grauköpfe teure Polstersessel füllten.

Benny Mattick stand oben am Mikrofon. Sein Brooklyn-Slang klang immer noch unverfälscht. Er war älter und fetter geworden, aber er war immer noch Benny-von-Brooklyn, der kaltblütige Gangster, der sich seinen Weg aus Dutzenden von Polizeifallen herausgeschossen und der eine Million mit Heroin umgesetzt hatte, ohne auch nur einmal festgenommen worden zu sein.

Neben ihm stand Dixie. Ich schaute mir den hageren Mann mit den eingesunkenen Wangen an und wunderte mich, wie seine Arme die unzähligen Injektionsstiche ausgehalten haben mochten, unter deren Einfluß er so manchen großen Coup gestartet hatte. Sein Anzug sah nach vierhundert Dollar aus, und der Stein an seinem Mittelfinger war, selbst ungefaßt, ein paar Tausender wert.

Ich blieb stehen, bis der Posten mich bemerkte und mit einer schnellen Handbewegung in die Jacke zu mir herumfuhr.

»Die Karte?« fragte er.

Ich zog nicht die Karte hervor, die sie jetzt alle bei sich hatten. Ich wartete lediglich, bis er mich genau genug gemustert hatte. Dann streifte ich den Ärmel zurück, damit er die vernarbten Buchstaben N. R. sehen konnte, die mit einer Messerklinge in die Rückseite meines Handgelenks geschnitten waren.

Sein Gesichtsausdruck veränderte sich. Das widerfuhr den Neuen immer. Das N. R. war ein Vorkriegszeichen, tief genug eingeschnitten, um immer sichtbar zu bleiben, und die beiden Punkte waren mit einem glühenden Zigarettenende eingebrannt worden.

Ich ging die Sesselreihe entlang, ließ mich neben einem kleinen Burschen auf den Sitz sinken und sagte:

»Hallo, Cat.«

Die Überraschung war echt.

»Du ... Panther! Wann bist du –?«

»Was ist hier los?«

»Meine Güte ... Panther!«

»Ich hab' dich etwas gefragt, Cat.«

»Wir reorganisieren uns, Panther. Ja ... Benny meint –«

»Wann hat er den Befehl übernommen?«

Cat schluckte schwer.

»Sofort, als es Bennett erwischt hat. Du weißt ja, Panther, der Klub ist groß, man kann die Dinge nicht einfach laufen lassen.«

Ich winkte ab. Oben auf dem Podium brachte Benny-von-Brooklyn eben seine Ansprache zu Ende. Er rief sich selbst zum ›König‹ aus, und nach seinem Gesichtsausdruck zu urteilen, war alles bereits abgeschlossen bis auf die ›Huldigungsrufe‹.

Die Nachtritter waren mächtig. Sie hatten Vermögen, sie waren die ›Beschützer‹ des Reviers. Sie stellten auch eine politische Macht dar, die eine feste Hand am Steuer brauchte – und Benny war der richtige Mann.

Ich schaute mir die anderen an, um festzustellen, wie sie es hinnahmen, und auch das war wie in den alten Tagen. Es gefiel ihnen nicht, aber sie wollten es auch nicht zu einer offenen Auseinandersetzung kommen lassen. Sie hatten alle jenen Gesichtsausdruck, der nichts verriet, aber auch nichts bestätigte.

Als Benny sein Lächeln aufsetzte, wußte ich, daß seine Rede zu Ende war. Als nächstes würden alle aufstehen und ihn einstimmig wählen und dann an die Bar gehen, um ein Bier zu trinken.

»Sind noch Fragen offen?« fragte Benny.

Ich stand auf.

»Ja, Benny.«

Neben mir hüstelte Cat nervös und machte sich in seinem Sessel noch kleiner.

Alle Köpfe wandten sich mir zu. Das Stimmengemurmel begann am Rande der Sitzreihen und kam wie eine sanfte Woge auf mich zu. Keiner wollte sich als erster zu Wort melden. In diesem Stadium des Spiels waren sozusagen nur noch die Könige auf dem Brett.

Benny hatte zu lange gezögert, und er wußte es. Er wollte den aufkeimenden Widerstand unterdrücken, aber Dixie brachte ihn mit einem Ellbogenstoß zum Schweigen und fragte:

»Wer ist das da unten?«

Jemand am anderen Ende der Sesselreihe sagte es. Nur das eine

Wort – und alle Gesichter wandten sich mir zu. Wie ein Echo wiederholte sich das Wort – bis auch Benny es hörte. Sein Gesicht rötete sich, und Dixie stand stocksteif und mit einem bösen Zug um den Mund neben ihm.

Als es wieder ganz still geworden war, sagte ich:

»Falls einer von den Neuen mit den Regeln noch nicht vertraut ist, werde ich es euch jetzt erklären. Keiner reorganisiert hier irgend etwas. Ich übernehme die Leitung. Das ist es.«

Benny hielt sich am Mikrofon fest.

»Hör zu, Panther. Du bist doch nicht zurückgekommen, um –«

»Komm her, Benny.«

Die Stille war fast fühlbar. Ich wiederholte es:

»Komm her, Benny. Mach zehn große Schritte und drei kleine.«

Oben auf dem Podium ließ Benny das Mikrofon los und machte seinen ersten großen Schritt. Den zweiten. Dann die Stufen herunter. Kurz vor mir blieb er stehen.

»Noch näher, Benny«, sagte ich. »Noch einen kleinen Schritt.«

Er sah jetzt käsig bleich aus und hatte Mühe, seine Lippen stillzuhalten. Damit es keinem entging, bewegte ich mich langsam. Ich versetzte ihm mit der flachen Hand einen leichten Schlag ins Gesicht. Es war nur eine Demonstration, aber er stolperte gegen die Wand, und sein Blick wurde verschwommen.

Dann sagte ich:

»Dixie!«

Der Posten an der Tür stieß ein leises Keuchen aus, und Cat neben mir rückte einen Sitz weiter.

Dixie machte keine kleinen Schritte, sondern kam in seinem krabbenartrig schrägen Schleichen auf mich zu, und das kalte Grinsen in seinem Gesicht zeigte mir, daß er heute abend einen neuen Einstich in seinem Arm hatte. So aufgedreht wie er war, kam es ihm gar nicht in den Sinn, daß es noch einige Leute gab, die keine tödliche Furcht vor seiner von ihm geliebten Rasierklinge hatten.

Ich ließ ihn nahe an mich herankommen und nahm ihm dann wie der Blitz die Klinge so schnell ab, daß er es erst merkte, als ich sie zerbrach und ihm vor die Füße warf.

Ich stieß ihn unsanft gegen das Podium zurück, und er fiel dort mit einem Ausdruck von Verblüffung in seinen glasigen Augen zu Boden.

Ich sah die anderen an.

»Jetzt kennt ihr die Regeln. Dies hier ist nicht gerade ein

Kaffeekränzchen. Es hat mehr Ähnlichkeit mit einer straffen Organisation, und ich bin die große Nummer. Bei uns gibt man die Herrschaft von Hand zu Hand weiter, wie es uns gefällt, und wenn einer von euch sich stark genug fühlt, das Kommando zu übernehmen, dann soll er es versuchen.«

Als ich mich umschaute, verengten sich all die vielen Äuglein zu einem falschen Lächeln. Einige wandten sich ab, andere zeigten ihre Zustimmung, und wieder andere ließen erkennen, daß sie mich haßten. Aber die meisten hatten einfach nur Angst.

»Einiges hat sich in den letzten Jahren geändert«, sagte ich. »Ich sehe neue Gesichter. Hoffentlich sind es wichtige Leute. Wir wissen alle, weshalb wir uns hier zusammengetan haben. Die Organisation wird so weiterarbeiten wie unter Bennett, bis ich alle Einzelheiten überprüft habe. Gibt es jetzt noch Fragen?«

Eine Hand hob sich.

»Panther?«

»Wer ist das?«

»Charlie Bizz.«

»Nur zu, Bizz.«

»Bleibst du jetzt für immer, Panther?«

»Bestimmt.«

»Gut, Panther. Ich freue mich, daß du wieder da bist.«

Ich nickte in seine Richtung.

»Augie wird alle Papiere zusammensuchen. Macht ihm keine Schwierigkeiten. Ich will eine Mitgliederliste und alle Guthaben, die Bennett hatte. Falls einer etwas verheimlicht, gibt es Unannehmlichkeiten – wie in den alten Tagen.«

Keiner sagte etwas. Aber für mich war die Versammlung noch nicht zu Ende. Ich stützte mich auf eine Sessellehne und ließ den Blick über die Männer gleiten.

»Derjenige, der Bennett auf dem Gewisen hat, sollte lieber versuchen, sich schleunigst aus dem Staube zu machen«, sagte ich. »Wenn ich ihn erwische, ist es mit ihm zu Ende.«

Benny-von-Brooklyn und Dixie waren jetzt wieder auf den Beinen , aber man sah ihren Gesichtern an, daß sie die Geschehnisse noch nicht ganz begriffen hatten.

Der kleine Cat beobachtete mich mit jenem katzenhaft lauernden Ausdruck, der ihm seinen Spitznamen eingebracht hatte. Ich winkte ihm zu.

»Du, Cat – kommst mit.«

Er rappelte sich mit einem Lachen aus seinem Sessel hoch und wartete wie die anderen. Alle warteten.

»Ihr hört von mir«, sagte ich. »Verhaltet euch bis dahin ruhig.«

Der Posten öffnete mir mit einem respektvollen Nicken die Tür, und wir gingen zu Augie hinunter. Er stand in einem Nebenzimmer und schaute zu einem Lautsprecher hoch an der Wand empor.

»Haussprechanlage«, sagte er.

»Dann hast du alles gehört, nicht wahr?« sagte ich.

»Alles, Mr. Panther«, antwortete er. »Ich weiß genau, was ich zu tun habe.«

Cat öffnete die Tür, und wir standen draußen in der frischen Regenluft. Cat hustete in seine Hand und klopfte sich gegen die Brust. Als er wieder sprechen konnte, sagte er:

»Was ist mit mir, Panther?«

»Wie immer, Cat. Über die Mauern und Zäune – dort hinein, wo keiner sonst hinkommt. Ich brauche deine Augen – deine Ohren.«

»Ich tauge nicht mehr so viel wie früher, Panther.«

»Krank?«

»Die Lunge. Aber ich werde dennoch länger leben als du.«

»Meinst du?«

»Sie erwischen dich, Panther. Auf keinen haben sie es so sehr abgesehen wie auf dich. Sie haben große Sachen vor, und du pfuschst ihnen nun dazwischen. Hast du das nicht gemerkt?«

»Ich habe es gefühlt.« Ich lächelte ihm zu. »Aber es hat keiner Einspruch erhoben.«

»Du hast sie zu schnell überrumpelt. Sie sind diese Gangart nicht mehr gewöhnt. Ich auch nicht.«

»Ja, es hat sich manches verändert«, sagte ich.

Cat lachte.

»Aber wie ich schon sagte: ich stehe zu dir. Es wird zwar nicht lange gutgehen, aber solange es dauert, bin ich bei dir.«

»Hast du keine Angst vorm Sterben?«

»Mann, Mann – ich habe bloß Angst vorm Leben. Es bringt mich fast um.«

Er lächelte mich in einer undurchschaubar hintergründigen Art von tiefer Trauer an, und wir machten uns auf den Weg.

4

Der Polizist vom Streifendienst war schon alt gewesen, als ich ihn das erste Mal kennengelernt hatte. Das graue Haar unter dem Schweißband seiner Dienstmütze war mehr als nur ein Anzeichen für baldige Pensionierung. Es bedeutete, daß ein Mann kräftig und hart genug gewesen war, sich in dieser Umgebung am Leben zu halten und daß er alle geschriebenen und ungeschriebenen Gesetze hier kannte – die guten und die schlechten.

Sein Schritt hatte etwas Endgültiges an sich – nur darauf bedacht, vorwärts zu gehen, niemals zurück. Der Nachtknüppel an der Lederschlaufe schwang in jenem drohenden Rhythmus hin und her, den niemand mißverstehen kann.

Der Polizist blieb vor mir stehen und sagte:

»Ich habe gehört, daß Sie zurückgekommen sind, Panther.«

»Sie sitzen an der richtigen Nachrichtenquelle, Mr. Sullivan.«

»Ich habe auch gehört, daß es bereits Streit gegeben hat.«

»Nicht direkt.«

Er hob den Zeigefinger und malte damit ein herzförmiges Muster auf meine linke Brustseite.

»Das ist eine leicht verwundbare Stelle. Nur ein paar Gramm Blei dorthin, und Sie sind erledigt, Junge.«

»Sie sprechen wie in den alten Tagen, Mr. Sullivan.«

»Und Sie benehmen sich wie in den alten Tagen, Panther.« Die kleinen Fältchen um seine Augenwinkel schienen zu erstarren. »Bis jetzt ist es ruhig gewesen. Keiner ist erschossen worden.«

»Außer Bennett.«

»Richtig. Jetzt aber kein weiteres Blutvergießen. Niemand und nichts ist soviel wert.«

»Sie sind ziemlich philosophisch geworden, seit Sie mir vor fünfundzwanzig Jahren mit einem Paar Handschellen halbwegs die Seele aus dem Leib geprügelt haben.«

Er erinnerte sich und nickte.

»Es hat aber nicht viel genutzt, nicht wahr?«

»Ein wenig doch, Mr. Sullivan. Ich weiß jetzt, wieviel Schaden jemand mit einem Paar Handschellen anrichten kann. Es wird mir nicht wieder passieren.«

»Seien Sie dessen nicht so sicher.« Sein Blick wurde härter. »Sie haben sich jetzt in eine große Unternehmung eingelassen, Junge.

Fangen Sie lieber an, sich ein paar gute Tage zu machen. Es werden nicht mehr viele sein.«

Ich lachte, und er wurde ärgerlich.

»Immer noch der alte Besserwisser? Wieviel Männer haben Sie inzwischen erschossen, Panther?«

»Fünf«, sagte ich kalt und gewollt zynisch. »Fünf und wahrscheinlich noch zwei.«

Sullivan glaubte mir natürlich kein Wort.

»Machen Sie mir in meinem Revier keinen Ärger«, sagte er.

Ich zuckte mit den Schultern.

»Ich will versuchen, Ihnen den Gefallen zu tun, Mr. Sullivan. Aber falls etwas geschehen sollte, seien Sie vorsichtig. Ich habe so eine merkwürdige Art von Sympathie für Sie.«

Als ich weiterging, fühlte ich viele Blicke auf mir ruhen, und ich wußte, daß das Gespräch belauscht worden war und weitergegeben werden würde. Genau das hoffte ich. Vielleicht war es lange Zeit in diesem Revier ruhig gewesen, aber die Zeiten waren jetzt vorbei.

Das einzige, was sich in fünfundzwanzig Jahren in Brogans Markthalle geändert hatte, war die äußere Verpackung der Waren. Auf dem Gehsteig stapelten sich die Gemüsesteigen vor den Fenstern, und drinnen hantierte Brogan immer noch eifrig mit seiner tomatenbefleckten Schürze und der Strohmütze.

Neben dem Laden führte eine schmale Tür in das vierstöckige Treppenhaus. Es war ein Aufstieg in düsterem Dämmerlicht, wobei das Geländer eine notwendige Hilfe bedeutete.

Auf dem Treppenabsatz im zweiten Stock waren zwei Türen, aber nur durch die hintere Tür drang Licht. Auf dem Metallschild über der Türklingel stand: LEE. Die Klingel funktionierte nicht. Ich klopfte an. Drinnen waren Geräusche zu hören, aber es meldete sich niemand. Ich klopfte noch einmal und hörte endlich näherkommende Schritte. Ein Riegel wurde zurückgeschoben, und die Tür öffnete sich.

Auf manche Dinge ist man nie vorbereitet. Man erwartet zum Beispiel nicht, daß ein unerhört hübsches Mädchen einem in einem völlig verwohnten und verwahrlosten Mietshaus die Wohnungstür öffnet. Sie war fast so groß wie ich, und ich spürte sofort deutlich das von ihr ausströmende weibliche Fluidum. Sie hatte einen Blick, der mehr zu tasten als zu sehen schien – einen Blick, der sanft über mich hinwegstrich und mich dann weniger sanft zurückstieß. Und dazu wunderbares schwarzes Haar.

»Hallo, Hübsches«, sagte ich und schaute sie an.

Sie hob die Brauen und sagte:

»Ja?«

»Ich möchte Tally Lee besuchen.«

Sie schüttelte leicht den Kopf.

»Tut mir leid, aber sie kann keine Besuche empfangen.«

»Warum nicht?«

»Tally ist krank gewesen. Wenn Sie mich jetzt entschuldigen würden –«

Ich schob die Tür auf und trat ein.

»Ich entschuldige nichts«, sagte ich.

Dann schloß ich die Tür und ging den Gang entlang in das Schlafzimmer. Eine Nachttischlampe verbreitete mattes, gelbes Licht. Tally lag in einem altmodischen Bett mit vier hohen Pfosten. Ihr rötliches Haar umrahmte fast zu hart ihr nahezu blutleeres Gesicht mit den geschlossenen Augen. Die Bettdecke bewegte sich kaum, wenn sie atmete.

»Was ist passiert?« fragte ich.

»Schlaftabletten.«

»Warum?«

»Irgend etwas hat ihr Angst eingejagt.«

»Ist sie jetzt über dem Berg?«

»Für den Augenblick vielleicht.« Sie atmete heftig ein. »Und jetzt verschwinden Sie endlich.«

»Mir paßt es noch nicht.« Ich schaute auf Tally hinab.

»Gehen Sie jetzt, Mann. Sonst könnte Ihnen etwas passieren.«

Ich schüttelte den Kopf.

»Mir kann nichts passieren.«

»Machen Sie sich keine Illusionen. Vielleicht wissen Sie nicht, wer ich bin.«

Ich wartete lange, bevor ich sagte:

»Ich weiß, wer du bist, Mädchen.«

Entweder hatte sie mir nicht zugehört, oder sie glaubte es nicht.

»Lenny Sobel ist mein... Freund. Burschen wie Sie gefallen ihm nicht. Ich könnte ihm Bescheid sagen.«

Ich drehte mich um, legte einen Finger unter ihr Kinn und hob es an.

»Dann bestell ihm von mir, daß er ein Kinderschreck ist.«

Sie schlug mit der Hand meinen Finger weg, und ihre Augen funkelten zornig.

»Von wem soll ich ihm das bestellen? Wollen Sie wirklich Selbstmord begehen?«

Ich lächelte und beobachtete die weißen Zahnreihen, während ihre vollen Lippen sich ärgerlich bewegten.

»Hast du ein so schlechtes Gedächtnis?« fragte ich. »Einmal habe ich dir einen zudringlichen alten Fettsack vom Halse gehalten, und dann habe ich später einmal zwei von Bellos Gangstern verprügelt, als sie dich in einem Auto verschleppen wollten. Ich wiederum hab' mich von einem Glücksspieler verprügeln lassen müssen, weil er dachte, ich hätte ihm sein Geld geklaut – dabei warst du es gewesen. Erinnerst du dich jetzt?«

Sie wich unwillkürlich einen Schritt zurück. Ihre Augen beherrschten mit einem Male ihr ganzes Gesicht – groß, leuchtend und mit einer dunklen Melancholie im Blick.

»Panther!«

»Ja. Du hast immer noch eine hübsche Art, meinen Namen zu sagen.«

Ich spürte, wie die Erinnerung sie übermannte: die Straße, die jugendliche Bande, die kindlichen Spiele in der Schule. Das Vordach, unter dem wir an einem warmen Kamin lehnten – zwei Kinder, die die Unschuld der Liebe mit einem ersten Kuß zerstörten.

Dann kamen ihr andere Dinge in Erinnerung, und ihr Blick wurde abweisend.

»Es wäre besser für dich, wenn du weit fort wärst, Panther.«

»Das scheint die vorherrschende Meinung zu sein.« Ich musterte sie lächelnd. »Du bist ein hübsch aussehendes Mädchen, Helen. Obwohl das keine große Veränderung ist, denn du warst es immer.«

»Ich weiß.«

»Natürlich. Es läßt sich schlecht verheimlichen. Es wundert mich, daß du dich mit einem so windigen Burschen wie Lenny einlassen mußt.«

Ihr Blick war mit einem Male voller Haß – oder war es etwas anderes?

»Du bist erledigt, Panther«, sagte sie böse. »Du bist bereits so gut wie tot und beerdigt.«

Ich nickte.

»Das habe ich schon gehört. Bloß werde ich nicht als erster unter der Erde liegen, und das scheinen manche Leute nicht einzukalkulieren.«

Sie antwortete nicht. In ihrem Blick kämpften jetzt Haß, Mitleid – und noch etwas anderes, was ich nicht definieren konnte.

»Was ist mit Tally passiert?« fragte ich.

»Ich weiß nicht. Sie hat mich vor einer Weile angerufen, und ihre Stimme klang ziemlich hysterisch. Ich dachte, sie hätte getrunken, und riet ihr, zu Bett zu gehen. Als ich herkam, lag sie ohnmächtig im Sessel – mit einer zur Hälfte geleerten Flasche Pernod neben sich.«

»Hast du einen Arzt gerufen?«

»Natürlich. Er war den ganzen Morgen hier.«

»Nichts Ernstes also?«

»Körperlich nicht.«

»Warum hat sie dich angerufen, Helen? Du gehörst in ein anderes Viertel und hast die Luft hier nicht mehr gerochen, seit du zwölf Jahre alt warst. Du bist hier so fehl am Platze wie eine Lady bei einem Lumpenhändler.«

»Quatsch nicht so kariert, Panther.«

»Jetzt redest du wieder, wie es in diesem Viertel üblich ist. Vergiß nicht, daß du jetzt in einer feineren Gegend lebst.«

Sie runzelte einen Moment die Stirn.

»Na gut, ich wohne jetzt woanders. Aber ich hatte eine wirkliche Freundin in meinem Leben.«

»Nicht etwa Tally?«

»Nein. Ihre Schwester.« Sie sah meinen fragenden Gesichtsausdruck und schüttelte den Kopf. »Du kannst dich bestimmt nicht mehr an sie erinnern. Soviel hast du dir damals aus Mädchen nicht gemacht. Sie war in meinem Alter. Wir sind in dieselbe Klasse gegangen. Weißt du, was mit ihr passiert ist?«

Tally hatte es mir seinerzeit erzählt.

»Ja«, sagte ich. »Bennett hat sie süchtig gemacht. Sie kippte ab.«

Die Muskeln und Sehnen an ihrem Hals strafften sich.

»Von einem Dach ist sie abgekippt«, sagte sie hart. »Und dein Freund hat das angerichtet.«

»So?«

»Ja. Und ich werde mich freuen, wenn sie dich auch umbringen.«

»Kein hübscher Willkommensgruß«, sagte ich ruhig.

Sie sah mich wieder mit jener unbeschreiblichen Mischung aus Mitleid, Haß und sonst noch etwas an.

»Warum bist du hergekommen?«

»Du würdest es nicht verstehen«, sagte ich.

»Versuch es mir zu erklären.«

Ich zog einen auf Tallys Namen ausgestellten Scheck aus der Tasche und zeigte ihn ihr.

»Ein Tausender.«

»Willst du damit das Leben ihrer Schwester bezahlen?«

»Sei nicht so töricht«, sagte ich. »Das soll keine Entschädigung sein, sondern Bezahlung für eine Information.«

»Du meinst, sie würde dir etwas verraten?«

Ich nickte.

»Ja. Sie ist wie du. Sie will meinen Tod. Sie würde mir alles geben, was ich verlange – nur um dieses Ziel zu erreichen.«

»Nicht alles.«

»Aber du würdest es wohl tun?«

Ich lächelte sie an, aber mein Lächeln erstarb, als ich ihren Blick sah.

»Das stimmt«, sagte sie heftig. »Von mir kannst du alles erfahren, was du willst. Wenn ich nur sicher bin, daß es dich umbringt.«

Ich schrieb eine kurze Mitteilung, heftete sie an den Scheck und legte beides neben Tally aufs Kissen. Als ich aufschaute, sagte ich:

»Vielleicht kann ich dir deinen Wunsch erfüllen. Komm.«

Eine Etage tiefer fand ich einen Nachbarn, der sich für zwanzig Dollar um Tally kümmern wollte, und einen Arzt, der – für weitere zwanzig Dollar – sie von Zeit zu Zeit besuchen würde. Ein Anruf von Augie beschaffte mir einen Mann, der das Haus bewachen und dafür sorgen würde, daß dort alles in Ordnung ging.

Als ich aus der Telefonzelle trat, wartete Helen auf mich. Sie trug einen hübschen Nerzmantel, und aus jedem ihrer Blicke las ich die Verachtung, die sie für mich empfand.

Ich winkte ein Taxi herbei, und als wir beide saßen, nannte ich dem Chauffeur die Adresse eines Klubs. Helen sah mich an, und die Verachtung in ihrem Blick wurde jetzt von Neugier überschattet.

»Warum all die Geschäftigkeit um Tally?«

»Um Bennetts Mörder zu finden.«

»Welch eine edle Aufgabe.«

»Du willst mich doch auch unter der Erde sehen?«

»Das ist etwas anderes«, sagte sie. »Ich hasse dich, weil du einer von denen bist, die schuld daran sind, daß unschuldige Kinder zu gemeinen Mördern, Erpressern und Schuften werden.«

»Und trotzdem bist du Lenny Sobels... Freundin?« fragte ich höhnisch.

»Wahrscheinlich wirst du meine Motive nicht verstehen«, antwortete sie. »Aber ich werde sie dir trotzdem zu erklären versuchen.« Ihre Augen wurden schmal, die Winkel wie bei einer Orientalin nach oben gezogen. »Als seine Freundin habe ich so viel Einfluß, daß ich... einigen Leuten das Leben leichter machen kann.«

»Und anderen vielleicht schwerer?«

»Vielleicht –«

5

Als die 52. Straße aufgerissen wurde, mußte eines der alten Bistros aus Zweckmäßigkeitsgründen für teures Geld enteignet werden. Der Besitzer machte den Laden etwas weiter nördlich wieder auf, taufte ihn von DER SCHNELLZUG in DIE SIGNATUR um und erreichte damit durch eine der verrückten Launen des New Yorker Lebens, daß das Lokal über Nacht bekannt und jetzt bereits seit zwei Jahren gut besucht wurde.

Essen und Musik waren gut und die Preise hoch. Sogar zum Mittagessen mußte man einen Tisch vorbestellen, es sei denn, man konnte sich auf Lenny Sobel berufen und diesen Hinweis glaubwürdig genug vorbringen.

Als wir aus dem Taxi stiegen, war Helens Gesicht eine Studie hübscher Verwirrung. Sie schien nicht zu wissen, ob sie weiter mitmachen oder einfach fortlaufen sollte.

Ich gab dem Taxifahrer aus Aberglauben einen Dollar Trinkgeld extra, nahm Helens Arm und ging auf die Eingangstür zu.

»Du weißt, wohin du gehst, nicht wahr?«, sagte sie.

»Sicher.« Ich nickte. »In das Lokal deines Freundes.«

Sie warf mir einen schrägen Blick zu.

»Woher wußtest du, daß es Lenny gehört?«

Ich lächelte sie an.

»Du wirst es nicht glauben: ich habe sogar noch einige Freunde, die mir dies und jenes zutragen.«

Der Oberkellner war eine Kapazität auf seinem Gebiet. Slawischer Herkunft und 1949 von *Galveston* aus Paris importiert.

Ein großzügiges Geldangebot hatte ihn neuerdings in *Die Signatur* gelockt. Sein Name war Stashu. Er trug im Revers zwei Ordensbänder für seine Aktivität in der Untergrundbewegung im letzten Krieg. Ein Nicken des Wiedererkennens von ihm brachte einem die Hochachtung aller Gesellschaftssnobs ein.

In der Eingangsdiele standen wartende Gäste und ließen sich von hübschen Kellnerinnen Cocktails auf Kosten des Hauses servieren. Einige gutgekleidete Herren vom Typ ›erfolgeicher junger Geschäftsmann‹ zogen den Aufenthalt an der Seitenbar im Hauptraum dem entwürdigenden Warten in der Diele vor.

Ich gab dem Mädchen an der Garderobe Hut und Regenmantel und wandte mich Helen zu. Sie sah kühl und ernst aus und bewegte sich trotz der vielen auf sie gerichteten Blicke mit vollendeter Gelassenheit. Ich ging auf die plüschbezogene Sperrkette zu, hinter der Stashu mit einem Kellner sprach. Er schaute auf, lächelte und nickte. Dann senkte er die Plüschkette, führte Helen und mich an einen Tisch und entfernte diskret das Reserviertzeichen, auf dem irgendein fremder Name stand.

Er nahm unsere Bestellungen persönlich entgegen, lächelte wieder und ging.

Helen sah mich an, und ein Schatten huschte über ihr Gesicht.

»Das ging zu glatt, Panther.«

»Natürlich.«

»Du bist schon früher hier gewesen.«

Ich sah sie nur an und wartete.

»Wie hast du das angestellt?«

»Oberkellner werden dafür bezahlt, daß sie Leute kennen. Alle Leute, die man irgendwie kennen muß.«

Sie sah mich unschlüssig an.

»Er wird es Lenny berichten«, sagte sie.

»Das nehme ich an.«

Die Drinks wurden serviert. Sie waren so tadellos, wie man es hier erwarten konnte Zweimal kam Stashu vorbei, fragte in seinem fremdländischen Englisch, ob alles in Ordnung sei, und ging zufrieden weiter, als ich es ihm bestätigt hatte. Gegen vierzehn Uhr dreißig ging die Tafelmusik in die Schlagernummern der Cocktailstunde über. Das Restaurant leerte sich etwas, und Lenny Sobel trat in Erscheinung.

Er war fett geworden. Obwohl er immer noch etwas halbseiden aussah, gelang es ihm jetzt, einen Fünfhundert-Dollar-Anzug und einen Zehntausender-Brillantring mit einer gewissen Selbstverständlichkeit zu tragen.

Lenny Sobel ging nie schnell. Vielleicht konnte er es nicht. Aber es war auch möglich, daß er es nicht wollte. Er ging weder normal noch schlenderte er. Es war eine Art von Schreiten, was er praktizierte. Den beiden hinter ihm fiel es offensichtlich schwer, sich diesem Schrittmaß anzupassen. Entweder mußten sie von Zeit zu Zeit stehenbleiben und dann wieder schnell aufholen, oder sie mußten so langsam schleichen, daß es lächerlich wirkte.

Als er unseren Tisch erreicht hatte, bedachte er zuerst Helen und dann mich mit einem fetten Lächeln.

»Hallo, Schweinchen«, sagte ich.

Wenn nicht Lenny eine schnelle Handbewegung gemacht hätte, wäre ich an Ort und Stelle erschossen worden, und die beiden Burschen hinter mir hätten auf der schwarzen Liste eines anderen gestanden.

Aber ich wußte, daß Lenny seine Beschützer schnell zurückpfeifen würde, und mein Grinsen verriet allen, daß ich es wußte.

»Laß sie nach vorn kommen, Lenny«, sagte ich.

Er lächelte immer noch. Es war ein freundliches Lächeln, das die Fettwülste unter seinen Augen in humorvolle Falten preßte. Er wies die beiden an, nach vorn zu treten, und sie standen gehorsam und abwartend da.

Einer war ein Fernseh-Westerntyp, mit schmalen Hüften und überbreiten Schultern. Seine Jacke war an einer Stelle großzügig geschnitten, so daß er unauffällig einen Revolver tragen konnte. Der andere sah so durchschnittlich wie nur möglich aus. Ich nickte den beiden zu und sagte höflich:

»Harold... Al: es freut mich, euch wiederzusehen.«

Nur Al, der Durchschnittliche, zuckte nervös mit den Lidern.

»Dein Kumpel ist ein windiger Film-Sherifftyp, Al«, sagte ich. »Ein lausiger Partner.«

Lenny Sobels Hand berührte meine Schulter.

»Du kennst meine Begleiter?«

»Sicher. Großartige Burschen. Al ist der Schlauere. Du mußt auf ihn aufpassen. Er hat, glaube ich, noch keine Eintragung im Strafregister und besitzt viel Ehrgeiz.«

Der Gangster sah mich mit ruhigem, ausdruckslosem Gesicht an.

»Stimmt das, Al?« fragte Sobel.

»Ich arbeite für Sie, Mr. Sobel. Sie wissen, was ich leisten kann.«

Lennys Lächeln wurde breiter.

»Haben Sie den Mann hier je gesehen, Al?«

»Bis jetzt nicht, Mr. Sobel. Aber ich würde mich freuen, wenn Sie mir Gelegenheit gäben, mich richtig vorzustellen.«

Lenny lachte.

»Hast du gehört, Panther?« Er winkte ab. »Keine Unfreundlichkeit jetzt. Du bist mein Gast.« Er wandte sich den beiden zu. »Wartet draußen auf mich. Ich komme bald.«

Als sie gegangen waren, zog Lenny einen Stuhl an den Tisch und setzte sich. Sein Lächeln wurde schlaffer, als er Helen ansah.

»Wie ich sehe, sind die Erinnerungen an alte Zeiten wieder wach geworden«, sagte er.

Ihr Bick wurde unruhig.

»Lenny –«

»Es ist alles in Ordnung, meine Liebe. Wenn ein Mann so ungestüm ist wie unser alter Freund Panther, kann man sehr leicht in sein Kielwasser geraten.«

Aus seinem Munde klang dieser Ausspruch merkwürdig.

»Du scheinst inzwischen einiges gelernt zu haben, Lenny«, sagte ich. »Du machst mehr von dir her als früher. Damals warst du nichts als ein kleiner Rauschgiftschieber. Jetzt bist du eine Stufe höher geklettert.«

»Suchst du Streit, Panther?«

Ich lehnte mich im Sessel zurück, und alle anderen Gäste im Restaurant mochten denken, wir führten nichts als eine nette, freundliche Konversation.

»Ich bin nicht zurückgekommen, um Streit zu suchen, mein Freund«, sagte ich. »Du weißt, weswegen ich hier bin, Lenny.«

»Sag es mir.«

»Ich übernehme die Organisation.«

»Meinst du?« In sein Lächeln mischte sich ein zorniges Zucken der Mundwinkel.

»Ich habe es bereits getan«, berichtete ich ihm.

Seine dicken Finger krampften sich um die Armlehnen, er richtete sich halb aus dem Sessel auf, und als er sprach, waren nur die dünnen Ränder seiner Schneidezähne zu sehen.

»Du windiger, kleiner Ganove. Du Straßenstreuner. Du lausige Kellerratte...«

»Erinnerst du dich noch daran, wie ich dir in den Hintern geschossen habe, Lenny?« unterbrach ich ihn sanft.

Sein Blick verriet mir, daß er sich sehr gut erinnerte.

»Es haben damals Leute zugeschaut, aber das hat mich nicht gestört.« Ich hielt inne und lächelte wieder. »Hier sind jetzt auch Leute, und es würde mich nicht stören.«

Er schien in der halb stehenden Haltung erstarrt zu sein, bis ich ihn mit einer Handbewegung zum Hinsetzen aufforderte. Dann atmete er langsam aus, setzte sich und gewann allmählich seine Fassung zurück. Er schien sich fast zu schämen, daß er sich so hatte gehenlassen.

»Du bist nicht nur zum Essen hergekommen, Panther«, sagte er nach einer Weile.

»Das stimmt. Es ist mehr ein Besuch. Ich wollte alle großen und kleinen Freunde aufsuchen und sie wissen lassen, daß ich da bin und Bennetts Organisation übernommen habe.«

»Du willst es wirklich tun?« fragte er mit echtem Erstaunen.

»Wie gesagt: ich habe es bereits getan.« Ich stand auf, winkte Stashu herbei und gab ihm eine Banknote, die die Rechnung reichlich beglich. »Komm, Helen. Unser dicker, kleiner Freund hier wird jetzt die Neuigkeit an alle weitergeben, die sie noch nicht gehört haben.«

Als ich auf Lenny hinabschaute, schien ihm sein Kragen plötzlich zu eng zu werden. Sein Gesicht war purpurrot.

»Ich werde mich nicht an dir vergreifen müssen, Panther«, sagte er böse. »Du bist reif für den Elektrischen Stuhl. Sobald du Hand an jemanden legst – und wenn es der kleinste Ganove von der Bowery ist –, bist du erledigt.«

»Kommst du, Helen?« fragte ich.

Ohne sie anzusehen, sagte Lenny:

»Sie kann hierbleiben, wenn sie will.«

Ich schüttelte den Kopf.

»Das riskiert sie nicht. Ich könnte umgebracht werden, ohne daß sie dabei ist, und das würde sie sich nie verzeihen. Komm, Helen.«

»Es ist besser, wenn du bleibst«, sagte Lenny zu ihr.

Sie schüttelte den Kopf, und ihr Blick war kühl und ernst.

»Es tut mir leid, Lenny. Aber er hat recht. Ich will dabeisein, wenn es passiert.«

Sie nahm ihre Handtasche, schlüpfte in den Nerzmantel und ging vor mir her den Gang entlang.

Hinter uns lachte Lenny – es war ein leiser, unheimlicher Laut: fast wie das Röcheln eines Erstickenden.

Es hatte wieder zu regnen angefangen, und alle vorbeifahrenden Taxis waren besetzt. Ich nahm Helens Arm und führte sie an den Häusern entlang zur Sixth Avenue. Wir überquerten die Straße und gingen nach Süden weiter, bis wir Martins Bar erreicht hatten.

Das Lokal war leer bis auf den Barkeeper: einen dünnen Mann mit ergrauendem Haar und dem skeptischen, welterfahrenen Blick eines Broadway-Mannes. Er servierte uns den bestellten Kaffee und zog sich wieder ans Ende der Bar vor den Fernsehapparat zurück.

Ich schüttete mein Kleingeld auf die Theke, suchte die Zehncentstücke heraus und bedeutete Helen, sie möge warten.

Meine drei Telefongespräche dauerten ebenso viele Minuten, und als ich in die Bar zurückkehrte, trank ich meinen Kaffee aus. Als ich die Tasse hinstellte, sagte sie:

»Was jetzt, großer Mann?«

»Hast du je Brot gebacken?« fragte ich.

Unsere Blicke trafen sich im Spiegel hinter der Bar.

»Vor langer, langer Zeit.«

»Weißt du, wie Hefe arbeitet?«

Nur ihre Augen waren über dem Tassenrand sichtbar, und sie schienen wieder orientalisch schräg geschlitzt zu sein. Sie nickte, ohne etwas zu sagen, und trank die Tasse aus.

Der Bursche, der die Bar betrat, hatte kleine Mausaugen und einen kümmerlichen Schnurrbart. Seine Schirmmütze war ihm etwas zu groß, und sein Anzug war fleckig und roch säuerlich nach Schweiß und Abfall.

»Hallo, Pedro«, sagte ich und wies einladend auf den Barhocker neben mir. »Willst du etwas trinken?«

»Nein – nichts.«

»Geld?«

»Nein. Ich will nichts. Ich bin nur hergekommen. Was wollen Sie von mir?«

»Setz dich.«

»Ich kann stehen bleiben.«

Ich packte ihn und hob ihn auf den Barhocker.

»Ich will von dir wissen, wie du Bennett gefunden hast, nachdem man ihn erschossen hatte.«

Pedros rechte Hand begann so stark zu zittern, daß er sie mit der Linken festhalten mußte. Er warf einen schnellen Blick zur Tür hin, und als ich mit dem Kopf schüttelte, schien er noch mehr in sich zusammenzuschrumpfen.

»Ich . . .«

»Nur zu, Pedro.«

»Ich weiß nicht, wovon Sie reden – wirklich nicht.«

»Na gut, Freund. Fangen wir die Sache anders an. Faß an deine linke Jackentasche.«

Unwillkürlich sank seine Hand herab und tastete von außen die Tasche ab. Im nächsten Moment hatte er begriffen, was gespielt wurde, und er versuchte zu türmen. Ich packte seine Arme und zwang ihn, beide Hände auf die Theke zu legen. Er zitterte heftig.

»Was ist mit ihm los?« fragte Helen.

»Nichts Besonderes«, sagte ich mit einem bösen Lächeln, das vor allen Dingen für Pedro bestimmt war. »Ich habe unseren Freund nur eben auf die Bahn von Gesetz und Ordnung geschoben. Er ist süchtig. Ich habe also die Ration für ein paar Tage mit dem nötigen Zubehör in seine Tasche praktiziert, und wenn er damit erwischt wird, wandert er für lange Zeit ab. In fünf Minuten wird ein Polizist hereinkommen und unseren Freund unter die Lupe nehmen. Es sei denn, er erleichtert inzwischen sein Gewissen. In diesem Falle kann er sogar den Tascheninhalt behalten.«

Helen war so angewidert, daß sie von mir wegrückte.

»Es gibt einen bestimmten Namen für Leute deiner Art«, sagte sie.

Ich nickte.

»Das ist mir schon zu Ohren gekommen. Hören wir uns jetzt seine Rede an.« Ich wandte mich Pedro zu. »Du hast noch vier Minuten Zeit. Überleg dir, wie du es haben willst.«

»Sie verraten mich nicht?«

»Was hätte ich davon?«

»Dieser Mann . . . Bennett . . . Ich habe ihn nicht erschossen. Er war schon so. Sie verstehen?«

Ich nickte.

»Er war schon tot. Sie wissen, nicht wahr? Ich habe ihn nicht umgelegt. Er hatte ein sehr großes Loch hier . . .« Er tippte an die Stelle an seinem Hals. »Ich hab' seine Uhr genommen. Es war eine sehr gute Uhr; dafür bekam ich nur einen Dollar. Ich habe seine Brieftasche genommen. Sie enthielt zwanzig Dollar. In seiner Tasche hatte er noch zehn Dollar. Das ist alles, was ich genommen habe. Dann bin ich weggerannt. Ich glaube nicht, daß jemand es gesehen hat.«

»Wo ist seine Brieftasche?«

»Ich habe sie irgendwo weggeworfen.«

»Wo?«

»Ich glaube, ich weiß –«

»Such die Brieftasche, Pedro. Wenn du sie gefunden hast, nimm sie mit zu dir nach Haus und behalt sie dort, bis ich vorbeikomme. Verstehst du?«

Er nickte eifrig.

»*Si*. Ich verstehe. Sie wissen . . .«, er zögerte.

»Ich weiß, wo du wohnst«, sagte ich.

Er wollte noch etwas sagen, ließ es aber dann sein und rutschte vom Stuhl herunter. Sein Abgang war lautlos – als entweiche ein Schatten. Als die Tür sich hinter ihm geschlossen hatte, schaute Helen mich verwirrt an.

»Bennett ist tot in seinem Zimmer gefunden worden«, sagte sie.

»Das war nicht das erste Mal, daß man ihn tot fand.«

»Woher weißt du das?«

Es war die gleiche Frage, die Pedro beinahe gestellt hätte.

»Nur ein Mensch in der Welt konnte nahe genug an Bennett herankommen, um ihn in seiner eigenen Wohnung zu erschießen«, sagte ich.

»Wer?«

»Ich, Liebling. Er hatte eine fast pathologische Angst davor, auf seinem eigenen Perserteppich ermordet zu werden. Das war eine seiner kleinen Schwächen.«

»Und wie bist du auf Pedro gekommen?«

»Die Uhr hatte eine Gravierung auf dem Deckel, und Pedro hat sie einem von der Skorpion-Bande verkauft.«

»Und weiter?«

»Ich habe die Uhr als Junge in einem Warenhaus geklaut und in den Deckel eingeritzt: *Für Ben von Panther*. Es war eine billige Uhr, aber er hat sie immer gern getragen. Die Skorpione sind eine jugendliche Bande von der anderen Seite der Amsterdam Avenue, aber sie wußten, was die Worte bedeuteten. Süchtige haben die dumme Angewohnheit, viel zu reden, wenn sie unter Rauschgifteinfluß stehen, und so war es mit Pedro auch. Jedenfalls hat mich die Nachricht schnell erreicht.«

Der Barkeeper kam und füllte unsere Tassen nach. Seine merkwürdig klugen Augen kamen mir etwas zu wissend vor, als er mich anschaute und dann zum anderen Ende der Bar zurückging.

Zehn Minuten später kam der große Bursche herein. Es war eine seltsame Steifheit in der Art, wie er ging und seine Hände bewegte. Um sie zu beschäftigen, öffnete er seinen Regenmantel und schob sie in die Hosentaschen. Der Stahlschimmer des Totschlägers und der Handschellen an seinem Gürtel zeigte sich einen Moment und verriet, was der Mann war – wenn man es ihm nicht schon vom Gesicht ablesen konnte. Er sah Helen nicht an, als er sagte:

»Verschwinden Sie, Mädchen.«

Wortlos ließ sie sich vom Barhocker gleiten und ging nach hinten zu den Toiletten.

»Haben Sie es?« fragte ich.

Er zog zwei zusammengefaltete Blatt Papier aus der Jackentasche und reichte sie mir. Ich faltete die Schriftstücke auseinander und las sie sorgfältig durch. Als ich fertig war, griff ich in die Tasche und zog eine Hunderter-Note hervor. Er griff schnell danach, aber nicht schnell genug, daß Helen es beim Zurückkommen nicht bemerkt hätte.

Sie hielt sich zurück, bis er gegangen war, aber dann entlud sich ihre ganze Verachtung in dem einen leisen Wort: »Bestechung.«

»Natürlich, Liebling«, sagte ich gedehnt. »So wird es nun einmal gehandhabt. Wenn man etwas erfahren will, muß man es irgendwie herausfinden – oder kaufen.«

»Und was hast du diesmal gekauft?« fragte sie verächtlich.

»Sehr wenig. Nur den offiziellen Polizeibericht über Bennetts Tod.«

Ich glitt vom Barhocker und knöpfte meinen Regenmangel zu. Der Barkeeper warf einen Blick auf das Wechselgeld, das ich auf der Theke liegengelassen hatte, und nickte dankend. Ich nahm Helens Arm und führte sie hinaus.

6

Das Wohnhaus, in dem Bennett gestorben war, gehörte jetzt mir – vorläufig jedenfalls. Es war bei weitem nicht das schönste Haus, das er besessen hatte. Aber sentimentale Heimatgefühle hatten ihn an diese Straße gefesselt, und es mußte ihn wohl mit einer seltsamen Art von Stolz erfüllt haben, das schäbige Mietshaus so umzubauen, daß es von innen allen Luxus der Park Avenue aufwies.

Während ich vor der Tür auf Augie wartete, schaute ich die Straße entlang, die Bennett, mich und die anderen hervorgebracht hatte, und ich fragte mich, weshalb sich hier nie etwas zu verändern schien. Die Gerüche waren die gleichen, und die Geräusche waren die gleichen. Schräg gegenüber stand das Haus, in dem ich geboren war, und der Mann, der im Torweg lehnte und eine Flasche Bier trank, hätte mein Vater sein können.

Ich schaute zum Dach empor und sah, daß die Einbuchtung in der Brüstung noch da war, von wo aus Bennett und ich die Ziegelsteine mitten in die von der Columbus Avenue kriegerisch anrückende Crown-Bande geworfen hatten. Mein Blick glitt zu der Straßenlaterne hinunter, wo zwei der Jungens bewußtlos und blutig liegengeblieben waren, und ich erinnerte mich an das Heulen der Polizeisirenen und des Krankenwagens und an die wilde Flucht über die Dächer.

Es war eine ganz besondere Nacht, denn es war schließlich das erste Mal, daß man auf uns geschossen hatte, und das bedeutete damals merkwürdigerweise für uns so etwas wie einen Ritterschlag.

Am nächsten Tag hatte uns George Elcursio, der zur Vernon-Bande gehörte, mit kollegialem Grinsen begrüßt. Eine Woche später vermittelte er uns die ersten kleinen Gelegenheitsarbeiten für Sig Muscos Abteilung des Syndikats, und wir bekamen einen Vorgeschmack davon, was Macht bedeutet und was mit Geld zu erreichen ist.

Augie riß mich aus meinen Gedanken. Als ich mich ihm zuwandte, übergab er mir einen Schlüsselbund und eine Brieftasche.

»Mr. Batten hat mir die Sachen äußerst ungern herausgegeben, Mr. Panther.«

»Du hast mit ihm gesprochen?«

Er lächelte flüchtig.

»Ja. Ich fürchte, Sie haben ihn ziemlich aufgeregt.«

»Das Schlimmste für ihn kommt noch, Augie«, sagte ich.

Als ich auf die Treppe zuging, wußte ich, daß wir von vielen Blicken beobachtet wurden. Diese Straße war für Hunderte von Zuschauern Tag und Nacht eine offene Bühne, auf der sich das endlose Drama des Lebens abspielt. Hier erlebten sie die zeitlose Tragödie von Kampf und Tod, und manchmal wurde einer der Zuschauer unversehens zum Mitspieler, wenn ihn eine Kugel aus dem Hinterhalt traf – oder ein Messerstich den Auftakt zu einer blutigen Szene bildete.

Am unteren Treppenabsatz sagte Augie:

»Bis gestern hat das Haus unter Polizeibewachung gestanden.«

»Routinesache«, sagte ich.

Wir schritten die abgetretenen Steinstufen empor. Ich öffnete die Eingangstür und schaltete das Licht an. Obwohl ich ahnte, was mich erwartete, war ich überrascht. Nichts mehr war übriggeblieben von der Schäbigkeit der alten Mietskaserne. Die Wände und Decken waren schimmernd weiß und mit Goldleisten eingefaßt. Alte Gemälde in wurmstichigen Nußbaumrahmen sorgten für farbige Akzente.

Die Treppe war völlig verschwunden. Statt dessen führte hinten ein kleiner Lift hinauf. Es war eine nette Idee, dachte ich. Wie in einem modernen Baumhaus, wo man die Leiter hinter sich hochziehen kann. Ich fragte mich, wie Bennett mit der Bauinspektion fertiggeworden war.

Augie führte mich in einen der Räume vorn im Erdgeschoß. Auch hier war das Wirken eines guten Innenarchitekten deutlich erkennbar. Das Zimmer war geschmackvoll eingerichtet – aber nicht so luxuriös, wie es Bennett für seine persönlichen Bedürfnisse bevorzugt hatte. Offenbar hatte er hier Gäste empfangen, die er nicht in seine Privatgemächer führen wollte. Bennett hatte viel gelernt, seit wir uns getrennt hatten – sehr viel.

»Die drei Zimmer hier unten sind hauptsächlich zu geschäftlichen Besprechungen benutzt worden«, erklärte Augie. »Bennett hatte hier einen Barkeeper und ein Mädchen beschäftigt. Mr. Batten hat sie weggeschickt, nachdem... es geschehen war.«

Bevor ich eine Frage stellen konnte, schüttelte Augie den Kopf.

»Die beiden konnten nichts sagen. Es sind Bruder und Schwester – beide taubstumm. Das war eine von Mr. Bennetts Vorsichtsmaßnahmen.«

»Schlau. Ich hätte ihm das nicht zugetraut.«

»Viele Leute haben den gleichen Fehler begangen. Deswegen gerieten sie auch Mr. Bennett gegenüber ins Hintertreffen.«

»Wirklich?« Ich drehte mich um und lächelte Augie mit einer Spur von Hohn an. »Und warum hast du dich nicht an Ben gehalten, Augie?«

Er war durchaus nicht beleidigt.

»Als Mr. Bennett sich nach oben kämpfte, wäre es eine gute Partnerschaft gewesen. Aber nachher hatte er keine besonders glückliche Hand bei der Verteidigung seiner Spitzenposition.«

»Er hat es immerhin für eine ganze Weile geschafft.«

»Wie ich es schon erwähnte: weil er schlau war.«

»Und welche Vorteile hat Batten?«

»Er ist noch schlauer als Bennett, und ihn umzubringen, bedeutet ein zu großes Risiko. Also sind seine Lebenserwartungen größer.«

»Größer als meine?«

Er nickte.

»Ich glaube, Sie wissen, warum ich mich Ihnen angeschlossen habe, Mr. Panther.«

»Natürlich«, sagte ich. »Du läßt dich von mir in alle Geheimnisse der Organisation einweihen, und wenn man mich erwischt hat, übernimmst du den Laden.«

»Warum das? Es ist viel besser, der zweite Mann zu bleiben. Der erste ist immer die Zielscheibe. Der zweite sitzt sicherer.«

Es war eine kühle Logik und Ehrlichkeit in seinen Worten, die mich überraschte. Aber Augie war ehrgeizig. Ich glaubte ihm nicht, daß er sich immer mit der Rolle des zweiten Mannes begnügen würde.

Wir fuhren mit dem Aufzug in die erste Etage und gingen durch das Billardzimmer, die wohlgefüllte Bar und die Bibliothek. Überall war zu erkennen, daß die Polizei alles auf den Kopf gestellt hatte, um Spuren und Hinweise zu finden. Sogar den Billardtisch hatte man zur Seite gerückt, um die Flächen unter den Füßen zu untersuchen.

Im dritten Stock hatte Bennett gelebt – und dort war er gestorben. Hier war der Stempel seiner Persönlichkeit allen Einrichtungsgegenständen am deutlichsten aufgeprägt. Es war viel Luxus da – wertvolle Teppiche, Gemälde alter Meister, Ebenholz, Chrom und Kristall. Aber der ganze Aufwand von Plüsch und Edelholz und

Antiquitäten blieb ein Provisorium, und mit einem Male wußte ich, warum es so war.

»Es ist wie im alten Kellerklub, nicht wahr?« sagte ich zu Augie. »Stell dir die Sachen hier nur schäbiger und verwahrloster vor, denk dir ein bißchen Schmutz hinzu, abbröckelnden Putz und Kerzen in Flaschen statt der Kristallüster und Silberleuchter, dann hast du das alte Klubzimmer der ›Ritter der Nacht‹ vor dir.«

»Das stimmt«, sagte Augie.

»Ein sentimentaler Junge war Ben, weiß der Teufel«, murmelte ich.

»Ja – kein Stilgefühl.«

Ich sah Augie an und erkannte, daß er das wirklich ernst meinte. Er selbst hatte auch einen langen Weg von unten herauf hinter sich, und er wußte, was er wollte. Aber seine Bemerkung eben verriet auch seine Schwäche. Er war kräftig, und er war auch zielstrebig, aber zugleich war er ein Snob. Deshalb fehlte ihm die nötige Härte. Diese Schwäche machte Augie zum zweiten Mann – jedenfalls bis jetzt.

»Ich wohne von jetzt an hier, Augie«, sagte ich. »Sorg dafür, daß Vorräte in die Wohnung kommen und daß sauber gemacht wird.«

»Ich habe das bereits veranlaßt, Mr. Panther.«

Bevor ich antworten konnte, läutete das Telefon. Ich hob den Hörer ab und meldete mich. Cats Stimme tönte mir atemlos und dünn entgegen.

»Panther? Gut, daß ich dich erwische. Mir sind vorhin zwei Burschen über den Weg gelaufen, die ich aus Philadelphia kenne. Lew James und Morrie Reeves: zwei teure Revolvermänner. Sie haben sich im Westhampton Hotel unter den Namen Charles und George Wagner eingetragen. Ich habe das Mädchen in der Telefonvermittlung bestochen. Sie haben nur ein Telefongespräch geführt, und das kam von einer öffentlichen Sprechzelle. Der Anrufer hat deinen Namen genannt. Er hat gesagt, du wärst in Bennetts Haus.«

»Hast du seine Stimme erkennen können?«

»Nein, Panther. Aber verschwinde lieber aus dem Haus. Die beiden Burschen haben einen üblen Ruf.«

»Ich auch, Cat.«

»Nimm es nicht auf die leichte Schulter.«

»Tue ich nicht, Cat. Komm jetzt und trink ein Glas mit mir. Wir können dann weiter darüber sprechen.«

»In Ordnung«, sagte er und hängte ab.

Als ich eingehängt hatte, beauftragte ich Augie, zwei von der alten Garde mit der Bewachung des Hauses zu betrauen. Er führte die Telefongespräche und verabschiedete sich dann. Ich sah ihn vom Vorderfenster aus unten in seinen Wagen steigen. Dann stellte ich den Fernsehapparat an, setzte mich auf den Teppich und wartete auf Cat.

Zwanzig Minuten später läutete es. Ich drückte auf den Knopf für den unteren Türöffner und hörte gleich darauf das Summen des heraufschwebenden Aufzugs.

Es wurde einmal hart an die Tür geklopft, und ohne aufzustehen, rief ich: »Herein!«

Aber es war nicht Cat. Es war Hugh Peddle: einer der alten Ritter der Nacht. Älter und fetter geworden, aber immer noch ein Bulle von einem Mann – und einflußreich, wie ich gehört hatte. In seiner Begleitung befanden sich zwei gutangezogene Leibwächter.

Aufzustehen hatte keinen Sinn mehr. Es wäre höchstens noch gefährlicher für mich gewesen. Also machte ich nur eine Handbewegung zu den Sesseln hin und sagte:

»Setzt euch, Jungens, setzt euch. Entschuldigt die Unhöflichkeit. Ich hatte niemanden erwartet.«

Hughie grinste mir hämisch zu.

»Es wird nur ein kurzer Besuch, Panther.«

»So? Und worum geht es?«

Hughie kam sofort zur Sache.

»Wieviel verlangst du, wenn du die Stadt verlassen sollst?«

Ich rückte langsam zurück und lehnte mich mit dem Rücken gegen das Sofa.

»Wenn ich hierbleibe, werde ich ungefähr eine Million eintreiben.«

»Nur wenn du die Bedingungen von Bennetts Testament erfüllst.«

»Willst du mich auskaufen?«

»Durchaus nicht. Überlaß Batten die Organisation. Das alles zu halten und zu managen macht nur Kopfschmerzen. Du bekommst eine Barabfindung und gehst.«

»Wohin?«

»Wo du hergekommen bist oder wohin du gehen willst. Du sollst einfach von hier verschwinden.«

»Wer hat so viel Geld?« fragte ich.

»Mach dir darum keine Sorgen. Es ist da. Das Geld kann für dich deponiert oder dir in bar ausbezahlt werden. Wir machen dir auch hinterher keine Schwierigkeiten.«

»Das klingt großartig, Hughie.«

»Also?«

»Mir gefällt es hier.«

Der Kleinere der beiden Begleiter lächelte so sanft, als täte ich ihm leid. Sein Mund bewegte sich beim Sprechen kaum.

»Wenn Sie wollen, Mr. Peddle, könnten wir diesem komischen Vogel ein bißchen die Federn stutzen. Vielleicht wird er dann vernünftiger zwitschern.«

»Erklär es ihm, Hughie-Boy«, sagte ich.

Hugh wurde puterrot, und ich sah, wie seine Schultern unter der Jacke etwas einsanken. Er machte eine ungeduldige Handbewegung und wandte sich wieder mir zu.

»Also, wie ist es mit einem Verkauf? Du bekommst mehr, als du je im Leben verdienen könntest, und darfst auch noch Bennetts Klamotten behalten.«

Ich stimmte meine Handbewegung so mit meinem Kopfschütteln ab, daß keiner merkte, was ich vorhatte.

»Was gibt es da zu verkaufen, Hughie-Boy?« fragte ich.

Er traute seiner eigenen Stimme nicht. Sein Gesicht war zornig, aber in seinen Augen schimmerte Furcht, und bevor er sich von der Wut des Augenblicks übermannen ließ, schaute ich seine beiden Begleiter an und sagte:

»Wenn einer von euch beiden auch nur zuckt, bekommt er direkt etwas zwischen die Hörner.«

Der Größere sah so aus, als wolle er lachen.

»So schnell bist du bestimmt nicht«, sagte er und beobachtete meine im Gürtel eingehakten Daumen.

»Ich weiß, wie du das feststellen könntest«, antwortete ich.

»Hör auf, Moe«, sagte Hughie. »Er hat das Ding am Gürtel.«

Der Große atmete langsam ein, als er erkannte, welch einem verhängnisvollen Irrtum er beinahe erlegen wäre. Sein Gesicht wurde völlig ausdruckslos. Der Kleinere lachte leise.

»Vom Boden aus wäre es dein einziger Treffer gewesen, mein Freund. Was meinst du, was ich inzwischen getan hätte?«

Hinter ihm sagte Cat sanft:

»Du wärst gestorben, Blödling.«

Als der Bursche sich umdrehte, sah er in die Doppelläufe einer

Schrotflinte und wurde kreidebleich. Hugh Peddle tippte seinen beiden Begleitern wortlos auf die Schultern, wandte sich ab und ging hinaus. Der Aufzug summte wieder, und ich sah sie gleich darauf alle drei unten in einen Wagen steigen.

Als Cat die Schrotflinte sicherte und in eine Ecke stellte, sagte ich:
»Wer hat dir den Tip gegeben?«

»Der Posten drüben auf der anderen Straßenseite.«

»Wie hast du es angestellt? Bist du hereingeflogen gekommen?«
Er lachte fröhlich wie ein kleiner Junge.

»Hast du vergessen, daß ich immer noch ein bißchen der wilde Straßenkater von früher bin? Die Feuerleiter hinauf und ins Fenster hinein, wie der Nebel. Erinnerst du dich an das Gedicht?«

»Vom Nebel, der auf sanften Katzenpfoten kommt?«

»Ja. Das bin ich. Und du mußt auch etwas davon übernehmen, wenn du am Leben bleiben willst.«

»Was ist mit den beiden Importen aus Philadelphia?«

»Ich habe ein paar Telefongespräche geführt und mir bestätigen lassen, daß du das Opfer sein sollst. Fünf Mille pro Nase auf die Hand.«

»Ich komme den Herrn ziemlich teuer.«

»Du weißt gar nicht wie teuer. Die beiden bekommen aus einer anderen Quelle weitere fünftausend, wenn sie den Auftrag noch ein paar Tage hinauszögern.«

»Verzwickte Sache«, sagte ich.

»Ja.« Er reckte den Hals, um mich gerade ansehen zu können. »Du erschrickst nicht, Panther?«

»Nein«, sagte ich und deutete auf die Couch. »Mach es dir bequem. Ich hole etwas zu trinken.«

7

Cat blieb über Nacht. Um sieben Uhr fünfzehn kam er ins Schlafzimmer und rüttelte mich wach. Er zündete sich eine Zigarette an, nahm einen Zug und wurde daraufhin minutenlang von einem häßlichen Husten durchgeschüttelt. Er zog noch einmal an der Zigarette, aber es tat ihm genausowenig gut, und er drückte sie aus.

»Hast du das schon lange, Cat?« fragte ich.

Er zog seine mageren Schultern hoch.

»Ich sterbe schon seit langer Zeit, Panther.«

»Red nicht solchen Unsinn.«

»Es ist kein Spaß.« Er schaute schräg auf mich herab. »Nach Meinung der Ärzte müßte ich schon seit zwei Monaten tot sein.«

»Keine Möglichkeit durch eine Kur?«

Cat schüttelte den Kopf.

»Voriges Jahr hätte es vielleicht noch Zweck gehabt. Aber was macht das schon? Die Zappelei ist all den Aufwand nicht wert. Alle sind sie geldgierig und versuchen einander wie verrückt umzubringen. Die Glücklichen erwischt es eher, und es ist vorbei. Die übrigen müssen es ausbaden, bis sie irgendwann auch an der Reihe sind. Vielleicht gehöre ich zu den Glücklichen –«

Ich richtete mich auf und streckte mich. Als ich aus dem Bett stieg, sah ich Cat an und schüttelte den Kopf.

»Also bist du einer von den sogenannten Fatalisten.«

Er lachte und mußte wieder husten. Sein Taschentuch hatte er noch in der Hand, und als er es vom Mund nahm, rollte er es zu einem Ball zusammen und verließ das Zimmer. Ich hörte in der Toilette den Abfluß rauschen. Dann kam er zurück.

»Weißt du, Panther«, sagte er. »Das einzige, was mir daran leid tut, ist, daß es mir jetzt gerade wieder anfängt, Spaß zu machen. Wie in den alten Tagen.«

Ich sah ihn ernst an.

»Hat das damals wirklich Spaß gemacht, Cat?«

»Ich weiß nicht recht.« Da war sie wieder, die dunkle, tiefe Trauer in seinem Blick. »Ich habe nie etwas anderes gekannt. Zu Hause gab es wenig zu essen und viel Prügel, und auf der Straße mußte ich schon als kleiner Kerl immer auf der Hut sein – immer fauchen und die Krallen zeigen. Und trotzdem hatten wir Spaß.«

»Erinnerst du dich noch an den Klub in der Ninth Avenue, der das Tanzvergnügen veranstaltete?« fragte ich.

»Als diese Stinktiere versuchten, Helen und Tally Lee in den Keller hinunterzuziehen? Klar, daran erinnere ich mich gut. Mann, haben wir da einen Rummel veranstaltet. Kaum einer ist in jener Nacht heil heimgekommen. Mir hat man den Rücken mit sechs Klammern flicken müssen. Du und Bennett, ihr habt, glaube ich, den Polizisten verprügelt, der den Krawall zu schlichten versuchte.«

»Er hat mir die Nase eingeschlagen«, sagte ich.

»Und du hast ihm sein Schießeisen geklaut. So hat es sich ausgeglichen. Hast du das Ding noch, Panther?«

Ich deutete auf meine Hosen, die an der Schranktür hingen. Das Gewicht des 38ers im Schnellhalfter zog den Stoff nach unten und deformierte ihn.

»Ruf jetzt Augie an und sag ihm, er soll herkommen.«

»Gut.« Er war schon an der Tür, als er sich noch einmal umdrehte. »Eigentlich hast du recht, Panther. Wir hatten damals im Grunde genommen nicht allzuviel Spaß.«

»So ist es«, antwortete ich. »Wir waren damals alle nur kleine Straßenjungen. Jetzt werden wir wirklich Spaß haben. Wir werden alles nachholen.«

Augie hatte einiges Material über die Organisation bei sich. Es war ein weitverzweigtes Unternehmen, das wie eine große Hand über der Stadt lag. Mit fetten Fingern, die nach Jersey und in andere Außenbezirke hineinstießen.

Ich sichtete das Material, um mir einen Einblick in Bennetts Machtbereich zu verschaffen. Nachdem ich zwei Stunden damit verbracht und mir ein paar Notizen gemacht hatte, legte ich die Schriftstücke in den Aktendeckel zurück.

Zu Mittag ließen wir uns aus Hymies Delikatessenladen das Essen heraufschicken. Auf dem Tablett lag eine Zeitung. Die Seite mit Roscoe Tates Kolumne ›Gerüchte aus der Unterwelt‹ war aufgeschlagen, und ich wußte, wie das Blatt hierher gelangt war. Der erste Absatz sollte meinen Untergang vorbereiten helfen.

Das Raubtier Mord hat sich wieder in Manhattan eingeschlichen. Der Tod von ›Boß‹ Bennett hat in der Verbrecher-Hierarchie einen Machtkampf um sein Millionenunternehmen der Korruption und der Laster entfesselt. Ein Toter hat seine Hand noch weiter im Spiel. Sein Erbe ist vor langer Zeit bestimmt worden und hat jetzt den Befehl übernommen. Der Panther ist zurückgekehrt. Das Raubtier Mord ist wieder unter uns.

Als ich es gelesen hatte, reichte ich Cat die Zeitung. Er zog eine Grimasse und sagte:

»Der Klugschwätzer. Wollen wir ihm einen Denkzettel verpassen?«

»Er hat es schwer genug, mit sich selbst leben zu müssen, Cat. Aber wir könnten uns immerhin mit unserem Freund von der Presse unterhalten.«

Hymie war hinter seiner Theke beschäftigt und sagte uns, Roscoe Tate sei wahrscheinlich noch zu Haus. Ich ließ Cat im Laden zurück, falls Tate inzwischen kommen sollte, und ging die zwei Häuserblocks weiter, wo der Journalist immer noch in derselben billigen Mietwohnung hauste. Augie postierte ich vor der Tür und ging hinein.

Tate wohnte im Erdgeschoß und öffnete auf mein Klopfen selbst. Er betrachtete mich einen Moment unschlüssig, nickte dann und trat zurück.

Tate hatte seine Wohnung mit sachlicher Nüchternheit, aber auch mit Geschmack eingerichtet.

»Hübsche Wohnung«, sagte ich.

»Mir gefällt sie.«

»Wohnst du hier allein?«

»Die meiste Zeit.«

»Na ja, du hast nie Geld an Frauen verschwendet.«

Er zuckte mit den Schultern.

»Ich tue es immer noch nicht.«

»Praktisch«, sagte ich.

Sein Blick musterte mich einen Moment mit offenem Widerwillen und nahm dann wieder den üblichen Ausdruck kühler Abweisung an. Er deutete auf einen Sessel und setzte sich.

»Du bist doch nicht hergekommen, um mit mir über Frauen zu sprechen?« sagte er.

Ich schüttelte den Kopf.

»Nein, über Mord.«

»Und?«

»Du scheinst ziemlich gut eingeweiht zu sein.«

»Ich arbeite mit der Polizei Hand in Hand. Was über Bennetts Tod bekannt ist, weiß auch ich.«

»Spiel dich nicht so auf. Ich habe ebenfalls ein Ohr an der großen Tür. Ich habe gehört, daß die Polizei glaubt, Bennett wurde dort getötet, wo er lag: nämlich in seiner Wohnung. Ich glaube das nicht.«

»Warum nicht?« fragte er

»Die kleinkalibrige Kugel hat Bennett nicht sofort getötet. Er sah seinen Mörder und verfolgte ihn. Dabei ist er noch bis in den Durchgang zwischen Glovers und Constantinos Läden gekommen. Du weißt, wo das ist?«

»Sicher, das ist nicht weit von Hymies Delikatessengeschäft, nur sind jetzt nicht mehr Glover und Constantino da, sondern Morts Schnellreinigung und Alverez' Gemüseladen.«

»Jedenfalls weißt du, was ich meine.«

»Es ist ein interessanter Gesichtspunkt«, sagte er und machte sich auf einem Blatt Papier eine Notiz.

»Ganz bestimmt. Das bedeutet nämlich, daß der Mörder von seiner Verfolgung wußte und Bennett zu dessen Wohnung zurückgeschleppt hat.«

Tate schüttelte den Kopf.

»Was für einen Sinn sollte das für den Mörder haben, wenn Bennett ihn nicht erwischt hat?«

»Das ist die große Frage, Freund. Ich weiß es nicht.«

»Aber woher willst du überhaupt wissen, daß Bennett seinen Mörder verfolgt hat?«

»Weil mich ein Mädchen auf die Fährte gebracht hat. Kennst du Tally Lee?«

Tate nickte und wartete.

»Sie sagte, sie wolle mich tot vor sich liegen sehen wie Bennett. Das war eine eigentümliche Bemerkung, weil Tally nach Lage der Dinge den Toten nicht hat vor sich liegen sehen können. Aber sie meinte es genauso, wie sie es sagte. Und dann ist ein Bewunderer von mir mit einem Andenken aufgetaucht: Bennetts Uhr. Als er tot auf der Straße lag, hat ihn jemand durchsucht, eine Uhr mitgehen heißen und sie verkauft.«

Roscoe Tate war jetzt sichtbar erregt. Er machte weiter Notizen, sah mich aber dabei fast unverwandt an. Als ich schwieg, sagte er:

»Weißt du, was das bedeutet?«

»Sicher. Irgend jemand könnte gesehen haben, wer Bennett in die Wohnung zurückgetragen hat. Wenn man den Betreffenden finden könnte –«

Er sah mich lange an.

»Soll ich das der Polizei melden?« sagte er und griff nach dem Telefon.

Ich winkte ab.

»Laß es sein. Die Polizei hat ihre eigenen Spitzel. Ich möchte ihnen gern einen Schritt voraus bleiben.«

»Warum hast du es dann mir verraten?«

»Weil du deine besonderen Nachrichtenquellen hast. Sie könnten auch für mich wichtig sein. Wie wäre es, wenn wir unsere Informationen austauschten? Du könntest mich auf dem laufenden darüber halten, was du von deinen Vertrauensleuten oder der Polizei erfährst.«

Er nickte und lächelte.

»Das ist mir recht, Panther. Steck deine neugierige Nase nur überall hinein. Ich helf' dir gern, dich selbst umzubringen.«

»Du solltest dich mit Helen zusammentun. Ihr habt gleiche Interessen.«

Er schwieg einen Augenblick und sagte dann:

»Laß sie in Frieden, Panther. Du richtest nur immer überall Unheil an, und wenn du ihr Kummer machst, werde ich alles daransetzen, dich unschädlich zu machen.«

»Alles?«

»Du kannst dich darauf verlassen.«

Ich stand auf.

»Das hat sie auch gesagt. Feine Freunde habe ich.«

Er sagte nichts, sondern blieb sitzen und beobachtete mich, als ich hinausging. Aber immerhin hatten wir eine Art Handelsabkommen getroffen, und ich wußte, Tate würde seinen Teil des Abkommens erfüllen. Mehr konnte ich nicht verlangen.

Bimmys Taverne ›Zur Weißen Rose‹ war eine kleine Kneipe, die fast nur auf Kundschaft aus der Nachbarschaft angewiesen war. Das Lokal hatte in seiner Gegend einen guten Namen wegen seiner gepökelten Schweinsknöchel und wegen seiner guten Biere von einer kleinen, unbekannten Brauerei. Es geschah selten, daß an Bimmys Theke Streit entstand. Er achtete darauf. Gegen seine zweihundertsiebzig Pfund Lebendgewicht war auch schwer anzukommen. Sein Hinterzimmer war Benny Matticks Büro. Solange Bimmy das geheimhielt, konnte er mit dem regelmäßigen Empfang eines Hunderters rechnen.

Ich ließ Cat draußen und betrat mit Augie die Kneipe. Wir nahmen uns jeder ein Schweinsknöchel aus der großen Glasschüssel, und als ich einen Dollar auf die Theke warf, kam Bimmy heran, um das Wechselgeld herauszugeben.

»Ist Benny hinten?« fragte ich.

»Wer?« Seine kleinen Augen tasteten mein Gesicht gab.

»Mach deine Mätzchen mit jemand anderem, alter Freund«, sagte ich scharf.

Er schob wortlos den Riegel am Ende der Bar zur Seite, hob die Platte und quetschte sich durch die Lücke. Dabei lächelte er noch immer in seiner üblichen Art: die Mundwinkel nach unten gezogen, während die Narbe unter seinem Kinn beim Grinsen breiter wurde.

Dann erkannte er Augie. Gleich darauf mich. Das Lächeln blieb, aber er bewegte sich nicht mehr.

»Sei nett, Bimmy, dann brauche ich in deinem Laden vielleicht kein Feuerwerk zu machen. Klare Sache?«

Er nickte.

»Ich hab' dich etwas gefragt.«

»Er ist hinten.«

Ich sah ihn wartend an. Sein Blick glitt zur geschlossenen Tür am Ende der Bar, und er sagte:

»Dixie und Lenny Sobel sind mit einigen anderen Freunden auch da.«

»Danke.«

Wir gingen nach hinten, und Augie spielte seine Rolle richtig. Er riß die Tür schnell und ganz weit auf, so daß ich das Zimmer mit einem Blick übersehen und feststellen konnte, ob irgendeiner der Jungens unfreundliche Absichten hatte. Aber mein Auftritt kam zu überraschend, und ich hatte leichtes Spiel. Ich trat ein, und hinter mir schloß Augie die Tür und lehnte sich mit der sanften Gelassenheit eines Mannes dagegen, der viel Zeit hat.

Dixie lag auf der Couch, er wirkte angeschlagen, sah mich böse an, bewegte sich aber nicht. Bennys Lippen waren geschwollen, und sein Gesicht verzog sich zu einer schmerzlichen Grimasse des Hasses. Hinter Lenny Sobel standen Harold und Al dicht nebeneinander, nur daß diesmal Al eine Hand in der Tasche hatte. Die drei anderen Männer, die mir jetzt das Gesicht zuwandten, kamen offensichtlich aus jenem feineren Stadtviertel, wo man beim Betreten eines Hauses von einem Portier begrüßt wird und der Stammbaum auf den Namensschildern über den Türklingeln mit eingraviert ist.

»Viele Leute sind heute krank«, sagte ich.

»Wie gescheit du doch bist, Panther«, sagte Benny. »Was willst du?«

»Nichts, mein Freund. Ich habe alles. Ihr wollt etwas.«

Ich sah mir die drei Gentlemen aus dem feinen Viertel an, und sie wurden rot. Einer von ihnen kaute an einer Zigarre und stieß eine blaue Rauchwolke aus. Keiner sah mich richtig an. Sie wußten alle, daß sie ins Hintertreffen geraten waren, und das kränkte sie.

Lenny Sobel lehnte sich im Stuhl zurück. Die lebenslangen Erfahrungen in solchen Situationen wurden von seinem Gehirn mit der Geschwindigkeit eines Elektronenrechners verarbeitet, und er zog die Bilanz mit einer fast unmerklichen Kopfbewegung zu seinen beiden Leibwächtern hin.

Mein erster Schuß traf Harold an der Hüfte. Der zweite schlug durch Als Bizeps, bevor er linkshändig die Waffe ziehen konnte. Eine Sekunde lang starrte der kleine Revolvermann ungläubig auf seinen Arm. Dann stieß er einen langen Seufzer aus und fiel in Ohnmacht.

Als ich den Hahn des 38er-Colts spannte, sah ich, wie Lenny blaß wurde. Er sah jetzt sehr alt aus. Ein geschlagener, furchterfüllter Mann, der plötzlich erkannt hat, daß er abtreten muß. Worte formten sich in seiner Kehle, wurden aber auf seiner Zunge erstickt.

Benny beobachtete die Vorgänge mit einem verschleierten Schimmer von Faszination im Blick. Die drei Gentlemen aus dem feinen Viertel, die dem Tod bisher noch nie so nahe gewesen waren, hatten die schrecklichen Augenblicke gar nicht richtig mitbekommen.

»Steh auf, Lenny«, sagte ich.

Er schluckte heftig, versuchte wegzurennen und stolperte über seine Revolvermänner. Während er noch auf den Knien war, ließ ich einen heißen Streifschuß über seinen Hintern zischen, und er stieß einen heiseren Schrei aus.

»Wie in den alten Tagen«, sagte ich.

Als ich lachte, verfiel einer der Gentlemen am Tisch in ein hysterisches Kichern. Er konnte erst aufhören, als er außer Atem war.

»Du, Benny?« fragte ich.

Er schüttelte den Kopf.

»Ich passe. Du bist verrückt.«

»Kann sein. Ist Dixie noch mit von der Partie?«

»Du bist ziemlich hart mit ihm umgegangen, Panther. Er ist noch gar nicht richtig vernehmungsfähig.«

»Macht hier Ordnung. Und sagt dann den anderen Bescheid.«

»Natürlich, Panther.«

»Und bei allen weiteren Versammlungen ladet mich gefälligst ein.«

»Nein – – das ist ein Mißverständnis, Panther. Dies hier sind – – Freunde.«

»Halt den Mund«, sagte ich. »Tu, was ich dir sage, und mach keine Schwierigkeiten, sonst könnte es unangenehm für dich werden.«

Sie sagten nichts und beobachteten meinen Abgang. Von der Theke sammelte ich meine noch dort liegenden vierzig Cent Wechselgeld ein und sagte zu Bimmy:

»Entschuldige bitte, Dicker. Die da drin wollen es so.«

Er antwortete nicht.

»Ich brauch' dich ja wohl nicht daran zu erinnern, daß dies so etwas wie eine Familienangelegenheit war, nicht wahr?«

Nachdem er das Studium meines Gesichts beendet hatte, schüttelte er den Kopf.

»Mach dir keine Sorgen. Ich weiß, was ich zu tun habe.«

Draußen lehnte Cat an der Scheibe, fuhr sich nervös mit der Hand über den Mund und spähte unruhig die Straße auf und ab.

»Nur keine Aufregung«, sagte ich, bevor er eine Frage stellen konnte. »Ich habe die Herren da drin nur ein wenig zur Ordnung gerufen.«

»Wen hast du getroffen?«

»Lenny und seine beiden Burschen.«

»Du arbeitest schnell, Panther. Wirklich schnell.«

»Im Gegenteil, Cat: ich bremse die Aktionen ein bißchen.«

»Na, gut, wie du meinst. Verschwinden wir jedenfalls von hier, ehe es ungemütlich wird.«

Ich lachte, und wir winkten ein Taxi heran. Am nächsten IRT-Kiosk wies ich Augie an, mir die Geschäftsunterlagen aller Unternehmungen von Bennett zu beschaffen und eine Liste aller Leute aufzustellen, die er je beschäftigt oder finanziert hatte. Wir setzten ihn ab und fuhren die Amsterdam Avenue hinauf bis zu Cats Wohnung an der 101. Straße. Er nahm ein paar von seinen Habseligkeiten mit, und wir fuhren zu Bennetts Haus weiter.

Ich öffnete die Tür und übergab ihm den Schlüssel.

»Bleib hier, bis ich dich anrufe. Und schließ dich ein. Ich will nicht, daß hier jemand herumschnüffelt.«

»Wo willst du hin?«

»Ein Mädchen besuchen, Cat.«

»Laß mich lieber mitkommen. Hast du die beiden Burschen aus Philadelphia vergessen?«

Ich lachte und legte ihm die Hand auf die Schulter.

»Ich vergesse so leicht nichts, Cat.«

Der Abend ging in die Nacht über, als ich aus Maurys winziger Speisewirtschaft an der Ostseite der Columbus Avenue kam. Ich ging zur 103. Straße weiter und wandte mich dort nach Osten. Und da stand plötzlich Mr. Sullivan vor mir und sah mich wieder so an wie damals, als er mich mit einem Paar Handschellen jämmerlich verprügelt hatte.

Er legte eine Hand auf meine Brust, und für jeden Zuschauer sah das fast wie eine freundliche Geste aus. Es sei denn, er bemerkte, wie steif Sullivans Finger waren und wie der Gummiknüppel zu wirbeln aufhörte.

»Es wird immer mulmiger, Junge.«

»So?«

»Es kann nur auf eine Weise enden.«

»Ich weiß, Mr. Sullivan. Es muß auf eine Weise enden.«

»Immer eine kluge Antwort bereit«, sagte er.

Ich nickte.

»Das geht mir leicht von der Zunge.«

Sein Blick war streng.

»Von Tag zu Tag wird Ihr Gerede großspuriger. Mir gefällt das nicht.«

»Und was wollen Sie dagegen unternehmen?«

»Es ist mein Revier. Ich bin schon sehr lange hier. Ich habe all die großen Nummern, all die verwegenen Burschen kommen und gehen sehen. Am Morgen haben sie noch große Töne gespuckt – wie Sie –, und am Abend lagen sie mit gespreizten Armen und Beinen im Rinnstein. Einige davon hab' ich selbst dorthin befördert.«

»Sie sind schon übers Pensionierungsalter hinaus, nicht wahr, Mr. Sullivan?«

Sein Gesicht rötete sich langsam, und er nahm die Hand von meiner Brust.

»Machen Sie mich nicht böse, Panther. Es könnte Ihnen schlecht bekommen.«

»Wie Sie meinen, Mr. Sullivan«, antwortete ich lächelnd.

Ich ging weiter und spürte die ganze Zeit über seinen Blick in meinem Rücken. Das Gefühl verfolgte mich, auch als Sullivan mich nicht mehr sehen konnte. Ich schüttelte es gewaltsam ab und ging zu Brogans Gemüsehalle weiter. Dort öffnete ich die Haustür neben dem Laden und griff in der Dunkelheit nach den Streichhölzern in meiner Tasche.

Ich zündete ein Streichholz an und hielt es hoch. Aber ich schaute in die falsche Richtung. Jemand hatte im Torweg gekauert und schlug mir jetzt irgend etwas auf den Hinterkopf. Ich fiel vornüber zu Boden und spürte nichts, als ich mit dem Gesicht auf die Fliesen prallte.

8

Es war ein Dämmerzustand zwischen Ohnmacht und Wachheit. Alle Gefühle des Körpers waren betäubt, aber ich wußte, was geschehen war. Ich hörte die Laute von draußen: fahrende Wagen – Menschenstimmen. Ich wußte, daß ich mit offenem Mund dalag, und in meinem Mund war der säuerliche Geschmack schmutziger Fliesen. Irgend jemand stolperte über mich hinweg und schlug die Tür beim Öffnen gegen meinen Kopf. Aber wenigstens wurde mein Mund dadurch zur Seite gedreht.

Die Gefühle flossen mit einer Woge von Schmerz in meinen Körper zurück. Der Schmerz zog durch meine Beine und den Rücken hinauf und konzentrierte sich an der Schädelbasis. Ich richtete mich auf die Knie auf und mußte mich erbrechen. Als ich kräftig genug war, wischte ich mir den Mund mit dem Ärmel ab. Ich spie noch einmal, stand auf und fühlte eine klebrige Feuchtigkeit durch mein Haar sickern. Eine ganze Minute lang mußte ich an der Wand lehnen, und als ich mich dann endlich bewegen konnte, stieß ich mit dem Fuß gegen den provisorischen Totschläger, der über die Fliesen davonrollte. Im Lichtschein eines Streichholzes sah ich, daß es eine Sodaflasche war.

Als ich hinausging, herrschte draußen normaler Straßenverkehr, und niemand schien besonderes Interesse an diesem Hauseingang zu haben. Ein alter Mann blickte in Brogans Schaufenster, und ich tippte ihm auf die Schulter.

»Haben Sie jemanden aus dem Haus kommen sehen, Mister?«

Er wandte sich mir zu und schaute an mir vorbei zur Haustür. Sein Schulterzucken war die übliche Geste dieser Gegend.

Ich brummte, tastete mit der Hand an meinen Schädel und zeigte ihm das Blut an meinen Fingerspitzen.

»Mir hat eben jemand eine Flasche über den Kopf geschlagen.«

Er zog eine Grimasse und sagte dann:

»Die verdammten Rowdys. Lauter Rowdys leben hier. Und immerzu machen sie das. Lauern im dunklen Hauseingang und schlagen einen nieder, wenn man ahnungslos hineinkommt. Jede Nacht passiert das. Sie sollten da nicht hineingehen, wenn kein Licht brennt. Den alten Julian Chaser haben sie auf diese Weise umgebracht. Ganze dreißig Cent haben sie dabei erwischt.«

Nachdem er seinen Rat gegeben hatte, spuckte er verächtlich aus und ging davon: jetzt noch mehr bestärkt in seinem Widerwillen gegen die menschliche Rasse.

Ich tastete mich schnell ab und stellte fest, daß sowohl die Brieftasche als auch der Revolver noch vorhanden waren. Dann fluchte ich plötzlich, stieß die Tür auf und rannte die Treppe hinauf.

Die Wohnungstür stand offen. Drinnen war es dunkel. Ich tastete an der Wand entlang und schaltete das Licht an. Dann stand ich wartend da. Der Revolver wog schwer in meiner Hand. Es war ein unvorsichtiges Manöver gewesen. Falls wirklich jemand mit einer Waffe auf mich gelauert hätte, wäre ich erledigt gewesen.

Aber kein Revolver bellte mir entgegen. Nur Tally Lee lag mit zertrümmertem Schädel im Bett. Das Blut auf ihrem Gesicht war noch nicht geronnen. Sie lag nicht in der gespreizten und verkrampften Haltung des Todes da, sondern entspannt und anmutig wie im Schlaf. Den Übergang vom Leben zum Tod hatte sie offenbar nicht gespürt.

Ich wußte, womit man sie umgebracht hatte. Ich selbst hatte es unten im Hauseingang zu spüren bekommen.

Einige Sekunden stand ich da und nahm die Einzelheiten in mich auf. Etwas war nicht in Ordnung: Ein kleiner Teppich war heftig zur Seite gestoßen worden, obwohl es offenbar keinen Kampf gegeben hatte.

Dann sah ich noch etwas anderes, und damit bekam auch der zur Seite geschobene Teppich einen Sinn.

Helens Mantel hing an einem Haken in der Zimmerecke!

Das Blut pochte plötzlich schmerzhaft und schnell an der Wunde an meinem Hinterkopf. Ich rief leise Helens Namen und zog den Vorhang zur Seite, der das Wohnzimmer von den anderen Räumen abteilte. Das Licht der Straßenbeleuchtung fiel durch die gardinenlosen Fenster, und ich konnte die Umrisse der wenigen Möbel erkennen. An einer Seite war eine Stehlampe. Ich fand den Schalter und machte Licht.

Alle meine Bewegungen waren instinktiv. Mein Verstand war

wie betäubt. Er wollte einfach nicht zur Kenntnis nehmen, daß Helen, die dort schräg über der Couch lag, ebenfalls tot war.

Aber dann ertasteten meine Finger einen Pulsschlag, und mein Verstand erwachte wieder zum Leben. Ich hob Helen ganz auf die Couch. Meine Hände zitterten dabei, denn der verrückte Zorn in meinem Innern mußte sich irgendwie entladen.

Unter ihrem Haar war eine Beule, und die Kopfhaut war geplatzt. Aber mehr war nicht geschehen. Ich befeuchtete ein Handtuch, säuberte ihr Gesicht und wartete, bis sie ein sanftes Stöhnen ausstieß.

»Helen! Helen!«

Sie bewegte den Kopf, und ihre Augenlider krampften sich vor Schmerz zusammen. Ich fuhr ihr mit dem feuchten Handtuch sanft über das Gesicht, bis sie die Augen öffnete. Ihr Blick war im ersten Moment ausdruckslos glasig und dann verwirrt.

»Was ist geschehen, Liebling?« fragte ich.

Ich erkannte, wie die Erinnerung langsam zurückkehrte und sie nach der Antwort auf meine Frage suchte.

»Panther?«

»Ja – ich bin es.«

Dann traf sie die Erinnerung wie ein plötzlicher Schlag, und ihre Augen wurden groß und dunkel vor Angst. Bevor sie zu schreien anfangen konnte, legte ich ihr schnell die Hand auf den Mund und zog sie dicht an mich.

Als der erste Schock vorbei war, ließ ich sie los.

»Was ist passiert?«

Sie fuhr sich mit der Zunge über die Lippen.

»Die Klingel –. Es hat geklingelt, und ich habe aufgemacht. Ich dachte, du wärest es.« Sie sah mich aus großen Augen an, das Entsetzen immer noch wie ein dunkles Flackern im Hintergrund des Blicks.

»Ich war es natürlich nicht, Helen«, sagte ich ruhig.

»Als ich öffnete – wurde die Tür aufgestoßen. Ich fiel – und dann –« Ihr Atem ging stoßweise. »Panther – was ist geschehen?«

»Du hast einen Schlag auf den Kopf bekommen, meine Kleine.«

»Aber von wem?«

»Ich weiß es nicht. Er hat mich auch erwischt.«

»Panther!« Sie griff nach meiner Hand. »Was ist mit – Tally?«

»Sie ist tot, Helen.«

»*Nein!*«

Sie biß sich auf die Unterlippe, um einen Schrei zu unterdrücken, und ihre Augen füllten sich mit Tränen. Dann konnte sie den Gefühlssturm nicht mehr eindämmen. Ich hielt sie fest an mich gepreßt, bis es vorüber war.

Dann wischte ich noch einmal ihr Gesicht ab und richtete sich auf. Als ich merkte, daß sie wieder klar denken konnte, sagte ich:

»Hör jetzt zu, Helen. Ist dir irgend etwas an dem Eindringling aufgefallen?«

Sie schüttelte den Kopf.

»Nur – was ich dir schon gesagt habe.«

»Du hast sein Gesicht nicht gesehen? Oder wie er angezogen war?«

»Nein. Es ging alles – zu schnell.«

»Hat er etwas gesagt?«

»Nein. Ich – ich weiß es nicht. Nein, er hat nichts gesagt.« Sie runzelte die Stirn und schaute sich im Zimmer um. »Hast du mich hierher gebracht?«

»Ich nicht, nein. *Er* hat es getan. Er hatte es wohl nur auf Tally abgesehen. Deswegen hat er dich hier hereingeschleift und dann Tally getötet.«

Ein Schauer rann durch ihren Körper, und sie wurde in meinen Armen steif.

»Aber warum, Panther – warum?«

»Ich weiß es noch nicht. Aber ich werde es herausfinden.«

»Was sollen wir tun?« Ihre Stimme war heiser.

»Die Polizei rufen, Mädchen. Wir können nichts anderes tun.«

»Aber Tally –«

»Sie war für irgend jemanden wichtig. Es geht jetzt darum, daß wir keinen Fehler machen. Berichte mir alles, was geschehen ist, seit du hierhergekommen bist.«

Sie strich sich die Haare aus der Stirn. Die ganze Zeit über war sie einem hysterischen Anfall sehr nahe, aber sie nahm sich zusammen. Die Steifheit wich allmählich aus ihren Gliedern. Sie faltete die Hände im Schoß, starrte zu Boden und dachte nach.

»Der Arzt war gerade hier. Er sagte, sie sei über den Berg, und gab ihr ein Beruhigungsmittel. Mrs. Gleason, die Nachbarin, die sich um sie gekümmert hat, war inzwischen in ihre Wohnung zurückgegangen. Als Tally aufwachte, gab ich ihr etwas zu essen und –«

»Sagte sie etwas?«

»Nichts von Bedeutung. Sie war noch immer nicht ganz bei sich. Ich gab ihr noch eine von den Kapseln, die der Arzt dagelassen hatte, und saß eine Weile an ihrem Bett.« Sie hielt inne und preßte ihre Hände zusammen. »Panther –«

»Ja?«

»Sie hatte Angst. Sogar im Schlaf fürchtete sie sich vor irgend etwas. Sie versuchte im Schlaf zu schreien, brachte aber keinen Laut über die Lippen.«

»Weiter!«

»Sie nannte deinen Namen – auch nach Bennett rief sie.«

»Wiederhole, was sie gesagt hat.«

»Es waren keine zusammenhängenden Sätze.«

»Sag es mir trotzdem.«

»Es war – sie wollte irgend etwas in Ordnung bringen. Sie sprach davon, daß sie es jemandem erzählen würde, und der solle es tun. Dann versuchte sie zu schreien. Sie nannte deinen Namen – dann rief sie nach Bennett.«

Ich dachte eine Weile nach und schüttelte dann den Kopf.

»Es ergibt keinen Sinn.«

»Panther... ist sie deinetwegen gestorben?«

Ich legte meine Hand auf die ihre.

»Ich glaube nicht.«

»Lüg mich nicht an, Panther.«

»Ich habe dich nie angelogen, Helen.«

»Ist sie wirklich nicht deinetwegen gestorben?«

»Jedenfalls nicht direkt. Ich glaube, sie hätte auf jeden Fall sterben müssen – ob ich nun hier war oder nicht.«

»Was sollen wir tun, Panther?«

»Wie ich schon sagte: die Polizei rufen.«

»Und was geschieht dann mit dir?«

»Ich habe keine Angst vor der Polizei. Du solltest das wissen.«

»Dann ruf sie also.«

Ihr Blick wurde wieder kühl. Sie wartete ab, was ich jetzt tun würde. Ich half ihr auf die Beine und führte sie so in die Küche, daß ihr Tallys Anblick erspart blieb. Dann telefonierte ich.

Der Mann im Revier sagte, ein Wagen werde gleich kommen, und wir sollten nichts anrühren. Ich versprach es und hängte ein. Im Schlafzimmer fand ich auf der Kommode den Scheck, den ich an Tallys Kopfkissen geheftet hatte. Ich zerriß ihn und spülte die Fetzen in der Toilette hinunter. Sie hatte keine Verwendung mehr dafür.

Dann zog ich meinen Revolver aus dem Gürtel, schob ihn unter einen Haufen Papier im Mülleimer, zog den Müllaufzug herauf, stellte den Eimer hinein und ließ ihn wieder hinunter. Anschließend ging ich mit Helen ins Wohnzimmer und wartete.

Sergeant Ken Hurd stammte ebenfalls aus unserem Viertel. Sein Gesicht war schon vor langer Zeit von Faustschlägen und Knüppelhieben entstellt worden, und man konnte aus seinen Zügen nicht lesen, was er dachte. Seine Augen schimmerten hellblau und in eisiger Ausdruckslosigkeit. Aber irgendwie konnte man in der Tiefe seines Blicks einen brennenden Haß spüren. Für ihn gab es nur zwei Arten von Menschen: die Gesetzesbrecher und die Gesetzeshüter. Die normalen, guten Durchschnittsmenschen spielten keine Rolle. Sie waren für ihn nur so etwas wie Fußfallen, die den anderen gestellt wurden. Und jene anderen – die Gesetzesbrecher –, die verfolgte er mit einem tiefen Haß.

Er genoß in den entsprechenden Kreisen einen düsteren Ruhm. In seiner Anwesenheit sprach man leise und bewegte sich ruhig. Wenn er eine Frage stellte, dann antwortete man ihm. Wenn nicht, dann pflegte er ein kleines Lächeln zu zeigen, und das war schlimm. Denn dieses Lächeln bedeutete früher oder später böse Überraschungen.

Man ließ Hurd arbeiten, wo er es selbst wollte, und er wählte sich das schlimmste Viertel der Stadt aus. Hier arbeitete er gern, weil er nicht mit Beschwerden rechnen mußte. Denn wenn jemand sich beschwerte, wurde es für ihn beim zweiten Male noch unangenehmer. Ken Hurd war ein Werkzeug der Polizeimacht von respekteinflößender Wirkungskraft.

Und jetzt sah er mich an.

Er ließ mich reden, machte sich Notizen, sah mich wieder mit einem Ausdruck von Geduld an, als warte er noch auf etwas und ließ dann Helen ihre Aussage machen. Gerade als sie fertig war, kam Mr. Sullivan mit Augie und Cat herein, und mir wurde unbehaglich zumute.

»Hier sind sie, Sergeant«, sagte Sullivan.

Cat warf einen Blick auf die Tote im Bett und schluckte heftig.

»Kennen Sie sie?« fragte Hurd, und Cat nickte.

»Sprechen Sie«, sagte Hurd sanft.

Einen Moment wurde Cats Gesicht zu einer undurchdringlichen Maske. Dann zuckte er mit den Schultern und sagte:

»Tally Lee. Ein braves Mädchen. Ich habe sie mein ganzes Leben lang gekannt. Was ist geschehen?«

Augie wartete mit der gleichen Auskunft auf. An der anderen Bettseite beendete der Polizeiarzt die Untersuchung der Leiche.

»Was haben Sie festgestellt?« fragte Hurd.

»Der Tod ist vor ungefähr einer Stunde eingetreten. Eine Sodaflasche scheint tatsächlich die Waffe gewesen zu sein. Wir werden es noch im Labor prüfen lassen, aber für mich besteht kaum ein Zweifel.« Er deutete mit dem Kopf auf mich. »Falls er auch mit der Sodaflasche niedergeschlagen worden ist, und wir werden das durch einen Vergleich der gefundenen Haarreste feststellen, wird es Ihnen schwerfallen, ihm etwas anzuhängen.«

»Sie sind sicher, daß er bewußtlos war?« fragte Hurd.

Der Arzt tastete im Vorbeigehen flüchtig über die Platzwunde auf meinem Kopf.

»Er war bestimmt ohmächtig. Natürlich können Sie sich in einem solchen Falle immer auf die Möglichkeit einer Selbstverletzung beziehen.«

»Danke«, sagte ich zu ihm.

»Keine Ursache«, antwortete er lächelnd.

Der Zivilbeamte, dem man die Flasche übergeben hatte, kam mit gerunzelter Stirn herein. Die Flasche trug er auf einem Holzstab aufgespießt. Er schüttelte den Kopf und sagte:

»Überhaupt keine Fingerabdrücke. Alles ist verwischt. Möglicherweise sind noch Fingerabdrücke unter den Blutflecken, aber wir müssen das erst im Labor untersuchen lassen.«

»In Ordnung«, sagte Hurd. »Packen Sie die Flasche ein.« Er wandte sich Sullivan zu und sagte: »Was ist mit diesen beiden?«

»Sie waren in der Pelikan-Bar. Lew Bucks behauptet, sie seien seit drei Stunden dort gewesen, und der Kellner bestätigt das.«

Mit ausdruckslosem Gesicht fragte Augie:

»Wir können also gehen?«

Hurds kühler Blick streifte ihn und glitt dann von Cat zu Helen und mir weiter.

»Ja, ihr werdet alle gehen.« Wir wußten, was er meinte, aber um es noch zu bestätigen, fügte er hinzu: »Mit mir.«

»Weswegen?« fragte ich.

Er lächelte mich an.

»Aus Spaß, Panther. Ich habe etwas von einem Zwischenfall ein paar Häuserblocks von hier entfernt munkeln hören. Keiner scheint verletzt worden zu sein, aber man hat Blutflecke im Hinterzimmer von Bimmys Taverne gefunden, und in der Wand steckten einige Kugeln. Man will gesehen haben, wie ihr drei dort hineingegangen seid, kurz bevor es passiert ist.«

»So?«

»Ich fände es also nett, wenn wir alle ins *Grüne Haus* hinübergingen, um die Affäre zu klären.«

Cat wurde etwas weiß um den Mund herum, und sein Blick verengte sich. Ich wußte, was er dachte, und schüttelte den Kopf, als er mich ansah. Augie fing die Blicke auf, aber er sagte nichts.

Ein Polizist rief die Polizeistation an, das *Grüne Haus*. Der Name hatte sich über eine Generation überliefert und haftete dem Polizeiquartier als einzigem in der Stadt noch an. Für die Bewohner dieses Viertels hatte das *Grüne Haus* die gleiche traditionelle Bedeutung wie für andere Menschen die Bastille oder der Tower von London. Es war ein düsteres Haus in einer düsteren Umgebung, und es geschahen Dinge darin, an die man nicht gern dachte und noch weniger gern Anteil hatte. Jemand hatte einmal behauptet, man habe in jenem Haus mehr Mordfälle geklärt als in allen sechs anderen Polizeistationen der Stadt zusammen, und das mochte stimmen.

Um zwanzig Uhr dreißig war ich nach langer, langer Zeit einmal wieder im *Grünen Haus*, und als ich mich umschaute, stellte ich fest, daß die Einrichtung sich zwar ein wenig verändert hatte, aber daß die Atmosphäre immer noch die gleiche war. Es stank nach Zigarren, feuchten Kleidungsstücken und Männerschweiß, die Luft war grau vor Zigarettenrauch.

Man ließ Helen, Cat und Augie draußen im Meldezimmer warten. Hurd und drei andere Beamte schlichen währenddessen im Vernehmungszimmer um mich herum wie große gefährliche Raubkatzen um ihre Beute, und ich wußte, was sie vorhatten. Wenn es ihnen gelang, mich weichzumachen, würde einer der anderen um so leichter zusammenbrechen.

»Wollen Sie mich verhaften?« fragte ich.

»Vielleicht.«

Hurd zog seine Jacke aus, faltete sie zusammen und legte sie über eine Stuhllehne. Er war groß, hatte breite Schultern und kräftige Arme, und sein Blick forderte mich heraus. Die anderen beobachteten mich nur und hofften auf einen Ausbruchsversuch von mir. Es war ein ziemlich alter Trick.

»Jedenfalls bin ich noch nicht verhaftet«, sagte ich. »Und außerdem liegt nichts gegen mich vor.«

»Vielleicht nicht bei uns, aber woanders, Panther. Das möchte ich gern wissen. Wo also? Woher kommen sie, Panther?«

»Dreimal dürfen Sie raten«, sagte ich.

Er überhörte meine Antwort, sah mich prüfend an und sagte: »Ich möchte von Ihnen wissen, wie das Blut in Bimmys Hinterzimmer gekommen ist.«

»Wie wäre es, wenn er Ihnen selbst Auskunft gäbe? Es ist seine Kneipe.«

»Bimmy hat Angst. Er ist nicht sehr gesprächig.«

»Das sind sie alle nicht.«

Hurd drehte den Schirm der Tischlampe etwas höher, so daß mir der Lichtschein genau ins Gesicht fiel.

»Wir werden jemanden finden, der gesehen hat, wer im Hinterzimmer war.«

»Nur zu. Und dann lassen Sie sich am besten eine Anzeige von ihm unterschreiben.«

»Sie scheinen zu wissen, wie so etwas vor sich geht?«

»Ich habe schon mit der Polizei zu tun gehabt«, sagte ich.

»Da haben Sie recht. Wir haben sogar Akten darüber. Wollen Sie sie sehen?«

»Zum Teufel damit. Verhaftungen sind keine Schuldsprüche.«

»Sie machen zu viel Wind, Panther.«

»Jeder, wie er kann.«

»Ich höre, Sie tragen eine Waffe?«

»Sie haben mich durchsucht. Hatte ich eine bei mir?«

»Nein, aber ich habe gesehen, daß Ihr Hosenbund deformiert ist – als ob Sie dort eine Waffe im Halfter trügen.«

Ich zuckte mit den Schultern und ließ ihn reden.

»Um auf etwas anderes zu kommen«, sagte er. »Sie sind doch hinter dem Burschen her, der Ihren Freund Bennett umgebracht hat, nicht wahr?«

»Ich würde ihn gern treffen«, sagte ich.

»Vielleicht wissen Sie, wer es ist?«

»Noch nicht.«

»Angenommen, Sie finden es heraus?«

»Dann werde ich ein guter Bürger sein und die Polizei rufen.«

»Vielleicht bleibt Ihnen dazu keine Möglichkeit. Wir haben noch andere Gerüchte gehört. Man hat Sie nicht besonders gern.«

»Das habe ich auch gehört. Ich sollte eigentlich um Polizeischutz ersuchen.«

Hurd trat dicht an mich heran und lächelte auf seine besondere Weise.

»Sie sind wirklich ein ganz Gescheiter, Panther. Ich meine, Sie haben einen viel zu großen Mund.«

Ich sah den Schlag kommen und konnte ihn abducken. Gleich darauf war ich auf den Beinen und traf Hurd mit der Rechten voll ins Gesicht. Bevor die anderen eingreifen konnten, landete er zwei Magenhaken, während er von mir zwei weitere Volltreffer im Gesicht abbekam. Fünf Sekunden stand der Kampf zu meinen Gunsten – ganz und gar.

Der Schlag mit dem Totschläger auf meinen Hinterkopf änderte die Lage zu seinen Gunsten. Ich lag plötzlich mit dem Gesicht auf dem kalten Steinboden und hörte ein wildes Durcheinander von Lauten.

Als ich zu mir kam, lag ich noch am Boden. Hurd saß auf meinem Stuhl, und ein Arzt war mit seinem Gesicht beschäftigt. An der Tür stand Wilson Batten, redete laut und gewichtig wie ein Anwalt und wedelte mit einem Blatt Papier in der Luft herum, während ein uniformierter Polizist ihn zu besänftigen versuchte.

Ich richtete mich langsam auf, grinste Hurd an und wandte mich dann Batten zu.

»Du hast verdammt lange gebraucht, um herzukommen.«

Hurd fluchte leise. Ich wischte mir den Schmutz vom Gesicht und trat zu ihm.

»Ich habe Batten angerufen, bevor ich Sie anrief, alter Freund. Ich dachte mir schon, daß jemand auf meinen Skalp scharf wäre.«

»Halten Sie den Mund und verschwinden Sie.«

»Die drei anderen nehme ich mit.«

»Das ist geklärt, Panther«, sagte Batten. »Sie können gehen. Sonst liegt in zehn Minuten Haftbeschwerde vor.«

Der Arzt war mit Hurds Gesicht fertig und gab ihm jetzt ein Formular zum Ausfüllen. Hurd knüllte das Papier zusammen und warf es auf den Boden. Ich lachte.

»Ich habe Ihnen gesagt, Sie sollen micht nicht anrühren, Hurd. Jemand muß Sie doch einmal zur Ordnung rufen.«

»Raus. Wir sprechen uns wieder.«

»Sicher.«

Ich wischte meinen Anzug ab, fand meinen Hut auf einem Stuhl bei der Tür und nickte Batten zu. Er ließ mich vor sich her zum Meldepult gehen, und Hurd folgte uns dichtauf.

Cats Augen weiteten sich, als er Hurds Gesicht sah. Augie verhielt sich wie üblich passiv. Aber Helen schien die Situation mit einem schnellen Blick zu erfassen. Intuitiv erkannte sie, was geschehen war, und ihr nützliches Gefühl wurde zum Verräter an ihrem Vorsatz. Sie war plötzlich ganz auf meiner Seite. Die große, schöne Helen sah mich mit einem listigen kleinen Lächeln an, und ihre Augen blickten stolz.

Wilson Batten wartete, bis wir draußen auf dem Gehsteig vor dem *Grünen Haus* waren, bevor er leichthin sagte:

»Du bist vollkommen verrückt, Panther. Hurd ist nicht irgendein Revierpolizist. Jetzt stehst du auf seiner schwarzen Liste.«

»Du hast Glück gehabt, Panther«, sagte Cat.

Augie lächelte zum ersten Male.

»Er nicht – aber wir. Als nächste wären wir an der Reihe gewesen.«

Automatisch tastete ich meine Taschen ab.

»Ich habe meine Brieftasche drin vergessen.«

»Ich hol sie dir«, sagte Batten.

Ich winkte ab.

»Nicht nötig. Die dort drin stören mich nicht. Laß mir den Spaß.«

Der Sergeant am Pult runzelte die Stirn, als ich ihm erklärte, wo meine Brieftasche wahrscheinlich lag. Er schickte einen Polizisten, und ich folgte ihm ein Stück den Gang entlang. Während er weiterging, klopfte ich an Hurds Tür, öffnete sie und trat ein. Er schluckte eben zwei Aspirintabletten und spülte sie mit einem Glas Wasser hinunter. Dann lehnte er sich im Stuhl zurück, als hätte er mich nie zuvor gesehen, und schaute mich abwartend an.

Ich trat an seinen Schreibtisch, nahm einen Kugelschreiber, schrieb eine Telefonnummer auf seinen Notizblock und sagte:

»Ich habe es nicht gern, Freund, wenn mir einer im Nacken sitzt. In dieser Stadt muß man bestimmte Beziehungen haben, und die habe ich. Tun Sie also uns beiden einen großen Gefallen und rufen Sie diese Nummer an.«

Sein Blick glitt zum Notizblock, und als er mich ansah, war dieser Blick noch kälter geworden: ein helles, tödliches Blau lag in ihm.

»Sie wollen wirklich ganz hoch hinauf, nicht wahr?«

»Man soll niemals unten sitzen. Es geht nichts über einen guten Logenplatz.«

»Ich werde es mir merken«, sagte er mit ausdruckslosem Gesicht.

»Vergessen Sie nicht, anzurufen«, sagte ich und tippte auf den Notizblock.

»Ich werde es nicht vergessen.«

Ich verließ ihn, nahm von dem Polizisten meine Brieftasche entgegen, bedankte mich und ging hinaus. Wilse hatte inzwischen ein Taxi herangewinkt. Wir setzten ihn als ersten ab und brachten Augie und Cat zu meiner neuen Wohnung. Als ich dem Chauffeur dann Tally Lees Adresse nannte, sah mich Helen scharf an.

»Warum dorthin?«

»Um meinen Revolver zu holen«, erklärte ich ihr. »Ich hab' ihn im Mülleimer versteckt.«

Wir waren bereits zwei Häuserblocks weitergefahren, bevor sie wieder sprach. Ihre Stimme hatte jetzt zum zweitenmal jenen neuen Klang, der schwer zu ergründen war.

»Panther –«

»Was?«

»Warum läßt du ihn nicht einfach dort liegen?«

»Was soll ich liegen lassen?«

Sie runzelte die Stirn.

»Du sollst diesen verdammten Revolver im Mülleimer liegen lassen, wo er hingehört.«

»Du legst wirklich großen Wert darauf, daß ich schnell sterbe, nicht wahr?«

Einen Moment lang konnte sie sich beherrschen. Dann wurden ihre Augen feucht. Sie biß sich auf die Lippe und wandte den Kopf mit einem Ruck ab.

»Zum Teufel mit dir«, sagte sie.

»Helen –«

Sie unterbrach mich schnell.

»Erschieß nur recht schnell wieder jemanden. Spiel dich groß auf, wie du es immer getan hast. Aber denk dabei an eines. Es wird für dich nie eine Entschuldigung geben, wenn du jemanden erschießt. Sobald du einen Mann tötest, wird die Polizei dich erledigen – oder eine Jury.«

Ich ließ sie mein Lächeln nicht sehen.

»Deine plötzliche Besorgnis ist rührend«, sagte ich sanft.

Helen schüttelte ärgerlich den Kopf und wandte sich mir wieder zu. Sie sah wunderschön aus – mit ihrem schwarzen Haar und ihrem vollen, lebenshungrigen Mund. Sie lächelte verschleiert.

»Du weißt jetzt, was mit mir los ist. So erstaunlich ist das nicht, Panther. Das Gefühl hat nur tief und fest geschlafen. Jetzt ist es wieder aufgewacht.

Ich zog sie an mich. Zwischen den Küssen seufzte sie leise und sagte immer wieder meinen Namen. –

Der Taxichauffeur war offensichtlich ein zartfühlender Mensch. Er wartete, bis wir merkten, daß wir an Ort und Stelle waren. Dann lächelte er uns durch den Rückspiegel an. Ich gab ihm fünf Dollar und sagte, er solle das Wechselgeld behalten. Er lächelte wieder und sagte etwas auf spanisch, was wie ein kluger Rat klang.

Wir standen auf der gegenüberliegenden Straßenseite, und abgesehen von dem einzelnen Polizisten vor Tally Lees Haus wies nichts darauf hin, was dort geschehen war. New York beschäftigte sich nicht allzu lange mit seinen Toten.

Während Helen in den nächsten Drugstore ging, überquerte ich die Straße. Ich mußte durch einen Keller und über einen Zaun steigen und fand den Mülleimer noch auf der Plattform des kleinen Aufzugschachts. Ich wischte den Revolver sauber und brachte ihn wieder dort unter, wo er hingehörte. Dann ging ich zu Helen.

Vom Drugstore aus rief ich meine Wohnung an. Als Cat sich meldete, fragte ich:

»Weißt du, wo Dixie stecken könnte?«

»Wahrscheinlich im Merced Hotel. Soll ich es feststellen?«

»Tu das und nimm seine Fährte auf. Augie soll in der Wohnung bleiben. Ruf du zwischendurch dort an, bis ich mich melde. Kapiert?«

»Klar, Mann.«

»Gut. Gib mir jetzt Augie.«

Nach einem Augenblick meldete sich Augie.

»Hat Batten dir alle Aufzeichnungen von Bennett gegeben, Augie?«

Ohne zu zögern sagte er:

»Bei Batten kann man nie sicher sein. Aber ich glaube nicht, daß er bei dir etwas zurückhalten würde.«

»Das meine ich nicht.«

»Dann mußt du dich deutlicher ausdrücken, Panther.«

»Du weißt, wer im Hinterzimmer von Bimmys Kneipe war. Sie gehörten nicht in Bennetts Milieu. Er muß also ziemlich weitreichende Verbindungen gehabt haben.«

Es dauerte ein paar Sekunden, bevor er antwortete.

»Wenn du schon davon sprichst, kann ich es ja erwähnen, Panther. Bennett war ein durchtriebener Fuchs. Es würde mich nicht wundern, wenn er eine Privatkartei über seine Sonderverbindungen geführt hätte.«

»Das könnte stimmen. Schau also noch einmal in der Wohnung nach. Die Polizei und die anderen Herrschaften, die dort herumgestöbert haben, scheinen nichts gefunden zu haben, sonst würde der Stunk viel größer sein.«

»In Ordnung, Panther.«

Ich sagte, daß ich wieder von mir hören lassen würde, und hängte ein.

Helen beobachtete mich durch das Glasfenster der Telefonzelle, und als ich die Tür aufzog, sagte sie:

»Du gehst doch nicht allein, Panther?«

Ich beugte mich vor und küßte sie.

»Das habe ich nie vorgehabt, Helen«, sagte ich.

9

Hugh Peddle war nicht schwer zu finden. Seine ständige Bereitschaft für jeden und alles hatte ihm seinen politischen Einfluß verschafft, und es gehörte zu seinem Prinzip, jederzeit für Freund oder Feind zu sprechen zu sein.

Diesmal fand ich ihn in Walter Lico's *Herberge zum Blauen Pfau*, ein paar Schritte vom Broadway entfernt, mitten in Manhattan. Er nahm dort ein spätes Abendessen mit Benny-von-Brooklyn ein.

Ohne zu fragen, zog ich einen Stuhl für Helen an den Tisch und holte mir einen zweiten.

Benny schaute hoch, und ich wußte, was er dachte. Auch Hugh Peddle reagierte nicht gerade übertrieben gastfreundlich.

»Du bist also wieder da«, sagte er leise und böse. »Dann kann ich dir gleich etwas sagen, was ich vorhin nicht erwähnt habe. Du weißt, was mit Dutch Shultz passiert ist, nicht wahr? Man hat ihn unschädlich gemacht, weil er eine Organisation gefährdete. Vielleicht geht man dort, wo du herkommst, anders vor. Aber hier ist es so, und du bist nicht mächtig genug, um das zu ändern.«

Ich sah ihn lächelnd an.

»Vielleicht doch. Vielleicht bin ich die eine große Ausnahme?«

Ich legte eine kleine Kunstpause ein. »Und noch etwas, Hugh.

Wenn ich getroffen werde, fällst du auch. Du weißt, was ich meine, nicht wahr?«

Er leerte sein Glas und bestellte ein neues. Seine Stimme klang heiser, als er fragte:

»Was willst du von mir?«

Ich stand auf und zog Helens Stuhl zurück.

»Bennetts Mörder«, sagte ich. »Vielleicht kannst du mir helfen, ihn zu finden. Du bist der große politische Boß, der seine Finger überall drin hat. Vielen Dank für die Audienz.«

Ich fühlte, wie die Blicke der beiden uns folgten. Als wir uns der Tür näherten, sah ich Hughs Leibwächter. Sie beobachteten mich auch, und ich nickte ihnen höflich zu. Da wir mehr oder minder Kollegen waren und ihre besonderen Dienste im Augenblick nicht benötigt wurden, erwiderten sie das Nicken. Wir begrüßten uns wie Männer, die die Situation als alte Profis kennen und keinen tieferen Groll gegeneinander hegen.

Bevor wir das Restaurant verließen, rief ich Augie an. Cat hatte sich vor einigen Minuten gemeldet und mitgeteilt, daß Dixie in seinem Zimmer im Merced Hotel sei, und daß er bei ihm bleiben würde, bis ich hinkäme.

Dixie lag blaß und mitgenommen auf der Couch, und nur seine Augen schienen richtig lebendig zu sein. Er lag da, die Finger dauernd in Bewegung, als streichelten sie den Griff eines Springstiletts, und sein Blick wanderte ständig zwischen Cat und mir hin und her, als überlege er, wer zuerst umzubringen sei.

»Willst du mir etwas verraten, Dixie?« fragte ich.

»Verschwinde«, sagte er.

»Wie würde es dir gefallen, wenn ich dir einen Knebel in den Mund schiebe und dich hier für drei, vier Tage an einem Wasserrohr festbinde? Wenn du meinst, ich bringe das nicht fertig, dann kannst du es ja darauf ankommen lassen. Was ich von dir wissen will, erfahre ich auf diese Weise bald genug – vielleicht schon morgen.«

Auf seiner Oberlippe bildeten sich Schweißperlen, und sein Mund begann zu beben.

»Wie oft spritzt du dich jetzt schon, Junge? Alle drei Stunden?«

Ich nahm seinen Arm und betrachtete die Haut. Beide Arme waren bis hoch hinauf durchlöchert wie ein Nadelkissen, und wahrscheinlich injizierte er sich jetzt bereits in die Schenkel.

»Meinst du, du könntest es aushalten, vierundzwanzig Stunden trockengelegt zu werden?«

Sein Kopf bewegte sich auf dem Kissen hin und her, und er sah mich haßerfüllt an.

»Ich weiß nichts.« Er sprach schleppend und undeutlich.

»Wir werden es herausfinden.«

In Dixies Augen trat plötzlich ein Ausdruck von Angst – und dann von Resignation.

»Also los«, sagte er. »Was willst du wissen?«

»In der Nacht, in der Bennett erschossen wurde, warst du unten in dem Laden und hast eine Kiste Whisky geholt, nicht wahr?«

»Scotch«, bestätigte er.

»Warum? Bennett war kein starker Trinker!«

»Er wollte eine Party geben.«

»Na gut, du bist also runtergegangen und hast den Scotch geholt. Und weiter?«

Er sah nervös von Cat zu mir und fuhr sich mit der Hand über den Mund.

»Du weißt doch alles. Was soll ich noch erzählen?«

»Ja, ich weiß, daß Bennett angerufen hat, weil du noch eine Kiste Bourbon mitbringen solltest und daß der Verkäufer aus dem Laden später alle deine Aussagen bestätigt hat.« Ich sah ihn scharf an. »Aber wie lange warst du in dem Schnapsladen?«

Er sprach es aus, ohne lange zu überlegen.

»Natürlich die ganzen zwei Stunden. Der Verkäufer kann das bezeugen. Wir haben uns das Fernsehen angeschaut und –«

»Zwei Stunden bist du in dem Laden gewesen? Das kommt mir merkwürdig vor.«

»Was willst du damit sagen?«

»Vielleicht war es eine abgekartete Sache«, sagte ich. »Du erfährst irgendwie, daß du dich ein paar Stunden von Bennetts Wohnung fernhalten sollst. In der Zwischenzeit wird Bennett umgelegt, und du hast nichts damit zu tun – fast nichts.«

Die letzten beiden Wörter gefielen ihm nicht.

»So etwas hätte ich bestimmt nicht getan, Panther. Schau, Bennett und ich waren Freunde.« Er richtete sich auf dem Bettrand auf und hockte da: zitternd und verstört.

»Warum bist du so lange weggewesen, Dixie?«

Er wußte, daß alle Ausflüchte sinnlos waren, und zuckte mit den Schultern.

»Ich brauchte eine Spritze. Das ist der Grund. Du weißt, daß Bennett das Zeug nicht in der Wohnung geduldet hat. Ich mußte es mir also immer draußen geben lassen. So war das an dem Tag auch. Ich hab' von dem Schnapsladen aus angerufen, aber der dreckige kleine Schieber kam ewig und ewig nicht mit dem Zeug. Ich bin fast umgekommen. Der Verkäufer im Laden dachte, ich sei erkältet, und gab mir heiße Zitrone und Aspirin. Endlich kam dann der Schieber, und ich verpaßte mir eine Spritze in der Toilette und gab dem Kerl das Zeug zurück. Nachher hat der Verkäufer den Laden geschlossen und mich zu Bennetts Haus begleitet. So ist es gewesen.«

Ich stand auf und schaute lange auf Dixie hinab. Er beobachtete mich ängstlich. Offenbar war er noch nicht sicher, daß ich seine Geschichte glaubte.

»Noch eines«, sagte ich. »Vorhin habe ich zwei Burschen in Bimmys Taverne leicht angekratzt. Sie müssen zu einem Arzt gegangen sein. Wer macht so etwas?«

Dixie erteilte bereitwillig Auskunft.

»Halpern. John Halpern. Er hat einen Drugstore an der Amsterdam Avenue. Vor fünf Jahren hat er Berufsverbot bekommen.«

»Ich kenne ihn«, sagte Cat. »Er behandelt die Jungens, die mit heiklen Verletzungen und Schußwunden zu ihm kommen.«

»In Ordnung, Dixie. Sei vernünftig. Und wenn du etwas über Bennetts Mörder erfährst, dann will ich es wissen.«

Er schaute wieder von einem zum anderen, fuhr sich mit der Hand über den Mund und beobachtete uns mit ausdruckslosem Gesicht, als wir das Zimmer verließen.

Unten vor dem Hotel sprach Helen zum ersten Male, und ihr Blick war neugierig.

»Du stellst merkwürdige Fragen, Panther.«

»Ich habe auch eine merkwürdige Aufgabe, Helen.«

»Was jetzt?« fragte Cat. »Es ist fast Mitternacht.«

»Wir können nichts weiter unternehmen«, erklärte ich ihm. »Setzen wir Helen ab und gehen wir dann schlafen.«

»Ich nehme mir ein Taxi«, sagte sie.

»Was ist morgen?« fragte ich.

Sie zog einen Briefumschlag aus ihrem Notizbuch, schrieb eine Nummer auf den Rand, riß den kleinen Fetzen ab und gab ihn mir.

»Ruf mich dort an«, sagte sie.

Ich pfiff ein Taxi heran, öffnete ihr die Tür und winkte ihr nach.

Meist fühlt man deutlich, sobald etwas nicht in Ordnung ist. Wenn man ein Profi ist und diese Art Spiel genau kennt, liest man die geheimen Zeichen und spürt den Geruch der Gefahr.

Cat hatte es auch gespürt. Kaum war er aus dem Taxi, da witterte er unauffällig nach beiden Seiten. Ich bezahlte den Chauffeur, und als ich das Wechselgeld in die Hosentasche schob, richtete ich es so ein, daß ich nachher meinen 38er in der Hand hatte.

Wir brauchten keine Signale. Vor langer Zeit hatten Cat und ich diese Manöver oft genug durchgeführt, und unsere Bewegungen spielten sich ganz natürlich aufeinander ein. Er blieb etwas zurück und hielt sich schräg links von mir, so daß wir nie beide auf einmal überrascht werden konnten. Da er wußte, daß ich den Revolver in der Hand hielt, ließ er mich vorangehen.

»Aufpassen, Cat!« schrie ich und warf mich in dem Moment zu Boden, als der rote Blitz in der Tür seitlich von mir aufflammte und die Kugel in die Wand über mir schlug.

Der 38er in meiner Hand dröhnte zweimal, ehe die Waffe mit dem Schalldämpfer wieder losging. Diesmal fuhr die Kugel in den Boden, und ein Körper folgte mit einem rauhen, erstickten Stöhnen.

Es dauerte ein paar Sekunden, ehe die dröhnenden Echos der Schüsse im Ohr verhallten, und gleich darauf hörte ich schnelle Schritte, die sich entfernten, und das Aufstoßen eines Fensters.

»Hinten, Cat!« rief ich. »Einer will hinter hinaus!«

Ich schätzte, es waren nicht mehr als zwei gewesen. Deshalb riskierte ich eine Verfolgung, sprang über den Körper am Boden und duckte mich durch die Tür. Während ich mich weitertastete, versuchte ich mich an den Standplatz der verschiedenen Möbelstücke zu erinnern.

Vor mir tauchte das bleiche Viereck des offenen Fensters auf. Für Cat gab es nur eine Möglichkeit, dem Fliehenden den Weg abzuschneiden. Er mußte die Hausfront entlang um die Ecke laufen, und wenn er rannte, hielten das seine Lungen wahrscheinlich nicht aus. Also mußte ich den Fliehenden von hier aus verfolgen.

Ich schwang mich über den Fenstersims und sprang die zweieinhalb Meter auf den drei Meter hohen Zaun am anderen Ende zu.

Falls sie die Höfe nicht verändert hatten, mußte hinter dem dritten Zaun der Durchgang zwischen Morts Schnellreinigung und Alvarez' Gemüseladen liegen.

Ich kannte mich im Labyrinth dieser Hinterhöfe nicht mehr so genau aus. Abfallhaufen ändern sich in fünfundzwanzig Jahren, und die von uns damals absichtlich gelockerten Zaunlatten waren wieder festgenagelt worden. Aber wenn es dem anderen Burschen ähnlich ging, standen die Chancen wieder gleich.

Ich stemmte mich über drei weitere Zäune, fühlte, wie mein Anzug über den Schenkel zog. Dann war ich über den letzten Zaun und sah den Burschen vor mir.

Er rannte nicht mehr, sondern bewegte sich tief gebückt und schräg schleichend vorwärts. Die Hand hielt er ausgestreckt, und der Revolverlauf wies wie ein verlängerter Finger nach vorn.

Ich näherte mich ihm langsam von hinten, und im Lichtschein der Straßenlaterne an der Einmündung der Gasse sah ich, was ihn aufgehalten hatte.

Mr. Sullivan bog in schnellem Trott, den Revolver in der Hand, in die Gasse ein. Mit der freien Hand fummelte er dabei unter der Jacke nach seiner Taschenlampe. In der nächsten Sekunde konnte er tot sein.

»Hinlegen, Sully!« konnte ich nur noch brüllen.

Er warf sich zu Boden. Der Fliehende wirbelte herum, gab einen weiteren schallgedämpften Schuß auf mich ab und noch einen zweiten, als ich mich fallen ließ und zur Seite rollte.

Mehr Zeit hatte er nicht. Mr. Sullivan feuerte einmal liegend aufgelegt. Der Bursche verharrte noch einen Moment in seiner vorgebeugten Lauerstellung und setzte sich dann langsam hin.

Er saß mit dem Rücken gegen einen leeren Karton gelehnt da, als ich ihn erreichte. Den Revolver mit dem Schalldämpfer hielt er noch in der Hand, als gehöre er zu seinem Körper. In seiner Stirn war ein kleines Loch.

Am Ende der Gasse zeichnete sich Cat als Silhouette gegen den Lichtschein ab. Er kam langsam auf uns zu und rang nach Luft. Als er sah, wer getroffen worden war, ließ er sich einfach in den Straßenschmutz sinken.

»Gut geschossen, Mr. Sullivan«, sagte ich.

Um uns her gingen Lichter in den Fenstern an. Stimmen wurden laut, und jemand rief, man solle die Polizei holen.

»Ja, tun Sie das«, sagte Mr. Sullivan sanft. Dann sah er zu mir auf. »Vielen Dank für die Warnung.«

»Nicht der Rede wert.«

»Ich nehme an, Sie haben eine Erklärung für Ihre Anwesenheit hier?«

»Wirklich gut. Ich bin überfallen worden. Ein zweiter Angreifer liegt in der Diele des Hauses. Wie kommt es, daß Sie in diese Gasse gelaufen sind?«

»Ich habe Ihren Freund hier gesehen – und gehört, wie er schrie und in diese Richtung wies. Manchmal begreife ich ziemlich schnell.«

»Gut. Dann schlage ich vor, wir lassen Cat bei diesem hier und gehen ins Haus.« Ich beugte mich zu Cat hinab und spähte ihm ins Gesicht. »Wie fühlst du dich?«

»Lausig«, sagte er. »Aber ich halte durch. Geht nur.«

»Wenn der Patrouillenwagen kommt, sagen Sie den Beamten, sie sollen in die Wohnung kommen«, sagte Sullivan.

Als wir auf das Haus zuliefen, hörten wir schon die Sirene hinter uns heulen. Die Tür stand noch offen. Sullivan schob mich beiseite und ging mit dem Revolver in der einen Hand und der Taschenlampe in der anderen hinein. Er fand den Schalter und machte Licht.

Als es hell wurde, warf ich mich unwillkürlich gegen die Wand zurück. Sullivan schaute mich an, und ich schaute ihn an. Die Stelle an der Tür, wo ich den anderen niedergeschossen hatte, war leer. Auf dem Boden war ein großer Blutfleck. Rote Streifen von haltsuchenden Fingern an der Wand und an der Außentür verrieten deutlich genug, was geschehen war.

Nummer eins war zu leicht getroffen worden. Er hatte sich verdrücken können, während ich seinen Partner verfolgte.

Als wir ins Zimmer traten, stürmten ein Polizist in Zivil und einer in Uniform ins Haus. Ich schaltete das Licht an, und wir standen alle da und starrten auf den Körper auf dem Boden. Sein Kopf und seine Brust waren von mindestens sechs Kugeln durchlöchert, von denen jede tödlich gewesen wäre. Aber ›Profis‹ gehen keine Risiken ein, wenn sie schon einmal an der Arbeit sind.

»Das ist Augie«, sagte Sullivan.

Hinter ihm sagte Sergeant Hurd:

»Die Dinge entwickeln sich ziemlich hurtig, nicht wahr?«

Sein Mund war an einer Seite blau angeschwollen, so daß er ständig schief zu grinsen schien. Cat kam herein – gestützt von einem Polizisten. Im Lampenlicht sah Cats Gesicht unheimlich bleich aus, und seine Wangen waren tief eingesunken. Er sah mich an und nickte. Ich wußte, was er meinte.

Der Polizeiarzt kam bald danach. Er war nicht gerade erfreut über die Nachricht, ließ sich aber nichts anmerken. Im Gegensatz zu vielen seiner Kollegen schreckte er nicht vor einer schnellen Stellungnahme zurück. Er untersuchte Augie und setzte die Todeszeit so genau fest, daß Hurd zufrieden war. Nach Meinung des Arztes war Augie vor ein bis anderthalb Stunden erschossen worden.

Ich schlug Hurd vor, Helen und Hugh Peddle anzurufen und den Taxichauffeur zu befragen, der uns hergebracht hatte. Hurd sah es gern, wenn Dinge schnell erledigt wurden. Ehe er noch Peddle in einem Bistro in Manhattan ausfindig gemacht und das Telefongespräch mit ihm beendet hatte, war der Taxichauffeur schon in der Diele, und Hurd bekam von ihm seine Aussage.

Ich konnte nicht viel zur Aufklärung des Überfalls beitragen. Nach meiner Meinung waren es Einbrecher gewesen, die bei Bennett eine fette Beute erwartet hatten und von Augie überrascht worden waren.

Hurd notierte sich alle Angaben mit unbewegtem Gesicht, erklärte uns, wir dürften die Stadt nicht verlassen, und entließ uns dann, während das technische Personal des Morddezernats an die Arbeit ging. Cat sagte, wir seien bei ihm zu erreichen, und ging hinaus. Als ich ihm folgen wollte, rief Hurd meinen Namen.

»Ja?« Ich blieb an der Tür stehen und schaute zurück.

»Ich habe die Nummer angerufen.«

»Nett von Ihnen. Ich habe ziemlich gute Beziehungen, nicht wahr?«

Bevor er antwortete, wartete er ein paar Sekunden mit unbewegtem Gesicht. Nur die Schultern unter einer Jacke zuckten.

»Seien Sie vorsichtig, Panther«, sagte er.

Ich nickte und verschwand, ehe einer der Zeitungsleute auf der Bildfläche erscheinen konnte.

Cats wegen ging ich langsam, aber für ihn war es noch zu schnell. Bevor wir sein Haus erreichten, mußte er dreimal stehenbleiben und Atem schöpfen. Er lebte in einem Kellerraum unter einem erbärmlichen Schuppen. Eine kahle Glühbirne hing von der Decke herab. Die Einrichtung bestand aus zwei wackligen Stühlen und einer Couch mit zerschlissenem, dunklem Bezug.

»Daheim«, sagte er und ließ sich auf die Couch sinken.

Er versuchte eine Zigarette, hustete sich nahezu besinnungslos, erholte sich wieder und warf die angerauchte Zigarette zu Boden.

»Verdammter Dreck«, murmelte er.

»Cat!«

Er öffnete die Augen und sah mich an.

»Ich bin schon wieder da, Panther.«

»Du weißt, was passiert ist, nicht wahr?«

Er nickte.

»Der Tote ist Morrie Reeves. Die beiden dachten, sie hätten dich erwischt. Sie hatten Augie nicht dort vermutet. Dann haben sie auf dich gewartet.« Sein Lachen war ein heiseres Rasseln tief in der Kehle. »Du hast ihnen den Schneid abgekauft, als du einfach ins Haus gegangen bist. Wenn diese Profis in einer Nacht einmal daneben treffen, taugen sie beim zweitenmal nicht mehr. Das Glück, das du hast, hat ihnen Angst eingejagt. Deshalb ist der andere geflohen, als du seinen Partner erwischt hast.«

»Ich habe ihn nicht richtig erwischt.«

Cat wälzte sich zur Seite, so daß er mich ansehen konnte.

»Darüber habe ich mir Gedanken gemacht, Panther.«

»Worüber?«

»Niemand hat dir wegen des Schießeisens Schwierigkeiten gemacht. Sie haben dich unbehelligt gehen lassen. Und dann die Bemerkung von Hurd – wegen des Anrufs.«

»Und?«

»Zum Teufel, Mann, ich habe die großen Kanonen erlebt, die mit einem Telefonanruf die Polizei zurückpfeifen konnten. Damals, als wir noch im Kellerklub hausten, haben die einflußreichen Burschen über uns sogar die Stadtverwaltung an der Strippe gehabt. Das Schlimme ist nur, daß die ganz Großen früher oder später fallen, und ich möchte das bei dir nicht gern erleben. Es ist lange her, seit ich einen Freund hatte.«

»Mach dir keine Sorgen deswegen.«

»Wo bist du all die Jahre gewesen, Panther?«

Ich lächelte ihn an und schüttelte den Kopf.

»Wir reden ein andermal darüber, Junge.«

»In Ordnung, Panther.« Er richtete sich auf und klopfte auf die Polsterung, daß der Staub hochwirbelte. »Klappen wir die Kiste auf und legen uns aufs Ohr.«

»Ich mache es mir auf dem Boden bequem.«

»Sei nicht so ein Snob. Du hast oft genug auf dem Ding hier geschlafen.«

Ich sah ihn verwundert an, und er lachte.

»Das ist das Originalstück aus Bennetts Wohnung. In früheren Zeiten hatte es im Kellerklub der alten *Ritter der Nacht* gestanden.

Es war das erste Möbelstück, das wir je gestohlen haben. Du hast es an einem Ende mitgetragen, als es durch die Hintertür von Moe Schwartz' Trödlerladen geschleppt wurde.«

Ich erinnerte mich jetzt und mußte lachen.

»Also klapp die Kiste auf, du sentimentaler Trauerkloß«, sagte ich. »Ihr Burschen kommt doch einfach von den früheren Zeiten nicht los.«

10

Cat weckte mich am nächsten Morgen, indem er mir eine Zeitung vor die Nase hielt und auf zwei Spalten in der unteren Ecke wies.

»Roscoe hat es wieder auf dich abgesehen«, sagte er. »Du solltest ihn endlich zur Ordnung rufen.«.

Ich wischte mir den Schlaf aus den Augen und las die Kolumne mit der üblichen Überschrift ›Gerüchte aus der Unterwelt‹. Es war der typische Stil von Roscoe Tate: gute Berichterstattung und scharfgezielte Anklage mit sehr effektvoller Wirkung.

Gewalttat und Tod hätten Bennetts Machtbereich wieder getroffen, hieß es da. Diesmal sei der Angriff gegen den neuen Herrscher gerichtet gewesen, hätte aber einen Geringeren vernichtet. Zwei Männer seien gestorben, und die polizeilichen Ermittlungen schienen absichtlich verzögert zu werden. Die Stadt sei reif für weitere Mordtaten.

Ich riß die Kolumne aus der Zeitung, steckte sie in die Hosentasche und zog mich an. Wir mußten zur Polizeistation, um unsere inzwischen schriftlich niedergelegten Aussagen zu unterschreiben, und ich ließ deshalb meinen Revolver bei Cat, der ihn sicher verstaute.

Roscoe Tate stand vor der Polizeistation und unterhielt sich mit dem Zivilbeamten, den ich gestern nacht schon gesehen hatte. Er beendete sein Gespräch mit einem Nicken und kam auf uns zu.

»Guten Morgen, Tate«, sagte ich.

»Du mußtest Helen ganz schnell in die Affäre hineinziehen, nicht wahr?« fragte er ohne Umschweife.

Ich zuckte mit den Schultern.

»Beruhige dich. Sie war mein Alibi und hat sonst nichts mit der Sache zu tun.«

»Das habe ich gehört. Seit wann ist sie deine Komplizin?«

»Frag sie selbst«, sagte ich und schaute über seine Schulter.

Tate drehte sich um und wartete, bis Helen das Taxi bezahlt hatte und herankam. Sie lächelte und warf mir eine Kußhand zu.

»Was soll er mich fragen?« sagte sie.

Es war seltsam, welche Veränderung in Tates Gesicht vor sich ging, als er Helen kommen sah. Man kann so etwas bei Eltern beobachten, deren Kinder groß geworden und ihrem Einfluß entglitten sind. Zuerst war es ein Anflug von sehnsuchtsvoller Bewunderung, dann Verwirrung und am Ende ein Zug von schwermütigem Mitleid.

»Helen!«

»Hallo, Roscoe.« Sie nahm seinen Arm und drückte ihn zärtlich. »Was hat der Stehkonvent hier eigentlich zu bedeuten?«

»Du weißt, worum es geht«, antwortete er. Dann sah er mich an und sagte bedeutungsvoll, aber ohne die übliche Bosheit in seiner Stimme: »Ich möchte mit dir sprechen.«

»Na, schön«, sagte Helen freundlich. »Aber wollen wir nicht lieber erst hineingehen? Wir haben Sergeant Hurd versprochen, um zehn Uhr hier zu sein, und es ist gleich soweit.«

Tate machte eine resignierte Mundbewegung, nickte und ging auf das Gebäude zu. Wir folgten ihm.

Hugh Peddle, Benny und der Taxichauffeur hatten bereits ihre Vernehmungsprotokolle unterschrieben. Hurd brachte den Papierkrieg auch mit uns schnell zu Ende. Hinterher fragte ich:

»Haben Sie etwas über den Burschen vorliegen, den Sullivan erschossen hat?«

Er nickte.

»Ein Killer-Typ aus Illinois. Die Polizei dort legt ihm mindestens zwölf Morde zur Last. Er gehörte zu der Sorte von Kerlen, die man für solche Dienste hoch bezahlt. Feine Jungens sind das, die es auf Sie abgesehen haben, mein Freund. Einige Kugeln aus seinem Revolver trafen Ihren Genossen Augie.«

»Davon habe ich nichts in der Zeitung gelesen.«

»Es ist erst vor einer Stunde bekanntgeworden.«

»Sein Name ist Morrie Reeves«, sagte ich.

Hurd sah mich kühl an.

»Sie machen mir immer mehr Freude«, sagte er. »Wußten Sie das gestern nacht schon?«

»Sagen wir: ich war meiner Sache nicht ganz sicher.«

»Vielleicht wissen Sie noch mehr? – Etwa über den anderen Burschen, der ebenfalls einige Schüsse auf Augie abgefeuert hat und entwischt ist?«

»Lew James«, erklärte ich grinsend. »Sie hatten sich im Westhampton Hotel als Gebrüder Wagner eingetragen.« Bevor Hurd antworten konnte, fügte ich hinzu: »Ich versuche nur, hilfsbereit zu sein, Sergeant. Ein Mann in meiner Lage muß sich an außergewöhnliche Informationsquellen halten. Aber wenn ich etwas erfahre, lasse ich es Sie wissen.«

Er lehnte sich gegen den Rand des Schreibtisches und stützte seine Handflächen auf die Platte.

»Sie wachsen immer mehr über sich hinaus, Panther. Es ist interessant, Sie zu beobachten. Ich lerne viel dabei. Bennett habe ich auf die gleiche Weise beobachtet. Er war auch unheimlich gescheit und hatte Beziehungen bis in die höchsten Regionen. Und er gab sich keine von den Blößen, die vielen Großen zum Verhängnis geworden sind. Keine Steuerhinterziehungen oder solche Sachen. Nein, er hat sich gewissermaßen sauber gehalten, bis ihn schließlich einer der halbstarken Rowdys erwischt hat – und das war die Pointe an der Sache.«

Ich sah ihn neugierig an.

»Ein Halbstarker?« wiederholte ich.

»Ja, stellen Sie sich vor: Ihr alter Freund Bennett ist von irgendeiner Rotznase von Straßenjungen erledigt worden. Der große Mann des Jahrzehnts, der Gangster und Politiker nach seiner Pfeife tanzen lassen konnte, wurde das Opfer eines halbstarken Rowdys. Das ist doch kaum die richtige Art des Abgangs für einen großen Mann dieser Art, finden Sie nicht auch?«

Hurd beobachtete mein Gesicht mit einem merkwürdigen Ausdruck von Fasziniertheit und zugleich mit der wilden Genugtuung eines Mannes, der die Wirkung seiner Worte erkennen kann.

»Eine Gummiband-Pistole hat den Tod Ihres Freundes verursacht, eine ganz primitive Gummiband-Pistole«, sagte er. »Sie kennen die Dinger bestimmt. Sie haben sicherlich selbst welche fabriziert.« Er hielt inne, weil ihm etwas einfiel, und fügte dann spöttisch hinzu: »Ich hätte es fast vergessen: Sie haben natürlich keine Gummiband-Pistole benutzt, sondern einen Revolver, den Sie einem Polizisten abgeluchst hatten. Tragen Sie die Waffe noch?«

Ich zuckte mit den Schultern und schlug unschuldig meine Jacke auseinander.

»Eine Gummiband-Pistole«, wiederholte Hurd gemächlich. »Eine 22er-Kugel aus einer Gummiband-Pistole. Die Ballistiker konnten sogar erklären, wie es gemacht wird. Ein Stück von einer Autoradio-Antenne und eine Nagelspitze, die mittels Gummiband als Zündbolzen vorwärtsschnellt. Verdammt wirkungsvolle Sache –«

»Die Wissenschaft ist etwas Wunderbares«, sagte ich. »Sicherlich ist diese Information nicht streng geheim?«

»Sie können es in den Nachmittagszeitungen lesen.«

»Vielen Dank.«

»Gern geschehen.«

Cat zupfte mich am Ärmel. Er hatte es so eilig, aus diesem Haus zu kommen, daß er noch vor Helen hinausschlüpfte, während ich ihr die Tür aufhielt. Draußen winkte er mich beiseite und erklärte mir mit leiser Stimme, daß er seinen Freund Charlie Bizz einsetzen würde, um zu erfahren, was aus dem anderen Revolvermann, Lew James, geworden war. Ich gab ihm einen Hunderter für seine Unkosten und sagte ihm, er solle über Wilson Batten mit mir in Verbindung bleiben und mich später in der Wohnung treffen. Auf alle Fälle solle er nicht zuviel riskieren.

Am Eingang gesellte sich Tate zu uns, und wir gingen alle in Hymies Delikatessenladen. Beim Kaffee erleichterte Tate sofort sein Gemüt.

»Weißt du, in was du dich eingelassen hast, Helen?«

»Ich glaube, ja. Ich mache mir darüber keine Sorgen.«

»Aber ich.«

»Ich bin kein kleines Mädchen mehr.«

»Du läßt dich von diesem Ganoven beschwatzen, Helen. Du bist schon immer auf großspurige Reden und großspurige Burschen hereingefallen.«

»Vorsichtig, Tate«, sagte ich.

Sein Blick bohrte sich in meinen.

»Warum? Du weißt das alles selbst. Du bist kein Fremder in unserer Straße. Denk doch zurück. In der Schule war sie dicke Tinte mit dem schlimmsten Früchtchen von allen: mit Betty Ann Lee.«

»Freundinnen? Eine kleine Straßenstreunerin aus einer Familie von Asozialen – das war deine Freundin?«

»Sie konnte nichts dafür. Mit unserer Familie war auch nicht viel los.«

»Aber wir haben uns sauber gehalten«, sagte Tate. »Nachdem ich den Alten hinausgeworfen hatte, ging es ganz gut.«

»Aber Betty hatte niemanden, der ihr helfen konnte«, sagte Helen.

»Es wäre mit ihr trotzdem bergab gegangen. Am Ende hat sie sich von einem Dach gestürzt – weil sie sich mit Bennett eingelassen hatte und rauschgiftsüchtig geworden war.«

In meinem Unterbewußtsein begann eine Alarmglocke zu schellen.

»Soviel ich gehört habe, hat Bennett es nicht gern gesehen, wenn jemand in seinem Haus sich mit Rauschgift abgegeben hat?«

»Voller Pietät und Taktgefühl«, antwortete Tate höhnisch. »Wie ihr alle. Als Betty sich das Leben nahm, war Bennett tief erschüttert. Er wollte nichts mit irgend etwas zu tun haben, was sein kleines Haus beschmutzen konnte. Die von der Bundespolizei wären natürlich höllisch froh gewesen, wenn sie ihm ein Delikt wegen Rauschgifthandel hätten anhängen können. Aber dazu war Bennett zu schlau. Nein, sie konnten ihm nichts anhaben.« Tate zog eine Grimasse, und seine Hände krampften sich vor Wut zusammen. »Und jetzt bist du zurückgekommen: der Schlimmste von allen – schlimmer als Bennett oder Sobel oder irgendeiner.«

»Mach dir keine Sorgen darüber«, sagte ich.

Seine zornige Grimasse wurde zu einem Lächeln.

»Das tue ich nicht. Ich brauche nur dazusitzen und abzuwarten. Burschen von deinem Kaliber enden alle auf die gleiche Weise: im Leichenschauhaus.«

Ich stand auf.

»Kommst du mit, Helen?« fragte ich.

»Können wir uns später treffen? Ich muß in zwanzig Minuten im Büro eines Produzenten ein Manuskript abholen.«

»Dann rufe ich dich später an.« Ich nickte Tate zu. »Du solltest dich nicht zu leicht zu Trugschlüssen verleiten lassen, Tate!«

»Inwiefern?«

»Denk darüber nach.«

Ich blinzelte Helen zu. Sie antwortete mit einer Kußhand, und ich ging.

Der Hausmeister des Gebäudes, in dem der Klub der *Ritter der Nacht* tagte, war ein Trunkenbold, der sich nicht sehr verändert hatte, seit wir uns das letzte Mal begegnet waren. Seinerzeit, mit vierzig Jahren, war er schon ein Kahlkopf mit wäßrigen Augen und einer weinerlichen Stimme gewesen. Wir hatten uns von ihm den Schnaps besorgen lassen, den wir damals als Minderjährige noch nicht zu kaufen bekamen. Seine Bezahlung waren jeweils ein, zwei Schluck aus der Flasche gewesen. Er schlief immer noch auf dem alten Feldbett im Hinterzimmer.

Jetzt war er fünfundsechzig, seine Kopfhaut war verschrumpelt und seine Augen noch wäßriger. Aber der alte Henny Summers war noch immer auf dem laufenden und wußte, wie das Spiel geführt wurde. Als ich anklopfte und eintrat, schaute er schnell hoch, schluckte hart und zwang sich zu einem Lächeln.

»Hallo, Mr. Panther.«

»Wie geht es, Henny?«

»Gut, gut. Mr. Batten hat angerufen und mir erklärt, daß das Haus jetzt Ihnen gehört. Werden Sie mich behalten, Mr. Panther?«

»Warum nicht?«

»Fein. Wollen Sie sich das Haus anschauen?«

»Vielleicht später.«

»Alles ist ziemlich gut in Ordnung. Manchmal brechen so ein paar Halbwüchsige ein und toben herum. Mal ist ein Stuhl zerbrochen worden, und ein paar Gläser wurden gestohlen. Vorige Woche haben sie die Hintertür zum Keller aufgebrochen. Jetzt habe ich die Tür vernagelt. Gestern hat ein kleiner Junge eine Flasche hier hereingeworfen und eine Fensterscheibe zerbrochen. Ich habe ihm den Hintern versohlt.«

»Geschieht ihm recht.« Ich räusperte mich. »Du kennst doch dieses Haus ziemlich genau, nicht wahr, Henny?«

Seine Brauen hoben sich, als er den Sinn der Frage zu ergründen versuchte.

»Natürlich, Mr. Panther. Habe ich nicht die ganze Zeit hier gewohnt?«

»Hat sich Bennett oft hier aufgehalten?«

»Mr. Bennett?« Er schüttelte den Kopf. »Er ist zu den Zusammenkünften hergekommen. Manchmal hat er eine Party gegeben – mit Bier und so. Er war ja nie für diesen vornehmen Quatsch – hat es lieber so wie in den alten Zeiten gehabt. Nette Mädchen waren auch immer dabei. Einmal kam eine hier zu mir herein und...«

»Ist Bennett je allein hergekommen?«

»Hin und wieder hat er mich mit einer Flasche Wein besucht. Das ist schon eine Weile her.« Henny lachte zahnlos und machte eine Daumenbewegung hinter sich. »Mr. Bennett und ich haben dort unten gesessen und uns unterhalten. Wir haben die Flasche geleert und wirklich nett miteinander geplaudert. Kommen Sie, schauen Sie sich die alte Bude einmal wieder an.«

Er brauchte mir den Weg nicht zu zeigen. Es gab hier keinen Fleck, den ich nicht kannte, und nur wenig hatte sich verändert. Als Henny das Licht anschaltete, lag der alte Keller noch so vor mir wie damals, als *Teddy der Schläger* und ich uns mit Eispickeln duelliert hatten und jeder von uns drei Stiche abbekam, bevor ich ihn kampfunfähig machen konnte.

Es war ein großer, quadratischer Raum mit Zementwänden. Heller Staub lag über allem, und die Möbel begannen sich mit Schimmel zu überziehen. Als Henny sah, daß mein Blick auf einen leeren Fleck an der Wand fiel, sagte er nervös:

»Die alte Couch hat dort gestanden. Cat hat sie geholt. Mr. Bennett war einverstanden. Aber wenn Sie wollen, kann ich –«

»Nicht nötig.«

»Das Radio spielt noch. Man bekommt nur noch eine oder zwei Stationen, aber ich stelle es manchmal an.«

Ich ging die letzten Stufen hinunter, und der Geruch von muffiger, feuchter Kellerluft wurde mir wieder so vertraut, als wären keine fünfundzwanzig Jahre seit meinem letzten Besuch hier vergangen. Es hing noch derselbe Vorhang vor dem Alkoven mit dem Feldbett, und die Tür zum Kohlenkeller hatte noch immer Nägel als provisorische Zapfen in den Angeln.

»Ich habe noch eine Flasche Wein da, Mr. Panther«, sagte Henny hinter mir. »Wollen Sie einen Schluck trinken? Zur Erinnerung an die alten Tage?«

»Vielleicht später.« Ich wandte mich wieder der Treppe zu, und Henny schien über meine Haltung enttäuscht zu sein.

»Mr. Bennett war gern hier unten.«

»Ich nicht.«

»Was soll ich jetzt mit dem ganzen Zeug machen, das Mr. Bennett bestellt hat?«

»Was für Zeug?«

»Fünfzig Kisten Importbier und all die Kisten mit Schnaps. Der Mann vom Getränkegroßhandel wollte wissen, wohin er das Zeug liefern soll.«

»Wozu sollte das sein?«

Henny zuckte mit einer Geste übertriebener Resignation die Schultern.

»Mir hat ja nie jemand etwas gesagt. Mr. Bennett hat mir nur befohlen, den Keller für eine Zusammenkunft vorzubereiten. Für die Getränke hat er immer selbst gesorgt. Er wollte nie, daß hier Alkohol aufbewahrt wurde und hat das Zeug stets erst im letzten Moment herkommen lassen.«

»Wann ist das gewesen?«

»An dem Tag, als er getötet wurde. Mr. Bennett hatte mir nur gesagt, daß er eine große Party geben wolle und daß es eine Überraschung für alle werden solle.«

»Hier wird es keine Party mehr geben«, sagte ich. »Schau zu, daß der Mann vom Getränkegroßhandel den Auftrag annulliert.«

»In Ordnung, Mr. Panther.«

Ich machte einen schnellen Inspektionsgang durch das Haus, und Henny folgte mir, unaufhörlich seine weinerlichen Kommentare zu allem gebend. Als wir wieder im Erdgeschoß waren, fragte ich:

»Hatte Bennett einen Geldschrank im Haus?«

»Geldschrank? Nein. Nach den Zusammenkünften hat er immer alle Papiere wieder mitgenommen. Hier hat er nichts aufbewahrt.«

Das erschien mir logisch. Wenn Bennett irgend etwas sicher aufbewahren wollte, dann bestimmt nicht hier, wo jeder Straßenjunge einbrechen konnte.

Ärgerlich dabei war nur, daß er anscheinend davon überzeugt gewesen war, mir einen deutlichen Hinweis in dieser Richtung hinterlassen zu haben.

Wir hatten damals die Trennung lange geplant und in allen Einzelheiten vorbereitet. Eines Tages würde die Stadt nicht groß genug für zwei von unserer Art sein – so hatten wir seinerzeit argumentiert. Warum sollten wir uns also nicht lieber in aller Freundschaft trennen, statt uns blutig zu befehden? Ein Münzenwurf sollte entscheiden, wer bleiben konnte. Und wenn einem von uns etwas passieren würde, sollte der andere alles erben.

Wir hatten Henny geweckt und ihn die Münze werfen lassen. Ich hatte verloren. Wir hatten einander die Hände geschüttelt, und ich war fortgegangen, um mir ein anderes Tätigkeitsfeld zu suchen.

»Erinnerst du dich noch, wie du die Münze geworfen hast, Henny?« fragte ich geistesabwesend.

Henny sah mich ebenso geistesabwesend an. Er wußte nicht

einmal, wovon ich sprach. Ich gab ihm fünf Dollar und ging. Draußen, an der Straßenecke, wartete ich, bis ein Taxi vorbeikam, nannte dem Chauffeur Battens Adresse.

Ein neuer Picasso war zu den Gauguins an der Wand hinzugekommen. Es war ein Gewirr von Farben und Formen hingepinselt in der anspruchsvollen modischen Manier jener Genialität, für die jetzt hohe Summen bezahlt werden.

Batten saß zurückgelehnt in seinem Drehsessel und betrachtete das Gemälde. Als er den Kopf wandte, sagte das Mädchen hinter mir entschuldigend:

»Er wollte sich nicht anmelden lassen, Mr. Batten.«

Wilse nickte. Das Mädchen lächelte mich an und schloß die Tür.

»Gib kein Geld aus, das du noch nicht hast, Batty.«

»Ich kann warten.« Er drehte sich mit dem Sessel zum Schreibtisch herum und machte es sich bequem. »Was hast du auf dem Herzen?«

»Bennett«, sagte ich und setzte mich. »Ich möchte von dir noch mehr über Bennett erfahren.«

Batten nickte nachdenklich und sagte schließlich:

»Wenn ich ihn nicht so gut gekannt hätte, wäre ich nie darauf gekommen, daß er im Grunde genommen zurückgeblieben war.«

»Zurückgeblieben?«

»Ja. Bis zu seinem Tod hat er das Leben mit den Augen eines Jugendlichen angesehen. Er ist eigentlich nie richtig erwachsen geworden. Du weißt, wie er an der Vergangenheit gehangen hat – wie er alles für deine Rückkehr vorbereitet hat.«

»Für ein zurückgebliebenes Kind ist er aber ziemlich gut vorangekommen«, sagte ich.

»Daran besteht kein Zweifel. Wie alle Kinder besaß er jene geniale Schlauheit und Einfühlungsgabe, die den erwachsenen verlorengeht. Er ging an seine Aufgaben mit einer naiven Unbekümmertheit heran, die seine Widersacher aus dem Gleichgewicht brachte.«

»Das allein hätte wohl kaum genügt«, sagte ich.

»Nein. Natürlich hatte er einen Hang zum Verbrechertum. In dieser Hinsicht war er reif und erwachsen. Er beherrschte sein Handwerk wie ein ausgesprochen alter, erfahrener Profi. Aber in seinem innersten Wesen war er der ewige romantische Jüngling. Das ist mein Bild von Bennett.«

»Na gut«, sagte ich. »Lassen wir jetzt den sentimentalen Roman-
tiker aus dem Spiel. Halten wir uns an den cleveren Profi Bennett.
In dieser Funktion scheint er nämlich mit großem Geschick bela-
stendes Material über bestimmte Leute gesammelt und es als
ständiges Druckmittel gegen sie benutzt zu haben. Die große Frage
ist jetzt: wo hat er dieses Material aufbewahrt?«

»Ich wollte, ich wüßte es«, sagte Batten. »Wirklich –«

Bevor ich antworten konnte, läutete das Telefon. Batten meldete
sich, runzelte die Stirn und reichte mir den Hörer.

Cat war am Apparat. Er berichtete, er habe Lew James noch nicht
ausfindig gemacht, sei aber mit Charlie Bizz auf seiner Fährte. Ich
sagte, er solle sich wieder melden.

Als ich abgehängt hatte, sagte ich zu Batten:

»Angenommen, du findest eher als ich heraus, wo Bennett das
Material verwahrt hat, von dem wir eben gesprochen haben? Was
dann?«

»Dann würde ich dir Bescheid sagen«, antwortete er, ohne zu
zögern. »Ich halte dich nämlich für einen Psychopathen und – wie
die meisten dieser Art – für ausgesprochen schlau auf bestimmten
Gebieten. Ich kann mir also vorstellen, daß du den besten Gebrauch von diesem Material machen wirst. Daher würde ich dich
lieber nicht als Todfeind haben, sondern es vorziehen, Nutznießer
deiner Manipulationen zu sein. Schließlich ist das Leben mehr wert
als nur Geld.«

»Behalt das im Gedächtnis, mein Freund. Du hast die Situation
richtig analysiert – bis auf den ersten Punkt.«

»Du meinst den Psychopathen?«

»Ja.«

»Beunruhigt dich dieser Gedanke?«

»Nicht im mindesten.«

»Die Zeit wird es erweisen.«

Ich nickte und stand auf.

»Hast du im Moment etwas vor?«

»Nichts, was ich nicht absagen könnte.«

»Gut. Dann drück jetzt weiter deinen Sitz. Ich könnte dich
schnell brauchen.«

»Ich warte«, sagte er.

Ich kramte den Papierfetzen mit Helens Telefonnummer aus der Tasche und rief von einem Drugstore in der Nähe von Battens Büro dort an.

Helen wohnte in einem Apartmenthotel in den West-Siebzigern. Ich sollte so schnell wie möglich zu ihr kommen, sagte sie, und ich antwortete ihr, sie solle etwas Eßbares bereithalten, ich würde in zwanzig Minuten dort sein.

Wie sie so im Türrahmen lehnte und auf mich wartete, fand ich sie schöner denn je. Sie trug einen Hausanzug aus schwarzem Samt, und die rote Perlenstickerei daran harmonierte mit der schimmernden Röte ihrer Lippen. Sie sah bezaubernd aus.

»Prüfung bestanden?« fragte sie lächelnd.

Ich grinste nur, und sie nahm meinen Arm und zog mich hinein.

»Ich wollte dich nicht so aufdringlich anschauen«, sagte ich. »Aber ich habe nun einmal eine Schwäche für große, hübsche Mädchen. Außerdem finde ich schwarzen Samt sehr reizvoll.«

Die erste Mahlzeit allein mit Helen war eine völlig neue Erfahrung für mich. Es war friedlich und beunruhigend zugleich, und die noch unerfüllten Wünsche luden die Atmosphäre mit einer gewissen Spannung auf.

Wir schwatzten und lachten und tauschten Erinnerungen an jene längst vergangene Zeiten aus, als unser Leben schwerer, aber zugleich unbekümmerter gewesen war. Sie fragte mich, warum ich nicht geheiratet habe, und ich erklärte ihr, ich hätte nie Zeit dazu gehabt – oder nicht die richtige Frau gefunden. Ich stellte ihr die gleiche Frage, und die Antwort fiel fast ebenso aus. Beim Kaffee sagte ich:

»Erklär mir nur eines, Helen: Wie kommt es, daß du mit einem Kerl wie Lenny Sobel befreundet bist?«

Sie wich meinem Blick aus, stand auf, holte die Kaffeekanne und schenkte sich noch eine Tasse ein.

»Ich weiß nicht, wie ich dir das erklären soll«, sagte sie.

»Du brauchst es nicht zu tun, wenn du nicht willst.«

Sie stellte den Topf auf die Kochplatte zurück.

»Es ist nicht so, wie du denkst.«

»Schau, Helen«, sagte ich, »wir haben fünfundzwanzig Jahre nichts voneinander gehört, und jeder von uns hat inzwischen sein eigenes Leben führen müssen. Ich bin nicht an der Vergangenheit interessiert, sondern nur an der Zukunft. Was immer also du mir erzählen oder auch für dich behalten willst, wird mir recht sein.«

In ihrem Gesicht ging ein Wandel vor sich. Sie schien eine Weile in tiefe Gedanken zu versinken. Dann wandte sie sich mir zu und sagte:

»Ich möchte nicht, daß du mich für einfältig hältst.«

Ich wartete.

»Kreuzzüge für irgendeine Idee sind eine seltsame Sache«, sagte sie. »Du bist zu solch einem Kreuzzug ausgezogen und hergekommen, um den Mörder deines Freundes zur Strecke zu bringen. Roscoe führt seinen besonderen Kreuzzug durch und hält sich für das wache Gewissen der Stadt. Er fürchtet sich vor nichts und nimmt alles auf sich, um die Zustände auszurotten, die er am meisten haßt: Elendsquartiere, Armut, Verbrechen. – Und ich hatte auch einen Kreuzzug vor.«

»Hatte?«

»Es erscheint mir jetzt selbst ein wenig unwirklich«, sagte sie. »Betty Ann und ich waren echte Freunde – wie du und Bennett. Unglücklicherweise hatte sie Probleme, die sie nur auf ihre Art zu lösen verstand, und auf diese Weise ging es immer weiter bergab mit ihr. Zuerst hatte Lenny Sobel gewisse Vorrechte bei ihr. Von ihm stieg sie in der Hierarchie dieser Kreise tiefer und tiefer hinab, bis sie schließlich bei Bennett hängenblieb.«

Ich unterbrach sie.

»Bennett war einer von den Großen.«

»Nicht, was Mädchen betraf. In dieser Hinsicht hatte er nicht das geringste Talent. Alle Mädchen, die er je besaß, mußte er sich mit Versprechungen erkaufen.«

Was sie sagte, deckte sich in gewisser Hinsicht mit Wilson Battens Ansichten. Für mich war das schwer vorstellbar, allerdings hatte ich Bennett auch nicht als erwachsenen Mann gekannt.

»Bennett war immer hinter Betty Ann her«, fuhr sie fort. »Sie wollte anfangs nichts von ihm wissen. Aber als sie dann nicht mehr so wählerisch sein konnte, hatte er leichtes Spiel mit ihr. Sie hatte schon seit Jahren Marihuana geraucht, und es fiel Bennett daher nicht schwer, sie mit Heroin zu ködern. Er hielt sie auf diese Weise an sich gefesselt, bis sie eines Tages auf ein Dach stieg und in den Tod sprang.«

»Schlimm.«

Helen schüttelte den Kopf.

»Für sie nicht. Der Tod war eine Befreiung. Aber mich hat es ziemlich hart mitgenommen. Ich wollte – die Rechnung ausgleichen. Es ging mir darum, Kerle wie Sobel und Bennett und die übrigen für solche wehrlosen Menschen wie Betty Ann und Tally zumindest ungefährlicher zu machen. Das war für mich nicht sehr schwierig. Ich ließ mich einfach von Lenny Sobel... hofieren und nützte seine Freundschaft dazu aus, wenn nötig, gewisse Druckmittel anzuwenden.«

»Zum Beispiel?« fragte ich.

»Bei Mieteintreibungen etwa. Alte Bekannte von mir sollten von einem habgierigen Hauswirt hinausgeworfen werden, aber ein Wort von Lenny machte ihn mit einem Male freundlich und großzügig. Oder Mädchen gerieten durch Leichtsinn in Schwierigkeiten. Lenny konnte da gewisse Fäden ziehen und erreichen, daß irgendein halbseidener Ganove, der ein Mädchen ausnutzen wollte, plötzlich um sein Leben rannte.«

»Jedenfalls hatte dein Kreuzzug ein edles Motiv.«

»Das war nur der Anfang. Im Grunde genommen wollte ich Bennett völlig unschädlich machen. Vor allen Dingen, nachdem ich gemerkt hatte, daß er viel mächtiger als Lenny Sobel war.« Sie hielt inne und runzelte nachdenklich die Stirn. »Es war nicht schwierig, alte Beziehungen wieder anzuknüpfen. Zuerst sah ich ihn in längeren Zeitabständen, dann allmählich öfter. Er schickte mir Geschenke, finanzierte eine Show mit mir in der Hauptrolle und ließ alles stehen und liegen, wenn ich ihn sehen wollte.«

»Wie benahm er sich?«

Helen runzelte wieder die Stirn und biß sich auf die Unterlippe.

»Sehr korrekt. Er stellte mich gewissermaßen auf ein Piedestal. Die ganze Zeit über versuchte ich ihn auszuhorchen, auf welche Weise er zu so viel Macht gekommen war.«

»Hast du es herausgefunden?«

»Nein. Er umging dieses Thema immer sehr geschickt. Ich hatte mich schon auf eine lange Geduldsprobe vorbereitet. Aber dann starb er.«

»Wer hat ihn getötet, Helen?« fragte ich sanft.

Sie schien durch mich hindurchzuschauen.

»Es kämen viele in Frage. Ich sehe ihn noch vor mir, wie er auf dem Podium stand und sich zum ›König‹ proklamierte. Niemand hat damals aufbegehrt.«

»Was schließt du daraus?«

»Ich meine, Benny muß sehr gewichtige Andeutungen gemacht haben, daß er im Besitz von Bennetts Erpressungsmaterial ist. Dadurch hat er die anderen unter Druck gehalten.«

»Du meinst, er hat Bennett emordet?«

Ich zuckte mit den Schultern.

»Ich weiß nicht. Wir könnten ihn fragen. Willst du mitkommen?«

Sie nickte nur.

Benny-von-Brooklyn hatte sein Wohnquartier als zehnjähriger Junge gewechselt, aber er hatte nie seinen Akzent verloren. Wir hatten ihm den Spitznamen gegeben, weil damals noch zwei andere Bennys im Klub gewesen waren. Sie waren später beide mit einem gestohlenen Wagen tödlich verunglückt, aber Benny-von-Brooklyn hatte seinen Spitznamen behalten.

Er wohnte jetzt in einem alten Miethaus nahe der Third Avenue, und zwar in einer Straße, deren Häuser innerhalb der nächsten Monate abgebrochen werden sollten. Die Bewohner von sechs Häusern waren bereits evakuiert und zwei andere Gebäude niedergerissen. Ein Greifbagger sortierte Ziegel und Holz auseinander, und zwei Männer mit Vorschlaghämmern attackierten einen großen Betonbrocken.

Wie die meisten Junggesellen bevorzugte Benny die Erdgeschoßwohnung. Über den beiden anderen Klingelknöpfen waren keine Namen. Ich klingelte bei Benny, wartete und klingelte noch einmal. Dann versuchte ich die beiden anderen Klingeln und hatte auch da kein Glück.

Als ich auf die Straße zurückging und am Haus emporschaute, stellte ich fest, daß alle Fenster kahl und ohne Vorhänge waren. Entweder hatte Benny das Haus für sich allein, oder die anderen Bewohner waren schon lange vor dem Abbruch ausgezogen.

»Was tun wir jetzt?« fragte Helen.

»Ich möchte den Weg nicht umsonst gemacht haben«, antwortete ich.

Sie schaute zu, wie ich die Innentür der Vorhalle in erprobter, alter Art öffnete. Ich brach mit einem Fußtritt das Schloß heraus. Bennys Eingangstür lag rechts, und ich hämmerte vorsichtshalber mit der Faust dagegen, falls die Außenklingel nicht funktioniert hatte.

Außer den gedämpften Geräuschen der Abbrucharbeiten ein

paar Häuser weiter war in dem Gebäude kein Laut zu hören. Ich wartete nicht lange, sondern trat auch diese Tür ein. Helen beobachtete mich nervös. Für sie war mein Vorgehen ein verbrecherischer Eingriff in das Privatleben eines anderen. Aber ich sah die Sache anders an.

Die Tür war jetzt offen, und während ich über die Schwelle trat, griff ich unwillkürlich nach der Waffe, die ich nicht bei mir hatte.

Im nächsten Moment sah ich Benny und stieß Helen in dem Augenblick beiseite, als der Schuß krachte. Helen prallte gegen die Wand und war nun von der Mauerecke gedeckt. Aber für mich gab es keine Deckung. Ich ließ mich nach vorn fallen, rollte mich zur Seite, stieß mit der Hand gegen einen kleinen Tisch und schleuderte ihn vorwärts, ohne in der Bewegung innezuhalten. Zwei weitere Kugeln schlugen dort in den Boden, wo ich eben gewesen war. Gleich darauf hörte ich Geräusche aus dem Nebenzimmer und das Zuschlagen einer Tür.

Ich sprang auf. Es war ziemlich dunkel. Der Mündungsblitz blendete mich noch. Ich tastete mich durch das Zimmer, fand die Tür und trat in den Nebenraum. Durch ein offenes Fenster kam die Abenddämmerung ins Zimmer. Ich riskierte es, hinauszuschauen.

Das Ergebnis entsprach meiner Erwartung. Leere. Ein offener Hof mit Durchgängen zu mehreren anderen Gebäuden. Der übliche Hinterhofdschungel.

Eine Verfolgung hatte keinen Sinn. Ich ging ins Vorderzimmer zurück, fand einen Schalter und machte Licht. Helen trat über die Schwelle und sah im nächsten Moment Benny Mattick. Ihre Augen weiteten sich beim Anblick des Toten, und sie griff unwillkürlich nach meinem Arm.

Ich beugte mich über den am Boden Liegenden und blickte in glasige Augen. In seiner Brust, direkt über dem Herzen, waren nahe beieinander zwei kleine Löcher. Er war so schnell gestorben, daß nur wenig Blut geflossen war. Auf seinem Hemd war nur ein keiner Fleck.

»Hast du... gesehen, wer es war?« fragte Helen.

»Nein – er ist mir entwischt.«

»Was machen wir jetzt?« Ihre Stimme klang heiser.

»Laß mich einen Moment nachdenken.«

»Die Polizei –?«

»Nein. Noch nicht. Wir können es uns nicht leisten, schon wieder in einen Mord verwickelt zu sein.«

Nach meiner Ansicht war Benny erst einige Minuten tot – wahrscheinlich kurz vor unserer Ankunft erschossen worden. Sicherlich hatte der Mörder nicht viel Zeit gehabt, sich in der Wohnung umzuschauen.

Ich ging durch die Zimmer und suchte an allen Stellen nach, die Benny als Versteck benutzt haben konnte. Er war in dieser Hinsicht nicht besonders einfallsreich und phantasievoll gewesen. Falls er etwas in seiner Wohnung versteckt hatte, würde ich es finden. Hinter dem imitierten Kamin entdeckte ich zwei staubige Bankers-Spezial-Revolver und am Zwischenboden unter dem Kommoden-schubfach einen Colt-Cobra in einem vorsintflutlichen Schulter-halfter. Dreitausend Dollar in Hundertnoten steckten in der Dek-keltasche eines Koffers.

Aber das, was ich suchte, fand ich nicht.

Helen hatte dem Toten den Rücken zugewandt und kämpfte um ihre Fassung.

»Die Wohnung ist rein«, sagte ich.

Sie verstand nicht, was ich meinte.

»Keiner hat versucht, die Zimmer zu durchstöbern. Der Kerl scheint nur aus einem Grunde hergekommen zu sein: um Benny zu erschießen.«

»Panther«, sie preßte ihre Hände in einer hilflosen Gebärde zusammen, »man wird denken, du warst es.«

»Bis jetzt weiß keiner etwas.«

»Könnte jemand draußen den Mörder gesehen haben? Oder uns?«

»Kaum anzunehmen. Der Häuserblock ist fast unbewohnt. Wenn wir uns beim Weggehen nicht auffällig benehmen, wird niemand auf uns achten. Ich muß aber zuerst telefonieren.«

»Bitte – beeil dich. Ich will nicht länger hier bleiben.«

»Warte draußen in der Diele. Ich komme gleich.«

Das Telefon stand auf einem Ecktisch. Ich rief Wilson Batten an und fragte, ob Cat sich gemeldet habe. Es war geschehen. Batten nannte mir eine Nummer, die ich anrufen sollte. Als er abgehängt hatte, suchte ich aus dem Telefonbuch die Nummer von Hymies Delikatessenladen heraus und ließ Tate ans Telefon holen.

Er meldete sich gleich darauf, und ich nannte meinen Namen.

»Ich habe eine Neuigkeit für dich.«

»Tu mir keinen Gefallen, Panther.«

»Diese Gefälligkeit wirst du zu schätzen wissen. Benny-von-

Brooklyn ist erschossen worden. Ich bin jetzt hier in seiner Wohnung.«

»*Du*, Panther?« fragte er ungläubig.

»Sei kein Idiot. Ich habe ihn natürlich nicht umgebracht, sondern ihn schon tot gefunden.«

Tates Stimme klang erregter.

»Es hat nicht gerade den Falschen erwischt. Früher oder später fallen alle, wenn du auf der Bildfläche erscheinst. Hurd wird sich freuen, wenn er es erfährt. Ich nehme an, du hast ihn noch nicht angerufen?«

»Nein. Und an deiner Stelle würde ich es auch sein lassen. Helen ist bei mir, und wenn du sie nicht in große Schwierigkeiten bringen willst, mußt du den Mund halten.«

»Du elender Bastard«, sagte er.

»Spar dir deine Freundlichkeiten.«

»Also gut: Laß deinen Vorschlag hören. Ich weiß, daß du einen in petto hast.«

»Natürlich. Die Leiche muß entdeckt werden. Du könntest sagen, du hast Benny interviewen wollen und ihn ermordet aufgefunden. Mach dir keine Sorgen: Uns wird keiner aufspüren. Und halt deinen großen Mund.«

Tate unterbrach die Verbindung ohne ein weiteres Wort.

Ich wischte die Fingerabdrücke vom Telefon ab, prüfte noch einmal die Stellen, wo ich mich am Boden gerollt und Helen an die Wand gestoßen hatte, fand aber nichts, was uns irgendwie hätte verraten können.

Auf der Straße war es jetzt still. Die Abbruchmannschaft hatte Feierabend gemacht. Die Dämmerung ging in die Nacht über, als Helen und ich unbemerkt das Haus verließen. Wir wandten uns westwärts zur Third Avenue und gingen sechs Querstraßen weiter, ehe ich ein Taxi heranwinkte.

Helen zitterte noch. Sie wollte es unterdrücken, mußte aber wohl immer wieder daran denken, wie Benny dort tot vor ihr gelegen hatte und wie aus der Dunkelheit auf uns geschossen worden war.

Wir fuhren in Helens Wohnung zurück. Ich brachte sie dazu, zwei Aspirintabletten zu nehmen und sich hinzulegen.

»Bleib so, bis ich dich anrufe«, sagte ich.

Ich deckte sie zu, gab ihr einen sanften Kuß auf die Stirn und strich mit den Fingern durch ihr seidiges, schwarzes Haar.

»Bitte, Panther – tu nichts Unvernünftiges«, bat sie.

»Ich werde mich vorsehen.«

Sie las die bittere Wahrheit aus meinem Gesicht ab.

»Du wirst deinen Revolver holen und ihn benutzen«, sagte sie mit unterdrückter Verzweiflung. »Und dann sind wir beide erledigt. Weißt du das?«

Ich wußte nicht, was ich sagen sollte.

»Du hast etwas im Sinn, nicht wahr?« fragte sie.

»Ja. Die ganze Affäre hängt irgendwie mit dem Klub der *Ritter der Nacht* zusammen.«

»Kannst du es nicht der Polizei überlassen?«

Es gibt Dinge, die man einer Frau nicht erklären kann. Ich versuchte es jetzt nicht erst, sondern sagte ihr, ich würde sie anrufen, sobald ich einige Fragen geklärt hätte und wüßte, was weiter zu unternehmen sei.

Das schien sie einigermaßen zufriedenzustellen. Sie ließ zögernd meine Hand los und lächelte mit einem müden Ausdruck.

»Komm gesund wieder«, sagte sie. »Weiter will ich nichts.«

Ich rief die Nummer an, die Cat bei Batten hinterlassen hatte. Cat meldete sich. Seine Stimme klang atemlos.

»Panther, wo bist du gewesen?«

»Ich habe zu tun gehabt. Wo bist du jetzt?«

»Kennst du die Welshman-Bar?«

Ich bejahte es. Die Kneipe an der Lexington Avenue in Höhe der Vierziger Straßen war mir bekannt.

»Mann, ich habe schon auf deinen Anruf gewartet«, sagte Cat. »Wenn du James erwischen willst, mußt du schnell herkommen.«

»Wo hast du ihn gefunden?«

»Ich nicht. Charlie Bizz hat ihn aufgestöbert. Du hast James den Muskel durchschossen, der vom Hals zur Schulter führt, und er mußte zu einem Arzt. Charlie Bizz hat herausgefunden, daß er zu Anders gegangen ist. Erinnerst du dich an Doc Anders? Man wollte ihm vor fünf Jahren eine Rauschgiftanklage anhängen, konnte ihm aber nichts nachweisen.«

»Ich weiß, wen du meinst.«

»Er war natürlich schuldig. Steht mit dem Syndikat in Verbindung, Lew James wandte sich also an ihn, und du kannst dir wohl vorstellen, was das zu bedeuten hat.«

»Ja. James hat im Auftrag des Syndikats gearbeitet. Große Sache. Wo ist er jetzt?«

»Um die Ecke in einer Pension. Nummer zweihundertvierundzwanzig. Er ist direkt von Doc Anders hergekommen, also muß es ein Zimmer sein, das Anders für diese Zwecke bereithält. Bizz ist ihm die ganze Zeit über auf der Fährte gewesen, und ich habe die Sache jetzt übernommen.«

»Ich bin in zwanzig Minuten da. Und sei vorsichtig. Benny Mattick ist vor kurzem erschossen worden.«

»Benny?« Er wollte es nicht glauben. »Wie ist das passiert?«

»Später«, sagte ich. »Jetzt habe ich nicht einmal mehr Zeit, mein Schießeisen zu holen. Geh also behutsam zu Werke, verstanden?«

Der Barkeeper sagte, der von mir beschriebene Mann sei bei ihm gewesen. Er sei ein paarmal gekommen und gegangen und habe zwischendurch ein kleines Bier getrunken und zur Tür geschaut, als erwarte er jemanden. Aber vor zehn Minuten sei er wieder gegangen.

Ich wußte, was geschehen war. Cat hatte hier auf mich gewartet und gleichzeitig die Pension im Auge behalten. Ich gab ihm weitere fünf Minuten.

Aber er kam nicht.

Ich spürte es wieder: die Vorwarnung – die alte Witterung der Gefahr. Irgend etwas braute sich zusammen. Ich warf einen Dollar auf die Bar, ließ mir aber kein Wechselgeld herausgeben.

Zweihundertvierundzwanzig, hatte Cat gesagt. Eine Pension gleich um die Ecke. Aber um welche Ecke?

Die Südecke war die nächste, und ich versuchte es zuerst dort. Aber da waren andere Hausnummern. Ich rannte zurück und sah, wie sich neugierige Blicke auf mich richteten. Als ich um die Ecke bog, merkte ich, daß ich auf der falschen Straßenseite war. Nummer zweihundertvierundzwanzig lag direkt gegenüber: ein unauffälliges Haus in einer unauffälligen Nachbarschaft. Aus einem Souterrain-Fenster fiel gelber Lichtschein, und durch die Vorhänge waren die undeutlichen Umrisse einer zeitungslesenden Frau zu sehen. Oben brannte kein Licht.

Cat war nirgends zu sehen. Ich konnte mir nur vorstellen, daß Lew James die Pension verlassen hatte und Cat ihm gefolgt war. Aber ich mußte mich vergewissern. Ich nahm die sechs Vorplatzstufen in zwei Sätzen, hielt in der Außendiele inne und wußte sofort, daß es drinnen brenzlig war.

Cats Schuhe standen ordentlich, Seite an Seite, neben der Tür.

Dann zerrissen zwei Schüsse die Stille und die Dunkelheit, und der Schrei eines Mannes erstickte in einem Stöhnen.

Ich rannte durch die Tür und rief heiser: »Cat!«

Er antwortete von oben: »Hier, Panther!«

Irgend etwas krachte über mir gegen die Wand und zersplitterte. Glasscherben klirrten, und als ich den oberen Treppenabsatz erreichte und mich durch die dunkle Türöffnung duckte, krachte ein einzelner Schuß.

Ein leises Stöhnen – nur wenige Schritte von mir entfernt.

»Cat?« fragte ich flüsternd.

»Oben . . . auf dem Dach«, hörte ich ihn heiser sagen. »Nach hinten. Hol ihn dir – Panther.«

Ich fluchte wild in mich hinein, während ich durch die Zimmer rannte. Irgendwo stieß ich gegen einen Tisch und warf einen Stuhl um. Meine Augen hatten sich inzwischen an die Dunkelheit gewöhnt, und ich erspähte die offene Tür, die zur Hintertreppe führte. Ich lief den letzten Treppenabsatz zum Dachkiosk hinauf und blieb an der Tür stehen. Mich konnte natürlich niemand vom Dach aus in eine solche Idiotenfalle locken. Ich zog meine Jacke aus und warf sie hinaus. Im gleichen Moment krachte ein Schuß, und die Jacke wurde mitten in der Luft getroffen.

Mehr Zeit ließ ich ihm nicht. Ich war mit zwei schnellen Schritten aus dem Dachkiosk und links um die Ecke. Dicht an die Blechwand gepreßt stand ich da und lauschte.

Unten schrie sich jemand die Lunge aus dem Hals, aber hier oben herrschte Stille. Ich zog die Schuhe aus, stellte sie ab und schlich hinten um den Dachkiosk herum. Der Kies in der Teerpappe stach wie Nadeln in meine Fußsohlen, aber ich war jetzt über solche kleinen Schmerzen hinaus.

Ich hielt mich im tiefsten Schatten, und als ich die richtige Position gefunden hatte, kauerte ich mich nieder, bis meine Augen in gleicher Höhe mit dem Trenngeländer zum Nachbarhaus waren. Aus dem Hintergrund schimmerten die Lichter des mittleren Manhattan herüber – Reihen um Reihen von Lichterketten in ununterbrochenem Muster. Dann wurde das Muster verwischt. Ein Schatten verdunkelte die untere Lichtreihe im Lever-Wolkenkratzer, und ich folgte dem Schatten zum Trenngeländer, schwang mich darüber und schlich ihm weiter nach. Er konnte sich jetzt nicht mehr allzuviel Zeit lassen. Die Schüsse waren gehört worden, und er mußte schnell verschwinden.

Ich huschte im Laufschritt von hinten an ihn heran, aber ich konnte mich in dieser Hinsicht nicht mit Cat vergleichen. Der Bursche hörte mich, als ich noch drei Meter von ihm entfernt war, wirbelte herum und schoß – alles in derselben Bewegung. Die Kugel pfiff an meinem Kopf vorbei und winselte irgendwo hinter mir als Querschläger davon. Für einen zweiten Schuß fand er keine Zeit, denn ich tauchte unter seiner Revolverhand hinweg und rammte ihn mit all meiner Kraft und Stärke gegen das Geländer. Ich sah seinen Revolver hoch im Bogen auf die Straße hinunterfliegen und hörte ihn fluchen, als er sich mit der Kraft der Verzweiflung zur Wehr setzte und sich beinahe hätte befreien können.

Ich riß ihn von den Beinen, und wir kamen fast zur gleichen Zeit wieder hoch. Der Bursche war gut. Er griff nicht blindlings an, sondern ließ mich herankommen, fintete mit der Linken und brachte eine schnelle rechte Gerade als Kopftreffer an. Ich ließ absichtlich meine Deckung sinken und holte zu einem weiten rechten Schwinger aus. Jetzt glaubte er mich erwischt zu haben und stieß mit einem kurzen linken Haken vor, der meinem Kinn gefährlich geworden wäre, nur daß es nicht mehr dort war, wo seine Faust hinzielte. Der Schlag ging über mich hinweg, und ich kam mit einem Aufwärtshaken durch, der ihn auf die Zehen hob. Ich hatte schon eine Doublette bereit, aber er taumelte und klammerte und legte sein Gesicht fast gegen meines.

Ich erkannte ihn jetzt. Sein richtiger Name war Artie Hull, und er war ein Revolvermann des Syndikats. Die Zusammenhänge wurden immer klarer.

Bevor er sich erholen konnte, schob ich ihn fort und wollte noch einmal zuschlagen, aber der heimtückische Bastard trat mir mit solcher Wucht auf den Fuß, daß ich vor Schmerzen in die Knie ging. Er wirbelte herum, rannte auf das Geländer zu und wollte über den ein Meter dreißig breiten Luftschacht aufs Nebendach hinüberspringen.

Jemand hatte jedoch einen Antennendraht direkt am Rand gespannt. Er blieb mit dem Fuß daran hängen und stürzte drei Stockwerke tief hinab – so überrascht, daß er nicht einmal mehr zum Schreien kam.

Ich holte meine Schuhe, hob meine Jacke auf und zog sie an, während ich die Treppe hinunterrannte. Es waren noch keine Sirenen zu hören, aber vielleicht war ein Patrouillenwagen ohne Signal gekommen. Ich fand einen Schalter und machte Licht.

Cat schaute mit einem verzerrten Lächeln vom Boden zu mir empor.

»Hast du ihn erwischt?«

»Er ist tot. Was ist geschehen?«

Er deutete mit dem Kopf auf die Tür zum Nebenzimmer. Ich schaute hinein, schaltete das Licht an und schnell wieder aus. Der Mann auf dem Bett hatte einen bandagierten Hals und zwei Löcher in der Brust.

Cat ließ mich nicht an sich heran. Er hielt die Arme vor der Brust verschränkt, und sein Atem ging in gurgelnden Stößen.

»Ich hole einen Arzt«, sagte ich.

»Nein.« Er machte eine matt abwehrende Geste. »Für mich ist es endlich soweit. Warum dagegen ankämpfen? Du haust jetzt ab, Panther.«

»Erzähl mir, was passiert ist.«

»Ich hab' das Haus beobachtet... sah den Burschen hineingehen... bin ihm nach... aber ich bin nicht mehr der schnelle, lautlose Straßenkater von früher.« Es bereitete ihm Schmerzen, aber er grinste. »Panther —«

»Ja, Cat?«

»Der Portier... im Westhampton... Morrie hat angerufen —«

»Sprich nicht mehr, Cat. Ich hab' schon verstanden.«

Wie kalter Novemberwind, der über Dächer heult, kamen die Sirenen aus der Ferne näher. Cat hörte es auch.

»Verschwinde, Panther — über die Dächer... wie in alten Zeiten.«

»Ich tu' es nicht gern.«

»Schon gut.« Er lächelte noch einmal. »Wir bleiben trotzdem die alten Blutsbrüder... die alten *Ritter der Nacht*.« Seine Stimme wurde heller – als ob eine nahe große Freude die alte dunkle Trauer darin schon jetzt auslösche. »War im Grunde genommen... nicht allzu viel Spaß. Immer Unruhe... immer Kampf. Jetzt ist das endlich... vorbei.«

Er machte eine kleine Fingerbewegung, die ich seit fünfundzwanzig Jahren nicht mehr gesehen hatte. Es war das alte Triumphzeichen der *Ritter der Nacht*. Ich grinste und erwiderte des Zeichen.

»Du sentimentaler Tropf«, sagte ich.

»Hau ab, Panther.«

Wir gaben einander die Hand. Das war genug. Mehr wollte er nicht.

Die Sirenen kamen um die Ecke. Meine Frist lief ab. Als ich aufs Dach zurückrannte, verfiel ich in meinen Bewegungen und Gedanken wieder in das alte Schema der Vergangenheit. Es war eine Flucht, als hätte ich nie den Dschungel der Dächer und Hinterhöfe verlassen – als wäre ich wieder ein Junge.

Einen ganzen Häuserblock weiter kam ich erst wieder auf die Straße hinunter und schlug die Richtung zu Cats Kellerzimmer ein.

Ich wollte meine Waffe holen.

Das Westhampton war ein Hotel für die Bedeutungslosen. Sie kamen und gingen, blieben manchmal eine Weile und starben mitunter sogar dort. Es war jene billige und anspruchslose Art von Hotel, wo man Leute findet, deren Existenz an einem dünnen Faden hängt. Erfolglose Schauspieler und Glücksritter, die aus der Provinz kamen, stiegen hier ab, bis ihre Existenzkurve noch tiefer sank oder einen Grad höher stieg – je nachdem.

Ich trat ein und schaute mich schnell in der Eingangshalle um. Zwei junge Mädchen in Trenchcoats unterhielten sich laut über ihre Proben für eine Show, und ein alter Mann in einem Arbeitskittel staubte die Rücklehnen von Sesseln ab. Der Portier hinter dem Empfangspult sortierte Post und pfiff dabei unmelodisch vor sich hin, während ein Transistorradio neben seinem Ellbogen ein helles Wortgeschnatter von sich gab.

Als ich ans Pult trat, nickte er gleichgültig und sortierte die Post zu Ende.

»Wollen Sie ein Zimmer?«

»Cat hat mir gesagt, ich soll Sie aufsuchen.«

Er war auch einer von den Bedeutungslosen. Durch den zu langen Umgang mit ihnen hatte er all ihre Wesenszüge angenommen. Jede Veränderung seines Gesichtsausdrucks wirkte unecht. Vor langer Zeit hatte er jedes echte Gefühl beiseitegeschoben und mechanische Reaktionen dafür eingesetzt, und jetzt stand er einfach da und spielte mir seine Szene vor.

»Cat?«

Es gab für mich zwei Möglichkeiten, auf sein Spiel einzugehen. Ich zeigte ihm die allgemein bekannte erste Variation und legte einen Zwanzig-Dollar-Schein auf das Pult.

»Ja, Cat«, sagte ich.

Er betrachtete die Banknote, und ich wußte, was er dachte, aber sein Gesicht blieb ausdruckslos.

»Cat«, wiederholte er, als versuche er sich an den Namen zu erinnern.

Ich zeigte ihm also die andere Art, wie man das Spiel spielen kann, indem ich bedächtig meine Jacke öffnete und ihn den Revolver im Gürtelhalfter sehen ließ. Als ich ihn dabei angrinste, wußte er, daß das Spiel vorüber war.

»Mein Name ist Panther«, sagte ich.

Seine Finger griffen nach dem Geldschein und ließen ihn verschwinden. Sein Blick glitt mit geübter Schnelligkeit durch die Halle hinter mir, und er blätterte in dem vor ihm liegenden Anmeldebuch.

»Cat sagte, Sie würden eine Nummer wissen«, erinnerte ich ihn. »Die Gebrüder Wagner haben angerufen.«

»Ja.« Er fuhr sich mit der Zunge über die Lippen. »Aber sie —«

»Machen Sie sich keine Gedanken über die beiden«, sagte ich. »Sie sind tot.«

Sein Blick glitt von dem Anmeldebuch langsam zu mir hoch – magisch von meinen Augen angezogen.

»Ich... kann dafür nicht belangt werden, nicht wahr?«

Ich schüttelte den Kopf.

»Falls jemand Sie fragt: Sie haben mich nie zuvor im Leben gesehen.«

»Mir wäre wohler, wenn dieser Cat nicht so viele Fragen gestellt hätte. Sagen Sie ihm —«

»Er ist auch tot.«

»Meine Güte —«, sagte er betroffen.

»Wie war die Nummer?«

»Zwei-null-zwei-null-zwei. Es war eine Art von Rhythmus. Deshalb habe ich es mir gemerkt.«

»Gut. Erinnern Sie sich auch an die Amtsziffern?«

Mit einem schnellen Kopfschütteln verneinte er. Aber es genügte mir. Ich ging durch die Diele auf die Reihe von leeren Telefonzellen zu, betrat eine der Kabinen und zog die Tür hinter mir zu. Beim zweiten Versuch bekam ich Verbindung mit meinem Gesprächspartner. Ich nannte ihm die Nummer und bat ihn um eine Liste aller Amtsziffern mit dieser Hauptnummer und den entsprechenden Namen. Er ließ sich meine Nummer geben und bat mich zu warten.

Der Mann hinter dem Empfangspult beobachtete mich von jenseits der Diele wie eine Maus, die aus einem Loch späht.

Zehn Minuten später läutete das Telefon, und als ich mich meldete, begann mein Informant eine Liste von Nummern und Namen herunterzurasseln. Ich schrieb auf der Rückseite eines Umschlags mit, und nach der sechsten Nummer unterbrach ich ihn und sagte, es genüge. Ich bedankte mich und hängte ab.

Ich erinnerte mich an das, was Cat mir berichtet hatte. Die beiden Wagners hatten den Auftrag gehabt, mich zu erledigen. Später hatten sie von höherer Instanz die Anweisung bekommen, die Angelegenheit zu verzögern. Die beiden hatten ihren ursprünglichen Auftraggeber angerufen und um weitere Befehle gebeten. Man hatte ihnen befohlen, weiterzumachen. Jener Anruf war ein Fehler gewesen.

Sie hatten Hugh Peddle angerufen, den sechsten Namen auf der Liste.

12

Das alte holländische Viertel hatte sich äußerlich sehr verändert, als vor zehn Jahren die alten Mietskasernen abgerissen worden waren. Mitten in dem Gebiet war eine neue Wohnanlage errichtet worden, und die ehemaligen Bewohner waren wieder eingezogen. Sie hatten jetzt moderne Neubau-Apartments, aber ihr Leben hatte sich nicht verändert. Sie redeten noch in der gleichen Art, und sie handelten noch so wie früher.

Hugh Peddle war ihnen eine Art Halbgott. Die meisten Bewohner dieses Viertels waren irgendwie von ihm abhängig. Seine Beziehungen reichten weit: bis in die Handelskontore, die Banken, bis in die hohen Sphären der Politik. Hugh Peddle zog an vielen Fäden, und ich war auf dem Wege zu ihm.

Inzwischen war es zehn Uhr abends geworden. Ein Dunstschleier hing über den Dächern, und die Lichter der Stadt erhellten ihn zu stumpfem Bleiglanz. Regengeruch hing in der Luft.

Hugh Peddle wohnte in einem Haus an einer ruhigen Ecke. Die Eingangsdiele war klein, aber Spiegel an den Wänden ließen sie größer erscheinen. An der rechten Seite führte eine Treppe nach oben. Direkt dem Eingang gegenüber war die Fahrstuhltür.

Ich wählte die Treppe und stieg zu Fuß zu Peddles Dachbungalow hinauf. Die Fahrstuhlkabine hing leer im Obergeschoß. Ich ging den letzten Treppenabsatz bis zu der Dachterrasse hinauf, zog die Tür hinter mir zu und ging über die Fliesen auf den Bungalow zu.

An dieser Seite des Bungalows öffneten sich große Fenstertüren nach Süden. Zwei davon schienen Kippfenster zu sein, aber ich wollte erst ganz um das Dachhaus herumgehen, bevor ich mir einen Eingang suchte.

An der Nordseite war eine Tür, die offenbar in die Küche führte, und an der Westseite eine schmiedeeiserne Pforte, hinter der ein imitierter Patio mit modisch zierlichen Boulevardmöbeln lag.

Von der Pforte aus konnte ich den schwachen Lichtschein einer kleinen Tischlampe oder eines Nachtlichts sehen. Es war noch zu früh, um annehmen zu können, daß Peddle zu Haus war und schon schlief. Vermutlich war er ausgegangen und hatte seinen Dienstboten freigegeben.

Das Kippfenster an der Südseite ließ sich am leichtesten öffnen. Die Messerklinge drückte den einfachen Schnappriegel hoch. Ich stieg über die niedrige Brüstung ein und ließ das Fenster wieder zuklappen.

Hugh Peddles Dachbungalow war so luxuriös eingerichtet, wie ich erwartet hatte. Ich ging an dem großen Flügel vorbei und hielt in dem Mauerbogen zum Nebenraum inne. Es war die Diele, und der Lichtschein kam aus einem Zimmer zur Rechten. Als ich weiterging, sah ich die kleine Tischlampe, die in der hinteren Zimmerecke brannte. Ich ging auf den Lichtschein zu und betrat das Herrenzimmer mit seinen hohen Bücherregalen, dem Fernsehapparat und den tiefen Polstersesseln.

An der jenseitigen Wand wölbte sich eine polierte Mahagonibar aus der Wand hervor – mit einem blau gefärbten Spiegel dahinter und zwei Reihen von Flaschen und Gläsern. Ein leeres Glas stand noch da, und als ich es aufnahm, klirrten Eisstückchen darin.

Ich hatte den Revolver in der Hand, als ich das Schlafzimmer erreichte. Die Tür stand offen, und ich konnte eine Betthälfte sehen. Ein Körper lag auf dem Bett. Ich trat über die Schwelle und tastete nach dem Lichtschalter.

Als das Licht aufflammte, erkannte ich mit einem jähen Schreck – aber zu spät –, daß ich wie ein Idiot in die Falle gegangen war. Der Bursche auf dem Bett war gefesselt und geknebelt, und während ich das sah, spürte ich zugleich den harten Druck einer Revolvermündung an meinem Rückgrat.

»Laß das Ding fallen«, sagte eine Stimme, und ich gehorchte.

Der Mann hinter mir drückte stärker, und ich machte zwei Schritte ins Zimmer hinein.

»Dreh dich um.«

Ich tat es.

»Hallo, Tony«, sagte ich.

Der Revolvermann mit dem flachen, ausdruckslosen Gesicht, der für die Fifth-Avenue-Bande arbeitete, nickte gleichmütig. Ihm war es einerlei, wen er vor der Revolvermündung hatte. Schräg hinter ihm stand noch ein zweiter mit einer kleinen automatischen Schnellfeuerpistole. Er sah mich begierig an, so, als hoffe er auf einen Fluchtversuch von mir.

Dann trat Lenny Sobel lächelnd ein, hob meinen Revolver auf, sicherte ihn und schob ihn in die Tasche. Er sah mich mit kalter Freude an.

»Du trägst da eine hübsche Kanone spazieren, Panther. Ist das das Ding, das du damals dem Polypen abgenommen hast?«

»Dasselbe«, sagte ich.

»Wir müssen hier verschwinden«, sagte Tony.

»Ich sage, wenn es soweit ist«, antwortete Lenny mürrisch.

Der kleine Gangster sah ihn herausfordernd an.

»Du arbeitest für dieselben Leute wie ich«, sagte er. »Sie haben gesagt, wir sollten uns beeilen. Jetzt haben wir Peddle zwar nicht erwischt, uns aber dafür den Weg zu dem da erspart. Verschwinden wir also.«

Lenny ließ sich nicht gern daran erinnern, daß er auch nur Befehlsempfänger war. Sein ganzer Haß richtete sich auf mich. Nicht ganz zu Unrecht. Indirekt war ich daran schuld, daß er vom Syndikat Befehle entgegennehmen mußte.

»Was ist mit Peddle?« fragte ich höhnisch. »Steht er auch auf eurer Abschußliste?«

»Kümmere dich nicht darum«, sagte Lenny. »Wir erwischen ihn. Bei dir wäre es schwieriger gewesen, aber du hast es uns leichtgemacht.«

»Freut mich für dich.«

»Du kannst es dir aussuchen.«

»Was?« fragte ich.

»Du kannst mit uns in aller Ruhe das Haus verlassen und in den Wagen steigen.«

»Oder?«

»Sei nicht so blöd. Oder wir tragen dich hinaus, und zwar mit einem Loch in der Haut, das deine Bewegungsfähigkeit etwas hemmen wird.«

Es blieb mir also keine Wahl.

»Ich gehe mit«, sagte ich.

Wir fuhren alle im Aufzug hinunter, gingen die zwanzig Meter zu dem neuen braunen Pontiac und stiegen wie eine Gruppe von alten Freunden ein. Die drei bewegten sich dabei so geschickt, daß kein Straßenpassant etwas ahnen konnte. Und wenn einer etwas gemerkt hätte, wäre es nur sein Unglück gewesen.

Ich saß zwischen den beiden Revolvermännern und Lenny auf dem Vordersitz neben dem Chauffeur. Die Fahrt ging quer durch die Stadt zum ›West-Side-Schnellweg‹. Sie machten keinen Versuch, mich über den Weg im unklaren zu lassen. Das konnte nur bedeuten, daß für mich das Fahrtziel zugleich das Ende aller Fahrten sein sollte.

Bei der Brücke bogen wir vom West-Side-Schnellweg ab und fuhren wieder in Richtung der Stadt. Zehn Minuten später hielt der Wagen vor einem geschlossenen Restaurant, einen Häuserblock vom Yankee Stadion entfernt. Tony stieß mir die Revolvermündung in die Rippen.

»Aussteigen«, sagte er.

Der andere stieg zuerst aus – den Revolver versteckt, aber schußbereit. Tony ging hinter mir, und seine Revolvermündung steuerte mich auf die Tür neben dem Restaurant zu. Lenny öffnete die Tür und sagte ironisch: »Nach Ihnen, Mister.«

Später würde es kaum noch eine Chance für mich geben.

Aber Tony ahnte meinen Versuch eine halbe Sekunde voraus, und als der Revolverlauf mich an der Schläfe traf, fühlte und hörte es sich so an, als ob ein Brett an meinem Schädel in zwei Hälften zerbrochen würde.

Ich konnte meine Füße sehen, und sie schienen weit, weit von mir entfernt zu sein. Die Füße glitten durch einen Nebel langsam näher auf mich zu, und jetzt konnte ich erkennen, weshalb sie so ordentlich parallel nebeneinander standen. Sie waren zusammengefesselt. Ich hatte das Gefühl, ich müsse jeden Moment vornüber aufs Gesicht fallen. Ganz allmählich kam mir zu Bewußtsein, warum das nicht geschah. Meine Hände waren so hinter dem Stuhl zusammengebunden, auf dem ich saß, daß ich gerade genug Spielraum hatte, nach vorn zu hängen, ohne zu fallen.

Lennys Stimme klang für mich sehr verschwommen, als er sagte:
»Er kommt jetzt zu sich.«

Eine andere Stimme sagte:

»Gut. Halt ihm noch den Salmiakgeist unter die Nase.«

Scharf ätzende Dämpfe stiegen mir in die Nase. Meine Augen
füllten sich sofort mit Tränen, und ich mußte niesen. Der kleine,
grauhaarige Mann, der vor mir saß, lächelte.

»Gesundheit«, sagte er.

Ich sah ihn nur verschwommen und blinzelte, um einen klareren
Blick zu bekommen. Jetzt erkannte ich sein Gesicht. Man nannte
ihn Mr. Holiday und sprach in seiner Anwesenheit leise und
ehrfurchtsvoll. Er sah aus wie ein gutmütiger, väterlicher Freund,
aber tatsächlich war er in New York der mächtigste Mann des
Syndikats. Die anderen, die in bequemen Sesseln im Zimmer
verteilt saßen, vertraten andere Interessen. Einige von ihnen waren
bei der Zusammenkunft im Klub der *Ritter der Nacht* gewesen, als
ich dort störend eingedrungen war. Jetzt betrachteten sie mich mit
einer herablassenden Art von Neugier. Ich stellte eine Behinderung
ihrer Geschäftsinteressen dar und mußte dementsprechend behandelt werden.

»Du weißt, weshalb du hier bist?« fragte Mr. Holiday.

Ich schüttelte den Kopf, und er schnitt eine Grimasse.

»Es spielt auch keine Rolle. Aber du weißt sicherlich, was wir
wollen.«

Es hatte keinen Sinn, um die Sache herumzureden.

»Bennetts Erpressungsmaterial«, sagte ich.

»Genau.«

Ich hob den Kopf und zwang mich zu einem Lächeln.

»Ihr könnt es von mir nicht bekommen. Ich habe es nämlich
selbst nicht.«

Holiday lächelte in seiner väterlich-nachsichtigen Art.

»Fangen wir also beim Anfang an: mit dem Tod deines
Freundes.«

»Habt ihr ihn umgebracht?« fragte ich.

»Nein«, antwortete er mit Überzeugung. »Das wäre ein unnöti-
ges Risiko gewesen. Bennett war uns zwar lästig, aber wir haben
ihm lieber den Mund mit Geld gestopft als mit Blei. Nein, von uns
war es keiner. Vielleicht hast du jemanden im Sinn, Panther?«

»Ich dachte an Hugh Peddle.«

Holiday nickte und lächelte wieder.

»Das ist keine schlechte Idee. Freund Peddle hat sich neuerdings mächtig herausgemacht und große Forderungen an uns gestellt. Aber wenn er das Material in Händen hätte, wäre er sicherlich noch frecher aufgetreten. Weißt du übrigens, was er mit dir vorhatte?«

»Er hat mir Morrie Reeves und Lew James auf den Hals geschickt.«

»Obwohl wir es ihm untersagt hatten«, ergänzte Holiday. »Schließlich brauchen wir dich lebendig, bis alles geklärt ist.«

»Seid ihr deswegen hinter Peddle her?« fragte ich.

Holiday ahnte wohl, daß ich Zeit gewinnen wollte, aber es schien ihm nichts auszumachen.

»Peddle muß einen Denkzettel bekommen«, erklärte er. »Wir haben seinetwegen einen brauchbaren Mann beseitigen müssen. Du hast Morrie erschossen, und wir konnten Lew nicht mit seiner Verwundung lange herumliegen lassen. Besonders nicht, wo er Heroiner ist. Das war zu riskant für uns.«

»Wißt ihr, was mit dem Burschen passiert ist, den ihr losgeschickt habt, um Lew zu erledigen?« fragte ich.

Holiday lächelte jetzt nicht mehr.

»Du bist ein harter Bursche, aber wir werden auch dich weich bekommen.«

Aus der Tiefe seines Sessels sagte Lenny Sobel:

»Wir verschwenden unsere Zeit mit ihm. Tun wir etwas. Reden hat keinen Sinn.«

»Aber es macht weniger Lärm und ist sauberer«, antwortete Holiday.

»Ich hätte nichts dagegen, ihn vor Schmerz schreien zu hören.«

»Aber ich«, sagte Holiday mit sanfter Bestimmtheit.

»Also gut«, sagte Lenny. »Dann versuchen wir es eben auf die sanfte Tour.«

Er stand auf und kam auf mich zu. Ich wußte nicht, was er vorhatte, aber ich ahnte, daß für ihn jetzt der große, schöne Augenblick der Rache gekommen war.

»Sprechen wir doch einmal von der reizenden Helen«, sagte er.

Mein Magen krampfte sich zusammen.

Nein! schrie eine Stimme in mir. *Das nicht auch noch!*

Lenny Sobel lächelte höhnisch auf mich herab.

»Du weißt doch sicher auch, daß Bennett kurz vor seinem Tode im Klubhaus eine Party geben wollte?« sagte er. »Ist dir bekannt, daß er dabei seine Verlobung mit Helen bekanntgeben wollte?«

Flüche barsten wie von selbst aus mir hervor. Ich konnte die Flut erst eindämmen, als ich erschöpft zurücksank.

»Du räudiger Bastard!« Das war ein letzter schwacher Nachhall meines ohnmächtigen Zornesausbruchs. »Du stinkender, räudiger Bastard!«

»Eine interessante Reaktion«, sagte Holiday. Lenny grinste zufrieden und deutet mit dem Kopf auf mich.

»Er merkt jetzt erst, daß auch er von der schönen Helena zum Narren gehalten worden ist. In Wirklichkeit ist *sie* es, die hinter dem Material her ist. Sie benutzt ihn nur als Werkzeug.«

»Du bist verrückt!« schrie ich. »Laß Helen aus dem Spiel!«

Lenny machte eine zufriedene Geste und sah Holiday an.

»Was habe ich gesagt? Gibt es einen besseren Beweis?«

Er hatte natürlich recht. Mein Verhalten war idiotisch. Dadurch mußte ich Helen nur noch tiefer in die Affäre hineinziehen. Aber es war zu spät, etwas daran zu ändern.

Mr. Holiday ging durchs Zimmer, nahm den Telefonhörer ab und wählte eine Nummer. Ohne seine Namen zu nennen, sagte er:

»Ich will, daß Helen Tate zu mir gebracht wird. – Ja, dort sind wir. – Einen Moment.« Er sah Lenny an. »Die Adresse?«

Lenny nannte Helens Adresse, und Holiday wiederholte sie. Dann legte er den Hörer auf und deutete ins angrenzende Zimmer. Die Männer gingen einer nach dem anderen hinüber, und ich hörte, wie sie sich Drinks zubereiteten und plauderten und lachten. Lennys Stimme klang am lautesten.

Als das Telefon läutete, kam Mr. Holidays riesiger Leibwächter Maxie herüber und nahm die Mitteilung entgegen. Holiday trat gleich darauf ins Zimmer, und Maxie meldete mit dem Telefonhörer in der Hand:

»Das Mädchen ist weg, Chef.«

»Hat er gesagt, wohin?«

»Nein, aber der Zeitungsmann vor dem Haus hat sie weggehen sehen und auch den Mann in ihrer Begleitung erkannt. Es war Hugh Peddle.«

Es war kein Gefühl mehr in mir. Absolute Leere.

»Weiß er, wohin sie gegangen sind?«

Maxie wiederholte die Frage in die Sprechmuschel hinein und sagte kurz darauf:

»Der Zeitungsmann hat ihn ein Taxi heranwinken sehen. Es war eines vom nächsten Stand. Der Zeitungsmann kennt den Chauffeur. Wahrscheinlich wird er an den Stand zurückkommen, wenn er die Fuhre erledigt hat.«

»Sag ihm, er soll herausfinden, wohin Freund Peddle mit dem Mädchen gefahren ist, und dann sofort zurückrufen.«

Maxie gab den Befehl weiter und hängte ab. Lenny war hinzugekommen, und Mr. Holiday wandte sich an ihn.

»Es scheint so, daß Peddle immer noch große Dinge vorhat«, sagte er. »Und diese Helen ist mit von der Partie.«

»Was ich dir gesagt habe.« Lenny sah mich höhnisch an. »Was hältst du nun von deinem Zuckerpüppchen?«

»Idiot!« sagte ich nur.

Lenny wollte auf mich los, aber Mr. Holiday pfiff ihn zurück.

»Laß!« Mr. Holiday sah mich an. »Deine Gefühle für die Frau sind noch unverändert, nicht wahr?«

Ich antwortete nicht, aber er wußte Bescheid.

»Peddle wird sich mächtig viel Mühe geben, von ihr Informationen über das Material zu bekommen«, sagte er. »Wenn er im Guten nichts erreicht, dann vielleicht mit Gewalt.«

»Verdammt, sie weiß nichts«, sagte ich heiser.

»Glaubst du das wirklich?« fragte Lenny höhnisch.

»Sei still, Lenny«, sagte Holiday scharf, und dann zu mir: »Falls du weißt, wo er sie hingeschafft hat, könnten wir ihr vielleicht helfen?«

Ich schüttelte den Kopf. Die Situation war hoffnungslos – absolut verfahren und hoffnungslos.

»Oder die andere Möglichkeit«, fuhr Mr. Holiday fort. »Falls du doch wissen solltest, wo das Material zu finden ist, und es uns sagst, würden wir uns Peddle vorknöpfen, aber das Mädchen in Frieden lassen. Wenn wir das Zeug erst haben, kann uns nichts mehr passieren.«

Als ich nicht antwortete, zuckte er mit den Schultern.

»Wie du willst.«

Maxie kam mit einem breiten Grinsen auf mich zu.

»Laß mich mal an ihn ran, Chef«, sagte er. »Wenn ich –«

»Sei nicht so dumm«, unterbrach ihn Mr. Holiday. »Panther sitzt jetzt in der gleichen Falle, in der Benny Mattick gesteckt hat. Er weiß nichts. Stimmt es, Panther? –« Und ohne meine Antwort abzuwarten, fuhr er fort: »Natürlich ist es so. Er würde alles preisgeben, nur um diese Frau zu retten. Man sieht es ihm ganz deutlich an.«

Und das war die große, bittere Wahrheit. Sie konnten mich jetzt jederzeit und ohne Aufwand liquidieren. Die Tatbestände waren geklärt. Ich mußte sterben.

Holiday schlüpfte in seinen Regenmantel und setzte einen neuen Homburg auf. Er sah jetzt wie ein Bankier aus.

»Ich brauche mindestens eine halbe Stunde Zeit«, sagte er und tippte Lenny dabei auf die Brust, um seinen Worten mehr Nachdruck zu verleihen. »Dann kannst du mit ihm machen, was du willst. Laß Tony und Ed hier.«

»Ich brauche sie nicht.«

»Tu, was ich sage«, wies ihn Mr. Holiday scharf zurecht. »Sobald man Peddle und die Frau ausfindig gemacht hat, ruf diejenige von unseren Gruppen an, die dem Gebiet am nächsten ist. Sie sollen die beiden übernehmen. Was mit Peddle oder der Frau geschieht, ist gleich. Aber sorg dafür, daß du das Material sicherstellst und hierher bringst. Verstanden?«

Lenny war nicht besonders erbaut, aber er gehorchte.

»Ich sorge dafür«, sagte er.

13

Als Holiday gegangen war, kam Tony hereingeschlendert und zündete sich eine Zigarette an.

»Ich geh' runter an die Ecke etwas essen«, sagte er. »Ich hab' den ganzen Tag nichts in den Magen bekommen.«

»Bring mir was mit!« rief sein Partner Ed aus dem Nebenzimmer.

Tony ging, und Lenny rief den anderen herüber. Er mußte mich vom Stuhl losbinden und ins Nebenzimmer hinüberschleifen.

»Laß ihn dort liegen«, sagte Lenny. »Ich habe noch viel mit ihm vor.«

Ed ließ mich mitten im Zimmer liegen und warf sich zwei Meter von mir entfernt auf ein Bett, als wäre nichts passiert.

Im Nebenraum hantierte Lenny mit Flaschen und Gläsern. Er fluchte dabei vor sich hin – auf die Welt im allgemeinen und auch auf Mr. Holiday, von dem er so demütigende Befehle entgegennehmen mußte.

Der Bursche auf dem Bett begann langsamer und leichter zu atmen. Er war noch nicht ganz eingeschlafen, und ich konnte es nicht riskieren, ihn jetzt auf mich aufmerksam zu machen. Aber ich hatte inzwischen gemerkt, daß die Fesseln nicht mehr so fest waren wie zuvor. Meine Hände und Füße begannen zu kribbeln. Das Blut fing wieder richtig zu kreisen an.

Trotzdem mußte ich noch warten. Ich mußte untätig daliegen, während ich am liebsten wie ein Berserker losgestürmt wäre.

Um mich etwas von der inneren Spannung zu befreien, zwang ich mich zum Nachdenken.

Bennett war mit einer Gummiband-Pistole erschossen worden. Und ein anderer Mörder hatte Tally Lee mit einer Flasche erschlagen.

Derselbe Täter? Jedenfalls zwei Morde mit primitiven Waffen, und danach war die Hölle losgebrochen. Die Zusammenhänge wurden mir immer klarer.

Draußen ging eine Flasche in Scherben, und an Lennys Fluchen erkannte ich, daß er nicht mehr nüchtern war. Gut so.

Der Bursche auf dem Bett atmete jetzt tief und regelmäßig. Ich begann an meinen Handfesseln zu arbeiten, indem ich die Muskeln spannte und wieder entspannte, um den Spielraum zwischen den Gelenken zu vergrößern.

Zweimal wälzte sich der Mann auf dem Bett herum, murmelte etwas im Halbschlaf und dämmerte wieder ein. Jedesmal wartete ich, bis ich sicher war, daß er mich nicht mehr hören konnte.

Eine Hand kam frei, und etwas Haut mußte mit daran glauben. Ich löste das Seil vom anderen Handgelenk und befreite meine Füße. Danach wartete ich noch eine Weile, bis ich sicher war, daß meine Glieder wieder richtig funktionierten. Dann stand ich auf und schlich ans Bett.

Ed bereitete mir keine Schwierigkeiten. Kurze Zeit später lag er mit einem Knebel im Mund besinnungslos da. Er atmete geräuschvoll durch die Nase, während ich mit einem Stück Seil seine Hände so mit den Füßen zusammenfesselte, daß er sich nicht befreien konnte.

Gerade als ich fertig war, hörte ich das Telefon läuten. Lenny meldete sich.

»Ja . . . ja, ich verstehe. Im alten Klubhaus? . . . Was will Peddle mit dem Mädchen dort? Na, gut – ich veranlasse das übrige.«

Er trennte die Verbindung und wählte eine andere Nummer.

»Dave? Wie viele hast du dort? Sechs? Das wird reichen. Hat Holiday angerufen? Gut, dann weißt du, daß ich jetzt Befehle erteile. – Nein, bleib dort. Halt dich in der Nachbarschaft auf, und wenn ich angefahren komme, steigst du in den Wagen. Die anderen rücken dann ins Haus, erledigen Peddle und halten das Mädchen fest. Du weißt also Bescheid. Ich komme mit dem rotweißen Restaurant-Lieferwagen. Ihr setzt euch erst in Bewegung, wenn ihr den Lieferwagen kommen seht – nicht eher. Ich will dabei sein.«

Er hängte ab und stieß ein leises Lachen aus, während er die Eisstückchen in seinem Glas klirren ließ. Nachdem er das Glas offenbar geleert hatte, kam er auf die Tür zu. Ich wartete dahinter auf ihn, und es machte keine Schwierigkeiten, ihn ebenso zu behandeln, wie den Mann auf dem Bett. Ich fesselte Lenny mit dem anderen Stück Seil und nahm ihm meinen Revolver ab.

Im Gang draußen waren Schritte zu hören, und die Tür ging auf. Als Tony mich mit dem 38er in der Hand dastehen sah, zuckte er resigniert mit den Schultern und sagte:

»Ich habe Holiday gleich gesagt, er soll dich abservieren.«

»Laß dein Schießeisen fallen, Tony. Aber vorsichtig!«

Er ließ sich auf keine Debatte ein. Seine Waffe fiel zu Boden, und er stieß sie noch mit dem Fuß beiseite, ohne daß ich es verlangt hatte.

»Hast du die anderen erledigt?« Als ich nicht antwortete, fügte er mürrisch hinzu: »Naja, dann ist also Schluß. Mach es schnell und schmerzlos, ja?«

»Die anderen sind da drin«, sagte ich. »Gefesselt.«

Tony grinste.

»Vielen Dank«, sagte er.

Es war wie eine Ehrenbezeigung – von einem Profi zum anderen. Er drehte sich um und wartete. Ich schlug ihn mit dem Kolben bewußtlos und fesselte ihn mit seinem Gürtel und einem Stück Fernsehantenne.

Der Lieferwagen stand hinter dem Haus in der Hofeinfahrt. Der Zündschlüssel steckte, und der Motor sprang sofort an. Ich warf einen Blick auf die Uhr und stellte fest, daß ich es schaffen konnte. Zu dieser Nachtstunde war der Verkehr schwach, und ich würde schnell vorankommen.

Ich fuhr an. Die Scheinwerfer erhellten die Ausfahrt. Im Freien schaltete ich auf Stadtlicht um. Es fing zu regnen an. Ich suchte nach dem Schalter für die Scheibenwischer, bis ich ihn fand und die beiden Gummiblätter gleichmäßig vor mir hin und her zu pendeln begannen und zwei klare Halbkreise im Tropfennetz auf der Windschutzscheibe schufen.

Ich bog in unsere Straße ein.

Die Straße.

So hatten wir sie früher genannt, und wir nannten sie noch immer so.

Im mittleren Teil *der Straße* lag *der Klub.* Für viele war es eine Art von Zuhause gewesen – das einzige, das sie kannten. Es gehörte eine gehörige Portion von Sentimentalität dazu, die Dinge so zu sehen. Aber irgendwie waren wir wohl alle sehr sentimental – trotz unserer Schießeisen und harten Fäusten.

Ich fuhr langsam, damit die Wartenden den Lieferwagen deutlich sahen. Ich konnte keinen von ihnen entdecken, aber ich wußte, daß sie da waren. Damals hatte ich selbst oft genug so dagestanden und gewartet: als Schatten im Dunkel von Mauerecken und Torbogen – für einen Vorübergehenden nicht erkennbar.

Als ich am Klubhaus der *Ritter der Nacht* vorüberfuhr, spähte ich durch den Regen zur Vorderfront des Hauses hinüber. In keinem Fenster war ein Lichtschein zu sehen, aber das hatte nichts zu bedeuten. Das Haus konnte trotzdem voller Leben sein.

Ich bog um die nächste Ecke, hielt an und schaltete den Motor ab. Nachdem ich eine Minute gewartet hatte, sah ich eine Gestalt über die Straße huschen und die andere Tür der Fahrerkabine öffnen. Der Bursche schob sich auf den Sitz, schüttelte die Nässe aus dem Haar und sagte, ohne aufzuschauen:

»Die beiden Revolvermänner von Peddle sind vor zehn Minuten hineingegangen. Willst du –«

Er hielt erschrocken inne, als er mich erkannte.

Mehr Zeit ließ ich ihm nicht. Der Revolverkolben traf ihn an der Schläfe. Ich ließ ihn bewußtlos auf dem Sitz liegen. Es würden Stunden vergehen, bevor er aufwachte.

Sechs Mann, hatte Lenny gesagt. Jetzt waren es nur noch fünf. Sie würden denken, ich hätte ihn bei mir behalten. Inzwischen begannen die anderen das Klubhaus zu besetzen.

Lenny hatte solide gearbeitet. Die Hintertür war fest vernagelt: allen Feuerwehrvorschriften und dem gesunden Menschenverstand zum Trotz. Ich hatte keine Zeit, sie jetzt aufzubrechen, und es hätte auch viel zuviel Lärm gemacht.

Aber es gab noch einen anderen Weg. Wenn uns der alte Mann damals ausgesperrt hatte, weil wir die drei Dollar Miete nicht gezahlt hatten, waren wir durch die Kohlenluke in den Keller eingestiegen. Die Kohlenluke war größer als die anderen Kellerfenster und immer unversperrt.

Und die Zeiten hatten sich in dieser Hinsicht nicht geändert.

Mit den Füßen voran glitt ich hinunter und landete auf einem Kokshaufen. Ich schloß die Luke und stieg mit so wenig Lärm wie möglich von dem Kokshaufen herunter. Meine Finger tasteten nach dem Riegel am Türverschlag, und ich trat aus dem Kohlenkeller. Es war völlig dunkel, aber ich kannte jeden Zoll des Weges.

Die Birne an der Decke war klebrig vor Dreck, und um sie anzubekommen, mußte man sie fest in die Fassung schrauben. Ich drehte die Glühbirne und schien damit gleichzeitig die Zeit zurückzudrehen. Dort stand der breite Ofen. Seine Asbestverkleidung hing in Fetzen herab, aber er war noch benutzbar. An der einen Seite des kleinen Kellergemaches standen Regale, auf denen sich der Abfall vieler Jahre angesammelt hatte.

Staub lag wie schmutziger Rauhreif über allem. Nur an einer Stelle nicht: wo man die Hand hinter die Regale schieben konnte, um sie von der Wand wegzuziehen.

Die Regale bewegten sich noch leicht. Die Laufrollen darunter, mit dem jahrzehntealten Schmierfett, waren nicht verrostet. Der Hohlraum in der Wand hinter den Regalen war das alte Arsenal der *Ritter der Nacht*. Ein Fleischermesser, zwei Totschläger und eine Gummiband-Pistole mit vier Schachteln 22er-Kurzpatronen waren noch da: Erinnerungsstücke an vergangene Jahre.

Aber ich sah, daß noch eine andere Waffe dagelegen hatte und jemand eine Schachtel aufgerissen hatte, nur um eine Patrone zum Nachladen herauszunehmen. Jemand, der es eilig gehabt hatte.

So hatte der Klub der *Ritter der Nacht* für seine Mitglieder gesorgt. Jemand brauchte eine Waffe, aber keiner sollte davon erfahren. Dann fand er im Arsenal, was er suchte.

Und plötzlich wußte ich, wie Bennetts Gedanken gearbeitet hatten. Der Kellerklub war unser gemeinsames Zuhause gewesen. Für ihn war es immer so geblieben, und nach seiner Meinung auch für mich.

Das war Bennetts Irrtum gewesen, aber er hatte es nicht wissen können. Das alte Versteck war ihm immer vertraut geblieben, nur ich hatte es vergessen.

Jetzt fand ich das Versteck wieder, das nur uns beiden bekannt gewesen war. Dort hatten wir die Dinge verborgen, die uns damals am wichtigsten erschienen waren.

Ich nahm den Zementblock heraus und griff in den Hohlraum hinunter.

Und da lag es.

Wie ein Bündel Liebesbriefe sah es aus. Einige Stücke davon waren auch Briefe. Andere waren Fotos. Wieder andere Fotokopien von Dokumenten, und es lagen auch ein paar echte Dokumente dabei.

Nicht viel, aber genug.

Man konnte einen bestimmten Machtbereich damit beherrschen – und Bennett hatte das getan.

Ich legte das Bündel wieder ins Versteck zurück und ging in den Hauptraum des alten Klubs hinüber. Das Telefon stand in der Ecke.

Über mir hörte ich die Dielen knacken. Ich hielt inne und lauschte. Mir war so gewesen, als hätte ich einen fernen Schrei durch die Stille dringen hören.

Ruhig, dachte ich. *Nichts übereilen. Du mußt es richtig machen. Deine Chancen sind gering, und es steht viel auf dem Spiel.*

Ich nahm den Hörer ab, wählte die Auskunft und fragte im Flüsterton nach Roscoe Tates Nummer. Das Mädchen nannte sie mir. Ich trennte die Verbindung und wählte neu. Dreimal war das Freizeichen zu hören – dann nicht mehr.

»Tate?« fragte ich ruhig.

»Ja.«

»Panther.«

»Gibt es schon wieder einen Toten?« fragte er.

»Vielleicht mehrere.«

»Was ist los?«

»Es ist vorbei, kleiner Mann. Die ganze Bande ist aufgeflogen. In fünf Minuten werden sie sich gegenseitig den Garaus machen, und wer übrigbleibt, muß vor mir kuschen, denn ich habe Bennetts Vermächtnis gefunden.«

»Wo bist du, Panther?«

»Im alten Klubhaus. Nimm deinen Bleistift und komm her. Es wird die größte Story deines Lebens werden – so wie du sie dir schon immer zu schreiben gewünscht hast.«

»Panther –«

»Aber komm vorsichtig«, sagte ich. »Sie halten Helen oben fest, und ich muß sie erst befreien.« Ich grinste, und er wußte es. »Vielleicht erfüllt sich jetzt dein Wunsch. Durchaus möglich, daß ich es nicht schaffe. Aber dann ist es besser, wenn jemand hier ist, der sich um Helen kümmern kann.«

Bevor er antworten konnte, hängte ich ab.

Ich machte noch einen weiteren Anruf. Für mich allein standen die Chancen zu schlecht. Ich brauchte Hilfe. Noch während ich telefonierte, hörte ich den Laut von oben wieder.

Ich war jetzt sicher. Es war ein Schrei.

Ich hängte ein, zog den Revolver und spannte den Hahn. Die Treppe zu der kleinen Diele hinauf war leer. Aber oben wäre ich fast über Henny gestolpert. Er lebte noch. Blut floß aus einer Platzwunde am Kopf. Er hatte noch eine Taschenlampe in der Hand. Ich nahm sie ihm ab, prüfte, ob sie brannte, und schaltete sie wieder aus.

Die Zusammenhänge waren jetzt ziemlich klar. Hugh Peddle war ins Haus gedrungen, hatte Henny niedergeschlagen und wahrscheinlich mit Helen einen schnellen Inspektionsgang durchs Haus gemacht. Da sie ihm bei der Suche nicht behilflich gewesen war, hatte er seine beiden Leibwächter gerufen. Sie waren zwar in schlechter Verfassung, aber immer noch beser als er dazu geeignet, eine Frau scharf ins Verhör zu nehmen. Peddle war gewissenlos. Er konnte die Befehle zu allen möglichen Verbrechen geben, aber selbst ausführen konnte er diese Befehle nicht.

Ich tastete mich am Geländer der Treppe empor und fühlte dabei wieder die Kerbe, die Bunny Krepto hineingeschnitzt hatte, in der Nacht, bevor er von Petie Scotch erschossen worden war. Dann glitt meine Hand über den abgebrochenen Pfosten am oberen Treppenabsatz – dort, wo so viele Hände im Laufe der Jahre die Bruchstelle glattgerieben hatten.

Was erwartete mich?

Fünf Mann waren auf der Suche nach drei Gegnern. Wahrscheinlich waren sieben Waffen im Spiel, und, falls Peddle eine bei sich hatte, acht.

Wieder ein Schrei, und ich hörte jetzt, aus welcher Richtung er kam. Sie waren im Obergeschoß. Leise Befehle drangen durch die Wände. Die anderen hatten es auch gehört.

Nur daß jetzt die Chancen auf meiner Seite standen.

Ich kannte den Fuchsbau viel besser als sie – alle Winkel und gewundenen Gänge. Ich wußte, wie die Wand am Treppenabsatz zurückwich und wie man durchs Fenster zu jenem Teil der Feuerleiter gelangen konnte, der nie abgerissen worden war.

Unter dem Rost schien noch ein Kern von Eisen zu sein, sonst hätte die Feuerleiter nie gehalten. Ich stieg zu dem Fenster empor, und es ließ sich merkwürdigerweise nach all den Jahren noch öffnen. Anscheinend war Henny ein besserer Hausmann gewesen, als ich angenommen hatte.

Helen saß zusammengesunken auf einem Stuhl, und Al – der Bursche, dem ich in den Arm geschossen hatte – beugte sich eben mit erwartungsvollem Grinsen über sie. Hugh Peddle stand abseits und schaute nicht hin. Ein anderer, den ich nicht kannte, beobachtete die Szene mit offensichtlichem Vergnügen.

Ich hob den Revolver in dem Augenblick, als ein Ruf zu hören war. Peddle wirbelte zu der Tür am anderen Zimmerende herum.

»Wer war das?«

»Mach das Licht aus!« befahl Al.

Peddle war schon am Schalter, und im nächsten Moment war der Raum in völlige Dunkelheit getaucht.

Sie hatten die Tür versperrt, aber eine Salve von Schüssen sprengte das Schloß. Ich hörte Peddle heiser schreien und quer durchs Zimmer rennen. Er war kein Profi wie die beiden anderen. Sie feuerten ein paar schnelle Schüsse ab, warfen sich dann hinter Möbelstücken in Deckung und blieben dort.

Ich schob den Revolver ins Halfter und verschwendete keine von den wenigen Sekunden, die mir noch blieben. Tief gebückt huschte ich durchs Zimmer zu Helen hin und gab mich leise zu erkennen und zog sie mit mir zurück. Inzwischen hatten die Männer draußen die Tür eingerannt. Einer schrie nach Licht.

Ich half Helen zum Fenster hinaus, während hinter uns die ersten Kugeln in die Wände schlugen und eine Männerstimme leise und weinerlich zu fluchen begann. Das Glück war auf unserer Seite, denn die Feuerleiter hielt.

Über uns war eine kurze Stille eingetreten, aber jetzt fielen wieder Schüsse. Schritte polterten die Treppe hinunter, und wir drückten uns flach gegen die Wand. Als sie vorbei waren, folgten wir ihnen und bogen am Treppenabsatz im ersten Stock nach hinten ab, wo die andere Treppe zum Keller hinunterführte. Dort blieben wir stehen, und ich lauschte.

Hoch über uns schrie eine Stimme, daß sie sie erwischt hätten, und das Schießen hörte plötzlich auf. Anscheinend hatten Peddle und seine Leibwächter den kürzeren gezogen.

Als die Burschen oben Helen nicht finden konnten, suchten sie den ganzen Raum ab und erkannten plötzlich, was geschehen war. Nur dachten sie wahrscheinlich, Helen sei allein geflohen. Ein scharfer Befehl war zu hören, und schnelle Schritte polterten die Treppe herunter. Ich packte Helens Arm, und wir rannten den letzten Treppenabsatz in den alten Klubraum hinab.

Draußen auf *der Straße* begannen Sirenen zu heulen. Mehr und mehr – bis es ein ganzer Geisterchor war, der durch die Nacht heranzuschweben schien.

Es war fast vorbei. Die Verfolger erreichten uns nicht mehr. Als sie die Sirenen hörten, bieben sie stehen. Und da sie Profis waren, wußten sie, was die Glocke geschlagen hatte. Sie suchten nach einem Fluchtweg, aber als Profis wußten sie auch, daß die Polizisten ihnen den Rückzug abgeschnitten hatten.

Wir kauerten dort in dem fahlen Lichtschein, der von der Straße her in den Kohlenkeller sickerte, hörten, wie die Polizisten die Eingangstür aufbrachen und wie das Schießen wieder begann. Für die Profis oben gab es nichts mehr als den Kampf bis zum bitteren Ende. Sie konnten jetzt nur noch in ihrem blinden Haß gegen die Gesellschaft weiterwüten, bis sie tot waren oder ihre Patronen verschossen hatten. Und dabei würden sie noch auf einen schnellen Tod hoffen, denn das Sterben nach Gesetzesvorschrift war viel schrecklicher.

Eine Maschinenpistole hämmerte durch die Nacht, und die Kugeln zersplitterten Glas, Holz und Mauerwerk. Signalpfeifer schrillten, und direkt über uns erteilte jemand Befehle. Neue Stimmen gesellten sich dem schrillen Geisterchor der Sirenen zu. Der ganze Häuserblock wurde umstellt.

»Ich habe Tate angerufen«, sagte ich leise zu Helen.

»Aber – er haßt dich doch.«

»Er haßt alle Menschen.«

Sie hörte die Veränderung in meiner Stimme.

»Was meinst du damit?«

»Sag: bist du mit Bennett verlobt gewesen?«

Helen hob den Kopf und versuchte mein Gesicht zu erkennen.

»Nein, Panther«, sagte sie. »Er hat mich gefragt, aber ich habe nein gesagt. Du weißt, was ich in Wirklichkeit wollte.«

»Aber er wußte das nicht, Helen. Er dachte, er habe dich fest in der Hand. Kurz vor seinem Tod hat er noch eine ganz große Party geplant, bei der er allen Klubmitgliedern seine Verlobung mit dir bekanntgeben wollte.«

»Aber wie konnte er –«

»Er ist nie richtig erwachsen geworden. Sein Denken war noch so jungenhaft romantisch wie in den Anfangstagen der *Ritter der Nacht*. Du hast dich mit ihm abgegeben, also warst du für ihn *sein Mädchen*.«

»Er war verrückt! Ich habe nie daran gedacht!«

»Hast du Tate gesagt, daß Bennett sich mit dir verloben wollte?«

»Ja, das schon. Aber –«

Das Feuergefecht wurde heftiger. Ein Stück Decke zerbarst und fiel wie Schnee um uns herab.

Sehr langsam, fast wie im Traum, wandte Helen den Kopf und schaute mich an. Ihre Augen waren sehr groß und dunkel. Sie hatte meine Andeutung verstanden, aber sie wollte es nicht glauben.

»Doch nicht etwa Roscoe –« flüsterte sie.

»Dein Halbbruder.«

Sie drückte selbst das letzte Siegel auf das düstere Buch der Vergangenheit.

»Nein – – er ist nur der Stiefsohn meines Vaters. In Wirklichkeit ist er überhaupt nicht mit mir blutsverwandt.«

Das war das letzte Siegel. Auch Helen hatte für sich jetzt das düstere Buch der Vergangenheit für immer verschlossen.

»Er hat dich immer geliebt«, sagte ich.

»Es kann nicht sein –«

Sie barg den Kopf an meiner Brust, und ich wußte, daß ich ihr jetzt die Wahrheit sagen mußte.

»Es war Roscoe. Vor langer Zeit warst du meine erste Jugendliebe, und er wußte es. Er war selbst hoffnungslos in dich verliebt, und das hatte sein ganzes Leben vergiftet. Er ist nur hiergeblieben, um seinen Haß gegen alles zu richten, was dich nach seiner Meinung von ihm entfremdet hat. Als ich fort war, richtete sich sein verrückter Haß in eine andere Richtung, und du hast noch mit dazu beigetragen. Als Bennett sich mit dir verloben wollte, schnappte Roscoe Tate völlig über. Es war für ihn so, als wäre ich wieder aufgetaucht – wie in den alten Tagen. Der ganze wahnsinnige Haß der Vergangenheit erwachte von neuem in ihm. Er war nur noch von dem Verlangen besessen, Bennett umzubringen. Da er unser altes Arsenal im Klubkeller kannte, war es leicht für ihn, eine

Gummiband-Pistole und eine Patrone aus dem Versteck zu holen. Er schoß Bennett in den Hals, aber der lebte noch lange genug, um ihn bis in die zu Hymies Delikatessenladen führende Gasse verfolgen zu können. In seiner panischen Angst, mit dem Mord in Verbindung gebracht zu werden, gelang Tate das fast Unmögliche. Er schleppte Bennett in seine Wohnung zurück.«

Jemand eröffnete oben das Feuer mit einer automatischen Thompson-Pistole. Ein Schrei war zu hören – weitere Schüsse – Pfeifensignale – Motorengeräusche – Stimmen – Sirenen: die Begleitmusik zum dramatischen Kampf zwischen Gesetz und Verbrechen. In dieser Nacht hatte *die Straße* ihre große Stunde.

»Beim ersten Mord war er gewissermaßen unzurechnungsfähig«, sagte ich. »Aber nicht beim zweiten.«

»Du meinst –?« Ihre Stimme klang dünn und verloren.

»Roscoe hat auch Tally getötet, Helen.«

»Nein – Nein!«

Aber sie wußte, daß ich recht hatte.

»Er war nicht verrückt, als er Tally tötete«, fuhr ich fort. »Er mußte seine Fährte verwischen. Tally hatte Bennett tot in der Gasse liegen sehen, und der kleine Leichenfledderer Pedro auch. Die beiden konnten Tate auf der Flucht beobachtet haben, oder später, als er den Toten wegschleppte. Er mußte sie unschädlich machen. Ich wette, daß man über kurz oder lang den kleien Mexikaner Pedro irgendwo tot auffindet. Roscoe Tate kennt sich im Dschungel der Unterwelt aus. Er ist in diesem Revier so erfahren wie ich – und noch gefährlicher, weil er sich in die Enge getrieben fühlt.«

Aus dem Kohlenkeller sagte Roscoe Tate in diesem Moment:

»Noch viel gefährlicher, Panther –«

Wir konnten ihn nicht richtig sehen, aber den Klang des Wahnsinns in seiner Stimme hören. Im schwachen Lichtschein, der von der Straße in den Keller fiel, stand er da und hielt die lächerliche Gummiband-Pistole auf mich gerichtet. Er war so ruhig, wie es ein Dilettant nie hätte sein können – aber ein Verrückter sehr wohl.

Überall um uns her war jetzt Tod. Oben die hämmernden Schüsse – die Schreie und die Rufe – und vor uns Roscoe Tate. Er konnte mich erschießen und dann Helen erschlagen. Keine Gefahr für ihn. Man würde nie auf ihn verfallen. Er war schlau.

Ich wartete, denn ich wußte, daß er näherkommen mußte, um mich mit diesem Spielzeug von Gummiband-Pistole wirksam zu treffen. Das war meine Chance.

»Du bist verrückt, Roscoe«, sagte ich.

Ich wollte seine Stimme hören, wollte mich orientieren, wo er stand.

»Ich war vielleicht verrückt«, antwortete er. »Aber was ich jetzt tue, ist Selbstschutz. Du hast es eben erklärt.«

»Und doch bist du verrückt, Roscoe! Du wirst nie mehr als ein zu klein geratener Größenwahnsinniger sein.«

Jetzt handelte er so dilettantisch, wie ich gehofft hatte. Er kam schreiend durch die Tür, und ich zog den Revolver und erschoß Roscoe Tate im Kellerklub der *Ritter der Nacht.*

Im Tod wirkte er irgendwie zusammengeschrumpft: ein kleiner Mann, der einen großen Haß gegen jene genährt hatte, zu denen er ein Leben lang aufschauen mußte. Es war im Grunde genommen nicht ein Revolverschuß, der ihn getötet hatte. Es war *die Straße.* Alles Gute in ihm war schon vor langer Zeit so zerstört worden, aber er hatte es nicht gewußt.

Roscoe Tates Seele war vergiftet worden, als er den Geschmack der Furcht zum ersten Male auf der Zunge gespürt und – statt den bitteren Saft auszuspeien wie wir anderen – sich dazu gezwungen hatte, ihn hinunterzuschlucken. Er war innerlich gestorben, als ihn sein selbstquälerisches Racheverlangen dazu gezwungen hatte, in *der Straße* auszuharren, bis es zu einer gewaltsamen Entladung kommen mußte.

Helen hatte die Hand in einer Geste des Entsetzens an die Lippen gepreßt. Aber sie blickte nicht auf den Toten. Sie sah mich an.

Von oben waren weitere Pfeifensignale zu hören – Stimmen und verworrene Laute. Jemand stieß die Tür auf, und ein Lichtkeil zerteilte die Dunkelheit.

»Warum hast du ihn töten müssen?« Das war Helens Stimme – am Rande der Hysterie. »Warum du?«

Ich runzelte die Stirn, schaute auf die Waffe in meiner Hand und schob sie mit einer mechanischen Bewegung in den Halfter zurück.

»Helen –«

»Warum hast du nicht mich getötet?« Ihr ersticktes Flüstern drohte jeden Moment in einen Schrei auszubrechen. »Es wäre für uns beide leichter.«

»Bitte, Helen –«

Sie machte eine hoffnungslose Kopfbewegung.

»Muß ich es noch wiederholen, Panther? Daß ich dich liebe – obwohl es sinnlos ist. Früher einmal haben Gewalttat, Gemeinheit und rücksichtsloser Egoismus auch zu meinem Leben gehört. Ich wollte dem entfliehen. Ich hatte es fast geschafft. Dann bist du zurückgekommen, und ich mußte mich hoffnungslos in dich verlieben.«

Schritte waren auf der Treppe zu hören. Sie bewegten sich sehr vorsichtig.

»Du weißt nicht, wie es wirklich ist, Helen«, sagte ich.

»Doch, ich weiß.« Ihre Stimme klang jetzt hell und verschwebend in einer fast schwerelosen Art von Resignation. »Es gibt keine Verteidigung für uns beide. Keiner kann uns helfen. Wir sind im gleichen Netz gefangen.«

Eine Stimme rief nach einer Automatik-Pistole, und auf der Treppe war das Schlurfen von Schuhsohlen zu hören. Dort oben standen Männer schußbereit, und sie kamen jetzt Schritt um Schritt herunter.

»Ich liebe dich, Helen«, sagte ich. »Besonders für das, was du eben gesagt hast.«

Ihr Lächeln war entrückt und traurig, und ihre Augen von Tränen verschleiert.

»Ich weiß«, sagte sie. »Und nun ist es zu spät. Keine Hoffnung mehr für uns. Gerade jetzt, wo wir soviel zu verlieren haben – so sehr viel.«

Die Schritte hinter uns hatten den unteren Treppenabsatz erreicht.

»Helen, du bist so herrlich naiv –«

Sie sah mein Lächeln und erkannte mit einem Male, wie es wirklich war. Wenn auch vor vielen Jahren zwei unreife Jungens beschlossen hatten, die Welt auf ihre Art zu erobern und zwischen sich aufzuteilen, so schloß das nicht die Möglichkeit aus, daß einer von den beiden inzwischen eine bessere Methode entdeckt hatte, mit dem Leben fertig zu werden. In dieser einen Sekunde wurde ihr das klar.

Sie waren jetzt da: die Waffen schußbereit. Sergeant Hurd mit der Automatik-Pistole dahinter. Es war der große Augenblick.

In diesem Moment sah Helen das goldene Blinken, als ich die Brieftasche aufschlug und das Metallzeichen sichtbar wurde. Die Männer senkten die Waffen und wußten Bescheid.

Auch Helen wußte es jetzt.

Sergeant Hurd sagte mit müder, aber froher Stimme:

»Alles gutgegangen, Leutnant.«

BARRY FANTONI

In einer langen Regennacht

1

Der Regen fiel hart und kalt aus dem Nachthimmel. Er gab sich alle Mühe; er peitschte gegen die Mauern, überschwemmte die Abflußrinnen und gurgelte wie ablaufendes Badewasser in die Tiefe der Kanalisation. Regen, kalt wie Atlantikwellen, ergoß sich über alles in seiner Reichweite befindliche und weichte es durch.

Ich saß in meinem Büro, die Lichter aus, die Füße auf dem Schreibtisch. Aus irgendeinem unerfindlichen Grund mußte ich gerade an Frau Tolstoi denken. Mit Leo verheiratet zu sein, war wohl nicht unbedingt das höchste der Gefühle. Tag um Tag damit zu verbringen, auf diesem Gut herumzukramen, während der alte Herr gerade wieder damit beschäftigt war, ein neues Millionen-Wörter-Epos zusammenzukritzeln. Und dazu noch das Abendessen, das allmählich kalt wurde; die Samoware tatenlos vor sich hin brodelnd.

Ich ergriff eine leere Flasche, die einmal billigen Bourbon enthalten hatte, und warf sie in den Abfallkorb. Es war höchste Zeit, mir nicht länger über die Tolstois den Kopf zu zerbrechen, sondern statt dessen einmal an mich zu denken. Höchste Zeit für einen Drink – Regen hin, Regen her.

Ein Blitzstrahl durchzuckte den Himmel, gefolgt von einem stotternden Donner-Crescendo. Irgendwo draußen ging eine rosafarbene Neonreklame ständig an und aus, so daß mir ihr bonbonfarbener Widerschein von der Innenwand meines Büros entgegenzwinkerte. Manchmal zwinkerte ich zurück.

An der Wand unter dem Fensterbrett bildete sich eine kleine Pfütze, die zusehends größer wurde.

Ich hievte mich aus meinem Sessel und schlurfte über den ausgetretenen Trampelpfad im Teppich auf den Hutständer an der Tür zu. Ich zog mir meinen Regenmantel an, setzte den Hut auf und gab der Pfütze unter dem Fenster zu verstehen, daß ich mich anderswo ertränken würde. Und dann geschah etwas Ungewöhnliches: Das Telefon läutete.

Ich durchquerte den Raum, knipste die Schreibtischlampe an und nahm den Hörer ab. Am anderen Ende der Leitung war eine Frau, die offensichtlich Schwierigkeiten hatte, die Unterhaltung in

Gang zu bringen. Sie brachte mit Mühe und Not ein halbes Wort heraus, um dann aber abrupt wieder zu verstummen. Es dauerte eine Weile, bis sie einen ganzen Satz schaffte.

»Ist da Mike Dime, der Privatdetektiv?«

Ich hakte ein Bein über die Schreibtischecke und fischte im Lichtkegel der Lampe nach einer Zigarette. Unter dem Tintenlöscher lugte eine hervor, und ich zündete sie mir an.

»Ja, am Apparat.«

Nun kam wieder eine Pause.

»Das Ganze ist fürchterlich dringend. Mein Gott. Sie müssen mir unbedingt helfen.«

Die Stimme war tief und kehlig. Sie brachte jedes einzelne Wort mit peinlicher Akribie hervor – etwa so, wie ein Kind ein Kartenhaus zusammensetzt. Die typische Sprechweise eines Gewohnheitstrinkers.

Ich blies etwas Rauch durch meine Nase, nahm einen Bleistift und kritzelte ein Bild von Adolf Hitler in die Ecke meines Notizblocks. Heraus kam dabei jedoch eher ein Porträt von Walt Disney.

»Ich höre«, gab ich ihr bestimmt zu verstehen. »Ich mache bereits Überstunden; also machen Sie's kurz. Wenn jemand so in der Klemme steckt, daß er sich mit einem Privatdetektiv in Verbindung setzt, dann weiß der oder die Betreffende in der Regel nicht, wie er anfangen soll. Also überlassen Sie das mir, das wird uns beiden die Sache um einiges leichter machen. Fangen Sie also gleich mit Ihrem Namen an.«

Aus Südwesten war Donnerrollen zu hören; es erschreckte wohl gerade in Chester und Wilmington ein paar alte Damen und die Hunde.

»Nennen Sie mich ruhig Norma.«

Weiter kam sie nicht. Ich wechselte den Hörer von einer Hand in die andere und wartete.

Der Regen prasselte herab.

»Frank ist etwas passiert – Frank Summers, das ist mein Mann.« Dieser Satz war von mehreren Schluchzern und einem Schluckaufkieksen interpunktiert. »Er hat etwas Schreckliches getan.«

»Tatsächlich?« Und nach einer kurzen Pause: »Und das wäre?«

»Das kann ich nicht sagen.« Der Stimme ächzte förmlich. »Frank meinte, ich sollte meine Finger vom Telefon lassen, mit niemandem sprechen. Nicht einmal an die Tür sollte ich gehen. Aber Norma hat es mit der Angst zu tun bekommen.«

So würde ich nicht weiterkommen.

»Hören Sie mal, gnädige Frau«, meldete ich mich also zu Wort. »Ich bin lizenzierter Privatdetektiv. Ich bin nicht teuer, aber auch nicht gerade der Billigste. Wenn Sie also Angst haben, verständigen Sie gefälligst die Polizei. Die kommen völlig umsonst bei Ihnen vorbei, und vor allem die Älteren können manchmal nett sein – so, wie früher mal Hausärzte waren. Die werden Ihnen alle möglichen Geschichten erzählen, wie gut es doch früher war, bevor sich dann alles geändert hatte. In Gesellschaft eines dieser netten Herren vergeht Ihnen die Angst sicher im Flug, was man von mir nicht behaupten kann. Ich bin unfreundlich und grob, und außerdem koste ich Geld. Sollte Frank nun allerdings in eine Sache verwickelt sein, von der er der Polizei nichts erzählen will, dann könnten wir ja unter Umständen ins Geschäft kommen – jedenfalls, solange sich das Ganze im Rahmen des Gesetzes hält. Über die Einzelheiten können wir uns unterhalten, wenn ich bei Ihnen vorbeikomme.«

Das tat offensichtlich seine Wirkung. Sie riß sich immerhin genügend zusammen, um mir zwischen einer wahren Flut von Dankesbezeigungen auch eine Adresse durchkommen zu lassen. Ich gab ihr zu verstehen, daß ich gleich vorbeikommen würde, und hängte ein.

Erst hatte ich allerdings noch eine Verabredung mit Charlie.

2

Für einen Mann seiner Größe konnte Charlie aus Charlies Bar mit einem Geschirrtuch und einem Trinkglas wirklich Erstaunliches anstellen, wobei letzteres in seinen mächtigen Pranken eigentlich eher wie ein Fingerhut aussah. Er steckte seinen Finger in das Geschirrtuch und stülpte sich dann das Glas darüber, drehte es ein paarmal und hielt es dann gegen das Licht, und zwar ganz nahe vor seinem Gesicht, als blinzelte er durch ein Monokel nach der Sonne. Zufrieden stellte er darauf das blitzende Behältnis auf die Theke, um es ohne ein Wort aus einer Flasche zu füllen, die er unter dem Tresen hervorzauberte. Etwas ganz Besonderes, das Charlie sich nur gelegentlich beschaffen konnte – das Zeug, das die Armee früher den Rothäuten gab, damit sie sich immer schön ruhig verhielten. Die Burschen mochten das damals wirklich. Was sie nicht in sich hineinschütten konnten, rieben sie sich in die Haut ein. Sogar die Kriegsbemalung ging davon ab. Und mir schmeckte dieses Zeug auch. Es kostete nur zwei Cents das Glas.

Charlie, das waren zwei recht kompakte Zentner in einem fleckenlosen, weißen T-Shirt, mit einer knielangen Schürze, stramm um die behäbige Mitte gebunden. Nicht weniges an ihm sah recht verwegen aus. Seine Ohren waren kleine, fleischige, rosafarbene Klümpchen, und seine lange Nase änderte drei- oder viermal die Richtung, bevor sie zu seiner permanent geschwollenen Oberlippe abfiel. Sein Gesicht hatte die Farbe von gebleichtem Beton, und die Haare auf seinen Handrücken und an seinen bloßen Armen leuchteten in grellem Rot. Seine Haut war dicht mit Sommersprossen übersät. Die Haare auf seinem Kopf schimmerten in silbrigem Weiß und waren sehr kurz geschnitten. Sein eines Auge sah wesentlich mehr als das andere, obwohl beide nicht nach Scherereien Ausschau hielten. Bereits über sechzig Jahre alt, machte Charlie doch immer noch eine Figur, als nähme er es mit jedem auf, der glaubte, sich eine Chance gegen ihn ausrechnen zu können. Aber auf diese Idee war offensichtlich bisher niemand gekommen.

An der gefliesten Wand hinter der Theke hing eine Reihe von gerahmten Fotografien, auf denen sich Charlie seinen Weg durch ein Leben voller Schwergewichtskämpfe boxte und fintete. Auf einer Menge Fotos waren auch grienende Boxer zu sehen, die sich die Hände schüttelten oder ihre Handschuhe aneinanderhielten. Und in der rechten, unteren Ecke jedes Bildes wünschten die Abgebildeten Charlie in schwungvollen Zügen alles Gute und viel Glück. Auf einem unter den Fotos angebrachten Regal befanden sich dann, verstreut unter allen möglichen Getränken, Charlies Trophäen – silberne Pokale, Teller und Becher. Sie waren blitzblank poliert und schimmerten wie frisch geprägte Münzen. Von einem Haken am Ende des Regals hing ein Paar abgenutzter Boxhandschuhe herab, die über und über mit Unterschriften bekritzelt waren – die meisten von unbedeutenden Profis, die sich nach dem Training in Charlies Bar tummelten. Sie kamen für eine Weile immer wieder vorbei, wobei sie sich endlos darüber ergingen, welche Gelegenheiten ihnen entgangen wären und wie miese Manager sie zum falschen Zeitpunkt mit dem falschen Mann zusammenbrachten und wie dieser Kerl mit seinem Mordsdusel sie gerade ausschaltete, als sie es ihm gezeigt hätten, und dieser ganze

Kram eben. Eines Tages würden sie dann plötzlich ausbleiben, und allmählich würde kein Mensch mehr fragen, was denn mit Soundso sei, und bald war dann sein Name ganz vergessen. Aber ein paar der Namen auf Charlies Handschuhen waren unvergänglich. Unter anderem standen da zum Beispiel Willie Pep und Tony Zale, Rocky Graziano und Ezzard Charles.

Bis auf einen schlecht gekleideten Mann in mittleren Jahren, der an einem Tisch in der Ecke saß, war die Bar leer. Sein Kopf war ihm auf die verschränkten Arme herabgesunken; auf seinem Tisch standen eine ganze Reihe leerer Bierflaschen herum. Er hatte sich seine Krawatte gelöst, und sein Haar – so viel davon noch übrig war – war zerzaust und naß. Seine Augen linsten traurig über die abgewetzten Ärmel seines braunen Jacketts.

Ohne etwas zu Charlie zu sagen, nahm ich meinen Drink und setzte mich an einen Tisch am Fenster. Die Wahl-Sonderausgabe des *Inquirer* saugte das auf der Tischplatte verschüttete Bier in sich hinein. Sie lag aufgeschlagen vor mir – ein Bild von Senator Dewey und seiner Frau als Blickfang, beide lächelnd, versteht sich. Im Hintergrund war eine Schar Anhänger, ebenfalls lächelnd, zu sehen. Das waren keine Demokraten. Die Bildunterschrift lautete: ›Der nächste Präsident überquert die Gewässer der San Francisco Bay mit der Fähre.‹

Draußen gurgelte der Regen über die Straße. Ich zündete mir eine Zigarette an und lauschte in dem drückenden Schweigen dem hohen Summen zweier schmerzhaft heller Neonlampen, die wie Trapezstangen von der Decke des langen Raums hingen. Ich holte den Zettel mit Norma Summers Adresse aus der Tasche, ließ mir das Ganze durch den Kopf gehen und gab dem Wolkenbruch draußen noch ein paar Minuten Zeit. Plötzlich stieß der Betrunkene im hinteren Teil der Bar einen Namen hervor – Milly oder Molly; etwas in der Art. Während ich mich ihm zuwandte, zuckte sein Kopf hoch, ähnlich einem Wachhund, der eben etwas Verdächtiges bemerkt hat. Dann fuhr er schwer mit seinem Arm über den Tisch, so daß die Flaschen wie Kegel umfielen und klirrend auf den Linoleumboden krachten. Tränen kullerten über das rote Gesicht des Mannes. Er hatte ein Abzeichen am Aufschlag seines schäbigen Jacketts stecken. Es trug die Aufschrift: ›Wählt Harry.‹ Er war genau der Typ, der in der Wahlnacht einen Button trägt und grundsätzlich den Verlierer gewählt hat.

Hinten an der Bar stemmte Charlie seinen mächtigen Oberkörper von einer Rennzeitung hoch, die vor ihm auf der Theke lag, und holte sich einen Besen und eine Pappschachtel. Er schlurfte langsam zu dem Mann mit den traurigen Augen hinüber, der sich zu erinnern versuchte, was er eigentlich im Suff hatte vergessen wollen. Ohne zu schimpfen, beugte sich Charlie über den Betrunkenen und tätschelte ihm gutmütig und voller Mitgefühl den Rücken.

»Nimm's nicht so schwer, Kumpel«, flüsterte Charlie heiser. Es klang freundlich und aufmunternd.

»Es ist wegen meiner Molly«, fing der Mann an. »Sie ist weg.« Seine Augen gingen auf, daß ein Tennisball darin Platz gefunden hätte, und ein neuerlicher Tränenstrom brach hervor. Seine langen Arme hingen ihm an der Seite herab, als wäre alles Leben aus ihm gewichen.

»Das ist keine Frau wert, Kumpel«, tröstete ihn Charlie und fegte dabei die Glassplitter in die Pappschachtel. Neben dem Stuhl des Betrunkenen lagen ein paar lose, zerknüllte Dollarscheine auf dem Boden. Charlie hob sie auf, strich sie glatt und steckte sie dem Mann hinter sein zerdrücktes, bananengelbes Ziertaschentuch in die Brusttasche.

Der Mann begann neuerlich zu schluchzen, fiel dann aber wieder auf seine Arme herab und war weg.

Charlie schlurfte, sein Gesicht bar jeden Ausdrucks, wieder an die Theke zurück. Er lehnte den Besen gegen die Wand, stellte die Schachtel auf eine Kiste mit leeren Cola-Flaschen und beugte sich wieder über seine Zeitung. Es war, als wäre die Zeit stillgestanden.

Ich kippte meinen Drink hinunter, legte etwas Kleingeld auf die Theke, stülpte den Kragen meines Regenmantels hoch und trat in den Wasserfall vor der Tür hinaus.

Von Charlies Bar bis zu der Stelle, wo ich meinen Wagen geparkt hatte, waren es zwei Minuten, und nach diesen zwei Minuten war ich bis auf die Haut durchnäßt.

3

Es war ein neuer Wohnblock an der Elften Avenue und der Chestnut Street. Ich lenkte meinen Packard an den Straßenrand und stellte ihn vor einer stolzen Meile hoher Mieten ab. Im

Rinnstein zerrte das rasch dahinströmende Regenwasser eine widerspenstige *Life*-Illustrierte durch die schmale Öffnung eines Abflußlochs.

Ich überquerte mit langen Schritten die Chestnut Street und bahnte mir meinen Weg in die frisch gestrichene Eingangshalle von Sherman Towers. Durch die Drehtüren wirbelte ich in den Vorraum, der im wesentlichen leer war. Nur ein Stapel Werkzeug und Material, das noch von den Handwerkern stammte, wartete auf den Abtransport; außerdem wucherte in einer Ecke ein wirrer Dschungel eben gelieferter Zimmerpflanzen von recht beachtlichen Ausmaßen.

Es roch stark nach Terpentin. Die Pflanzen wuchsen aus einer Vielzahl bunt bemalter mexikanischer Tontöpfe. Die Kalifornier verstecken in diesen Dingen ihr Dope, wenn sie mal übers Wochenende in Tijuana waren. Gewaltige Dickichte von wachsartigen, smaragdenen Blättern rankten gute zwei Meter in die Höhe. Ein besonders häßlicher Bursche, die Blätter wie von Schüssen durchlöchert, machte gerade das Rennen zur Decke, knapp gefolgt von einem Paar properer Aralien.

Falls hier irgendwo ein Portier oder ein Hausdetektiv Wache hielt, so konnte ich in jedenfalls in diesem Blättergewirr nicht ausmachen. Also machte ich mich auch tunlichst nicht bemerkbar. Schließlich hätte dieser Zimmerpflanzendschungel sehr gut einen japanischen Scharfschützen beherbergen können.

Ich schritt durch die Eingangshalle auf den automatischen Lift zu und drückte den Knopf. Die Liftkabine schwebte herab, mit einem Zischen gingen die Türen auf, und ich trat auf einen Zettel mit der Warnung ›Frisch gestrichen‹. Ich drückte den zehnten Stock und konnte es mir gerade noch verkneifen, mich gegen die Kabinenwand zu lehnen, als der Lift nach oben fuhr.

Vor Appartment 1067 zündete ich mir eine Zigarette an und drückte auf den Klingelknopf. Aus dem Inneren drang das helle Klirren chinesischer Glöckchen auf den Gang heraus. Vom Rand meines Hutes tropfte das Regenwasser und bildete auf dem Teppichboden eine kleine Lache. Ich mußte erst noch einige Male den Knopf drücken, bis sich endlich etwas rührte. Hinter der Mahagonitür meldete sich die Stimme von vorher. Zuerst einmal forderte sie mich auf, noch eine Minute zu warten. Und dann – es war bereits wesentlich mehr als eine Minute verstrichen – wollte sie wissen: »Wer ist da?«

»Würden Sie mir auch glauben, wenn ich es Ihnen sagen würde?« antwortete ich.

Das überlegte sich Mrs. Summers erst einmal.

»Mein Mann hat gesagt, ich sollte niemandem die Tür aufmachen«, brachte sie schließlich hervor.

»Dann dürfte es allerdings für mich etwas problematisch werden, in die Wohnung zu kommen.«

»Ich kann Sie nicht verstehen«, fragte sie nach. Irgend etwas fiel zu Boden. Dem Geräusch nach hätte es sehr wohl eine leere Ginflasche sein können.

Ich knöpfte meinen Regenmantel auf und holte meine Brieftasche aus der Brusttasche. Dort fand ich eine Karte mit meinem Namen, meiner Adresse und der Berufsbezeichnung ›Privatdetektiv‹; ich schob sie unter dem Türschlitz durch.

Darauf folgte neuerlich eine längere Pause.

»Falls Sie zum Lesen eine Brille brauchen«, erinnerte ich sie, »dann gehen Sie lieber und holen sie sich.«

Sie brauchte für das Lesen der Karte kaum mehr Zeit als Lindbergh zum Überqueren des Atlantik. Aber schließlich wurden die Türriegel zurückgeschoben, die Ketten gelöst, und die massive Tür schwang auf.

Frank Summers' Frau war bereits jenseits der Vierzig und nicht mehr gerade die Besterhaltenste. Sie trug einen Eau-de-nil-Morgenrock aus Satin und nicht viel darunter. Über ihrer hohen Stirn bauschte sich eine gewaltige Fülle unordentlichen, tizianroten Haares, das früher einmal einen atemberaubenden Anblick geboten haben mußte. Aber nun stand es in verfilzten ungekämmten Strähnen mit spröden und gespaltenen Spitzen in alle Richtungen davon. Vermutlich war es früher einmal auch noch eine Spur kräftiger gewesen und auf jeden Fall wohl auch gepflegter. Ihr Gesicht war eine Maske aus erschreckend weißer, trockener Haut, die sich straff um die hohen Backenknochen und das feste, runde Kinn spannte. Sie war sicher einmal eine sehr schöne Frau gewesen. Ihre Augen ruhten in dunklen Höhlungen und waren möglicherweise grün, nur drangen meine Blicke nicht so weit vor. Ihre dünnen Lippen umrahmten leichte Falten, und von ihren Augenwinkeln liefen dunklere Linien deltaförmig aus. Eine Intensivsitzung bei der Kosmetikerin, und man würde von alldem nichts mehr sehen. Ob die Kosmetikerin allerdings auch ihrer Angst Herr werden würde, war eine andere Frage.

»Kommen Sie rein«, forderte sie mich mit belegter Stimme auf. »Fühlen Sie sich...« Sie machte eine Pause, und dann fiel es ihr wieder ein, »... ganz wie zu Hause.«

Ich nahm meinen Hut ab, und sie fummelte erst noch an der Türsicherung herum, bevor sie mich ins Wohnzimmer geleitete.

»Folgen Sie Norma«, forderte sie mich auf. »Ich werde Ihnen was gegen die Kälte bringen.«

Das Wohnzimmer schien einem Foto aus *Beautiful Homes* entsprungen, war jedoch in einem Zustand, als hätte es gerade einen Kongreß von Saufbrüdern beherbergt. Die herausstechenden Merkmale waren leere Flaschen und von Zigarettenstummeln überquellende Aschenbecher. Eine Spur aus Strümpfen, Schuhen und Unterwäsche führte durch eine offene Tür, hinter der sich entweder das Bad oder das Schlafzimmer befand.

Auf ihren unsicheren, dünnen Beinen – sie steckten in lächerlichen Pantöffelchen, die aussahen wie zwei Puderquasten auf hohen Absätzen – stakte Norma Summers durch das Wohnzimmer und blieb vor einer mächtigen, walnußfurnierten Bar stehen, auf der sich ein wahres Schlachtfeld von Cocktailstäbchen, Siphons, Büchsenöffnern, Eisbehältern, Oliven, Kirschen, Korkenziehern, Messern aller Art, Zitronenscheiben und Shakern ausbreitete. Das einzige, was es dort anscheinend nicht gab, war etwas zu trinken. Mrs. Summers verzog das Gesicht zu einer bedauernden Grimasse und deutete mit einer hoffnungslosen Geste auf das Chaos vor ihr.

»Verrückt«, meinte sie. »Vor einer Minute stand hier noch ein Glas Kicherwasser – mit Ihrem Namen drauf.« Sie mußte schlucken und seufzte leicht auf. »Fühlen Sie sich ganz wie zu Hause«, forderte sie mich von neuem auf.

Ich nahm einen Nylonstrumpf von einem der Sessel und setzte mich.

Die Mitte des Raums füllte ein viersitziges, seehundgraues Samtsofa aus, das Norma Summers mit Ginflecken neu bezogen hatte. Unter leichten Schwierigkeiten ließ sie sich auf einer Seitenlehne des Sofas nieder und versuchte, mich in den Brennpunkt zu kriegen. Bei dem Versuch, ihre Beine zu überkreuzen, ging ihr Morgenmantel auf, so daß mehr Bein zum Vorschein kam, als sich das eigentlich gehört hätte. Allerdings konnte ich mir nicht vorstellen, daß mich ihre Beine je beschäftigen könnten, und das einzige, was sie interessierte, war der nächste Drink. Der Raum war von einer einzelnen Tischlampe erhellt; sie stand jedoch auf keinem

Tisch, sondern lag umgekippt auf dem Boden. Der Sockel war einer griechischen Urne nachempfunden; die Sprünge waren jedoch ausnahmsweise einmal echt. Diese Lichtquelle warf von dem bunt zusammengewürfelten Mobiliar groteske Schatten an die kahlen milchkaffeefarbenen Wände. Wie ein Berg überragte Norma Summers' Silhouette die anderen Formen, in ironischem Kontrast zu der zerbrechlichen und abwesend wirkenden Frau, die mit ausdruckslosen Augen auf einen Punkt auf meiner Krawatte starrte.

Ich sagte erst einmal nichts und fischte eine Packung Zigaretten aus meiner Tasche. Ich bot Norma Summers eine an, gab ihr, weit in meinem Sessel vorgebeugt, Feuer und setzte mich schließlich wieder zurück. Dann zündete ich mir selbst eine an, so daß wir nun beide mächtige Rauchwolken in die schon recht dicke Luft pafften. Sie fuhr sich mit den knochigen Fingern ihrer freien Hand durch das rote Gestrüpp auf ihrem Kopf und fing zu sprechen an; ob zu mir, hätte ich nicht sagen können.

»Es ging uns wirklich gut, Frank und mir; ja, wir konnten uns wirklich nicht beklagen.« Sie sog an ihrer Zigarette. »Ich habe es schon ganz früh geschafft, ich sah fabelhaft aus. Auf der Straße drehten sich die Leute nach mir um; ich war auf allen Titelseiten – *Vogue, Schmogue*, und wie sie alle heißen mögen. Ich kann Ihnen sagen, die rannten mir die Tür ein, um ein paar Aufnahmen von mir machen zu können.« Ihre Stimme klang leer und hohl, jedoch ohne einen Anflug von Bitterkeit und Selbstmitleid.

»Es gab nicht einen großen Namen mit einer Leica und einer unbelichteten Rolle Film, der nicht Schlange gestanden wäre. Und ich war gut. Ich konnte alles machen, was sie von mir wollten, und noch mehr. Verträumte Lippen für Revlon, und am nächsten Tag schlanke Beine für einen aufregenden, zweiteiligen Badeanzug. Jeden Tag was anderes, und jeden Tag immer absolute Spitze. Ich war der Liebling des kleinen Glasauges, die Königin der Blende. Was habe ich mich darum geschert, daß mich diese ganzen Schmalzlächler nur dazu benutzten, um selbst groß herauszukommen und in den Genuß all der Annehmlichkeiten zu gelangen, die die Modewelt eben so zu bieten hat? Das war deren Sache. Nennen Sie irgendeinen Ort auf der Welt, und ich hätte im nächsten Augenblick ein Ticket erster Klasse dorthin gehabt; so einfach lief das damals alles für mich.«

Ich hatte das Gefühl, daß sie diese Geschichte nicht das erste Mal erzählte. Vermutlich hatten sie schon eine ganze Menge Leute zu hören bekommen, die im Laufe ihres Abstiegs ihre Wege gekreuzt hatten, und sich selbst hatte sie sich sicher auch nicht wenige Male erzählt. Sie stieß die halb geraucht Zigarette in eine Pyramide von Stummeln und schlängelte sich zwischen den Tischen und Stühlen zu dem riesigen Fenster durch, das vom Boden bis zur Decke verlief und fast eine ganze Wandseite bildete. Die schweren, geblümten Vorhänge waren nicht zugezogen und ließen den Blick auf eine riesige Fläche regentriefenden Glases frei. Mrs. Summers betrachtete die kleinen Rinnsale, die an der glatten, spiegelnden Scheibe herunterliefen, und dahinter warf die Nacht ihr Spiegelbild zurück.

»Aber dann ging plötzlich alles schief.« Sie fröstelte und rieb sich mit ihren vor der Brust überkreuzten Armen die eckigen Schultern.

Ich saß in meinem durchweichten Regenmantel nur schweigend da, hielt meinen durchweichten Hut in der Hand und bewegte meine durchweichten Zehen.

»Der Krieg, die Sauferei, das hektische Leben. Ich weiß nicht, was davon die Hauptschuld trug. Wahrscheinlich war es einfach das alles zusammen und noch einiges dazu.« Sie gab einen langen Seufzer von sich und wiegte sich leicht.

»Na ja«, fuhr sie schließlich fort. »Jedenfalls ging unsere Glückssträhne allmählich zu Ende, und dann war es ganz aus und vorbei für mich und Frankie.«

Sie wandte sich um und stakste hoffnungsvoll auf die Bar zu. Sie kramte eine Weile unter all den Sachen herum und fand schließlich ein Glas mit einem letzten Rest abgestandenem Whisky. Sie verschluckte fast das Glas mit, als sie ihn hinunterstürzte. Dann stellte sie das Glas auf die offene Klappe der Bar und wackelte zur Couch zurück. »Das kostet hier alles einen Haufen Geld. Ich – ich koste auch Geld. Alles kostet Geld. Kennen Sie das?«

Ich meinte, ich wüßte, wie das wäre. Ich begann mich auch schon allmählich zu fragen, was ich hier eigentlich tat, außer mir eine saftige Lungenentzündung zu holen.

»Ich war total pleite, Mister Wie-Sie-auch-heißen-mögen«, redete sie aggressiv auf mich ein, als würde ich mich weigern, ihr zu glauben.

»Dime«, erinnerte ich sie an meinen Namen.

»Als es mir gut ging, ging es mir wirklich gut, und umgekehrt waren die schlechten Seiten auch entsprechend bitter«, krächzte sie mit einer Stimme, die von einer alten Schellackplatte zu kommen schien – rauh und kratzig, abgenutzt und aus weiter Ferne. »Die

Extraspäßchen, an die ich mich mittlerweile gewöhnt hatte, kosteten etwas mehr, als ich mit Streichhölzerverkaufen auf der Straße verdienen konnte. Und genau das stand Frank und mir bevor. Ich war nämlich wirklich total abgebrannt; das können Sie mir glauben.«

In der Wohnung nebenan feierten Norma Summers' Nachbarn gerade eine Wahlparty. Die agile Bläsergruppe, ein unmögliches Riff herunterdudelnd, winselte leise durch die Wand, untermalt von dem bleiern monotonen Trampeln der Tänzer, das den Boden erzittern ließ, die Gläser zum Klirren brachte und die Ölgemälde an der Wand verrutschen ließ.

»Aber Frank hatte andere Pläne«, fuhr Norma Summers fort. Sie hob leicht ihre Stimme, um den Lärm von nebenan zu übertönen. »Als plötzlich das Telefon zu klingeln aufhörte und niemand mehr nach Norma fragte, trat Frank in Aktion. Genau so, wie er das schon immer prophezeit hatte. Er suchte sich eine Stelle in einem Büro und fing zu arbeiten an, und damit meine ich wirklich *arbeiten*. Überstunden, jede Menge – an den Wochenenden, im Bus zur Arbeit, nachts zu Hause. Und so kamen wir also wieder einigermaßen auf die Beine. Wie Frank immer sagte, man braucht für so einen Schreibtischjob zwei Dinge – am Montagmorgen ein weißes Hemd und mehr Zähigkeit und Ausdauer als ein Ackergaul. Und das hatte Frank beides, und noch einiges dazu.« Sie beugte sich vor und sah mich zum erstenmal mit klaren Augen an.

»Er verstand seine Sache wirklich, das können Sie mir glauben; und da wären wir nun also – dank Frank.«

Nebenan schlossen sich nun den Saxophonen auch noch die Trompeter an, und der hektische, verschwommene Lärm legte sich wie ein dicker Samtvorhang zwischen mich und Mrs. Summers.

Ihre Stimme wurde um einige Dezibel lauter.

»Freitag nacht bleibt Frank immer etwas länger aus. Da kommt er meistens leicht angesäuselt nach Hause. Er geht mit ein paar Freunden weg, hat ein bißchen Spaß mit ihnen. Das kann man ihm doch schließlich nicht verübeln, oder?«

»Nicht, daß ich wüßte«, bestätigte ich sie. Sie hörte mich allerdings nicht.

»Er geht immer ins Three Sixes; das ist eine Bar irgendwo hinter Rittenhouse Square. Dort verkehren viele seiner Kollegen. Und wie ich schon gesagt habe, kommt er dann eben normalerweise ein kleines bißchen angedudelt nach Hause; aber es wird nie spät.

Wenn er irgend etwas Besonderes vorhat, ruft er mich immer an. Immer. Er mag es nicht, seine Norma nach Mitternacht noch allein zu lassen. Frank ist wirklich ein guter Mann. Zuverlässig und genau wie eine Schweizer Uhr.«

Ich dachte schon, sie würde im nächsten Augenblick zu weinen anfangen. Sie überlegte es sich dann aber doch anders.

»Aber die Aktentasche, die er dabei hatte, gehörte nicht ihm.«

Und dann ging es los. Die Worte explodierten in einem Schwall heftigen Schluchzens. Ich hatte das Gefühl, daß eine Menge ihrer Tränen Frank galten, aber der Löwenanteil wohl ihr selbst.

Als sie schließlich ins Schniefstadium eingetreten war, fing sie an, in den Taschen ihres Morgenmantels nach etwas zu suchen, womit sie sich die Nase hätte putzen können. Das hätte allerdings noch länger gedauert, als einen Drink aufzuspüren, so daß sie sich schließlich damit zufriedengab, sich mit einem Aufwärtsstreichen ihrer Handrücken die Tränen aus dem Gesicht zu reiben. Ich wußte immer noch nicht, was ich hier eigentlich sollte, und wie sich die Sache so anließ, bestand auch keine Gewißheit, daß ich das je herausfinden würde. Immerhin schien diese Aktentasche ein Anhaltspunkt, an den zu halten sich vielleicht lohnen würde. Um also zu verhindern, daß Mrs. Summers anfing, den ›Ancient Mariner‹ vorzutragen, meldete ich mich wieder einmal zu Wort.

»Diese Aktentasche«, sagte ich laut, »hat die nicht Ihrem Mann gehört?«

Sie hatte das bereits erzählt, aber meine Zunge war bereits etwas steif geworden, und ein bißchen Bewegung konnte ihr nicht schaden. Sie hörte mich noch immer nicht.

»Heute abend hat mich Frank so gegen acht Uhr angerufen. Vielleicht war es auch etwas früher oder später. Jedenfalls schärfte er mir ein, ich sollte mit niemandem sprechen, niemanden anrufen und auch nicht an die Tür gehen. Er gab mir eine Adresse durch und sagte, ich sollte mir ein Taxi nehmen und auf der Stelle dorthinfahren. Er meinte, wir wären nun endgültig aus dem Schneider. Aber ich bekam es mit der Angst zu tun. Ich suchte im Telefonbuch nach einem Privatdetektiv. Fragen Sie mich aber bloß nicht, warum. Sie waren der erste, der abgenommen hat.«

Ich nickte weise. »Und die Aktentasche?«

»Voller Scheine.«

Das klang so undramatisch, als würde sie mir die Uhrzeit mitteilen.

»Pfandscheine?«

»Geldscheine.« Sie kreischte fast. »Hunderttausende davon!«

Meine Augenbrauen stießen fast gegen die Hutkrempe. Ich hatte das Gefühl, etwas sagen zu müssen, eine Rede halten, ein Lied singen... Aber da war niemand – außer Mrs. Summers –, der mich hätte hören können, und sie wußte ja bereits Bescheid.

Sie fuhr sich mit dürren Fingern über ihr ehemals wunderschönes Gesicht und sagte leise: »Bitte, finden sie Frank. Dieses Geld, Frank hätte das unmöglich gestohlen – nicht einmal für mich.«

Das Ganze war einfach zu viel für sie gewesen. Noch im Sprechen glitt sie von der Seitenlehne der Couch und kam auf den Teppich zu liegen. Kein sonderlich erhebender Anblick, aber sie schien sich in dieser Stellung ganz wohl zu fühlen.

Ich stand auf und schob ihr ein abgewetztes Kissen mit einer Menge Fransen und einem Brandfleck unter den Kopf. Außerdem zog ich ihr den Morgenmantel zurecht, so daß er ihren blassen, mageren Körper einigermaßen bedeckte. Ihre Augen waren geschlossen, und sie fing zu schnarchen an. Ich klopfte ihr leicht auf den Arm und auf die Wangen, aber ihr Schlaf war sehr fest.

Es gab in der Wohnung mehrere Telefonanschlüsse. Neben einem fand ich den Notizblock, auf den sie Frank Summers' Hoteladresse gekritzelt hatte.

Die Schublade, nach der ich suchte, fand ich in dem Schreibtisch in Franks Bude. Sie war voller unbezahlter Rechnungen und bereits langsam vergilbender Bündel von Zeitungsausschnitten aus Modeheften. Mrs. Summers führte auf diesen Fotos von Pelzmänteln bis zu Büstenhaltern so ziemlich alles vor. Es befanden sich auch ein paar Aufnahmen neueren Datums darunter – sorgfältig ausgeleuchtete Porträts von Mrs. Summers. Auch ein Bild von ihr und Frank fand ich. Er stand da, den Arm um ihre Schulter gelegt und ein breites, ehrliches Lächeln im Gesicht. Ich steckte das Foto in die Tasche meines Regenmantels und schob die Schublade wieder hinein.

Frank Summers hatte also die falsche Aktentasche mitgenommen, und sie war mit einigen hunderttausend Dollars vollgestopft. Was sind schon hunderttausend Dollar? Darauf hatte ich keine Antwort. Vielleicht konnte mir Frank dazu Näheres sagen. Das hoffte ich zumindest. Und ich hoffte auch, daß er immer noch lächeln konnte.

4

Die Adresse auf Norma Summers' Notizblock konnte ich als Maag's Hotel entziffern, etwa zwanzig Minuten entfernt, am Hafen. Ich war wieder am Arbeiten, und ich fühlte mich gut. Aber das ist immer ein Fehler – sich gut zu fühlen. Ich werde dabei weich und ein bißchen blöde, und meine Schwächen trampeln mich über den Haufen wie eine ganze Herde Stiere. Eine lange Liste würde ich mit meinen Schwächen allerdings nicht zusammenkriegen. Blondinen, Rothaarige und alles dazwischen.

Hinter dieser Tür am Ende des Ganges wütete immer noch eine Mordsparty. Kalte Drinks, heiße Miezen und ein Haufen Typen. Allein was ich davon zu hören bekam, ließ mir das Wasser im Mund zusammenlaufen. Der Plattenspieler dröhnte gerade mit einem selbstmörderischen Arrangement eines King Porter Stomp. Unerbittlich heulte der Chorus voran, bis er unter dem hysterischen Gequietsche der Bläser und dem Donnern des Schlagzeugs seinen frenetischen Höhepunkt erreichte. Ich stand gerade auf dem Gang und versuchte mir einzubilden, ich wäre mit meinen vor Nässe schmatzenden Schuhen und meiner Einsamkeit eigentlich besser dran, als die Musik plötzlich abrupt aufhörte. Das Klirren von zerbrochenem Glas, und das Lachen eines Mädchens verwandelte sich in Kreischen. Die Wohnungstür flog auf, und heraus stolperte auf einem einzelnen, hohen Absatz eine große, honigblonde Frau. Sie trug ein schwarzes Cocktailkleid aus Crêpe de Chine, das etwas mehr Schulter zeigte als vielleicht ursprünglich beabsichtigt. Von ihren großen, aquamarinblauen Augen rannen mit Mascara vermischte Tränen der Verwirrung. In dem hellerleuchteten Raum hinter der Tür begann eine Männerstimme wütend zu schimpfen. Die Stimme eines jungen Mannes, etwas vom Alkohol beeinträchtigt.

»Laßt mich in Frieden, ihr Scheißkerle«, brüllte er. »Dieses kleine Luder gehört mir. Habt ihr mich gehört?«

Die Blonde hatte es gehört. Jeder zwischen hier und Philadelphia konnte es hören.

»Bleib mir bloß vom Leib, du miese, kleine Wanze«, zischte sie zurück und hüpfte, so schnell es ihr einer Schuh erlaubte, davon. Neuerliches Geschrei, und dann polterten fünfundachtzig Kilo echt amerikanischer College Boy durch die Tür und auf die Blondine zu. Sein glattes Babygesicht war auf einer Seite röter als auf der anderen; zudem war es von einem blutroten Kratzer geziert. Er schien sich in seinem mitternachtsblauen Smoking nicht allzu wohl zu fühlen. An seinem Hemdkragen fehlte der Knopf, und seine Schleife hing schlaff wie ein Stethoskop auf die Hemdbrust herab. Sein Kopf glänzte nur so vor Pomade, die aber trotzdem nicht verhindern konnte, daß ihm sein dunkles Haar wirr über die kleinen, blutunterlaufenen Augen fiel.

»Du verdammtes Miststück«, keuchte er. »Tu, was ich sage.«

Er spreizte die Finger und strich sich in einer wütenden Geste sein Haar zurück. Dann fuhr er mit der anderen Hand plötzlich wie ein wildgewordener Gorilla, der sich ein paar Fliegen vom Leib halten will, durch die Luft. Er streifte die Honigblonde an ihrer bloßen Schulter, daß sie sich wie ein Kreisel leicht zu drehen anfing. Ich öffnete meine Arme, und sie stürzte so anmutig hinein, als wäre es der Abschluß eines gekonnten Tangos gewesen.

»Hallo«, begrüßte ich sie, während sie in meinen Armen gerade schlaff und schwer wurde.

»Los, rücken Sie das Biest da schon raus«, fauchte der Knabe. Seine Augen blitzten böse, und er kochte dermaßen, daß ich mich schon fragte, wo der Dampf blieb.

»Tut mir leid, junger Mann«, antwortete ich höflich. »Dieser Tanz gehört bereits mir. Und außerdem haben Sie nicht ›bitte‹ gesagt. Haben Sie das denn an der Universität nicht gelernt?«

Inzwischen hatten sich unter der Wohnungstür mehrere Leute versammelt – in der Hauptsache junge Männer in Smokings. Ein paar der Burschen übten sich bereits im Zigarrenrauchen. Das Ganze erinnerte ein wenig an Madison Square Garden bei einem großen Kampf.

Er stülpte seine Lippen vor, daß sein Zahnfleisch zum Vorschein kam.

»Lassen Sie sie los«, fuhr er mich mit knirschenden Zähnen an. Seine Stimme klang nicht unbedingt freundlich. Aber das tat sie vermutlich nie – auch nicht, wenn er nüchtern war. Und dann schob sich plötzlich seine Schulter vor, und von seiner Hüfte löste sich eine Faust.

Ich ließ die Blonde mit einem dumpfen Schlag auf den Teppichboden des Gangs plumpsen und schoß mit meinem Unterarm vor, um den Schlag zu parieren. Der glitt von meinem Handgelenk ab und krachte lautstark in die Reihe von Liftknöpfen hinter mir. Er stöhnte leicht auf, und im selben Moment erschienen hinter einer quadratischen Glasscheibe in der Wand die Worte ›Lift kommt‹. Ich dachte an einen scharfen rechten Haken in seinen Bauch. Das waren harte Muskeln – junge Muskeln, die eine ganz gehörige Portion vertragen würden. Aber nicht heute abend, nicht nach diesem kleinen Saufgelage. Er stand da und starrte auf seine Faust, die an den Knöcheln leicht blutete. Er schwankte ein wenig und blinzelte auf meine Knie. Der Bursche kämpfte gerade mit Buddy Bacchus und nicht mit mir. Und dann probierte er den Schlag von vorher noch einmal aus. Sein Arm schoß vor, nicht ohne den Rest des Körpers nach sich zu ziehen. Der Schnaps stellte ihm ein Bein, und er stürzte zu Boden, wo er reglos wie ein gesunkener Dampfer liegenblieb. Ich sah ihn mir kurz an. Er war kälter als der kleine Zeh eines Eskimos. Ich beugte mich über die Blondine und half ihr auf die Beine. Sie wimmerte leise vor sich hin, und der nicht zu übersehende Riß im Oberteil ihres Cocktailkleids machte es ihrem reizenden, jungen Körper etwas schwer, den gebührenden Anstand zu wahren.

»Bring einer den Mantel der Dame«, bellte ich die Gummihälse unter der Tür an.

Schließlich haben Damen immer einen Mantel, den man ihnen zu bringen hat.

Auf der Straße hatte der Regen inzwischen nachgelassen, und wir wanderten in den feuchten Dunst hinaus, der um unsere Beine hochstieg. Die Blonde machte nun zum erstenmal den Mund auf.

»Ich weiß gar nicht, wie sehr ich Ihnen danken soll, Mister...?«

Sie lächelte mir diese Frage mit einem Paar sanft geschwungener, kirschroter Lippen entgegen, mit denen sicher noch eine ganze Menge Männer eine Menge Spaß haben würden.

»Dime, Mike Dime.«

»Ich heiße Grace Sanderry«, stellte sie sich formell vor. »Angenehm.« Sie schlang sich ihren dreiviertellangen Silberfuchspelz um den Körper. Er brachte ihre schmale Taille und ihre schlanken Hüften, die in langen, schlanken Beinen ausliefen, hervorragend zur Geltung. Das Grün ihrer Augen war die Farbe des Pazifik im Hochsommer, allerdings mindestens doppelt so kalt und wahrscheinlich zehnmal so gefährlich. Sie lächelte von neuem. Es war genau die Art von Lächeln, dessen sich eine Frau bedient, wenn sie etwas will.

»Sie haben neben Ihren bewundernswerten boxerischen Qua-

litäten wohl nicht auch noch den Vorzug, einen Wagen zu fahren?«
rückte sie heraus. »Wie Sie ja selbst sehen, stecke ich in einer etwas
mißlichen Lage.«

Während ich noch damit beschäftigt war, mir den Sinn dieser
Worte klarzumachen, hoppelte sie bereits an meinen Arm gelehnt
vorwärts.

»Mein zweiter Schuh treibt sich noch auf dieser Party rum,
zusammen mit meiner Anstandsdame, die auch noch als mein
Chauffeur fungiert. Zumindest war das bis heute abend so.« Das
Wort ›Chauffeur‹ klang aus ihrem Mund nach fieser Lakaienarbeit.

Ich gab ihr zu verstehen, daß ich einen Wagen besäße und sie
nach Hause bringen würde, worauf sie meinte, sie wolle mir auf
keinen Fall irgendwelche Umstände machen. Ich konnte mir zwar
nicht vorstellen, daß eine Frau mit Grace Sanderrys sinnlichen
Lippen und Beinen irgendeinem Mann Umstände machen könnte,
erwähnte das aber ihr gegenüber nicht.

Als ich ihr den Schlag meines Vorkriegs-Packard aufhielt, bekam
ich einen Hauch von dem mit, was Jean Patou in diesem Jahr in
kleine Fläschchen abfüllte. Der Preis des Duftwässerchens ließ
mich darauf schließen, daß Grace Sanderry wohl kaum je in etwas
Geringerem als einem nerzgepolsterten Lincoln gefahren war. Ihre
herrlichen grünen Augen weiteten sich beim Anblick der Einschuß-
löcher im Kotflügel.

»Das ist meine Zusatzbelüftung«, erklärte ich, bevor sie noch
fragen konnte. »Die Dinger habe ich mir reinmachen lassen, seit es
die letzten Sommer hier immer so heiß war.«

Sie lachte vier Noten der Tonleiter hinunter und verkündete als
Koda eine Adresse in Montgomery County.

Ich trat auf das Gaspedal und fuhr in Richtung Ardmore los.

5

Grace Sanderry sagte nicht allzu viel, bis wir die Schuylkill überquerten und auf der Lancaster Avenue in westlicher Richtung
weiterfuhren. Und was sie sagte, war nicht gerade von umwerfen-
der Bedeutung. Sie saß einfach in diesem bauschigen Etwas von
Silberfuchs da und blickte gedankenversunken in den Regen
hinaus, der inzwischen wieder mit der ursprünglichen Heftigkeit
fiel. Zwischen einem unserer kurzen Wortwechsel holte sie ein

Spitzentaschentuch, nicht größer als das Bettuch einer Elfe, aus der Tasche und wischte sich damit die vertrockneten Tränen und die Wimperntusche aus dem Gesicht, um sich schließlich aus einer bernsteinfarbenen Dose etwas Puder auf ihre eigensinnige Stupsnase zu tupfen. Hin und wieder merkte ich, wie sie mein dunkles, vom Regen geküßtes Spiegelbild in der Windschutzscheibe beobachtete. Allerdings gab es dabei für sie nicht allzuviel zu sehen. Den besseren Ausblick hatte da schon ich. Ihr Haar hatte die Farbe ausgebleichter Getreidefelder und fiel ihr in sanften natürlichen Locken um das Gesicht. So schön sie auch war, Grace Sanderry war noch nicht ganz eine Frau. Ihre Gesichtszüge wiesen noch diese paar seltsamen zusätzlichen Gramm Fett unter den Augen und unter dem Kinn auf; in meiner Jugend nannte man das Pensionatsspeck. Und es gibt ein paar Stellen an einem jungen Mädchen, an denen dieser Pensionatsspeck wirklich bezaubernd aussieht. Grace Sanderry hatte dazu eine Haut so klar und glatt wie Porzellan, und ihre Wangen erstrahlten in dem gesunden Rosa eines Erdbeer-Milchshakes. Sie befand sich gerade im Übergangsstadium von einer aufgeweckten High-School-Göre zu einer voll entwickelten Frau. Die Initiationsriten würden ihr in Kürze bevorstehen, und ich hatte sogar das Gefühl, daß sie bereits in den Genuß des ersten Vorgeschmacks auf diese Zeremonien gekommen war. Beim Überqueren der Highway 30 wickelte sie sich eine Locke ihres seidig goldenen Haares um den Zeigefinger und stellte mir eine Frage, die ich einer Antwort für wert erachtete.

»Wissen Sie, ich frage mich schon die ganze Zeit, während ich hier sitze, was Sie eigentlich für einen Beruf haben?«

In ihrer Stimme lag ein unbeschwertes, zutrauliches Trällern – ein Zutrauen, erwachsen aus dem Bewußtsein ihrer Jugend, ihrer Schönheit und ihres Reichtums. »Erst dachte ich schon, Sie wären Polizist, wie Sie da vorhin mit dem armen Rick umgesprungen sind. Dann tippte ich eine Weile auf Preisboxer, aber dafür haben Sie mir etwas zu vernünftig dahergeredet. Und dann, na ja ... dann habe ich aufgegeben. Was machen sie also, Mr. Mike Dime?«

Sie spielte ein Spielchen mit mir; sie wollte mich ein bißchen testen.

»Oh, ich rette Blondinen«, antwortete ich. »Ich bin vom heiligen Georg persönlich dazu lizenziert. Übrigens, verprügeln Sie Ihre Freunde eigentlich immer oder nur bei Wahlpartys?«

Es klang echt, als sie lachte.

»Rick ist nicht mein Freund. Er ist der Sohn des Geschäftspartners meines Vaters. Eigentlich kenne ich ihn kaum.« Sie zog ihre hübsche Nase hoch und schüttelte den Kopf. »Er ist schrecklich verwöhnt.«

»Das kann ich mir denken«, entgegnete ich darauf. Sie sagte nichts weiter, und damit war das Thema Rick erledigt.

Wir kamen allmählich aus der Stadt und fuhren nun zügig durch die regentriefende Dunkelheit. Die Leuchtreklamen von Tankstellen und Restaurants entlang der Straße wiesen uns wie Leuchtbojen den Weg. Ich fischte mir eine Camel aus der Packung und steckte sie mir in den Mundwinkel. Das Feuerzeug war im Handschuhfach. Ich wollte eben meine Hand danach ausstrecken, aber Grace Sanderry kam mir zuvor.

»Überlassen Sie das doch mir«, meinte sie neckisch. Sie öffnete das Handschuhfach und brachte das Zippo-Feuerzeug zum Vorschein. Sie gab mir Feuer, ließ die Schutzkappe wieder zuschnappen, und dann bemerkte sie die Inschrift. Sie las sie mit einer ironisch singenden Stimme laut vor:

»FÜR SERGEANT MICHAEL DIME VON SEINEN KAMERADEN IN IKES ERSTER ARMEE. NORMANDIE 1944.«

Ich blies etwas Rauch aus.

»Was für ein rührendes Geschenk«, bemerkte sie schließlich gefühlvoll. »Vermutlich verbinden Sie damit eine Menge Erinnerungen, oder nicht?«

»Man kann sich damit Zigaretten anstecken«, konterte ich. »Nichts weiter.«

Grace Sanderry schmollte.

»Oh, tut mir leid, wenn ich Ihnen auf den Schlips getreten bin«, entschuldigte sie sich; in ihrer Stimme war jedoch keine Spur von echtem Bedauern. »Manchmal bin ich einfach unmöglich.«

Ich versicherte ihr, es gäbe nichts zu entschuldigen, und bat sie, das Feuerzeug wieder zurückzulegen.

»Was haben denn so große, starke Männer noch in ihrem Handschuhfach?« fragte sie herausfordernd. »Ich könnte wetten, daß Sie dort ein kleines, schwarzes Büchlein mit den Telefonnummern von Tausenden von Verehrerinnen verstecken. Darf ich mal nachsehen?«

Sie griff in das Handschuhfach und kramte darin herum. Ich ließ sie. Schließlich wußte ich nicht, wie ich es ihr hätte verbieten sollen.

»Was ist denn unter diesem Lumpen?« wollte sie wissen. »Es riecht so komisch.«

Sie brachte einen stoffumwickelten Gegenstand zum Vorschein.

»Und schwer ist es auch«, ergänzte sie, wobei sie den Gegenstand in beiden Händen wiegte.

»Das ist eine Pizza Napolitana«, erklärte ich ihr. »Wenn ich nachts arbeite, bekomme ich manchmal schrecklich Hunger.«

Grace Sanderry zog die einzelnen Schichten öligen Tuchs langsam und vorsichtig zurück, als packte sie ein Geburtstagsgeschenk aus. Ihre Augen blitzten nur so vor Neugier.

»Das ist ja eine *Pistole*«, entfuhr es ihr schließlich, als das matt schimmernde Metall zum Vorschein kam.

»Das ist eine Luger«, klärte ich sie auf. »Sie stammt von dort her, wo ich auch das Feuerzeug her habe. Der einzige Unterschied ist, daß der Kerl, von dem ich die Knarre habe, keine Zeit mehr hatte, mir etwas eingravieren zu lassen.«

»Erschießen Sie damit *Menschen*?«

»Manchmal«, gab ich zu. »Ich habe auch noch eine 38er Detective Special. Die benutze ich auch gelegentlich. Und wenn mir die Patronen ausgehen, habe ich auch noch einen Bogen, und wenn mir dann auch noch die Pfeile ausgehen, erzähle ich ein paar Witze von Milton Berle.«

Ein Schild kündigte Ardmore an; den Rest sagte sie mir. Wir bogen vom Highway ab, fuhren ein paar von Bäumen gesäumte Alleen entlang, wobei die Häuser in immer größeren Abständen voneinander zu stehen kamen, und bogen schließlich in eine Auffahrt, die zu einem großen, nicht gerade einladenden Haus führte, das in der kalten Nachtluft träge vor sich hin döste. Sie legte die Kanone in das Handschuhfach zurück und öffnete ihre Lippen gerade weit genug, um die Spitze ihrer rosafarbenen Zunge über sie hinwegstreichen zu lassen. Sie schimmerten leicht.

»Wirklich nett von Ihnen, daß Sie mich nach Hause gebracht haben«, bedankte sie sich. Unsere Augen trafen sich. Ganz plötzlich beugte sie sich vor, warf mir ihre Arme um den Hals, und im nächsten Augenblick spürte ich ihre drängende, süße Zunge in meinem Mund, wo sie wie eine Biene auf der Suche nach Blütenstaub geschäftig umherwanderte.

»Immer mit der Ruhe«, krächzte ich heiser. »Ich bin schon ein wenig alt für dieses Spielchen.«

Sie hörte jedoch nicht. Ich dachte schon daran, um Hilfe zu

schreien. Aber wer hätte mir schon geglaubt, daß ich Hilfe benötigte? Außerdem war das alles ja auch gar nicht so fürchterlich. Aber schließlich hatte ich doch einen Auftrag zu erledigen.

»Jetzt hör doch endlich mal, kleine Passionsblume«, versuchte ich mich ihr zu entwinden. »Ich bin Privatdetektiv und im Moment gerade hinter einem Burschen namens Frank Summers her. Der Kerl hat sich in einer Nacht mehr Scherereien eingebrockt, als die Leutchen, mit denen du so verkehrst, in ihrem ganzen Leben schaffen. Vielleicht kann ich dem armen Teufel noch helfen, aber es kann natürlich auch schon zu spät sein. Versteh mich also nicht falsch. Die Tricks, die dir deine Freundinnen auf der High-School beigebracht haben, finde ich echt toll. Aber ich esse, schlafe und rasiere mich ab und zu auch ganz gern. Und Essen, Betten und Rasierklingen, das sind alles Dinge, die Geld kosten, und davon wiederum verdient man in meiner Branche nicht gerade eine Menge. Auf ein paar trifft das vielleicht zu, aber sicher nicht auf mich.«

Sie hörte mir, ihren warmen, jungen Körper immer noch gegen mich gepreßt, aufmerksam zu. Ich konnte ihr Herz gegen meine Rippen klopfen spüren. Ihr Atem ging tief und schwer und roch nach Erregung.

»Es ist niemand zu Hause«, flüsterte sie und löste sich von mir. »Meine Eltern sind heute bei Bekannten in Atlantic City zum Fernsehen. Sogar die Dienstboten haben heute abend alle frei.«

Ich sah auf meine Uhr. Es war Mitternacht. Ich wurde schwach. Der Regen klopfte auf das Verdeck, und Grace Sanderry hatte mich am Haken.

»Gib mir doch nur ein paar Stunden Zeit«, flehte ich sie mit einer Stimme an, die ich kaum als die meine erkannte. »Ich rufe dich an. Gib mir deine Nummer, und ich ruf dich an; ganz bestimmt.«

Sie streckte den kastanienbraun lackierten Nagel ihres Zeigefingers nach vorn und schrieb damit eine Nummer auf die beschlagene Windschutzscheibe.

»Ganz bestimmt?« vergewisserte sie sich.

»Aber sicher.«

Mit einem Kichern zog Grace Sanderry ihren Schuh aus und glitt elegant und geschmeidig aus dem Wagen.

Ich sah ihr nach, wie sie barfüßig auf die von einer elektrischen Postkutschenlampe erhellte Veranda zuging. Sie kramte in ihrer

Handtasche nach dem Hausschlüssel und verschwand schließlich, ohne sich umzublicken, in der Tür.

Sie scherte sich einen Dreck um das Ganze, und das sollte mir nur recht sein.

Ich wendete den Packard und machte mich auf die Suche nach Frank Summers.

6

Ich überquerte gerade in Richtung Camden die Benjamin-Franklin-Brücke, als die Glocke der Hall of Independence zwei Uhr schlug. Es waren immer noch eine Menge Leute unterwegs. Nicht unbedingt, wenn man New York oder Las Vegas als Anhaltspunkt nimmt, aber auf jeden Fall für eine konservative Stadt wie Philadelphia. Sie strömten in kleinen Gruppen durch die Nacht, rot-weiß-blaue Wahlhüte aus Papier auf den Köpfen und die Mäntel mit Wahl-Buttons übersät. Einige schwenkten kleine Fähnchen, einige bliesen Papierschlangen durch die Luft, und wieder andere ließen Knallkörper losgehen. Allen gemeinsam war, daß sie ohne Ausnahme ganz schön voll waren. Ab und zu hupte ein Wagen wie wild drauflos, und Leute, die einander kannten, winkten und riefen sich gegenseitig alle möglichen Späße zu. Es herrschte eine recht aufgedrehte Atmosphäre, aber insgesamt verebbte die allgemeine Erregung und Heiterkeit doch merklich. Eine riesige, die ganze Nation umspannende Party ging allmählich ihrem Ende zu, um wieder vier Jahren politischer Lethargie Platz zu machen.

In Camden wurden die Leute weniger. In den Hafenvierteln gibt es nicht so viel zu feiern. Sie dienen eher als der große Abstellraum für die Kaputten, die gesellschaftlich Geächteten, die Armen und für all den anderen menschlichen Abschaum, den das brodelnde Leben der reichen und blühenden Städte hervorbringt. Es ist doch immer wieder dieselbe alte Geschichte. Frauen mit harten Gesichtern, die in feucht vor sich hin schimmelnden Wohnblöcken ihren Haushalt mit weniger Geld führen müssen, als der Bürgermeister der Stadt für Feuerzeugbenzin ausgibt. Verbitterte Männer ohne Arbeit, die in schummrigen Bars herumhängen und ihre Zukunft an einen glücklichen Wurf beim Würfeln hängen. Allerdings bringt in der Hafengegend selbst ein sehr guter Wurf nicht gerade viel ein. Es bedeutet kaum mehr, als ausnahmsweise mal auf ein Pferd mit mehr als drei Beinen setzen zu können – und das vielleicht auch noch bei einem Buchmacher, der bis zehn zählen kann. Unten am Hafen hat ein guter Wurf den Platz der Hoffnung eingenommen.

Ich fuhr die Third Friend's Avenue in Richtung Westen und fand schließlich Maag's Hotel ein paar Häuserblocks vom Camden Marine Terminal. Es war zwischen ein leerstehendes Kino und eine Pfandleihe mit eisernen Gittern vor den Fenstern gequetscht. Über dem Eingang des Hotels hing ein Schild in Form eines Pfeils, das folgende Aufschrift trug: ›ZIMMER AB EIN DOLLAR. BAR IM VORAUS.‹ Es deutete auf einen langen und schummrigen Gang.

Ich fuhr absichtlich noch etwa einen halben Block weiter und parkte den Wagen dann zwischen einem einsamen Hydranten und einem Haufen Müll. Müde stieg ich aus dem Packard, reckte mich gähnend und verschloß die Wagentür. Währenddessen kroch vom Fluß herauf dicker, schleimiger Nebel auf mich zu und fiel mir von hinten in den Rücken. Es war tatsächlich, als hätte er mir einen leichten Schlag versetzt, durchtränkt vom Ölgestank der Flottenbasis in South Philly. Ich stieg über irgendeinen Unrat und trat versehentlich gegen eine Mülltonne. Ein einäugiger Kater schoß daraus hervor und landete in einer bestens eingeübten, raschen Bewegung, alle viere von sich gestreckt, auf dem Trottoir. Was von seinem mitgenommenen Pelz noch übrig war, setzte sich aus einem bißchen Marmelade, einem bißchen Schwarz, einem bißchen grauen und schwarzen Streifen und ein paar Farben zusammen, für die es keine Namen gibt. Er streckte seinen mickrigen Schwanz in die Höhe, stellte seine zerfetzten Ohren nach hinten und zeigte mir seine Zähne und Krallen. Dazu fauchte er wie eine lecke Gasleitung und starrte mich mit seinem gelben Auge feindselig an. Was er sah, gefiel ihm offensichtlich gar nicht. Er machte einen Buckel und stellte seine Haare auf. Wäre ich auch nur um ein paar Zentimeter kleiner gewesen, ich glaube, der Bursche hätte mich bei lebendigem Leib aufgefressen.

Als ich zum Hotel zurückging, fand ich den Eingang durch einen schwarzen Matrosen in einem dicken Seemannspullover blockiert. Er war kaum größer als das Empire State Building und etwas schmaler als der Grand Canyon. Er lehnte lässig gegen den Türrahmen und sah auf eine kleine, fette Nutte mit einer rostfarbenen Perücke herab. Ihre Haut war derb und an den Wangen mit zwei gewaltigen Flecken Rouge bemalt. Die Löcher in ihren Netzstrümpfen waren groß genug, um einen ausgewachsenen Hai durchzulassen. Außerdem war sie alt genug, um seine Großtante zu sein, und sie roch nach billigem Schnaps. Der Freier neben ihr öffnete und schloß seine Lippen lustlos um Worte, die aus seinem tiefsten Innern zu kommen schienen. Das Geräusch erinnerte an den Paarungsruf eines sehr alten Wales.

Ich drückte mich an den beiden verliebten Täubchen vorbei und trat über den schwach erleuchteten Gang auf die Rezeption zu. Von dort führte eine schmale Treppe steil nach oben, und der Gang endete an einer verriegelten Tür. Am Fuß der Treppe hing inmitten eines Spinnengewebes an die Wand gekritzelter Telefonnummern ein Telefonapparat. Ein Teil der Nummern war mit Bleistift geschrieben, andere mit Tinte. Einige waren einfach mit einem spitzen Gegenstand in die Wand gekratzt. Aber unleserlich waren sie alle. Von einem Stück Schnur, das mit einer Reißzwecke an dem Telefon befestigt war, hing ein abgegriffenes Telefonbuch herunter. Seine zerfledderten, aufgeklappten Seiten sahen aus wie eine tote Fledermaus.

Ich zündete mir eine neue Camel an und hieb mit der Handfläche auf die Klingel auf der Theke der Rezeption. Sie gab keinen Laut von sich. Zumindest konnte ich bei all dem ohrenbetäubenden Gewehrkrachen und indianischem Kriegsgeschrei, das aus dem Raum hinter der Rezeption drang, nichts hören. Durch die halb offene Tür konnte ich das blaue Licht eines Fernsehapparates in dem ansonsten völlig dunklen Raum hektisch auf und ab zucken sehen. Ich drosch mit solcher Wucht auf den Klingelknopf ein, daß ich schon glaubte, das Holz der Theke splittern zu hören, und hustete dazu höflich.

Irgend etwas in dem unheimlichen Flimmern bewegte sich. Es bewegte sich langsam. Und es sprach.

»Völlig sinnlos, auf die Klingel zu drücken. Die hat noch nie funktioniert, und ich schätze, daß sie das auch wohl nie tun wird.«

Diese Worte kamen von einer Gestalt, die in den Überresten eines hohen Lehnsessels saß, der bis auf knapp fünf Zentimeter an den Fernsehapparat herangerückt war. Ein Gesicht wandte sich mir zu, und ich konnte im Flimmern der Mattscheibe ein spatenförmiges Kinn erkennen, auf dem sich ein einwöchiger Stoppelbart von aschgrauer Farbe und kuschlig wie der Pelz eines Stachelschweines ausbreitete. Über den oberen Rand einer Lesebrille mit halbierten Gläsern blinzelte mich ein Paar wäßrig grauer Augen an. Der Mann trug eine grobe wollene Seemannsmütze, und seine

Haut hatte so viele Falten, daß man darin mindestens ein Pfund Walnüsse hätte verstecken können.

»Was suchen Sie denn hier, Mister?« wollte er wissen und wandte seine Augen wieder der Mattscheibe zu. »So, wie Sie angezogen sind, wollen Sie bestimmt nicht hier schlafen.«

Hätte er ein Gebiß gehabt, seine Stimme würde mir vielleicht einen kleinen Schrecken eingejagt haben. Sein kurzsichtiger Blick war starr auf ein Trio von Hollywood-Laffen gerichtet, die eine Menge Federn in den Haaren stecken hatten und auf ihren Pferden einen umgestürzten Planwagen umrundeten. Der Alte krempelte sich den Ärmel seines kragenlosen Hemds über den Ellbogen hoch, so daß die abgewetzte Röhre eines Baumwollunterhemds zum Vorschein kam. Dasselbe Manöver wiederholte er dann am anderen Arm.

»Oh, ich bin Vertreter für Hängematten«, meinte ich. »Wenn ich mir so ein Ding in meinem Zimmer aufhängen könnte, werden mich die Wanzen schon nicht auffressen.«

Er hörte mich nicht. Ein Cowboy griff sich an seine Brust, in der zitternd ein Pfeil stak. Die Geräuschkulisse des Film bereitete mir bereits Kopfschmerzen.

Das Gästebuch lag aufgeschlagen auf der Theke neben der Klingel. Es erwies sich allerdings von nicht allzu großem Nutzen. Die letzte Eintragung lag über drei Monate zurück. Ich stieß die Tür in der Theke auf und stolzierte auf den alten Mann in seinem Sessel zu. Von der Rückseite des Fernsehapparats hing ein dickes, braunes Kabel herunter, das zu einer Steckdose in der Wand führte. Ich riß daran. Es gab ein schnalzendes Geräusch, und dann wurde es mit einem Schlag stockdunkel und beängstigend still. Ich griff nach dem Lichtschalter neben der Tür und knipste das Licht an. Es fiel auf den Alten, der sich gerade abmühte, einen 45er Peacemaker Colt von der Seite seines abgewetzten Ledersessels zu ziehen.

Ich bewegte mich gelassen auf ihn zu. Es bestand kein Grund zur Eile.

»Diese Knarre da ist von 1873«, sagte ich, während ich sie ihrem Besitzer entriß und das Magazin in meine Handfläche leerte. »Damals wären Sie sicher noch um einiges schneller gewesen; vermutlich sogar um eine ganze Menge schneller.«

Er rührte sich nicht. Nicht einmal seine Augenlider zuckten. Ich stekte die Patronen in meine Tasche und warf den schweren, alten Revolver auf den Boden. Dann holte ich das Foto von Frank

Summers aus meiner alten Brieftasche und hielt es ihm unter die Nase.

»Ich suche diesen Mann da«, sagte ich bestimmt. »Und ich weiß ganz sicher, daß er hier war. Und von Ihnen möchte ich jetzt zwei Dinge wissen. Auf welchem Zimmer werde ich ihn finden, und werde ich ihn dort allein finden?«

Der Alte schluckte und blinzelte mit den Augen, sagte aber kein Wort. Jetzt saß er am längeren Hebel. Er wußte etwas, worauf ich scharf war. Und das war uns beiden bewußt. Das alte Spiel, beinahe so alt wie das horizontale Gewerbe und die Politik.

Ich fand eine zerknüllte Dollarnote und plazierte sie neben dem Foto. »Jetzt hören Sie mir mal gut zu«, knurrte ich. »Vielleicht glauben Sie mir nicht, aber ich kann Ihnen sagen, daß ich manchmal ganz schön unangenehm werden kann, wenn mir was nicht paßt. Dann ist mit mir nicht gerade gut Kirschen essen. Wenn Sie also nicht bald ausspucken, können Sie diesen Dollar vergessen. Und das ist nicht nur leeres Gerede, verstanden?«

Es gibt keine bessere und schnellere Methode, einem Mann die Zunge zu lösen. Nägelausreißen und heiße Kohlen sind nichts dagegen. Eine knochige Klaue von Hand schoß vor und schnappte nach dem Geldschein, der darauf in einer Tasche seiner schmuddeligen Weste verschwand. »Zimmer Nummer zweihundertfünf«, verkündete er gut gelaunt. »Er ist erst seit heute hier. Gehen Sie in den zweiten Stock hinauf und dann den Gang nach links. Soviel ich weiß, ist niemand bei ihm.«

Er stand nun zum erstenmal von seinem Sessel auf und tastete auf dem Boden nach dem Stecker herum. Als er ihn schließlich gefunden hatte, nahm er das Fernsehkabel und machte sich daran, den Stecker wieder zu befestigen. Es sah ganz so aus, als ob er damit eine Weile beschäftigt sein würde.

Ich stieg die knarzende Holztreppe zum zweiten Stock hoch und kam dabei an einem Mann vorbei, der wie ein Schatten zum Erdgeschoß hinunterhuschte. Ich dachte mir nichts weiter dabei. Absteigen wie Maag's Hotel sind voller solcher Schatten. Manchmal gibt es da gar nichts anderes. Vom Ende des Gangs in Frank Summers' Stockwerk drang mir intensiver Essensgeruch entgegen – irgend etwas Italienisches mit Lorbeerblättern und Tomatensauce und was weiß ich noch allem. Jedenfalls bekam ich davon keine Eßgelüste. Irgend jemand, eine Frau, sang monoton vor sich hin – etwas Italienisches, wie das Essen.

Ich fand Zimmer 205 und blieb davor stehen, um zu lauschen. Bis auf das Gezirpe der Frau war es auf dem dunklen Gang völlig still. Ich tastete nach dem Griff meiner Kanone und entsicherte sie mit einem leichten Druck meines Daumens. Dann klopfte ich mit dem Finger gegen die Tür.

»Frank«, rief ich gerade laut genug, daß er, aber niemand sonst, mich hören konnte. »Kein Grund, sich aufzuregen, alter Junge. Ich bin nur ein Privatdetektiv. Mike Dime ist mein Name. Aber das sagt Ihnen vermutlich nichts. Ihre Frau hat mich hierher geschickt.«

Plötzlich flog am Ende des Gangs eine Tür auf, und in der Öffnung erschien ein recht gut entwickelter Italiener mit nacktem Oberkörper. Argwöhnisch spähten seine dunklen Augen eine Bierflasche entlang, die er sich unablässig nuckelnd an die Lippen hielt.

Ich richtete mich auf, angespannt und unsicher, und ließ die Hand von meiner Knarre in meine Hosentasche gleiten, aus der ich meinen Schlüsselbund hervorholte. Ich tat so, als suchte ich nach dem Schlüssel.

Die Frau hörte zu singen auf und rief seinen Namen. Sie brüllte, er solle die Tür schließen. Der Italiener wandte sich heftig um und bellte einen anderen Namen zurück. Der war allerdings nicht von der Art, wie man Damen in der Regel tauft. Und dann krachte in dem Raum etwas gegen die Wand, etwas Schweres, das noch eine Weile schepperte, als es am Boden aufschlug. Der Mann trank sein Bier aus und schleuderte dann, die Beine gespreizt, mit aller Wucht die Flasche in das Zimmer zurück. Dabei ging wohl einiges zu Bruch, und die Frau begann wie wild zu kreischen. Der Mann warf die Tür ins Schloß, und dann gingen noch mehr Gegenstände zu Bruch. Nach einer Weile wurde es schließlich wieder ruhig, und ich unternahm einen neuerlichen Versuch, Frank Summers aufzuwecken. Ich klopfte diesmal etwas härter, um allerdings nur festzustellen, daß ich gar nicht hätte zu klopfen brauchen. Die Tür schwang knarrend auf, und das helle Licht aus dem Innern fiel in einem länglichen, gelben Streifen auf den Boden des Gangs.

Das Zimmer war genau so möbliert, wie man das für einen Dollar die Nacht erwarten kann. Als Lichtquelle diente eine einzelne Glühbirne, die an einem s-förmigen Träger an der Wand befestigt war. Es waren zwar noch ein paar spärliche Überreste von Glasschirm zu sehen, aber die waren kaum der Rede wert. Über den meisten Gegenständen im Raum lag ein dicker Film aus Staub und Schmiere. Die verblichenen, geblümten Vorhänge waren nicht

zugezogen, und über das offene Fenster war nachlässig zur Hälfte
eine klapprige Jalousie gezogen. Der hölzerne Knopf am Schnur-
ende klopfte leicht gegen die Fensterscheibe. Die Nachtluft strömte
in den Raum und machte das modrige Zimmer kalt genug, um
besser den Mantel anzubehalten. Da war ein übel mitgenommenes,
eisernes Bettgestell mit einer Matratze, einem grauen Laken und
einer fadenscheinigen Decke. Daneben stand ein Waschtisch mit
einer gesprungenen Marmorplatte, einem Wasserkrug und einer
Schale. Über dem Bett hing ein Bild der Heiligen Familie an der
Wand; es war eine Reproduktion eines Gemäldes von irgendeinem
Renaissance-Niemand. Das Glas in dem schwülstigen Rahmen
fehlte. Vom Bettpfosten baumelte ein neuer Hut, und an einem
Nagel in der Tür hing ein zweireihiges, braunes Nadelstreifenjak-
kett. Dann war da noch die Art von Dreck, den Fliegen an der
Decke und menschliche Wesen auf dem Boden hinterlassen – sonst
nichts. Das heißt, außer Frank Summers. Er stand völlig reglos
gegen die Trennwand gelehnt. Ich holte sein Foto aus der Tasche,
um auch ganz sicher zu gehen. Es war wirklich Frank, daran
bestand kein Zweifel. Der Kopf war kahl, die Ohren waren groß,
und über dem braunen Schnurrbart machte sich eine gewaltige
Nase breit. Eines von diesen Gesichtern, wie man sie jeden Tag
hundertmal zu sehen bekommt. Man steht im Lift, an der Straßen-
kreuzung oder in der U-bahn neben ihnen. Man sieht so ein
Gesicht, um es im nächsten Augenblick auch schon wieder zu
vergessen. Aber Frank Summers' Gesicht hätte wohl kaum jemand
so schnell wieder vergessen – nicht, wie es damals aussah. Nicht,
nachdem es jemand als Aschenbecher benutzt hatte. Nicht mit
dieser schrecklich entstellten Haut, die nur noch aus unzähligen
kleinen Verbrennungen zu bestehen schien, jede davon aufgequol-
len, rotgerändert und mit einem schwarzen Punkt in der Mitte.
Auch seine Augen waren anders. Nicht im entferntesten wie auf
dem Foto. Sie waren weit aufgerissen, und es war nur das Weiße in
ihnen zu sehen, als steckten statt der Augäpfel zwei hartgekochte
Eier in seinen Augenhöhlen. Und er lächelte auch nicht mehr. Statt
dessen stand Franks Mund offen, schlaff herabhängend und voller
geronnenen Blutes.

   Und noch etwas war da, was nicht mit dem Foto übereinstimmte.
Es war der Griff eines Messerwetzers, wie ihn Metzger benutzen.
Er ragte etwas über dem Hemdkragen aus Frank Summers' Hals.
Irgend jemand hatte ihm das Ding unters Kinn gerammt und ihn

damit an die Wand genagelt. Blut war kaum zu sehen, nur ein paar Spritzer auf seinem weißen Van-Heusen-Hemd; nicht mehr, als hätte er sich eben beim Rasieren ein bißchen geschnitten. Der Stich war so sauber und einfach ausgeführt, als wäre die Einstichstelle auf der Haut markiert gewesen. Die Klinge war zwischen den Arterien und Venen hindurchgeglitten und hatte das Rückgrat voll erwischt. Frank Summers war binnen einer Sekunde gestorben. Ich blickte auf seine Füße. es waren große, traurige Füße in braunen Golfschuhen, die nicht ganz auf den boden reichten. Ich berührte seine Hand. Sie war bereits ziemlich kalt. Ich dachte kurz nach, ob ich ihn herunternehmen sollte, kam aber zu dem Entschluß, daß das nicht unbedingt angebracht war. Schließlich würde ihn früher oder später jemand finden; die Bullen würden anrücken und eine Menge Fragen stellen, und der Alte von unten würde ihnen natürlich von mir erzählen. Angesichts dieser Umstände war ich für den Staatsanwalt gerade das gefundene Fressen, da mir Norma Summers als Zeugin wohl kaum allzu viel nützen würde. Was galt schließlich schon die Ausssage einer Trinkerin.

Ich durchsuchte noch Frank Summers' Taschen, bevor ich mich aus dem Staub machte. Es schien nichts zu fehlen. Seine Geldbörse strotzte förmlich von Kreditkarten und Dollarnoten. Sein Ehering steckte immer noch an seinem Finger, und seine goldene Armbanduhr tickte unbeirrt an seinem Handgelenk weiter die Sekunden herunter. In der Innentasche seiner Jacke fand ich eine Lesebrille in einem weichen Lederetui.

Die Erdnüsse hatten Franks Killer also nicht interessiert.

Nach der Aktentasche zu suchen, hielt ich demnach für müßig; ich hatte sowieso bereits genügend Zeit verloren.

In dem Raum hinter der Rezeption schrie ein Mann nach ein paar anderen Typen, die Jesse, Matt und Jake hießen; sie sollten sich hinter den Felsen verstecken. Eine plötzliche Gewehrsalve endete mit einem Chorus plinkernder Querschläger.

»Jesse hat's erwischt«, rief eine Stimme.

»Da war 'ne kleine Party auf Zweihundertfünf«, brüllte ich den Alten in seinem Sessel an, der wie ein hypnotisierter Maulwurf auf die Mattscheibe glotzte. »Haben Sie jemand aus dem Zimmer kommen sehen?«

Blöde Frage auch.

Ich nahm den Bleistiftstummel, der zwischen den aufgeschlagenen Seiten des Gästebuchs lag, und schrieb in großen, simplen

Zügen ›Springinsfeld Cassidy, Trockenklamm‹ in die leere Spalte für die Unterschriften der Hotelgäste. Dann schlug ich meinen Kragen hoch, gürtete meinen Regenmangel und trat aufrecht und tapfer ins Morgengrauen hinaus.

7

Die Morgensonne hievte sich bedächtig in den hohen wäßrigen Himmel. Das blasse Licht malte die nach Osten gewandten Gebäude in elfenbeinernem Weiß, während es alles andere in eisig schwarze Schatten tauchte. Im Zentrum wimmelte es bereits von Menschen. Die Frühschicht drängte sich an der Spätschicht vorbei, dazu noch die Leute, die überhaupt nicht arbeiteten. Allen gemeinsam war jedoch, daß sie aussahen, als hätten sie einen gewaltigen Kater. An den Anschlagtafeln der Stadt waren Männer in Overalls bereits tüchtig am Arbeiten. Die gigantischen Gesichter der Politiker, die sich alle Mühe gaben, nicht wie Kredithaie am Zahltag auszusehen, hingen bereits in Fetzen von den Plakatwänden, um dem letzten Schrei von Madison Avenue Platz zu machen. An der Zehnten Avenue, Ecke Vine Street, hatte sich irgendein Witzbold genau nach halb getaner Arbeit über sein Frühstück hergemacht. Das Ergebnis las sich dann so: WÄHLEN SIE SPAM. KALT ODER HEISS, SPAM BEFRIEDIGT ALLE IHRE WÜNSCHE.

In den Straßen herrschte ungewöhnlich dichter Verkehr. Zeitungslaster stoben in allen Richtungen davon, die Schlagzeilen noch ungewiß über den Ausgang der nächtlichen Auseinandersetzung. H. L. Mencken war im Juli in Philly in die Democratic Convention aufgerückt, und er nannte Dewey ›einen hervorragenden Rechtsanwalt, aber einen miserablen Volksverhetzer‹. Trotzdem unterstützte er ihn im Wahlkampf. Außerdem, Truman oder Dewey? Dewey oder Truman? Das Gemauschel über die Frage, wer im Weißen Haus seine Füße auf den Tisch legen würde, entschied sich auf einem anderen Planeten, der irgendwo weit weg zu liegen schien – genau .so, wie einem die Welt manchmal bei einer schweren Erkältung vorkommt.

Auf dem Gehsteig ließen Geschäftsleute die Gitter vor ihren Läden hoch; die Milchmänner vollführten ihre täglichen Jonglier-Kunststückchen mit Steigen voll klirrender Flaschen. Am Straßenrand pflügten die Laster der Müllabfuhr langsam und unerbittlich wie äsende Dinosaurier durch Berge von Abfall. Gefolgt wurden sie von einer nach allen Richtungen ausschweifenden Truppe unrasierter Männer, welche die leeren Mülltonnen unter einem Getöse wieder an Ort und Stelle brachten, der selbst einem Blechbläserorchester alle Ehre gemacht hätte.

Eifrig darauf bedacht, auch ja nicht zu kurz zu kommen, strömten bereits die ersten Geschäftsmänner in die Stadt. Von den hohen Tieren war dagegen noch nichts zu sehen. Die waren noch nicht einmal beim Zähneputzen. Das waren eben die Vorteile, wenn man es bis ganz oben hin geschafft hatte: Man kam als letzter und ging als erster. Außerdem hatte man an der Stelle, wo sich früher das Gehirn befunden hatte, einen Golfball, und die Glotzer klebten einem ununterbrochen an der Oberweite der Mieze, von der man sich gerade seine Briefe tippen ließ. Nicht schlecht, kann ich da nur sagen.

In überfüllten Frühstücks-Cafés wurden Eier aufgeschlagen, um dann mit Schinken oder Speck in der Pfanne zu brutzeln. Ihr Geruch mischte sich mit dem Duft von frischen Waffeln, Toast und Kaffee. Meine Nasenflügel weiteten sich, und der Speichel lief mir in wahren Sturzbächen im Mund zusammen. Die Gerüche, die da auf die Straße und in mein Riechorgan strömten, waren nicht nur stärker, sondern auch anziehender als selbst Grace Sanderrys Parfüm. Aber ich fuhr trotzdem weiter.

An der Elften, Ecke Vine, bog ich nach Süden in Richtung Sherman Towers ab. Mich beschäftigte ein kleines Problem. Frank Summers hatte sich plötzlich im Besitz einer Aktentasche gefunden, die ihm gar nicht gehörte. Daran war an sich nichts Ungewöhnliches; es gibt jede Nacht genügend Typen, die irgendwo ihre Tasche stehenlassen. Am Wahltag gehen in der Regel sogar noch eine ganze Menge anderer Dinge verloren: Büroklammern, Schuhe, Drehbleistifte, Ehefrauen, Vermögen. Einer verliert sogar die Wahl. Aber diese Aktentasche war ja das reinste Füllhorn. Offenbar waren Frank Summers' Gebete erhört worden. Und der Verlierer der Tasche hatte Frank nachgespürt und ihm mit einem Messer durch die Kehle gedankt. Das konnte eigentlich nur eines bedeuten: Diese Aktentasche enthielt unrecht Gut, genau die Art von Geld, von dem Frank auf keinen Fall etwas wissen sollte. Das war nicht sonderlich angenehm für Mrs. Summers, und das gleiche galt auch für mich. Wir beide wußten, daß Frank im Besitz dieser Tasche gewesen war. Frank hatte auch noch etwas anderes, etwas, von dem er nichts abgeben wollte oder konnte. Welcher Grund hätte sonst bestanden, ihm das halbe Gesicht zu verkohlen. Eigentlich hatte ich mir Frank nicht gerade hartgesotten vorgestellt. Aber unter Streß verändern sich manche Menschen wohl auf sehr unerwartete Weise. Während der vier Jahre mit Onkel Sam drüben in Übersee hatte ich eine ganze Menge Angsthasen gesehen, die sich zu regelrechten Helden enwickelt hatten. War vielleicht auch Frank so ein Mann? Wußte er vielleicht mehr, als er seiner Frau erzählt hatte? Wußte vielleicht sie mehr, als sie mir erzählt hatte? Das waren nicht wenige Vielleichts. Wie sich die Sache auch verhalten sollte, mein Auftrag war erledigt, ohne daß ich auch nur einen Stich gemacht hätte. Mir blieb nichts anderes mehr zu tun übrig, als Norma Summers zu raten, sich in acht zu nehmen und nach Möglichkeit das Weite zu suchen, bevor die Bullen auf der Bildfläche erschienen.

8

In der überheizten Eingangshalle von Sherman Towers hatte sich nicht groß etwas verändert; nur die Aralien waren um ein paar Zentimeter der Decke näher gerückt. Und außerdem trieb sich ein ziemlich übergewichtiger Portier herum, der gerade die Pflanzen goß. Er war schätzungsweise Mitte Fünfzig. Von seiner rosigen Hand schlängelte sich ein Gartenschlauch durch die Eingangshalle zu einem Wasseranschluß, der diskret hinter einem Vorhang verborgen war. Der Mann trug eine verblichene, blaue Latzhose und ein am Hals offenstehendes, kariertes Wollhemd. Unter seinem blühend roten Gesicht machten sich mehrere Lagen Doppelkinn breit. Er hatte aufgeweckte, blaue Augen.

»Morgen«, strahlte er mich gutgelaunt an. Er knöpfte sich sein Hemd noch ein Stück weiter auf, holte sich ein riesiges, weißes Taschentuch aus der Gesäßtasche seiner Latzhose und fuhr sich damit über die Stirn. Darauf unterzog er das leinene Quadrat für einen kurzen Augenblick einer eingehenden Betrachtung, bevor er es wieder in seiner Gesäßtasche verstaute. »Nicht schlecht heiß hier drinnen«, stöhnte er.

»Wie am Äquator«, bestätigte ich ihm.

Wasser tröpfelte von seinem Schlauch.

»Sind Sie schon lange hier?« fragte ich.

»Ungefähr 'ne Stunde; vielleicht auch etwas weniger. Es dauert doch tatsächlich eine geschlagene Stunde, um diesen kleinen Teufel hier gehörig einzuweichen. Und jetzt werde ich gerade fertig.« Seine Stimme war hoch und krächzend wie die einer alten Dame.

Ich trat nahe an ihn heran und zückte meine Karte.

»Sie könnten mir vielleicht helfen«, sagte ich, während ich sie ihm überreichte.

Er hielt sie gegen das Licht hoch, als prüfte er einen Geldschein auf seine Echtheit, und las sie sorgfältig durch, jedes Wort schweigend mit den Lippen nachformend. Schließlich gab er mir die Karte zurück und richtete den Schlauch auf den letzten Topf, in dem ein paar Zwergpalmen wuchsen. Er hinkte beim Gehen merklich. Der Absatz seines rechten Schuhs war sicher gute fünf Zentimeter höher als der des linken.

»Aber natürlich«, sagte er schließlich bestimmt. »Soweit ich das kann und solange ich damit niemanden in Schwierigkeiten bringe. Ich habe ja sonst nicht viel mit Detektiven zu tun.«

Ich fragte ihn also, ob er jemanden kommen oder gehen gesehen hätte, den er nicht kannte; ob sich irgendwelche auffälligen Typen herumgetrieben hätten, die nach den Summers gefragt oder sich in der Nähe ihrer Wohnung herumgetrieben hätten.

Eine Weile dachte der dicke Portier angestrengt nach; seine Stirn legte sich in tiefe Falten.

»Nicht, daß ich wüßte«, antwortete er schließlich. »Wissen Sie, für die meisten Leute, die hier so wohnen, ist es jetzt noch ein bißchen früh. Aber vielleicht hat der Nachtportier jemanden gesehen. An was für 'ne Art von Leuten hätten Sie denn da überhaupt gedacht?« wollte er noch wissen und verengte verschwörerisch seine Augen.

»An niemanden Speziellen.« Dann fragte ich, wo ich den Nachtportier finden könnte.

»Den haben Sie gerade verfehlt«, bedauerte der Dicke. »Meistens plaudern wir noch ein bißchen, bevor er nach Hause geht. Aber heute morgen ist er sofort gegangen, als ich aufgetaucht bin.«

»Das ist eben das Wahlfieber«, meinte ich und zündete mir eine Camel an.

»Nicht bei dem«, korrigierte mich der Dicke. »Mister Tucker schert sich einen Dreck um die Wahl. Er sagt immer nur, diese Politiker wären blöde Schwätzer. Nein, der ist heute nur wegen seines kranken Hundes gleich nach Hause. Ein Labrador ist das – glaube ich jedenfalls. Er ruft ihn Hoagy; so hieß nämlich sein Bruder, der im Krieg gefallen ist. Ich habe ihm schon ein paarmal gesagt, daß ich meinen Hund nicht so nennen würde, aber andererseits kann ich ihn natürlich auch ganz gut verstehen. Jedenfalls, um die Wahl schert der sich einen Dreck.«

Ich strebte auf den Lift zu.

»Eigentlich komisch«, redete der Dicke weiter. »Ich hatte für Hunde noch nie sonderlich viel übrig.« Damit drehte er an der Schlauchspritze das Wasser ab und machte sich daran, sich den Schlauch um seine aufgestellte Handfläche und den Ellbogen zu wickeln. Langsam hinkte er neben mir auf den Lift zu und wickelte dabei bedächtig den Schlauch auf.

»Ich hatte mal einen Hund, als ich noch ein Junge war«, erzählte er weiter. »Das war in Toledo. Wirklich ein liebes Vieh. Dieser Bursche konnte alle möglichen Tricks.«

Ich drückte einen Knopf in der Wand, worauf ein paar Lichter aufleuchteten und die Liftkabine sich nach unten auf den Weg machte.

»Ich kann Ihnen sagen, Mister: Toledo vermisse ich ganz schön; ja, das kann man wirklich sagen.«

Die Lifttür öffnete sich automatisch, und ich stieg ein.

»Darüber müssen Sie mir mal mehr erzählen«, verabschiedete ich mich mit einem milden Lächeln.

Er senkte seinen Kopf ein paarmal in seine Doppelkinnreihen. »Sicher«, antwortete er völlig ernst. »Das werde ich gern mal.«

Ein paar Sekunden später stand ich dann vor Norma Summers' Wohnung. Der Gang war still und leer. Alles um mich herum schlief. Die Stille, die diese schlummernden Menschen erzeugten, war dick und schwer, lautlos wie fallende Schneeflocken. Es war eine Stille, die ich nur ungern stören wollte. Ich nahm die Zigarette aus dem Mund, warf sie in den nächsten Sandkübel und drückte auf die Türklingel. Nach geraumer Weile machte sich Norma Summers schließlich vernehmbar. »Die Tür ist auf«, rief sie mit toter Stimme auf den Gang heraus.

Ich ging durch den Vorraum ins Wohnzimmer, das aussah, als fände dort gerade nach einer Überschwemmungskatastrophe eine Bergungsaktion statt. Fast das gesamte Mobiliar lag auf dem Boden aufgetürmt. Jede Schublade war geleert und jedes Kissen aufgeschlitzt worden. Die Polsterung des Sofas und der Sessel war wie

Baumwollblüten über den ganzen Raum verteilt. An einem eleganten Sekretär fehlten die Glastüren. Sie waren herausgebrochen und lagen in Stücken unter einem Haufen zerfetzter Lexika. Ein Großteil des Teppichs war völlig zerschnitten.

Die nächste Stimme, die nun in Norma Summers' Wohnung vernehmbar wurde, gehörte nicht zu Norma Summers. Sie gehörte vielmehr einem sehr kleinen und schmächtigen jungen Burschen, der schätzungsweise Anfang Zwanzig war. Sein zerbrechliches Gestell steckte in einem stahlblauen Anzug, der ihm um die Schultern zwei Nummern zu groß war. Sein senffarbenes Hemd war eine Schattierung dunkler als seine Haut und wurde von einer kastanienbraunen und kanariengelben Krawatte geziert, die in einem Knoten von der Größe einer Ananas gebunden war. Auf seinem Kopf saß ein breitkrempiger, hellgrauer Hut mit einem breiten, dunklen Band. Das knallige orangefarbene Taschentuch in seiner Brusttasche paßte allerdings nicht so recht zu seinen ochsenblutroten Schuhen, deren Kreppsohle wohl überhaupt das Größte an ihm war. Und er sagte:

»*Entrez, mon ami.* Wir haben Sie bereits erwartet.« Wie einer von diesen Kellenschwingern, die auf den Flugplätzen die gelandeten Maschinen einweisen, winkte er mich mit beiden Händen auf sich zu.

Und genau in diesem Moment machte ich einen Fehler. Meine Hand schoß hoch und versuchte, den Griff meiner Kanone zu fassen zu kriegen. Bevor sie diesen jedoch auch nur berührte, krachte auch schon der Fels von Gibraltar gegen meinen Hinterkopf. Ich sackte in die Knie und fiel bäuchlings auf den Teppich. Eine kranke Hitze pochte in meinen Schläfen, während ich fühlte, wie mich ein Paar kräftige Hände abtasteten und mir unbeholfen meine Waffe aus dem Halfter zogen.

»Nur die Pistole, Frenchy«, dröhnte eine Stimme wie ein Nebelhorn los.

»Stell ihn auf die Beine«, befahl diese halbe Portion namens Frenchy. »Aber sieh zu, daß du ihn dabei nicht umbringst.«

Mächtige, starke Hände gruben sich in meinen Regenmantel, hoben mich hoch und schleuderten mich dann, als wäre ich kaum schwerer als eine Kinderpuppe, in die Überreste des Lehnsessels, in dem ich die Nacht zuvor gesessen war. Ich gab mir alle Mühe, meine Blicke auf das Geschehen vor mir zu konzentrieren, aber dabei sollte es auch bleiben. Das Blut schoß mir in kurzen, heftigen

Wallungen durch den Kopf, so daß die Adern anschwollen und sich anspannten.

Ich hustete leicht, und das tat weh. Also ließ ich das Husten sein und probierte noch einmal, meine Augen zum Sehen zu bringen, wofür sie ja an sich geschaffen sind. Aber zuerst sendeten sie nichts in mein Gehirn außer verschwommenen Farbflächen.

»Im Moment haben Sie gerade Hog vor der Linse«, half mir Frenchy bei der Orientierung; er sprach mit schneidender Stimme. »Sehen Sie ihn sich gut an, *mon ami*, und merken Sie sich gut, was ich Ihnen sage. Er ist verdammt leicht in Rage zu bringen; er mag das richtig. Für ihn gibt es nichts Schöneres als so einen richtigen kleinen Anfall. Wenn ich meine Einwilligung gebe, reißt er Ihnen auf der Stelle Arme und Beine aus. So einfach ist das. Ohne Zögern, ohne Fragen. Er macht das einfach nur so. Und nicht daß Sie vielleicht glauben, ich erzähle Ihnen das alles nur zum Spaß. Lassen Sie sich das als Warnung dienen, künftig keine Scherereien zu machen. *Comprenez?*«

Der Flecken namens Hog nahm allmählich schärfere Umrisse an, und schließlich konnte ich sogar eine sich deutlich vor dem Hintergrund abzeichnende Gestalt erkennen. Er trug kein Jackett. So große, daß sie ihm gepaßt hätten, gab es wohl nicht. War auch nicht nötig. Seine Körperbehaarung war dicht genug, um ihn warm zu halten. Über seinen Affenpelz hatte er sich ein laffiges, schwarzes Cowboyhemd mit zehn Metern weißer Zierstickerei am Kragen gezwängt, ergänzt von zwanzig Metern weißer Quasten, die von Brust und Ärmeln herabbaumelten. Die Aufmachung schrie förmlich nach einem Sheriffstern und zwei sechsschüssigen Revolvern mit Perlmuttgriff. Und zugleich schien das Ganze bei Hog etwas fehl am Platz; etwa so, als würde eine Nonne Pfeife rauchen. Seine Arme baumelten lässig an seinen Stummelbeinen herab, und seine halb geballten Fäuste schwebten kaum mehr als ein paar Zentimeter über dem Boden. Auf seine wuchtigen Brauen hing ihm kräftiges, schwarzes Haar herab, und in den Höhlen darunter waren an der Stelle, an der sich bei der Spezies ›Homo sapiens‹ sonst die Augen befinden, zwei kleine, haßerfüllte Löcher. Seine Nase schien völlig knochenlos und saß flach zwischen seinen breiten Wangen, die mit einer Unmenge von Narben übersät waren. Ich konnte mir vorstellen, daß er beim Rasieren so seine Schwierigkeiten hatte; wahrscheinlich wäre selbst ein Rasenmäher mit seinen Stoppeln nur mit Mühe zurechtgekommen. Sein eingefallener Mund war mit einer Menge Gold ausgeschmückt, und zwischendurch kamen immer wieder ein paar gelbe Stummel zum Vorschein, die aussahen wie die abgeschossenen Enden der kleinen Tonröhrchen, an denen die Schießbudenbesitzer ihre Jagdtrophäen befestigen. Seine Haut hatte die Oberflächenstruktur von Granit und verlieh seinem Gesicht den Anschein, als wäre es eine Porträtbüste, an der Michelangelo die Geduld verloren hatte.

In seiner Hand hielt er einen 45er Webley, eine mächtig große Kanone. Wenn man von diesem Ding eine aus kurzer Entfernung verpaßt bekam, hinterließ das Geschoß ein Loch von der Größe eines Pfannkuchens. Aber trotz ihrer mehr als dreißig Zentimeter Länge wirkte die Waffe in Hogs Hand eher zierlich. Nicht größer und gefährlicher als eine verbogene Zahnbürste. Und Hog hätte sie auch gar nicht gebraucht. Wenn er einen wegpusten wollte, dann genügte es vollauf, wenn er nur mal kurz nieste.

Seine andere Hand schüttelte nachlässig den Inhalt einer kleinen Schreibtischschublade auf den Boden. Und dann bemerkte ich zum erstenmal Mrs. Summers. Immer noch in ihrem Morgenmantel, hatte sie sich in die Ecke des Sofas gedrückt und sah hundert Jahre alt aus. Ich vermutete, daß sie über Frank bereits Bescheid wußte.

»*Trés bon*«, meldete sich Frenchy wieder zu Wort. »Nachem wir uns also nun beide verstehen, können wir ja ein bißchen *parlez*.«

Er ließ sich elegant in dem Sessel mir gegenüber nieder und holte hinter der Seidenflagge in seiner Brusttasche einen Kaugummistreifen hervor. Sorgfältig wickelte er ihn aus dem Stanniolpapier, steckte ihn sich in den Mund und fing zu kauen an. Dann rollte er das Silberpapier zwischen Daumen und Zeigefinger zu einer Kugel zusammen und schnippte sie mir ins Gesicht. Sie prallte von meiner Wange ab und fiel zu Boden. In meinem Kopf drehte es sich infolge von Hogs Schlag immer noch, aber immerhin hatte ich schon einmal ein klares Bild vor Augen, was nicht heißen soll, daß mir der Anblick, der sich mir bot, gefiel oder mich auch nur im geringsten interessierte. Aber ich entschied fürs erste, nichts Unüberlegtes zu unternehmen – nichts, was Hog eine Gelegenheit geboten hätte, mir wie einer Fliege Arme und Beine auszureißen.

»Wir haben dem alten Summers einen kleinen Besuch abgestattet«, fing Frenchy wieder an; sein Kinn kaute meditativ vor sich hin. »Wirklich ein netter Kerl, aber ein gutes Gedächtnis hat er ja nicht gerade. Um genau zu sein: Er kann sich eigentlich an überhaupt nichts mehr erinnern.«

»Das ist eine Folge von Vitaminmangel«, brachte ich nach einer Weile hervor.

Frenchy hörte einen Augenblick auf, seinen Kaugummi zu malträtieren, und glotzte mich verdutzt an: »*Comment?*«

»Gedächtnisverlust«, grinste ich dämlich. »Frank Summers... Sie haben doch vorhin gesagt... das ist eine Folge von Vitaminmangel.«

Er ließ mir das durchgehen, aber Hog verstand nur Bahnhof.

Norma Summers stöhnte leise auf. Dieses Geräusch kam von der letzten Bastion menschlichen Durchhaltevermögens. Sie war am Ende.

Frenchy überkreuzte seine Beine und fuhr mit dem Finger die Bügelfalte seiner Hose hinunter. Er hatte kleine, flinke Hände. Sie erweckten den Anschein, als hätten sie bisher kaum Arbeit gesehen, wenn man jedenfalls einmal von Tätigkeiten wie Kartenmischen oder Auspacken von Kaugummis absieht.

»Wir haben nicht nur Summers einen Besuch abgestattet, wir wissen auch, daß Sie bei ihm waren.«

»Und?«

Hog riß seinen Mund weit auf. »Und?« wiederholte er. »Der Schnüffler meint nur: ›Und?‹« Der Raum erdröhnte von seinem Lachen. Es klang wie das große Erdbeben von San Francisco.

Frenchy fand das allerdings weniger komisch. Mit gekrümmtem Finger schob er die Manschette seines Hemds zurück und warf einen Blick auf die Uhr an seinem schmalen Handgelenk.

»Wir haben nicht allzuviel Zeit, *mon ami*«, gab er mir eindringlich zu verstehen. »Wir werden uns also an die Fertiggerichte halten müssen. Ich erzähle Ihnen jetzt eine kleine Geschichte, in der ein paar wichtige Zeilen fehlen. Und die werden Sie uns ergänzen.«

Er stand auf und stellte sich mit gespreizten Beinen vor mich. Seine gepflegten Hände glitten in die Seitentaschen seiner Jacke; nur seine beiden manikürten Daumen hingen noch über den Rand heraus. Dann richtete sich dieser Pimpf zu voller Größe auf und bewegte ein paarmal seinen Kopf von Seite zu Seite, als wäre ihm sein Kragen etwas zu eng. Sein Atem roch nach Knoblauch. Das wurde noch schlimmer, als er zu sprechen begann.

»Zuerst möchte ich Sie daran erinnern, was mit Monsieur Summers passiert ist, als er sich weigerte, mit uns zusammenzuarbeiten.«

Er begann allmählich richtig Spaß an der Sache zu bekommen.

Er fischte ein silbernes Zigarettenetui aus seiner Brusttasche und klappte es auf.

»Sie sehen, ich habe eine ganze Packung.« Er nahm eine Zigarette heraus und legte das Etui sorgfältig auf den Tisch neben sich. Dann stellte er die Zigarette aufrecht auf den Deckel des Etuis.

»Eine großartige Sache, so eine Zigarette«, meinte er ungerührt. »Sie kann einem so viel Vergnügen bereiten – und auch so viel Pein.«

Er ließ den Glimmstengel wie einen winzigen Fahnenmast auf dem schimmernden Deckel des Etuis stehen und setzte sich mit verschränkten Armen auf die Lehne des Sessels. Hog fummelte in Gedanken versunken am Magazin seiner Pistole herum. Mir machte das weiter nichts aus, solange es nicht gerade der Abzug war und er das Ding nicht auf mich richtete.

Frenchy fing wieder zu sprechen an. »Gestern nacht waren Hog und ich für eine bestimmte, sehr bedeutende Persönlichkeit unterwegs. Wer genau, hat Sie hier nicht zu interessieren. *En route* bekommt Hog plötzlich etwas Durst, so daß wir nach einem passenden Plätzchen Ausschau halten, seine Bedürfnisse zu befriedigen. Wir entschieden uns für das Three Sixes, einen wirklich feinen Laden mit gemütlichen Sesseln und kaltem Bier. Nach einer Weile, wie es der Lauf der Dinge nun einmal will, muß Hog sich ein wenig Erleichterung verschaffen und nimmt dabei diese enorm wertvolle Aktentasche mit, die besagter Person gehört. Es war nämlich Hogs Aufgabe, auf die Aktentasche aufzupassen. Aber bei bestimmten Gelegenheiten muß sogar er sie mal kurz abstellen. *Comprenez?*«

Ich rieb mir den Hals und fragte, ob ich rauchen könnte. Der Pimpf ging nicht auf meine Frage ein, also zündte ich mir eine an und sog mir den Rauch tief in die Lungen. Ich konnte richtig spüren, wie das Nikotin besänftigend durch meine Adern zog und meine angegriffenen Nervenenden etwas beruhigte.

»Jetzt hören Sie mal«, meldete ich mich schließlich zu Wort. »In dieser Geschichte gibt es ja weniger Handlung als in den Ziegfeld Follies. Warum vergessen Sie nicht einfach das Vorspiel und kommen gleich zur Pointe, damit ich nach Hause gehen und mich endlich hinlegen kann?«

»Kommen Sie mir nur nicht schlau, *mon ami*«, warnte mich Frenchy. »Wenn Sie schon vom Theater reden: Hog steht schon da und wartet auf seinen großen Auftritt.«

Ich wandte mich Hog zu. Er verlagerte das Gewicht von einem Fuß auf den anderen und ließ seinen Bizeps spielen, als wäre er ein Bodybuilder, der gerade mit dem Training beginnen will.

Mrs. Summers hatte sich seit meiner Ankunft keinen Millimeter vom Fleck gerührt. Es gefiel mir gar nicht, daß sie Frenchys Monolog mitanhören mußte, aber ich konnte auch nichts unternehmen, um das zu verhindern. Ohne Hog war Frenchy weniger als nichts. Diesen Pimpf hätte ich in der Mitte entzwei gebrochen wie einen trockenen Zweig. Es gab eine Menge Dinge, die ich mit ihm hätte anstellen können, aber ich saß nur da und tat nichts. Ich hörte ihm sogar aufmerksam zu und spürte dabei permanent meinen schmerzenden Körper.

»Wie ich bereits gesagt habe«, ergriff Frenchy wieder das Wort und trat vor einen pfirsichfarben eingefärbten Spiegel, der schief über dem Kaminsims hing. »Hog ist also auf der Toilette, und da ist auch dieser Herr, bei dem es sich, wie sich später herausstellen sollte, um Monsieur Summers handelte. Er steht neben Hog, und dann kommt ihm plötzlich sein Lunch, sein Abendessen und noch einiges mehr hoch. *Mon dieu*, was für eine *melange*. Jeder sieht zu, daß er von diesem Typen Abstand bekommt, und das gilt speziell für Hog.«

Er reckte sein zierliches Porzellankinn vor und rückte sich mit liebevoller Bedachtsamkeit den Knoten seiner Krawatte zurecht. Zufrieden lächelnd, den Blick immer noch auf sein Spiegelbild gerichtet, fuhr er schließlich fort.

»Das Leben ist voller Zufälle. Sie werden mir vielleicht nicht glauben, aber Frankie Boy hatte doch die gleiche – ja, tatsächlich, er hatte eine Tasche, die völlig identisch mit der von Hog war. Und zu seinem *chagrin* hat dann Hog auch noch die falsche Tasche mitgenommen.«

»*Sacre bleu*«, wußte ich darauf nur zu sagen. Aber eine innere Stimme – sie sagt mir sonst, wann ich zu Bett gehen, aufstehen oder meine Socken wechseln soll –, diese Stimme sagte mir jetzt, daß diese Geschichte eine Ende nehmen würde, dem ich kaum sonderlich viel würde abgewinnen können. Auf meiner Stirn traten allmählich die ersten Schweißtropfen hervor. Mir war übel.

»*Alors, mon ami*, was für eine *catastrophe*«, wandte sich Frenchy wieder mir zu, wobei er an den Manschetten seines Hemds zog. In der Mitte eines der beiden protzigen Manschettenknöpfe blitzte ein Diamant auf. »Sobald wir unser kleines Mißgeschick bemerken, senden wir natürlich sofort einen Notruf an ein paar Jungs aus, denen die Tragweite unseres Problems voll bewußt ist. Wirklich ein perfektes System. Zerbrechen sie sich über die Details nicht den Kopf, jedenfalls führt uns eine Spur schon sehr bald zu Maag's Hotel.«

»Besonders clever ist das aber nicht«, rotzte ich ihn an. »Die paar Taxis, die für das Three Sixes zuständig sind, sind doch alle registriert. Sie hätten nur bei der Zentrale anzurufen und zu fragen brauchen, wer eine Tour nach Camden hatte. Auf die Idee hätte sogar dieser Höhlenmensch dort drüben kommen können.«

Ich warf Hog einen kurzen Blick zu und setzte mich kampfbereit auf. Aber er tat keinen Mucks. Na ja, der Pimpf hatte ihm ja auch noch keinerlei Anweisungen gegeben.

Mrs. Summers stöhnte neuerlich auf. Sie kam allmählich wieder zu sich, ausgetrocknet wie der Mittelpunkt der Sahara, und zu allem Übel mußte sie um sich herum nichts anderes als Leid und Ungemach feststellen. Frenchy sah sie an.

Ohne einen Gedanken an sie zu verschwenden, fuhr er fort: »Als wir dann gerade an Franks Zimmertür klopfen wollen, ist er gerade dabei, sich aus dem Staub zu machen. Er rennt uns sozusagen direkt in die Arme. Wir machen ihn auf die Verwechslung aufmerksam und fragen ihn nach der Aktentasche. Ich bin wirklich höflich und zuvorkommend zu ihm; der Chefportier im Waldorf Astoria ist nichts dagegen, kann ich Ihnen sagen. Ich gebe ihm zu verstehen, daß wir ihm seine eigene Tasche leider nicht zurückgeben können, da Hog sie in dem Wutanfall nach der Entdeckung der Verwechslung in Stücke gerissen hat. Sie wissen ja, was Sie von ihm zu halten haben, und das machte ich nun also auch Frankie Boy klar.«

Er machte eine Pause, als wartete er, daß jemand applaudierte. Hog hätte das sicher getan, wenn er auch Wörter mit mehr als drei Buchstaben verstanden hätte. Norma Summers klapperten zwar die Zähne, aber das zählte nicht. Jedenfalls ließ sich der Pimpf seine schöne Geschichte nicht vermiesen.

»Der arme Frank. Er weiß nichts von unserer Tasche. Er hat nie etwas von irgendeiner Tasche gehört. Wovon reden wir da überhaupt. Ich erkläre es ihm. Ich erzähle ihm, daß wir einen heißen Tip haben, frische *gateaux*. Aber Frankie Boy stellt sich weiter dumm, so daß wir uns gezwungen sehen, seinem Gedächtnis ein bißchen auf die Sprünge zu helfen. Um genau zu sein, Hog besorgt das. Ich werfe unterdessen einen Blick unter die Matratze und in die

Schubladen. Aber Frank sagt tatsächlich die Wahrheit. Er hat die Aktentasche nicht. *Quelle horreur!*«

Er spuckte mit einem Anflug von Ekel den Kaugummi aus.

»Natürlich weiß Frank mittlerweile etwas zuviel für seinen Gesundheitszustand«, fuhr er fort. »Und der ist ja inzwischen nicht mehr gerade der beste.«

Er machte eine Pause und zuckte die Achseln.

»Und damit wären wir bei unserem eigentlichen Problem angelangt. Frank hat die Aktentasche nicht mehr, er hat sie mal gehabt, aber inzwischen hat er sie nicht mehr. Wir durchsuchen die Wohnung hier bis in den letzten Winkel, um nur zu der Erkenntnis zu gelangen, daß sich auch Mrs. Summers nicht im Besitz dieser Tasche befindet. Aber dafür erzählt sie uns, daß Sie bei Frank waren. Und das kann nur eines bedeuten. Sie wissen was, das wir nicht wissen.«

Er lächelte, als würde ihm jemand an einer Stelle, an die er selbst nicht kam, den Rücken kratzen. Meine Kehle wurde trocken, und mein ganzer Körper fühlte sich verdammt kalt an. Frenchy nahm seinen Hut ab, zauberte einen Plastikkamm aus der Gesäßtasche seiner Hose hervor und fuhr sich damit zweimal durchs Haar, das nur so von Vaseline triefte und nach Limonen und Lavendel roch. Dann setzte er sich sorgfältig wieder seinen Hut auf und säuberte den Kamm, indem er ihn sich zwischen Daumen und Mittelfinger durchzog. Er nickte Hog zu. Der wandte darauf seinen Kopf mir zu und fixierte mich mit einem sturen Blick. Ich bekam den Eindruck, daß er sich gerade Klarheit darüber zu verschaffen versuchte, wie meine Arme und Beine mit meinem Körper verbunden waren. Frenchy trat hinter mich und tippte mir mit seinem Kamm auf die Schulter.

»Bühne frei, *mon ami*«, schnurrte er wie ein zufriedener Kater. »Also fangen Sie schon zu reden an, und sehen Sie zu, daß sie nichts vergessen – und zwar vor allem nicht, wo die Tasche versteckt ist.«

Mein Kopf war vollkommen leer. Angestrengt versuchte ich mir einen Satz zu überlegen, der nicht wie die reine Wahrheit klingen würde. Aber mir fiel keiner ein, also sagte ich:

»Das erste und letzte Mal, als ich Frank Summers gesehen habe, war er tot. Da gab's keine Verschwörung. Wenn ich diese Aktentasche hätte, würde ich sie Ihnen geben. Und was Frank Summers mit diesem verdammten Ding auch angestellt hat, er hat mich das nicht wissen lassen. Soweit ich in die Sache eingeweiht bin, könnte er ihren Inhalt genausogut der Hilfsorganisation für invalide Jokkeys in Idaho gespendet haben.«

Falls Frenchy dazu etwas zu sagen gehabt hatte, konnte ich das zumindest nicht hören. Jemand anderer machte nämlich gerade Krach. Und das war Mrs. Summers. Sie hatte sich vom Sofa aufgerappelt und stürzte nun durch den Raum auf das riesige Fenster zu. Sie kreischte, was das Zeug hergab. Ihr Morgenmantel bauschte sich wie ein offener Fallschirm, als sie ihre Fäuste ballte und kopfvor gegen die Scheibe krachte. Das Glas zersprang in Tausende kleiner Splitter und ließ die stürzende Frau durch. Das Schreien von Frank Summers' Witwe erstarb in der Luft, während sie den kürzesten Weg zur Straße, einunddreißig Stockwerke unter ihr, einschlug. Für eine Sekunde, die wie eine Stunde erschien, standen wir alle mit weit aufgerissenem Mund da und starrten ungläubig auf den zackigen Rand des Loches in der Fensterscheibe, dessen Zacken sich, ähnlich den Gebirgszügen des Himalaja, ungleichmäßig erhoben, die Spitzen mit glitzerndem Blut bedeckt.

Frenchy schluckte schwer.

»Herr im Himmel«, fluchte er schließlich los. »Das haben wir ein bißchen *tout rapide* gemacht. Hog, du verrücktes Arschloch. Gib diesem Witzbold da eine Schlaftablette.«

Und das tat Hog dann auch.

9

Rötliche Dunkelheit. Summen. Das Geräusch aufgebrachter Wespen. Allmählich kam mein Bewußtsein wieder zurück, schwebend und gemächlich, wie Algen in der Dünung. Geruch nach Benzin und Leder stieg mir in die Nase. Das Geräusch, das ich hörte, stammte von Reifen, die mit großer Geschwindigkeit über nassen Asphalt rollten.

Instinktiv hielt ich mich völlig still und ließ meine Augen zu. Ich fragte mich, was der Rest von mir wohl so trieb. Meine Hände waren zumindest noch vorhanden; allerdings waren sie hinter meinem Rücken zusammengebunden. Auch Füße hatte ich noch; die waren nicht gefesselt. Ich bewegte mich fort. Aber nicht mit meinen Füßen. Das besorgte vermutlich eine Limousine für mich, obwohl dafür im Grunde eigentlich alles auf vier Rädern hätte in

Frage kommen können – mit Ausnahme vielleicht von Rollschuhen.

Ich verhielt mich also still und lauschte. Ich konnte die Scheibenwischer sich abmühen hören, und zu meiner Linken spürte ich die Anwesenheit eines Körpers. Ich konnte ihn auch riechen, und die Düfte, die mein Nebenmann ausströmte, waren mir recht vertraut – Knoblauch mit Limonen und Lavendel.

Das hieß also, daß Hog am Steuer saß.

Als ich schließlich wieder mehr oder weniger voll bei Bewußtsein war, merkte ich, daß etwas gegen meine Rippen drückte. Es fühlte sich hart an, hart wie die Mündung von Hogs Webley. Ich fing an, die Sekunden zu zählen, und die Sekunden wurden zu Minuten. Unsere Fahrt verlangsamte sich nicht, und wir bogen kein einziges Mal um eine Ecke. Daraus schloß ich, daß wir uns auf einer Schnellstraße befanden, wahrscheinlich also auf einem Highway. Ich hätte gerne meine Augen geöffnet, traute mich aber nicht. Ich konnte mir vorstellen, daß die beiden Knilche dachten, ich wäre immer noch weg, und in dem Glauben wollte ich sie besser lassen. Als tote Fracht bereitete ich ihnen keinerlei Kopfzerbrechen, und mir verschaffte das Zeit zum Nachdenken.

Nach einer Weile fing jemand zu sprechen an. Es war Hog.

»Ist unser Freund immer noch k.o.?« wollte er mit einer Lautstärke wissen, die selbst einen Richter des Obersten Gerichtshofs nach dem Lunch aufgeweckt hätte.

»Sicher«, antwortete Frenchy kurz angebunden, um dann ungeduldig hinzuzufügen: »Stell das Radio an. Auf dem Land finde ich es immer fürchterlich. Wenn ich Bäume sehe, kommt mir richtig das Grausen.«

Ich hörte ein Klicken, und dann erblühte aus dem Autoradio die Stimme eines Republikaners, der sich gerade über das Wahlverhalten der Leute in Ohio heiß redete.

»Hör mir bloß mit diesem Blödsinn auf«, knurrte die Stimme neben mir. »Sieh zu, ob du nicht ein bißchen Jazz findest. Irgendwas Heißes.«

Nun folgte eine kleine Symphonie aus allen möglichen elektronischen Pfeiftönen und Musik- und Stimmenfetzen, die sich schließlich auf eine Bebop-Combo einstimmten, welche gerade auf den mittleren acht Takten von ›All Things You Are‹ herumhackte. Bei dem Versuch, das Nachkommende zu identifizieren, hätte Jerome Kern sich bestimmt ein Magengeschwür geholt. Ein Altsaxophon fing mit seinen Vogelrufen an, und der Trompeter trieb sich währenddessen frischvergnügt in einer anderen Tonart herum. Der Pianist spielte anscheinend mit Fäustlingen, und der Bassist war eingeschlafen. Diese Burschen schafften es doch tatsächlich, zu fünft zehn verschiedene Tempi vorzulegen. Bei Takt Nummer einhunderteinundneunzigundeinhalb machte der Drummer dem ganzen Chaos schließlich ein abruptes Ende, indem er mit einem Vorschlaghammer auf das Becken eindrosch und die Trommel mit einem Maschinengewehr bearbeitete.

Ich hatte nicht die geringste Ahnung, wie lange wir schon unterwegs waren, aber das Wageninnere triefte förmlich von der sauerstoffarmen Monotonie, wie sie jede Autofahrt mit sich bringt, die länger als eine Stunde dauert. Die Atmosphäre war bleiern und schwer – dick genug, um mit einem Messer ein wenig darin herumzurühren und sie sich dann aufs Brot zu schmieren. Keiner von uns hatte letzte Nacht ein Auge zugedrückt. Aber während das Radio so vor sich hin brabbelte – Reklamesprecher droschen ihre Lügen über das neueste Shampoo, und die Jazzcombo rappelte rhythmisch um zur Unkenntlichkeit entstellte Melodien herum –, entspannte sich die Stimmung in dem rasch dahingleitenden Wagen merklich. Fast wie nach einem Abendessen zu zweit und einer Flasche Wein.

Für mich wurde es allmählich Zeit, etwas zu unternehmen. Ich mußte mir jedoch genau den richtigen Zeitpunkt aussuchen.

Und dann kam auch schon mein Stichwort. Der Pimpf neben mir schimpfte plötzlich los:

»Verflucht noch mal. Hab' ich doch tatsächlich *chez* Summers meine Dochte liegen gelassen. Gib mir doch mal einen hinter.«

Die Kanone, die es sich die ganze Zeit zwischen meinen Rippen gemütlich gemacht hatte, verminderte plötzlich ihren Druck. Frenchy hatte sie wohl beiseite gelegt und beugte sich nach vorn, um nach der Zigarette zu greifen. In einer einzigen Bewegung öffnete ich meine Augen, stieß meine Fersen nach unten und legte die volle Wucht meiner sechsundsiebzig Kilo hinter meine Stirn, die ich wie eine geballte Faust in Frenchys verdutzt aufgerissenes Maul rammte. Es war ein mieser Schlag – mein Schädel traf vor allem seine Nase –, aber er tat durchaus seine Wirkung. Aus Mund und Nase blutend, ließ Frenchy die Waffe auf den Wagensitz fallen. Damit war er jedoch noch keineswegs ausgeschaltet. Der Kerl vertrug einiges mehr, als man ihm ansah. Er hatte wie ein getretener Hund aufgewinselt und war fast ohnmächtig geworden, als ich ihn erwischte. Aber nun drehte er wieder auf und schlug wie wild um sich. Hog waren die Hände gebunden, er fuhr gerade auf der Überholspur eines dreispurigen Highway mit dichtem Verkehr. Ihm blieb nichts anderes übrig, als einfach geradeaus weiterzufahren. Frenchy und ich kämpften wie zwei Frauen beim Sommerschlußverkauf mit verbittert ineinander verknäulten Fingern um den Besitz der Knarre. Irgendwie ging ich aus diesem Kampf schließlich als Sieger hervor. Meine feuchte Hand krallte sich um den Griff der Waffe. Ich entsicherte sie und preßte Frenchy mit dem Gewicht meines Körpers schwer auf den Sitz, der von seinem Blut inzwischen ganz feucht war. Mit meinen Händen hinter meinem Rücken konnte ich unmöglich herausfinden, worauf die Waffe gerichtet war. Auf den Tank, auf meinen Fuß? Und das herauszufinden, hatte ich auch gar nicht die Zeit. Meine Kräfte ließen bereits nach, und Hog brannte natürlich darauf, sich an unserer kleinen Balgerei zu beteiligen. Wir saßen in einem Vorkriegs-Buick, einem Century; der erste Buick übrigens, der anstatt einer Nummer einen Namen hatte. Jedenfalls war dieser Century ein schnelles Auto, und ein sehr geräumiges dazu. Und dann fiel es mir wieder ein. Der Tank befand sich genau in der Schußlinie der Pistole, die ich in meiner rechten Hand hielt.

Ich drehte mein Handgelenk um neunzig Grad und fing an, den Abzug zu drücken. Ich schoß viermal. Das ohrenbetäubende Krachen der großkalibrigen Waffe erfüllte das Innere des Wagens, der sich von der Erschütterung in den Federn wiegte. Rauch breitete sich aus. Frenchy brüllte mir in mein Ohr, das gegen sein blutendes Kinn rieb. Zwei Geschosse hatten sich ihren Weg durch sein linkes Bein gebahnt. Eines war ins Leere gegangen, und das vierte hatte genau ins Schwarze getroffen. Es hatte eine Menge Sitzpolsterung, Stahl, schwarze Farbe und Politur durchschlagen und war in den linken, hinteren Reifen gefahren, der dadurch in Fetzen flog. Der Buick geriet ganz gewaltig ins Schleudern. Hog trampelte mit dem Ballen seines überdimensionalen rechten Fußes hektisch auf die Bremse ein und riß an der Lenkung herum, als hätte er bei Windstärke neun ein Schiff zu steuern. Seine Bemühungen blieben jedoch erfolglos. Die zwei Tonnen blitzenden Chroms waren plötzlich zu eigenem Leben erwacht. Der hintere Teil des Wagens schwenkte heftig nach links und nach rechts und fing schließlich an, sich mehrmals um seine eigene Achse zu drehen.

Und das bei einer Geschwindigkeit von mindestens hundertzwanzig Stundenkilometern. Draußen regnete es so stark, daß es fast dunkel war. Die Autos um uns herum waren entweder am Straßenrand geparkt oder krochen nur langsam dahin. Ein Hundewetter.

Wir stießen bei unserem Abgang vom Highway mit niemandem zusamnmen. Ich rollte mich in den Spalt zwischen Vorder- und Rücksitz und zog meine Knie an die Brust. Das war sicherer, als nach draußen zu springen. Als der Wagen von der Straße abkam, pflügte er erst über einen Kiesstreifen, dann durch eine etwas erhöht liegende Grasfläche, unter einem Schild hindurch und schließlich eine mit Büschen bewachsene Böschung hinunter. Knapp fünfhundert Meter neben dem Highway 309 kamen wir dann in einer Wolke aus Rauch und Dampf zu einem bockigen, von lautem Klirren untermalten Halt.

Wenn irgend jemand unserer kleinen Show beigewohnt hatte, so kam er jedenfalls nicht nachher hinter die Bühne, um sich ein Autogramm von uns zu holen.

Ich hörte ein fernes Klimpern – wie von einem Weihnachtsglöckchen – und dann ein Quietschen, als drehte sich jemand in einem sehr alten Bett auf die Seite.

Und dann trat ein sehr langes Schweigen ein.

10

Die Sterne bildeten ein perfektes Gesteck von blankpolierten, silbernen Stecknadelköpfen in einem Nadelkissen aus schwarzem Samt. Und auf dem Planeten Erde kam Michael Dime, eines der unbedeutenderen Lebewesen des Universums, allmählich wieder zu sich.

Ich lag auf dem Rücken und blickte durch ein Loch, das früher einmal ein Dach gewesen war, zum Himmel hoch. Irgendwie hatte sich der Buick in ein Kabrio verwandelt, und offensichtlich hatte jemand das Verdeck zurückgeklappt. Leichter Nieselregen tänzelte auf meiner Stirn herum und ließ mir kleine Wasserrinnsale die Wangen hinunterlaufen. Ich streckte meine Zungenspitze vor und verteilte das Naß über meine Lippen. Das schmeckte großartig. Dieses Manöver wiederholte ich mehrere Male.

Ich versuchte, mich zu bewegen, aber jeder einzelne Muskel meines Körpers schmerzte; und die Teile, die mir nicht weh taten, waren entweder gelähmt oder bluteten. Oder beides zusammen. Meine Hände waren immer noch gefesselt, und ich fühlte mich stärker durchnäßt als ein Entenbauch. Ich machte mich daran, mich rückwärts durch die linke hintere Wagentür nach draußen zu winden; sie hing nur noch schlaff an einer Angel herab. Unter heftigen Schmerzen glitt ich durch den Spalt zwischen Vorder- und Rücksitz, der mit einer Unmenge scharfkantiger und spitzer Gegenstände angefüllt zu sein schien, die sich mir in die Haut bohrten. Ich war über und über mit Glassplittern bedeckt, die wie Perlen an einem Abendkleid in meiner Kleidung steckten.

Nach einigem Hin und Her saß ich schließlich in aufrechter Haltung da. Und nun fiel mein Blick auf Hog. Sein massiger Schädel lag völlig reglos und still auf dem Beifahrersitz. Seine Augen waren weit aufgerissen und starrten mich, fünf Zentimeter vor meiner Nase, unverwandt an. Und dann sah ich den Rest von Hog. Er saß immer noch am Steuer, seine Killerhände fest um das Lenkrad geklammert. Es hätte einer ganz gehörigen Ladung Dynamit bedurft, um sie davon zu lösen.

Ich wandte in einer ruckartigen Bewegung mein Gesicht ab und stieß dabei mit dem Ellbogen gegen den Vordersitz, worauf Hogs vom Rumpf abgetrennter Kopf sich scheinbar aus eigener Kraft auf die Seite rollte. Ich wich entsetzt zurück; mein Magen krampfte sich zusammen. Es war so ein häßlicher Kopf, ein monströser Kopf. Man hätte ihn präparieren und einem anthropologischen Museum vermachen sollen. Jedenfalls war ich nicht im geringsten heiß darauf, daß dieses Ding auf mich plumpste.

Vorsichtig, ganz vorsichtig arbeitete ich mich zur Tür vor und ließ mich auf den kalten, matschigen Boden gleiten.

Es war Vollmond, und es war relativ hell. Nur hin und wieder schoben sich ein paar Wolken vor das silbern schimmernde Rund am Himmel, so daß sich alles ringsum plötzlich verdunkelte. Der kräftige Wind fegte sie jedoch schon im nächsten Augenblick wieder weiter.

Zitternd kam ich schließlich auf die Beine. Dieses Manöver dauerte höchstens eine Stunde und beanspruchte nicht weniger Energie, als ein Unterseeboot zum Auftauchen benötigt. Und während der Mond noch weiter mit den Wolken Verstecken spielte, lehnte ich mich gegen die Ersatzreifenabdeckung und versuchte zusammenzukriegen, was eigentlich passiert war.

Als der Buick unter dem Straßenschild hindurchgeschossen war, hatte der Eisenträger, der zwischen den beiden Pfosten verlief, das Dach und alles, was ihm sonst noch im Weg stand, mit der Präzision eines Büchsenöffners abgehoben. Die Spur, die der Wagen in der feuchten Erde hinterlassen hatte, war bis zurück zum Highway von allen möglichen Wagenteilen gesäumt. Frenchy war nirgends zu sehen. Das einzige an dem ganzen Buick, das noch zu etwas zu gebrauchen war, war das Radio. Es hing an zwei verdrehten Drähten von dem hölzernen Armaturenbrett herab. Zwischen den obligatorischen Quietsch- und Pfeiftönen pries derselbe Sprecher, der vorhin das Shampoo an den Mann zu bringen versucht hatte, nun irgendwelche Frühstücksflocken mit zusätzlichen Vitaminen an.

Allmählich begann inzwischen auch mein Blut wieder zu zirkulieren, und das Pochen in meinen Handgelenken erinnerte mich daran, daß sie immer noch gefesselt waren. Diese Halunken hatten dazu meine Krawatte benutzt, die sich von der Feuchtigkeit zusammengezogen hatte und in mein Fleisch einschnitt. Ich sah mich nach etwas Scharfkantigem um, und danach mußte ich zumindest nicht allzu lange suchen. Scharfe Kanten gab es in meiner Umgebung mehr als genug. Ich entschied mich für den linken vorderen Kotflügel, der kräftig verbogen und verbeult war und mir bis etwa in Hüfthöhe reichte. Ich stellte mich mit dem Rücken dagegen, hakte meine Handgelenke über das scharfe Metall und machte mich mit peinlicher Akribie daran, meine Lieblingskrawatte in Stücke zu schneiden. Es war meine einzige Krawatte. Mit etwas Liebe würde sie sich sicher wieder flicken lassen, und kein Mensch würde auf die Idee kommen, ich könnte sie nicht etwa erst am Tag zuvor bei Woolworth um die Ecke gekauft haben.

Endlich lösten sich meine Bande, und ich fing an, kräftig meine Handgelenke zu massieren, um wieder etwas Leben in meine gefrorenen Hände zu kriegen.

Abgesehen von dem Gebrabble des Radios und dem gelegentlichen Rauschen eines dicken Lasters auf dem Highway war es sehr still. Ein Trappist hätte sich wie zu Hause gefühlt. Ich sah auf meine Uhr. Sie war kurz vor Mitternacht stehengeblieben. Meinem Gefühl nach war es bereits früh am Morgen. Es roch leicht nach Fichten und etwas stärker nach Tieren.

Ich gierte nach einer Zigarette, aber die Packung in meiner Tasche war völlig durchnäßt. Noch etwas steif auf den Beinen, arbeitete ich mich um die Kühlerhaube des Buick zum Handschuhfach vor. Hogs kopfloser Rumpf saß reglos im Mondlicht, und das geronnene Blut um seinen Halsstumpf blitzte wie eine Halskette aus geschmolzenen Rubinen.

Ich stellte einen Fuß auf das Trittbrett, beugte mich über die rechte Vordertür und steckte meine Hand ins Handschuhfach. Und dann brachte ich zum Vorschein, was sich darin befand: eine Kleiderbürste mit einem Elchsfuß-Griff und den goldenen Initialen W.R.; drei alte Straßenkarten für Missouri, Illinois und Michigan, auf denen alle größeren Städte mit roter Tinte umrandet waren; ein Stadtplan von Philadelphia; ein Brief von Lippman and Lippman, einem Maklerbüro, das verschiedene Vorstadt-Luxuswohnungen zur Miete anbot; ein halb gegessenes Stück Schokolade; und ein in Frankreich gedrucktes Magazin mit einer Menge Bilder von verschiedenen Männern und Frauen, die alle möglichen Dinge miteinander anstellten, wie man sie sonst nur im Verborgenen tut.

Keine Zigaretten.

Bis auf die Schokolade, die ich aß, legte ich alles wieder an seinen Platz zurück. Ich brauchte schließlich etwas Brennstoff, wenn ich den langen Marsch zurück zur Straße überleben wollte, wo mich hoffentlich bald ein Wagen mitnehmen und mir zu meiner nächsten Zigarette verhelfen würde.

Da fiel mir ein, daß ich meine Knarre nicht mehr hatte. Es war eine gute Knarre – eine Knarre, die ich liebte, wie man einen treuen, alten Hund liebt. Sie war auf jeden Fall eine kleine Suchaktion wert.

Dazu reichte allerdings das vorhandene Licht nicht aus. Also ließ ich es einfach darauf ankommen und schaltete am Armaturenbrett die Scheinwerfer ein. Wenn schließlich das Radio noch funktionierte, bestand durchaus die Möglichkeit, daß auch die Scheinwerfer noch etwas Strom erreichte. Und ich hatte Glück. Eine Birne war noch intakt und warf einen langen Streifen gelben Lichts in die Nacht hinaus. Der Buick war so zum Stehen gekommen, daß er fast wieder auf die Straße zurücksah. Und nun wurde in dem Lichtstrahl etwas sichtbar, was mir zuvor entgangen war. Es war eine kleine und ehemals bunte Gestalt, deren Kopf etwas seltsam am Rumpf hing; ganz so, als würde der Betreffende nach dem Aufwachen einen steifen Hals haben. Nur würde Frenchy nie mehr wieder aufwachen. Er lag nur da, vollkommen reglos und vollkommen tot. Hinter seiner Leiche konnte ich eine große, schlammige Pfütze erkennen, deren Oberfläche der Wind kräuselte. Und in der Mitte dieser kleinen Lache dümpelte friedlich wie eine Marie

Celeste *en miniature* ein einzelner ochsenblutroter Schuh vor sich hin.

Ich stapfte auf die Leiche zu und drehte sie mit dem Fuß zur Seite. Frenchys Gesicht war über und über mit klebrigem, schwarzem Schlamm bedeckt; auch sein Anzug und sein Hemd. Sogar seine farbenfrohe Krawatte wirkte nun etwas gedämpfter. Ich beugte mich zu ihm hinab, um ihn mir genauer anzusehen. Und da steckte auch meine Kanone in einem Schulterhalfter, der an sich für eine kleinkalibrigere Waffe gedacht war. Ich nahm die 38er wieder an mich. Eigentlich war es Zeit, mich endlich auf die Socken zu machen, aber schließlich war ich noch nicht ganz fertig. Die Wahrscheinlichkeit, daß Frenchy irgend etwas von Interesse bei sich hatte, war nicht sonderlich hoch, aber ich sah trotzdem einmal nach.

Frenchys Lederbrieftasche sagte weniger über ihren Besitzer aus, als der Steinmetz in seinen Grabstein meißeln würde. Sie enthielt einen Parkschein, ein paar Hotelkarten – vermutlich handelte es sich dabei um Bordelle –, eine ganz schöne Menge Geld in gebrauchten Scheinen und ein Foto, auf dessen Rückseite mehrere Telefonnummern geschrieben waren. Es war an einem Swimming-pool aufgenommen worden, mit großen Palmen und einem weißen Gebäude im spanischen Stil im Hintergrund. Im Vordergrund saß ein Mann in Badehose, etwa Mitte Fünfzig, an dessen Rumpf zwei kräftige, behaarte Arme herabbaumelten. Er hatte sich ein weißes Handtuch um die Schultern geworfen, und sein dunkles Haar war an den Kopf geklatscht, als wäre er gerade aus dem Wasser gestiegen. Er war wohl auf die Aufnahme nicht vorbereitet gewesen, da sein Gesicht zum Teil durch das Handtuch verdeckt wurde. Aber seine Augen waren ganz deutlich zu sehen. Es waren harte, dunkle, kleine Augen, deren Ausdruck sich nie verändern würde – ganz gleich, was sein Mund oder der Rest von ihm tun würde. Es waren die Augen eines Menschen, der es mochte, wenn die Leute lächelten und ja sagten. Es waren Augen, die nie zurücklächeln würden.

Über die gewellte Oberfläche einer Badeliege war der schlanke Körper eines blonden Mädchens in einem knappen, zweiteiligen Badeanzug drapiert. Eines ihrer reizenden Beine bildete ein umgedrehtes V, und ihre linke Hand hielt einen Highball. Ich vermutete zumindest, daß es ein Highball war. Es hätte jedoch auch ein Eiscreme-Soda sein können. Ihr Lächeln galt nicht der

Kamera, sondern dem Mann mit den mörderischen Augen. Wenn diesem Kerl überhaupt etwas gefiel, dann dieses Lächeln.

Ich steckte die Aufnahme in meine Brieftasche, nahm mir als Entschädigung für meine ruinierte Krawatte einen Dollar und warf Frenchys Brieftasche in die Pfütze.

»Au revoir. C'est la mort.«

Und dann, ganz plötzlich, war ich völlig am Ende. Meine Beine begannen zu zittern, und mein Rückgrat fühlte sich kalt an. In meinem Bauch breitete sich das Gefühl heftiger Übelkeit aus, so daß ich fast hinfiel. Aus dem Autoradio drang die ferne Stimme eines Nachrichtensprechers zu mir herüber; er brüllte gerade in den Äther hinaus, daß Harry S. Truman zum dreiunddreißigsten Präsidenten der Vereinigten Staaten von Amerika gewählt worden war. Ich lachte nur und arbeitete mich die Böschung zur Straße hoch.

Es gibt doch immer wieder irgendeinen armen Teufel, der noch beschissener dran ist als man selbst.

11

Zwei leuchtende Punkte, nicht größer als die Augen einer Spitzmaus, kamen durch die Nacht auf mich zu. Ich stand am Straßenrand und beobachtete, wie sie allmählich größer wurden. Dann streckte ich meinen Daumen raus.

Sobald die elektrischen Augen mich erspäht hatten, wechselten sie zu meinen Gunsten die Fahrspur. Und als sie nahe genug herangekommen waren, um mich einer genaueren Prüfung unterziehen zu können, verlangsamte sich ihre Fahrt auf Schrittgeschwindigkeit. Der Anblick, der sich ihnen bot, hätte vermutlich sogar ein paar Adler in die Flucht geschlagen, aber die Lichter kamen unbeirrt näher.

Sie gehörten zu einem pechschwarzen Cadillac, der langsam auf mich zurollte und schnurrend wie ein vollgefressener, zufriedener Tiger zwei Zentimeter vor meinen Beinen stehen blieb. Die Hitze unter der Kühlerhaube brachte die feuchte Luft zum Kondensieren, so daß lautlose, kleine Wölkchen weißen Dampfes in die kalte Nachtluft aufstiegen.

Ich steckte meinen Daumen wieder zurück.

Ein Fenster wurde heruntergekurbelt, und ich hörte eine Frauenstimme.

»Wo wollen Sie denn hin?«

Die Stimme war fest und bestimmt und doch auch sanft. Honig mit einem Schuß Zitrone.

Ich wanderte die halbe Meile entlang der Kühlerhaube des Cadillac bis zu der Stelle, von der die Stimme kam. Zum Schreien fehlte mir die Kraft.

Die Innenbeleuchtung brannte bereits und warf ihren matten Schein über den einzigen Fahrgast des Cadillacs, einen dunkeläugigen, atemberaubenden Traum von einer Frau, der mir mehr als nur die Sprache raubte. Sie hatte die größten mandelförmigen Augen, die ich je gesehen hatte – die Pupillen größer als Knöpfe und schwärzer als die Flügel eines Raben. Ihre Iris war von tiefstem, samtenen Braun, und das Weiß von der kremig weichen Textur reinen Satins. Ihr Mund war allein für sich genommen bereits ein Kunstwerk, mit vollen, sinnlichen Lippen und leicht nach unten gewandten Mundwinkeln, die eine Spur von Arroganz andeuteten. Der strenge Karmesinton, in dem sie bemalt waren, verstärkte ihre Wirkung nur noch, indem er ihnen einen höchst aufregenden Hauch von Zügellosigkeit verlieh. Ein Schönheitsfleck, nicht größer als ein Punkt auf dem Rücken eines Marienkäfers, saß anmutig über ihrer Oberlippe auf ihrer dunklen Haut, etwa einen halben Zentimeter unter ihrer Nase, etwas links davon. Und diese Nase machte einen recht energischen Eindruck – etwa in der Art: Kommen sie mir bloß nicht mit irgendeinem Blödsinn. Aber da saß auch ein hübsches, kleines Grübchen verführerisch in der Mitte ihres Kinns, das durchaus den Eindruck erweckte, als hätte seine Besitzerin hin und wieder keineswegs etwas gegen ein bißchen Blödsinn. Ihre Backenknochen waren sehr hoch und stolz. Ihr Haar konnte ich nicht sehen – es war unter einer großen, weichen und scharlachroten Baskenmütze zusammengesteckt, die verwegen über ihr linkes Auge hereinhing. Trotzdem konnte ich mir vorstellen, daß sein Anblick umwerfend sein würde. Lang, schwarz und seidig schimmernd. Ein Seidenschal von der Farbe ihrer Mütze lugte unter dem Kragen ihres leichten, limonengrünen Mantels hervor, der um die Taille von einem breiten, scharlachroten Ziegenledergürtel zusammengehalten wurde. Die Handschuhe an ihren langen, schmalen Fingern waren farblich genau auf Gürtel und Mütze abgestimmt. Das einzige, was ich sonst noch sehen konnte, waren schließlich ihre Perlohrringe, nicht größer als ein Paar Bucheckern. Nicht gerade die billigste Ausstattung also. Aber wie hätte es auch anders sein sollen. Wer fuhr schon in irgendwelchen alten Sachen in einem Cadillac durch die Gegend. Alles zusammengenommen, haftete ihr diese Art dunkler, sinnlicher Schönheit an, die so selten ist und schon seit jeher die Männer dazu verleitet hat, alle möglichen Dummheiten zu begehen. Sie bringt einen eingefleischten Junggesellen dazu, sich einen neuen Hut zu kaufen, und Collegeboys nehmen plötzlich alle ihre Pin-up-Fotos aus ihrem Spind. Ehemänner verlassen ihre Frauen, und unverheiratete Männer verlassen die Frauen anderer Männer. Eine Sekunde nicht aufgepaßt, und man hing nicht nur wie ein Fisch an der Leine, sondern brutzelte in der Pfanne vor sich hin.

Ich stand also mit weitaufgerissenem Mund da, als wäre ich irgendein Hinterwäldler, der zum erstenmal den Times Square sah.

Die Frau im Wagen ließ ihre dunklen Wimpern einmal über ihre wunderbaren Mandelaugen tanzen. Das war wohl ein Zeichen, daß sie immer noch auf eine Antwort bezüglich ihrer Frage wartete, wo ich denn hinwollte.

Ich versuchte, mich an ein paar Worte zu erinnern, die ich einmal gekannt hatte. Im Grunde hätten die simpelsten genügt, aber mir fiel tatsächlich nicht eines ein. Aber offensichtlich schien sie mit dem Problem sprachloser Männer bereits zur Genüge vertraut.

»Kann ich Sie irgendwohin mitnehmen?« fragte sie mich in ihrer coolen, sanften Stimme. »Ich fahre nach Philly – um genau zu sein, nur in die Außenbezirke, in die Nähe von Fairmont Park.«

Ich nickte.

»Dann steigen Sie ein«, forderte sie mich bestimmt auf. »Es wird allmählich etwas kühl.«

Sie beugte sich zur Seite, wobei sie für einen Moment aus meinem Blickfeld verschwand, und dann ging auf der anderen Wagenseite eine Tür auf. Sie lächelte, als sie wieder auftauchte. Ihre regelmäßigen Zähne blitzten in dem strahlenden Weiß von Segeln in der Sonne auf. Sie legte den ersten Gang ein und drückte ihre Zehenspitzen sanft auf das Gaspedal. Und ohne daß ich auch nur ein einziges Wort zu unserer Unterhaltung beigesteuert hatte, schossen wir mit zweifacher Lichtgeschwindigkeit durch die Dunkelheit davon.

12

Sie fuhr mit der lässigen Ruhe, wie sie nur jemand an den Tag legt, der sich in solchen Spitzenlimousinen völlig zu Hause fühlt. Irgendwie kam ich mir dadurch ziemlich mickrig und unbedeutend vor. Um mich deshalb wieder ein bißchen aufzublasen, sagte ich:

»Wirklich, einen tollen Wagen haben Sie da. Mit Hydramatic-Getriebe und einem V8-Motor, der immerhin seine hundertfünfzig PS aus 5,7 Litern herausholt.«

»Genau«, stimmte sie mir zu, »es ist das Nachfolgemodell der V12- und V16-Maschinen, wie sie noch vor dem Krieg gebaut wurden. Aber sobald ich nur die Zeit dazu finde, werde ich ihn gegen das neueste Modell eintauschen. Aufgrund der neuen Hochleistungsventile holt der aus 5430 Kubik glatte hundertsechzig PS heraus. Und dazu kommt noch, daß Harley Earl und William Mitchell ganz neue Heckflossen dafür entwickelt haben. Ich kann Ihnen sagen: Dieser Wagen ist wirklich ein Traum auf Rädern.«

Ich sah mich nach einem Loch um, in dem ich mich hätte verkriechen können; aber leider gibt es in Cadillacs keine Löcher.

»Was treiben Sie eigentlich«, fuhr sie fort, »in so einem Aufzug und mitten in der Nacht?« Sie wendete beim Sprechen ihre wunderbaren, dunklen Augen keine Sekunde von der Fahrbahn.

»Oh, ich hatte es darauf angelegt, umgebracht zu werden«, murmelte ich. »Ich habe für die Republikaner gestimmt.«

»Wie bedauerlich«, tröstete sich mich.

Sie lispelte ganz leicht, was ich außerordentlich süß fand. Ich überlegte mir ein paar Fragen, deren Beantwortung möglichst viele S erfordern würde. Ein paar fielen mir auch ein, aber sie klangen alle leicht bescheuert.

»Um Ihnen die Wahrheit zu sagen«, erzählte ich ihr statt dessen, »ich war gerade auf dem Nachhauseweg von meiner Arbeit.«

»In *den* Kleidern?«

»Sie müssen wissen, daß ich Dressman bin«, nahm ich sie ein bißchen auf den Arm. »Ich stehe für die ›Vorher‹-Aufnahme Modell; Sie kennen doch sicher diese Anzeigen für die chemischen Reinigungen mit jeweils einem Foto für ›vorher‹ und ›nachher‹.«

»Und was ist mit Ihrem Kollegen, der für die ›Nachher‹-Fotos zuständig ist?«

»Der hat heute nacht frei.«

Ihr Lachen war kultiviert und völlig unter Kontrolle; es war jedoch trotz alledem auch ehrlich.

»Ich mag Männer mit einem Sinn für das Lächerliche«, meinte sie trocken und drückte ihre Zehen etwas härter auf das Gaspedal. Wir schienen durch die Luft zu schweben. Sie hatte zum Fahren flache Schuhe an, aber auf dem Rücksitz lagen neben einer dazu passenden Handtasche ein Paar eleganter, hochhackiger Pumps.

»Sind Sie schon lange unterwegs?« erkundigte ich mich.

»Eine Weile«, entgegnete sie, ohne mich jedoch dann zu fragen, weshalb mich das interessierte. Um mir also die Zeit ein wenig zu vertreiben, betrachtete ich noch ein bißchen ihre Füße. Und als ich von ihren Füßen genug hatte, ließ ich meinen Blick zu ihren Knöcheln hochwandern. Ich hätte mich sicher auch noch weiter hoch gewagt, wenn nicht der Saum ihres Mantels im Weg gewesen wäre.

Sie blickte zwar von Zeit zu Zeit in den Rückspiegel, aber angesichts unserer Geschwindigkeit war es völlig unmöglich festzustellen, was eigentlich um uns vorging. Wenn man beim Passieren einer Kleinstadt nur eben mal geblinzelt hätte, man hätte sie einfach übersehen. Aber ich fühlte mich trotzdem großartig. Mir war nicht mehr kalt, und im Wageninnern duftete es wie im Frühling in Paris.

»Eigentlich wird es allmählich Zeit, daß wir uns vorstellen«, fing sie schließlich nach einer Weile wieder an. »Mein Name ist Elaine Damone.«

Nun entstand eine Pause, die es mit meinem Namen zu füllen galt. So war es mit Elaine Damone wohl in allen Dingen – alles ohne große Umschweife, direkt und sehr präzis.

»Mike Dime«, stellte ich mich also vor und gab mir dabei alle Mühe, die Worte korrekt und in der richtigen Reihenfolge auszusprechen.

Sie sagte nicht, es wäre angenehm, mich kennengelernt zu haben. Und wenn sie es gesagt hätte, dann sicher in einem Akzent, den ich nicht hätte lokalisieren können. Ihre Sprechweise war nicht typisch für den Mittelwesten, nicht für New York und auch nicht für Chicago. Und doch erinnerte sie an alle diese drei ein wenig.

»Und was, Mr. Dime«, fragte sie schließlich mit einem Hauch diskreter Zielstrebigkeit, »ist Ihnen dort an der Straße eigentlich zugestoßen?«

Ich erzählte es ihr zum Teil.

»Dann werden Sie ja wohl etwas mehr als nur Mitgefühl brauchen«, meinte sie. Die Art, wie sie sprach, erinnerte mich an einen Anwalt bei Gericht. Sie traf ihre Wortwahl mit derselben Präzision. Es war die Präzision, mit der sie sich auch schminkte. Die Präzision, mit der sie bei der Wahl ihrer Garderobe, ihrer Bekannten und, kurz gesagt, in einfach allem vorging. Ich vermutete, daß die Aufmerksamkeit, die sie selbst dem unbedeutendsten Detail schenkte, das Wesentliche an Elaine Damones Stil ausmachte. Ob sie nun am Steuer eines Cadillac saß oder ein Ei kochte, sie würde beides mit atemberaubender Vollkommenheit tun.

»Und was hätten Sie mir da anzubieten?« hakte ich hoffnungsvoll nach.

Sie nahm eine Hand vom Steuer und tippte mit ihrem rot behandschuhten Zeigefinger leicht auf einen Knopf am Armaturenbrett, unter dem sich nun die Tür eines kleinen Walnußschränkchens öffnete. Es war nicht größer als ein Kaninchenstall, nur daß weit und breit kein Kaninchen zu sehen war. Statt dessen enthielt es eine Reihe von kleinen Flaschen kostbaren Inhalts und sechs Gläser. Auch ein Eisbehälter und ein Cocktail-Shaker fehlten nicht. Die Miniaturbar war mit beschlagenen Spiegeln ausgekleidet und in ruhiges, blaßoranges Licht getaucht.

»Sie sehen mir ganz wie ein Mann aus, der weiß, wie man eine Flasche aufmacht. Bedienen Sie sich«, forderte sie mich auf. »Mir brauchen Sie nichts einzuschenken; also kümmern sie sich ganz um sich.«

Mich hatte ein neuerlicher Anfall von Sprachlosigkeit überwältigt.

»Was ist denn?« wollte sie mit einer Spur von Ungeduld in der Stimme wissen. »Fehlt irgend etwas?«

Ich nickte. Auch das wurde bei mir allmählich zur Gewohnheit. »Die Oliven«, brachte ich schließlich doch noch hervor.

»Ich werde es dem Barmann sagen«, lachte sie. »Er sitzt hinten im Kofferraum.«

Ich sagte, sie bräuchte ihn nicht extra zu bemühen, beugte mich vor und griff nach einer flachen, kleinen Flasche Martell Cordon Bleu. Genau die Art von Gesöff, dessentwegen Napoleon seine Josephine links liegengelassen hatte.

Ein herrlicher Anblick – richtig verheißungsvoll. Ich zog mit den Zähnen den Stöpsel heraus. Das Zeug in ein Glas zu gießen, machte ich mir erst gar nicht mehr die Mühe. Ich setzte die volle Flasche an den Mund und kippte ihren bernsteinfarbenen Inhalt mit einer Schnelligkeit hinunter, die einem Saufbruder aus der Bowery alle Ehre gemacht hätte.

»Ist Brandy denn eines Ihrer Lieblingsgetränke, Mr. Dime?« erkundigte sich Elaine Damone, während ich wie ein Baby an der Mutterbrust zufrieden gluckste.

Ich nahm die Flasche von den Lippen und fuhr mir mit dem Handrücken darüber.

»Wenn er für diesen korsischen Burschen gut genug war«, meinte ich, »dann muß er wohl auch für mich gut genug sein.«

Darauf entstand ein kurzes Schweigen, das sie schließlich brach.

»Wenn man diesen speziellen Jahrgang trinkt, dann kann man fast die Eichenfässer schmecken, in denen er gereift ist.«

Dagegen konnte ich nichts sagen. Das Zeug, das ich normalerweise in mich hineinschütte, hat nicht die Zeit zu reifen. Das Zeug kommt direkt aus der Badewanne und wird sofort in Flaschen gefüllt, kaum daß der Sheriff seine Bestechungsgelder auf sein Konto eingezahlt hat.

»Ich gelange allmählich zu der Überzeugung, daß sie ein kleines Schlitzohr sind, Michael Dime«, fuhr sie nachdenklich fort. »Ich kann leider nicht nachprüfen, ob Sie mir da eben die Wahrheit erzählt haben oder nicht. Für mich ist die Geschichte Ihres glücklichen Entkommens etwa genauso glaubhaft, als würden Sie mir erzählen, so ein großer, starker Mann wie Sie wäre auf einer Bananenschale ausgerutscht und hätte sich dabei den Kopf eingeschlagen. Ich vermute, da gibt es noch einige Punkte, über die Sie mich bisher nicht zu unterrichten bemüßigt fühlten.«

Darauf antwortete ich nichts. Ich begann mich etwas benebelt und betrunken zu fühlen – genau in dieser Reihenfolge. Elaine Damone sah mir nicht gerade nach dem Typ von Frau aus, die bei Beerdigungen weinte oder den Postboten zu sich ins Haus lud, aber aus irgendeinem Grund schien sie sich für mich zu interessieren. Vielleicht langweilte sie sich einfach nur ein wenig, wie das auf eine ganze Menge Frauen zutrifft, die um diese Zeit in einem schicken Automobil herumfahren. Ich hätte gerne das Fahrgeld in Form einer kleinen Gutenachtgeschichte erstattet. Doch dieser Cognac war einfach zu lange in den Eichenfässern herumgelegen, und ich hatte bis auf einen Fingerbreit alles aufgetrunken. In zehn Minuten würde meine Birne so bematscht sein, daß ich nicht einmal mehr ›Gute Nacht‹ würde sagen können.

Ein paar weitere Meilen glitten unter uns hinweg, und am Armaturenbrett begann ein rotes Lämpchen aufzuleuchten; es wies uns darauf hin, daß der Tank schon beinahe trocken war. Elaine Damone beunruhigte das nicht im geringsten. Wo sie auftauchte, würde sich immer eine offene Tankstelle finden – ganz gleich, an welchem Ort und zu welcher Zeit. Und tatsächlich tauchten am Horizont auch schon die Lichter einer Mobil-Station auf.

Der Cadillac bog majestätisch unter das ausladende Dach der Tankstelle ein, als der Tankwart auch schon aus seinem Glashäuschen geschossen kam; nicht einmal ein Kritiker würde nach einem Premierenflop schneller aus einem der Theater am Broadway in die Redaktion jagen. Wir hielten vor einer knallroten Zapfsäule mit einem geflügelten Pferd darauf. Der Tankwart konnte es gar nicht erwarten, uns behilflich zu sein. Diesen Effekt üben dicke Wagen und schöne Frauen auf Nachtarbeiter immer aus – und nicht nur auf die; auch Tagarbeiter sehen sich ziemlich ausnahmslos von dieser Krankheit befallen. Er tippte mit dem Finger gegen den Rand seiner sandfarbenen Mütze und bot mit einem strammen »Ja bitte, gnädige Frau?« seine Dienste an. Dabei kamen eine Menge tabakverfärbter Zähne zum Vorschein. Über seine eingefallenen Wangen liefen tiefe Furchen auf sein Kinn herab, und wenn sein aufgesetztes Lächeln wieder verblaßte, würde sein Gesicht wieder den mürrischen Ausdruck all derjenigen annehmen, die sich gezwungen sehen, für etwas zusätzliche Knete auch noch nachts zu arbeiten. Ein paar Dollar für seine Wohnung, für Frau und Kinder und für seinen kleinen Laster. Aber letzten Endes würde ihm das Ganze kaum mehr einbringen als eine kahle Stelle am Hinterkopf und eine Scheidung. Aber das brauchte ich ihm vermutlich nicht erst zu sagen.

»Volltanken«, sagte Elaine Damone, ohne auch nur ihren Kopf zu wenden.

»Aber sicher, gnädige Frau«, salutierte er dienstbeflissen. »Auf der Stelle.« Als er mich sah, zeigte er mit einemmal wesentlich weniger Zähne. Verlegen zerrte er an den Enden der zu seiner Arbeitskleidung gehörenden dunkelblauen Schleife um den Hals und verdrehte die Augen. Ich konnte fast sein Gehirn arbeiten hören, wie er einen Reim darauf zu machen versuchte, was ein Sauhaufen wie ich zusammen mit dieser Superbiene in einer

Blechkarosse zu suchen hatte, die mehr kostete, als er in zehn Jahren verdienen würde.

Ich scherte mich einen Dreck darum. Ich saß einfach da, meine Flasche liebevoll an mich gedrückt, und summte leise und monoton vor mich hin. Schließlich war heute Mike Dimes große Nacht – in einem Traumschlitten und allem dazu, was sich ein Mann nur wünschen konnte. Der Tankwart konnte mich mal.

Nach einer Menge von Klicks und Klacks am Wagenende tauchte Mr. Mobil schließlich wieder am Fenster auf und wollte eben seine große Paradenummer anstimmen, ob er das Öl überprüfen, die Windschutzscheiben putzen, den Teppich saugen oder den Dreck von den Radkappen lecken solle.

Die Dame neben mir zeigte sich jedoch an derlei wenig interessiert.

»Was bin ich Ihnen schuldig?« fragte sie kurz angebunden und holte ihre Handtasche vom Rücksitz.

Enttäuscht spulte er ein paar Zahlen herunter. Aus dem großen Auftritt wurde diesmal wohl nichts. Nur das Benzin und gute Nacht.

Elaine Damone nahm den genauen Betrag in Scheinen und Münzen aus ihrer Börse und drückte ihm das Geld kalt in die aufgehaltene Hand. Wenn auch ein Trinkgeld dabei war, so konnte das zumindest niemand sehen.

Binnen Sekunden fuhren wir wieder los. Als ich mich umdrehte, konnte ich den Tankwart seine Lippen um Worte formen sehen, die Miß Damone lieber nicht hören sollte, obwohl ich mich auch nicht ganz des Gefühls erwehren konnte, daß es ihr nicht das geringste ausgemacht hätte, sie zu hören. Sie brachte nichts so leicht aus der Ruhe – am allerwenigsten irgendein Tankwart. Vermutlich war sie sich der Existenz solcher Menschen nicht einmal bewußt.

Wir glitten durch die späten Nachtstunden, und ich sank in dem nicht unfreundlichen Schweigen tiefer und tiefer in die verführerisch warmen und weichen Polster des Cadillacs.

13

Ich wachte auf, und das erste, was ich sah, war das matte Sonnenlicht, das durch einen Spalt zwischen den Vorhängen drang. Es fiel nonchalant über meinen großen Zeh, um sich auf

dem Teppich breitzumachen. Irgend etwas stimmte nicht. Ich
konnte mich nicht erinnern, je in einem mit rosa Seide bezogenen
Bett schlafen gegangen zu sein. Noch pflegte ich Laken und Kissen
mit Eau de toilette von Chanel zu besprühen. Ich richtete mich auf,
blinzelte und schüttelte ein paarmal den Kopf. Meine Augen
drehten sich, mein Kopf drehte sich, meine Gehirnwindungen
drehten sich. Die Augen in Flammen, der Schädel unter schwerem
Beschuß von seiten der Leber. Blut raste mir durch die Adern, die
Augen feuerrot. Über meiner linken Schläfe spielte jemand Con-
gas. Ich ächzte und brach in kalten Schweiß aus, um im nächsten
Augenblick auch schon wieder in die Kissen zurückzusinken. Ich
hielt mich vollkommen still und wartete, daß sich erst einmal mein
ganzer Organismus wieder beruhigte.

Nach etwa einem halben Jahrhundert unternahm ich schließlich
einen neuerlichen Versuch. Diesmal war mir nur noch ein wenig
schwindlig. Ich hievte mich vorsichtig auf meine Ellbogen hoch
und sah mir meine Umgebung genauer an. Alles um mich herum,
von der Borte um den Lampenschirm über dem Nachttisch bis zu
dem porzellanenen Türgriff, leuchtete in unterschiedlichen Pinktö-
nen – alles jedoch sehr fein aufeinander abgestimmt. Das Ganze
hätte wirklich schrecklich aussehen können – etwa wie der plötzliche farbliche Höhenflug einer leicht überdrehten Schwengel-
schwuchtel nach einer längeren Magenerkrankung. Aber was dann
letztlich dabei herausgekommen war, erwies sich als keineswegs
weniger gekonnt und geschmackvoll als ›Tenderly‹, wie es Art
Tatum spielt. Und dazu auch noch mindestens so sexy wie Spitzen-
unterwäsche und schwarze Seide.

Die Blattgoldkommode am Fuß des Bettes war echter Louis
Soundsoviel, und ihre elegant geschwungenen Rosenholzbeine
schienen, wie das auf jedes gute Möbelstück zutrifft, völlig natürlich, wie kleine Bäume, aus dem dicken, flamingoroten Teppich
hervorzuwachsen. Daneben stand ein Sessel aus derselben Epo-
che, dessen Lehne mit einer verblichenen Beauvais-Stickerei bezogen war, auf der sich zwei nackte Engel gleichen Geschlechts
umarmten.

Nichts in dem ganzen Raum machte einen weniger alten oder
prächtigen Eindruck. An der Wand links neben dem Bett hingen
vier schwere Bilderrahmen. Das kräftige, kalte Rosa der samtenen
Passepartouts umrahmte eine Gruppe von pastellfarbenen Blu-
menstudien im Stil Odilon Redons, nur daß ihnen ein noch etwas

stärkerer Hauch von Dekadenz anhaftete, als sie die französischen Symbolisten kultiviert hatten.

Die Blumen auf dem Nachttisch waren echt. Auf schlanken Stielen reckten ein Dutzend eisrosafarbener Nelken aus einer zierlichen, roséfarbenen Vase ihre stolzen Köpfe.

Ich brauchte nicht erst einen Baedeker, um herauszufinden, wo ich die Nacht verbracht hatte. In jedem Winkel und in jeder Ecke war die Handschrift Elaine Damones wiederzuerkennen.

Das Doppelbett war für eine Person gemacht worden; als Überwurf hatte es eine Patchwork-Decke. Die Muster der winzigen blütenhaften Achtecke setzten sich aus subtilen Korall- und Magentatönen zusammen. Am Fußende des Bettes lag schießlich der einzige Gegenstand, der nicht in diese Farbsymphonie paßte. Es war ein cremefarbener Bademantel, der ganz offensichtlich darauf wartete, daß jemand sich ihn überzog. Wer mich auch zu Bett gebracht hatte, der Betreffende hatte den Schlafanzug vergessen. Ich lag da, weiß und nackt wie eine geschälte Kartoffel.

Ich konnte mein Gesicht leicht brennen fühlen, als es sich farblich dem übrigen Interieur anglich. Ich war auf mich selbst wütend; ein erwachsener Mann und rot werden. Es gibt genügend große Jungs, die splitternackt schlafen. Und dazu gehören sogar bewußtlose Privatdetektive.

Und dann sah ich den Zettel, der neben einer frisch geöffneten Packung Camel lag. Der Text war mit Maschine geschrieben:

»Sie haben offensichtlich einen sehr guten Schlaf. Es blieb deshalb keine andere Wahl, als Sie einfach zu Bett zu bringen. Ihre Sachen sind gerade bei der Reinigung, zumindest die Stücke, die noch einigermaßen heil sind. Mein Mädchen hat bis heute mittag frei, und ich bin verabredet. Ihre Wertsachen befinden sich in der Nachttischschublade. In der Küche stehen ein voller Kühlschrank und eine Kanne mit frischem Kaffee. Machen Sie es sich bitte gemütlich und entschuldigen Sie, daß ich mich nicht um Sie kümmern kann, wenn Sie aufwachen.«

Keine Unterschrift. Keine Küsse. Kein Dein dies oder das. Einfach nur eine Nachricht. Na gut.

Mit äußerster Vorsicht schwang ich schießlich meine Beine vom Bett und setzte meine Plattfüße auf den dicken Wollteppich. Ich stand langsam auf und arbeitete mich mühsam in den Bademantel, der mir wie angegossen paßte. Ich suchte nach dem Firmenetikett. Er stammte aus England, von irgendeiner Londoner Adresse, die sich Liberty's nannte.

Mein Kopf war immer noch mächtig schwer und mein Mund trocken wie überfälliges Heu. Ich setzte mich auf das Bett zurück, schüttelte mir einen Docht aus der frischen Packung und holte mein Feuerzeug aus der Nachttischschublade. Ich zündete mir die Camel an und sog den Rauch tief und heftig in meine Lungen.

Die meisten Menschen fangen ihren Tag mit einem ganz bestimmten Ritual an. Sie frühstücken einen Teller Trockenpflaumen, sprechen ein Gebet oder machen sich über die Ehefrau her. Ich zum Beispiel huste mir nach dem ersten Zug an meiner Zigarette erst einmal für fünf Minunten die halbe Lunge aus dem Leib. Das verhilft meinem Körper zu all der Nahrung, die er benötigt. Außerdem war das in der leicht befremdlichen Umgebung von Elaine Damones rosa Schlafgemach etwas, was ich noch als zu mir gehörig empfinden konnte. Also hustete ich und fühlte mich dabei sterbenselend.

Danach drückte ich die Zigarette aus und schleppte mich ans Fenster, um etwas wirkliche Luft zu schnappen. Ich zog die rosafarbenen Vorhänge zurück und öffnete das Fenster. Die saubere Luft der besten Wohnviertel strömte auf mich ein und schien mich bis in die letzte Pore meines Körpers zu durchdringen. Ich fühlte mich großartig. Ich schloß meine Augen und ließ einfach alles mit mir geschehen.

Elaine Damone wohnte also in einer Penthouse-Suite auf einem gigantischen Luxus-Wohnblock, von dem aus man in östlicher Richtung den Nordteil des Fairmont Park überblickte. Dahinter streckte sich in geschäftigem, sonnigem Dunst Philadelphia aus. Dächer hoben und senkten sich und rollten gemächlich dem Horizont aus Purpur und Grau entgegen. Unter mir plätscherte der smaragdene Rasen des Bala Golf-Club träge gegen die Ränder des Parks. Gruppen von Männern in bunten Hemden und Hosen hoben sich wie die Lichter an einem Weihnachtsbaum deutlich von der Spielfläche ab. Auf einem ruhigen Stück des Schuylkill River wiegten Achterteams in dicken Sweatern gleichmäßig ihre Körper auf und ab, als bewegten sie sich nach einem auf ›largo‹ gestellten Metronom. Ihre schlanken Boote glitten so leicht und scheinbar ohne Anstrengung über das Wasser, wie ein Puck über das Eis flitzt.

Es war schön, einmal nicht zu arbeiten, was nicht heißen soll, daß ich sonderlich oft arbeite. Und es war sogar noch schöner, in Elaine Damones Schlafzimmer herumzustöbern, in diesem Schlafzimmer mit all seinen geheimen Verlockungen. Ich war recht zufrieden mit mir. Ich war lediglich zu spät gekommen, Hog und Frenchy daran zu hindern, Frank Summers umzubringen, hatte Mrs. Summers sich zu Tode stürzen lassen und hatte schließlich auch noch den tödlichen Unfall zweier Ganoven in die Wege geleitet. Nicht schlecht für einen Tag, an dem ich nicht in meinem Büro herumsaß. In ein paar Minuten würde ich die Wohnung nach Golfklamotten durchstöbern, um dann mal kurz nach unten zu schauen und ein paar Schläge über den Rasen zu fegen.

Ich hörte mit dem tiefen Atmen auf und schloß das Fenster. Die Luft machte mich leichtsinnig, und sie machte mich auch hungrig. Ich holte meine Zigaretten und machte mich auf den Weg in die Küche, wobei ich mich wohlweislich immer in Wandnähe hielt, um mich gelegentlich mit den Handflächen abzustützen. Ich hatte ganz vergessen, wie schwer mir das Gehen noch fiel.

Nach ein paar Fehlschlägen – Türen, die sich in kleine Kammern und große, verdunkelte Räume öffneten, in denen die Vorhänge vorgezogen waren, fand ich schließlich Elaine Damones Küche doch noch. Escoffier hätte sicher nichts gegen sie einzuwenden gehabt. Höchstwahrscheinlich hätte er für die Chance, hier einen Topf mit Wasser kochen zu dürfen, sogar sein Buch mit seinen Geheimrezepten eingetauscht. Es gab zwar keinen Privatschlacht-hof in dieser Küche, aber sonst fehlte wirklich nichts. Von einem elektrischen Olivenentsteiner bis zu einer kompletten Westinghou-se-Kücheneinrichtung, mit der man ohne irgendwelche Hilfe von einem menschlichen Wesen ein zehngängiges Dinner vorbereiten, kochen, servieren und essen konnte, war wirklich alles da. Eines Tages würden sie diesen Traum von Perfektion noch mit Raketen-triebwerken ausstatten und zum Mars schicken.

Den gleichen Typen, der die Ausstattung des Schlafzimmers besorgt hatte, hatte man wohl auch auf die Küche losgelassen. Er hatte sie im Stil der Kolonialzeit eingerichtet. Überall standen allersschwache Schränke voller Holzwurmlöcher vor nackten Zie-gelwänden, die nur zum Teil entweder leuchtend weiß gestrichen oder mit derbem Fichtenholz vertäfelt waren. Die moderne Dop-pelspüle war in einer alten Mahagoni-Kommode verborgen, deren Innenleben man entfernt hatte, um für die Abflußrohre Platz zu schaffen. Sie stand unter einem breiten, sonnigen Fenster, das von einem Paar mächtig gestärkt aussehender, blauer Gingan-Vorhänge eingefaßt wurde. Das Tellerbord war aus schlichtem Holz und stilecht mit roten und gelben Tulpen bemalt. Auf dem Fenstersims stand ein Steinkrug voller prächtiger weißkehliger Belladonna-Lilien. Dann gab es noch einen wuchtigen Eßtisch in Eiche, den Kolumbus mit herüber gebracht hatte, und ein paar Stühle mit Lattenlehnen und Sitzflächen aus geflochtenem Leder.

Über dem Tisch hing eine alte Petroleumlampe mit Messingbeschlägen und einem zinnoberroten Schirm, die mit einer dicken, schwarzen Eisenkette an einem rostigen Haken befestigt war, der in einem der grob zugehauenen Deckenbalken steckte. Und an den Wänden war noch jede Menge mehr Messing und Kupfer zu sehen. Fein säuberlich der Größe nach aufgereiht, hingen alle möglichen Töpfe und Pfannen an ihren langen Griffen von rustikalen Nagelleisten herab, jede so funkelnd und sauber wie die Chrombeschläge am Lincoln Continental des Präsidenten. An der Wand gegenüber dem Herd stand ein Büfett, das sich unter dem heimeligen blauen Zwiebelmustergeschirr fast zu biegen schien. Ein Großteil der Stücke waren noch Originale aus der Zeit der ersten Siedler in Pennsylvania. Die Regale waren mit Krügen und Schüsseln überladen, die keinen praktischen Wert mehr hatten. Dazwischen lag allerlei altertümliches Küchengerät, über dessen ehemaligen Verwendungszweck wohl nur noch ein Museumskurator hätte Auskunft geben können. Dennoch schien sich jedes einzelne, sauber geputzt und ordentlich an seinem Platz, in seiner Rolle durchaus wohl zu fühlen. Vielleicht sonnten sie sich in der Gewißheit, bestimmt nie mehr zum Kochen verwendet zu werden. Und während ich so mein Auge durch den Raum gleiten ließ, begann ich mich zu fragen, ob in dieser Küche eigentlich außer Putzen und Polieren auch noch gekocht wurde.

Das I-Tüpfelchen auf dem Ganzen war dann noch das herrliche alte Spinnrad, das der Innenarchitekt in der Ecke neben dem Kühlschrank plaziert hatte. Ich sah mich bereits nach dem eisernen Sitzbad, einem alten Ofen und einem skalpierten Quäker mit der Familienbibel um – vergeblich. Ich nahm mir jedoch vor, den Innenausstatter darauf hinzuweisen, falls ich ihm jemals begegnen sollte. Solche Versehen können einem Raum schließlich völlig die Atmosphäre rauben.

Auf dem Herd blubberte eine Kaffeemaschine aus rostfreiem

Stahl zufrieden vor sich hin; sie erfüllte den Raum mit dem herrlichen Aroma frisch gemahlenen Kaffees. Die Küche hatte Ausmaße wie ein Fußballplatz, so daß mir schon nach der Hälfte des Weges die Luft ausging. Ich setzte mich auf einen der Stühle, rauchte und dachte kurz über den Geschmack von Kaffee nach. Das half. Ich stand wieder auf und machte mich auf den Weg. Schließlich wollte ich noch vor Einbruch der Nacht zu meinem Kaffee kommen.

Für den Großteil der Menschheit ist so eine Kaffeemaschine ein ganz gewöhnliches Küchengerät, das kaum gefährlicher werden kann als eine Gummiente. Für jemanden in meinem etwas angegriffenen Zustand entpuppte dieses Ding sich jedoch als tödliche Waffe.

Auf dem Tisch standen ein paar Teller und Tassen herum. Ich nahm die Kaffeemaschine mit größerer Sorgfalt vom Herd als eine echte Ming-Vase voller Sprünge. Ich neigte die Ausgußöffnung über eine flaschengrüne Frühstückstasse, um dann freilich nur hilflos mitansehen zu müssen, wie ein dünner Strahl der dampfenden braunen Flüssigkeit auf den gefliesten Boden spritzte. Verzweifelt bewegte ich das Gefäß durch die Luft, um zumindest etwas Kaffee in die Tasse zu jonglieren. Aber ich scheiterte. Meine Hände zitterten, als wäre ich Toscanini persönlich und versuchte gerade, die Geiger etwas in ihrer Lautstärke zu dämpfen.

Ich stellte den Topf wieder auf den Herd zurück und suchte nach einem Lumpen, mit dem ich den Saustall, den ich da eben angerichtet hatte, wieder beseitigen konnte. Mir standen dafür eine ganze Menge von Schubladen zur Verfügung, und während ich noch schwankte, nahm die Pfütze auf den weißen und schwarzen Fliesen merklich an Umfang zu. Inzwischen hatte ich es immerhin geschafft, eine Schublade voller Tischtücher aufzuziehen, als die Küche sich plötzlich mit dickem, schwarzem Rauch füllte und der sengende Geruch von angebranntem Kaffee in meine Nase drang. Ich hatte den leeren Topf auf eine eingeschaltete Platte zurückgestellt. Herr im Himmel! Ich konnte nur noch verzweifelt japsen, als die Kaffeemaschine plötzlich eine Eruption glühend heißer, angesengter Kaffeelava in allen Richtungen von sich spuckte. Dunkle, braune Flecken spritzten gegen Wände, Fußboden, Decke und gegen alles, was es sonst noch in der Küche gab. Das erzeugte einen marmorierten Effekt, der seiner Zeit um Jahre voraus war. Elaine Damones Mädchen würde darüber sicherlich nicht sonderlich begeistert sein, aber der Zustimmung ihres wirklich cleveren Innenarchitekten war ich mir vollkommen sicher. Bis Ende nächster Woche würde jeder, der in Manhattan etwas auf sich hielt, kaffeegefleckte Wände, Decken und Fußböden haben.

Ich griff nach dem Kaffeefilter, was mir natürlich auf der Stelle eine hochgradige Verbrennung eintrug. Auf meine Finger einblasend und fluchend wie ein Holzknecht, drehte ich den Kaltwasserhahn an und schleuderte den verdammten Topf in die Spüle, wo er wie ein Drache, dem allmählich der Brennstoff ausgeht, noch eine Weile vor sich hin zischte.

Der Rauch schnürte mir noch immer die Kehle zu. Verzweifelt versucht ich, das Fenster zu öffnen. Theoretisch hätte das so ausgesehen, daß ich einen Aluminiumhebel hätte hochdrücken sollen. In der Praxis drückte ich dann allerdings etwas zu fest, so daß meine Faust fein säuberlich durch die Scheibe fuhr. Der Lärm zerbrochenen Glases und der plötzliche Schmerz zweier kaputter Hände ließ mich in momentaner Panik nach rückwärts zurückweichen, als müßte ich mich vor einem Schwarm Hornissen in Sicherheit bringen. Wenn ich an der Hinterseite meines Kopfes Augen gehabt hätte, ich hätte das Büfett sicher gesehen, aber so segelte ich wie eine Kanonenkugel mitten hinein. Alles, was nur zerbrechen konnte, zerbrach, und zwar in lauter sehr kleine Stücke. Der verschüttete Kaffee hatte sich mir an die Fersen gehängt und bahnte sich eifrig seinen Weg durch diesen Trümmerhaufen aus zerschellten Suppenschüsseln, Käseglocken, Tassen und Tellern. Wenn man das alles so ließ, würde im Lauf der Zeit sicher Moos über das Ganze wachsen, und dann würde sogar hier und da eine Pflanze zu sprießen beginnen. Blumen würden blühen; Bienen würden durch die Luft summen und tun, was Bienen eben so tun; und Elaine würde mitten in ihrer Küche einen Miniatur-Steingarten haben.

Das Ganze würde also keineswegs so übel aussehen.

Ich rappelte mich wieder hoch und machte mich auf den Weg zum Kühlschrank – aus den sumpfigen Niederungen, denen ich eben entronnen war, eine ganz beachtliche Entfernung. In einer neutralen Ecke rauchte ich dann erst einmal eine Zigarette; dabei fühlte ich mich geringfügig besser als jemand, der bereits seinem Eschießungskommando gegenübersteht. Immerhin erinnerte mich der Geschmack des Rauchs daran, daß ich in der Regel mit dem Tabak auch etwas Flüssiges zu mir nehme.

Eine Zigarette allein ist ungefähr dasselbe, als trüge man zwar eine Jacke, aber keine Hose. Die Fähigkeit, eine Flasche mit etwas Alkoholischem aufzuspüren – und das selbst unter widrigsten Bedingungen –, zählte zu den speziellen Vorzügen der Detektei Michael Dime. Ich brauchte dazu nicht einmal aus der Küche zu gehen. Binnen Bruchteilen einer Sekunde hatte ich eine Tür aufgespürt, die in eine kleine Speisekammer führte, die mich zu einer Weinablage führte, die mich wiederum zu einem Dutzend Flaschen sehr kalten und sehr alten Champagners führte. Ich nahm mir eine aus dem Gestell, wischte den Staub etwas beiseite und schlich in die Küche zurück.

Ich konnte kein einziges ganzes Glas mehr finden, aber zum Glück hatte ein Eierbecher auf dem obersten Regal des Büfetts das Massaker von vorhin überlebt. Ich nahm ihn und stellte ihn auf den Tisch. Ich war nicht zimperlich. Champagner dieser Güteklasse würde auf jeden Fall schmecken, ganz gleich, woraus man ihn trank.

Ich ließ den Korken knallen und goß ein wenig von dem goldenen Gesprudle in meine behelfsmäßige Sektschale. Ganz ruhig hob ich dann den Eierbecher an meine Lippen und ließ die sprudelnde Flüssigkeit meine Kehle hinunterprickeln.

Meine Geschmacksnerven explodierten zu neuem Leben, und das Wasser begann mir im Munde zusammenzufließen, was zur Folge hatte, daß ich allmählich wieder anfing, etwas Spaß an mir zu haben. Ich war voll damit beschäftigt, mir immer und immer wieder in kleinen Mengen nachzugießen, bis ich schließlich die bauchige Flasche bis auf den letzten quirlenden Tropfen geleert hatte; die Zeit, die ich dazu gebraucht hatte, hätte wohl nicht einmal einem hervorragenden Pianisten genügt, um den Minutenwalzer von Chopin zu Ende zu bringen.

Mit dem Rebensaft in meinen Adern sollte es dann auch nicht mehr lange dauern, bis ich meine Schnitte und Verbrennungen zusammen mit den Schrammen von letzter Nacht vergaß. Ich befand mich in einem Zustand, in dem ich wahrscheinlich so gut wie alles hätte vergessen können. Aber wirklich alles auch wieder nicht.

Mike Dime hatte Hunger. »Ein ordentliches Frühstück wäre jetzt nicht schlecht«, konnte ich mich selbst sagen hören. Und mit einem ebenso breiten wie blöden Grinsen im Gesicht machte ich mich auf die Suche nach dem nächsten Schwein zum Schlachten. Ich öffnete die gewaltige weiße Tür des Kühlschranks und fand dort unter anderem eine Packung Schinken, etwas Fett und eine Reihe Eier.

Mein letztes Frühstück hatte ich mir, glaube ich, als Junge im Sommerlager gekocht. Aber die Vorstellung eines vollen Bauchs beflügelte mich außerordentlich. Vor meinem geistigen Auge zogen Reihen von Töpfen mit den herrlichsten Gerichten vorbei, so daß ich schon fast glaubte, mich in eine Modenschau für garnierte Hühnchen und Weihnachtsgänse verirrt zu haben.

Todesmutig stellte ich also eine Pfanne auf den Herd und gab etwas Fett hinein. Dann versuchte ich, ein Ei aufzubrechen, das sich aber standhaft meinen Bemühungen widersetzte. Ich schlug etwas kräftiger zu, und dabei splitterte zwar etwas von der Schale ab, aber ansonsten rührte sich nichts. Möglicherweise hatte Elaine Damone ein paar Hühner, die Kompakteier legten. Vielleicht hatten sie auch einen goldenen Dotter. Man konnte ja bei dieser Frau nie wissen. Ich unternahm noch einen Versuch – diesmal mit der stumpfen Kante des Buttermessers. Ich schnitt das Ei entzwei; es war hart gekocht. Eigentlich völlig logisch. Ein hart gekochtes Ei im Kühlschrank deutet auf eine weitsichtige Hausfrau hin. Was hätte sie schließlich sonst tun sollen, wenn plötzlich jemand ein spezielles Dressing für Steak Tatar wollte.

Das nächste Ei, an dem ich mich versuchte, tropfte zum größten Teil neben die Pfanne und briet binnen kürzester Zeit zu einem dünnen, gelben Film von der Konsistenz vertrocknenden Lacks zusammen. Dasselbe Schicksal erteilte auch die nächsten sechs Eier. Schinken – entschied ich daraufhin – würde in dieser Hinsicht etwas weniger Umstände machen. Das stimmte auch durchaus, nur hatte ich vergessen, die Hitze etwas zurückzustellen. Sobald die dünne Scheibe rosaroten Fleisches das brutzelnde Fett berührte, brach in der Pfanne ein höllisches Inferno von knackelnden Fettspritzern aus, gegen die der Beschuß während der Landung in der Normandie ein gemütliches Sonntagskonzert war. Züngelnde Flammen leckten empor – auf der Suche nach etwas, das sie verschlingen könnten –, und von Panik befallen, entledigte ich mich dieses Feuerballs durch das Loch in der Fensterscheibe und ließ die Pfanne neben der Kaffeemaschine in die Spüle fallen.

Darauf rannte ich, so schnell ich konnte, in die Geborgenheit von Elaine Damones Schlafzimmer zurück, wo ich erschöpft in den Lehnsessel vor der Kommode sank.

Dort saß ich dann bei geschlossener Tür und zitterte wie ein verängstigtes Kaninchen in seinem Stall. Kettenrauchend starrte ich ängstlich auf die Tür. Ich erwartete jede Sekunde, daß die Küche durch sie hereinstürmen und Rache an mir nehmen würde.

14

Ich spuckte gerade ein Tabakfitzelchen von meiner Zungenspitze, als der rosarote Schlafzimmeranschluß läutete. Eine Uhr auf dem Nachttisch sagte mir, daß das Mädchen sicher noch nicht so schnell abnehmen würde. Ich ließ das Telefon also erst mal eine Weile weiter bimmeln – nur für den Fall, daß Elaine Damone bereits im anderen Teil der Wohnung war und dort eine Aufräumungsorganisation für die Küche ins Leben rief.

Aber es nahm niemand ab.

Also tat ich das und wartete. Eine ölig kultivierte Stimme mit kalifornischem Akzent sagte einen Namen. Es war die Stimme eines Typen, der den ganzen lieben langen Tag in einer Hausjacke aus feinstem Velour herumhängt und dabei eine Zigarettenspitze zwischen seinen strahlend weißen Zahnreihen stecken hat. Genau die Art Typ, der in zweitklassigen Filmen neben einer diamantenen Krawattennadel unter seinem hauchdünnen Schnurrbart auch noch sein grausames Lächeln erstrahlen läßt. Der Diamant und der Akzent waren nicht unbedingt vertrauenswürdig, und nicht weniger würde dies auch für den Rest von ihm gelten. Von hinten bis vorne nicht vertrauenswürdig. Der Name, den er sagte, war Elly.

»Elly«, wollte er noch einmal wissen, »bist du das?«

Ich wollte schon sagen, daß ich allein in der Wohnung wäre, aber im selben Moment, als ich meinen Mund aufmachen wollte, hatte er auch schon wieder eingehängt. Und dann hörte ich eine Tür. Für einen Moment starrte ich auf den Hörer und legte ihn dann auf die Gabel zurück. Die Frau, die nun ins Schlafzimmer trat, hatte einen Stapel rechteckiger, flacher Schachteln bei sich. Ohne ein Wort beugte Elaine Damone sich vor, stellte die Sachen auf das Bett und richtete sich wieder auf. Sie war verflucht elegant. Verflucht schön. Und beinahe auch verdammt unberührbar. Etwas an ihr war anders. Aber es war nicht nur ihr Haar, das mir die Nacht zuvor verborgen geblieben war und jetzt, wie ich vermutet hatte, in kräftigen, seidig schwarzen Wellen ein gutes Stück über ihre

Schultern herabfiel. Und es war auch nicht ihre exotische, für diese Jahreszeit etwas ungewöhnliche Bräune.

Der Unterschied lag in ihrem Lächeln. Es strahlte eine unbekannte Wärme aus, als sie sagte:

»Ein Hemd, eine Krawatte, ein paar Socken und ein Anzug. Die Löcher hatten den geschicktesten Kunststopfer diesseits des Landes der Feen zu ihren Diensten.«

Sie nahm den Deckel der größten Schachtel ab und zauberte daraus ein Jackett hervor.

»Nicht schlecht«, gab ich meiner Bewunderung Ausdruck. »Aber hätten die guten Feen nicht etwas weniger Gewagtes als meine Haut für mich auftreiben können, um mich zu Bett zu bringen? Ich bin es nicht gewohnt, von wildfremden Weibern nackt ins Bett gesteckt zu werden, und vor allem gefällt es mir nicht, keine Gelegenheit gehabt zu haben, mich zu erkundigen, ob sie mir dabei nicht ein bißchen Gesellschaft leisten wollten.«

»Wie fein Sie sich ausdrücken«, konterte sie hochnäsig. »Zu Ihrer Beruhigung; für so etwas habe ich schließlich meine Bediensteten. Mein Mädchen hat übrigens eine geschlagene Stunde gebraucht, Sie einigermaßen sauberzukriegen. Zudem, wäre es nicht eine alte Familientradition, den Hilfebedürftigen tatkräftig zur Seite zu stehen, ich hätte Sie vor die Tür gesetzt und Sie Ihren Rausch auf der Straße ausschlafen lassen. Das wäre vermutlich genau das gewesen, was Sie verdient hätten.«

»Jetzt regen Sie sich mal nicht gleich auf«, beschwichtigte ich sie. »Diese Wut steht Ihnen nicht im geringsten. Sie werden davon noch ganz blaß werden und Ihre Bräune verlieren. Übrigens, wo haben Sie die überhaupt her? Cannes? Mexiko? Los Angeles?«

»Wellfleet«, erwiderte sie mir in einem Ton, als nenne sie einem Schulkind den Namen der Hauptstadt von China.

Sie trug eine graue Jacke mit sanft gerundeten Schultern und knapper Taille. Ihr plissierter, wadenlanger Rock war mitternachtsblau und schien direkt aus Christian Diors Salon zu kommen. Er sah so neu aus, daß ich erst zweimal hinsehen mußte, um auch ganz sicherzugehen, daß der Schneider nicht doch noch mit einer Reihe von Stecknadeln zwischen den Lippen am Rocksaum hing. Ihre dunklen Strümpfe waren durchsichtig und gaben ein ganz leises Knistern von sich, wenn sie sich bewegte. Ihr eleganter Gang, als sie zur Tür ging, war entschlossen und zielbewußt und leicht spreizfüßig. Er erinnerte mich an den Gang einer Tänzerin.

Wenn so etwas menschenmöglich war, dann konnte man vielleicht einiges von dem vergessen, wie Elaine Damone aussah; aber ihre großen, schwarzen, tödlichen Augen würde sicher niemand vergessen können. Hinter ihrer tiefen, dunklen Ruhe leuchtete noch etwas anderes auf – heiß und von explosiver Leidenschaftlichkeit, etwas, daß an eine orientalische Prinzessin in der Hochzeitsnacht erinnerte. Was auch immer dieses gewisse Etwas sein mochte, Elaine Damones Mandelaugen würden einen Mann bis an sein Lebensende verfolgen.

»Ziehen sie sich doch bitte Ihre saubere Hose an, Mr. Dime«, befahl sie. »Das heißt, wenn es Ihnen möglich sein sollte, diese simple Verrichtung zu erledigen, ohne gleich das halbe Haus zum Einsturz zu bringen. Und würden Sie dann vielleicht auf einen Drink zu mir in den Salon kommen. Ich hätte da ein paar Dinge sehr persönlicher Natur mit Ihnen zu bereden. Geschäftliches würden Sie es wahrscheinlich nennen.«

Sie schloß die Tür und ließ mich mit den Schachteln allein zurück. Ich fand ein frisches, eisblaues Hemd und eine purpur und gold gestreifte Seidenkrawatte mit geradem Ende, beides in zart getöntem Seidenpapier verpackt. Der Rest der Kleidung stammte noch von mir.

Ich befühlte mit Daumen und Zeigefinger mein Kinn und kam zu dem Entschluß, daß ich eine Rasur benötigte. Also ließ ich beim Anziehen den obersten Knopf meines Hemdes offen stehen. Die Krawatte steckte ich mir in die Tasche meiner Jacke. Dann nahm ich meine Sachen aus dem Nachttisch – darunter auch meine Pistole und mein Schulterhalfter – und suchte Elaine im Salon auf.

15

Durch eine aprikosenfarben gehaltene Nische trat ich in einen geräumigen und luftig wirkenden Raum. Eine Wand war fast ausschließlich von Bücherregalen aus Mahagoni bedeckt, auf denen die Bücher so sauber und ordentlich aufgereiht waren wie eine Parade von West-Point-Kadetten. Da waren zwar ein paar Titel in Spanisch und Russisch, aber der Großteil waren amerikanische Autoren. Diese Bibliothek enthielt nichts Seichtes. Nichts, um sich mal eben ein bißchen die Zeit zu vertreiben, während das Badewasser einlief. Außerdem war das Ganze fachgerecht zusammengestellt. Man hätte das gewünschte Buch sogar mit verbundenen Augen auf der Stelle gefunden.

Behäbig standen da ein paar bequeme Sessel, für eine gepflegte Konversation strategisch genau richtig plaziert. Außerdem waren da noch ein paar Stühle, die nicht gleich sagten: »Setz dich auf mich!« Sie waren amerikanisch modern, wie die Bücher. Ihre Linienführung war ebenso einfach wie dynamisch, augenfälliger Ausdruck unverhohlenen Selbstbewußtseins; gerade so, als wollten sie zu verstehen geben: ›Immer mit der Ruhe, mein Lieber. Setz dich auf mich, und ich brech dir das Kreuz.‹

In der Mitte des ziegelroten Teppichs stand ein riesiger runder Glastisch mit drei blitzenden Chromröhren als Beinen. Er war mit einem ganzen Zeitungsstand der neuesten Zeitschriften bedeckt, alle in einem breit ausladenden Fächer angeordnet. Allein das war bereits eine handwerkliche Meisterleistung, wie ja überhaupt das ganze Interieur schon fast ein Kunstwerk darstellte. Es gibt Räume, in denen man einem Känguruh Unterricht in Steptanz geben könnte, ohne daß man danach etwas davon merken würde. Nicht so in Elaine Damones Salon. Der war so sorgfältig arrangiert wie ein Bühnenbild. Ließe man versehentlich eines der Magazine irgendwo herumliegen, es würde seinen Platz in dem Fächer sicherlich ganz allein wieder aufsuchen.

Elaine Damone saß etwas seitlich am Fenster, die Beine übereinander geschlagen, und las in einer Zeitung. Sie sah nicht eher auf, als bis sie zu Ende gelesen hatte.

»Der arme, alte Tom Dewey«, begann sie schließlich die Unterhaltung, während sie die Zeitung zweimal faltete und auf eine dunkle Holzablage legte. »Was hat ihm das Ganze nun eingebracht? Eine Handvoll Stimmen; mehr nicht. Ich kann mir gut vorstellen, wie einem in so einer Situation zumute ist.«

Ich schlenderte mit aller mir zu Gebote stehenden Lässigkeit durch den Raum, die Hände in den Hosentaschen und meine Blicke durch den Salon wandern lassend. Sie blieben kurz an einem gewaltigen Ölgemälde in einem schwarzen Ebenholzrahmen hängen. Irgend so ein kubistisches Gekrakle mit einer Menge häßlicher Klumpen in düsteren Braun- und Grautönen.

»George Braque«, klärte mich Elaine Damone auf. »Ich bin der Auffassung, daß es sich dabei um ein Porträt von Picasso handelt.«

»Dann hat er diesen Schinken wohl an dem Tag gemalt, als sie beide Mumps hatten«, äußerte ich meine Expertenmeinung, während ich mich wieder ihr zuwandte.

Elaine Damone schwebte aus ihrem Sessel hoch und schritt graziös auf eine lackierte Aufsatzkommode am anderen Ende des Raums zu.

»Ich habe Sie nicht hier hereingebeten, um mir Ihre Ansichten über Kunst anzuhören, und schon gar nicht über moderne Malerei. Über dieses Thema wissen nur die wenigsten Leute ein wenig Bescheid; die meisten verstehen davon absolut nichts.«

Was hätte ich dazu schon sagen sollen?

Die Türen der Kommode waren mit einer wahren Menagerie orientalischer Helden, Löwen, Pagoden und Gärten bemalt, in denen sich zerbrechlich wirkende Bambusbrückchen über kleine Bäche und Teiche spannten. Sie taten sich auf, um den Blick auf eine recht wohlbestückte Bar freizugeben.

»Was hätten Sie denn gerne?« fragte sie höflich und ließ ihren Zeigefinger über eine Reihe von Flaschen gleiten. »Mit Ausnahme von Bier ist von allem genügend da. Ich halte Bier für ein etwas vulgäres Getränk, und das trifft auch auf die meisten meiner Freunde zu.«

Ich meinte, ich wäre nicht heikel, worauf uns Elaine Damone zwei Highballs mixte. Die Eiswürfel gaben ein angenehmes Klingeln von sich, als meine Gastgeberin sie mit einer silbernen Zange in die Gläser fallen ließ.

»Setzen Sie sich doch«, forderte sie mich mit einem Lächeln auf, das zwar nicht warm genug war, um das Eis zum Schmelzen zu bringen, aber zumindest nicht ganz so kühl wie der erste Schnee.

In einer Ecke des Raums stand ganz unauffällig ein alter, eichener Steinway-Flügel geparkt. Die Abdeckung war hochgeklappt, und auf dem Notenständer sah ich ein aufgeschlagenes Heft mit Clementi-Sonaten.

Ich nahm meinen Drink von ihr entgegen und setzte mich auf den Klavierhocker.

»Spielen *Sie* das hier?« fragte ich mit einem kurzen Blick auf die schwarzen Punkte.

»Manchmal«, antwortete sie, »und immer schlecht.«

Ich grinste. Das konnte ich mir nicht vorstellen. Vermutlich konnte sie sogar Horowitz noch ein paar Tips geben.

Sie machte es sich wieder in dem Sessel am Fenster bequem und bereitete sich auf eine kleine Rede vor. Sie schlug ihre Beine übereinander und glättete ihren Rock, indem sie sich mit der Handfläche nach außen über ihren Schenkel strich. Wenn sie irgendwelchen Schmuck trug, so konnte ich jedenfalls nichts davon sehen. Nicht einmal einen Ring hatte sie am Finger stecken.

»Sie sind also Privatdetektiv«, fing sie schließlich an. Ihre dunklen Augenlider senkten sich leicht. »Mir fällt das alles nicht gerade leicht. Ich bin es nicht gewohnt, mit wildfremden Menschen über meine Privatangelegenheiten zu sprechen, und das gilt noch mehr für einen Mann mit einem Beruf wie dem Ihren.«

Ich nippte an meinem Glas. Die Eiswürfel klickten leise gegen meine Zähne.

»Sie brauchen das ja auch gar nicht«, gab ich ihr höflich zu verstehen.

Nun entstand eine Pause.

»Arbeiten Sie im Augenblick gerade an einem Fall?« wollte sie schließlich wissen.

Ich schüttelte den Kopf, und Elaine Damone stellte ihre Glas ab. »Ein Mitglied meiner Familie ist da in eine höchst unangenehme Sache hineingezogen worden. Ich möchte dem Betreffenden helfen, bin aber inzwischen zu der Überzeugung gelangt, daß dies nur mit Hilfe einer Person mit Ihren Qualifikationen möglich sein wird. Da mir zudem in solchen Angelegenheiten vollkommen die Erfahrung fehlt, bin ich bis zu einem gewissen Grad einzig und allein auf meinen Instinkt angewiesen. Ich wüßte keinen logischen Grund, weshalb meine Wahl genau auf Sie gefallen ist. Ich muß Sie jedoch darauf hinweisen, daß ich von Ihnen strengste Diskretion erwarte. Ist das klar?«

»Das werde ich Ihnen sagen, wenn ich mir angehört habe, worum es sich dabei eigentlich dreht«, antwortete ich. »Und anhören werde ich mir Ihre Geschichte nur, wenn Sie mal damit aufgehört haben, mich wie Ihren Installateur zu behandeln. Ihre Gastlichkeit hier ist ja wunderbar, aber ich habe auch nicht darum gebeten. Und ganz sicher werden sie mich damit nicht kaufen können. Wenn es sich bei dieser Sache um einen Fall handelt, an dem sich arbeiten läßt, na, dann wunderbar. Die Kosten für die Reinigung können Sie dann ja gleich von Ihrer ersten Zahlung abziehen.« Ich stand auf und schüttete mir auf einen Zug den Highball – mitsamt den Eiswürfeln hinunter.

»Und noch etwas«, fuhr ich fort, während ihre großen Augen vor Überraschung noch weiter wurden. »Ich könnte noch eines von diesen flüssigen Frühstücken vertragen, und vor allem auch ein bißchen was zum Rauchen dazu. Das letzte Päckchen, das Sie verteilt haben, ist nämlich inzwischen leider schon zu Ende.«

Zuerst wußte sie wirklich nicht mehr, wie sie reagieren sollte. Das Schweigen, das nun entstand, hätte sogar ein paar Stahlträger verbiegen können. Und dann kam sie mit einemmal, ohne ein Wort zu sagen, mit einem weiteren Drink an. Außerdem reichte sie mir von dem geäderten Kaminsims aus Onyx ein Zigarettenkistchen aus demselben Material.

»Die flachen Zigaretten ohne Mundstück sind türkische, die anderen ägyptische«, klärte sie mich auf. »Wenn Sie auf Ihrer speziellen Marke bestehen sollten, müssen Sie allerdings warten, bis mein Mädchen zurückkommt.«

Darauf entgegnete ich, daß ich zwischen Zigaretten keinen Unterschied machte, nahm mir eine und zündete sie mir an. Elaine Damone stand ganz dicht vor mir. Ein kaum merklicher Hauch von Jasmin schwebte in der Luft, aber er ging auf der Stelle im Qualm des aromatischen schwarzen Tabaks unter. Andere Frauen haben Arme und Beine, Teile, die sie zusammenschnüren, damit sie sich nicht zu sehr ausdehnen, und Teile, die sie bearbeiten, daß sie herausstehen. Andere Frauen können mit nichts als einer G-Saite bekleidet herumhopsen, und nicht einmal ein eben aus der Gefangenschaft entlassener Kriegsheimkehrer würde ihnen auch nur mehr als einen Blick zuwerfen. Mit diesem Problem würde sich allerdings Elaine Damone nicht herumzuschlagen haben. Sie konnte in einem Arbeitsoverall und mit Gummistiefeln und einem Tiefseetaucherhelm daherkommen, und sie würde trotzdem noch einen Aufruhr verursachen. Aber eben fing sie gerade wieder zu sprechen an.

»Sie hätten Ihre zweifellos außerordentlich scharfe Beobachtungsgabe keineswegs zu überanstrengen brauchen, um festzustellen, daß ich mir einen Lebensstandard gönne, wie ich ihn mir rein aufgrund meines Einkommens wohl kaum leisten könnte. Es sei denn, ich wäre ein Filmstar oder die Besitzerin eines größeren Unternehmens. Ersteres trifft offensichtlich nicht zu, und – der Vollständigkeit halber – ich bin auch nicht die Gebieterin eines Wirtschaftsimperiums. Es ist jedoch nichts Geheimnisvolles oder gar Anrüchiges an meinem Wohlstand. Er ist schlichtweg das Resultat einer Familie mit einer langen Geschichte und einigem finanziellen Scharfblick. Die Damones sind spanischer Herkunft;

um genau zu sein, wir stammen aus Kastilien. Meine Vorväter wanderten nach Südamerika aus, von wo sie sich dann im Lauf der Zeit mehr und mehr nach Norden zu ausbreiteten. Die frühen Damones waren unermeßlich reich – und zwar zuerst vom Handel mit Gold und Zucker, während es später dann Kaffee und Kupfer wurden. Ich muß also noch einmal wiederholen, daß wir nicht eine dieser neureichen Familien sind, von denen man heute Tag für Tag in den Zeitungen lesen kann. Wir verfügen über einige Macht, und wir sind sehr stolz. Zudem sind wir bis zur Anonymität an strengster Diskretion interessiert.«

Sie schüttelte mit einem leichten Kopfzucken ihr volles, schwarzes Haar und nahm sich eine Zigarette – diesmal jedoch aus einer Schachtel aus schwerem, dunklem Holz, in die die Profile von Negersklaven geschnitzt waren. Die Zigarette hatte ein goldenes Mundstück und in Gold verlief auch der Name ›Casa Damone‹ über das weiße Papier.

Ihre Lippen nahmen Herzform an, öffneten sich leicht und ließen einen dünnen Strahl blauen Dunsts hervortreten.

»Erben solch immenser Vermögen wie dem der Damones bekommen mehr als nur Gold. Sie übernehmen damit nicht nur einen unbescholtenen Namen, sondern auch eine ungeheure Verantwortung. Und der Name ist das absolut Wichtigste. Schließlich ist er das einzige, das die Neureichen nicht kaufen können.«

Sie nahm mit einer großen Geste die Zigarette von ihren Lippen.

Für eine Lektion in Wirtschaftsgeschichte hatte Miß Damone wirklich einiges zu bieten. Die Sache mit dem Geld gefiel mir außerordentlich. Ich hatte davon ja nicht gerade viel. Noch besser gefiel mir, sie einmal ein bißchen in Fahrt kommen zu sehen, zumal ich mir nicht vorstellen konnte, daß das bei ihr oft passieren würde. Sie schien meine Gedanken lesen zu können, rührte sich aber nicht. Vornehm stand sie, weniger als eine Armeslänge von mir entfernt, vor mir.

»Ich habe einen Bruder«, fuhr sie schließlich fort, »der im Gegensatz zu mir über keinerlei Selbstbeherrschung verfügt. Während ich höchsten Wert auf maßvolle Zurückhaltung lege und meine Zeit und mein Erbe sinnvoll anwende, hat sich Stanton kopfüber in ein zügelloses Leben voller Verschwendungssucht gestürzt.«

»Das kann den Besten so gehen«, versuchte ich, sie zu trösten.

Sie begann, mit der Daumenspitze der Hand, in der sie die Zigarette hielt, das vordere Glied ihres kleinen Fingers zu reiben.

»Im Grunde genommen ist Stanton ein guter Kerl. Er meint es gut, und sein Vater liebt ihn mehr als alles andere in der Welt. Ich gehe bei der Wahl meines Umgangs mit größter Behutsamkeit vor, da ich mir der Schwierigkeiten, mit denen eine wohlhabende Frau zu rechnen hat, voll bewußt bin. Nicht so Stanton. Jeder, mit dem er eben mal einen Drink zu sich genommen hat, gilt ihm gleich als ein Freund auf Lebenszeit. Aber ganz gleich, was Stanton auch anstellt, Vater findet doch immer Mittel und Wege, seine Fehltritte ungeschehen zu machen. Sich die Hörner abstoßen pflegt er das zu nennen. Und der Gerechtigkeit halber muß auch wirklich gesagt sein, daß Stantons Verhalten eher einfach dumm und töricht als kriminell ist. Trotz alledem hat Stanton jedoch irgendwann im letzten Jahr auch ein Verbrechen begangen. Ein sehr schwerwiegendes Verbrechen, das – käme Vater etwas davon zu Ohren – seiner Liebe für Stanton sicher erheblichen Abbruch tun würde. Dazu kommt noch, daß Vater nicht mehr gerade der Gesündeste ist. Sein Herz bereitet ihm schon seit einiger Zeit Schwierigkeiten. Er hat bereits zwei kleinere Herzinfarkte erlitten, und die Ärzte haben ihn eindringlich darauf hingewiesen, daß ein dritter ihn endgültig ans Bett fesseln könnte, wenn er ihn überhaupt überstehen würde.«

Elaine Damone wandte sich um und schritt auf eine alte englische Kommode zu, die unter einem Bild von van Gogh mit verbundenem Kopf stand. Sie drückte in einem gigantischen Alabasteraschenbecher ihre Zigarette aus und drehte sich mir, die Augen blitzend, wieder zu.

»Das alles fällt mir alles andere als leicht, Mr. Dime«, sagte sie.

»Wem ginge das schon anders«, tröstete ich sie und sog heftig an meinem Stummel. »Jeder kennt so eine Geschichte, die er lieber nicht erzählen würde. Aber wenn sie mal raus ist, fühlt man sich meistens wesentlich besser. Dafür gibt es schließlich die Priester. Also erzählen Sie schon, und ich schicke Ihnen dann die Rechnung zu. Wenn nämlich die Geschichtenerzählerin die Beine eines Mannequins und die Hüften einer griechischen Göttin hat, bin ich in der Regel ein ganz guter Zuhörer.«

Das war eine billige Anmache. Wir wußten das beide. Aber Elaine Damone erwiderte nichts darauf. Statt dessen hob sie ihre Hand und öffnete den van Gogh, als wäre er eine Tür. Hinter dem Bild befand sich ein kleiner Wandsafe. Sie fummelte kurz mit der Kombination herum, und dann öffnete sich mit einem sanften

Klicken die Tür. Eine Sekunde später noch einmal dasselbe Geräusch, und der Safe war wieder geschlossen. Elaine Damone hatte ihm einen dicken Umschlag entnommen, den sie nun auf die Kommode legte.

»In diesem Umschlag befinden sich einhundert Dollar«, kam sie schließlich wieder zur Sache. »Sie gehören Ihnen, ganz gleich, wie Sie sich entscheiden werden, nachdem Sie sich angehört haben, was ich Ihnen zu sagen habe. Sollten Sie mehr wollen, dann sagen Sie es mir bitte jetzt gleich, bevor ich fortfahre.«

Sie wartete auf meine Antwort, aber ich schüttelte nur träge den Kopf.

»Der Hunderter ist schon in Ordnung. Falls Sie mir den Fall überlassen, werden natürlich auch noch die Spesen dazukommen – das heißt, wenn ich den Fall übernehme. Und wenn ich Ihr Angebot abschlage, können Sie Ihr Geld behalten. So ist das bei mir Usus. Auf die Art werde ich zwar vermutlich nicht unbedingt so reich, daß mein Name in Wallstreet von Mund zu Mund geht, aber zumindest bekomme ich dabei auch nie ein schlechtes Gewissen, wenn mir ein Bescheid von der Bank ins Haus flattert, um wieviel ich wieder einmal mein Konto überzogen habe.«

»Ich verstehe«, antwortete sie darauf und trat wieder etwas näher an mich heran. »Letztes Jahr hat sich Stanton mit ein paar wirklich üblen Burschen eingelassen. Und bevor er sich noch versah, hatten die ihm bereits den letzten Penny aus der Tasche gezogen. Ich habe ihm natürlich sofort aus der Klemme geholfen. Ich habe ihm eine recht beträchtliche Summe geliehen; allerdings sollte es nicht lange dauern, und Stanton stand wieder vor meiner Tür und wollte mehr. Darauf wurde mir klar, daß das nur ein böses Ende nehmen konnte, und ich versuchte, ihn wegzuschicken. Er machte mir jedoch eine fürchterliche Szene und drohte mir, er würde sich umbringen, wenn ich ihm nicht zwanzigtausend Dollar gäbe. Spielschulden, wie er behauptete. Ich ließ mich jedoch nicht kleinkriegen und machte ihn darauf aufmerksam, es wäre allmählich an der Zeit, sich seiner Verantwortung bewußt zu werden. Er lachte mir nur ins Gesicht und meinte, dann würde er sich das Geld eben auf anderem Wege beschaffen. Und das hat er dann auch getan – indem er auf ein paar gestohlenen Schecks Vaters Unterschrift fälschte. Er erleichterte seinen Vater um einen Betrag – na, sagen wir mal, um die fünfzigtausend herum. Damit war es jedoch noch nicht getan. Die gefälschten Schecks fielen daraufhin einem

Erpresser in die Hände, der Stanton damit drohte, das Ganze publik zu machen.«

Sie machte eine kurze Pause – wohl, um mir etwas Zeit zu lassen, diese Informationen zu verarbeiten.

»Zweifellos könnte man die Polizei dazu überreden, von einer strafrechtlichen Verfolgung abzusehen, aber für meinen Vater würde diese Geschichte das Ende bedeuten. Stanton ist der Erbe unseres halben Familienvermögens. Und er weiß, daß es vor allem eines gibt, das meinen Vater dazu veranlassen könnte, ihn zu enterben; und das ist der Gedanke, sein Sohn könnte imstande sein, etwas zu tun, was den Namen unserer Familie entehren würde.«

Elaine Damones niedliches Lispeln trat nun etwas deutlicher zutage. Bei einem Bruder namens Stanton war das ja auch weiter nicht verwunderlich.

»Ich konnte natürlich nicht zulassen, daß Vater aus Gram und Sorge über seinen nichtsnutzigen Sohn starb. Also habe ich den Erpresser aus meiner eigenen Tasche bezahlt und außerdem den unrechtmäßig entnommenen Betrag wieder auf Vaters Konto überwiesen.«

Auf dem Rost im Kamin waren ein paar Holzscheite mit bröckliger Rinde aufgeschichtet. Ich schnippte meine Zigarette zwischen sie und trank meinen zweiten Highball aus.

Während Elaine Damone gesprochen hatte, waren meine Blicke immer wieder zu einem Fotorahmen gewandert, der in der Mitte des Kaminsimses stand.

»Vermutlich können Sie sich inzwischen bereits selbst ausrechnen, worauf ich hinauswill«, fuhr sie fort, »und wo ich in dieser prekären Angelegenheit Ihrer Hilfe bedarf.«

»Sicher«, entgegnete ich. »Aber vergessen Sie lieber erst einmal, was Sie in Büchern wie *Die schwarze Maske* und *Der wahre Detektiv* gelesen haben – alle diese Geschichten über Schnüffler, die ihre Nasen in nichts Geringeres stecken, als irgendwelchen kostbaren Jadeschmuck aufzuspüren, der seiner rechtmäßigen Besitzerin von irgendeiner drogensüchtigen Nymphomanin gestohlen wurde. Scheidungen und Erpressung – und genau in dieser Reihenfolge –, das ist es, was die Flöhe in meiner Hose in Bewegung hält.«

»Ich kann also davon ausgehen, daß Sie den Auftrag übernehmen, Nachforschungen über die Identität des Erpressers meines Bruders anzustellen?«

»Richtig. Und ich werde mich bemühen, nicht allzu viele Tränen über Ihren Bruder zu vergießen, während ich das tue. Und da ich nun schon mal auf der Lohnliste der Damones stehe, weihen Sie mich am besten gleich in die nötigen Einzelheiten ein.«

»Bevor ich das tue«, gab mir Elaine Damone zu verstehen, »möchte ich Sie noch einmal nachdrücklich darauf hinweisen, daß Sie sich bei Ihrem Vorgehen strikt an meine Weisungen zu halten haben. Um das sicherzustellen, werde ich Ihnen hundert Dollar pro Tag zahlen und außerdem eine Prämie von zweitausend, die Sie bekommen, wenn – oder soll ich sagen, falls – sie diesen Ganoven gestellt haben.«

Ihre Stimme hatte nun genau den Tonfall angenommen, in dem sich die Reichen an ihre Lakaien wenden. Ich konnte richtig den alten Damone hören, wie er durch den Raum brüllte, um irgendeinem dämlichen Neger die Leviten zu lesen, weil er vergessen hatte, den französischen Rotwein umzufüllen, und ihn dann auch noch zusammen mit dem Hummer serviert hatte.

»Da gibt es kein ›falls‹, gnädige Frau«, meldete ich mich wieder einmal zu Wort. »Für zwei Riesen bringe ich Ihnen den Erpresser Ihres Bruders gleich geteert und gefedert an.«

»Genau das werden Sie nicht tun«, schnitt sie mir scharf das Wort ab. »Es besteht keine Garantie, daß Stanton nicht doch ein Verfahren an den Hals gehängt wird. Nur der leiseste Anhauch eines Skandals, und sämtliche Klatschtanten im ganzen Land hätten genau das, worauf sie schon immer gewartet haben. Ihnen würde so eine Gelegenheit nur recht kommen, um einmal in aller Öffentlichkeit über unsere Familie herziehen zu können. Und auf den Effekt, den dies auf meinen Vater ausüben würde, habe ich Sie ja bereits hingewiesen. Damit Sie mich also richtig verstehen: Ich bezahle Sie vor allem aus dem einen Grund so gut, weil ich absolut sichergehen will, daß die Person, die Stanton erpreßt, auf keinen Fall ein Polizeirevier oder gar einen Gerichtssaal betritt. Wenn Sie den Betreffenden ausfindig gemacht haben, dann wünsche ich nichts weiter, als daß Sie mir Bescheid geben, wer dieser Mann ist und wo ich ihn finden kann. Nichts weiter.«

»Und dann wird sich wohl irgendein gedungener Killer seiner annehmen, was?«

»Das soll nicht Ihre Sorge sein. Ihre Aufgabe ist mit dem, was ich Ihnen eben gesagt habe, erledigt. Darauf haben Sie mein Wort, das Wort einer Damone.«

»Wunderbar«, brummte ich. »Aber dann sehen Sie besser zu, daß Stanton auch schön brav in seinem Laufställchen bleibt, bevor uns die ganze Sache noch völlig aus der Hand gerät.«

Als Antwort darauf bekam ich wieder dieses schon bekannte kühle Lächeln. »Dafür habe ich bereits gesorgt. Ich habe da eine kleine Europa-Reise für ihn arrangiert, auf die er sich – wenn auch etwas widerstrebend – eingelassen hat. Im Moment befindet er sich gerade mitten auf dem Atlantik an Bord eines Luxusdampfers.«

Das ließ ich mir kurz durch den Kopf gehen. Als ich das letzte Mal dort drüben war, lag dort alles in Trümmern. Europa würde für Stanton Damone ziemlich genausoviel Verwendung haben wie Valentino für den Tonfilm.

»Wer von Ihnen steht mit dem Erpresser in Verbindung?« wollte ich wissen. »Sie oder Ihr Bruder?«

»Zu Beginn hatte er natürlich mit Stanton selbst zu tun. Dann fand ich allerdings, es wäre für alle Beteiligten am besten, wenn ich die Verantwortung übernähme und Stanton so gut wie möglich aus der ganzen Sache heraushielt.«

»Wie viele Zahlungen haben Sie bisher geleistet?«

»Meines Wissens drei. Er verlangt jedesmal mehr, und er bedient sich jedesmal eines anderen Systems.« Sie schwieg für einen Augenblick. »Es wird sicher nicht einfach werden, ihm auf die Schliche zu kommen.«

Elaine Damone nahm den Umschlag und sagte:

»Finden Sie Stantons Erpresser, und sie werden meinen aufrichtigen Dank dafür haben.«

Und dann teilten sich – ganz plötzlich und unerwartet – ihre roten Lippen; sie hob ihren Mund zu meinem und drückte einen Kuß darauf – und zwar einen von der Art, als wollte sie sagen: ›Los, starker Mann, jetzt gehen Fleisch jagen, Baum fällen, und beeil dich gefälligst.‹

Immerhin wurde mir davon schwindelig genug, um auf einen ihrer kistenförmigen Stühle niedersinken zu wollen. Das konnte ich mir allerdings gerade noch verkneifen. Das letzte Mal nämlich hatte ich so ein Ding in der Todeszelle gesehen. Und damals hingen von dem Ding ein paar Kabel herunter, die zu einem Schalter im angrenzenden Raum führten. Außerdem rief mich Elaine Damones Stimme wieder aus dem Reich der Träume zurück.

»Und was gedenken Sie nun also als nächstes zu unternehmen?«

»Wir halten einfach schön still, bis er sich wieder meldet«, erklärte ich ihr und holte dabei eine eselsohrige Visitenkarte aus meiner Brieftasche hervor. Ich überreichte sie ihr mit einer eleganten Geste.

»Unter der gedruckten Nummer erreichen Sie mich, wenn ich nicht gerade esse oder schlafe. Die andere ist die von Charlies Bar. Ich schlafe in einem Zimmer im obersten Stock des Hauses. In der Bar gibt es ein Telefon, aber nicht in meinem Zimmer. Wenn ich nicht da bin, können Sie mir durch Charlie etwas ausrichten lassen; aber er ist nicht mein Sekretär, also behandeln Sie ihn nett und zuvorkommend.«

Sie nickte, und wir lächelten beide. Elaine, weil sie einen Idioten gefunden hatte, der ihrer Familie aus der Klemme helfen würde. Und ich lächelte, weil ich eben so bin. Ein bißchen meschugge.

16

In einer ruhigen, sonnenbeschienenen Ulmenallee wich ich einem speckigen Mann in buntkarierten Hosen und braunen Schuhen aus – seine Schuhspitzen erinnerten mich übrigens an schneebedeckte Berge – und winkte das einzige Taxi in Sichtweite heran. Ich ließ mich auf die hintere Sitzbank plumpsen und sagte: »Sherman Towers.«

Der Fahrer hatte kaffeebraune Haut und einen schwarzen Schnurrbart – Zapata, wie ich ihn mir schon seit meiner Jugend vorgestellt hatte.

Ich öffnete das Fenster, zündete mir eine Zigarette an und warf das Streichholz nach draußen.

»Woher sind Sie denn?« fragte ich ihn. »Nur so interessehalber.«

»Aus dem Süden«, meinte er. »Falls Sie das interessant finden.«

»Savannah?«

»Südamerika, Gringo.«

»Warum machen Sie ein Geheimnis daraus?«

»Weil ich nicht so gut Englisch spreche.«

»Also ich finde, Sie sprechen es hervorragend«, lobte ich ihn. »Zumindest besser als Popeye.«

»Ach, Sie können mich mal«, grunzte er und schoß bei Rot über die Ampel.

»Sie werden noch verhaftet, wenn Sie nicht ein bißchen vorsichtiger fahren. Hier sind sie doch richtig heiß auf illegale Einwanderer. Die sind imstande und schicken Sie auf der Stelle nach Peru zurück.«

»Brasilien«, verbesserte er mich geduldig.

»Ist das nicht da, wo der ganze Kaffee herkommt? Und Kupfer?«

»Mich dürfen Sie da nicht fragen.«

»Sicher, sicher; das stimmt schon«, beharrte ich. »Erst Gold, dann Zucker, dann Kaffee und schließlich Kupfer.« Und ohne Pause fügte ich hinzu: »Schon mal was von der Damone-Familie gehört?«

»Der Name sagt mir nicht das geringste.«

»Strengen Sie doch ein bißchen Ihren Kopf an. Es gibt da einen Sohn. Anfang zwanzig. Dunkelhäutig, schätze ich. Vermutlich irgend so ein gut aussehender Laffe. Er spielt auch. Und ein Hit bei den Frauen.«

Er schüttelte den Kopf und zuckte die Achseln. »Tut mir leid.«

»Blödsinn«, behämmerte ich ihn weiter. »Jeder von da unten kennt die Damones. Die Tochter sieht vielleicht aus, kann ich Ihnen sagen. Die stellt glatt Ava Gardner in den Schatten. Ich könnte wetten, daß die Stadt, aus der Sie kommen, und die nächste noch dazu bis zur letzten Hundehütte den Damones gehört. Denen gehört doch fast alles da unten.«

»Wie ich schon gesagt habe, dieser Name sagt mir überhaupt nichts.«

»Sie machen wohl Witze. Ich habe doch eben mit der Tochter einen gepichelt. Sie sollten mal ihre Wohnung sehen; die hat sicher Millionen gekostet.«

»Sie können mich ja mal mitnehmen, wenn Sie wieder hingehen.«

»Das müssen Sie wirklich gesehen haben, um mir zu glauben. Einfach alles da – was Sie wollen, ein richtiger Traum von einer Wohnung.«

»Angeber«, brummte er nur.

Inzwischen waren wir vor Sherman Towers angelangt. Vierundzwanzig Stunden, nachdem Norma Summers hier auf den Gehsteig gestürzt war, war von dem Ganzen bereits nichts mehr zu sehen. Keine Blutspritzer, keine Gaffer, keine Polizei. Als ob das alles nie geschehen wäre. Nichts weiter als eine geschäftige Straße an einem x-beliebigen Tag.

Ich löhnte den Fahrer.

»Ich muß Ihnen noch was echt Komisches erzählen«, plapperte ich weiter. »Diese Senorita Damone, von der ich Ihnen erzählt habe, Sie wissen schon, die alles hat und sogar noch mehr. Aber eines gibt es doch, was sie nicht hat.«

»Na, dann erzählen Sie mir ausnahmsweise mal was Spannendes, Gringo.«

»Auf ihrem Kaminsims steht ein Fotorahmen, aber es steckt kein Foto drin.«

Seine Augen verengten sich. »Na und?« Und damit fuhr er los, bereits auf der Suche nach einem neuen Fahrgast, den sie ausnahmsweise einmal nicht innerhalb der nächsten Tage in die Klapsmühle einliefern würden.

»Das ist aber doch wirklich komisch«, brüllte ich dem verschwindenden Taxi nach und wäre dabei fast in einen Lastwagen gelaufen.

An der Windschutzscheibe meines Packard steckte ein Strafzettel wegen Falschparkens; außerdem hatte jemand meinen hinteren Kotflügel angenagt. Das Übliche. Ich stieg ein und fuhr in aller Ruhe nach Hause.

Es war gerade Essenszeit in Charlies Bar. Ich quetschte mich geduldig durch die kleine Menge, die hier höflich um ein bißchen was zu Essen und einen Platz, es hinunterzuwürgen, kämpfte, bestellte etwas und setzte mich an einen Doppeltisch, den bereits ein alter Jude in einem abgewetzten Mantel eingenommen hatte. Er schlürfte lautstark seine Suppe und las dabei den Wirtschaftsteil der Mittagsausgabe der *Philadelphia Post*.

Er sah nicht auf, als ich mich setzte. Mein Mittagessen kam in Gestalt eines gegrillten Porterhouse-Steaks und einer Flasche Harper's Bonded Bourbon. Ich schraubte den Verschluß der Flasche ab und goß mir ein kleines Wasserglas randvoll ein.

»Auf Old King Cole«, sagte ich ohne irgendeinen bestimmten Grund und kippte mir die Flüssigkeit den Rachen hinunter.

Der Jude senkte seine Zeitung leicht, warf mir einen kurzen, mißbilligenden Blick über seine randlose Brille zu und las dann wieder weiter. Ich ließ beim Essen meine Augen über seine Zeitung wandern.

Die Titelseite strotzte nur so von dicken Lettern und einem vier Spalten breiten und dreißig Zentimeter hohen Foto von Harry S. Truman, der seinen Hut durch die Luft schwenkte und lächelte.

Sonst stand da nicht allzu viel; aber was es zu lesen gab, las ich. Unter anderem hatte auch Grace Sanderrys alter Herr wieder einmal von sich reden gemacht, und zwar in einem kurzen Bericht – mit einem kurzen Statement –, der sich mit der Frage befaßte, weshalb seine Gesellschaft fünfundzwanzig Prozent ihrer Investmentanteile abstieß. Dann war da noch ein Wetterbericht, ein paar Zeilen über den Börsenmarkt und neben dem Radioprogramm noch eine kurz vor Redaktionsschluß eingegangene Meldung folgenden Inhalts:

Hafenarbeiter findet Ertrunkenen
Etwa sieben Uhr zwanzig heute morgen entdeckte der Hafenarbeiter Ed Jurgens die im Delaware schwimmende Leiche eines Mannes. Der Mann, den die Polizei später als Walter Kirkpatrick, 43, identifizieren konnte, wurde nördlich von Red Bank gesichtet, als der Schlepper Topeka stromabwärts zu seinem Anlegeplatz fuhr.
Mr. Kirkpatrick arbeitete als Angestellter bei der Grand Union of Pennsylvania Insurance Company. Ein Sprecher der Versicherungsgesellschaft ließ heute verlauten, daß kurz zuvor Mr. Kirkpatricks Geschäftspraktiken einer genaueren Überprüfung von seiten des Vorstands unterzogen worden waren und dies vielleicht das psychische Gleichgewicht des Toten etwas gestört haben könnte.
Die Polizei hält im Augenblick Selbstmord für die wahrscheinlichste Todesursache . . .

Plötzlich war die Zeitung vor meinen Augen verschwunden.
»Wollen Sie nicht vielleicht eine Zeitung *kaufen?*« meinte der Jude. »Geben Sie mir fünf Cents, und Sie können sie haben.«
Ich schenkte ihm allerdings nur ein schwaches Lächeln und nahm einen weiteren Schluck von meinem Bourbon – pur, versteht sich. Kein Eis, kein Soda, keine Früchte.
Und dann dachte ich ein wenig über die letzten beiden Tage nach. Das heißt, vor allem dachte ich an Elaine Damone, wie sie, frisch wie ein Strauß Narzissen, zu später Stunde allein durch die Gegend fuhr. Ich dachte daran, wie sie sich anzog, wie sie ging, wie sie lispelte und wie sie ihre Lippen verwendete. Ich dachte an ihre Überkorrektheit, ihre verborgene Leidenschaftlichkeit, ihre Mandelaugen und ihren Reichtum. Und dann dachte ich an das Schlamassel, in das ihr Bruder geraten war. Und ich muß sagen, es machte mir Spaß, an all das zu denken. Mit Ausnahme vielleicht

der Sache mit ihrem unartigen Bruder. Irgendwie paßte das nicht so recht zusammen. Schließlich war Elaine Damone nicht auf den Kopf gefallen. Sie hätte einen Pinkerton-Mann gebraucht und nicht einen abgelutschten Schnüffler wie mich. Wenn ihr wirklich so viel an Diskretion gelegen war, so hätte sie sich die für die Hälfte der Summe kaufen können, die sie mir zahlte. Für einen Hunderter am Tag hätte ein Pinkerton-Detektiv mit der entsprechenden Rückendeckung von seiten seiner Agentur den Fall vermutlich längst gelöst, bevor ich in der Lage war, den Zucker aus meinem Kaugummi zu nuckeln.

Aber ich konnte mich nicht beschweren, und deshalb schenkte ich mir noch einmal einen Harper's ein und setzte ihn auf die Spesenliste.

Und dann begannen meine Gedanken um Norma Summers zu kreisen und um die Mörder ihres Mannes. Davon wurde mir plötzlich kalt und ungemütlich. Es war mit einemmal aus mit meiner Zufriedenheit. Ich wurde mir nämlich zum erstenmal bewußt, daß mir diese üble Geschichte, deren ich mich die ganze Zeit über so gründlich entledigt zu haben geglaubt hatte, immer noch am Hals hing, und zwar mit einem ganz gewaltigen Bleiklumpen zur Beschwerung unten dran. Das war ein Gefühl, als wachte man eines Morgens plötzlich todkrank in seinem Bett auf.

Hog und Frenchy waren Profis gewesen, und das bedeutete, daß ihr Brotgeber sicher davon unterrichtet war, daß ich in die Sache verwickelt gewesen war. Das Gerücht, ich wüßte über den Verbleib dieser verfluchten Aktentasche Bescheid, war sicher bis zum Boß vorgedrungen, der im Augenblick vermutlich noch immer darauf wartete, daß wir drei bei ihm auftauchten.

Wozu sich das alles so zusammenaddierte, gefiel mir nicht im geringsten. Aber immerhin brachte es etwas Spannung ins Leben. Ich würde also einem gerissenen Erpresser nachspüren und mich zugleich vor einem mächtigen Gangsterboß in Sicherheit bringen müssen. Für einen Mann mit meiner Erfahrung kein Problem. Das alles würde sich mit Hilfe einiger geringfügiger Veränderungen meines Lebens regeln lassen – ich würde mir einen neuen Namen zulegen, einen Bart stehenlassen und meine Socken mit der Innenseite nach außen tragen. Mit der Zeit würde sich das alles schon geben. Aber wieviel Zeit blieb mir noch? Wie lang war mein Stück Faden noch? Wer hatte es eigentlich auf mich abgesehen? Lauter kluge Fragen, allerdings ohne Antworten.

Ich schluckte etwas mehr Bourbon.

In eben diesem Augenblick drängten sich vielleicht in meinem Wartezimmer schon jede Menge von zwielichtigen Gestalten in allen Farben und Größen, fuchtelten mit ihren Knarren durch die Luft, pafften an ihren dicken Zigarren und brüllten nach mir, ich sollte schon hinter dem Aktenschrank hervorkommen.

Ich schenkte mir noch einen ein.

Dann nahm ich die halbleere Flasche und sagte »Shalom« zu meinem Tischgenossen. Mißbilligend bebten seine Nasenflügel, als er feierlich seinen Kopf schüttelte. Er brannte förmlich darauf, mir klarzumachen, was eine Flasche ordentlichen Bourbons mit mir anrichten würde. Ich stand jedoch auf, bevor er noch dazu Gelegenheit fand.

Mein Büro war völlig menschenleer. Keine Menschenseele. Die Räume rochen nach Feuchtigkeit und kaltem Rauch – eine ganz besondere Duftkombination. Ich nahm drei Briefe vom Boden und stapfte in mein Büro. Es lag eine Menge Schmutz und Staub herum, der mir zuvor gar nicht aufgefallen war; er sah jedoch ganz so aus, als läge er da schon eine Weile.

Ich zog an der Schnur der Jalousie, als hißte ich die Flagge eines Schiffs, und öffnete das Fenster. Drei Stockwerke unter mir, auf der Straße, bohrten ein Dutzend Männer, alle den Oberkörper bis auf die Unterhemden entkleidet, ein Loch in den Asphalt.

Ich ließ mich in meinen hölzernen Drehstuhl plumpsen, schwang meine Beine auf den Schreibtisch und öffnete die Post.

Der erste Brief war ein Rundschreiben eines Kreditkarten-Instituts, das mir zehn Gründe aufzählte, weshalb ich mit ihm ins Geschäft kommen sollte. Der Brief war mit Maschine geschrieben und mit einer simulierten handschriftlichen Signatur unterzeichnet, die in der Farbe von blauer Tinte gedruckt war. Die Unterschrift lautete auf einen Namen wie J. J. Klondurgle oder so ähnlich.

Der nächste Umschlag hatte ein Fenster und sah mir ganz so aus, als enthielte er eine Rechnung. Ich warf ihn zusammen mit dem Rundschreiben ungeöffnet in den Papierkorb.

Die Schrift auf dem dritten Brief hatte ich bereits einige Male zuvor gesehen. Auf dem lavendelfarbenen Kuvert klebte keine Briefmarke, dafür stand in der linken oberen Ecke in sauberen Druckbuchstaben ›Persönlich überbracht‹ geschrieben. Dieser

Brief stammte von der zwölfjährigen Tochter des Hausmeisters. Ich hatte ihr vor einiger Zeit einmal einen jungen Hund besorgt, und seitdem schrieb sie mir fast wöchentlich, um mich ihrer ewigen Liebe zu versichern. Ab und zu steckte sie auch irgendeine Süßigkeit in den Umschlag. Nicht so dieses Mal. Statt dessen enthielt das Kuvert eine mit einem rosa Band zusammengebundene blonde Locke. Außerdem dampfte die Sendung förmlich von dem Parfüm, wie es junge Mädchen kaufen. Das Zeug kostet fünf Cents der Eimer, und der Tagesverbrauch beläuft sich auf etwa zwei Eimer. Übrigens, diese Sache mit der Hausmeistertochter war so ungefähr das, was bei mir bisher einer festen Beziehung zu einer Frau am nächsten kam.

Ich legte ihren Brief in eine Schreibtischschublade und angelte den Harper's aus meiner Manteltasche. Die halbvolle Flasche fühlte sich gut an in meiner Hand, genau der richtige Trost in Zeiten des Ungemachs. Ich hatte es auch schon mal mit einem Rosenkranz probiert, aber der schmeckte lange nicht so gut.

Ich steckte mir eine Zigarette an und paffte eine Lunge voll Rauch in das Ozon hinaus. Stanton Damones Erpresser würde sich sicher nicht allzu leicht aufspüren lassen; daran würden auch die Küsse seiner Schwester nichts ändern.

Ich nahm meine 38er aus dem Holster und ein Stück öligen Tuchs zusammen mit einer Büchse Fett aus der Schreibtischschublade und machte mich daran, die Pistole zu zerlegen. Ich reihte die Einzelteile ordentlich auf der Schreibtischplatte auf. Es waren genau siebenundvierzig Teile, von denen ich jedes sorgfältig reinigte; die beweglichen Elemente ölte ich außerdem noch gründlich ein. Das dauerte genau so lange, wie ich brauchte, den Bourbon wegzuputzen.

Als ich schließlich den Walnußholzgriff wieder an den Nickelrahmen geschraubt hatte, riß ich eine frische Packung Patronen auf und steckte sechs davon in das Magazin. Ich überprüfte den fünf Zentimeter langen Lauf und hielt die Waffe schließlich auf Armeslänge von mir. Ich drückte ein Auge zu und preßte, ohne zu entsichern, meinen Finger gegen den Abzug. Es war alles in bester Ordnung. Und so mußte es auch sein. Schließlich war das meine Lebensversicherung.

Ich steckte die Pistole wieder ins Holster zurück und verstaute das Tuch und die Fettdose im Schreibtisch. Es war allmählich an der Zeit, daß ich etwas wegen dieses Burschen unternahm, der seine

Aktentasche verloren hatte. Ich kannte zwei Leute, die mir dabei würden helfen können.

Captain Bananier war ein alter Kriminaler, der so ziemlich jeden Ganoven zwischen Philly und Miami kannte und für einen Schnüffler, der an der Front gekämpft hatte, immer ein paar Informationen fallenließ. Er war tatsächlich über alles im Bilde – ganz gleich, ob das nun die Sicilianos mit ihren Bohnensämaschinen waren oder ein paar mickrige Ratten, die sich gegenseitig die Flöhe wegstahlen.

Ich rief in seinem Büro an, wo man mir allerdings mitteilte, er wäre verreist.

Das verwies mich auf einen Zeitungsgeier namens Harvey Hendersson.

Ich wählte die Nummer der *Philadelphia Post* und verlangte die Abteilung Verbrechen.

17

Auf dem Weg zur *Post* schaute ich kurz bei Tardelli's rein, um mich rasieren und mir die Haare schneiden zu lassen. Endlich sauber rasiert, knöpfte ich mein Hemd zu und band mir die Krawatte um, die mir Elaine Damone mitgebracht hatte. An Gary Cooper, Alan Ladd oder Donald Duck hätte sie sicher großartig ausgesehen. Von mir konnte ich das nicht behaupten. Also nahm ich sie ab und gab sie Tardelli. Und dann marschierte ich erst einmal eineinhalb Häuserblocks durch die Gegend, bis ich endlich einen Laden auftat, in dem sie auch Krawatten verkauften, die ich binden konnte. Er befand sich in der Hoffman Street. Das Schaufenster war mit toten Fliegen und ein paar Chromgestellen dekoriert, die sich von all den vergilbenden abnehmbaren Hemdkrägen und den Schachteln mit verrosteten Manschettenknöpfen und ähnlichen Kinkerlitzchen förmlich zu biegen schienen.

Zehn Minuten später verließ ich den Laden wieder mit einem Meter kastanienfarbenen, künstlichen Satins vor der Brust, bedruckt mit dem Bild einer barbusigen Hula-Hula-Tänzerin in einem Baströckchen.

Elaine Damone würde dafür sicher Verständnis aufbringen.

Die Redaktion der *Post* befand sich in der Broad Street – ein zehnstöckiger Ziegelbau, der sich, was seine architektonische

Einfallslosigkeit betraf, in nichts von den acht Meilen Gebäuden auf der anderen Straßenseite unterschied. Broad Street war möglicherweise die längste gerade Straße der Welt; die ödeste und langweiligste war sie mit Sicherheit.

In einer engen Seitenstraße neben dem *Post*-Gebäude stand ein schwerer Laster, mit mächtigen Rollen jungfräulichen Papiers beladen. Zwei bullige Neger mit pechschwarzer Haut kletterten zwischen den Papierrollen umher und hievten sie mit einer Winde von der Ladefläche und durch die Öffnung im Gehsteig in die unterirdische Druckerei hinunter. Es hatte leicht zu regnen begonnen. Die Tropfen rannen den beiden über ihre Gesichter und brachten ihre Haut zum Glänzen, als wäre sie mit Lack überzogen. Der Größere der beiden spuckte sich in die Hände und zog sich den Reißverschluß seines Overalls bis zum Hals hinauf zu. Dann stieß er die beladene Winde scheinbar ohne jede Anstrengung von sich und begann etwas zu singen, was ich nie zuvor gehört hatte.

Rasch brach die Dämmerung herein. Rund um mich herum gingen in den hohen Gebäuden die Bürolichter an – eines nach dem anderen und in kurzer Reihenfolge, als spielten sie Fangen miteinander. Und sie erhellten wie Leuchtkugeln den Himmel.

Ich stieg drei Stufen hoch und trat durch eine Schwingtür auf den Portier der *Post* zu, der hinter einem langen Schreibtisch stand. Ich sagte ihm, daß man mich erwartete, hielt ihm meine Lizenz unter die Nase und wartete, während er auf dem Haustelefon eine Nummer wählte. Er nannte meinen Namen und nickte zweimal.

»Sie können raufkommen«, wandte er sich wieder mir zu. »Die Lokalredaktion ist im fünften Stock.«

Ich antwortete, ich wüßte den Weg, und schlenderte auf den automatischen Lift zu. Ich steckte mir einen Docht an und paffte ein Ölgemälde des Gründers der *Post* mit Rauch voll. Er gab sich alle Mühe, sich nicht von seinem Vatermörder die Gurgel abdrehen zu lassen, und starrte mit stahlgrauen Augen von der Leinwand herab. Der Künstler hatte eine ganze Menge Farbe aus der Tube gequetscht, um dem alten Vogel den Anschein von Integrität zu verleihen, was aber letztlich nur dazu geführt hatte, daß Gaynor J. Covey einen recht bösartigen und grausamen Eindruck machte. Aber ich wage zu bezweifeln, ob ihm das aufgefallen war, und zumindest gefiel ihm das Bild gut genug, um es mitten im Foyer aufhängen zu lassen. Wahrscheinlich gefiel es ihm sogar so gut, daß er dafür auch noch bezahlt hatte.

Die Lifttür ging auf, und ich drückte mich zu ein paar Leuten in die Kabine.

Die Empfangsdame der Lokalredaktion sah ich an diesem Tag das erstemal. Eine unnahbare Matrone mit speckigen Armen und einem haarigen Kinn.

Sie sah sich erst einmal lange meine Krawatte an, bevor sie den Mund aufbekam.

Und auch dann brachte sie nur ein »Ja?« heraus.

»Ich bin mit Harvey Hendersson verabredet«, teilte ich ihr mit. »Ich werde erwartet.«

Sie versuchte ein höfliches Lächeln. Aber das ging etwas daneben. Ich würde sagen, sogar um mindestens eine Meile. »Ihr Name, bitte?« fragte sie darauf in einem Ton, als erwartete sie, daß ich sagte, ich hätte keinen.

»Mike Dime«, grunzte ich. »Der Typ von unten hat Ihnen doch schon durchtelefoniert, daß ich raufkommen würde.«

Sie saß hinter einem pedantisch sauber aufgeräumten Schreibtisch mit einem kleinen Kaktus zu ihrer Rechten, einer PBX zur Linken und einer Personalliste mit den jeweiligen Telefonnummern vor ihr.

»Ich werde eben mal nachsehen, ob Mr. Hendersson gerade frei ist«, säuselte sie und fuhr mit ihrem spitzen Fingernagel geschäftig über die Nummernreihen.

»Er hat Anschluß dreihundertsechsundvierzig«, half ich ihr nach. »Und was ist übrigens mit dieser süßen, kleinen Blonden, die vor Ihnen diesen Job gemacht hat?«

Sie antwortete nicht, sondern setzte unbeirrt ihre Suche durch den Zifferndschungel fort, bis sie schließlich die gewünschte Nummer selbst entdeckte. Sie ließ ihren Finger über der Wählscheibe kreisen und schilderte dann, den Blick zur Decke gewandt, einen Mann in einem Regenmantel, einem zerbeulten Hut und einer auffälligen Krawatte. Außerdem sagte sie, daß dieser Mann behauptete, verabredet zu sein – und das alles in einem Ton, als lege sie gerade in einem Vergewaltigungsprozeß eine Zeugenaussage ab. Zuletzt nannte sie schließlich auch meinen Namen.

Harvey Hendersson sagte etwas, das ich nicht hören konnte; jedenfalls hatte es zur Folge, daß mit einem Schlag dieses hämische Grinsen aus ihrem Gesicht verschwand. Sie nahm den Hörer von ihrem Ohr und warf einen Blick darauf, als hätte er sie gerade gebissen.

»Also wirklich, Mr. Hendersson«, schnappte sie beleidigt zurück, »das ist doch keine Art, mit einer Dame zu reden.«

Ich konnte ihn am anderen Ende der Leitung lachen hören.

Ich stieß mir durch zwei schwere, gläserne Drehtüren mit blitzenden Kupferrahmen den Weg frei und trat in den Redaktionsraum der Lokalen. Groß und hell erleuchtet, war er von einer Reihe hufeisenförmig angeordneter Schreibtische beherrscht. Ein paar Dutzend Männer in Hemdsärmeln hackten blindwütig auf ihre Schreibmaschinen ein oder brüllten in Telefone. Sie sahen alle ganz schön übernächtigt aus. Es hatte drei Wahl-Sonderausgaben gegeben, und die steckten ihnen noch sichtlich in den Knochen.

Ich ging an einer Reihe von Redakteuren vorbei, die mit ihren blauen Bleistiften rasch und zielstrebig Wort für Wort, Seite für Seite geschwärzten Papiers durchgingen. Jeder Schreibtisch beherbergte ein wahres Chaos von Telefonen, Notizblöcken, Fotos, Bierflaschen, Tassen, Aschenbechern, Zigarettenpackungen, Radiergummis, Bleistiften, Essen, Adreßbüchern, Zeitungsausschnitten, Zeitungen, Zeitschriften, Telefonbüchern, Kohlepapier und Büroklammern. Hier und da lag auch einmal ein Artikel.

Die Schreibmaschinen klapperten vor sich hin wie eine ganze Armee von Eichhörnchen mit Metallzähnen.

Ein weißhaariger Mann mit einer knallroten Knollennase lehnte sich in seinem Sessel zurück. Seine Hände waren über seinem mächtig gewölbten Bauch verschränkt, seine Augen geschlossen. Das Blatt weißen Papiers, das sich aus seiner alten Remington kräuselte, war so weiß und unbefleckt wie der Kragen eines Priesters. Sein graues Jackett war über die Stuhllehne geworfen. Eine Tasche berührte fast den Boden, und über ihren oberen Rand lugte, gerade noch sichtbar, der Silberhals eines Flachmanns hervor.

Der Mann am Schreibtisch daneben sprach leise ins Telefon. Es klang sehr besorgt und interessiert. Vermutlich fragte er gerade jemanden, was nun eigentlich genau passiert war, als der Ehemann nach Hause gekommen war und in der Dusche eine blaue Socke gefunden hatte, die ihm nicht gehörte.

Ich bahnte mir also meinen Weg durch dieses Gewirr und kam vor einer Tür zu stehen, auf deren Milchglasscheibe in großen, geschwungenen Lettern *Harvey Hendersson* geschrieben stand. Hendersson war eines der größten Vorrechte zugestanden worden, von denen ein Journalist nur träumen kann – ein eigenes Büro.

»Klopfen Sie nicht erst lange, Dime, alter Junge. Es ist auf«, rief der Mann hinter der Tür. Seine Stimme klang etwa so enthusiastisch, wie sich das ein Verbrechensspezialist eben erlauben kann.

Ich betrat das Büro und wurde mit einem kräftigen Händeschütteln begrüßt, bei dem sich mein Arm wie der Hebel einer alten Wasserpumpe auf und ab bewegte.

Dem Mann, der das Pumpen besorgte, fehlten vielleicht zehn Zentimeter auf die zwei Meter. Fünfundsechzig Kilo waren, über dieses lange Gestell verteilt, nicht gerade viel, aber das Pumpen schien ihm trotz alledem mächtig Spaß zu machen. Das linke Glas seiner Hornbrille hatte einen feinen Sprung, und der rechte Bügel war notdürftig mit Isolierband geflickt. Sein strohiges Haar hing ihm wie ein Schilfdach über die Augen herein. Seine Wangen wiesen eine recht gesunde Farbe auf, und sein Kinn reckte sich vor, als wolle es kostenlose Einladungen für ein paar saftige Kinnhaken verteilen. Der letzte Kerl, der sich auf diese Einladung eingelassen hatte, brauchte jedoch erst einmal ein ganzes Ärzteteam, um sich wieder zusammenflicken zu lassen.

»Na, alter Junge«, begrüßte er mich, während ich mich in den Besuchersessel gleiten ließ, »wo drückt denn der Schuh?«

Hendersson trat hinter seinem Schreibtisch hervor und machte es sich auf dem Fensterbrett bequem. Dabei ließ er seine Hände tief in seine Hosentaschen gleiten und wartete, daß ich zu reden anfing.

Ich erzählte ihm, was ich in der Nacht unseres ersten Zusammentreffens Elaine Damone erzählt hatte – über die Aktentasche mit der Knete, über Hog und den Franzosenbengel und über Norma und Frank. Ich gab ihm auch zu verstehen, daß ich den Verdacht hatte, daß es jemand auf mich abgesehen hatte und daß ich gerne gewußt hätte, wer es auf mich abgesehen hatte. Ich meinte, ich müßte daß schließlich wissen, weil ich noch an einem anderen Fall arbeitete und mein Klient nicht gerade begeistert sein würde, wenn ich mit einer Kugel im Kopf zur Arbeit erschien. Über Elaine sprach ich nicht allzuviel; sie war ein Kapitel für sich.

Hendersson hörte mir mit nachdenklicher Miene zu, wobei er das Telefon, das ohne Unterbrechung auf seinem Schreibtisch vor sich hin bimmelte, einfach ignorierte.

Erst als ich mit dem Reden fertig war, ließ er sich wieder in seinen Sessel plumpsen und nahm endlich den Hörer ab. Sein Gesicht nahm merklich einen müderen und müderen Ausdruck an, je mehr sich die Person am anderen Ende der Leitung in eine recht ausgedehnte Rede verstieg. Harvey sagte nur ab und zu: »Ja, Schatz.« Aber die meiste Zeit sagte er nichts. Beim Zuhören wanderten seine Augen verständnisvoll über die Reihen von Büchern, die ringsum die Wände verdeckten. Sie handelten von Menschen, die Verbrechen begingen, Verbrechen begehen wollten und die es bereuten, Verbrechen begangen zu haben. Einige davon befaßten sich auch mit Leuten, die Verbrecher überführten oder sie verurteilten. Und eine Menge dieser Bücher trugen den Namen Harvey Hendersson auf ihrem Rücken.

Schließlich kritzelte der alte Fuchs etwas auf seinen Notizblock und hängte ein. Und dann entfuhr ihm ein langgggezogener Pfiff.

»Mrs. Hendersson«, gab er mir entschuldigend zu verstehen. »Im Heim der Henderssons hat sich eine schreckliche Tragödie abgespielt. Wir geben heute abend ein Essen, und meine Frau hat auf dem Vordersitz des Wagens die Eiscreme schmelzen lassen.«

Ich lächelte das Lächeln der glücklich Unverheirateten.

»Geben Sie mir einen kleinen Tip«, schlug ich vor, »und ich bringe das alles wieder in Ordnung.«

»Die Sitzbezüge?«

»Nein, das mit der Eiscreme.«

Hendersson knöpfte sich seinen Hemdkragen auf, nahm seine Krawatte ab und lachte. Dann stand er auf, schlenderte auf die Tür zu und steckte kurz seinen Kopf hinaus.

»Zwei Kaffee, und bitte schnell«, brüllte er und begab sich wieder zu seinem Platz zurück.

»Über Hog und seinen Freund könnte ich Ihnen einiges erzählen«, kam er schließlich zum Thema und klopfte mit dem Ende eines gelben Bleistifts rhythmisch auf die Schreibtischplatte. »Diese zwei Torpedos schießen schon seit einiger Zeit in der Szene rum. Nicht gerade die größten Fische, aber auch nicht ganz ohne.«

In diesem Moment ging die Tür auf, und herein kam eine langbeinige Rothaarige gewackelt, die auf einem Schachteldeckel zwei Tassen Kaffee anbrachte.

Sie lächelte Harvey verwegen an und stellte die Tassen auf den Schreibtisch. Das tat sie, indem sie den Griff vorsichtig zwischen Daumen und Mittelfinger hielt. Ihre Nägel waren grellrot lackiert, und sie selbst steckte in einem hautengen Rock und einer schwarz-weiß getupften Bluse mit wattierten Schultern.

»Ich konnte das Tablett nirgendwo finden, Mr. Hendersson«,

entschuldigte sie sich, und dabei wurden ihre grüngrau funkelnden Augen größer als Texas. »Ich habe überall nachgesehen.«

»Halb so schlimm, Miß Spivac«, antwortete Harvey abwesend und machte sich daran, mit seinem gelben Bleistift seinen Kaffee umzurühren.

»Ach, Mr. Hendersson!« Die Rothaarige schlug mit der Handfläche nach unten durch die Luft. »Sie haben doch selbst gesagt, sie würden jetzt endlich damit aufhören, mich ›Miß Spivac‹ zu nennen und mich statt dessen bei meinem Vornamen rufen.«

Sie blickte über ihre Schulter zu mir herab und zwinkerte verschwörerisch. »Ich heiße übrigens Shirley. Klingt doch hübsch, oder nicht?«

»Klingt nicht nur hübsch«, schmeichelte ich ihr galant. Sie lachte amüsiert, nahm das provisorische Tablett und rumbate wieder nach draußen.

Harvey nippte an seinem Kaffee und lehnte sich in seinen Sessel zurück. Er ließ mir erst etwas Zeit zum Abkühlen und fing dann zu sprechen an.

»Wie ich die Sache sehe, dürfte der Schlüssel zur Lösung Ihres Problems die Herkunft des Gelds in dieser Aktentasche sein. Ich kann Ihnen versichern, daß hier in letzter Zeit keine Summen dieser Größenordnung gestohlen worden sind, und wir wurden auch nicht gezwungen, irgendeinen derartigen Vorfall zu verschweigen. Wir wissen schließlich beide, daß die Zeitungsherausgeber in diesem Land bisweilen unter Druck gesetzt werden, Meldungen zu unterschlagen, natürlich im Sinne des Allgemeinwohls. Das heißt mit anderen Worten, daß denen da oben der Boden unter den Füßen ein bißchen zu heiß wird. Nicht umsonst passiert das vor allem während der Monate vor den Wahlen. Ein sauberer Verbrechensbefund, selbst wenn er ein bißchen auffrisiert ist, verhilft dem Bürgermeister und dem Gouverneur und dem Rest der ganzen Bande zu einem guten Gewissen und zu einer Menge Stimmen. Wenn Sie mich fragen, handelt es sich hier um illegales Geld. Dagegen könnten Sie natürlich einwenden, daß eine Menge völlig normaler Organisationen gelegentlich ihre Probleme mit der Steuer haben, die dann durch irgendwelche Bargeldtransaktionen gelöst werden. Nur würden sie so etwas nie von zwei solchen Schießrobotern wie Ihren beiden Freunden erledigen lassen.«

»Und was ist mit einem kleinen Bandenkrieg?« brachte ich vor, während ich aufstand, mir Kaffee holte und mich wieder setzte.

»Wir sind hier nicht in Chicago, Dime. In Philly gibt es keine Bande.«

Hendersson nahm sich von einem Gestell mit etwa zwanzig Pfeifen, das unter einem wüsten Papierhaufen verborgen war, eine Pfeife. Er sah sie einen Moment lang an und biß dann in ihr Vulkanit-Mundstück.

»Mir schwant da etwas, als könnte eine Geschichte, mit der ich mich gerade – allerdings ziemlich vage – befasse, etwas Licht auf Ihren Fall werfen. Aber vergessen Sie bitte nicht: Ich sagte nur ›könnte‹.«

»Na, dann schießen Sie mal los«, ermunterte ich ihn. »Wo ich sitze, ist es finster wie in einem Grab.«

Er nahm die Pfeife aus dem Mund.

»Haben Sie zufällig die Sache von diesem Versicherungstypen mitgekriegt? In unserer heutigen Mittagsausgabe stand ein kurzer Bericht darüber.« Er wühlte mit seiner freien Hand durch den Papierkram auf seinem Schreibtisch. »Hier muß doch noch irgendwo eine Ausgabe herumliegen.«

»Ich habe die Meldung gelesen«, sagte ich. »Irgend so ein Typ; Kirkpatrick hieß er, glaube ich. Sie haben ihn aus dem Fluß gefischt.«

»Die Polizei kommt in der Sache nicht weiter. An der Oberfläche war dieser Walter Kirkpatrick so zuverlässig und solide wie die Via Appia. Aber was die von der Polizei nicht wissen, ist, daß er der achte Versicherungsagent in ebenso vielen Bundesstaaten ist, der auf unerklärliche Weise ums Leben gekommen ist.«

»Na ja, auch Versicherungsagenten müssen irgendwann mal sterben«, meinte ich.

Harvey Hendersson erhob sich von seinem Sitz, ging zu einem Aktenschrank und nahm einen blauen Ordner heraus, den er mir reichte.

»Sehen Sie sich das doch mal selbst an. Es geht dabei um Versicherungsleute, die während der letzten drei Jahre alle ganz plötzlich das Zeitliche gesegnet haben. Jack Prescott im Dezember fünfundvierzig. Er hat sich in Colorado selbst erhängt. George Chesliegh aus Phoenix, Arizona, fiel angeblich beim Reparieren seines Hausdachs von der Leiter. Das war Juli letzten Jahres. Victor Goldmark, ertrunken im Staat New York. Und so weiter. Die Liste enthält noch einige weitere Namen. Aber was ich damit sagen will, Dime: Für mich ist darin ganz eindeutig eine gemeinsame Struktur zu erkennen, die alle diese scheinbar zusammenhanglosen Todesfälle miteinander verbindet.«

Ich legte den Ordner neben mir auf den Boden, während Hendersson fortfuhr:

»Haben Sie je von einem Vorkriegsganoven namens Manny Gluck gehört? Zumindest lautete der Name auf seinem Totenschein so.« Er rückte sich seine Brille zurecht.

Ich schüttelte den Kopf. »Sie kennen mich doch, Harvey. Ich habe mein Gedächtnis schon vor Jahren eingesalzen. Der einzige Grund, weshalb ich mir überhaupt Visitenkarten drucken lasse, ist doch, daß ich wenigstens noch nach Hause finde.«

Hendersson klemmte sich seine Pfeife wieder zwischen die Zähne und versuchte sie mit einer Keramikbüste von Abraham Lincoln, die zugleich noch als Tischfeuerzeug fungierte, zum Brennen zu bringen. Er sog drei- oder viermal kräftig, bis ihm das Feuer ausging und er die Geduld verlor. Er knallte das Feuerzeug auf den Schreibtisch und legte die Pfeife in den Aschenbecher.

»Manny Gluck war nicht gerade dick im Geschäft«, erzählte er schließlich weiter. »Das heißt, bis er eines Tages über einen nahezu perfekten Trick stolperte, mit dem sich Versicherungen ausnehmen ließen. Das Ganze war im Grunde ganz simpel. Das einzige, was er dazu brauchte, war letztlich nicht mehr als ein Versicherungsagent, der auf ein paar zusätzliche Dollars scharf war und sich zugleich auch voll bewußt war, daß er sich die auf ehrliche Weise sicher nicht würde verdienen können, wie das ja bei den meisten Burschen in dieser Branche der Fall ist. Nicht einmal ein großes Startkapital war dafür nötig. Gluck bot dem jeweiligen Agenten einfach an, langfristige Versicherungspolicen zu erwerben – je länger die Laufzeit, um so besser – und ihn gleichzeitig fifty-fity an einer gegenseitigen Partnerschaft zu beteiligen, die mit dem unter der Theke gehandelten Stoff wirtschaften würde. Der Agent stellte dann die ursprüngliche Police ein zweites Mal aus, leitete jedoch die Zahlungen auf das Konto seiner und Glucks neuen Gesellschaft um. Sämtliche Aktivposten wurden dabei liquide gehalten, und oberflächlich betrachtet stellte das Ganze kein schlimmeres Vergehen dar, als jemand anderem das Geschäft zu stehlen. Ich nehme an, daß für den Agenten ein leichtes kriminelles Risiko bestand, aber nur ein leichtes, das sich zudem von einem Burschen, der nicht aufs Maul gefallen war, mehr oder weniger zu Luft zerreden ließ. Glucks geniale Begabung bestand nun darin, sich genau die richtigen Agenten für seine Sache auszusuchen – lauter Leute, die für so einen kleinen Schwindel mehr als überreif waren. Die besten Qualifikationen hierfür waren wohl eine Schwäche für schnelles Geld und ein Schuß Treulosigkeit. Männer mit solchen Eigenschaften finden meistens nicht den Weg in leitende Positionen – zumindest nicht, wenn es sich um große und profitable Versicherungsgesellschaften handelt. Aber ein paar scheinen es offenbar doch immer wieder zu schaffen. Und auf diese Leute hatte Manny Gluck es abgesehen. Er hatte richtig einen Riecher dafür, kombiniert mit der Engelszunge eines Baptistenpredigers. Um sich nun freilich selbst abzusichern, sobald der Agent eingestiegen war, schob Gluck einen Strohmann vor. Sollte nämlich eine Police fällig werden, bevor es an der Zeit war, wäre das Ganze mit einem Schlag aufgeflogen. Aufgabe des Strohmanns war es nun, sämtliche Bücher mitsamt dem ganzen Geschäftspapier der Gesellschaft zu verbrennen und dem Agenten bei seiner Flucht nach Mexiko oder irgendeinen anderen Ort beizustehen, wo er dem Zugriff der Polizei entzogen war. Zumindest war das die Geschichte, die Manny Gluck dem Betreffenden erzählte.«

»Während das Ganze natürlich im St. James' Infirmary endete, und zwar im Leichenschauhaus?«

»So ungefähr«, nickte Hendersson. »Ein überzeugend aussehender Selbstmord, der die Behörden in dem Glauben ließ, an dem Versicherungsbetrug wäre nur ein Typ beteiligt gewesen, der dann plötzlich die Nerven verlor.«

»Wenn das Ganze wirklich so perfekt organisiert war«, wollte ich nun wissen, »wie haben Sie dann trotzdem von der Sache Wind bekommen?«

Hendersson lachte.

»Gluck war auf einen Agenten gestoßen, der sich so ziemlich das gleiche Spielchen ausgedacht hatte, aber nie Mittel und Wege gefunden hatte, seinen Plan in die Tat umzusetzen. Als nun Gluck ankam, ließ er sich scheinbar auf dessen Angebot ein, aber sobald dann die Lichter auf Rot standen, stieß er den Strohmann ab, gab den Bullen einen kleinen Hinweis über Manny und setzte sich mit einem Bananendampfer nach Rio ab, zusammen mit der ganzen Kohle, versteht sich.«

»Und diese Versicherungsleute, die Sie mir eben gezeigt haben, waren die Teil eines ähnlichen Komplotts?«

»Da fragen Sie noch?« meinte Hendersson bestimmt. »Aber jetzt zu dieser Tasche; sie muß den Gewinn aus solch einer Operation enthalten haben, wobei Kirkpatrick als Strohmann fungierte. Das paßt doch wie die Faust aufs Auge, mein lieber Dime, oder etwa nicht?« Er grinste wie ein fetter, vollgefressener Kater. Nur das Schnurren fehlte noch. »Die Frage ist nun die: Hat sich diesen Trick noch jemand anderer ausgedacht, oder hat Manny Gluck ihn jemandem testamentarisch vermacht? Wenn Sie das herausbekommen, dann werden Sie auch den Mann ausfindig machen, dem auf dem Klo des Three Sixes seine Aktentasche abhanden gekommen ist. Dessen bin ich mir ganz sicher. Aber ich muß Sie wohl nicht ausdrücklich darauf hinweisen, daß alles, was Sie da so an Informationen ausgraben werden, hochbrisanter Stoff ist. Alle werden sie ein Stückchen davon abhaben wollen. Die Polizei, die Ganoven, die Versicherungsgesellschaft, einfach jeder. Sogar ich kann mich da nicht ganz ausnehmen. Sie werden sich da einiges einbrocken, Dime, und zwar in eine verdammt heiße Suppe.«

Ich schüttelte nur den Kopf.

»Machen Sie sich meinetwegen mal keine Sorgen, Harvey. Seit ich hier auf dieser Welt herumkrebse, ist kein Tag vergangen, an dem mir nicht jemand von irgend etwas abgeraten hat. Sagen Sie mir nur noch eines: Wo hat Manny Gluck denn eingesessen?«

»Oben in der Ossining-Strafanstalt, oder Sing-Sing, wie Sie es nennen würden.«

Ich streckte meine rechte Hand aus und ließ Harvey Hendersson wieder einmal das Wasser für den Frühstückskaffee hochpumpen.

»Schon mal was von Stanton Damone gehört?« fragte ich noch, schon halb aus der Tür. »Irgend jemand aus der näheren Umgebung erpreßt ihn schon seit einiger Zeit.«

»Sehen Sie bloß zu, daß Sie verschwinden«, knurrte Hendersson, während er sich gerade eine Meerschaumpfeife mit einem Bernsteinmundstück von dem Gestell auf seinem Schreibtisch nahm. »Sie haben mir schon genügend Zeit gestohlen.«

Er kritzelte etwas auf seinen Notizblock; es hätte ein Name sein können – ein Name wie Stanton Damone, oder auch Singapore Sadie oder etwas in der Art.

»Rufen Sie mich morgen mal an«, gab er mir Bescheid. Dann klingelte sein Telefon, und seine Gedanken wandten sich anderen Problemen zu.

Draußen auf der Straße machte sich eine purpurn düstere Nacht gerade daran, mit sich selbst einen kleinen Streit vom Zaun zu brechen. Schwarze Wolken stießen sich gegenseitig über den elektrisierten Himmel und schleuderten mit plötzlichen Donnerausbrüchen um sich.

Ich stieg in meinen Wagen und kroch in einer langen Reihe gelber und roter Lichter zu meinem Büro zurück. Und als ich den Wagen geparkt hatte und in meinem Büro das Licht anknipste, fiel draußen bereits wieder kalter und steter Regen.

18

Ungeduldig klingelte das Telefon, während ich durch das Wartezimmer schlenderte. Ich knöpfte meinen Regenmantel auf, fein säuberlich einen Knopf nach dem anderen, hängte ihn an den Kleiderständer, nahm meinen verbeulten Hut ab, stülpte ihn über den größeren der beiden Haken, setzte mich an meinen Schreibtisch, drehte an den hölzernen Nippeln meines 365-Tage-Schreibtischkalenders, brachte auch mich auf den neuesten Stand, steckte mir eine Zigarette an und warf das Streichholz in den Aschenbecher. Und dann nahm ich den Hörer ab.

»Dime«, meldete ich mich höflich. »Zu Ihren Diensten.«

Es war Elaine Damone.

»Wo, um Himmels willen, haben Sie nur die ganze Zeit gesteckt?« meinte sie steif. »Ich weiß gar nicht, wie oft ich inzwischen schon unter den beiden Nummern angerufen habe, die Sie mir gegeben haben.«

»Ich hoffe, sie waren nicht grob zu Charlie.«

»Das war nicht im geringsten notwendig. Er hat wesentlich bessere Manieren als Sie.«

Ich paffte etwas Rauch in den Hörer.

»Falls Sie noch nicht vergessen haben sollten, Mr. Dime, daß Sie sich bereit erklärt haben, für mich und meine Familie zu arbeiten, sollte es vielleicht von einigem Interesse für Sie sein, daß Stantons Erpresser sich wieder gemeldet hat.«

Ich versicherte ihr, daß ich das nicht vergessen hätte.

»Das freut mich zu hören«, erwiderte sie gnädig. »Über die genauen Details der ›Wurfsendung‹, wie er es zu nennen pflegt, wird er mich irgendwann morgen in Kenntnis setzen. In der

Zwischenzeit soll ich dreitausend Dollar in gebrauchten Scheinen besorgen und mich jederzeit erreichbar halten. Er kann sich jeden Augenblick wieder melden.«

Während sie gerade mit ihrer Rede fertig wurde, hörte ich im Hintergrund schwach eine Türglocke läuten. Sie ging jedoch nicht an die Tür, um aufzumachen. Noch tat das ihr Mädchen. Ich hörte dasselbe Geräusch kurze Zeit später noch einmal.

»Ich möchte Sie außerdem noch einmal ausdrücklich darauf hinweisen, daß ich nichts will als die Identität dieser Person. Er hat mir völlig eindeutig zu verstehen gegeben, sollte ich irgend etwas gegen ihn unternehmen, werden die gefälschten Schecks unverzüglich meinem Vater überstellt. Denken Sie also bitte daran: keine Dummheiten. Schlagen Sie sich auch sämtliche Gedanken, etwa den großen Helden spielen zu wollen, möglichst rasch aus Ihrem manchmal alles andere als klaren Kopf. Und versuchen Sie, nüchtern zu bleiben.«

»Jetzt hören Sie mal zu.« Ich drückte meine Zigarette im Aschenbecher aus. Es war nun endlich einmal an der Zeit, daß ich Elaine Damone den Kopf geraderenkte. »Ich arbeite gerne für Sie, weil mir die Bezahlung gefällt und weil Sie wirklich bezaubernd aussehen, wenn Ihr eisiges Lächeln ein bißchen zu schmelzen beginnt. Aber auch wenn Sie nicht lächeln, sehen Sie großartig aus. Ich mag Ihre geschwungenen Hüften, Ihre entzückend gerundeten Ohrläppchen, Ihr Kleinmädchen-Lispeln, Ihren Geschmack, was Handtaschen betrifft, und die Art, in der sie mit übereifrigen Tankwarten umspringen. Ich mag sogar rosa Bettzeug. Wie Sie Jippie machen, kann ich mir nur vorstellen, aber ich schätze, daß mir das auch gefallen würde. Aber eines gefällt mir an Ihnen ganz und gar nicht. Ich bin keineswegs heiß darauf, mir dauernd von jemandem erzählen zu lassen, was ich zu tun habe. Vielleicht haben Sie das noch nicht gemerkt, aber ich arbeite in einer etwas gefährlichen Branche. Jedesmal, wenn ich meine Nase in anderer Leute Privatangelegenheiten stecke, setze ich mehr oder weniger mein Leben aufs Spiel. Manche Leute stehen nämlich gar nicht auf so was, und dazu gehören vor allem Erpresser. Wenn denen ein Schnüffler zu sehr in die Quere kommt, können die ganz schön ungemütlich werden – *muy enojado*, wie sie südlich der Grenze so schön sagen. Und noch etwas sollten Sie über Erpresser wissen: Diese Burschen drohen schrecklich gern. Davon leben sie nämlich. Manchmal machen sie ihre Drohungen auch wahr. Und die wahren Könner sind immer um einen Schritt voraus. Einen Hinterhalt entdecken die schneller, als eine Eidechsenzunge nach einer Fliege schnappt. Wenn ich mich also schon mal auf so eine Sache eingelassen habe, dann bitte auf meine Art. Ansonsten kann es nämlich sehr gut sein, daß eine Menge Leute permanent einen Haufen Luft aus ihren Lungen lassen und sich sehr bald auf ihrem absolut letzten Foto wiederfinden, aufgenommen von den Fotografen der Mordkommission. Sie würden außerdem, wenn ich mich da nicht ganz täusche, eine dicke Todesanzeige in der *Time* verpaßt bekommen. In meinem Fall hätte das Ganze wahrscheinlich nur zur Folge, daß die Tochter des Hausmeisters ihr ganzes Taschengeld für einen Blumenstrauß ausgeben würde. So einfach ist das also.«

Sie verstand das alles recht gut – bis auf das mit der Hausmeisterstochter natürlich. Aber das machte ja auch nichts, oder zumindest dachte ich das.

»Sie werden sich nach dem richten, was ich Ihnen sage«, antwortete sie mit ruhiger Bestimmtheit, »oder ich muß auf Ihre Hilfe verzichten.«

Nun entstand eine lange Pause, während der ich mich wieder beruhigte.

»Na gut«, meinte ich schließlich. »Vergessen Sie einfach, daß ich kurz mal meine Federn aufgeplustert habe. Das kommt einfach daher, daß ich mich manchmal wie ein vorgekautes Hammelkotelett fühle.«

Was das eigentlich heißen sollte, hätte keiner von uns beiden sagen können. Also sagten wir uns ein routinemäßiges »Auf Wiedersehen« und hängten ein.

Der Hörer meines Telefons war noch warm, als ich ihn neuerlich in die Hand nahm. Es war endlich mal an der Zeit, meine unbezahlte Telefonrechnung wieder um ein paar Cents in die Höhe zu schrauben.

Zuerst rief ich in der Stadt an und erkundigte mich, wer – falls überhaupt jemand – Nachforschungen darüber anstellte, weshalb Kirkpatrick unbedingt in den Delaware springen wollte. Man verband mich mit einem Sergeant, der mir mitteilte, daß das seines Wissens niemand täte. Ich sollte jedoch am nächsten Morgen noch einmal anrufen, da man mir dann eventuell genauer Bescheid geben könnte. Ich meinte, daß ich darüber aber genau jetzt gern eine Auskunft gehabt hätte, worauf er wissen wollte, wer ich eigentlich wäre. Ich gab ihm zu verstehen, daß ich ein paar

Informationen auf Lager hätte, die für den Herrn, der sich mit diesem Fall befaßte, nicht uninteressant sein könnten. Darauf verband er mich mit jemand anderem, der mich mit jemandem wieder anderem verband, der mir dann mitteilte, daß ein Detective-Lieutenant Noonan an dem Fall arbeitete, inzwischen aber nach Hause gegangen sei. Ich bedankte mich und hängte auf.

Dann rief ich die Auskunft an und ließ mich direkt mit der Zentrale von Sing-Sing verbinden. Nach einer kleinen Sonate aus Klick- und Summtönen und derselben Verbinderei wie bei der Polizei meldete sich eine genüßlich an einem Chiclet herumkauende Stimme zu Wort: »Was kann ich für Sie tun, Chef?«

Die Angestellten der staatlichen Strafanstalten haben für Privatdetektive fast genausoviel übrig wie für Häftlinge. Das gehört einfach zu ihrer Arbeit – genau wie die kostenlose Uniform, der jährliche Urlaub und das gelegentliche Messer zwischen den Rippen.

»Detective-Lieutenant Noonan am Apparat«, bellte ich energisch, die Worte ineinander verfließen lassend, in den Hörer. Ich gab mir Mühe, nicht zu sympathisch oder intelligent zu klingen. Das hätte meine kleine Schwindelei schneller an den Tag gebracht, als ein Fisch zum Wassertrinken braucht.

»Mit wem spreche ich? Wie bitte? So reden Sie doch schon endlich.«

»Äh... äh... Gorsey...«

»Sir«, fauchte ich in den Hörer. »Gorsey, *Sir*. Sprechen Sie einen ranghöheren Beamten immer mit Sir an. Haben Sie mich verstanden, Gorsey? Und jetzt hören Sie mir genau zu. Es handelt sich um eine Sache von höchster Dringlichkeit. Ich brauche auf der Stelle ein paar Auskünfte über die Gefängnisakte eines früheren Insassen namens Manny – oder Emmanuel – Gluck. G wie Gustav, L wie Ludwig, U wie UFO, C wie Cäsar, K wie Kaufmann. Haben Sie mich? Dieser Gluck war schon vor dem Krieg bei Ihnen, und soviel ich weiß, ist er bereits vor Verbüßen seiner Haftstrafe gestorben. Ist das klar? Und jetzt zum Eigentlichen. Ich brauche eine Liste sämtlicher Häftlinge, die mit Gluck in einer Zelle waren. Ich weiß, daß das ein bißchen Arbeit bedeutet, daß es bereits spät ist und daß das zuständige Büro möglicherweise schon geschlossen ist. So gehört es sich ja schließlich auch. Aber ich muß noch einmal betonen, daß es sich dabei um eine Auskunft der höchsten Dringlichkeitsstufe handelt. Wir benötigen sie für einen Fall von internationaler Reichweite. Und es eilt. Entweder wir kommen noch heute nacht zum Zug oder gar nicht. Haben Sie mich verstanden? Und jetzt noch folgendes: Falls wir diesen Fall erfolgreich abschließen, hat das Polizeipräsidium jedem Beamten Beförderung in Aussicht gestellt, der sich über seinen normalen Aufgabenbereich hinaus für die Lösung dieses Falls eingesetzt hat. Wie alt sind Sie, Gorsey?«

»Dreiundzwanzig, Sir.«

»Und Sie haben mich verstanden?«

»Jawohl, Sir.«

»Also dann los, junger Mann.«

»Jawohl, Sir.«

Ich sagte noch, ich würde in einer Stunde zurückrufen, und legte den Hörer auf die Gabel. Dann fischte ich das Foto, das ich an Frenchys Kadaver gefunden hatte, aus meiner Jackentasche und sah mir die Nummer auf seiner Rückseite noch einmal genauer an. Aus irgendeinem unerklärlichen Grund interessierten mich diese paar Zahlen mehr als die Leute auf dem Foto. Während ich die Nummer nun immer und immer wieder las, bildete sich mit einemmal hinter einem Nebel aus Gedächtnisfetzen ein Gesicht heraus, das es jedoch nicht schaffte, mehr als nur äußerst verschwommen Umrisse anzunehmen. Es sagte mir einen vertrauten Namen – allerdings nicht laut genug, daß ich ihn hätte verstehen können. Und genau so, wie das Gesicht plötzlich deutlichere Umrisse anzunehmen begann, verschwand es auch mit einem Schlag wieder – wie ein Vogel, der durch die Sonne fliegt. Ich sah auf meine Uhr. Es war kurz nach acht. Ich nahm den Hörer ab, rief die Auskunft an und gab die Nummer an. Ich bat um den Namen des Inhabers dieses Anschlusses und seine, beziehungsweise ihre Adresse. Die Stimme am anderen Ende der Leitung antwortete mir, sie würde zurückrufen. Ich sah noch einmal auf meine Uhr. Sie war inzwischen ein wenig weitergerückt. Die Sache lief ja ganz gut an.

Um die Zeit totzuschlagen, leerte ich ein paar Schubladen meines Schreibtisches und warf einen Stapel alter Papiere in den Abfallkorb. Dann legte ich über die Regenwasserpfütze unter dem Fenster ein Stück Zeitungspapier, setzte mich wieder und sah mir die Leute auf dem Foto noch einmal an. Eigentlich fand ich es komisch, daß ein Gangster so ein Foto mit sich herumtrug. Die Mieze sah nicht gerade schlecht aus, aber eine Betty Grable war sie auch nicht. Sieht man einmal davon ab, daß ich nicht die geringste

Lust verspürte, ihren Freund mit den harten Augen kennenzulernen, wurde ich aus dem Ganzen nicht sonderlich schlau.

Als ich mich schließlich wieder in Sing-Sing meldete, hatte Gorsey zwar inzwischen frei, aber er hatte mir eine Liste hinterlassen – zusammen mit seinem Dienstgrad, seiner Dienstnummer, seiner Adresse, seiner Telefonnummer, seinem Geburtsort und seinem Sternzeichen. Falls es zu irgendwelchen Beförderungen kommen sollte, würde Gorsey sicher nicht übergangen werden.

Ich notierte mir die Liste mit zehn Namen, von denen lediglich zwei Gluck überlebt hatten, der im Alter von siebenundsechzig Jahren gestorben war. Er hatte damals immer noch seine sieben- bis vierzehnjährige Strafe wegen Betrugs und Anstiftung zum Mord abgesessen. Die Männer, die ihn überlebt hatten, waren Angelo Mellinski und Warren Ratenner. Mellinski war weniger als ein Jahr mit Gluck zusammen. Dagegen hörte sich Ratenner recht erfolgversprechend an. Er war fast drei Jahre mit Gluck zusammengesteckt und teilte sich zum Zeitpunkt seines Todes die Zelle mit ihm. Ratenner saß sieben Jahre wegen Betrugs und Steuerhinterziehung ab. Er war 1945 entlassen worden.

Ich rief bei der *Post* an und hinterließ bei Miß Spivac eine kurze Nachricht über meine Entdeckung. Allerdings nannte ich sie nicht Miß Spivac; ich nannte sie Shirley.

Mit dem Bleistift zog ich einen etwas mißglückten Kreis um Ratenners Namen und begann allmählich, mich zu fragen, weshalb ich eigentlich noch am Leben war. Es war völlig egal, ob der Mann, dem diese Aktentasche abhanden gekommen war, Warren Ratenner oder der König von Siam war. Jedenfalls wußte er, wo ich zu finden war. Ich stand ja sogar im Telefonbuch. Nichts leichter, als mich ausfindig zu machen. Eigentlich hätte ich mir bereits das Blei aus den Kniescheiben puhlen sollen, aber in meinem Büro ging es friedlicher zu als im Lesesaal einer öffentlichen Bücherei. Dazu kam noch, daß er inzwischen einfach wissen mußte, daß seine beiden gemieteten Laufburschen Mist gebaut hatten. Achtundvierzig Stunden waren einfach zu viel Zeit, um ihn immer noch in dem Glauben zu lassen, wir wären noch auf dem Weg zu ihm. Es sei denn, er leitete seine Organisation von einer Hütte in Nova Scotia aus. Vielleicht dachte er auch, daß wir alle drei ihn aufs Kreuz legen wollten. Die Dime-Gang, mit Hog und Frenchy. SUPERSCHWINDLER ÜBERLISTEN SYNDIKATSBOSS. Lesen Sie bitte auf Seite drei weiter.

Und dann läutete das Telefon.

Die zu der Telefonnummer auf Frenchys Foto gehörige Adresse befand sich in der Porter Street, und der Anschluß lautete auf den Namen eines gewissen Mr. Max Slovan. Max Slovan. Ja, ich kannte Max.

19

Max Slovans Billardsaal lag im Untergeschoß eines großen Möbellagers, das Slovan von einem polnischen Zirkusartisten gemietet hatte, der sich *Der große Waldo* nannte. Waldo war kurz nach der Wirtschaftskrise nach Polen zurückgegangen, und seitdem hatte niemand mehr von ihm gehört.

Slovan war in den Fünfzigern, vielleicht auch in den Sechzigern oder in den Siebzigern. Das wußte kein Mensch so genau. Solange jemand sich an ihn erinnern konnte, hatte Max immer gleich ausgesehen.

Ich stieg ein paar Stufen hinunter und trat durch eine Schwingtür in einen dunklen Raum, in dem es heißer war als im Heizraum eines Dampfers. Ein Gewirr dicker Leitungen und Rohre schlängelte sich entlang der niedrigen Decke, wobei in den meisten wohl heißes Wasser floß.

Die Haut der Männer, die regelmäßig bei Slovan spielten, nahm allmählich unweigerlich die blutleere Blässe feiner Engländer in den Kolonien an. Zwei Reihen mit acht Tischen standen in dem geräumigen Untergeschoß. Schweigend beugten sich Paare von Spielern über die hell erleuchteten, länglichen Vierecke aus hellblauem, grobem Wollstoff, die Gesichter vor Konzentration scheinbar erstarrt, ähnlich Chirurgen während der Operation oder Priestern beim Zelebrieren der Messe. Bis auf das gelegentliche Klicken der Elfenbeinkugeln war es in dem subtropischen Raum völlig still. Die Luft war von bläulich-grauem Qualm erfüllt. Nur hin und wieder ertönte auch ein verzweifeltes Aufstöhnen über einen leichtsinnig vertanen Stoß oder ein Schrei der Überraschung über ein geglücktes, schwieriges Manöver. Aber ansonsten war diese allumfassende Stille ein auffallender Charakterzug von Max Slovans Billard-Salon, unter anderem auch ein Zeichen dafür, wie ernst er das Spiel nahm.

Ich entdeckte Max hinter der Theke, von wo aus er mit schläfrigen Augen die Spieltische überwachte und lausigen Kaffee und Essen servierte, das sich hauptsächlich auf kalte, geschmacklose Hot Dogs beschränkte. Als Beilagen gab es matschige Zwiebeln und aus TNT hergestellten Senf. Aber schließlich ging man ja auch nicht wegen der Menüs zu Max.

Er saß auf einem hohen Hocker und bearbeitete gerade mit einer kleinen Feile, mit der er sonst neue Spitzen an den Queues glättete, seine Fingernägel. Sein mächtiges, großes Gestell steckte in einem am Hals offenen, schwarzen Hemd. Seine hellgraue Hose war von einem dünnen Ledergürtel mit einer blitzenden Goldschnalle zusammengehalten. Das Auffälligste an seinem Vollmondgesicht waren die buschigen, dunklen Augenbrauen, die seiner schmalen Nase wie zwei Palmwedel zu entwachsen schienen. Sein kräftiges, schwarzes Haar war in der Mitte gescheitelt und in zwei schon fast kompakten öligen Hälften rückwärts an seinen Kopf geklatscht. Der Kamm hatte darin fein säuberlich gezogene, gerade Linien hinterlassen, als wäre jemand mit einem Rechen über feuchten Teer gefahren. Seine Stirn war so tief gefurcht wie ein gepflügtes Feld im Winter. Und all das verlieh ihm den Ausdruck eines Mannes, der sich ständig Sorgen machte. Vor Jahren, als er noch professionell Pool gespielt hatte, hieß er deshalb auch ›Worrying‹ Max Slovan. Aber die Leute, die ihm diesen Namen gegeben hatten, kannten wohl Max Slovan nicht. Der brauchte sich nämlich um nichts in der Welt Sorgen zu machen.

»Na, auch wieder mal ein Spielchen?« begrüßte mich Max Slovan freundlich wie ein Arzt, der sich nach dem Befinden seines Patienten erkundigt. »Ihr Queue steht hier immer noch rum. Ein sehr gutes Stück; nur schade, daß es so wenig verwendet wird.«

Ich holte eine frische Packung Zigaretten aus der Tasche und bot Max eine an, worauf er sie sich vorsichtig hinter sein mächtiges Ohr steckte. Ich tippte eine gegen meine Unterlippe und steckte sie mir an. »Wie ich höre, zielen Sie zur Zeit ausschließlich auf Leute«, fuhr er ruhig fort.

Auf der Theke vor ihm stand eine Stoppuhr mit römischen Ziffern und einer Karte für jedes Spiel. Die Spieler zahlten pro Stunde. Zwei Männer kamen, in ihre Jacken schlüpfend, auf die Theke zu. Sie gaben ihre Queues ab, zahlten und gingen, ohne ein Wort gesagt zu haben. Mit einem leichten Stoß schloß Max die Lade der Registrierkasse.

»Sie hätten es wirklich zu was bringen können, wenn Sie am Ball geblieben wären«, redete Slovan bedrückt weiter.

»Es gab einfach zu viele, die besser waren als ich«, entgegnete ich. »Geben Sie mir eine Tasse von diesem Zeug da, das Sie Kaffee nennen, und hören Sie auf damit, mir einzureden, ich wäre der verlorene Sohn des großen Billardvaters persönlich. Sie wissen genausogut wie ich, daß sich hier ein paar Burschen rumtreiben, die mich noch mit einem Spazierstock und einer auf den Rücken gefesselten Hand in den Schatten stellen würden. Sie wären doch auch einer von denen, Max; also machen Sie mir nichts vor.«

Slovan grinste. »Na ja, ist ja schon gut«, tröstete er mich und schenkte aus einem beschlagenen Kupferkrug eine schlammige Flüssigkeit in eine Tasse.

Ich schob ihm ein paar Münzen über die Theke, worauf er sich wieder auf seinen Hocker setzte.

»Sie sind ja offensichtlich nicht wegen des Kaffees hierher-gekommen«, fing er schließlich an. »Und Sie sind auch nicht hierhergekommen, um Billard zu spielen.«

»Vollkommen richtig«, erwiderte ich. »Und zwar in beiden Fällen.«

Im hinteren Ende des Raums ließ jemand einen ziemlich lauten Freudenschrei los, was Slovan zum Zischen brachte wie eine alte Dampflok. »Macht nicht so viel Krach hier, Jungs. Es gibt hier schließlich auch noch ein paar andere Leute, die sich konzentrieren wollen.«

Darauf wurde es wieder sehr still im Raum. Selbst das unschuldi-ge Klicken der Kugeln hörte für einen Moment auf. »Noch niemand hat schließlich bis jetzt ein Spiel mit seinen Stimmbändern gewon-nen«, fügte Max noch hinzu.

Ich holte das Foto aus meiner Tasche, klärte ihn über die Nummer auf seiner Rückseite auf und ließ ihn es sich eine Weile ansehen. »Können Sie mit diesen Gesichtern irgendwas anfan-gen?« fragte ich schließlich.

Er rieb sich gelassen das Kinn und runzelte leicht seine tief-gefurchte Stirn. Die Falten verdeutlichten nur noch seine Konzen-tration. Er sah aus, als hätte man ihn eben gebeten, über Sinn und Bedeutung des Universums Auskunft zu geben.

Schließlich schüttelte Slovan den Kopf. »Sie wissen ja selbst, daß hier eine Menge Leute vorbeikommen. Sie tauchen auf, gewinnen einen Dollar, verlieren einen und ziehen dann wieder weiter. Ich kenne diese Burschen nicht und bin auch nicht im geringsten scharf darauf, sie kennenzulernen. Mich interessiert nur, daß sie beim Spielen gefälligst ihre Klappe halten und am Ende noch genügend Geld haben, um für den Tisch zu bezahlen. Ich habe zwar auch ein paar Stammkunden, aber der Typ auf dem Foto da gehört nicht zu ihnen. Die Kerle, an die ich mich erinnern kann, sind Jungs, die sich beim Spielen geschickt anstellen. Ja, wenn sie gut spielen, dann erinnere ich mich an sie. Aber sonst nicht. Und die Frau habe ich auch noch nie gesehen.«

Neben Max Slovans Ellbogen hing ein mit Sand gefüllter, roter Feuereimer an der Wand. Max wandte seinen Kopf zur Seite und spuckte hinein.

»Ist es möglich, daß sich irgend jemand anderer an diesen Mann erinnern kann, weil er ihn hier zufällig mal spielen gesehen hat?« forschte ich weiter und nickte mit dem Kopf gegen die erleuchteten Tische.

»Schon möglich«, meinte er. »Sie können ja mal den Typen dort drüben in der Ecke fragen; Tisch sechzehn.« Max Slovan deutete auf eine einzelne Gestalt, die sich mühsam um den Tisch bewegte. Seine Beine waren beim Gehen völlig steif, und die ganze Last seines Körpers ruhte auf seinen Armen, indem er sich auf seinem Queue und dem Rand des Tisches wie auf Krücken abstützte. Max meinte: »Er kann sich an jede Position und an jeden Stoß erinnern, den er je getan hat. Fragen Sie mich aber bitte nicht, wie er das macht. Ein Gehirn wie eine Maschine. Ein Gedächtnis wie – na, was weiß ich.«

»Na, vielleicht haut es auch mit Gesichtern hin«, meinte ich und löste mich von der Theke, worauf Max Slovan sich wieder seinen Fingernägeln zuwandte.

In der hinteren Ecke des Raums winkelte sich der zerbrechlich wirkende junge Mann mühsam in der Hüfte ab. Sein linker Unterarm ruhte locker auf der Spielfläche, die Brückenhand zu einer reglosen Klaue erstarrt. Seine Beine wirkten völlig bewegungslos, als wären sie im Boden verwurzelt. Sein Queue-Arm bewegte sich gleitend vor und zurück, und dann traf die Spitze des Queue auf die weiße Kugel. Sie kickte die Achterkugel in ein Eckloch, blieb dann für einen Moment in einem schwebenden Zustand am Punkt des Aufpralls stehen und rollte schließlich wieder über die ganze Tischeslänge zurück, als wäre sie mit einem unsichtbaren Gummiband am Queue befestigt gewesen.

»Nicht schlecht«, gab ich meiner Bewunderung Ausdruck, als der Spieler wieder aufrecht stand. »Mike Dime ist mein Name.« Ich streckte ihm meine Hand entgegen.

»Weiß ich«, entgegnete er. »Wir haben uns schon früher mal getroffen. Nur kannte ich Sie damals als den Spieß.« Er rückte etwas näher an den Lichtkegel über dem Tisch, nahm die schwarze Kugel in sein dünne, blasse Hand und legte sie an ihren Platz. »Es besteht allerdings kein Grund, weshalb Sie sich an mich erinnern sollten. Kerle wie mich gab es damals wie Sand am Meer – mit frischen Gesichtern und grüner als Pfefferminze. An einige werden Sie sich bestimmt erinnern, aber ich war schon immer ein etwas stiller Typ, so 'ne Art Außenseiter eben.«

Das alles brachte er ohne die geringste Spur von Bitterkeit vor. Die Wahrheit war also offensichtlich nichts, das ihn erschrecken konnte. Er ergriff meine Hand.

»Joey Pozo«, stellte er sich vor. »Gemeiner Soldat Pozo von den Rangers, wie es damals hieß. Das letztemal haben wir uns in Frankreich gesehen; Juni vierundvierzig.«

Und dann kam es mir plötzlich wieder. Der Gestank von brennendem Gummi, Maschinen, Öl und manchmal auch Männern. Die leichte Sommerbrise und das auf der Haut trocknende Salz schienen irgendwie völlig fehl am Platz. Wir schrien uns gegenseitig zu, uns einzugraben; aber an jenem strahlenden Junimorgen blieb dafür keine Zeit mehr, um groß zu graben anzufangen – nicht einmal mehr für eine Handvoll Sand hätte es gereicht. Welle für Welle junger Männer sprang von den Landungsbooten in das seichte Wasser des Ärmelkanals. Diejenigen, die es bis zum Strand schafften, bahnten sich ihren Weg, zwischen Trümmern, Granattrichtern und noch warmen Leichen hindurch kriechend. Flach drückten sie sich auf die Erde, als die Läufe der deutschen Kanonen aus den Schießscharten ihrer Betonbunker hervorlugten und ihre Geschosse die Luft wie ein Heuschreckenschwarm erfüllten. In den Annalen steht geschrieben, daß am 5. Juni 1944 3283 Männer starben und 12 000 verwundet wurden. Sie lassen jedoch außer acht, daß es auch noch andere Möglichkeiten zu sterben und verwundet zu werden gibt, die freilich nicht Eingang in die Geschichtsbücher finden. Sie tun das nicht, weil kein Mensch weiß, wie man so etwas beschreiben und benennen sollte. Eine Million Männer sind damals an Omaha, Sword und Utah und all den anderen Abschnitten an Land gegangen. Und das Ganze war nichts als ein gigantischer, jeder Beschreibung spottender Tod. Und das gilt auch für diejenigen, die es bis zum Strand schafften, wie zum Beispiel Ranger Michael Dime von der First Army der Alliierten Streitkräfte...

»Was ist denn mit Ihnen, Sergeant?« hörte ich jemanden in weiter Ferne sagen.

...Er war neunzehn, und sie fanden ihn auf einem Mann liegen, der doppelt so alt war wie er. Im Lazarett nahmen sie Joey Pozo beide Beine ab und deklarierten ihn für tot. Irgend jemand hatte sich die Mühe gemacht, die Einschüsse in seinen Beinen zu zählen, bevor sie weggeschafft wurden. Es waren neunundvierzig. Bei der Armee und im Krieg kommt es immer wieder vor, daß man Leute einfach vergißt, und das gilt sogar für einen Mann ohne Beine.

»He, Sergeant«, machte die Stimme sich wieder vernehmbar, diesmal aus etwas größerer Nähe. »Wir sind hier bei Slovan's. Der Krieg ist vorbei.«

Joey Pozo sah mich mit weit aufgerissenen, blauen Augen an, sein blasses, schmales Gesicht war irgendwie verwirrt und in Falten gelegt.

Ich zitterte völlig unkontrolliert und schwitzte, was das Zeug hergab. Meine Hände waren feucht und meine Kehle zugeschnürt.

»Sie können Ihre Kanone ruhig wieder wegstecken«, versuchte mich Joey Pozo zu beruhigen. »Über Manhattan sind die Deutschen, die es hier drüben gibt, nie rausgekommen.«

Ich klammerte mich an meine Detective Special, als wäre ich von der Sitte, und fuchtelte damit in der Gegend herum. Als ich mir mit der Zungenspitze über die Lippen fuhr, konnte ich das Salz schmecken. Endlich steckte ich die Kanone wieder weg und versuchte, etwas zu sagen. Und dieses Etwas war:

»Was haben sie Ihnen denn gegeben, daß Sie wieder gehen können, Soldat?«

Joey Pozo sah mich mit seinen großen, traurigen Augen an. Von seiner Nase strahlten dunkle Linien aus, und ähnlich dunkle Linien umrahmten seine Mundwinkel. Sein Haar war völlig ohne Farbe, lediglich vom Widerschein der Lichter über dem Tisch belebt. Vielleicht war es auch ein Heiligenschein. Das hätte es zumindest sein sollen. Sein Mund verformte sich zu einem Lächeln, als er mir erzählte, daß seine Beine aus Blech, ein paar Holzstücken und mehreren Lederriemen zusammengeflickt worden wären. Er meinte, um einen Billardtisch zu umrunden, wären sie gerade recht, obwohl er mit Badehose am Strand von Coney Island nicht gerade eine großartige Figur damit abgäbe.

Er weihte mich in das Geheimnis ein, daß für einen Billardspieler Blechbeine eher ein Vorteil als ein Nachteil wären. Er erzählte mir, daß die meisten Spieler oft deswegen fehlten, weil sich ihr Körper im Moment des Stoßes unwillkürlich leicht mit bewegte. Aber bei einem Stoß verhält es sich nicht anders als mit einem Schuß aus einem Gewehr: Schon das leiseste Zittern läßt die Kugel ihr Ziel verfehlen. Und genau das gleiche Problem besteht auch beim Billard. Joey Pozo fand, sein Problem war, sich zu bewegen. Stillhalten konnte er mit seinen Prothesen mit derselben Selbstverständlichkeit, mit der Rockefeller seine Gewinne einstreicht.

»Wenn ich mich vorbeuge«, erklärte er mir, »stehen meine Beine felsenfest auf dem Boden. Ich bin dann so unbeweglich wie ein Zementsack.«

Um mir das zu beweisen, präparierte er mit einem hellblauen Kreidewürfel die Queue-Spitze und legte die schwarze Kugel zehn Zentimeter vom Rand auf den Tisch. Dann fischte er mit dem Queue nach der weißen Kugel und plazierte sie an der entsprechenden Stelle, an der am anderen Ende die Achterkugel lag.

»Sobald ich mal den richtigen Winkel habe«, meinte er dazu, »stehe ich so fest, daß ich diesen Stoß mit verbundenen Augen ausführen könnte.« Und dann klickte Joey Pozo mit der gelassenen Ruhe eines Könners die Kugel sicher in das Loch am Ende des Tisches.

»Und noch etwas«, zwinkerte er mich an, während er sich wieder mir zuwandte. »Blech wird nicht müde. Ich kann das hier die ganze Nacht machen, und das muß man in diesem Sport ja manchmal.«

Wir unterhielten uns noch kurz so weiter – sehr leise natürlich, um nicht die anderen Spieler zu stören –, und dann erzählte ich Joey Pozo von dem Foto. Wie Max hatte er weder den Mann noch die Frau je gesehen. Ich ließ die Namen Mellinski und Ratenner fallen. Auch die sagten ihm nichts. Aber dann hatte ich Glück. Ich erklärte ihm, wie ich zu dem Foto gekommen war, und beschrieb ihm Hog und Frenchy, wie sie zuletzt ausgesehen hatten.

Pozos Gesicht erhellte sich.

»Diesen Franzosen kenne ich«, strahlte er. »Noch vor einer Woche etwa habe ich ihm dreihundert Dollar abgenommen. Er sagte, er wäre neu hier in Philly, und wollte wissen, ob ich mich hier ein wenig mit den Mädels auskennen würde; Sie wissen schon, was ich meine. Für einen Kerl mit seiner großen Fresse spielte er aber ganz gut. Er hatte damals allerdings eine andere Krawatte. So'n Ding mit allen möglichen grellen Farben in einer Art Zickzack-muster. Als ob er sich 'nen Fruchtcocktail übers Hemd geschüttet hätte. Und ein anderes Hemd hatte er übrigens auch an.«

»Sonst noch etwas, das für mich vielleicht von Interesse sein könnte?« Ich hatte mich auf einem kleinen Tisch niedergelassen, auf dem neben Getränken und Aschenbechern aller mögliche Krimskrams herumlag, der den einzelnen Spielern gehörte. Ich bot Joey eine Zigarette an.

Wir rauchten erst eine Weile still vor uns hin, bis Joey fortfuhr: »Er erzählte mir natürlich alles mögliche, was für ein toller Typ er wäre und wie er es einmal dem echten Champ in New York und irgendeinem anderen Zauberkünstler unten in New Orleans ge-zeigt hätte, aber was die Sachen anbelangt, die Sie so hören wollen, war er ganz *molto sotto voce.*«

Ich meinte, das hätte ich mir eigentlich denken können.

»Aber«, fügte Joey Pozo hinzu, »diese Nacht, als ich gegen ihn gespielt habe – das war nicht das letztemal, daß ich den Kerl gesehen habe.«

»Aha?«

»Vor ein paar Tagen kam er hier noch mal vorbei und hat dort drüben an dem Münzapparat ein langes Gespräch geführt.« Joey deutete mit seinem Queue auf ein Telefon, das an einer niedrigen Trennwand befestigt war, über die man hinwegsehen konnte, wenn man sich auf die Zehenspitzen stellte. Dahinter standen ein paar für Stammgäste reservierte Crap-Tische. Ich sah in die ange-zeigte Richtung. Ein Grüppchen Scheintoter saß dort um einen hell erleuchteten Tisch; sie murmelten irgendwelche Zahlen vor sich hin und droschen mit heftigen Armbewegungen ihre Karten auf das mattgrüne Tuch.

»Und wann war das genau?« hakte ich nach, nahm einen Queue aus dem Gestell und rollte ihn gedankenversunken über den Billardtisch, um zu überprüfen, wie gerade er war.

Joey dachte einen Moment angestrengt nach. »Es muß in der Wahlnacht gewesen sein«, sagte er schließlich. »Hier war an jenem Abend kaum was los. Daran kann ich mich noch genau erinnern. Und dieser Franzose kam hier reingeschossen, als säße ihm ein Kopfjäger auf den Fersen. Ohne was zu sagen, stürzte er sich gleich auf das Telefon und stopfte es mit Münzen voll, als wollte er mit dem Nordpol verbunden werden.«

»Haben Sie irgendeinen Namen gehört?« Ich stellte den Queue in das Gestell zurück. Er war krumm genug, um Bürgermeister von Chicago zu werden.

»Namen? Nein, nichts. Zumindest keine vollständigen Namen. Vielleicht irgend so was wie Dutch, oder vielleicht auch Larry oder Harry. Aber ich stand ja auch nicht in der Nähe und habe auch nicht sonderlich aufgepaßt.«

Darauf versicherte mir Joey, er würde seine Augen offenhalten, und ich gab ihm meine Karte und ein paar Dollars.

Ich stieg wieder die paar Stufen hoch in die Nacht hinaus und sog mir die frische, kalte Luft in die Lungen. Dort hielt ich sie für etwa eine Minute an und ließ sie dann langsam entweichen. Und dann das Ganze noch einmal. Mit Rauch schmeckte es allerdings wesentlich besser. Schließlich stieg ich in meinen Wagen, fuhr zwei Blocks in östlicher Richtung, und dann fiel mir etwas ein, worauf ich eigentlich schon früher hätte kommen sollen. Das Three Sixes lag nur eineinhalb Blocks von Max' Billard-Salon entfernt. Das waren zu Fuß etwa zehn Minuten.

Und wenn man rannte, konnte man die Strecke in weniger als der Hälfte dieser Zeit schaffen.

20

Nachdem ich einmal zu der Überzeugung gelangt war, daß ich mich eigentlich in Sicherheit befand, so lange ich nur in Bewegung blieb, fuhr ich einfach so in der Gegend herum. Wenn ich meinem trauten Heim für eine Weile den Rücken kehrte, würde es meinen Verfolgern wesentlich schwerer fallen, mich zu finden und zuzuschlagen.

Es war spät inzwischen, bereits über Mitternacht hinaus, und mein Kopf bettelte schon seit einiger Zeit darum, endlich einmal ausspannen und sich irgendwo zur Ruhe legen zu können. Und meine Arme und Beine stimmten zusammen mit dem Rest von mir in diesen Bittgesang ein. Ich öffnete das Wagenfenster und hielt zwischen Daumen und Zeigefinger meiner linken Hand meine Schläfen, während ich den Ellbogen an der Tür aufstützte. Ich stöhnte laut und machte mit den Lippen ein paar eigenartige

Geräusche, etwa wie ein wieherndes Pferd. Davon fühlte ich mich jedoch keine Spur besser. Was ich brauchte, war Schlaf – und zwar ganze Tage und Nächte davon.

Ich fischte mir einhändig eine Camel aus der Packung und steckte sie mir an. Dann ging ich etwas vom Gaspedal und stellte mich auf eine lange nächtliche Kreuzfahrt durch die Straßen von Philadelphia ein. Eines Tages würde ich darüber vielleicht sogar ein Buch schreiben. *Meine abenteuerlichen Nächte in der Wiege Amerikas.* Es würde sicher das kürzeste Buch aller Zeiten werden.

Ich kroch auf der Broad Street in nördlicher Richtung dahin. Dabei beobachtete ich den Rückspiegel, ob ich nicht verfolgt wurde. Bei meinem Tempo würde das allerdings verdammt schwierig sein. Außer einem leeren Taxi war jedoch nichts zu sehen.

Hinter dem Saint Agnes Hospital bog ich links in die Wharton ab. Am Wharton Square fuhr ich rechts, schlängelte mich zur Delancy Street durch und tuckerte dann gemächlich an einer langen Reihe von ebenso feinen wie teuren Restaurants entlang.

Vor einem Laden, der sich Candy Club nannte, fiel mir eine große und sehr kompakt wirkende Limousine auf; sie war rechtsgesteuert, und auf ihrem Kühlergrill und den Radkappen standen die Buchstaben RR. Ich trat auf die Bremse und hielt neben dem Rolls. Ich wurde ganz aufgeregt, und sowohl ich wie mein Wagen kamen ins Fantasieren.

Als ich wieder auf die Uhr sah, war es kurz nach drei. Falls mich wirklich jemand verfolgte, dann verstand der Betreffende sein Geschäft.

An der Ecke Fulton und Fifth fiel durch zwei große Fenster aus dem Innern eines durchgehend geöffneten Drugstores anheimelnd gelbes Licht auf die Straße. Ich fuhr an den Straßenrand, parkte den Packard und sah mir den Laden mal von innen an. Auf den Barhockern an der Theke saßen zwei Männer; sie trugen blaue Anzüge und tief über die Augen hereingezogene Hüte. Der eine von ihnen saß neben einer rothaarigen Frau in einer beigen Bluse mit halblangem Arm und einem tiefen, sichelförmigen Ausschnitt. Alle drei rauchten und tranken Kaffee. Da waren zwei Silberkrüge, eine Tür mit der Aufschrift ›Privat‹ und eine Menge greller, dotterblumengelber Farbe. Die Theke war dreieckig und ringsum von Hockern umstanden. Die Wand dahinter war in demselben Gelb gefliest. Ich kam mir vor wie im Innern eines riesigen Schweizer Käse.

Ein Mann mit gesunder Gesichtsfarbe, vorspringenden Backenknochen und einer Fliege stand hinter der Theke und spülte gerade ein paar Tassen ab. Unter seinem weißen Schiffchen, das in einem verwegenen Winkel auf seinem Kopf saß, stand ein Büschel sandfarbenen Haares hervor. Er hatte große, rote Ohren, aus denen helle Haare wuchsen. Außerdem war er Ende Dreißig und erfreut, mich zu sehen. Um diese Zeit hätte er sich über jeden gefreut.

Ich bestellte Kaffee und setzte mich in enormem Abstand von den anderen. Es war sehr still und friedlich – nur das leise Zischen der beiden Kaffeekrüge und das sanfte Gegeneinanderschlagen von Porzellan in Spülwasser. Hin und wieder flüsterte der eine Mann nervös auf die Frau ein; sie fand es jedoch nicht der Mühe wert, darauf zu antworten. Sie spielte mit einer leeren Streichholzschachtel herum, die sie ab und zu wie gebannt anstarrte, als erwartete sie, ihr Etikett würde ihr jeden Augenblick etwas ganz Besonderes offenbaren.

Durch die großen Fenster hatte ich einen guten Überblick über die Straße. Ab und zu glitten langsam ein paar Autos vorbei, darunter auch ein Streifenwagen mit zwei Uniformierten, die beide aussahen, als würden sie schlafen.

Ich bestellte mehr Kaffee und dachte ein wenig über diese Aktentasche nach.

Irgendwo zwischen den Three Sixes und Maag's Hotel war sie verlorengegangen. Die Fahrt zwischen diesen beiden Punkten dauert weniger als eine halbe Stunde, und dabei durchquert man ein Gebiet, in dem ein bis zwei Millionen Menschen leben. Und von denen kam nun jeder als der neue Besitzer der Tasche in Frage. In Camden vermehren sich die Hoteldiebe wie die Ratten, und sie stehlen alles, was nicht niet- und nagelfest ist. Falls Frank Summers sich noch im Besitz der Aktentasche befunden hatte, als er sich das Zimmer in Maag's Hotel nahm, dann aber sicher nicht mehr lange danach. Er war bis obenhin voll gewesen, und ich vermutete, daß er erst einmal in Tiefschlaf gefallen war, nachdem er seine Frau angerufen hatte. Auf diese Weise war er natürlich eine leichte Beute und noch einiges mehr. Aber als ich Frank Summers fand, hatte er immer noch seine Brieftasche, seine Goldfüllungen und seine Schnürsenkel.

Irgend etwas stimmte da also nicht.

Ich legte etwas Kleingeld auf die Theke und gab meinem Hirn für den Rest der Nacht frei. Wieder draußen auf der Straße, durchwühlte ich meine Taschen nach einer Zigarette. Ich hatte keine mehr. An der Mauer des Drugstore hing ein Automat. Ich drückte ein paar Münzen in den Schlitz und zog. Ich befand mich gerade auf halbem Weg zurück zu meinem Wagen, als jemand auf mich zu schießen begann. Er schoß dreimal.

Die erste Kugel schlug in die Ziegel über meinem Kopf und hinterließ dort ein frisches, lachsrotes, kleines Loch. Die zweite folgte mir über den Gehsteig, auf den ich mich bäuchlings niedergeworfen hatte, um mich, auf Händen und Füßen vorwärts kriechend, hinter meinem Packard in Deckung zu bringen. Das dritte Geschoß schepperte irgendwo auf der Fahrerseite in das Metall der Karosserie. Ich wand mich über den Gehsteig und lugte um den Reifen. Die Schüsse waren aus der dunklen Öffnung eines Hinterhofs auf der anderen Straßenseite gekommen. Auf der einen Seite des Hinterhofs lag Luigis Late-Night Dine and Dance, auf der anderen eine Apotheke. Im Schaufenster der Apotheke standen riesige, bauchige Flaschen, die verschiedene Flüssigkeiten von transparentem Rot, Blau und Grün enthielten und in einem geheimnisvollen Licht erstrahlten. Ein Schild leuchtete ›Ex-Lax zu Ihrer Erleichterung‹ in die Nacht hinaus, und auf einer anderen Leuchttafel stand ›Rezepte nach Wunsch‹. Solche Dinge fallen einem auf, wenn man um drei Uhr morgens auf dem Gehsteig liegt und einem die Kugeln um die Ohren pfeifen.

Als keine Schüsse mehr fielen, stand ich auf, rannte über die Straße und drückte mich mit dem Rücken gegen die Wand von Dine and Dance. Ich zog meine Waffe, ließ mich auf ein Knie nieder und schlich mich in den dunklen Hinterhof. Ich konnte keinen Ausgang sehen, nur Unmengen von Abfalltonnen und einen hohen Holzzaun. Über einer Tür, zu der ein paar Stufen hinabführten, brannte Licht. Alles war mit einem Schlag so still und friedlich wie bei einem Picknick im Grünen. Aber das sollte nicht lange so bleiben. Von der Tür flackerte eine weißliche Flamme auf und hustete geräuschvoll ein weiteres Stückchen Blei in die Nacht hinaus. Das Geschoß zischte nahe genug an mir vorbei, um mir mein rechtes Ohr ein wenig anzusengen, worauf ich instinktiv den Abzug meiner Kanone drückte. Ich hörte ein leises menschliches Stöhnen, während der Schuß noch verhallte.

Und dann drückte ich mich an der Wand entlang, als stünde ich auf einem schmalen Sims, hundert Meter über dem Boden. Ich nutzte jeden noch so winzigen Schattenflecken aus. Mein Herz schlug aus Leibeskräften, und die Luft pfiff durch meine angespannten Lungen. Ich bewegte mich mit größer Vorsicht, angespannt darauf wartend, daß sich die schwarze Spitze eines Revolverlaufs durch die Tür schieben würde, um mich wegzupusten. Aber nichts geschah. Statt dessen konnte ich aus dem Innern – vermutlich der Küche – Rufe hören.

Ich sprang die Stufen hinunter und riß die Tür auf, die sich auf einen langen, düsteren Gang öffnete. Entlang der einen Wand standen Reihen von Schachteln mit Lebensmittelkonserven. Die gefliesten Wände hätten ruhig mal eine kleine Behandlung mit Wasserschlauch und Bürste vertragen können, und der Geruch nach abgestandenem Fett war dicker und undurchdringlicher als der Dunst über San Francisco. Obwohl zwei Lampen an waren, war es immer noch relativ dunkel. Am Ende des Gangs konnte ich ein Paar dicker, hölzerner Schwingtüren mit runden Fenstern und einer Metallabdeckung am unteren Ende erkennen.

Und plötzlich flog sie auf, um die dunklen, schattenhaften Umrisse eines Mannes mit einer Pistole zu enthüllen. Er hatte sie auf mich gerichtet und feuerte nun ohne Zögern das fünfte Mal. Ich warf mich in einen Spalt zwischen einem hohen Stapel aus Schachteln mit Joan-of-Arc-Bohnen und ein paar Kisten mit Dosenfrüchten. Die Kugel pfiff durch den Gang und auf den Hinterhof hinaus. Der Cowboy in der Türöffnung knallte mit einem recht großen und lauten Ding herum, wahrscheinlich einer 38er. Wie meine Waffe, nur mit einem etwas längeren Lauf.

Ich riß eine der Schachteln auf und packte eine Büchse mit Bohnen. Die Verpackung trug ein Bild von Jeanne d'Arc hoch zu Roß und mit einer Fahne. Den Märtyrertod machte das nicht unbedingt schmackhaft. Man konnte sich zu Tode rösten lassen und endete schließlich als Markenbezeichnung der Illinois Canning Co., Hoopston. Aber es war mein eigener Märtyrertod, um den ich mir Sorgen machen konnte. Ich zählte drei Patronen in meinem Magazin und nahm an, daß ihm nur noch eine zur Verfügung stand. Ich nahm die Büchse mit den Bohnen und schleuderte sie in Richtung auf die Tür am Ende des Gangs. Ich konnte sie gegen das Holz krachen hören, als ich wieder in meine Deckung zurückhechtete. Und dann krachte auch schon seine letzte Kugel über meinem Kopf in die Konserven. Ich sprang wieder auf den Gang hinaus und feuerte einmal. Das Geschoß schlug jedoch nur in das Holz der noch leicht hin und her schwingenden Türflügel. Ich stürzte den schmalen Gang hinunter, die Luft von Pulverdampf erfüllt, und bemerkte dabei auf dem schmutzigen Linoleumboden mehrere Blutflecken. Mein erster Schuß mußte also ins Ziel getroffen haben.

In der Küche klammerten sich zwei dicke Männer wie zwei Schiffbrüchige auf einem sehr kleinen Floß eng aneinander. Der eine der beiden trug eine hohe Kochmütze und eine gestreifte Schürze, der andere war wohl gerade dabei gewesen, sich zum Nachhausegehen umzuziehen.

Der mit der Kochmütze sagte:

»Bitte, Mister, nicht schießen. Eine Frau. Bambinos; sechs habe ich.« Seine Lippen zitterten heftig, und der Rest seines schwabbligen Körpers stand ihnen darin in nichts nach.

»Ein Mann. Ein Mann mit einer Kanone«, brüllte ich, während sich hinter einer weiteren Schwingtür eine italienische Tanz-Combo zu einem furiosen Finale steigerte. »Wo ist er hin?«

Der Mann mit der hohen Mütze deutete mit dem Finger auf die zweite Schwingtür. Der andere blinzelte nur und klammerte sich noch fester an seinen Gefährten.

»*Mama mia*«, stöhnte der zweite Mann mit vor Angst verzerrtem Gesicht. »Noch so ein Verrückter mit einer Kanone. Als ob einer nicht schon genügen würde.«

Ein großer Topf roher Pommes frites lag über den Boden verstreut. Zwischen den einzelnen Schnitzeln waren in regelmäßigen Abständen rote Blutflecken zu sehen. Die Spur führte genau in die Richtung, in die der Koch gezeigt hatte.

Ich trat in das Restaurant hinaus. Die Beleuchtung in dem großen Raum war eindeutig zu schwach, um die Speisekarte richtig lesen zu können. Das Lokal war aufgemacht wie der Vorplatz eines Bauernhofs in der Toscana. Um die Tanzfläche war in einem Halbkreis eine Reihe von Tischen angeordnet. Die Wände waren mit falschen Weinstöcken und Olivenbäumen bedeckt, und dazwischen lugte ab und zu von einem Gemälde ein sanftäugiger Esel in die Menge, der einen mit Weinfässern beladenen Karren zog. Mühselig flackerten ein paar Kerzen vor sich hin; sie steckten in Chianti-Flaschen. Von der niedrigen Decke hingen Zwiebeln herab. Und das war es dann auch schon. Ein paar Leute drängten sich zur Garderobe, während andere ihren Beinen eine kurze Pause gönnten oder an ihren Gläsern nippten. Auf einem Podest packten ein halbes Dutzend Musiker in bestickten Westen und Hemden mit gerüschter Brust und gerafften Ärmeln ihre Geigen, Akkordeone und Baßgeigen in eine Sammlung abgewetzter, schwarzer Instrumentenkoffer. Der Sänger tätschelte seinen Bauch und lächelte auf die gehenden Kunden herab, als hätte er nächstens einen großen Auftritt in der Met.

Einen Mann mit einer Kanone konnte ich allerdings nirgendwo sehen. Die Blutspur führte durch das Restaurant und auf die Straße hinaus. Dort hörte sie am Randstein plötzlich auf. Irgend jemand hatte sie in einem Auto weggefahren.

Ich wurde aus dem ganzen einfach nicht schlau. Wenn ich wirklich wüßte, wo sich diese Aktentasche befand, wäre es doch absolut sinnlos, auf mich zu schießen. Wer sonst konnte also noch dahinterstecken? Soviel ich wußte, hatte ich ansonsten nur meine Telefongesellschaft zum Feind, seit ich die Rechnungen immer so unpünktlich bezahlte. Aber diese Burschen ballerten nicht mit Knarren um sich; die schrieben höchstens Briefe.

Ich ging noch einmal über den Vordereingang in den Club zurück. Der Vorraum war völlig verlassen; nur das Garderobenfräulein zog sich gerade einen blauen Wollmantel über ihre Trachtenbluse und den gebauschten Rock. An ihrer Bluse steckte ein großer, gelber Knopf mit dem Namen Maria.

»Sprechen Englisch?« fragte ich sie.

»Ich habe bereits frei«, antwortete sie im reinsten Bronx-Slang. »Und zwar seit zwei Minuten. Also keine Hüte und keine Mäntel mehr. Meine kleine Welt hier ist wieder mal leer. Kommen Sie morgen wieder.«

Ich zog fünf Dollar aus meiner Brieftasche und legte sie neben ein paar numerierte Zettel, die auf einen Nagel gesteckt waren, auf den Tisch.

Sie sah mit ihren harten, selbstbewußten Augen erst das Geld und dann mich an. Ihre Augen waren das einzige an ihrem Körper, das sich dabei bewegte.

»Damit können sie vielleicht meinen linken Zeh kaufen«, funkelte sie mich an. Ihre Augen waren sehr dunkel, und sie hatte sich ihr schwarzes Haar mit mehreren Bändern hochgebunden. Sie war älter, als sie aussah.

»Man hat eben auf mich geschossen«, gab ich ihr zu verstehen. »Und zwar im Hinterhof draußen. Sie haben das vermutlich nur nicht gehört, weil sich Ihr Tenor gerade an einem wundervollen italienischen Lied die Stimmbänder ausgerenkt hat. Der Mann, der auf mich geschossen hat, war schlank – viel mehr konnte ich nicht erkennen – und hatte eine Pistole ungefähr wie meine. Eine 38er Detective Special. Er muß in dieser Richtung gelaufen sein. Es ist übrigens gut möglich, daß er seine Knarre bereits weggesteckt hatte, als er hier vorbeikam. Außerdem war er verwundet – ins Bein getroffen oder vielleicht auch in einen Arm. Ich habe erst auf ihn geschossen, nachdem er das Feuer auf mich eröffnet hat. Es war Notwehr. Die Kohle ist also nur für eine kleine Auskunft. Ehrlich.«

Sie bewegte kaum mehr als ein Augenlid.

»Nehmen Sie sich mit dem Wein hier ein bißchen in acht, lieber Mann«, seufzte sie müde. »Ich weiß zwar, daß ich so was eigentlich nicht sagen sollte, aber es ist einfach nicht gut für den Kopf, wenn man zu viel trinkt.« Sie nahm die fünf Scheine und steckte sie mit einer gekonnten Bewegung in ihre kleine Handtasche.

»Ich werde eine Weile auf sie aufpassen«, meinte sie, und dann rückte ihr Gesicht ganz nahean das meine heran. »Und jetzt sehen Sie zu, daß Sie hier wegkommen, Freundchen, oder ich schicke Ihnen die Polizei auf den Hals. Denen können Sie dann ausführlich über diese Pistolen und diese Schießerei erzählen; die wird das nämlich wesentlich mehr interessieren als mich.«

Damit klappte sie den Durchgang in der Theke hoch, drückte sich durch den Spalt und tippelte auf die Straße hinaus.

Ich wartete, bis sie sich ein Taxi herangewinkt hatte, und machte mich dann vorsichtig auf den Weg zu meinem Packard. Ich untersuchte die Fahrertür und fand einen Klumpen Blei, der sich durch den Lack gefressen hatte. Ich öffnete die Tür und stieß von innen mit der Faust gegen die Einschußstelle, worauf das plattgedrückte Geschoß wie eine geschälte Erbse auf den Asphalt schepperte. Es war ein 38er-Kaliber. Ich steckte mir das Ding in die Tasche und fuhr nach Hause.

21

Es begann gerade zu tagen, als ich den Wagen parkte.

Wenn jemand mich tot haben wollte, so konnte er das haben, während ich schlief. Meine sämtlichen Glieder schmerzten gewaltig, und ich hatte das Gefühl, als könnte ich jeden Moment vor Erschöpfung in Ohnmacht fallen.

Mein Bett befand sich in einem gemieteten Zimmer über Charlies

Bar. Ich konne mir nicht vorstellen, daß ich die drei Stockwerke dorthin schaffen würde. Zu meinem Büro war es ein Stockwerk weniger. Ich erinnerte mich daran, daß Elaine Damone mich ja unter Umständen kurzfristig brauchen würde. Also machte ich es mir – übrigens nicht zum erstenmal – für ein Nickerchen in meinem Schreibtischstuhl bequem.

Ich zog mir die Schuhe aus, legte meine Füße auf den Tisch und ließ mein Kinn auf meine Brust herunterfallen. Ich schob mir den Hut über die Augen und ließ mich auf meinen Träumen davonschweben.

Ich stand völlig allein auf der Bühne der Mailänder Scala. Der riesige Zuschauerraum war dunkel und leer. Ich hatte das Kostüm einer Figur aus Beethovens *Fidelio* an. Ich war Florestan, der Held, und lag mit einer Kette um die Fußgelenke auf meinem Strohsack. Im Orchestergraben spielte eine Tanzcombo einen sehr langsamen und erotischen Tango; das Jammern der Violine klang beinahe menschlich. Während der zackige Tangorhythmus weiter vor sich hin stelzte, tauchten aus dem verschwommenen Dunkel ein paar nackte Tänzerinnen auf. Den Mittelpunkt der Truppe bildete Elaine Damone. Sie war die Leonore und trug ein eng anliegendes, silbernes Abendkleid, das auf einer Seite bis zur Hüfte herauf geschlitzt war. Als die Bühnenbeleuchtung heller wurde, konnte ich erkennen, daß sie ein großes Zigarettenetui hielt. Die Lichter wechselten von warmem Rot über kaltes Blau zu einem Übelkeit erregenden Gelb, und die Tänzerinnen verzerrten ihre Körper in eckigen und grotesken Bewegungen. Plötzlich deutete Elaine mit dem Finger auf mich. Auf dieses Zeichen hin wirbelten die Tänzerinnen völlig gleichzeitig herum und begannen, sich kriechend auf mich zuzuschlängeln. Ich versuchte zu schreien, zu singen – aber ich brachte keinen Ton hervor. Die Tänzerinnen kamen näher, und nun konnte ich ihre Gesichter erkennen. Es waren die Gesichter tollwütiger Hunde mit bluttriefenden, gefletschten Zähnen und schrecklich aufgequollenen Augen. Ich trat wie wahnsinnig um mich und versuchte davonzulaufen, als die dämonischen Kreaturen mich schon beinahe erreicht hatten.

In diesem Augenblick erklang – deutlich und klar – ein Trompetensignal. Wie mit einem Schlag waren die Tänzerinnen verschwunden, und nun schritt in einer Harlekinsmaske Pizarro, Beethovens Bösewicht, auf die Bühne und begann, Elaine Damone mit ekelerregendem, fleischlichem Drängen zu umarmen. Sie lachte wild auf, während sie ihr langes Bein unter dem Schlitz in ihrem Kleid hervorgleiten ließ und es um Pizarros Schenkel schlang. Die Lichter im Zuschauerraum gingen an, und nun konnte ich sehen, daß das Haus bis auf den letzten Platz mit Sträflingen in gestreiften Anzügen besetzt war. Sie waren aufgestanden und brüllten und hämmerten mit Billardkugeln auf ihre Blechnäpfe ein. Pizarro sang wie Gobbi. Die Melodien entströmten seiner Kehle mit der Leichtigkeit des Missouri. Und während ich versuchte zu entkommen, wurde meine Kette und die Kugel daran von Moment zu Moment größer und schwerer.

Und dann wurden die Scheinwerfer plötzlich auf mich gerichtet. Der Applaus brach auf der Stelle ab. Erst wurde es völlig still, dann wieder dunkel, und schließlich krachte eine wahre Flut von Billardkugeln über meine hilflose Gestalt herein.

Darauf beugte sich ein Box-Schiedsrichter in einem weißen Hemd und einer schwarzen Fliege über mich und sagte, der Gong hätte mich gerade noch gerettet. Und es ertönte auch tatsächlich das ohrenbetäubende Dröhnen eines Gongs.

Mein Telefon klingelte dringender, als handle es sich um einen Feueralarm.

Ich öffnete ein verschlafenes Auge und ließ meinen verschlafenen Blick auf mein Handgelenk fallen, das mir über die Zeit Auskunft gab. Es war halb sieben. Mein Kopf brummte, und mein Mund fühlte sich an, als hätte ich den ganzen Tag nichts als Senfkörner gekaut. Ich brachte kein Wort hervor. Ich packte das Telefon – den ganzen Apparat, nicht nur den Hörer – und steckte es in die Schreibtischschublade. Es hörte jedoch nicht zu läuten auf. Es war nun nur etwas leiser. Ich mochte dieses Geräusch überhaupt nicht. Es war genau die Art von Klingeln, das eine Stimme ankündigte, mit der zu reden ich nicht die geringste Lust hatte. Also nahm ich auch nicht ab.

Statt dessen ging ich auf die Toilette, wo ich mich ein bißchen mit Wasser besprizte, meine Hände mit einem Papierhandtuch trocknete und meinen Mund ausspülte, indem ich mir direkt aus dem Hahn einen Strahl hineinlaufen ließ. Dann warf ich einen kurzen Blick in den Spiegel, der an zwei rostigen Nägeln über dem Waschbecken balancierte. Das Gesicht, das mir von dort entgegenstarrte, hatte fast menschliche Züge. Sehr kleine Hunde würden sich davon einen Schrecken einjagen lassen, und ein Schönheitschirurg hätte sich bestimmt erst einmal Bedenkzeit ausgebeten, bevor er mich in Behandlung genommen hätte. Mit meinen paar Stunden Schlaf fühlte ich mich richtig für eine kleine Rauferei aufgelegt. Ich quetschte mir einen Docht zwischen die Lippen, steckte ihn an, nahm einen tiefen, heftigen Zug und marschierte zum Schreibtisch zurück.

Das Telefon bimmelte immer noch. Das schockierte mich ein wenig. Ich öffnete die Schublade und nahm den Apparat wieder heraus. Dann stellte ich ihn auf den Tisch und nahm den Hörer ab.

Es war die Stimme einer Frau, aber nicht die Elaines. Und auch nicht die Stimme dieser heißen, kleinen Blondine aus Ardmore. Es war ein Fräulein vom Amt, und es sagte:

»Mike Dime am Apparat? Ein Gespräch für Sie.«

Ich bejahte ihre Frage, worauf für einen Augenblick die Verbindung unterbrochen wurde. Darauf folgten alle möglichen Schaltgeräusche, die mich jedoch nicht im geringsten interessierten, und meine Gedanken fingen an, sich um ein anständiges Frühstück und eine ordentliche Rasur zu drehen.

Die zweite Stimme, die sich nun zu Wort meldete, war eigentlich gar keine Stimme – zumindest nicht im üblichen Sinn des Wortes. Das Geräusch schien am Kehlkopf vorbeigeleitet zu werden und aus einem Spalt irgendwo im Hals zu kommen. Es erinnerte mich an die aus einem platten Reifen entweichende Luft oder an eine lecke Gasleitung. Diese Stimme war ein einziges, widerliches, quietschendes Hecheln, das sich buchstäblich die Leitung entlang und um einen Hals zu winden schien, um sich dort wie eine hungrige Boa Constrictor zusammenzuschnüren. Ganz gleich, wie diese Worte nun auch zustande kamen, sie lauteten folgendermaßen:

»Wir hätten da etwas außerordentlich Wichtiges mit Ihnen zu besprechen, Mr. Dime. Notieren Sie sich also die folgende Adresse, und kommen Sie mich besuchen. Und zwar auf der Stelle. Nicht irgendwann einmal, wenn es Ihnen gerade in den Kram paßte. Jetzt, auf der Stelle.«

Ich kritzelte ein paar Namen und Nummern auf meinen Notizblock und teilte meinem Gesprächspartner mit, daß ich mir alles notiert hätte. Darauf entstand eine kurze Pause.

»Gut«, hechelte die Stimme schließlich, und sie klang, als koste sie das Sprechen einige Anstrengung. »Und machen Sie keine Dummheiten, wie etwa die Polizei zu verständigen oder irgendwelche Nachrichten unter einem Stein zu verstecken. Das würde mich nur in Wut bringen. Also, keine dummen Tricks, und dann kommen Sie auf schnellstem Wege hier vorbei und erzählen mir, was ich wissen möchte.«

Und damit war unser Telefonat zu Ende. Es gab nichts, was ich noch hätte hinzufügen können. Das war mit Warren Ratenner eben so.

22

Es war ein Abbruch-Häuserblock, etwa zwei Meilen von der Stelle, wo sich der Delaware nach Osten krümmt, hinter Mud Island und Delanco am New-Jersey-Ufer und hinter den Jachtclubs von Wissinoming, Quaker, Riverton, Forest Hill, Columbia und Dredge Harbor.

Ein Teil der Häuser existierte nur noch in Form gewaltiger Schuttberge, und die Luft war von Staub erfüllt. Drei Seiten eines großen Gebäudes waren bereits abgerissen und gaben den Blick frei auf die Innenwände, die seltsam nackt und beinahe verlegen aussahen ohne den gewohnten Schutz einer Eingangstür, einer Decke und einer netten alten Dame, die einen mit der höflichen Aufforderung, sich die Schuhe abzuputzen, in die Wohnung bat.

Es gab hier nicht allzu viele Leute, und die wenigen, die sich herumtrieben, wirkten recht ziellos und verloren. Die meisten von ihnen waren Schwarze. Es war noch zu früh, als daß sich die Arbeiter der Abbruchgesellschaft auf der Baustelle zu schaffen gemacht hätten. Zwei grell orange bemalte Bulldozer saßen völlig reglos in recht verwegenen Positionen auf ihren Schutthaufen, und in der Mitte dieses ganzen Chaos streckte sich wie ein gigantischer Totempfahl des zwanzigsten Jahrhunderts ein riesiger Kran in die Höhe, an dessen Ausleger eine gewaltige Eisenkugel baumelte. Das war genau die Art von Spielzeug, das sich ein kleiner Junge erträumen würde – wesentlich interessanter, als mit einem Feuerwehrwagen durch die Stadt zu preschen.

Es war alles sehr still und ruhig und lautlos – wie in einem Sterbezimmer.

Ich parkte auf dem Vorplatz einer Tankstelle, die ebenfalls zu dem Abbruchgelände gehörte. Die Zapfsäulen hatte man bereits entfernt; es lagen nur noch ein paar alte Reifen und ölige Autoteile herum. Gleich daneben ein Schrottplatz, von dem so ziemlich alles weggeholt worden war, was noch einigermaßen der Mühe wert gewesen war.

Ich stieg aus dem Wagen und betrat den Schrottplatz, der den Eindruck erweckte, als wäre er schon lange stillgelegt. Die mächtigen Sprünge im Betonboden waren überwuchert von dicken Unkrautbüscheln mit gelben Blüten. Die Fläche hatte etwa die Ausdehnung eines Fußballplatzes. Überall standen ausgeschlachtete, rostige Vorkriegswagen herum. Sie sahen aus wie die Knochengerippe von Büffeln. Ein Pierce-Arrow, Baujahr 1933, gab sich alle Mühe, sich seiner guten Herkunft würdig zu erweisen, obwohl seine dünner werdende Silberlackierung zunehmend einer Unmenge von Rostflecken weichen mußte. Und doch gab er vermutlich noch eine bessere Figur ab als die reichen Damen, die sich in dem Wagen einmal durch die Gegend hatten kutschieren lassen. Da war auch eine Nash-Limousine, deren kaputter Kühlergrill an eine Reihe vergammelter Zähne erinnerte, und ein Chevrolet, Baujahr 36, dem man wirklich alles ausgebaut hatte, angefangen von den Aschenbechern bis zu dem Spiegel auf der Sonnenblende über dem Beifahrersitz.

Anblicke wie diesen würde es immer geben.

Hinter dem Schrottplatz befand sich ein Gewirr aus kleinen Hütten und Schuppen. Es gab da auch ein paar Ziegelbauten, die allerdings erst in jüngster Vergangenheit errichtet worden waren. Sie standen jedoch trotzdem leer, und in jedem Fenster klafften mehrere zackige, schwarze Löcher. Ich suchte nach einem Lagerhaus mit der Aufschrift: ›Canton Imports‹.

Von Norden her blies ein leichter Wind kalte Regenschauer über die Stadt, und die Sonne bemühte sich vergeblich, sich zwischen den dicken Wolken durchzudrängen. Ich stülpte mir den Kragen hoch und drückte mich zwischen den Hütten durch, um dann etwa hundert Meter zu meiner Rechten das gesuchte Lagerhaus zu sichten.

Es hatte nur einen Eingang, der nicht mit Holzlatten vernagelt war. Er befand sich am Fuß einer eisernen Feuerleiter an der Seite des Gebäudes. Ich spürte zwar meine Kanone unter meinem Arm, aber sie war vom Abend zuvor noch leer. Das sollte mich jedoch nicht weiter beunruhigen. Ich war von der Tasker Street bis hierher verfolgt worden, und ich wurde auch im Moment gerade beobachtet. Es war still. Allerdings war dies die Stille, wie sie entsteht, wenn jemand völlig reglos steht – nicht die Stille der Leere.

Aber was soll's? Ich war schließlich auf einen kleinen Schwatz gekommen. Ich wollte mich doch nur über ein paar Dinge unterhalten. Wer brauchte dazu schon eine Kanone? Hier würde es zu keinerlei Grobheiten kommen. Wir waren doch schließlich erwachsene Männer. Kanonen waren doch nur etwas für kleine Jungs. So machte ich noch eine ganze Weile weiter, ohne mich dadurch allerdings ganz überzeugen zu können.

Ich stieß eine Metalltür auf, die in rostigen Angeln hing und stand vor einer steilen Treppe. Es war plötzlich dunkel, aber ich konnte eine Tür erkennen, die in den unteren Lagerraum zu meiner Linken führte. Der kräftige Geruch verschiedener Gewürze erfüllte die Luft. Kümmel, Koreander, Saffran, Zimt – lauter Düfte, welche Assoziationen an orientalische Basare wachriefen, an kühle arabische Interieurs voller Seidenkissen, auf denen sich dunkelhäutige, exotische Frauen in hauchdünnen Gewändern räkelten.

Plötzlich spürte ich etwas Hartes und Vertrautes zwischen meinen Schulterblättern.

»Aufgepaßt, Freundchen«, begrüßte mich eine Stimme. »Mister Ratenner wartet schon. Halten Sie Ihre Nase immer schön geradeaus, und es wird niemandem auch nur ein Härchen gekrümmt.«

Das war allerdings nicht Sindbad der Seefahrer.

»Wollen Sie denn nicht, daß ich erst mal meine Kanone zu Boden fallen lasse?« fragte ich, ohne mich zu rühren. »Wirklich langsam und sachte, so wie Sie's gern haben wollen?«

»Machen Sie sich deswegen mal keine Gedanken«, meinte die Stimme hinter mir. »Sie werden gar keine Zeit haben, mit irgendwelchen Kanonen rumzufuchteln. Dafür bin schließlich ich da. Lassen Sie sich deshalb auch gleich mal gesagt sein, daß meine Flinte an einem Ende abgesägt ist und der Abzug schon ziemlich alt und locker ist. Ich kann Ihnen sagen, der wackelt schon richtig. Nur eine ganz kleine Berührung und das Ding geht los. Peng! Ein Lauf. Peng! Der zweite. Das Ding macht Löcher, kann ich Ihnen sagen – da sind Kuhfladen nichts dagegen. Damit puste ich Sie gleich ins neue Jahr. Damit Sie mich also verstehen, Freundchen; Sie lassen Ihre Kanone da, wo sie ist, und steigen jetzt mal die Treppe rauf.«

Ich machte mich also daran, die Steinstufen hochzusteigen. Die schmutzigbraunen Ziegelwände des Treppenhauses waren vom Boden bis zum Geländer weiß gestrichen. Bis zum obersten Stock zählte ich sechs Etagen, und der Geruch von Gewürzen wurde zunehmend schwächer, je höher wir kamen.

»Schon lange in Philly?« fragte ich auf etwa halbem Weg. »In Chicago ist ja inzwischen nicht mehr viel los, nachdem Big Al dort nichts mehr zu melden hat und Bürgermeister Kennelly sich als Spielverderber erwiesen hat. Aber nur keine Hektik. In einem Jahr oder so werden sie Jim Daley wählen, und der wird sicher wieder etwas Leben in die Bude bringen.«

»Sie quatschen zu viel«, grunzte die Stimme aus Windy City hinter meinem Rücken. »Ich habe Mister Ratenner gesagt, wenn es nach mir gegangen wäre, ich hätte Sie gleich auf der Stelle weggeputzt.«

»Das ist aber gar nicht nett. Ich sollte mich deswegen an Ihren Kongreßabgeordneten wenden. Oder besser noch: Ich sollte mal richtig auf den Tisch hauen und Mister Ratenner wegpusten. Auf diese Weise könnte ich mein kümmerliches Leben auch künftig in Ruhe genießen, und Sie könnten für den Rest des Tages mal das machen, wozu Sie wirklich Lust haben. Unten an der Plaza läuft gerade ein neuer Bob-Hope-Film, und im Veterans-Stadion halten die Eagles gerade nach jemandem Ausschau, dem sie eine Tracht Prügel verabreichen könnten. Sie könnten doch ein paar ihrer Jungs zusammentrommeln und die Burschen ein bißchen anfeuern.«

»Ich kann nur hoffen, Mister Ratenner läßt mich Ihnen noch mal tüchtig den Kopf waschen.«

Danach sagte ich nichts mehr.

Wir blieben schließlich vor einer Metalltür, ähnlich der am Fuß der Treppe, stehen. Der Raum, der sich dahinter befand, hatte offensichtlich früher einmal als Kühlraum gedient. Die Tür stand halb offen, und aus dem stygischen Dunkel dahinter drang kein Licht nach draußen.

»Los, rein da mit Ihnen«, forderte mich mein Begleiter aufmunternd auf. »Nicht zu schnell und nicht zu langsam.«

»Ja, immer lieb und brav.«

»Genau. So mag ich das.«

Ich zog die Tür auf, und der Lauf der Flinte drückte hart gegen meinen Rücken. Ich stolperte in den geisterhaften, lichtlosen Raum und fiel zu Boden. Ich streckte im Fallen meine Hand aus und ergriff ein Stück Holz. Es war mit anderen Holzteilen verbunden. Ein Stuhl. Ich konnte ihn zwar nicht sehen, aber zumindest fühlte das Ding sich so an.

Darauf trat ein langes Schweigen ein, das schließlich Ratenner brach. Er sprach genau wie am Telefon. Die Worte klangen, als kämen sie vom Quell des Bösen persönlich.

»Bringt Mister Dime einen Stuhl, Jungs, und rührt ihn nicht an, bevor ich euch das nicht ausdrücklich sage.«

In dem Raum waren noch andere Männer, die sich jedoch bereits lange genug hier aufhielten, um ihre Augen an das undurchdringliche Dunkel gewöhnt zu haben. Einer packte mich an einem Büschel Haare und zog mich hoch, während mir ein anderer einen Hieb in die Magengegend versetzte. Ich kippte nach vorne und mußte mich beinahe übergeben. Während ich noch zusammensackte, spürte ich plötzlich, wie mir von hinten ein Stuhl untergeschoben wurde. Die Hand in meinem Haar hatte ihren Griff noch keineswegs gelockert, und als im nächsten Augenblick eine nackte Glühbirne aufleuchtete, riß sie meinen Kopf herum, so daß meine Augen nichts sahen außer dem grellen Licht. Die einzige Möglichkeit zu verhindern, geblendet zu werden, bestand darin, die Augen zu schließen, und genau das schien Warren Ratenner offensichtlich beabsichtigt zu haben.

»Wunderbar«, hechelte er. »Ich sehe Sie. Sie sehen mich nicht.« Er lachte. Es klang, als wären in seiner Kehle mindestens fünf Kobras verknäuelt.

»Und jetzt hören Sie mir gut zu, Dime«, zischte Ratenner weiter. »Ich hasse Reden. Es kostet mich nicht nur einige Anstrengung, sondern auch meine kostbare Zeit. Ich sage also alles nur einmal, verstanden?«

Ich hörte ein Rascheln, als knüllte jemand Cellophanpapier zusammen. Dann fuhr Warren Ratenner fort:

»Vor ein paar Tagen ruft mich einer meiner Jungs an und erzählt mir, daß es wegen einer äußerst wichtigen Sendung von mir zu Schwierigkeiten gekommen wäre. Er telefoniert von der Wohnung einer Dame, deren Mann wohl aus Versehen in meine geschäftlichen Transaktionen hineingeraten ist. Mein Mann teilt mir außerdem mit, daß ein Privatdetektiv namens Mike Dime in die Sache verwickelt ist und den Auftrag erhalten hat, etwas Licht in das Dunkel zu werfen, weshalb da plötzlich eine gewisse Aktentasche aus meinem Besitz verschwunden ist. Genau so hat er das ausgedrückt. Außerdem hat er mir erzählt, er würde diesen Schnüffler mitbringen, damit er ein paar Fragen hinsichtlich besagter Aktentasche beantworten könnte. Nun kommen und kommen meine Jungs aber nicht. Ich höre kein Sterbenswörtchen mehr von ihnen, bis ich beim Friseur die Tageszeitung aufschlage und da ein Foto von ihnen sehe, wie sie gerade ins Leichenschauhaus gekarrt werden. Und daraufhin habe ich Sie angerufen.«

»Nett«, bedankte ich mich.

In der Dunkelheit um mich herum hörte ich das Geräusch sich laut bewegender Kiefer, die klangen, als zermahlten sie gerade irgendeine feuchte Nahrung. Und dann der Geruch von Zigarrenrauch, schwer und voller angenehmer Erinnerungen. Ratenner hatte die Spitze abgelutscht, um zu verhindern, daß die Blätter sich lösten – ein alter Zigarrenrauchertrick.

»Wir haben nicht viel Zeit«, redete Ratenner nach einem langen Zug schließlich weiter. »Und für Sie von allen Personen, die ich kenne, absolut am wenigsten.«

»Aber ich habe Ihre Aktentasche nicht«, knurrte ich zurück. »Das ist es doch, weshalb dieser Bauerntanz hier veranstaltet wird, oder nicht. Das ist doch der Grund, weshalb ich hier sitze, während mir irgend so ein Kraftmeier die Haare mit den Wurzeln ausreißt.«

Ratenner hauchte heiser: »Sie sind hier, weil ich Sie hierher gebeten habe, Dime. Das ist der einzige Grund.«

Darauf entstand ein kurzes Schweigen, das jedoch nicht lautlos genug war, als daß ich Ratenner nicht hätte nachdenken hören können. Seine Gedanken reichten tief, und was er dachte, das setzte er auch in die Tat um. Diese Kluft zwischen Theorie und Praxis, wie sie für die meisten Sterblichen üblich ist, gab es für Warren Ratenner nicht.

»Wie ich Ihnen schon sagte«, fuhr er fort und saugte dabei an seiner Zigarre, »Ihre Zeit ist schon fast abgelaufen. Aber ich mache Ihnen trotzdem ein Angebot. Schaffen Sie mir binnen der nächsten vierundzwanzig Stunden meine Aktentasche her oder ich werfe Sie meinen Jungs vor. Die werden Ihnen dann eine Spezialbehandlung verabreichen, die Sie sicher Ihr Leben lang nicht vergessen würden, wenn Ihnen noch Zeit zum Erinnern bliebe.«

Er lachte neuerlich.

»Das wäre alles«, schloß er schließlich, seine Worte schwer von Auswurf. »Mir ist es völlig egal, ob Sie die Tasche nun haben oder nicht. Ich will nur, daß Sie sie herschaffen, sonst nichts.«

»In Geschenkpapier verpackt oder in einem ganz gewöhnlichen Pappkarton?«

»Sie enttäuschen mich, Dime. Wirklich. Sie enttäuschen mich.«

»Ich enttäusche eine Menge Leute«, gab ich zurück. »Das war

schon so, als ich noch nicht mal meinem Vater in die Schuhe spucken konnte. High School, Konfirmationsunterricht, Polizeirevier, Ikes Armee. Alles nichts als eine riesige Enttäuschung auf der ganzen Linie. Ich bin so ziemlich die größte Enttäuschung diesseits von Little Big Horn.«

»Sie sind bereits ein toter Mann, Dime.«

»Sie haben den Falschen erwischt, Ratenner«, machte ich ihm klar. »Den absolut Falschen. Außerdem habe ich bereits einen Auftrag, und mein Klient hat wesentlich mehr Charme als sie und Ihre Jungs zusammengenommen. Sie zahlt mir für meine Bemühungen einen Hunderter pro Tag, und dazu kommt noch, daß sie was von Malerei versteht und Klavier spielen kann. Ihre Cordon bleus bereitet sie wahrscheinlich unter ihrer Schürze zu, und auch sonst macht sie sicher eine Menge Dinge, die so einen alleinstehenden Kerl wie mich brennend interessieren. Suchen Sie sich also jemand anderen, der Ihnen Philly umgräbt und all die großen und kleinen Ganoven aus ihren Löchern hervorholt. Ich habe schließlich was Besseres zu tun.«

Eine Rauchwolke, durchtränkt von Ratenners schlechtem Atem, traf mich ins Gesicht. Ich hustete leicht.

»Sie sind vielleicht ein schlaues Ei«, zischte Ratenner. »Sie glauben wohl, Sie wären die absolut heiße Nummer, was? Das große, weite Herz in Gummitretern. Ne Menge großspuriges Gelabere, und die Damenwelt tritt sich gegenseitig halb tot, um in den Genuß Ihres Charmes zu kommen. Lassen Sie sich jetzt mal was gesagt sein, junger Mann. Ich habe eine Organisation, mit der sich nicht spaßen läßt; und sie läuft ohne große Reibereien, weil ich dafür Sorge trage, daß alles schön einfach und übersichtlich bleibt. Das Ganze funktioniert vor allem deswegen so gut, weil ich eben weiß, was die Fische anbeißen läßt und wieviel sie runterwürgen können, bevor sie daran ersticken. Und ich weiß noch einiges mehr. Jeder hängt an irgend etwas. Bei manchen Leuten sind das Briefmarken, bei anderen Hunde oder ihre Rosen. Und es gibt auch Leute, die an etwas hängen und das gar nicht merken – das heißt, zumindest so lange nicht, bis sie es dann plötzlich nicht mehr haben. So ist das sogar mit den meisten Leuten, Dime. Das sind alles Leute wie Sie. Ihr lässiges Getue beeindruckt mich keinen Furz mehr als irgend so ein Zauberkünstler mit seinem Zylinder, der eine Kiste mittendurchsägt, aus der hinten und vorne eine Puppe raushängt. Mit Ihren heißen Sprüchen können sie vielleicht sich selbst täuschen. Ist ja möglich, daß Sie dumm genug sind, um daran sogar zu glauben. Aber kommen Sie bitte nicht mir mit diesem Zeug.«

Er kicherte leise vor sich hin, paßte zugleich aber auch höllisch auf, seine Lungen dabei nicht zu überlasten.

»Sie sind ein Hund, Dime«, fuhr er schließlich fort. »Ein Hund, der zwar genau weiß, daß es mit ihm zu Ende geht, der sich aber trotzdem nicht hinlegen will. Ein Hund, der seine feuchte Schnauze in den erstbesten Schoß legt, wenn ihm nur ein Knochen vorgeworfen wird. Ich habe mich so ein bißchen umgehört, Dime. Und da hieß es, ohne ein gelegentliches Schulterklopfen hätten Sie sich sicher schon zu Tode gesoffen, seit man Ihnen ein Purple Heart um den Hals gehängt und Sie mit einem Tritt in den Hintern nach Hause geschickt hat. Machen Sie sich also nichts vor. Ich werde schon herausfinden, wer Sie an der Leine hat. Und das wird gar nicht lange dauern.«

Ich wollte etwas sagen und hatte auch schon meinen Mund geöffnet, aber es kam nichts heraus. Ich hatte den Haken bereits geschluckt, und Ratenner wußte das. Die Gesichter von ein paar Leuten, die ich kannte, zogen an mir vorbei. Und dann erschien Frank Summers' Gesicht, und dann ein bißchen mehr von ihm. Er hielt ein Spruchband, und darauf stand: DENKEN SIE DARAN, WAS RATENNER MIT NORMA UND MIR ANGESTELLT HAT. Vielen Dank, Frank. Wie hätte ich das auch vergessen können? Aber ich stecke in der Klemme. Ratenner will etwas, das ich nicht habe, und zwar dasselbe, was er auch von Ihnen wollte. Vielleicht haben Sie ein paar gute Ideen, wie zum Beispiel: Wer hat die Tasche mit dem ganzen Geld? Lassen Sie sich das doch mal durch den Kopf gehen, alter Junge. Klemmen Sie sich mal dahinter, und wenn Sie was haben, das für mich von Nutzen sein könnte, kommen Sie doch kurz vorbei und geben Sie mir einen kleinen Tip. Sie wissen ja, wo Sie mich finden können. Nur, lassen Sie sich auch nicht zu lange Zeit. Nicht länger zumindest als bis morgen.

Ich konnte das Geräusch eines verrutschenden Stuhls hören, als jemand rasch aufstand. Selbst bei fest geschlossenen Lidern erschien mir das Leuchten der Glühbirne wie ein feuerrotes Wabern. Außerdem strahlte es eine überraschende Hitze aus – etwa wie das Tal des Todes im Juni.

Und dann keuchte sich Ratenner wieder zu Wort.

»Vergeuden Sie Ihre kostbare Zeit nicht mit zu viel Nachdenken,

Dime. Tun Sie was. Es ist doch ganz simpel. Bringen Sie mir meine Aktentasche mitsamt ihres Inhalts innerhalb der nächsten vierundzwanzig Stunden in eben diesen Raum hier. Sollte Ihnen das nicht gelingen, dann verabschieden Sie sich schon am besten jetzt von Ihren Freunden und Verwandten – das heißt, falls Sie so jemanden haben. Sie haben mich immerhin zwei gute Leute gekostet. Und was noch wichtiger ist, Sie haben mir eine Menge meiner kostbaren Zeit geraubt. Aber trotzdem – so kostbar sie auch sein mag, es ist immer noch ein wenig davon übrig, Sie haben noch genau – siebenundachtzigtausend Sekunden, Dime. Eine ganze Menge also, und sie können ja schon ruhig mal mit dem Zählen anfangen.«

Nachdem Ratenner zu sprechen aufgehört hatte, krachte ein harter, seelenloser Klumpen gegen meinen Schädel. Für den Bruchteil einer Sekunde heulte ein hohes Winseln auf. Meine Augen zuckten in dem grellweiß aufblitzenden Licht, als hätte man direkt vor meinem Gesicht eine Blitzlichtaufnahme gemacht. Und dann kugelten meine Augen aus ihren Höhlen und rollten in eine dunkle Ecke. Ich und mein Bewußtsein, wir waren getrennte Wege gegangen.

Zitternd wachte ich in einem leeren Raum auf. Wie eine erleuchtete Spinne von der Decke herabhängend, strahlte eine einzelne Glühbirne immer noch ihr helles Licht aus. Da waren ein Tisch, zwei Stühle und eine halb geraucht Havanna-Zigarre. Das war alles. Ich war natürlich auch noch da, obwohl ich mir dessen eigentlich gar nicht so sicher war. Alles, was ich von mir wußte, war dieses Loch in meinem Hinterkopf, aus dem das Blut entwichen war und in das dann statt dessen der Schmerz eingedrungen war. Aber es mußte wohl ich sein, der da hoffnungslos sich bemühte, gerade zu stehen, als wäre er ein Mensch aus dem Pleistozän, der gerade Darwins Theorie vom Ursprung der Arten illustrierte. Jedenfalls konnte niemand, den ich kannte, so blöde sein.

Schließlich schaffte ich es also doch, auf die Beine zu kommen, und klopfte mir den Staub von den Kleidern. Und dann entschloß ich mich aus völlig unerfindlichen Gründen dazu, mich und meinen gespaltenen Schädel in Elaine Damones Schoß plumpsen zu lassen.

Unterwegs überlegte ich mir noch ein paar Gründe, und die waren eigentlich alle verdammt verlockend.

23

Auf Elaine Damones Kaminsims tanzte eine etwa dreißig Zentimeter hohe Marmorfigur, ihren schlanken, rosafarbenen Körper
scheinbar ohne Anstrengung auf einem zarten Zeh balancierend.
Ihr linkes Bein war am Knie abgewinkelt und weit nach oben
geschwungen, ähnlich einer stramm marschierenden Cheerleade-
rin. Ihre Glieder waren sehr langgezogen und glatt und in der Art
afrikanischer Skulpturen stilisiert. Ihr offensichtlich negroides Gesicht hatte hohe Backenknochen und volle Lippen. Aber ihr Haar
war lang und flog ihr in sanften Wellen aus dem Gesicht, als reckte
sie es einem kräftigen Sturm entgegen. Die elegante Linienführung
der Frisur wiederholte sich in der Basis der Figur, einer dick
gerippten Kammuschel aus geädertem Marmor. Über ihrem Kopf
hielt die Figur eine schwarze Marmorscheibe mit goldenem Rand,
von deren Mittelpunkt in gleichmäßigen Abständen zwölf dünne
Goldstreifen ausstrahlten. Zwei weitere Goldstreifen bewegten
sich kaum merklich. Sie zeigten die Zeit an. Und sie sagten, daß es
gerade kurz nach zehn Uhr war.

Ein chinesisches Mädchen mit erdnußbutterfarbener Haut und
einem kirschroten Lippenpaar bat mich, so lange zu warten, bis sie
Miß Damone verständigt hätte, daß ein unerwarteter Besucher
nach ihr verlangte. Sie hatte mich mit einem Gesicht, für das die
Chinesen bekannt sind, in den Salon geführt und mein frühmor-
gendliches Lächeln weggeschnippt, als wäre es eine Ameise, die
auf ihrem Fuß herumkrabbelte.

Ich war gerade halb mit meiner Zigarette fertig, als das Mädchen
zurückkam.

»Miß Damone nehmen Bad«, teilte es mir mit. »Aber erst mit
Ihnen sprechen.«

Sie war zierlich gebaut und zeigte eine Menge sehr weißer und
blütenblattförmiger Zähne. Hinter ihr stand Elaine Damone.

»Los, lauf, Lilly«, wandte sie sich an das Mädchen, »und hol ein
anderes Handtuch. Ich kann mir vorstellen, daß Mr. Dime etwas
Feuchtes für seinen Kopf brauchen könnte.«

Lilly verschwand wortlos.

»Ich würde sagen, daß vor allem meine Kehle was Feuchtes
vertragen könnte«, fühlte ich vorsichtig vor, wobei ich mir meine
Wunde tätschelte und die verklebten Blutklumpen in meinem Haar
betastete.

Sie ging zu der Stelle, wo sie den Alkohol aufbewahrte.

Sie trug ein eisvogelblaues Negligé aus reiner Seide. Das V-förmige Oberteil war plissiert und sehr tief geschnitten. Der Ausschnitt ließ Elaine Damones sonnengebräunten Brüsten eine Menge Luft. Ihr Haar war ungekämmt und sah wild und ungebärdig aus. Ihre Augen, groß und klar, waren nicht geschminkt und schimmerten dunkel wie eine mondlose Nacht.

»Sie haben ganz eindeutig meinen Anweisungen zuwider gehandelt«, fuhr sie mich scharf an. »Die Tatsache, daß jemand meinen Bruder erpreßt, stellt ein ernsthaftes Problem dar, und Sie sind die einzige Person, welche zwischen uns – das heißt die Damone-Familie – und die totale Katastrophe gestellt ist. Ist es denn wirklich zuviel verlangt, daß Sie sich wenigstens einmal für fünf Minuten aus allen möglichen Scherereien heraushalten?«

»Das ist eine lange Geschichte«, fing ich an. »Und sie hat nicht das geringste mit irgendwelchen Erpressern oder Ihrer Familie zu tun – und auch nicht mit dem guten Ruf Ihrer Familie oder mit der Tatsache, daß Ihr Bruder ein verdorbenes Früchtchen ist.«

»Das freut mich außerordentlich zu hören«, antwortete sie und mixte dabei eine farblose Flüssigkeit mit etwas Orangensaft, Eiswürfeln und kleingehacktem Gemüse.

»Im übrigen«, fügte sie noch hinzu, »Sie dürfen nicht denken, daß ich ungastlich sein möchte; aber was führt Sie zu solch ungewöhnlicher Stunde in mein Heim? Das haben Sie mir bis jetzt noch nicht gesagt.«

Also erzählte ich es ihr. Aber natürlich nicht so, daß das Ganze im wahrsten Sinne des Wortes einen Schreck zu früher Morgenstunde bedeutet hätte. Ich erklärte ihr, daß ich gleichzeitig an einem Auftrag arbeitete, bei dem es darum ging, eine Aktentasche zu finden, die jemand verloren hatte. Und nun sahen dieser Typ und ich die Dinge etwas unterschiedlich, wie das unter Männern eben so vorkommt, und wir schüttelten uns nicht gegenseitig die Hände, um unsere Differenzen zu klären, sondern er hatte mir statt dessen eins über die Rübe gezogen. So war das also – eine Art *Gentleman's Agreement*. Eine Geste des guten Willens statt einer rüden Übervorteilung. Auf diese Weise brabbelte ich also eine ganze Weile dahin, und sie schenkte mir beim Zuhören mehr Aufmerksamkeit, als ich eigentlich verdiente. Sie paßte gut auf, daß mein Feuchtigkeitspegel nicht zu sehr sank – zum Nachfüllen verwendete sie dieses farblose Zeug –, und saß ansonsten an ihrem Platz unter dem

Fenster. Bei Gelegenheit nickte sie auch einmal, um mir zu verstehen zu geben, daß das alles sie durchaus interessierte. Aber schöne Frauen aus gutem Hause hören immer höflich zu, wenn ein Mann einmal ein bißchen zuviel redet. Wenn das Ganze sie gelangweilt hat, so sagen sie das nicht irgendwann zwischendrin, sondern erst am Ende. Für Elaine schien das Ganze allerdings gar nicht sonderlich anstrengend zu sein, so einschläfernd es auch mir vorkommen mochte. Sie war ganz Ohr.

Als ich schließlich mit dem Reden fertig war, erhob sie sich und trat ganz nahe an mich heran. Ihr Körper war warm, und ich konnte den Geruch ihrer Haut, vermischt mit einem Hauch Moschus, riechen. Aber das Zeug kam nicht aus einer Flasche.

»Lilly läßt gerade das Badewasser einlaufen. Ich würde sagen, Sie säubern sich damit Ihre Wunde. Und vielleicht nutzen Sie die Gelegenheit, auch den Rest von Ihnen zu waschen. Die Privatdetektive, die ich anstelle, sollten eigentlich nicht so – männlich riechen. Im übrigen, ich habe immer noch nichts von diesem Erpresser gehört. Sie glauben doch nicht etwa auch, es könnte irgend etwas schiefgegangen sein?«

»Nur keine Hektik«, versuchte ich sie zu beruhigen. »Diese Leute lassen sich öfter mal Zeit. Das sind so ihre Spielchen. Sie ein bißchen zum Schwitzen zu bringen, gehört einfach zur psychologischen Kriegführung. Sie lassen Sie eine Weile schmoren. Auf diese Weise geraten Sie leichter aus dem Häuschen und denken weniger nach. Sobald Sie nämlich mal zu denken anfangen, besteht ja schließlich auch die Möglichkeit, daß Sie mal was Schlaues unternehmen. Etwas, das ihnen einen Strich durch die Rechnung macht. Ich würde also vorschlagen, bleiben Sie so ruhig und gelassen wie eh und je, und ich gehe jede Wette ein, daß der Kerl sich noch früh genug meldet.«

Sie schien zwar nur halb überzeugt, beließ es jedoch dabei.

»Lilly wird Ihnen das Bad zeigen«, meinte sie daraufhin. »Nehmen Sie sich Ihren Drink mit. Ich werde in meinem Schlafzimmer sein. Ich habe einiges zu tun; ich muß ein paar Briefe schreiben. Lassen Sie sich also ruhig Zeit im Bad. Sollten Sie etwas brauchen, Lilly steht Ihnen zur Verfügung.«

Elaine Damone schenkte mir ein Lächeln und schwebte aus dem Raum. Lilly erwartete mich bereits.

»Folgen Sie mich, bitte«, wies sie mir den Weg. »Und Volsicht. Badewassel fülchtellich heiß.«

Das Badezimmer schien der Imagination eines wahnsinnigen Azteken mit einem gewaltigen Kater entsprungen. Es war ein großer, achteckiger, höhlenartiger Raum, dessen Boden von einer eingelassenen, runden Badewanne ausgefüllt wurde, die groß genug war, um eine ganze Walschule bei Laune zu halten. Das Ganze bestand aus einem türkisen und goldenen Mosaik. Auf dem Boden tummelten sich eine Reihe rosaroter Frösche mit eckigen Beinen und silberne Schlangen mit kalt stechenden Augen aus Pyrit. Die Mitte dieses Musters nahm eine riesige, goldene Sonne ein, deren Strahlen die Form von Speerspitzen hatten. Der fensterlose Raum strahlte eine stimmungsvolle Intimität aus, wie sie Frauen so schätzen, wenn sie baden. Still und einsam. Ein Ort, an dem man sich völlig alleine fühlen, an dem man alles tun konnte, wonach einem gerade war. Es war ein gutes Gefühl, daran teilhaben zu dürfen. Das künstliche Licht war so dämmrig und diskret, daß ich nicht einmal erkennen konnte, wo die diffusen Lichtquellen nun eigentlich angebracht waren. Etwas Licht drang zum Beispiel unter dem Rand der Badewanne hervor. Über dem Abfluß war eine Leiste aus smaragdgrünem Glas in die Wand eingelassen. Und dahinter waren eine Reihe von starken Strahlern angebracht, welche der dampfenden Wasseroberfläche die Farbe von Crème de menthe verliehen. Die Wände waren mit Platten aus poliertem, schwarzem Marmor ausgelegt, deren Kanten in Senfgelb gehalten waren. Außerdem waren sie am oberen und unteren Rand mit zinnoberroten Fliesen eingefaßt. In die Paneele waren in feinen, goldenen Umrissen halbnackte männliche Gottheiten eingelegt, welche eigenartige, halb sitzende, halb springende Posituren einnahmen. Ihre Köpfe waren ein Gemisch aus Federn, mächtigen Helmbuschen und tropischen Blumen. Sie hielten üppig verzierte Speere und andere Waffen. Allerdings brachten sie sich damit nicht gegenseitig um, sondern hielten nur ein kleines Fest ab.

Der Wasserhahn war unter einer riesigen Imitation eines menschlichen Schädels verborgen, der mit türkisen und gagatenen Bändern eingelegt war. Die Augenhöhlen waren in Gold und Silber gehalten. Drückte man auf Gold, sprudelte heißes Wasser aus dem offenen Mund des Schädels. Wollte man kaltes Wasser, brauchte man nur auf Silber zu drücken.

»Vielen Dank, Lilly.« Ich entließ das Mädchen. »Ich werde hier schon zurechtkommen.«

Sie verschwand, und ich zog mich aus.

Es gab in dem Raum keine Spiegel. Nur die Decke war ein einziger Spiegel. Dunkle, pfirsichfarbene Tönung, graviert mit mattierten Monden und exotischen Vögeln. Das grüne Wasser kräuselte sich im Spiegelbild, und der süße Duft von Limonen und Jasmin hing leicht in der warmen, dampfenden Luft.

Ich glitt ins Wasser und ließ meine Nervenenden sich erst einmal tüchtig entspannen, worauf sie aufblühten wie ein paar Wüstenblumen nach dem ersten Regen. Ich empfand die Wärme wie eine alles umfassende Umarmung – oder wie die Sonne am ersten Sommertag.

Zum erstenmal seit drei Tagen kam ich mir nicht mehr vor wie ein Komponist, dem seine Kontrapunkte in entgegengesetzte Richtungen davonliefen – Ratenner und seine Gang in die eine, Elaine Damone und ihre Familie in die andere. Ratenner hatte seine Karten auf den Tisch gelegt, und es befanden sich eine Menge Asse darunter. Und einige mehr davon hatte er in seinen Ärmeln, in seiner Weste und hinter seinem Ohr versteckt. Ratenner hatte so viele Asse, wie es in Kirchtürmen Totenwachenkäfer gibt. Allerdings ließ Harvey Henderssons Theorie über Manny Glucks Trick darauf schließen, daß es da noch einen Mann in der Mitte gab, der mit dem Typen am unteren Ende in Verbindung stand. Und um einmal ein bißchen pedantisch zu werden, ich hatte Ratenner eigentlich noch nicht gesehen. Ich hatte zwar mit jemandem gesprochen, der sich am Telefon und bei unserem darauffolgenden Treffen mit ›Ratenner‹ vorgestellt hatte. Aber meine Augen waren dabei geschlossen gewesen. Im Grunde hätte er also jede x-beliebige Person sein können – von Harpo Marx bis zu Artie Shaw.

Und wenn sich mein Gehirn nun auch gewaltig abstrampelte, meinen Muskeln ging es währenddessen um so besser. Sie summten süßer vor sich hin als ein Friseurladen-Quartett, als das heiße Wasser meine Glieder umschmeichelte und meine Schmerzen wegspülte. Ich war gerade daran, in sanften Schlummer zu entgleiten, als mir plötzlich mit einem Schlag ein neuerlicher Punkt zu Bewußtsein kam, der absolut nicht in diese ganze vertrackte Geschichte paßte.

Für die Schießerei vor Luigis Dine and Dance konnten unmöglich Ratenners Boys verantwortlich gewesen sein. Das war ein eindeutiger Mordversuch gewesen. Die Geschosse waren mir etwas zu nahe um die Ohren gepfiffen, als daß ich diesen Feuerzauber als eine harmlose Einschüchterungsmaßnahme hätte ansehen können. Aber worauf deutete dieser Überfall hin? Ratenner wollte mich eindeutig bei lebendigem Leib – zumindest für besagten Zeitraum. Lebendig, glaubte er, würde ich ihm also von Nutzen sein. Tot profitierten dagegen nur die Leichenbestatter von mir.

Das ganze Nachdenken brachte mich schließlich zu dem Schluß, daß dieser Schatten von Mann mit der Kanone und der Wunde irgendeine Rechnung mit mir zu begleichen gedachte, von der ich nichts wußte, oder es handelte sich bei dem Ganzen um einen üblen Fall von Verwechslung. Möglich war das doch immerhin. Schließlich hatte ich wieder einmal in einem sauberen Anzug und einem neuen Hemd gesteckt.

Das Wasser in der Badewanne hatte sich inzwischen etwas abgekühlt, so daß ich meinen großen Zeh in das goldene Auge des Totenschädels steckte. In einem geräuschvollen, kompakten Strahl schoß heißes Wasser aus der Mundöffnung und erfüllte das Bad mit warmem Dampf, der so undurchdringlich war, als hätte ich mich irgendwo im schottischen Hochland verirrt. Ich streckte meine Glieder aus und schwebte dabei fast in dem hellgrünen Wasser. Und als ich mir gerade zu wünschen begann, ich hätte einen Goldfisch oder eine Micky-Maus-Seife zum Spielen, merkte ich plötzlich, daß ich nicht allein war. Durch den dichten Nebel konnte ich eine Gestalt erkennen, die auf beiden Seiten über angenehm runde Kurven verfügte. Es war eine Figur so um die 90–58–90 herum und zirka einssiebzig groß. Sie war außerdem etwa achtundzwanzig oder neunundzwanzig Jahre alt und lispelte beim Sprechen leicht. Ihre Stimme klang so kühl und gelassen, als gehörte sie einer Tipse, die gerade ihr Diktat wiederholt.

»Haben Sie je vom Archimedischen Prinzip gehört? Er entdeckte, daß die Masse eines in Wasser getauchten Körpers die entsprechende Masse Wasser verdrängt. Er saß, als er diese Entdeckung machte, gerade in der Badewanne. Und darüber geriet er in solche Begeisterung, daß er, wie er war, auf die Straße rannte und jedem von seiner neuen Erkenntnis erzählte. Was sagen Sie also dazu?«

Sie wartete meine Antwort erst gar nicht ab. Was hätte ich darauf auch sagen sollen?

»Rücken Sie ein bißchen zur Seite«, fuhr Elaine Damone fort, und die durch die Masse der eingetauchten Körper verdrängte Wassermenge hatte sich plötzlich verdoppelt.

»Ich möchte nicht, daß Sie mit der Vorstellung von hier weggehen, daß Ihre Klientin eines von diesen Mädchen ist«, drang ihre
Stimme durch eine dicke Nebelwand zu mir.

»Was für eine Art von Mädchen ist eines von diesen Mädchen?«
fragte ich leicht perplex.

Eine Hand mit weit voneinander gespreizten Fingern preßte sich
hart gegen meinen Bauch und fing an, ihn in kräftigen Kreisbewe-
gungen zu massieren.

»So eine Art Mädchen«, antwortete sie. Das Wort ›So‹ kam beim
Sprechen wie ›Tho‹ heraus und rief in mir lange verblaßte Erinnerungen an eine weit zurückliegende Kindheit und längst vergesse-
ne Träume wach. Es war eine Welt, die ihren Anfang und ihr Ende
in unschuldigen, jungen Mädchen mit sanften, goldenen Locken
und vergißmeinnichtblauen Sommerkleidern nahm – von der
Sonne gebräunt, die bloßen Beine von feinstem, blaßgelbem Flaum
überzogen. Das war alles, was sie trugen. Aber waren da so viele,
oder nur eine einzige? Oder vielleicht nicht einmal eine?

Wie auch die Antwort auf diese Frage lauten mochte, da war
nichts Unschuldiges an Elaine Damone. Absolut nichts.

24

Ich saß in einem Stuhl aus zwei Stücken roten und blauen Sperrhol-
zes, die von einem schwarzen Holzrahmen gehalten wurden,
dessen Kanten in grelles Löwenzahngelb getaucht worden waren.
Er war wesentlich bequemer, als er aussah. Auf einem quadratischen Tischchen neben mir stand eine Menge geschmackvoll
gefärbtes Glas und dünne Bleistreifen, von Tiffany zu einer Lampe
zusammengesetzt. Das Licht war jedoch nicht eingeschaltet, da
noch genügend Tageslicht vorhanden war. Sogar noch fast ein
ganzer Nachmittag davon. Ich rauchte und hielt ein auf der ersten
Seite aufgeschlagenes Buch von Ernest Hemingway. Obwohl ich
die ersten Abschnitte sicher dreißig- bis vierzigmal gelesen hatte,
war nichts davon in meinem Kopf hängengeblieben. Ich glaube,
das Ganze drehte sich um einen Stierkämpfer, der im Schweiß, im
Sand und im Blut der Arena das Geheimnis des Lebens suchte. Das
Buch hatte ein etwas ungewöhnliches Lesezeichen – einen Druck
von einem Mann und einer Frau, die aber nichts Bestimmtes taten.
Sie sahen genau wie die Art von Leuten aus, mit denen Heming-

way wohl eine Menge gemein hatte: der Mann männlich und energisch, die Frau schön.

Elaine Damone war immer noch in ihrem Schlafzimmer, um sich anzuziehen. Sie nahm sich Zeit dafür. Daran war nichts Ungewöhnliches. Auf ihre Garderobe achten alle Frauen, und die meisten von ihnen achten auch darauf, wie sie sich anziehen. Manche denken dabei an ihren Schwarm, ihren Mann oder ihren Geliebten. Andere denken dabei an andere Frauen. Und wieder andere ziehen sich nur für sich selbst an. Elaine Damone ging bei diesem Unternehmen vor, als träte sie im nächsten Augenblick vor die kritischen Augen von zehn Hollywood-Produzenten, einer Abteilung GIs, Mr. Universums, der Clique in Lindy's, des Oberkellners im Georges Cinq, des Herzogs und der Herzogin von Windsor und eines achtzehnjährigen Automechanikers, der gerade sein Mittagessen hinunterwürgte. Und keiner von all diesen Leuten hätte auch nur das geringste an ihr auszusetzen gefunden.

Als Elaine schließlich auftauchte, trug sie eine navy-blaue Bluse mit stecknadelkopfgroßen, zitronengelben Punkten. Sie war dreimal geknöpft und steckte in einer lachsrosa Hose mit hoher Taille. Um den Hals hatte sie sich eine Perlenkette von der Länge eines Schleppseils geschlungen, und an ihren sanft gerundeten Ohrläppchen sah ich wieder die beiden einzelnen Perlen, die sie auch in der Nacht, als ich sie kennengelernt hatte, getragen hatte. Ihr Haar war noch feucht, und sie hatte es sich einfach nach hinten aus der Stirn gekämmt und zu einem losen Pferdeschwanz zusammengebunden. Am Mittelfinger ihrer linken Hand trug sie einen Smaragdring, den ich das erste Mal sah, und um ihr rechtes Handgelenk schmiegte sich ein Smaragd- und Perlenarmreif. Bei beiden Schmuckstücken handelte es sich um alte Stücke, die nicht im geringsten protzig wirkten. Hinter all ihrer Gastfreundlichkeit lugte nur ganz leicht dieser Sie-können-ruhig-gehen-wenn-Sie-wollen-Blick hervor. Ansonsten hatte sie alles hervorragend unter Kontrolle.

»In der Küche ist noch etwas zum Frühstücken«, sagte sie kühl. »Falls es dafür nicht schon etwas zu spät ist. Eier, Kaffee, Orangensaft.«

»Damit ich wieder ein bißchen zu Kräften komme«, bedankte ich mich und drückte in einem großen, meergrünen Glasaschenbecher meine Zigarette aus.

Ich klappte den Hemingway zu. »Bevor ich mich ein bißchen

aufpäpple, würde ich noch gern Ihr Telefon benutzen. Ich kenne da so einen Burschen mit Blechbeinen und mit mehr Herz als eine ganze Truppe Zirkusartisten. Er sieht zu, daß er für mich ein paar Dinge in Erfahrung bringt, die mir eventuell weiterhelfen könnten. Er spielt Billard, und während er so um die Spieltische humpelt und alles in Kugelform in die Löcher bugsiert, hält er auch seine Augen und Ohren offen. Fast alle Ganoven in dieser Stadt kommen irgendwann mal in seiner Arena vorbei, so daß also eine minimale Chance besteht, daß er sogar etwas in Erfahrung bringt, das für Sie von Interesse sein könnte.«

»Das wäre natürlich nett«, entgegnete sie ohne sonderliches Interesse, als treffe sie mit jemandem, den sie nicht genauer kannte, beziehungsweise nicht allzu sehr mochte, eine Verabredung zum Abendessen. »Kommen Sie zu mir in die Küche, wenn Sie Ihren Anruf erledigt haben. Sie wissen ja, wo sie ist.«

Sie drehte sich um und ließ mich allein.

Nachdem ich die Nummer des Billard-Salons gewählt hatte, entstand erst einmal eine lange Pause, bevor Max schließlich am anderen Ende der Leitung den Hörer abnahm. Allerdings nahm gar nicht Max ab.

»Einen Moment bitte«, meldete sich eine Stimme zu Wort, bevor ich noch etwas sagen konnte. »Wer ist am Apparat?«

Ich sagte meinen Namen und wartete noch etwas. Schließlich kam Max Slovan ans Telefon.

»Mike«, meldete er sich heiser. »Wir haben hier etwas Schwierigkeiten. Hab' schon den ganzen Vormittag probiert, sie anzurufen. Kommen Sie so schnell wie möglich her. Der Laden hier ist schon ganz blau vor lauter Polizei. Sie möchten mit Ihnen sprechen.« Und damit hängte er auf.

Er hätte mir gar nicht erst zu erzählen brauchen, daß etwas nicht stimmte. Schlechte Nachrichten teilen sich auch ohne Worte mit.

Sehr sanft und sehr langsam legte ich den Hörer auf die Gabel zurück – gerade so, als hätte ich Angst, er könnte im nächsten Augenblick in die Luft gehen, wenn ich ihn nicht mit der äußersten Vorsicht behandelte. Meine Hände wurden feucht, und mein Herz fing zu klopfen an, als wäre ich eben die Nottreppe eines Wolkenkratzers hochgerannt. Ich rührte mich nicht von der Stelle und starrte einfach nur so vor mich hin auf das Telefon. Was ich sah, war jedoch das absolute blanke Nichts.

So muß ich eine ganze Weile gestanden haben. Elaine Damone

war nämlich zurückgekommen und rief etwas von wegen, der Kaffee würde kalt. Der Klang ihrer Stimme kam jedoch kaum zu mir durch – ähnlich Radiowellen während eines Unwetters.

Die Muskeln in meinem Hals und an meinem Rückgrat hinunter fingen allmählich an, sich anzuspannen und steif zu werden.

»Ist denn etwas passiert?« fragte sie mit gerade genügend Teilnahme in der Stimme, um das Ganze nicht für eine rein der Höflichkeit halber gestellte Frage halten zu können.

Ich nickte und versuchte ein Lächeln. Was dabei herauskam, war jedoch nur eine verlegene Grimasse, wie sie Kinder aufsetzen, wenn sie in die Hose gemacht haben. Es war ein Lächeln, das nicht viel anderes ausdrückte als vollkommene Hilflosigkeit. Und das merkte auch Elaine Damone.

»Das tut mir leid«, tröstete sie mich. »Aber lassen Sie mich gleich klarstellen: Was auch immer geschehen sein mag, Sie sind mir gegenüber Verpflichtungen eingegangen, und ich habe Sie dafür bezahlt. Ich warne Sie also. Sollten Sie mein Vertrauen mißbrauchen oder außerstande sein, ihren Teil unseres Abkommens zufriedenstellend zu erfüllen, sehe ich mich gezwungen, entsprechende Maßnahmen in die Wege zu leiten. Ich bin mir zwar durchaus bewußt, daß davon nichts schriftlich festgelegt ist, aber ich bin mir sicher, daß jegliche Nachlässigkeit von Ihrer Seite der Behörde, die Ihre Lizenz als Privatdetektiv ausgestellt hat, einiges zu denken gäbe. Falls es nicht möglich sein sollte, Sie zu erreichen, seien Sie bitte so freundlich und rufen Sie mich in regelmäßigen Abständen an. Ich möchte auf keinen Fall, daß mein Mädchen in die Sache hineingezogen wird, und werde deshalb Ihre Anrufe persönlich entgegennehmen.«

Ich hatte alles gehört und nickte von neuem.

»Ich werde Sie anrufen«, versicherte ich ihr müde. »Die Detektivagentur Dime schläft nie. Manchmal haut sie zwar daneben, und einer ihrer Klienten wird umgebracht; aber so etwas kommt nur ab und zu vor. Diesmal habe ich allerdings das Gefühl, daß wir Glück haben werden. Das habe ich so im Riecher. Sie als Frau würden es wahrscheinlich Intuition nennen.«

»Wir Frauen wissen, was ein Riecher ist«, entgegnete sie frostig, als hätten wir uns eben erst kennengelernt. »Und vergessen Sie vor allem nicht anzurufen«, fügte sie noch hinzu.

Mit kraftlosen Beinen ging ich durch Elaine Damones luxuriöse Wohnung, den Gang mit dem Teppichboden entlang, dessen Flor einem bis an die Knie reichte, und an der Küche vorbei. Der Geruch von in Butter gebratenen Eiern hing in der Luft. Sie würden mir fehlen, wie mir überhaupt eine Menge Dinge fehlen würden – aber nichts wohl so sehr wie der silberne Fotorahmen ohne Foto, der immer auf Elaine Damones Kaminsims gestanden war.

25

Was sich vor Max Slovans Billard-Salon abspielte, gefiel mir gar nicht. Aber irgendwie hatte ich ja schon gewußt, daß es so sein würde. Auf jeder Straßenseite stand ein Streifenwagen und dazu noch in zweiter Reihe ein Krankenwagen. Ein Mann in einem strahlend weißen Mantel verschloß gerade die Hintertüren. Ein paar andere Männer mit verschiedenen Koffern und einer Fotoausrüstung drängten sich in eine Limousine, die mit laufendem Motor am Straßenrand stand. Außerdem trieben sich kleine Gruppen von Passanten auf dem Gehsteig herum, die jedes Stadium des von der Polizei zelebrierten Rituals mit langen Hälsen und gedämpftem Murmeln aufmerksam verfolgten. Ein schlanker Polizist mit vorspringenden Zähnen und großen Händen hielt die Menge, so gut es ging, in Schach. Als die Limousine wegfuhr, erhaschte ich einen Blick auf den Leichenbeschauer des Bezirks, einen Mann namens Prosser.

Überall schienen Wagen zu stehen, und ich mußte fast bis ans Ende des Blocks fahren, bis ich endlich einen Parkplatz fand. Ich verfehlte den Rückwärtsgang, daß das Getriebe krachte, und kratzte den Bremslichtschutz an der Stoßstange eines nagelneuen, senffarbenen Mercury an.

Ich brauchte fünf Minuten bis zurück zum Eingang von Max Slovans Billard-Salon, wo der Polizist mit in die Seiten gestemmten Armen Wache hielt und die Straße hinauf und hinunter sah. Die kleine Menge war inzwischen noch kleiner geworden. Mehr oder weniger war alles vorbei, was immer es auch gewesen war.

Ich näherte mich dem Polizisten und wollte gerade die Treppe zum Billardsaal hinuntersteigen.

Mein blaugekleideter Freund streckte mir jedoch wie ein Indianerhäuptling seine erhobene Handfläche entgegen. »Leider ist hier heute geschlossen, Chef«, teilte er mir mit und blickte dabei über meine Schulter hinweg, daß ich mich schon fast versucht fühlte, mich umzudrehen, wer denn eigentlich noch hinter mir herkam. Sein Adamsapfel flitzte beim Sprechen eifrig seinen langen, dünnen Hals rauf und runter.

»Ich werde erwartet«, antwortete ich kurzangebunden und drückte mich an ihm vorbei.

»Hey«, brüllte er mir nach. »Sehen Sie bloß zu, daß Sie hier rauskommen.«

»Schreien Sie nicht so rum«, beruhigte ihn Max Slovan. Er stand direkt an der Tür an einem Billardtisch und faltete ein großes, graues Staubtuch zusammen. »Das ist der Mann, den der Boß sehen will.«

Sein Gesicht war sehr blaß, und er sah älter aus, als ich ihn je gesehen hatte.

Der Polizist warf uns einen langen, argwöhnischen Blick zu. Er nahm seine Mütze ab und fuhr sich mit der Hand über sein ordentlich geschnittenes, hellbraunes Haar. Dann setzte er sich die Mütze mit beiden Händen wieder auf und blinzelte.

»Wenn Sie meinen«, entschuldigte er sich und fuhr sich mit der Zungenspitze über die Zähne. »Ich habe eben meine Anweisungen.«

Ich sagte nichts zu Max – nicht ein einziges Wort.

Die Luft war schal, und ich hörte das Echo, als ich hustete. Ich trottete zwischen den Tischreihen hindurch, die so düster und schweigsam wirkten wie Grabsteine. Neben dem einzigen Tisch, über dem ein Licht brannte, stand ein Mann. Es war Joey Pozos Tisch.

Es befanden sich nur drei Männer im Raum – oder genaugenommen vier, wenn man den mit weißer Kreide auf die Spielfläche von Joey Pozos Tisch gezeichneten Mann dazurechnete. Er sah seltsam aus – halb fertig und ohne Beine. Der rechte Arm war entweder über oder unter dem Oberkörper gelegen, da die Kreidelinie am Ellbogen aufhörte. Der andere Arm stand im rechten Winkel von der Schulter ab. Die grob skizzierte Hand streckte einen Finger gegen das obere Ende des Tisches, wo, unter der Gummiabdeckung halb verdeckt, zwei Reihen von Kugeln zu sehen waren. In der Mitte der Spielfläche war ein dicker Fleck getrockneten Blutes zu sehen, der die Farbe angefaulter Pflaumen hatte.

Der Mann am Tisch stellte sich als Captain Uglo vor. Er war erst kürzlich von irgendwo anders her versetzt worden und wollte mir nur ein paar Fragen stellen – eine reine Routineangelegenheit.

Irgend etwas in der Richtung. Ich hatte das entscheidende Wort gehört, worauf der Teil meines Gehirns, der für die Aufnahme von Informationen zuständig ist, dichtmachte. Wie ein Ameisenbau, der an irgendeiner Stelle zerstört worden war.

Uglo war ein rundlicher, kleiner Kerl mit kahlem Kopf, roten Backen und einem mächtigen, zerzausten Schnurrbart, der aussah, als hätte er ihn sich angeklebt – und das auch noch etwas schief. Was von seinem Haar noch übrig war, war wesentlich dunkler, als man bei einem Mann, der eindeutig über fünfzig war, erwartet hätte. Es war beinahe schwarz. Er hatte kleine, volle Lippen wie ein Trompeter und kurze, dicke Stummelfinger wie ein Pianist. Sein Anzug war ein Dreiteiler und hätte eigentlich in ein Museum gehört. Die Jacke wurde vom untersten Knopf über seinem Wanst zusammengehalten, und der Stoff mußte sich dabei mächtig strek-ken. Die Taschen seiner Jacke wölbten sich vor wie Satteltaschen. Ich konnte mir vorstellen, daß er darin den Inhalt seines Schreibti-sches und seiner Aktenschränke herumschleppte, nachdem er doch erst kürzlich versetzt worden war.

Ich trat von dem Tisch zurück, als hätte ich gerade über die Reling eines Schiffes gekotzt, und sank in einen Stuhl. Automatisch griff ich nach einer Zigarette und legte sie auf ein kleines Tischchen neben mir.

Uglo nahm einen Stuhl von einem anderen Tisch und zog ihn zu mir heran. Dann drehte er ihn herum und setzte sich, seine kurzen Arme über die Rückenlehne baumeln lassend, rittlings darauf.

»Ein Freund von Ihnen?« ertönte sein tiefer Bariton, während er mit einer ruckartigen Kopfbewegung auf den Billardtisch deutete. Es war eine angenehme Stimme – eine Stimme, der sicher eine Menge Leute ihr Herz ausgeschüttet hätten. Sie hätten ihr alles mögliche gestanden, angefangen von Vergewaltigung, Brandstif-tung und Mord bis zu einem Bonbondiebstahl.

»Ich kenne ihn aus Frankreich«, antwortete ich und klopfte mit der Zigarette auf meinen Daumennagel. »In der Normandie. Er gehörte zu meiner Abteilung. Rangers, wissen sie. Er war ein T-5.«

Uglo nickte und holte einen Stumpen aus einer seiner Jackenta-schen. Er betrachtete ihn einen Augenblick und rollte ihn dann über seine Oberlippe.»T-5«, sagte er schließlich. »Funker?«

Uglo rollte sich weiter seinen Stumpen übers Gesicht, und ich klopfte mit meiner Zigarette herum.

Dann redete er weiter.

»Max Slovan sagt, Sie wären letzte Nacht zum erstenmal seit Jahren wieder hier aufgetaucht. Ich muß sagen, ich finde das reichlich seltsam. Vierundzwanzig Stunden nach Ihrer kleinen Wiedersehensfeier verschluckt sich nämlich Ihr Kumpel an einer Kugel.«

Unsere Augen trafen sich und verkrallten sich ineinander wie die Geweihe zweier kämpfender Hirsche.

»Haben Sie Feuer?« fragte der Captain und beugte sich über die Rückenlehne des Stuhls.

Ich fummelte in meiner Tasche herum und brachte mein Feuerzeug zum Vorschein. Ich reichte es ihm, worauf er sich, ohne auch nur für eine Sekunde seinen Blick von mir zu wenden, gemächlich seinen Stumpen ansteckte. Als dessen Spitze schießlich zu glühen begann, ließ Uglo seitlich aus seinem Mundwinkel eine Lunge voll süßen Rauchs entströmen.

»Der halbe Himmel für fünfundzwanzig Cents«, brummte er genüßlich. »Dafür können Sie sich Ihre handgerollten Havannas an den Hut stecken. In Italien machen sie diese Dinger hier. Mein Schwager importiert sie. Weiß Gott, woraus sie diese Stengel machen, aber auf jeden Fall schmecken sie wesentlich besser, als sie aussehen.«

Er ließ den Stumpen zufrieden in seinem Mundwinkel weiterglimmen und steckte beide Hände in seine Jackentaschen. Er wühlte eine Weile darin herum, bis seine linke Hand schließlich eine Papiertüte zum Vorschein brachte, über die in kleinen Lettern die Worte ›Police Dept.‹ gedruckt waren. Er streckte sie auf Armeslänge von sich und leerte ihren Inhalt auf den kleinen Tisch.

»Die Habe des Verstorbenen«, klärte er mich auf. »Nichts, was uns groß weiterhelfen könnte. Keinerlei Hinweise auf seine Person oder die Personen, die ihn erschossen haben. Oder auch, warum er erschossen wurde.«

Enttäuscht stieß er die einzelnen Gegenstände mit dem Finger auf dem Tisch herum, als sortierte er gerade die Teile eines Puzzles. Da war eine Brieftasche mit ein paar Dollars und einem Versehrtenausweis. Da waren ein paar Kreidewürfel, ein paar Münzen, verschiedene Schlüssel und ein Schuldschein über dreißig Eier. Den Namen darauf konnte ich nicht entziffern.

Also auch für mich nichts Brauchbares.

»Womit wurde auf ihn geschossen?« fragte ich, immer noch mit meiner Zigarette auf meinen Daumennagel einhämmernd.

»Eine Kugel aus einer Art Haubitze. Vermutlich eine Achtunddreißiger.«

Uglo machte sich daran, die Gegenstände auf dem Tisch wieder in der Tüte zu verstauen.

»Um welche Zeit?«

»So um Mitternacht herum. Sie haben ihn erschossen und zum Sterben auf den Tisch geworfen. Feine Leute habt ihr hier in Philly.« Aus seinen Nasenlöchern entwich etwas Rauch.

»Nette Leute gibt es doch überall«, meinte ich. »Oder ist das dort, wo sie herkommen, anders?«

»In Oklahoma City?« runzelte er die Stirn. »Haben Sie denn das Musical nicht gesehen? Dort gibt es eine Menge Mais und Kühe. Außerdem werden ein paar Leute erschossen. Aber die meisten sterben dort vor Langeweile.«

Er steckte die Tüte in seine Tasche zurück und paffte heftig an seinem Stumpen. Die Asche an seiner Spitze nahm dadurch um gut zwei Zentimeter zu, fiel aber nicht ab. Das war eines von diesen Dingern, an denen die Asche bis zum letzten Moment hängenblieb, um dann zu guter Letzt aus purer Bösartigkeit doch noch abzufallen – und zwar so, daß eine Lawine harmlos dagegen war. Den Ascheflecken auf Uglos Jacke nach zu schließen, passierte ihm das ungefähr zehn- bis zwanzigmal am Tag.

»Und was führt Sie in dieses Museum von einer Stadt?« fragte ich ohne sonderliches Interesse. Ich starrte unverwandt auf eine Reihe von Kugeln in der Tasche am Rand des blauen Wolltuchs. Seine Augen folgten meinem Blick, wobei er mit einiger Anstrengung, wie das für dicke Männer üblich ist, seinen Kopf drehte.

»Mir kam das auch komisch vor«, meinte er. »Echte Billard-Profis wie unser Freund da packen sie entweder in das Dreieck oder plazieren sie in die Taschen.« Er sah mich beim Sprechen nicht an. Dann drehte er sich um und sagte:

»Ich bin versetzt worden, weil sie irgendwo anders Personalmangel haben. Ich konnte mir ein paar Plätze aussuchen. Hierhier bin ich schließlich gekommen, weil ich dachte, ich könnte hier ein paar nützliche Erfahrungen sammeln. Ich dachte, ich würde hier vielleicht ein paar echt ausgekochte Privatdetektive kennenlernen und in einen saftigen Mordfall verwickelt werden. Dem lag natürlich die Überlegung zugrunde, daß sie mich, wieder daheim in

Oklahoma, zum Untersuchungsrichter wählen könnten, wenn ich einmal in so einer heißen Stadt wie Philly ein paar Killer einkassiert hätte.«

»Das werden Sie nie schaffen«, meinte ich. »Es sei denn, Sie suchen sich einen anderen Schneider. Sie haben doch Schneider in Oklahoma City?«

»So viele, wie es in dieser Stadt Krankenhäuser gibt. Hier laufen wohl eine Menge kranker Leute rum, was?«

»Krank an Leib und Seele«, erwiderte ich, ohne eigentlich zu wissen, warum.

Ich hatte mich endlich zu dem Entschluß durchgerungen, die Zigarette in meiner Hand anzustecken, konnte aber mein Feuerzeug nicht finden. Dann fiel mir ein, daß ich es Uglo gegeben hatte.

»Sie haben mein Feuerzeug«, erinnerte ich ihn und streckte meine Hand aus.

»Eine schlechte Angewohnheit von mir«, entschuldigte er sich, nahm das Feuerzeug aus seiner Westentasche und warf es mir über das kurze Stück zwischen unseren Stühlen zu. »Das war schon als Kind so.«

»Schade, daß Sie nicht länger hier bleiben wollen«, sagte ich und steckte mir meine Zigarette an. »Ich kenne in einigen dieser Krankenhäuser, von denen eben die Rede war, ein paar Jungs mit herrlichen Ledercouchen und Ziegenbärten, die darüber sicher gern mehr hören würden.«

Ich paffte etwas Rauch in die Luft. Neben Uglos italienischem Stumpen schmeckte er bitter – wie meine letzte Bemerkung.

»Sie haben auf alles eine Antwort, Dime.« Uglo nahm seinen Stumpen, seit er ihn sich angesteckt hatte, zum erstenmal aus dem Mund. »Erzählen Sie mir doch ein bißchen, worüber Sie und Ihr Kumpel sich da neulich unterhalten haben. Ich meine, abgesehen natürlich von Ihren üblen Erfahrungen an den Normandie-Küstenabschnitten damals.«

»Privatangelegenheiten, über die ich nicht weiter Auskunft geben will.«

Uglo steckte den Stumpen wieder in seinen Mund zurück. Und in diesem Augenblick fiel die Asche ab. Sie landete zum Teil auf seiner Weste, zum Teil auf seiner Krawatte. Er hob seine Hand und wischte ein paarmal – ohne großen Erfolg – damit herum. Tabakasche machte einem Bullen aus Okey City offensichtlich nicht allzuviel aus. Verglichen mit Maisbrei und Pferdescheiße sah das wahrscheinlich sogar vornehm aus.

»Das ist Ihr gutes Recht«, entgegnete er. »Vorerst kann Sie niemand dazu zwingen, Ihren Mund aufzumachen. Aber lassen Sie sich eines gesagt sein: Vielleicht bin ich nicht lange in dieser Stadt, aber auf den Killer dieses Jungen habe *ich* es abgesehen, und ich habe nicht die geringste Lust, daß mir dabei irgendein Schnüffler wie Sie mit seinen Rachegedanken in die Quere kommt, verstanden?«

»Mantovani sollte Sie zum Sonderberater in Fragen Schmalz ernennen«, gab ich zurück. »Was meine Rachegedanken betrifft, so sind sie mir erst gekommen, nachdem Sie darauf zu sprechen kamen. Aber eigentlich ist das gar keine so schlechte Idee – wäre doch eine ganz nette Beschäftigung auf meine alten Tage. Und wenn ich mir's so überlege, gibt es wirklich schlechtere Ziele im Leben.«

Die Luft im Raum war allmählich schwül und stickig geworden – wie vor einem Gewitter. Uglo schien davon jedoch nicht sonderlich Notiz zu nehmen. Er saß einfach da und hörte zu. Er sah aus, als wäre er an Hitze gewöhnt. Wahrscheinlich trug er das ganze Jahr über ein wollenes Unterhemd, und möglicherweise sogar immer das gleiche.

»Sie halten mich vielleicht für einen Gefühlsdusel, Dime«, antwortete Uglo, »aber ich werde nicht fürs Schlau-Daherreden bezahlt.« Damit erhob er sich wie ein Cowboy, der einen Monat ununterbrochen im Sattel gesessen war, sehr langsam von seinem Stuhl.

Über ein paar Tischen im vorderen Teil des Raums gingen die Lichter an, und über unseren Köpfen begann ein Wandventilator zu surren. Langsamer als der Kopf eines Achtzigjährigen, der ein Tennismatch mitverfolgt, drehte er sich von einer Seite zur anderen.

Uglo sah über seinen Schnurrbart und den Stummel seines italienischen Stumpen auf mich herab.

»Sparen Sie sich Ihre Witze für die Leute, die denken, die Polizei wäre nur dafür da, den Verkehr zu regeln – die feinen Damen mit zu viel Nichts im Kopf und noch weniger unter ihren Petticoats. Das ist doch Ihr Typ von Klient, und das sind doch die Probleme, mit denen Sie sich herumschlagen, Dime. In meinem Job geht es darum, Mörder dingfest zu machen. Sollten Sie also nicht spuren, dann kann ich Ihnen sagen: Ich werde Sie schneller am Schlafittchen haben als einen Zuhälter von der Fifth Avenue.«

Erst trat drückende Stille ein, als er zu sprechen aufgehört hatte. Dann meldete ich mich noch einmal zu Wort:

»Na gut, Captain, dann werde ich mich eben bemühen, Sie zufriedenzustellen. Eine meiner Klientinnen hatte einen Mann, der eine Aktentasche verlor, die ihm nicht gehörte. Ich sollte sie finden. Das ist alles. Pozo wollte mir helfen, sich ein bißchen umhören. Vielleicht hat sein Tod also mit der Sache zu tun. Vielleicht war es aber auch nur ein Zufall. So was passiert doch ab und zu.«

»Nur zu oft«, grunzte Uglo.

Ich glaubte nicht, was ich sagte, und das gleiche galt auch für Uglo. Aber wir spielten das Spiel weiter. Schließlich war das einfacher, als mich für eine Weile einzudosen und dann noch von mir zu erwarten, daß ich mich als ein saftiges Gulasch entpuppte.

»Und nur damit Sie beruhigt schlafen können«, fügte ich noch hinzu, »ich werde so sauber bleiben wie ein Kinderlätzchen. Und obendrein werde ich außerhalb der Schonzeit weder auf Elche schießen noch auf Geheimpolizisten. Aber eines kann ich Ihnen sagen: Wenn Sie den Burschen, der Pozo auf dem Gewissen hat, nicht einkassiert haben, bevor man Sie wieder nach Hause zurück verfrachtet, dann werde ich es mir zur Lebensaufgabe machen, ihn ausfindig zu machen.«

»Das heißt, falls Sie nicht vorher schon jemand in einen gemütlichen Eichensarg gesteckt hat«, konterte Uglo. Und dann stellte er etwas mit seinem Mund an, das wie ein Lächeln aussah. Aber es mußte wohl doch etwas anderes gewesen sein. Jedenfalls hatte ich einen Polizisten noch nie so etwas tun sehen.

»Sie haben Ihren Beruf verfehlt, Schnüffler«, brummte er und nahm den erloschenen Stumpen aus dem Mund. »Sie hätten Joe Louis' Punchingball werden sollen.«

Er ließ den Stumpen zu Boden fallen.

»Der hätte Ihnen eiersicher die ganze Scheiße aus dem Bauch geprügelt.«

»Eiersicher«, bestätigte ich ihn.

Und dann holte Captain Uglo aus Oklahoma City, vorübergehend beim Police Department von Philadelphia City, aus seiner linken Westentasche eine altertümliche Taschenuhr hervor und unterzog sie einer eingehenden Prüfung. Er tätschelte sich den Bauch, seufzte und steckte den Zeitanzeiger wieder weg.

»Habe ich doch glatt das Mittagessen versäumt«, sagte er fast zu sich selbst. »Die Zeit ist ja wie im Flug vergangen, wo doch vor allem dieses Gespräch mit Ihnen so überaus informativ war. Wenn ich jetzt ins Hauptquartier zurückwandere, meinen Bericht tippe und ein paar Nachforschungen anstelle, dann schaffe ich es vielleicht gerade noch, ein bißchen was zwischen die Beißer zu bekommen, bevor es dunkel wird. Es zahlt sich nie aus, mit leerem Magen zu arbeiten; das können Sie mir glauben. Dabei kommt einem jeglicher Sinn für Humor abhanden.«

Damit drehte Uglo sich um und watschelte auf die Tür zu. Der uniformierte Gesetzeshüter wartete immer noch, wo ich ihn zurückgelassen hatte – an dem Tisch am Eingang. Er hatte seine Hände immer noch in die Hüften gestemmt. Als Uglo sich ihm näherte, stand er stramm und sagte etwas. Uglo nickte, und der Uniformierte winkte Max Slovan zu, der gerade mit einer Queuespitze und etwas Leim beschäftigt war. Die zwei Polizisten traten durch die Schwingtür, und im nächsten Augenblick kamen ein paar Männer von draußen in den Saal. Eines nach dem anderen gingen über die Tischen die Lichter an.

Ich ging noch nicht sofort. Ich saß einfach da und sah abwechselnd auf die Kugelreihe auf dem Tisch, auf die Kreidezeichnung von Joey Pozos Hand und auf den Finger.

Billardkugeln lassen sich in zwei Gruppen unterteilen. Die einen sind einfarbig; die anderen haben einen dicken Streifen um die Mitte. Mit der schwarzen Achterkugel sind es insgesamt fünfzehn Stück. Jede Kugel hat eine Nummer und eine bestimmte Farbe. Ich holte mein Notizbuch hervor und zeichnete mir die Lage der Kugeln auf. Die meisten lagen in einer größeren Gruppe zusammen, und dann kam eine einzelne Kugel, die Nummer dreizehn. Die Kugeln der größeren Gruppe lagen in folgender Reihenfolge:
12, 9, 14, 7, 3, 6, 11, 15, 1, 4.

Die Kugeln mit den Nummern 3, 6 und 7, und 1 und 4 berührten sich. Zwischen den anderen befand sich ein Zwischenraum von jeweils etwa fünf Zentimetern.

Ich hatte keine Ahnung, was das bedeuten sollte, aber ich kannte auch keine Möglichkeit, Billard zu spielen, bei der eine solche Kombination vorgekommen wäre.

Ich hievte mich aus meinem Stuhl hoch und steckte mir eine neue Zigarette an.

Dann notierte ich mir die Reihenfolge der Kugeln und steckte den Zettel in meine Jackentasche. Zum erstenmal in einem Jahrtausend der Verzweiflung erblickte ich einen Hoffnungsschimmer am Horizont.

26

Am Spätnachmittag klärte sich der Himmel auf, und die warme Herbstsonne erstrahlte über der Stadt. Ihr verblassender Glanz tauchte Alleen und Plätze in ein Licht, das allem eine gewisse Würde zu verleihen schien. Der Fairmont Park erstrahlte in den Gold- und Rottönen der Ahorne, deren dichtes Laub sich in der leichten Brise anmutig wiegte.

Bernsteinfarbenes Sonnenlicht fiel durch das Fenster meines Büros. Es war zu hell und zu warm. Ich ließ die Jalousien herunter und zerhackte den mächtigen Strahl in ordentliche, waagerechte Streifen aus Licht und Schatten.

Max hatte mir erzählt, daß Joey Pozo sich für ein Match verabredet hatte, das die ganze Nacht durchgehen und ausdrücklich ohne Zuschauer stattfinden sollte. Offiziell machte Max um halb zwölf zu, und auch diesmal rief er um diese Zeit ein Taxi, gab aber Joey seinen Zweitschlüssel, damit er dann abschließen konnte. Natürlich war es etwas eigenartig, meinte Max, daß dem Spektakel keine Zuschauer beiwohnen sollten, aber manche Typen wollten es eben so. Zu dem Zeitpunkt, als Max nach Hause ging, hielt sich außer Joey niemand mehr im Salon auf, und der verbrachte, wie es schien, eine Menge Zeit am Telefon. Als Max dann am nächsten Morgen wieder ankam, fand er die Tür offen und die Schlüssel immer noch in Joeys Tasche. Im nachhinein war natürlich klar, daß Zuschauer nur deshalb ausgeschlossen werden sollten, damit die Teilnehmer an diesem kleinen Treffen ihr Inkognito wahren konnten.

Mit einer Kugel aus einer 38er im Bauch mußte Joey einen langsamen Tode gestorben sein. Sicher hatte er sich instinktiv mit den Händen an seine Wunde gegriffen, so daß sie mit Blut verschmiert wurden. Auf den Tisch geworfen und ohne Beine, war er völlig hilflos. Ich war mir sicher, daß Ratenner nichts mit Pozos Tod zu tun hatte – genausowenig, wie er der Initiator dieser kleinen Schießerei vor Luigis Dine and Dance war. Dessen war ich mir genauso sicher, wie mir klar war, daß die Billardkugeln absichtlich in dieser Reihenfolge plaziert worden waren, und zwar bevor man auf Joey Pozo geschossen hatte. Ich sah nämlich keine Möglichkeit, wie er sie danach noch hätte berühren sollen, ohne eine Blutspur auf ihnen zu hinterlassen.

Ich machte mich daran, nach dem Telefonbuch zu suchen. Es hatte in meinem Büro einmal solch ein nützliches Nachschlagewerk gegeben, aber ich konnte es nirgends finden. Ich besaß ein Packard-Cabrio, Baujahr 1939, mit kaputtem Getriebe, einen breitkrempigen Hut, einen beigen Gabardine-Regenmantel, eine volle Flasche Jim Beam, eine Pistole, ein überzogenes Konto, eine blühende Fantasie, eine Schwäche für Frauen jeglichen Alters zwischen siebzehn und fünfundvierzig und eine Privatdetektiv-Lizenz, ausgestellt von der Philadelphia City Hall. Ein Telefonbuch besaß ich dagegen nicht. Ich kam schließlich zu dem Schluß, daß ich es entweder verpfändet oder an die Mäuse verfüttert hatte. Aber ich brauchte jetzt ein Telefonbuch, und zwar schnell. Und das bedeutete einen kurzen Trip den Gang entlang zu meinem Nachbarn – Heinrich Zoftig, Juniorchef der H. und H. Zoftig Company, Schmuck-Großhandel, und fiesester Mensch des Universums.

Vorher schaute ich jedoch noch kurz am Fenster vorbei, um mich zu vergewissern, ob Ratenners Jungs auch tatsächlich ganze Arbeit leisteten. Ich steckte Zeige- und Mittelfinger zwischen zwei Streifen der Jalousie und lugte durch den schmalen Spalt auf die Straße hinunter, wo auf der sonnenbeschienenen Seite ein Pontiac mit zurückgeklapptem Verdeck stand. Die beiden Männer, die darin saßen, verbargen sich hinter dunklen Sonnenbrillen und holten das Beste aus der schwindenden Herbstsonne heraus. Der eine hatte seine Jacke abgelegt, und der andere paffte gemächlich vor sich hin, den Kopf gegen die Rücklehne des Sitzes gelegt.

Tempus fugit, rief ich mir ins Gedächtnis zurück und nahm mir ein extra-süßes Lächeln mit, um mir Zoftigs Telefonbuch auszuleihen. Ich vergaß auch meine Kanone nicht und den Mietvertrag für mein Büro, falls er eine Kaution verlangen sollte.

Die Bürotür bestand aus dem universalen Milchglasrechteck in einem gebeizten Holzrahmen. Unter der Glasscheibe war ein Schild mit der Aufschrift TRETEN SIE EIN befestigt. Das war jedoch eine Aufforderung, die sich, wie die Erfahrung zeigte, keineswegs auch auf mich bezog. Zoftig beschwerte sich immer wieder bei der Hausverwaltung, daß am hellichten Tag irgendwelche Schüsse durch die Gegend krachten und die Leichen seine Tür blockierten. Das rührte jedoch größtenteils von seiner Gestapo-Fantasie her. Es ist zwar richtig, daß ich einmal auf einen Klienten geschossen habe, der geglaubt hatte, ich würde mit seiner ihm entfremdeten Ehefrau etwas zu intim, und mich daraufhin mit einer Axt bedrohte; aber ich schoß ihn nur ins Bein. Es ist auch richtig, daß besagter Klient durch Zoftigs Tür fiel und eine Menge Blut auf seinem Teppichboden vergoß, bevor er die halbe Einrichtung mit seiner Axt demolierte. Es ist auch richtig, daß ein paar verzweifelte Klienten sich gelegentlich etwas unkonventionell verhielten, wie zum Beispiel die Ehefrau eben des Klienten, den ich ins Bein geschossen hatte. Sie kam in mein Büro, zog sich sämtliche Kleider aus und paradierte so lange splitternackt auf dem Gang auf und ab, bis ich meine Drohung zurückzog, sie nie mehr wiedersehen zu wollen. Sie hieß, soweit ich mich erinnern kann, Mrs. Body.

Ich klopfte einmal kurz und wartete erst gar nicht auf eine Antwort. Obwohl er so aussah, war der alte Zoftig gar nicht so alt – nicht über fünfundfünfzig. Er ragte über einen Meter achtzig aus seinen Socken und hielt sich sehr krumm – etwa wie ein Hockeyschläger. Er bestand nur aus Haut und Knochen und steckte in einem dicken, wollenen Anzug und einem Hemd mit gestärktem Kragen. Sein Kopf war extrem kahl und stellte ein unangenehmes Lebergelb zur Schau. Seine Nase war lang und seine Ohren groß und mit dünner, fast transparenter Haut überzogen. Sein Mund war gemein und böse und kniff sich fest über einigen hundert Dollar in Goldfüllungen zusammen.

Er stand neben einem sehr alten, blitzblank eingewachsten Mahagoni-Schreibtisch. Seine Mutter, mit der er lebte, saß am Fenster und sah nach draußen. Sie war ein kleinere und fettere Version ihres Sohnes. Mit Haaren.

»Raus mit Ihnen, Sie Schweinekerl«, begrüßte mich der alte Zoftig mit seinem unüberhörbaren deutschen Akzent. »Wenn Sie jemanden erschießen wollen, dann bitte nicht hier. Oder wollen Sie vielleicht meine Mutter erschießen? Dann los, schießen Sie.«

»Heinrich, Heinrich«, schaltete sich Mrs. Zoftig ein. »Denk an dein Herz.«

Sie aß eine Menge von irgend etwas aus Pumpernickel – Kohl mit Hühnerleber und Käse. Auf dem Tisch stand noch mehr Essen, darunter auch eine Wurst, dick wie ein Abflußrohr und schwarz wie eine alte Dörrpflaume. Der alte Zoftig war gerade eifrig damit beschäftigt, dieses Monstrum mit einem Taschenmesser mit einem Geweihgriff zu beschneiden.

Mit einem fleischigen Mittelfinger wischte sich Mrs. Zoftig ein Essensrestchen aus dem Mundwinkel und deutete dann aufgeregt damit auf die Wurst. Ihr Sohn spießte mit dem Messer eine Scheibe auf, die sie ihm gierig von der Messerspitze riß. Dann begann sie die Wurst mit ihren Zähnen zu malträtieren, als hätte sie sich drei Karamelbonbons auf einmal in den Mund geschoben.

Seit ich im Raum stand, hatte der alte Zoftig nicht eine Sekunde seine Augen von mir gelassen.

»Immer Scherereien«, schimpfte er los und schnitt ein dickes Stück Wurst ab. »Wenn Sie durch die Tür kommen, bedeutet das immer Scherereien. Statt sich mit nackten Damen herumzutreiben und auf die Nachbarschaft zu schießen, versuchen Sie doch lieber mal, hervorragend gefertigte Broschen mit künstlichen Edelsteinen an Leute zu verkaufen, die immer nur billige japanische Ware wollen. Schwierigkeiten haben wir selbst zur Genüge. Behalten Sie also Ihre für sich.«

Mrs. Zoftig zuckte nur unter einem blauen Wollschal ihre Schultern und wischte sich mit ein paar raschen Handbewegungen weitere Essensreste von ihrem Schoß.

»Er will das Telefonbuch, Heinrich«, quietschte sie mit ihrer dünnen Stimme. »Gib es ihm doch, um Gottes willen.«

Das Gesicht des alten Zoftig nahm einen häßlichen Farbton an, und seine Lippen wurden sogar noch dünner. Mit Ausnahme eines Risses in einem Gemälde von Vermeer hatte ich noch nie so etwas Dünnes gesehen.

Er wiegte sich leicht auf den Fersen und ballte seine Fäuste. Mir das Telefonbuch zu leihen, war schließlich nicht gerade einfach.

»Bringen Sie es sofort zurück, wenn Sie es nicht mehr brauchen, Sie Schweinehund.« Damit öffnete er eine Schublade in seinem Schreibtisch und machte sich daran, sie mit peinlichster Sorgfalt zu durchsuchen. Er stellte sich dabei an, als erwartete er jeden Augenblick, irgend etwas Unangenehmes könnte plötzlich unter all dem Papierkram hervorhüpfen und ihn beißen. Womit er nun freilich genau rechnete, hätte ich nicht sagen können – vielleicht mit einer giftigen Spinne oder einem kleinen Hai.

In Zoftigs Büro war nicht allzu viel Platz. Überall waren vom Boden bis zur Decke Reihen von kleinen Pappkartons aufgestapelt. An der Vorderseite jeder Schachtel war mit einem festen Faden jeweils ein Stück des Inhalts festgenäht. Einige Sachen waren auf eine altmodische Art, wie man sie um die Jahrhundertwende hatte, recht hübsch, nur waren sie eben auch zusammen mit Spitzen und Reifröcken etwas aus der Mode gekommen.

Endlich fand Zoftig das Buch und knallte es auf den Schreibtisch, daß der Staub aufwirbelte.

»Los, nehmen Sie's schon«, knurrte er mich durch eine wütend gefletschte Reihe von schwarzen Zähnen und Goldnuggets an. »Nehmen Sie es und verschwinden Sie schon.«

Über dem Schreibtisch hing ein großer Kalender mit dem Bild eines lächelnden Fräuleins mit strohblondem Haar, das mit einem grellroten Band zusammengebunden war. Seine Augen hatten die Farbe von blauem Eis. Das Fräulein hielt ein juwelenbesetztes Glas mit schäumendem Bier, und an seinen Ohren baumelten Ohrringe von den Ausmaßen ausgewachsener Kristallüster. Eine Perlenbrosche, nicht größer als ein Radieschen, war strategisch geschickt an der Spitze der rechten Brust befestigt, die zusammen mit ihrer großzügig proportionierten Kollegin neugierig über den tiefen Ausschnitt eines Abendkleides hervorlugte.

Ich klemmte mir das Telefonbuch unter den Arm und lächelte das Mädchen auf dem Kalender freundlich an.

Die scharfen Augen des alten Zoftig bemerkten meine Blicke. »Diese sexbesessenen Amerikaner«, zischte er leise.

»Vielen Dank«, verabschiedete ich mich von toten Ohren und Herzen, die keine Liebe für mich kannten, trat vorsichtig aus ihrem Büro und schloß sachte die Tür hinter mir.

In einer stillen Nacht hätte man Mrs. Zoftig sicher bis zur Marconi Plaza, acht Blocks weiter, essen hören können.

27

Immer noch breitete sich das Streifenmuster aus Licht und Schatten auf dem Boden meines Büros aus; nur war es in der Zwischenzeit etwas blasser geworden. Ich schritt darüber hinweg und setzte mich an meinen Schreibtisch.

Es war an der Zeit, mich ein bißchen an die Arbeit zu machen.

Ich legte fein säuberlich das Telefonbuch vor mich auf die Schreibtischplatte, dann riß ich das oberste Blatt Papier von meinem Notizblock und nahm einen stumpfen Bleistift. Dessen Spitze steckte ich in die Öffnung meiner Spitzmaschine und drehte ein paarmal deren kleinen Hebel. Geräuschvoll machten sich die Spitzerklingen über den Bleistift her. Schwacher Holzgeruch drang an meine Nase, gefolgt von dem trockenen Aroma der Bleistiftmine. Dann legte ich den gespitzten Bleistift neben den Notizblock und holte die Liste der Zahlen aus meiner Tasche, die ich mir anhand der Kugeln auf Joey Pozos Tisch aufgeschrieben hatte. Ich legte das zerknüllte Stück Papier auf die Schreibtischunterlage und strich es sorgfältig glatt. Dann holte ich eine Flasche aus meinem Schreibtisch und goß mir vorsichtig einen Pappbecher mit einem Fingerbreit Whisky voll.

Nun war ich fast bereit. Ich kippte den Fingerbreit hinunter und schenkte mir einen weiteren ein. Jetzt war ich bereit.

Ich zeichnete elf Kreise, welche die Kugeln darstellen sollten, und schrieb in jeden eine Zahl. Für mich stand völlig außer Zweifel, daß Joey Pozo mir auf diese Weise eine verschlüsselte Botschaft hatte übermitteln wollen. Ich konnte nur hoffen, daß der Code nicht allzu schwierig zu knacken war. Der einfachste Code, den ich kannte, setzte an Stelle von Buchstaben Zahlen. Die simpelste Information, die Joey Pozo mir möglicherweise hatte zukommen lassen wollen, war eine Telefonnummer. Also fing ich damit an. Mit etwa einhundert Millionen Telefonen in ganz Amerika bestand ja durchaus eine Chance, daß ich Glück hatte – vorausgesetzt, es handelte sich tatsächlich um eine Telefonnummer.

Die erste Ziffer war zwölf, was dem Buchstaben L entsprochen hätte. Die zweite Ziffer ergab I, die dritte N und die vierte G. Soweit, so gut. Die nächsten Zahlen standen in leichtem Abstand voneinander und ergaben mit den ersten vier das Wort LINGCFK. Ich brauchte nicht erst ein Adreßbuch, um zu der Überzeugung zu gelangen, daß das nicht im entferntesten nach einem Namen klang – zumindest nicht außerhalb Rußlands. Trotzdem machte ich wie bisher weiter und erhielt als Ergebnis das Wort LINGCFKOADM. Das A und das D bildeten eine Gruppe, während das M sich in ziemlichem Abstand von den übrigen Kugeln befunden hatte. Mir schwante, daß es dafür einen Grund gab, der mir bis dahin jedoch entgangen war. Für eine Telefonnummer im Stadtbereich hätten sieben der elf Kugeln jeweils eine Ziffer repräsentiert. Das Problem war nur, daß vier Kugeln zweistellige Zahlen hatten, womit ich insgesamt mit sechzehn Ziffern zu arbeiten hatte. So würde ich nicht weiterkommen.

Ich goß mir etwas mehr Jim Beam ein, trank ein wenig und spülte mir erst das Zahnfleisch damit, bevor ich die Flüssigkeit meine Kehle hinunterrinnen ließ. Das Wort auf meinem Notizblock strich ich aus und dachte neuerlich über die Gruppierung der Kugeln nach. Vielleicht brachte es etwas, wenn ich sie addierte. Ich steckte mir einen Docht an, legte ihn auf den Aschenbecher unter der Schreibtischlampe und schrieb gerade die Summe unter die lange Zahlenreihe, als es an der Eingangstür zu meinem Büro klopfte. Ich sah auf meine Uhr. Es war viertel nach vier.

Er war nicht sonderlich groß, hatte aber die selbstsichere Gangart einer Person, die sich sowohl in Gesellschaft von Männern wie von Frauen durchaus zu Hause fühlt. Er trug einen Kamelhaarmantel mit Gürtel, der ihm hervorragend stand. Sein eckiges Gesicht war auffallend braun, und das dunkelbraune, gewellte Haar auf seinem Kopf duftete angenehm. Er hatte einen dünnen Schnurrbart und offene, haselnußbraune Augen. Sein Mund bot einen gefälligen Anblick, und ich konnte mir vorstellen, daß er sich gut ausdrücken konnte. Außerdem lächelte er.

»Mein Name ist Teddy Holland«, stellte er sich vor, als wäre das für ihn von größerem Interese als für mich. Als nächstes holte er eine Visitenkarte aus seiner Brieftasche, plazierte sie mit etwas mehr Schau, als eigentlich nötig gewesen wäre, auf meinen Schreibtisch und blickte auf den für meine Kunden gedachten Stuhl.

»Darf ich mich setzen?«

Ich nahm die Karte von der Schreibtischunterlage. Nur der Name, nichts weiter.

»Bitte, nehmen Sie doch Platz, Mister Holland«, forderte ich ihn auf. »Was kann ich für Sie tun?«

Er lächelte ein zweites Mal und lehnte sich in seinem Stuhl zurück – ein wackliges, altes Ding, das ich im Lauf der Zeit ins Herz geschlossen hatte. Ihn beunruhigte das jedoch nicht im geringsten. Er brachte ein Zigarettenetui von der Größe eines Taschenbuchs zum Vorschein und steckte sich eine Zigarette zwischen die Lippen. Am vierten Finger seiner linken Hand steckte ein fetter Goldring, und die Manschetten seines Hemds wurden von noch mehr Gold zusammengehalten. Teddy Holland hatte das nette Gesicht Hollywoods und die scharfen Kleider Chikagos – eine an sich recht ungewöhnliche Kombination.

»Eigentlich«, fing er an und steckte sich seine Zigarette an, »bin ich wegen Ihrer Klientin Elaine Damone hier.« Er blies etwas Rauch in die Luft und wartete. Seine Augen sahen mich hart an und wandten sich auch nicht ab, als ich aufhörte zurückzustarren. Ich schenkte mir etwa mehr Jim Beam ein und hob die Flasche leicht hoch.

»Auch einen Schluck?« bot ich ihm an.

Er nickte. »Aber gerne. Lassen Sie es aber bitte bei dem einen bleiben. Ich bin nämlich etwas in Eile.«

Um dies zu unterstreichen, drehte er ein paarmal rasch an seiner Armbanduhr.

Ich goß einen zweiten Pappbecher halb voll und stellte ihn auf den Rand des Schreibtisches. Holland warf einen kurzen Blick darauf, ergriff ihn und hielt ihn sich unter die Nase. Dann lächelte er von neuem und kippte den ganzen Becher in einem einzigen Zug hinunter. Er hustete nicht.

»Sie sagten, Sie wären wegen Elaine Damone zu mir gekommen«, kam ich wieder zum Thema und zeigte ebenfalls ein Lächeln. Schließlich sollte dieser Kerl nicht von mir denken, ich könnte das nicht mindestens genausogut wie er.

Holland ließ etwas Asche auf den Boden fallen und nickte. »Sie hätte Sie angerufen oder wäre persönlich vorbeigekommen, aber sie mußte unerwartet verreisen. Geschäftlich. Das ist der Grund, weshalb ich hier bin. Ich genieße nämlich ihr vollstes Vertrauen.«

Darauf entstand eine kurze Pause, während wir beide an unseren Zigaretten sogen. Ich nippte außerdem an meinem Whiskybecher.

»Um es kurz zu machen, Dime«, fuhr Holland schließlich fort. »In dieser Sache, die ihren Bruder Stanton betrifft, wird Ihre Hilfe nicht mehr länger benötigt – weder professionell noch anderweitig. Elaine hofft, daß Sie diese ihre Entscheidung nicht als eine Folge Ihres Verhaltens oder Ihrer Arbeitsweise betrachten. Der Grund für diesen Entschluß ist einfach darin zu sehen, daß der Fall sich von selbst gelöst hat, ohne daß es zu einer weiteren Geldübergabe gekommen wäre. Die Stücke aus dem Besitz Stanton Damones sind zurückerstattet und in der Folge vernichtet worden. Sonst gibt es nichts weiter zu sagen. Ich hoffe, Sie verstehen das.«

»Das dürfte allerdings mein Auffassungsvermögen nicht allzu sehr in Anspruch nehmen«, entgegnete ich.

»Fein«, schnurrte Holland zufrieden, und gleichzeitig breitete sich auf unseren Gesichtern ein Lächeln aus.

Er stand auf, wie man nach einem zufriedenstellend abgeschlossenen Geschäft eben aufsteht, und trat mit der Spitze seines neuen Schuhs seine Zigarette auf dem Teppichboden aus.

»Übrigens, bevor ich es noch vergesse: Elly – das heißt, Elaine – hat mich gebeten, Ihnen das hier zu geben.« Damit nahm er einen Umschlag aus der Brusttasche seiner Jacke. »Hundert Dollar – für einen zusätzlichen Tag Arbeit. Außerdem eine recht großzügige Summe zur Begleichung Ihrer Unkosten. Insgesamt etwa fünfhundert Dollar.«

Er warf den Umschlag auf den Schreibtisch, wo er neben den Notizen zu liegen kam, die ich mir eben gemacht hatte.

»Außerdem«, fügte Holland hinzu, »verbindet Elaine mit diesen vierhundert Dollar die Hoffnung, daß Sie sich in Zukunft nicht mehr mit ihr in Verbindung setzen werden und auch alles vernichten, was darauf schließen lassen könnte, daß Sie jemals mit ihr zusammengetroffen sind. Dies ist ihr ausdrücklicher Wunsch – wenn Sie so wollen – Teil meiner Aufgabe.«

»Und worin besteht der andere Teil?« wollte ich wissen. »Nur zur Vervollständigung der Akten, die ich dann gleich vernichten werde.«

»Ich bin Berater«, klärte er mich auf. »Die Leute zahlen mich für meinen Rat.«

»Und würden Sie mir raten, mich nach dem zu richten, was Sie mir eben gesagt haben?«

»Das würde ich auf jeden Fall, und dieser Rat ist sogar umsonst.«

Ich ergriff den Umschlag, schlitzte ihn auf und ließ fünf Hundert-Dollar-Scheine auf die Schreibtischplatte schweben.

»Von Quittungen halte ich nicht allzu viel, Mr. Holland«, gab ich meinem Gegenüber zu verstehen. »Das ist schlecht fürs Geschäft und schlecht für die Moral. Meine Finanzen stehen zwar nicht gerade großartig, aber ich schlage mich so durch. Falls bekannt werden sollte, daß ich einen Fall nicht weiter bearbeitet habe, beziehungsweise gegangen...«

»Schon gut, schon gut«, fiel Holland mir ins Wort. »Drehen Sie den Hahn schon mal ab. Wieviel wollen Sie denn noch, damit wir uns einig werden. Darauf wollen Sie doch hinaus, oder?«

»Nein, da haben Sie sich diesmal leider getäuscht. Ich kann nur hoffen, Sie geben Ihren Kunden bessere Ratschläge als sich selbst, sonst machen Sie hier ja nicht gerade die beste Reklame für Ihr Metier.« Ich stand auf. Ich war etwas größer; dafür war er etwas breiter. »Ich wollte damit nur sagen, daß ich von Ihrer Begründung nicht sonderlich viel halte. Möglicherweise ist es auch die von Miß Damone. Jedenfalls gefällt sie mir so und so nicht, und glauben tue ich sie schon gar nicht. Erpresser lassen nicht eher locker, als bis sie ihrem Opfer den letzten Tropfen Blut ausgesaugt haben, und daran dürften auch die betörenden Augen Miß Damones kaum etwas ändern. Ich bin nicht an Ihrem Geld interessiert, Mr. Holland. Ich weiß gar nicht, woran ich überhaupt interessiert bin. Es ist nur einfach so, daß es einen etwas unangenehmen Geschmack in meinem Mund hinterläßt, fünf Hunderter auf den Schreibtisch geknallt zu bekommen, ohne daß ich dafür auch nur mit meinem großen Zeh zu wackeln gebraucht hätte.«

Holland trat einen Schritt näher an mich heran.

»Dann habe ich da allerdings etwas anderes zu hören bekommen. Miß Damones Mädchen hat mir erzählt, daß Sie mit einer Menge mehr herumgewackelt haben als nur mit Ihrem großen Zeh.«

Er lächelte nicht mehr, als er das sagte, und seine Fäuste ballten sich – ganz leicht allerdings nur.

Ich setzte mich wieder – einfach, um etwas Dampf abzulassen. Ich konnte mir nicht vorstellen, daß Teddy Holland mir im Sitzen eine überziehen würde. Wie ich mir übrigens auch nicht vorstellen konnte, daß er das im Stehen versucht hätte. Ich hatte das Gefühl, daß das alles nur Schau war. Deshalb brummte ich ihn an:

»Ich würde an Ihrer Stelle nicht einfach alles so glauben, was Ihnen diese Asiaten da erzählen. Sie mögen ja undurchschaubar sein, aber die, die ich bisher kennengelernt habe, konnten eine kurze Geschichte noch nie von einer langen unterscheiden.«

Darauf ging Holland nicht weiter ein.

»Lassen Sie die Finger von Elaine Damone, und Sie werden sich womöglich noch bis ins hohe Alter Ihres Lebens erfreuen. Ansonsten bekommen Sie es mit mir zu tun, und das ist keineswegs ratsam, wie ich Ihnen ja bereits zu verstehen gegeben habe.«

Er schenkte mir ein Lächeln, das jedes künftige Lächeln im Keim erstickte.

»Außerdem«, fuhr er fort, »hat mir Elaine erzählt, daß Sie zur Zeit bis über die Ohren in einem anderen Fall stecken. Sie meinte, sie wären sicher daran interessiert, in dieser Sache weiterzukommen. Es ist nun zwar nicht meine Sache, aber ich kann Miß Damone in dieser Hinsicht vollstens verstehen.«

Seine Blicke fielen auf meinen Notizblock.

»Tut mir leid, Dime, wenn ich ein wenig großspurig aufgetreten bin. Aber diese Erpressergeschichte hat eben die Nerven aller Beteiligten etwas angegriffen.«

»Aber natürlich«, antwortete ich und drehte den Block um, so daß er lesen konnte, was ich darauf geschrieben und wieder durchgestrichen hatte.

»Sind Sie gut im Rätsellösen?«

Hollands Augen weiteten sich.

»Der Fall, an dem ich gerade arbeite«, erklärte ich ihm. »Das Ganze muß irgend etwas bedeuten.«

»Da bin ich allerdings überfragt«, meinte Holland. »Tut mir leid.«

»Ich glaube, ich habe mit den drei zusammengehörigen Zahlen etwas falschgemacht. Wenn mich nicht alles täuscht, sollten sie zu einer einzigen Zahl zusammengefaßt werden und nicht für sich allein betrachtet werden.«

»Eine Art Code also?« Holland fuhr sich mit einem manikürten Fingernagel am unteren Rand seines Schnurrbarts entlang.

»Ja, sieht ganz so aus. Er stammt von einem ehemaligen Ranger, den ich aus dem Krieg kenne. Er war damals Funker.«

»Interessant«, meinte Holland, und er sprach diesmal offensichtlich die Wahrheit.

Ich nahm den Bleistift.

»Andererseits müßten vielleicht einige andere Zahlen getrennt werden. Wonach ich suche, ist vermutlich nichts anderes als eine Telefonnummer – oder vielleicht auch eine Adresse; jedenfalls irgend etwas in der Art.«

»Wirklich sehr interessant.«

»Allerdings. Aber lassen Sie sich von mir nicht aufhalten. Sie sagten doch, Sie hätten es eilig.«

»Aber ja.« Und damit erstrahlte auf Hollands Gesicht das letzte Lächeln dieses Nachmittags. »Ich freue mich, daß wir beide uns gütlich einigen konnten, Dime. Und ich freue mich vor allem für Elaine. Sie ist wirklich eine ganz außergewöhnliche Frau.«

Er streckte seine sonnengebräunte Hand aus, die ich ergriff und schüttelte.

Dann hörte ich seine Tritte den Gang hinunter verhallen, gefolgt von dem Geräusch der automatischen Lifttür. Ich wartete eine Minute und trat dann ans Fenster. Die Sonne war schon fast untergegangen. Ich ließ die Jalousie hoch und bemerkte die Pfütze unter dem Fensterbrett, die inzwischen fast vertrocknet war. Da war nur noch ein dunkler Fleck, der in etwa die Umrisse von Long Island hatte. Nur war er nicht so groß.

Ich sah Holland das Haus verlassen, die Straße überqueren und sich ein Taxi heranwinken. Er hatte keinen Wagen und trug keinen Hut – im Gegensatz zu Ratenners Leuten, die im übrigen nirgends zu sehen waren.

Ich setzte mich wieder an meinen Schreibtisch und machte mich an die Arbeit. Zuerst nahm ich die fünf Hundert-Dollar-Scheine von Elaine Damone und steckte sie in einen großen braunen Umschlag, den ich an die Vereinigung für Kriegsversehrte in Philadelphia adressierte. Außerdem legte ich ein Foto von Roosevelt bei. Darauf steckte ich den Umschlag in meine Jackentasche, schlug das Telefonbuch auf und notierte mir eine Adresse: Eckard Avenue, Abington.

Sobald ich die Nummer der ersten Kugel wegließ und die mittleren drei addierte, bereitete Joey Pozos Code keinerlei Schwierigkeiten mehr. Das Wort, das sich schließlich ergab, lautete ›Abington M‹. Das M konnte alles mögliche bedeuten, aber ich war mir so sicher wie heiße Schokolade, daß es für ›Motel‹ stand. Es gab keinen Telefoninhaber dieses Namens, und die einzigen alternativen Möglichkeiten, die mit M weitergingen, waren die Abington Metzgereibedarfswerke und die Abington Molkerei. Und falls ich mich mit dem Motel tatsächlich getäuscht haben sollte, konnte ich es ja immer noch unter den anderen beiden Adressen versuchen.

Ich steckte ein paar Patronen in das Magazin meiner Knarre – nur für den Fall, daß es wieder zu einer heißen Diskussion kommen sollte – und packte meinen Regenmantel unter den Arm – für den Fall, daß das Wetter sich entsprechend abkühlen sollte. Bevor ich dann den Laden dicht machte, sah ich mir Teddy Hollands Visitenkarte noch einmal genauer an. Ich fuhr mit dem Daumen über seinen Namen.

Die Druckerschwärze war noch so frisch, daß sie sich verwischte.

28

Samstag abend. Die meisten Autos fuhren stadtauswärts, so daß ich auf der Broad Street in nördlicher Richtung gut vorwärts kam. Ich rauschte an der City Hall vorbei, wo die Straße in den Highway

611 übergeht, und ließ die Vororte Ogontz, La Mott und Cedarbrook hinter mir. Einige der Häuser, an denen ich im Zwielicht der Dämmerung vorbeifuhr, sahen imponierend aus. Einige machten einen etwas weniger großartigen Eindruck, und beim Rest handelte es sich schließlich einfach um Häuser. Eine Menge der älteren Bauten wiesen Anzeichen auf, daß die Wirtschaftskrise und der letzte Weltkrieg ihren Tribut gefordert hatten. Einst prächtige Rasenflächen waren nun von Unkraut überwuchert, und ehemals stolze Veranden gammelten auf morschen Holzpfeilern vor sich hin. Die meisten Häuser hätten allerdings nur einen frischen Anstrich gebraucht, um einem Häusermakler ein zufriedenes Lächeln zu entlocken.

Es war schon fast dunkel, als ich zwischen zwei mächtigen Ziegelpfeilern und einem rostigen Eisentor hindurchfuhr. Möglicherweise hatte es sich durchaus einmal gelohnt, sich hier ein Zimmer zu nehmen. Sicher hatten sich einige feine Leute die Adresse notiert und ihren Freunden und Bekannten weiterempfohlen. Aber das war alles einmal gewesen – in den zwanziger Jahren vielleicht. Kein Mensch wäre heute auf die Idee gekommen, hier abzusteigen. Es gab da einfach zu viel abblätternde Farbe, zu viel abgestandene, schlechte Luft.

Die Einfahrt war mit schwarzen Reifenspuren bekritzelt, und hier und da schimmerten kleine Ölpfützen auf. Außerdem stand da ein häßlicher Baum, an dessen Stamm lieblos ein Willkommensschild genagelt war. Ich übersah fast das Ende der Parkfläche, was zur Folge gehabt hätte, daß ich drei gepflasterte Stufen hinuntergepoltert und in einem stinkenden Swimmingpool voller schleimig grünen Wassers und verrottender Blätter gelandet wäre.

Das Motel war in Hufeisenform gebaut, wobei die beiden Seitenflügel auf mächtigen Eisenpfeilern ruhten. Die einzelnen Apartments waren alle gleich – eine Tür und zwei Fenster. Es brannte kaum irgendwo Licht. Von dem zweistöckigen Mitteltrakt aus überblickte man das Schwimmbecken, an dessen vier Ecken jeweils eine Laterne mit einem kugelförmigen Schirm stand. Aus einem Raum hinter einer offenen Glasschiebetür drang schwaches Licht ins Freie; vermutlich befand sich dort die Rezeption.

Ich schlug an einem verwilderten Rosenbusch rechts ein und parkte vor dem letzten Apartment auf der linken Gebäudeseite. Vorher wendete ich allerdings noch den Wagen, so daß seine Nase in Richtung Ausfahrt zeigte.

Ich stieg aus, klappte das Verdeck zurück, ließ die Schlüssel im Zündschloß stecken und die Tür offen. All das würde sich bei einem etwas überstürzten Abgang als nützlich erweisen.

Durch die Glastür drang Musik nach draußen – Glenn Miller. Der Klang brach sich an den Wänden der beiden Seitenflügel, und dadurch entstand ein Echoeffekt, als träte man in ein sehr großes und sehr leeres Herrenklo.

Ich ging am Swimmingpool entlang, und meine Tritte klangen ungewöhnlich schwer und hart, als hätte ich bleibeschwerte Taucherschuhe an meinen Füßen.

In dem von einer etwa dreißig Zentimeter hohen Mauer umgebenen Schwimmbecken lebte eine ganze Kolonie von Fröschen. Die Abgrenzungsmauer hatte an der Oberseite eine Vertiefung, in der früher wohl einmal Blumen gepflanzt waren. Inzwischen wuchsen dort allerdings nur noch Moos und halbvertrocknete Farne.

Als ich mich dem elegant geschwungenen Stahlgeländer an der Einstiegsleiter näherte, hörte ich eine Reihe leiser Platscher, und an verschiedenen Stellen stiegen kleine Luftbläschen an die Wasseroberfläche und zerplatzten. Dunkle Gestalten in den Farben nasser Steine strampelten sich ruckartig in die düstere, schattige und lautlose Tiefe hinab – in Sicherheit.

Glückliche Frösche.

In der offenen Tür, aus der die Musik kam, lehnte eine Frau. Sie hatte einen Drink in ihrer Hand und eine Stimme in ihrer Kehle. Sie hielt den Drink wie eine echte Barfliege, und von ihrer Stimme machte sie Gebrauch wie ein Zirkusdirektor.

»Kommen Sie doch, Schätzchen, und sagen Sie Masie Webster guten Tag.«

Sie war Ende Vierzig, und ihre Figur ging schneller in die Breite als eine aufblasbare Gummiente. Etwa fünfundsiebzig Prozent von sich hatte sie in einem samtenen Rock mit etwas zu langen Schlitzen und in einer luftigen Organdy-Bluse verstaut. Letztere hätte sie sich eigentlich etwas sorgfältiger zuknöpfen können. Sie war bereits die zweite Frau innerhalb einer Woche, die keinen Büstenhalter trug. Ihr Gesicht hatte die Farbe ungebackenen Brotes, und ihre dicken, aufgedunsenen Lippen hatte sie sich mit etwa ebensoviel Sorgfalt bemalt, wie sie Betrunkene für das Zählen von Wechselgeld aufbringen. Der Lippenstift, den sie benutzte, hatte in etwa die Farbe von blaßrosa Neonlicht. Auch um ihr Haar hatte sie sich gekümmert. Es war hoch aufgetürmt und grellgelb gefärbt.

Das mochte vielleicht an Ann Sheridan ganz gut aussehen, aber an Madame Webster erinnerte das an ein aufgerolltes Tau, das aus angesengtem Stroh geflochten war. Sie hatte sich die Augenbrauen gezupft; nun waren sie durch einen dünnen Bleistiftstrich ersetzt. Ihre Strümpfe hatten ein Paar wabbliger Nähte und bedeckten ein Paar wabbliger Beine. Sie trug keine Schuhe.

Sie lehnte sich herausfordernd gegen den Rahmen der Schiebetür, legte ihre Hand auf die Hüfte und sagte:

»Sind Sie ein Bier- oder ein Whisky-Typ?« Dabei schoß sie vor und packte mich am Arm – zum Teil, um Halt zu finden, zum Teil, um mich in ihr Zimmer zu zerren.

Sie zerrte mich in ihr Zimmer.

Es heißt doch immer, daß Hunde allmählich das Aussehen ihrer Besitzer annehmen. Masie Webster hatte zwar keinen Hund, aber sie hatte ein Zimmer, und das war das exakte Spiegelbild ihres Zustands. Es hatte sich offensichtlich noch nicht recht entschließen können, ob es nun eigentlich eine Bar, einen Saustall, ein Büro oder ein Boudoir darstellen wollte. Zumindest enthielt es Möbelstücke und Einrichtungsgegenstände, die zu jeweils einer dieser Wohnideen gepaßt hätten. Am ehesten erinnerte das Ganze jedoch noch an ein Umzugslager.

Das wenige Licht in dem Raum kam von einer dünnen, pfirsichfarben getönten Leuchtröhre über dem Wandspiegel einer Hausbar und von einer kleinen Tischlampe auf einem riesigen Schreibtisch, dessen Platte mit Leder bezogen war. Man konnte gerade noch seine Hand vor Augen sehen.

Auf einem Sekretär lag aller möglicher Papierkram herum, und ein giftgrünes Plastiksofa drohte jeden Augenblick unter der Last der gerüschten und gepunkteten Kissen zusammenzubrechen, die darüber verstreut lagen. An der Rückwand des Raums stand ein Victrola-›Golden-Throat‹-Radioplattenspieler, das Ganze in einen Pseudo-Walnuß-Musikschrank eingebaut. Das Ding kostete über vierhundert Dollar und klang auch dementsprechend.

»Wie war doch gleich wieder Ihr Name«, säuselte Masie Webster und drückte mich auf das Sofa nieder.

Inzwischen ging mit ein paar Klicktönen die Platte zu Ende. Aber der automatische Plattenwechsler hielt bereits die nächste Scheibe bereit.

»Mike Dime«, beeilte ich mich zu sagen, bevor der nächste Ohrwurm losdröhnte.

»Angenehm«, fand sie. »Warten Sie, ich bringe Ihnen gleich was richtig Starkes, hm?«

Diese Worte begleitete sie mit einer Geste, die wohl bedeuten sollte, ich könnte mich ganz zu Hause fühlen. Bestenfalls hätte sie jedoch eine Heuschreckenplage abgewendet.

Und weiter dudelte der Zauber Glenn Millers durch die Lautsprecher. Masie Webster schaukelte sich zur Bar hinüber, leerte eine halbe Flasche Wild-Turkey-Bourbon in ein Bierglas und machte sich wieder auf den Rückweg in Richtung Sofa. Unterwegs knipste sie die Tischlampe aus.

»Es ist einfach zu hell hier drinnen«, meinte sie.

»Und ein bißchen laut auch«, versuchte ich, gegen Glenn Miller anzukämpfen.

»Was?« quietschte sie. »Ich verstehe kein Wort.«

Sie reichte mir das Glas und fummelte dann so lange an den Knöpfen der Victrola herum, bis die Lautstärke allmählich die Schmerzgrenze unterschritt.

»Ich liebe Musik«, geriet sie ins Schwärmen. »Musik ist einfach etwas Wundervolles.«

Sie wackelte aus dem Takt mit ihren mächtigen Hüften und verschüttete etwas Flüssigkeit aus dem Glas in ihrer Hand. An jedem ihrer lackierten Finger steckte mindestens ein billig aussehender Ring, und ihre beiden Arme endeten in protzigen Diamantenarmreifen, die klapperten wie ein Gerippe im Wind.

Der große Zeh ihres linken Fußes lugte frech durch ihren Nylonstrumpf. Vor langer, langer Zeit war er einmal in derselben Farbe lackiert gewesen wie die Fingernägel Masies.

»Ich war mal Tänzerin«, klärte sie mich auf. »Absolute Spitze. Von New York bis Honolulu. Klassisches Ballett oder Revuetanz. Es gab nichts, was Masie Webster nicht konnte.«

Die Band spielte gerade ein Riff. Masie Webster trat mit einem Bein nach meiner Nase und fuchtelte mit ihrer freien Hand wild durch die Luft. Ihre Augen schlossen sich, und ihr Mund ging auf.

»Ach, ist das wunderbar«, gellte ihre Stimme durch das Zimmer. »Ich liiiebe Musik.«

Ihre Trance hielt bis zum Ende der Platte an. Dann hörte sie mit dem Gewackle und Getrete auf und ließ sich keuchend neben mir auf die Couch plumpsen. Sie setzte auf wie ein Lancaster-Bomber.

»Mein Gott«, japste sie. »Diese Burschen fetzen aber einen runter.«

Eine neue Platte klatschte auf den Teller. Wieder Miller. »Ich hab'
Mr. Webster beim Tanzen kennengelernt. Gott sei seiner Seele
gnädig.« Unter ihren Armen breiteten sich dunkle, feuchte Flecken
aus. Sie holte ein kleines Taschentuch mit Spitzenrand aus dem
Ärmel ihrer Bluse hervor und wischte sich damit ihren bloßen Hals
bis hinab zu den Brüsten ab.

»Ganz schön heiß hier drinnen«, prustete sie. »Soll ich dir noch
einen nachschenken, Schätzchen?«

Ich lehnte dankend ab.

»Der arme Wilber«, stöhnte sie weiter. »Das ist er, dort auf dem
Schreibtisch.« Damit deutete sie auf eine halbe Portion in Uniform
in einem Walnußrahmen.

»Die Aufnahme stammt aus Guam.« Sie kippte sich den Rest
ihres Glases hinunter. »Sechsundzwanzigster Juli vierundvierzig.«
Und nach einer kurzen Pause: »Los, trink schon aus, Süßer.« Sie
legte mir ihre Hand aufs Knie. »Und dann sag Masie Webster mal
schön, was sie für dich tun kann.«

Ich nippte etwas an meinem Glas.

Dann schnalzte ich geräuschvoll mit den Lippen und fing an:
»Ich ziehe Erkundigungen ein, und zwar suche ich nach einem
Mann, der vermutlich im Augenblick hier wohnt oder zumindest
während der letzten Tage hier gewohnt hat.«

»Sind Sie Polizist?« wollte Masie Webster wissen.

»Privatdetektiv.« Ich holte meine Lizenz hervor und hielt sie ihr
unter die Nase.

»Das ist aber nett«, meinte sie, ohne sich die Mühe zu machen,
den Text zu lesen.

Ich fischte eine Packung Zigaretten aus meiner Jackentasche, bot
eine Masie Webster an und steckte mir selbst eine andere in den
Mundwinkel. Sie zündete sie beide mit einem dickbauchigen
Ronson-Tischfeuerzeug an, das sie über einen langen Kaffeetisch
aus dem gespaltenen Stamm eines Redwoodbaums zu sich hergezogen hatte. Höflich bliesen wir uns den Rauch gegenseitig aus
dem Gesicht.

»Das Ganze ist so, Mrs. Webster. Ich glaube, daß der Mann, nach
dem ich suche, verwundet und wahrscheinlich auch sehr gefährlich ist. Unter Umständen hat er sich auch unter einem falschen
Namen ins Gästebuch eingetragen. Ich dachte deshalb schon, ob
ich nicht vielleicht einen kurzen Blick auf Ihre Anmeldekartei
werfen könnte?«

»Puh«, trällerte sie fröhlich, »für einen Polizisten sehen Sie einfach viel zu gut aus. Trinken Sie doch endlich ihr Glas leer, und dann tanzen wir beide ein bißchen.«

Das Ganze wurde doch tatsächlich schwieriger, als ich erwartet hatte.

Ich trank etwas mehr aus meinem Glas und setzte mein bestes Santa-Claus-Lächeln auf.

»Das Problem ist nur«, säuselte ich, »daß ich etwas in Eile bin.«

Masie Webster riß mir den Hut vom Kopf und schleuderte ihn wie einen Diskus in die Ecke.

»Wer wird es denn unter Freunden immer gleich so eilig haben?« schmollte sie, zog meinen Kopf an sich und drückte mir einen sehr feuchten, mit Gin getränkten Kuß auf die Lippen.

»Sie sind doch so ein netter Junge«, schwärmte sie. »Und jetzt legen Sie mal Ihr Jackett ab und tanzen ein bißchen mit mir. Ich habe da noch irgendwo ein paar wirklich heiße Scheiben rumliegen. Wilber – Gott hab ihn selig! – war ja so ein Jazz-Narr, wissen Sie. Er hatte alle Platten – das Heißeste vom Heißen –, alles, was Sie wollen.«

Sie stand auf, trat an die Bar, schenkte sich ein, öffnete eine große Eichenholzkiste, zog eine Handvoll Grammophonplatten heraus, ließ ein paar davon zu Boden fallen und wackelte in einem plattfüßigen Samba zur Couch zurück.

»Hier.« Sie hielt mir die Platten entgegen. »Sehen Sie sich die mal durch. Ich gehe inzwischen mal und ziehe mir was an, worin man tanzen kann. In diesem verdammten Rock wird man ja total in seiner Bewegungsfreiheit eingeschränkt.«

»Wunderbar«, sagte ich und legte die Platten vor mich hin. »Ich kann mir ja inzwischen mal das Gästebuch ansehen, und wenn Sie dann mit dem Umkleiden fertig sind, können wir ja immer noch eine heiße Sohle aufs Parkett legen.«

Sie stand auf, das Glas an ihren Lippen. Dann stellte sie es ab und beugte sich auf wackligen Beinen über mich.

»Aber ich brauche doch ein bißchen Hilfe, um aus diesem verdammten Rock zu kommen, Liebling. Das verdammte Ding sitzt aber auch wie angegossen.«

Damit richtete sie sich wieder gerade und drehte sich um. Sie drückte mit dem Finger auf den Anfang des Reißverschlusses, der ihren Rücken hinunterlief.

»Los, schließen Sie schon Ihre Äuglein und fangen Sie an«,

forderte sie mich auf. »Sie brauchen nur den Verschluß zu lösen. Den Rest besorgt dann schon die Natur von alleine.«

Ich stand genau in dem Moment auf, als sie niederfiel. Ich fing sie zwar auf, aber auf die allerschlechteste Weise, die sich ein Mann nur einfallen lassen kann. Meine Hand grub sich versehentlich in ihre Brüste. Sie fühlten sich schwer und geschwollen an – wie die Euter einer Kuh, wenn der Schweizer einmal einen Tag blaugemacht hat. Während wir nun beide hinüber stürzten, riß der Schlitz in Masie Websters Rock, und eine Menge Bein verschaffte sich Luft. Ihr weißes Fleisch hing über das Gummiband ihres Strumpfs wie Vanilleeis über den Rand der Tüte.

»Immer mit der Ruhe, Schätzchen«, kreischte sie. »Lassen Sie die Mädels sich doch um Himmels willen erst mal ausziehen.«

Ich war halb auf den Boden, halb auf die Couch gefallen. Mein rechter Ellbogen ruhte auf einem Stapel Benny Goodman, und mein linkes Knie machte es sich irgendwo zwischen Masie Websters Beinen bequem.

Ich mußte wohl Entschuldigung gesagt haben, denn sie fauchte mich an:

»Das will ich auch hoffen, mein Lieber. Das will ich auch wirklich hoffen. Dieses Stück hat mich immerhin elf Dollar gekostet.« Sie kämpfte sich mühsam wieder frei.

»Mir langt's inzwischen, Freundchen. Gefällt mir gar nicht, wie sich die Sache entwickelt hat. Sie können sich zum Teufel scheren. Masie Webster kommt sehr gut ohne solche Perverslinge wie Sie klar.«

Sie hatte sich inzwischen von mir gelöst und kniete nun auf allen vieren vor mir, wobei ihr das Vorderteil ihres zerrissenen Rocks wie eine lange, zerfledderte schwarze Fahne von den Hüften hing.

»Typen wie Sie kenne ich«, zischte sie auf mich ein. »Kommen einfach hier rein und machen sich dann die Gelegenheit zunutze.«

Ich lächelte nicht allzu überzeugend und gab mir Mühe, die Lage etwas zu entspannen. Ich brachte etwas zu meiner Entschuldigung vor, aber im selben Augenblick wurde mir auch bereits bewußt, daß mir in den Nebelschwaden von Masie Websters Hirngespinsten der Boden der Realität unter den Füßen weggezogen wurde. Ich wußte, was ich zu tun hatte, und ich wußte, daß ich mir damit nicht mehr allzu viel Zeit lassen durfte.

»Ich glaube, ich hole besser mal die Polizei«, meinte sie.

Klar – je eher, desto besser.

Und bevor Masie Webster noch irgendein weiteres Geräusch von sich geben konnte, hechtete ich über den Teppich, meine Faust wie einen Rammbock von mir gestreckt, und traf damit genau ihr Kinn. Es war kein harter Schlag – eher ein Antippen. Aber er genügte, um ihr ein leises Gurgeln zu entlocken und sie bäuchlings auf den Boden plumpsen zu lassen.

Ich kroch auf die niedergestreckte Masie zu und versuchte mir ein Bild von ihrem Zustand zu machen. Sie war hinüber. Ich stand auf und ging zur Bar. Dort fand ich, was sie getrunken hatte, und leerte es auf den Fußboden neben ihr. Die Flasche gab ich ihr in die Hand. Dann nahm ich mein Glas, wischte es sauber und stellte es auf die Hausbar zurück. Zum Glück fiel mir noch ein, daß Masie Webster meinen Hut durch die Gegend geschleudert hatte. Ich fluchte und verlor kostbare Zeit, ihn zu suchen. Er kam nach zehn anstrengenden Minuten schließlich in der großen Eichenholzkiste zum Vorschein, in der Wilber Webster voller Liebe seine Grammophonplatten sortiert hatte. Es waren einige wirklich gute Aufnahmen dabei. Bei einer anderen Gelegenheit, in einer anderen Welt, hätten Wilber und ich uns vielleicht einmal über seine Raritätensammlung hergemacht; wir hätten an unseren Pfeifen genuckelt, an unserem Whisky genippt und tüchtig mit den Füßen gewippt. In dieser Kiste war wirklich alles, was man sich wünschen konnte – von Caruso bis Eddie Condon. Ich bedeckte meinen Kopf und stellte fest, daß dort, wo eben noch mein Hut gelegen hat, nun Dinu Lipatti saß. Er spielte Bach – ›Jesu, meiner Seelen Freude‹. Ich nahm die Platte, stieg über Masie Webster – sie schnarchte wie eine Muttersau, die gerade ihre Jungen säugt – und legte die Schellackscheibe auf den Plattenteller.

Dann schaltete ich das Gerät auf Wiederholung und drückte den Startknopf. Ruckartig hob sich der Tonarm, schwenkte nach innen und senkte sich langsam auf die Platte herab. Die anfänglichen Kratzgeräusche gingen in Musik über.

Sie klang, als weinten Engel.

29

Das Gästebuch des Abington-Motel erwies sich nicht gerade als sonderlich informativ. Immerhin hatten jedoch eine Menge Paare namens Smith oder Jones auf ihre kleinen Ausflügen von der Ehe hier Zwischenstation gemacht.

Während der letzten drei Tage hatten sich zwei neue Gäste eingetragen. Pater Dooley O'Hanrahan bewohnte Zimmer Nummer acht, und eine Person, deren Unterschrift etwa so leserlich war wie das Gekrakle auf dem Rezeptblock eines Arztes, hatte sich in Zimmer Nummer neun einquartiert. Alle anderen Zimmer waren leer. Der einzige Gast, der sonst noch hier abgestiegen war, hatte das Motel eine Woche vor der Wahl – also vor elf Tagen – verlassen.

Mit einem unguten Gefühl im Bauch ging ich zum Swimmingpool nach draußen und sah zu den Zimmern acht und neun hoch. In einem von ihnen war der Mann, den ich suchte. Ich ging an das hintere Ende des Beckens und sah nach dem Licht. Das Zimmer des Priesters war dunkel, aber bei seinem Nachbarn brannte Licht. Das hatte allerdings nichts zu besagen. Oder er war einfach nur ein weiterer Mr. Jones, der es dort oben gerade mit irgendeiner Ehefrau trieb.

Der offene Gang, der im ersten Stock vor den Zimmern entlanglief, ließ sich sowohl vom Innern des Gebäudes wie von außen erreichen. Also stieg ich die geräuschvolle Außentreppe hoch, deren Geländer Geißblattranken nachempfunden war. Ich hatte zwar im Kofferraum des Packard noch Gummiüberzieher dabei, aber schließlich hatte ich bereits genügend Zeit vertan. Ich hatte nicht einmal mehr zehn Stunden, um Ratenner seine Tasche zurückzubringen, und es gab für mich bis dahin noch einiges zu tun.

Vorsichtig schlich ich mich zu Zimmer Nummer neun, das ganz am Ende des gegenüberliegenden Flügels lag. Zuvor preßte ich noch mein Ohr an die Tür des Priesters. Was ich dabei hörte, klang genau, wie ein leerer Raum klingt – leer. Ich tauchte unter dem ersten beleuchteten Fenster vorbei, passierte die Tür und – neuerlich geduckt – das zweite Fenster und richtete mich wieder auf. Das einzige Geräusch, das ich machte, kam von meinen knarzenden Knochen. Beide Fenster waren mit Vorhängen verhängt. Sie waren zu dick, um durch sie hindurch etwas erkennen zu können. Allerdings waren die Vorhänge des zweiten Fensters in der Mitte nicht ganz geschlossen. Sie ließen einen etwa zwei bis drei Zentimeter breiten Spalt frei, durch den ich vielleicht einen Blick auf den Bewohner von Nummer neun erhaschen konnte. Ich kauerte mich zu Boden und lugte durch den hell erleuchteten Spalt.

Dem Fenster gegenüber stand das Bett – das einzige, was ich deutlich erkennen konnte. Das machte aber nichts, da jemand auf ihm lag. Und zwar jemand, den ich wollte. Seine übereinandergeschlagenen Beine steckten in rußfarbenen Serge-Hosen, unter denen in billigen, dunkelbraunen Socken die Füße hervorragten. Seine Jacke hatte er über einen Stuhl neben dem Bett gehängt, und in einem metallenen Coca-Cola-Aschenbecher, der auf der Sitzfläche des Stuhls stand, qualmte eine Zigarette gemächlich vor sich hin. Außerdem befand sich neben dem Bett ein Nachttisch, auf dem alle möglichen Medikamente, Verbandszeug, Vaseline, Salben und verschiedene andere Dinge herumlagen, die man zum Verbinden einer Wunde benötigt. Als Heilmittel für die inneren Wunden stand inmitten von all diesem Zeug auch noch eine halb volle Flasche Canadian Club. Der Mann hatte seine Krawatte gelöst, sein Hemd aufgeknöpft und las eine Illustrierte, die er von oben hielt. Sein rechter Arm befand sich genau in Höhe seines Kopfes. Die Illustrierte verdeckte sein Gesicht, und ich konnte auch seinen linken Arm nicht sehen. Er schien jedoch in so etwas wie einer Schlinge zu stecken.

Meine Hand fuhr unter meine Jacke und brachte die 38er Police Special zum Vorschein. Ich entsicherte sie und wartete. Der Mann auf dem Bett hatte eine Seite zu Ende gelesen und legte die Illustrierte nieder. Dann ergriff er die Zigarette und nahm einen tiefen Zug. Er legte die Zigarette wieder in den Aschenbecher zurück und schenkte sich ein Glas Whisky ein, das er jedoch unangerührt auf dem Nachttisch stehen ließ. Das tat er, um die Zeitschrift umblättern zu können. Er konnte nicht zwei Dinge gleichzeitig machen – zumindest nicht mit seinen Händen.

Die Kugel, die den Mann vor mir in die linke Schulter getroffen hatte, war aus der Waffe gekommen, die ich gerade in der Hand hielt. Meine Kugel. Meine Waffe. Mein Mann.

Ich hatte das Gesicht schon einige Male gesehen – in Max Slovans Billard-Salon, als ich mich mit Joey Pozo unterhalten hatte, und in Luigis Dine and Dance. Ich hatte diesen Mann ›den Schatten‹ genannt, aber das war nicht sein richtiger Name. Er war ein mickriger, kleiner Dieb und Gauner, ein mieses Nichts namens Olly Keppard.

Immer noch niedergekauert, streckte ich meinen Arm aus und klopfte mit dem Revolverlauf zweimal gegen die Tür. Keppard schoß in die Höhe und mit seiner unverletzten Hand unter das Kopfkissen. Als sie wieder zum Vorschein kam, klammerte sie sich fest um eine Pistole, die genau wie meine aussah.

»Was ist?« sagte er. »Wer ist da draußen?«

Sein Gesicht war sehr grau, und auf seinem länglichen Kinn sprießten die Stoppeln, daß man schon fast von einem Bart sprechen konnte. Seine hochstehenden Augenbrauen waren an der Außenseite wild geschwungen und stießen in der Mitte über seiner Hakennase fast aneinander. Er sah aus wie ein Geier, dem seine Rasiercreme ausgegangen ist. Er glitt vom Bett und verschwand aus meinem Blickfeld.

Ich sagte nichts.

»Wer ist da?« fragte er neuerlich. Seine Stimme kam inzwischen aus der Nähe der Tür.

»Pater O'Hanrahan«, ließ ich meine Stimme in einem gemütvollen irischen Akzent ertönen. Soviel ich wußte, waren Keppard und O'Hanrahan alte Freunde. Soviel ich wußte, hätte O'Hanrahan auch ein Chinese sein können.

»Wer?« fragte Keppard inzwischen zum dritten Mal.

Ich machte ein paar Schlurfgeräusche und lehnte mich mit dem Rücken gegen das Geländer des Außengangs.

»Der Priester von nebenan«, fügte ich noch hinzu.

»Ja, und?« brummte die Stimme hinter der Tür leicht verdutzt. »Ich bin gerade beschäftigt.«

»Und ich habe mich ausgesperrt«, flehte ich demütig. »Ich bräuchte ein bißchen Hilfe.«

Olly Keppard machte ein paar Geräusche mit seiner Kehle und brumpfelte etwas vor sich hin. »Ich hab' 'nen kaputten Arm«, versuchte er, mich abzuwimmeln. »Suchen Sie sich jemand anderen.«

»Sicher, aber da ist niemand außer Ihnen«, krächzte ich wie Barry Fitzgerald mit einer Zwiebel unter dem Hemd. »Es ist ja nur eine Kleinigkeit.«

Nun entstand eine kurze Pause.

»Na ja, schon gut«, willigte er schließlich ein. »Aber ich bin kein Türschlösserspezialist.«

Ich hörte den Schlüssel sich im Schloß drehen, und dann ging die Tür gerade so weit auf, daß vielleicht eine Schlange durch den

Spalt hätte kriechen können. Aber mir genügte das vollauf. Ich hob mein rechtes Bein, so daß mein Oberschenkel beinahe gegen meine Brust stieß, und trat mit aller Kraft gegen die Tür. Keppard wurde von der Wucht dieses Stoßes rückwärts durch das Zimmer gewirbelt, und die Tür krachte aus einer ihrer Angeln. Keppard flog gegen die Rückwand des Raums, und im selben Augenblick feuerte er seine Waffe ab – allerdings nicht auf mich. Der Arm, in dem er die Police Special hielt, deutete zur Decke hoch, und das Geschoß krachte in den Putz. Das Zimmer wurde von einer Wandlampe und einer eindeutig zu hellen Glühbirne erleuchtet, die von der Decke baumelte. Letztere ging aus, und der Raum war nur noch schwach erhellt – etwa wie der Zuschauerraum eines Theaters vor dem Aufgehen des Vorhangs. Ich sprang auf Keppard zu und holte neuerlich mit meinem Bein aus. Meine Schuhspitze traf genau sein Handgelenk, und die 38er segelte durch die Luft, als hätte er sie plötzlich achtlos von sich geworfen. Keppards Augen verdrehten sich mächtig, als er aufschrie. Er hatte eine Menge Schmerzen, und das war erst der Anfang.

»Kannst du dich noch an mich erinnern?« knurrte ich und versetzte ihm einen Magenschwinger. »Mike Dime. Dieser miese Lutscher aus der Tasker Street.«

Er ächzte, und der Speichel troff ihm aus dem Mundwinkel. Er fiel auf seinen verletzten Arm, worauf die Wunde sofort stärker zu bluten anfing. Auf dem Weiß des Verbands breitete sich ein dunkelroter, fast bräunlicher Fleck aus.

Ich versetzte ihm einen zweiten Tritt.

Er nannte mich einen Scheißkerl und verlor das Bewußtsein. Ich steckte meine Knarre beiseite. Schließlich würde ich sie nicht mehr brauchen.

Die dicke, abgestandene Luft im Zimmer stank nach Zigarettenrauch und Desinfektionsmitteln. Die rechte Wand wurde beinahe vollständig von einem Einbauschrank ausgefüllt, und die linke Seite nahmen eine Duschkabine und eine abgeteilte Toilette ein. Das Mobiliar war alt und solide, genau auf die Bedürfnisse zweier Personen abgestimmt. Im zweiten Bett schlief allerdings niemand. Es war nicht einmal gemacht. Ich öffnete die Schiebetür zum Waschraum und suchte nach etwas Großem, das sich mit Wasser füllen ließ. Auf der Glasablage über dem Waschbecken stand ein Zahnputzbecher ohne Zahnbürste. Ich ging wieder in das Zimmer zurück, nahm den Abfalleimer, leerte seinen Inhalt auf den Fußboden und versuchte, ihn am Waschbecken mit Wasser zu füllen. Er paßte jedoch nicht unter den Hahn, so daß ich ihn schließlich unter die Dusche stellte. Mit dem Kübel voller Wasser ging ich dann zu dem einzigen Sessel im Raum, nahm einen Stoß Dick-Tracey-Comics und ein paar Ausgaben der *Saturday Evening Post* von der Sitzfläche und machte es mir bequem. Ich stellte den Kübel ab und steckte mir eine Camel an. Für eine Weile war ich ganz in die Betrachtung Keppards versunken und wartete, daß etwas geschah – etwa, daß ich Mitleid mit ihm verspürt hätte, oder Wut. Nichts dergleichen. Und während die Zigarette immer noch von meinem Mundwinkel baumelte, fing ich an, Olly Keppard Wasser ins Gesicht zu spritzen. Er bewegte sich leicht, und im nächsten Augenblick fingen seine Augenlider wie die Flügel einer sterbenden Motte zu zucken an. Aus der Wunde in seinem Arm strömte eine Menge Blut; sein Körper wurde von heftigen Schmerzen geschüttelt. Ich stand auf und trat an den Nachttisch, auf dem die Canadian-Club-Flasche stand. Ich zog den Korken heraus, beugte mich über Keppard und rammte ihm den Flaschenhals zwischen die Lippen. Etwas Blut rann über das Glas der Flasche. Ich stellte sie senkrecht auf und leerte fast ihren gesamten Inhalt in Keppards Mund.

Der schlug nun sehr langsam seine Augen auf und begann allmählich die Welt um sich herum wieder zu begreifen. Ich hätte mich in diesem Moment nicht sehen wollen – nicht so, wie ich gerade aussah. Er stöhnte.

Ich durchquerte das Zimmer, zog ein schmuddliges gelbes Leintuch vom Bett und warf es vor Olly Keppard auf den Boden.

»Da, wisch schon den Ketchup auf«, schnauzte ich ihn an. »Das Zeug macht einen ja ganz krank.«

Mit den langsamen, leblosen Bewegungen eines Hundertjährigen, der sich das Verbrannte von seinem Toast kratzt, wischte Keppard sich seinen Mund ab und stopfte etwas von dem Leintuch unter die Schlinge, die seinen blutenden Arm hielt. Sein Gesicht hatte die Farbe getrockneter Pilze. Dann hustete er eine Zeitlang vor sich hin und würgte etwas Whisky hoch.

Er schimpfte mich noch einmal einen Scheißkerl.

Ich stand auf, säuberte ihn mit dem Rest des Wassers aus dem Kübel und dem Bettuchzipfel den Mund und steckte ihm einen Docht zwischen seine geschwollenen Lippen. Zum Anzünden hielt ich ihm meine Zigarette hin. Keppard sog ein paarmal kräftig an seiner Camel, bis sie schließlich brannte. Ich war doch schließlich nicht irgendein SS-Henker oder einer von diesen sadistischen Bullen. Ich war nur ein ganz gewöhnlicher Privatdetektiv mit ein paar Fragen, die mir das Leben retten würden, falls sie mir beantwortet wurden. Keppard war zumindest nicht zu dumm, um nicht zu merken, daß er nichts mehr zu melden hatte. Er stand bereits mit einem Fuß im Grab, und er wußte das. Aber sein Tod konnte noch warten. Erst hatte er mir noch eine frohe Botschaft zu verkünden.

»Warum hast du Pozo umgelegt?« fragte ich trocken.

Keppard rieb sich mit seiner freien Hand das Leintuch übers Gesicht und strich sich sein Haar aus der Stirn, das wie nasse Schuhbänder an seinem Kopf herabhing.

»Er wußte etwas.« Seine Stimme war ein schwaches Keuchen.

»Und dieses Etwas hatte mit einer Aktentasche zu tun, die Warren Ratenner gehört.«

Er nickte. »Aber das wußte ich erst nicht.«

Er hustete ein paarmal und nahm sich die Zigarette aus dem Mund. Dann spuckte er etwas mehr Blut. Es würde nicht lange dauern, und Olly Keppard würde in mehr Blut schwimmen, als noch in seinen Adern floß.

»Los, erzähl schon«, fuhr ich ihn an. »Ich will alles wissen.«

»Das ist aber eine lange Geschichte«, stöhnte er.

»Dann nimm dir eben Zeit zum Erzählen!« brüllte ich ihn an.

Er drehte sich etwas zur Seite, so daß er mehr oder weniger bequem lag. Ich saß vorgebeugt auf dem Sessel, die Arme auf die Oberschenkel gestützt. Er war nur schwer zu verstehen, als er zu reden anfing.

»Ich hing mal vor ein paar Wochen bei Max Slovan rum – es war schon ziemlich spät –, und da kommt also dieser Typ angeschlichen und will wissen, ob ich nicht gern was Dickeres hätte als nur das bißchen Dreck, um meine Taschen ein bißchen auszustopfen. Anscheinend hatte der Kerl von irgend jemandem gehört, was ich für 'ne heiße Nummer bin. Ich sage Ihnen, ich pirsche mich sogar an 'nen Puma ran – und das mit einer Glocke um den Hals. Na klar, sage ich also; klar interessiert mich das. Und am nächsten Tag ruft er mich dann also an – von wegen, ich sollte so 'ne Aktentasche verschwinden lassen. An sich klang das Ganze ja nicht gerade sehr verheißungsvoll, aber immerhin sprang 'ne Menge Geld bei der Sache raus.«

Ich nickte. Ich war ganz Ohr.

»Zuerst einmal mußte ich nach Reading zum Bahnhof und mir dort bei der Gepäckaufbewahrung diese spezielle Aktentasche holen. Das mußte übrigens zu einer ganz bestimmten Zeit passieren – das war alles genauestens festgelegt. Und für weitere Instruktionen rufe ich dann also eine Nummer an, wo sie mir die Beschreibung von zwei Typen durchgeben, die diese Aktentasche bei sich haben, die ich klauen soll.«

Er machte eine kurze Pause.

»Sie kennen die beiden ja auch. Also können Sie sich sicher vorstellen, daß es nicht allzu schwierig war, die beiden ausfindig zu machen.«

Ich nickte und spendierte eine neue Camel. Olly Keppard hustete, stöhnte ein bißchen, blies etwas Rauch in die Luft und redete weiter.

»Ich hab' da einen prima Trick. Fahre nämlich 'n altes Taxi mit echten Nummernschildern und einer Lizenz – tja, ist ein kleines Geschenk von einem Typen aus der City Hall, über den ich ein bißchen zu viel weiß. Na ja – jedenfalls kann ich mich mit dem Ding ganz nah heranmachen, ohne daß ein Schwein sich was dabei denkt. Wer kommt schon auf die Idee, er könnte von einem leeren Taxi verfolgt werden.«

»Ich hab' mich schon gewundert, wie du das wohl gemacht hast.«

»Ja, und die sagen mir also«, fuhr Keppard fort, »daß dieser Brocken viel Flüssigkeit braucht und dementsprechend auch alle zehn Minuten zum Pinkeln rennt. Und das Ganze war jetzt so gedacht, daß ich einfach die Taschen vertausche, während er sich sein Ding aus der Hose fummelte. Das war ja nun nicht unbedingt eine Idee, die ich mir patentieren lassen würde. Dieser kleine Froschfresser hat nämlich verdammt scharfe kleine Augen, und er hatte sie auch überall, was ja kein Wunder ist. Diese Aktentasche war ja offensichtlich ein bißchen mehr wert als nur 'ne Scheune voller Stroh.«

Er hatte wirklich eine originelle Art zu reden. Ich unterbrach ihn allerdings nicht, um ihm das zu sagen. Aber ich nahm mir vor, Ezra Pound einen kleinen Tip zu geben, wenn ich einmal etwas weniger unter Zeitdruck stand. Denn im Moment schrumpften die Minuten schneller dahin als ein billiges Baumwollhemd.

»Wie habt ihr die Taschen vertauscht?« wollte ich wissen.

»Gleich, kommt ja schon.« Er nahm einen tiefen Zug aus der Zigarette. »Meine Chance kommt also in so 'ner Bar hinter dem Rittenhouse Square. Das Three Sixes. Das Ganze war zur Hälfte Glück, zur Hälfte Intuition. Der Große hat also den Tank voll und wackelt aufs Klo. Damit Sie sich auskennen: Der Große ist nur fürs Tragen zuständig; das Aufpassen und der Feuerschutz ist Sache des kleinen Froschfressers.«

Wenn es möglich ist, mit einem Mund voller eingeschlagener Zähne, einer Schußwunde am Arm und einem gut durchmassierten Bauch ein zufriedenes Gesicht zu machen, dann schaffte das in diesem Moment Olly Keppard. »Ja«, meinte er siegessicher, »auf dem Klo braucht jeder seine beiden Hände.«

»Du bist also bei Herren rein, und da steht nun auch noch Frank Summers?«

»Ja, ob Sie's glauben oder nicht. Drei von diesen verdammten Aktentaschen, und jede sieht genau aus wie die andere.«

»So ein Zufall«, konnte ich dazu nur sagen.

»Ja, allerdings.«

Darauf entstand ein Schweigen – ähnlich dem Moment zwischen zwei Szenen eines Theaterstücks, wenn im Zuschauerraum die Lichter ausgehen und die Bühnenarbeiter auf die Bühne kommen und die Kulissen umbauen. Auf unsere Bühne trat jedoch niemand – zumindest niemand, den ich hören konnte.

Schließlich fing ich dann zu reden an:

»Du hast also die Verwechslung mitgekriegt. Du wußtest, daß die Tasche, mit der Frank Summers wegging, diejenige war, auf die du es abgesehen hattest. Als dann Summers das Three Sixes verließ, bist du ihm in deinem Taxi bis zu Maags Hotel gefolgt. Und während er dann dort seinen Rausch ausschlief, hast du ihm die Tasche abgenommen und ihn damit seinem Verhängnis preisgegeben. Nicht schlecht. Und dann klopfte die Inspiration ein zweites Mal an deine Tür. Du fandest heraus, was Frank Summers schon vor dir herausgefunden hatte – daß nämlich diese Aktentasche einen recht beachtlichen Anteil an der Chase Manhattan Bank wert war, und dann hast du einen netten kleinen Plan ausgebrütet, ja? Frank Summers wußte ja nicht, weshalb er plötzlich den ganzen Schoß voller Dollarscheine hatte, und er scherte sich auch nicht groß etwas darum. Es genügte, daß er sie so sehr wollte und so sehr brauchte, daß er es riskierte, sich mit seiner Beute aus dem Staub zu machen. Die möglichen Folgen kamen ihm dabei wohl nie in

Sinn, der ja zudem noch durch eine Reihe von Cocktails etwas getrübt war und wohl auch durch die ständigen finanziellen Schwierigkeiten seiner Frau wegen. Aber du wußtest natürlich, daß diese Dollars verdammt heiß waren, und du konntest dir auch in etwa vorstellen, woher sie kamen. In Anbetracht dessen war es also gar nicht so schwierig, zu dem Schluß zu kommen, daß da jemand ein krummes Geschäft gedreht hatte, bei dem diese Tasche die Hauptrolle spielte. Dann hast du Frenchy mit Joey Pozo Billard spielen gesehen. Vielleicht hast du sogar deinen Auftraggeber mit Frenchy reden gesehen. Jedenfalls – als du dann anriefst, um dir über deinen nächsten Schritt Klarheit zu verschaffen, bekam der Typ am anderen Ende der Leitung einen leichten Schock. Du ließt dir keine Anweisungen mehr geben; du hast sie von da an selbst gegeben. Erpressung nennt man so etwas. Und das Ganze war wirklich perfekt eingefädelt. Die Polizei würde von der ganzen Sache nichts erfahren, und solange du den Kerl, der das krumme Ding gedreht hatte, davon überzeugen konntest, daß du wußtest, wer die Tasche hatte, konntest du dir von ihm den Mond und die Sterne vom Himmel herunterholen lassen.«

Keppards Gesicht wurde grauer als je zuvor, und seine Augen weiteten sich. Er sagte etwas, das ich jedoch nicht hören konnte, da es neben mir plötzlich krachte, als hätte jemand eine aufgeblasene Papiertüte platzen lassen. Und dann hörte ich in der Ferne Stimmen sprechen. Die Stimmen hörten mit einem Mal auf, und es folgte ein gedämpftes Krachen. Und dann schwebte ich auf einer sanften, ruhig dahinfließenden Strömung davon. Das Wasser schlängelte sich zwischen wirr wuchernden Wasserpflanzen und harten Steinen hindurch, und ich folgte jeder seiner Bewegungen. Ich schlug ein paarmal mit meinen Armen um mich und strampelte mit den Beinen. Ich war am Ertrinken. Ich sah zu den Leuten am Ufer, und sie winkten mir zum Abschied zu.

30

Er lag auf dem Bett, ein Kissen über seinem Kopf. Ich lag auf dem Teppich, eine Pistole in meiner Hand. Es war meine Waffe. Sie war kurz zuvor abgefeuert worden. Rauch drang an den Stellen hervor, an denen normalerweise Rauch hervortritt. Und das galt insbesondere für die Mündung. Meine Police Special immer noch in der

Hand, rappelte ich mich auf und stolperte wie ein Taucher auf den Rand des Betts zu, wo ich entkräftet zusammensackte. Mir war schlecht, und mein Kopf fühlte sich an, als hätte jemand damit die Heringe für sein Zelt in den Boden gehämmert. Mein Hals fühlte sich an der Seite wie eine einzige brennende, pochende Wunde an, und mein Trapezius führte sich auf wie ein Huhn, dem eben der Kopf abgeschlagen worden war. Irgend jemand hatte mir ganz schön eine verpaßt. Mal sehen, was der Betreffende mit Olly Keppard angestellt hatte.

Etwa in der Mitte des Kissens sah ich einen Fleck von der Größe eines Vierteldollars. Es gibt ja eine Menge Dinge, die auf einem Kissen Flecken hinterlassen – Heidelbeermarmelade, Achselschmalz und Kerzenwachs. Dieser hier sah mir allerdings eher nach einem Brandfleck aus. Er war in der Mitte schwarz und rauchte, als hätte jemand aus Versehen seine Zigarette liegen gelassen. Und genau im Mittelpunkt des Flecks war etwas dicke, rote Flüssigkeit zu sehen. Eine Flüssigkeit wie Blut. Es quoll unablässig aus dem versengten Loch im Kissenüberzug, schwappte leicht über seinen Rand und sank dann wieder in die Federn zurück. Irgend jemand hatte Olly Keppards künftigem Verteidiger gründlich das Handwerk gelegt.

Das Ganze war ein alter Trick – das Kissen als Schalldämpfer zu verwenden. Und vor allem natürlich, die Waffe, aus der die tödliche Kugel kam, dem Mann in die Hand zu drücken, dem sie zwar gehörte, der aber nicht den Abzug gedrückt hatte. Aber so alt sie auch sein mochten, diese Tricks funktionierten eben.

Ich steckte ganz schön in der Klemme. Der erste Polizist, der mir in die Quere kam, brauchte eigentlich nichts weiter zu tun, als mich mitzunehmen und dem D. A. ans Schwarze Brett zu hängen. Beweise gab es ja in Hülle und Fülle. Das Geschoß in der Decke, die nur noch in einer Angel hängende Tür, Schrammen und Blut en masse, leere Schnapsflaschen und die Kugel in Olly Keppards Schläfe. Das Ganze las sich so einfach wie der Klappentext eines Groschenromans. Und falls der Staatsanwalt der Vollständigkeit halber auch noch ein Motiv haben wollte, brauchte er sich nur an Captain Uglo aus Oklahoma City zu wenden. Der würde ihm bestätigen, daß Pozo ein Kriegskamerad war, den Keppard gekillt hatte. Mord aus Rache. So einfach war das. Die Geschworenen würden nicht einmal Zeit haben, sich hinzusetzen, und ich würde schon wieder schuldig gesprochen aus dem Saal geführt.

Und alles, was mir in diesem Augenglick noch fehlte, war das Gesetz. Und es kam auch schon an – wie immer zuverlässig und pünktlich.

Aus zwei verschiedenen Richtungen näherten sich Sirenen. Wie wütende Tiere heulten sie durch die verschlafenen Vorstadtalleen und ließen in den reglos daliegenden Häusern die Lichter angehen. Dunkle Schatten erschienen in den Fenstern; zugezogene Vorhänge und gestärkte Stores wurden zurückgezogen. Männer in Bademänteln und mit frisch angezündeten Zigaretten zwischen den Fingern würden auf ihre schwach erleuchteten Veranden heraustreten, um für eine Weile die über den Nachthimmel zuckenden Lichter zu beobachten und dem schwächer werdenden, roten Glimmen der Hecklichter nachzusehen. Und etwas abseits von der Straße, in vornehmen alten Häusern inmitten gepflegter Parklandschaften, würden mürrische alte Herren noch halb im Schlaf nach dem Butler brüllen, was denn zum Teufel eigentlich los wäre.

Und der würde dann berichten, daß da gerade zwei Streifenwagen voller zappliger, rotgesichtiger Bullen angeschossen kämen, um Mike Dime abzuholen, auch bekannt als König der Lutscher und Prinz der Pimpfe. Ja, das war los.

Die Sirenen kamen näher. Sie waren noch ungefähr eine Meile entfernt. Die Polizisten würden sicher schon nervös an ihren Kanonen herumfummeln und sich gegenseitig zureden, sich nur nicht aufzuregen und sich vor allem auf nichts einzulassen und diesen Scheißkerl gleich über den Haufen zu schießen, falls er irgendwelche Dummheiten machen sollte. Das war nicht einfach eine von diesen alltäglichen Fahrten, bei der es galt, die Gäste einer etwas aus dem Rahmen geratenen Party zur Ruhe anzuhalten. Hier handelte es sich um Mord, und der Täter hielt sich noch am Tatort auf. Ein verrückter Killer, der noch fünf Schuß übrig hatte. Bis zu dem Zeitpunkt, da sie mich erwischen würden, waren diese Burschen sicher bereit, halb Philly über den Haufen zu knallen.

Ich steckte meine Knarre in das Schulterhalfter zurück und arbeitete mich vom Bett hoch. Ich trat durch die zersplitterte Tür auf den Gang hinaus. Masie Webster stand in einem lupinenfarbenen Morgenmantel am Swimmingpool; auf ihrem Kopf hatte sie einen Eisbeutel, in ihrer Hand einen Drink. Ich hörte die Sirene des ersten Streifenwagens näher kommen; das Blaulicht blitzte bereits hektisch über die mageren Büsche und Sträucher. Und dann schlitterte der blau-weiße Chevrolet schwerfällig und viel zu schnell in die

Auffahrt. Ein Kotflügel rammte einen der Ziegelpfeiler des Eingangstores, und die Reifen drehten auf der öligen Straße durch. Aber der Wagen jagte wild schwankend weiter und beschleunigte eine, wie ich jetzt sah, recht steile Böschung herauf. Deshalb hatte ich nämlich zuvor den Swimmingpool nicht bemerkt und deshalb sahen ihn nun auch die Bullen nicht. Die Reifen quietschten, als der Fahrer viel zu spät versuchte, den Wagen herumzureißen. Der Chevy tat unter lautem Krachen drei Hüpfer und schoß wie ein riesiger Blechwal in das Schwimmbecken, aus dem im nächsten Moment eine gewaltige Flutwelle Wasser schwappte. Galonenweise ergoß sich die schleimige Brühe über alles im Umkreis, darunter auch Masie Webster. Etwas von der Größe eines Frosches landete auf ihrem Hals und sprang im nächsten Augenblick auch schon wieder in die Nacht davon.

Der Motor zischte und rauchte wie eine Dampfmaschine, während der Wagen langsam sank. Seine uniformierten Insassen kämpften sich mühsam aus dem Wageninnern frei. Der Fahrer blutete sehr stark an Gesicht und Händen. Ein Kollege half ihm. Einer nach dem anderen befreiten sie sich. Sie machten einen recht unglücklichen und verwirrten Eindruck, und vor allen Dingen waren sie sehr naß. Dagegen schien es Masie Webster wesentlich besserzugehen; sie dachte wohl an vier klatschnasse Polizeibeamte, die sich bei Glenn Miller ein bißchen trocknen ließen, während sie ihnen ein paar anständige Harvey Wallbangers mixte.

Und dann bog der nächste Wagen in die Auffahrt ein. Er fuhr allerdings wesentlich langsamer. An der Vorderseite des Gebäudes gab es für mich kein Entkommen, also trat ich von der Tür zurück und sah mich auf der Rückseite um. Über der Toilette befand sich ein kleines Fenster, gerade groß genug, um mich hindurchzuquetschen. Ich stieß es auf und schaute nach draußen. Unter dem Fenster stand eine Reihe Abfalltonnen; außerdem lagen ein paar kaputte Möbelstücke herum. Ein Paar davon waren sicher weich genug, um darauf landen zu können. Allerdings würde ich dabei auch eine Menge Lärm machen. Das Hinterfenster des Priesters war weniger als einen Meter entfernt und offen. Ich klappte den Deckel über die Brille, stieg darauf und setzte mich so auf die Unterkante des Fensters, daß ich mit dem Gesicht dem Zimmer zugewandt war. Dann streckte ich einen Arm aus dem Fenster und ließ meine Hand über die Außenmauer gleiten. Meine Fingerspitzen reichten gerade bis an die Brustwehr, welche etwa dreißig

Zentimeter unter dem Flachdach um das Gebäude lief. Ich reckte mich, so weit es ging, nach draußen und krallte mich mit meinen Fingern fest. Dasselbe Manöver wiederholte ich mit meiner anderen Hand. Vorsichtig wand ich mich darauf aus dem Fenster – meine Beine zog ich dabei fast bis zur Brust hoch, um mich mit den Zehen am Fensterrand abstützen zu können – und zog mich mit den Armen hoch. Und jetzt kam der schwierige Teil. Ich streckte mich aus und setzte die Spitze meines rechten Schuhs auf den äußeren, unteren Rand des Fensters des Priesters. Und dann schwang ich mich, meine Finger in die Brustwehr gekrallt, über den Abgrund zwischen den beiden Fenstern. Mit beiden Füßen auf dem Fenstersims, fuhr ich mit einem Arm durch das offene Fenster und verschaffte mir Halt, indem ich mit der Handfläche gegen die Innenseite der Mauer drückte. Der Rest war einfach.

Ich ging zum Vorderfenster und zog den Vorhang zurück. Die Jungs aus dem zweiten Wagen waren gerade damit beschäftigt, einen Suchscheinwerfer auf das Dach zu richten. Ein Detektiv in normaler Kleidung machte sich an einem Megaphon zu schaffen. Die vier Uniformierten aus dem ersten Wagen standen neben dem Schwimmingpool. Sie waren in Decken gewickelt; außerdem war jeder von ihnen mit einem Drink versorgt.

Plötzlich schoß ein dicker Lichtstrahl zum Himmel empor und flitzte im nächsten Moment wie eine flüchtige Eidechse über die Wand. Schließlich blieb er, auf Keppards Zimmertür gerichtet, stehen. Der Detektiv mit dem Megaphon wies seine Leute an, die Rückseite des Gebäudes zu beobachten. Mich forderte er auf, mit erhobenen Händen nach draußen zu kommen. Er sagte, ich sollte keine Dummheiten machen. Ich hätte drei Minuten Zeit. Dann würden seine Leute das Feuer eröffnen.

Drei Minuten. Nicht gerade viel Zeit, um etwas zu unternehmen. Ich konnte mir ein weiches Ei kochen, dreimal Chopins Minutenwalzer spielen oder einen neuen Weltrekord über eine Meile aufstellen. Oder ich konnte mich natürlich auch aus der Klemme winden.

Ich öffnete die Tür von Pater O'Hanrahans Einbauschrank und stöberte darin herum. Ich fand einen Mantel, eine Soutane und einen breitkrempigen Hut.

Unter dem Fenster stand eine Kommode mit einem Spiegel und mehreren Schubladen. Auf ihr lagen eine Bürste und ein Kamm mit ein paar dunklen Haaren zwischen den Zinken, ein Aschenbecher mit drei Zigarettenstummeln, ein Brevier und ein Rosenkranz.

Nichts gerade Großartiges, und die Sekunden vergingen. Zu allem Überfluß erinnerte mich der Bulle mit dem Megaphon auch noch: »Sie haben noch zwei Minuten Zeit.«

Ich zog eine Schublade heraus. Sie enthielt einen weißen Kragen, ein paar Socken und etwas frische Unterwäsche.

Für einen kompletten Kleiderwechsel reichte die Zeit nicht mehr. 124-127 icht einmal ein Varietékünstler geschafft. Ich zog mir Mantel und Jacke aus und warf mir die Soutane über. Sie war mir um die Mitte um einige Nummern zu groß, also rollte ich mein Jackett und meinen Regenmantel zusammen und stopfte sie mir unter den Bauch. Dann legte ich mir den weißen Kragen um den Hals. Er ging mir jedoch schon im nächsten Moment wieder auf. Ich riß mir einen Manschettenknopf von meinem Hemd und befestigte damit den Kragen. Das sah zwar nicht allzugut aus, aber auch nicht allzu schlecht. Ich setzte mir den Hut auf und zog die unterste Schublade der Kommode heraus. Sie war leer und mit Zeitungspapier ausgelegt.

»Noch eine Minute, und wir stürmen die Bude«, knurrte der Detektiv.

Ich nahm die Schublade ganz heraus und trug sie an den beiden Knopfgriffen zum Hinterfenster. Ich quetschte sie hindurch und ließ sie auf die Mülltonnen hinunterfallen.

Als ich wieder in das Zimmer zurücktrat, brach gerade der erste Kugelregen über den Raum nebenan herein. Ich warf mich zu Boden, rollte mich in eine Ecke und brüllte, was meine Lungen hergaben, los:

»Aufhören, aufhören! Hier spricht Pater O'Hanrahan. Um unseres Herrn Jesu willen, schießen Sie nicht auf einen schutzlosen Priester. Ein Verrückter hat mich als Geisel festgehalten und seine arme, gestörte Seele aus dem Hinterfenster gestürzt. Haben sie doch um unserer Seelen willen Erbarmen.«

Darauf entstand eine kurze Stille, und Masie Webster bestätigte, daß das Zimmer von einem Priester bewohnt wurde. Dann beauftragte der Bulle mit dem Megaphon Karnham und Wex, sich Bluther und Clinton an der Rückseite des Gebäudes anzuschließen und auf alles zu schießen, was sich bewegte.

Ich konnte das Geräusch laufender Männer und unterdrückte Stimmen hören, als die beiden Polizisten nach hinten rannten, um ihren beiden Kollegen bei der Suche zu helfen.

»Heilige Maria, Mutter Gotes«, schrie ich aus Leibeskräften. Ich muß Baryy Fitzgerald wohl alle Ehre gemacht haben. »Nicht schießen! Ich komme nach draußen.«

»Bleiben Sie, wo Sie sind, Pater«, krächzte das Megaphon. »Dieser Mann ist ein gefährlicher Killer. Bleiben Sie in Ihrem Zimmer, bis wir ihn haben.«

Darauf rief einer der Polizisten von der Rückseite des Gebäudes etwas nach vorn, und der Detektiv mit dem Megaphon hörte zu. Dann fiel ein einzelner Schuß, gefolgt von dem wütenden Aufheulen eines Hundes.

Ich stand auf und öffnete die Tür. Das Licht des Suchscheinwerfers klatschte mir ins Gesicht, daß ich für einen Moment völlig geblendet war. Ich deckte mit der Hand meine Augen ab. Das war eine völlig natürliche Reaktion, und kein Mensch dachte sich etwas dabei. Zudem verdeckte meine Hand und mein Arm fast mein ganzes Gesicht. Ich konnte wegen des Lichts den Detektiv nicht sehen, aber er hatte mich vor sich wie einen Fisch im Goldfischglas. Und ich war bei der Polizei in Philly bekannt wie ein bunter Hund.

»Ich sagte doch, bleiben Sie in Ihrem Zimmer, Pater«, rief der Detektiv zu mir herauf.

Ich zuckte sichtbar zusammen und hielt mir die Hand weiter vors Gesicht.

»Das habe ich auch gehört«, schrie ich zurück. »Aber da wird auf einen jungen Menschen Jagd gemacht, und es ist meine Pflicht, Sie um Gnade zu bitten. Vor Gottes Auge sind wir alle Sünder, mein Sohn, und wir gehören alle zu seiner Herde.«

Während ich nun die Stufen hinunterwandelte, gab ich weiter irgendwelche Platitüden von mir, wie das Priester so an sich haben, und rückte damit zunehmend aus dem Bereich des Interesses des Detektivs. Schließlich wandte sich sogar der Suchscheinwerfer von mir ab und beteiligte sich an der Jagd auf den geheimnisvollen Mörder.

Der zweite Streifenwagen stand direkt vor dem Swimmingpool mit dem abgesoffenen Chevy. Ein Uniformierter mit einer Flinte hatte sich neben dem Kotflügel des zweiten Wagens auf ein Knie niedergelassen, und der Detektiv stützte sich mit den Ellbogen lässig auf das Wagendach, wobei er mit beiden Händen seine Sprechtüte umklammerte. Er war ein Brocken von einem Mann, mit riesigen Pranken und einer Stimme, die eigentlich nicht extra der Verstärkung bedurft hätte. Die Polizisten, die vorher ein Bad genommen hatten, waren immer noch in ihre Decken gewickelt und machten sich nützlich, indem sie ein paar Gaffer zurückhielten, die plötzlich aus dem Nichts aufgetaucht waren.

Unauffällig drückte ich mich an dem Streifenwagen vorbei. Mein Packard stand vor den Zimmern auf der gegenüberliegenden Seite. Da tauchte plötzlich Masie Webster vor mir auf.

»Sagen Sie, ich kenne Sie doch von irgendwoher«, blickte sie mich fragend an. Sie hatte sich ein riesiges, gestreiftes Handtuch wie einen Turban um ihr gebleichtes Haar gewickelt. Auch hatte sie sich noch immer keinen Büstenhalter angezogen, und man konnte das sehen.

»Aber natürlich«, antwortete ich. »Ich bin doch Pater O'Hanharan. Ich habe hier ein Zimmer.«

»Quatsch.« Sie nahm einen Schluck aus ihrem Glas. »Sie sind nicht der Priester, der hier wohnt, und ich habe Sie schon irgendwo anders gesehen.« Ihre schwerfällige Stimme hatte einen leicht ärgerlichen Tonfall angenommen. Sie trat einen Schritt auf mich zu und reckte mir ihre kleine, weiße Knopfnase ins Gesicht.

»Ich hab' Sie schon mal irgendwo gesehen, Schätzchen«, beharrte sie, »und das war sicher nicht in einer Kirche.«

Und dann schoß plötzlich ein Ausdruck des Erkennens über ihre aufgeschwemmten, feindseligen Gesichtszüge. Sie riß ihren Kopf zurück und klappte ihre Kiefer auseinander. Und heraus purzelte wortloses Erstaunen. Ihr Kehlkopf war gerade daran, in einen schrillen Sirenenton auszubrechen. Hilflos mußte ich mitansehen, wie sich die Muskeln an ihrem dicken Hals spannten und ihr Rachen sich weit genug öffnete, um darin eine Tuba unterzubringen. Und als sie dann meine rechte Faust ein zweites Mal traf, wirbelte sie auf ihren Füßen ein paarmal herum und verschwand über den Rand des Schwimmbeckens, gefolgt von einem metallischen Dröhnen, einem lauten Platschen und keinem Schrei.

»Gütiger Herr Jesus, die Dame hat sich in den Swimmingpool gestürzt«, winselte ich los und duckte mich gleichzeitig in den Schatten hinter mir. Im nächsten Moment begann auch schon ein großes Geschrei und Gefluche, und die immer noch vor Nässe triefenden Polizisten verstrickten sich in eine wortreiche Diskussion, wer denn nun die Webster herausziehen sollte.

Sie waren immer noch zu keinem Ergebnis gekommen, als ich bereits die Grenze von Montgomary Country überquerte und in der Ferne schon den roten Schein der Flugzeugwarnbeleuchtung auf der Spitze von City Hall von Philadelphia sehen konnte.

31

Dicker, schwarzer Rauch stieg stetig in den bläßlichen Himmel empor. Auf dem Schrottplatz, etwa einen Steinwurf von der Stelle entfernt, wo Ratenner mich erwartete, standen drei Männer um einen Haufen vor sich hin glimmender Reifen. Irgend etwas in dem verlöschenden Feuer knackte, und aus einem der verschmorenden Reifen züngelten Flammen hervor. Wie fluoreszierende Flöhe stoben die Funken davon, als das Feuer wieder zu neuem Leben erwachte. Die drei Männer standen völlig reglos; sie hatten die Arme ausgestreckt, um sich die Hände zu wärmen. Sie waren in Lumpen gekleidet, die mit Schnüren zusammengebunden waren, und sahen aus wie russische Bauern. Zwei von ihnen trugen Hüte mit zerfledderten Krempen und einer Menge Löcher – Hüte, wie sie normalerweise nur Clowns als Verkleidung benutzen. Alle drei hatten sie lange, verdreckte Bärte und noch schmutzigere Gesichter; sie waren unter der dicken Dreckschicht schon fast nicht mehr voneinander zu unterscheiden. Sie standen da wie ein Trio von Statuen aus feuchtem Ton. Ihre Augen waren auf einen Punkt gerichtet, den ich unmöglich hätte ausfindig machen können – ähnlich, wie es mir mit ausgestopften Tieren ging. Dies war wohl ein Punkt, der in ihrer Vergangenheit lag – ein Ort, den nur wenige Menschen aufsuchen können und der, hat man ihn einmal aufgesucht, ähnlich dem Tod nicht erklärt oder vermittelt werden kann. Und es war ein Punkt, von dem ich das Gefühl hatte, daß auch ich auf ihn zustrebte.

Wortlos schloß ich mich dem Kreis der drei an und streckte meine Hände über den Rauch. Es war vollkommen windstill, und die Luft fühlte sich tot an. Die beißende Rauchsäule stieg hoch genug auf, um ein paar Vögel zum Husten zu bringen.

Ich fragte mich, was diese drei zerlumpten Männer wohl an den Rand der Welt getrieben hatte, welche unbedeutende Wende ihres Glücks sie das Leben von Landstreichern hatte führen lassen. Vielleicht waren sie, ähnlich großen Dirigenten und Atomphysikern, dazu geboren worden. Eine Berufung, die sich wie bei Mozart schon früh in ihrem Leben bemerkbar gemacht hatte. Ein Landstreicher würde eben dann mit vier Jahren, anstatt irgendwelche Klavierwerke zu komponieren, zum erstenmal auf einen Güterzug aufspringen; mit sechzehn würde er sich auf der Bowery herumtreiben, um dann schließlich ohne Zähne, völlig ausgelaugt und die

Haut wund von Krätze seinen Abschluß zu machen. Ich mag Landstreicher. Sie gleichen das nicht vorhandene Gleichgewicht von Habe und Besitztum aus. Wir brauchen sie nicht ganz so notwendig wie Ärzte und um einiges nötiger als Filmschauspieler.

Einer der beiden Hutträger stieß ein verkohltes Holzstück ins Feuer und spuckte ihm nach. Der Speichel landete in heißer Asche und zischte. Ich holte meine Camels heraus und reichte sie wortlos um die Runde. Als meine Hand jedoch in die Tasche fuhr, in der ich normalerweise mein Feuerzeug habe, stieß sie statt dessen auf meine Brieftasche. In diese Tasche steckte ich meine Brieftasche sonst nie.

Ich nahm sie aber heraus und überprüfte ihren Inhalt. Nichts fehlte, außer dem Foto, das ich Frenchy abgenommen hatte. Das hatte ich eigentlich erwartet.

Während ich meine Taschen durchsuchte, nahm der Mann mit dem dicken Wollschal einen Zweig vom Boden und steckte ihn in die Flammen. Dann führte er seine Spitze an sein Gesicht und blies auf sie ein. Sie glühte rot auf, und wir alle beugten uns vor und steckten uns unsere Zigaretten an. Dabei trafen sich unsere Augen nicht für einen Bruchteil einer Sekunde. Keiner sah den anderen direkt an.

Ich blickte auf meine Uhr. Es war Punkt acht Uhr. Die vierundzwanzig Stunden waren um. Ich hatte zwar Ratenners Aktentasche nicht, aber dafür hatte ich etwas Besseres. Es gab da nur noch ein paar Fragen, für die ich die Antworten brauchte.

»Schon lange hier, Jungs?« fragte ich.

Darauf entstand eine lange Pause, bis schließlich ein Mann antwortete: »Schon immer.«

»Eine ganze Ewigkeit«, fiel ein anderer ein.

»Noch länger«, übertrumpfte sie der dritte.

Ich warf meine Zigarette ins Feuer und wandte mich ab. Das waren nicht die Männer, welche die Antworten parat hatten, die ich brauchte.

Ratenner sah ziemlich genau so aus, wie ich ihn mir vorgestellt hatte. Er saß hinter einem Tisch auf einem Holzstuhl mit hoher Lehne, und zwar unter derselben nackten Glühbirne im obersten Stock des Lagerhauses, wo unser erstes Treffen stattgefunden hatte. Dieses Mal war er allerdings allein. Keine Jungs. Keine Kanonen. Nur er und ich. Er war etwas besser gekleidet, als ich aufgrund seiner Art zu sprechen vermutet hatte. Sein Anzug war aus englischem Wollstoff mit einem dezenten Prince-of-Wales-Karo. Die Aufschläge waren nicht zu breit, und die von Hand gefertigten Nähte sahen ordentlicher und präziser aus als das Uhrwerk einer Schweizer Uhr. Sein Hemd und seine Krawatte waren aus reiner Seide. Das Ziertüchlein in seiner Brusttasche paßte zu seinem braunen Binder, aber das Ganze wirkte durchaus nicht schlecht. Seine gepflegten Hände ruhten geduldig, die Handflächen nach unten, auf dem einfachen Holztisch. Seine Manschettenknöpfe waren zwar für Leute seines Schlags angenehm klein, aber einen Kranich hätte man mit den Dingern trotzdem noch erwürgen können. Ich blieb dicht vor ihm stehen. Zum Teil waren mir seine Gesichtszüge fast vertraut. Das galt jedoch nicht für die häßliche, lange Narbe, die über seinen Hals lief. Solche Schnitte sieht man oft an Leuten, die an Krebs operiert wurden. Seine Augen waren allerdings immer noch die gleichen – kalt und böse. Im Gegensatz zu seiner schlaffen Haut, seinen dahinschwindenden Muskeln und seinem verfallenden Körper schien ihnen die Veränderung in seinen Blutzellen nichts anzuhaben. Sein Haar hatte er sich, wie ich es gesehen hatte, rückwärts an den Kopf geklatscht, und seinen Mund umspielte ein Ausdruck, der darauf schließen ließ, daß Warren Ratenner es gerne so hatte, wie er wollte, und letztlich doch nie zufrieden war. Alles in allem, den Swimmingpool hin und die Blondine her, der Mann vor mir war identisch mit dem Mann auf Frenchys Foto. Ich hatte mich schon die ganze Zeit gewundert, was einen Typen wie Frenchy dazu veranlaßte, ein Bild von seinem Boß und von dessen Mieze mit sich herumzutragen. Das war eine der Fragen, auf die ich gerne eine Antwort gehabt hätte. Nur würde ich sie von Warren Ratenner nicht mehr bekommen. Auch nicht in einer Million Jahre. Daran ließ das kleine, runde Loch in seiner linken Schläfe keinen Zweifel. Die Wunde war um den Rand etwas versengt. Er war also aus nächster Nähe erschossen worden – und mit einer kleinkalibrigen Waffe, der Größe des Lochs nach zu schließen. Ganz vorsichtig legte ich einen Finger an Ratenners Wange. Sie fühlte sich an wie Käse – und ziemlich kalt. Das Blut um die Wunde war geronnen und bildete schwarzen Schorf. Er war bereits seit Stunden tot.

Es gab einiges für mich zu tun.

Ich knöpfte seine Jacke auf, durchsuchte sie sorgfältig und wurde dabei kein bißchen schlauer als zuvor. Dann machte ich mich über seine Hosentaschen her, in denen ich ein Paar funkelnagelneuer Yale-Schlüssel fand. Sie hingen an einem Goldring, der in einem schwarzen Onyx-Würfel mit Elfenbeinpunkten steckte. Die Schlüssel waren identisch; vermutlich gehörten sie zur Eingangstür eines Hauses oder einer Wohnung. Sie waren kaum benutzt worden. Das konnte ich an den winzigen Metallspänen sehen, die noch an den frisch gefrästen Zacken hingen. Sonst hatte Warren Ratenner nichts mehr in seinen Taschen. Ich nahm die Schlüssel an mich und sah mich im Raum um.

Er war lang und hoch, und die Beleuchtung war nur zum Teil eingeschaltet. Die Helligkeit reichte jedoch aus. An der Rückwand sah ich eine Reihe von einfachen Metallschränken, deren Türen weit offenstanden. Auf einem Metalltisch befanden sich ein paar Karteikästen und eine handbetriebene Druckerpresse. Die Presse befand sich in hervorragendem Zustand und war wohl in letzter Zeit häufig in Gebrauch gewesen. Auf dem Boden und in einem Abfallkübel lagen mehrere unbeschriebene Blätter Papier herum. Die Schränke waren bis auf mehrere ungeöffnete Packen Papier unterschiedlicher Qualität und Größe und ein paar verbrauchten Büchsen mit Druckerschwärze leer. Mehr als hundertfünfzig Dollar hätte man für den ganzen Kram kaum bekommen.

Ich durchwühlte einen der Karteikästen und stieß dabei auf ein ledergebundenes Geschäftsbuch. Die beschriebenen Seiten waren herausgerissen. Nur eine einzige Spalte der letzten noch übrigen Seiten war mit Zahlen beschrieben – das übliche Gekritzle, aus dem nur Buchhalter schlau werden. Ich konnte nur so viel sagen, daß die Zahlen recht groß waren. Ob sie freilich Dollars oder Töpfe mit Doktor Jollys Warzen-Creme bezeichneten, war eine andere Frage.

Aber letztlich war das ja auch egal.

Ich warf das verstümmelte Buch in den Karteikasten zurück, knipste das Licht aus und sagte Warren Ratenner adios.

Wenn ich mich beeilte, würde ich Elaine Damone gerade noch erwischen, bevor sie sich aus dem Staub machte.

32

Sie stand mit dem Rücken zu mir in ihrem einschmeichelnden rosa Schlafzimmer, nahm Kleider aus einem der Rosenholzschränke und packte sie fein säuberlich in zwei rote Schweinslederkoffer.

Sie war überrascht, mich zu sehen. Ihre großen, schwarzen Mandelaugen blitzten mich an. Und dann erstarrten sie mitten in der Bewegung.

»Ne kleine Fahrt ins Blaue?« sagte ich und trat ins Zimmer hinein.

»Mike Dime.« Ihre Stimme klang völlig ungläubig. »Was tun Sie denn hier? Wie um alles in der Welt sind Sie hier hereingekommen?«

Ich warf Ratenners Schlüssel auf das ungemachte Bett. Ihre Augen folgten ihnen im Flug und blieben hart auf ihnen haften, als sie mit einem unterdrückten Klirren auf dem Bettzeug aus rosa Seide landeten.

Sie hielt ein Gebilde aus feinmaschigem Draht und einem halben Meter gefleckten Satin in ihrer Hand, das *Vogue* als das diesjährige Nonplusultra an Damenhüten angepriesen hatte. Und nun nahm sie eine mit Seidenpapier ausgelegte Hutschachtel aus dem Schrank und legte den Hut vorsichtig hinein.

In ihrem bodenlangen weißen Morgenmantel mit den leicht wattierten Schultern und den um die Handgelenke großzügig gerafften Ärmeln sah sie unerträglich bezaubernd aus. Mit seinem hochgeschlossenen Mieder hätte er durchaus keusch und jungfräulich wirken können, wäre da nicht dieser große, scharlachrote Drachen aus chinesischer Seide gewesen, der über die rechte Brust gestickt war.

Auf dem einzigen Sessel im Raum – er blickte auf die Schlafzimmertür – lag ein Staubtuch. Ich durchquerte den Raum und setzte mich darauf, ohne das Staubtuch zu entfernen.

»Wie lange wissen Sie es schon?« fragte Elaine Damone, während sie sich in einer Schublade zu schaffen machte.

Als sie sich wieder mir zuwandte, hielt sie etwas Seidenunterwäsche in der Hand. Diese Dinger stammten aus dem denkbar letzten Laden, in dem vornehme, reiche Damen einkaufen würden. Aus der Art, in der ihr Morgenmantel fiel, konnte ich ersehen, daß Elaine Damone darunter nichts dergleichen trug. In ihrer anderen Hand hielt Elaine Damone jedoch etwas, das mich fast genauso brennend interessierte wie ihre Unterwäsche. Es war eine hübsche, kleine Walther PP – eine 32er mit einem mit Eichenlaub und Ahornblättern gravierten Lauf und einem Perlmuttgriff. Die Mündung wies eine leicht schwarze Färbung auf; sie rührte vermutlich von dem Schuß auf Warren Ratenners Schläfe her.

»Lassen Sie Ihre Hände von Ihren Taschen«, befahl sie mit einer Stimme, die eisig genug war, um einen heißen Pfannkuchen tiefzugefrieren. »Und zwar so, daß ich sie sehen kann.«

Ich tat, was sie sagte.

»Nicht wenigstens noch eine letzte Zigarette?« bat ich. Sie hob die kleine Pistole – sie hielt sie mit beiden Händen – und zielte damit auf einen Punkt zwischen meinen Augen.

»Eine Waffe dieses Typs faßt sieben Patronen. Fünf davon sind noch übrig, und ich brauche nicht mehr als eine, um Sie zu töten. Rauchen Sie also, wenn Sie meinen, die letzten fünf Minuten Ihres Lebens so verbringen zu wollen. Aber vorher möchte ich noch ein paar Dinge von Ihnen wissen. Ich dachte eigentlich, ich hätte mir da einen absolut narrensicheren Plan zurechtgelegt. Offensichtlich hatte er aber doch ein paar schwache Stellen. Und damit so etwas nicht noch einmal vorkommt, hätte ich gerne gewußt, was Sie herausgefunden haben.«

Ich holte mir sehr langsam eine Zigarette heraus, steckte sie an und nahm einen tiefen Zug. Der Rauch drang mir bis zu den Zehen hinab, aber ich fühlte mich deshalb nicht im geringsten besser. Elaine Damone mochte vielleicht wie eine Frau aussehen. Es war alles da – und genau am richtigen Platz. Aber ihr Herz oder ihre Seele, oder wie dieses verdammte Ding heißt, war aus Stein. Meine einzige Hoffnung war meine Zunge. Je länger ich damit ihre Aufmerksamkeit auf mich lenken konnte, desto besser. Ich würde ihr die ganze verrückte Geschichte erzählen, und ich würde schon dafür sorgen, daß ihr das Zuhören Spaß machte. Aber da war noch etwas ganz Besonderes, das ich mir bis ganz zum Schluß aufsparen würde – sozusagen ein Postskriptum. Ich war mir zwar nicht sicher, ob es auch wirklich zum Rest passen würde, aber schließlich war es meine letzte Chance.

Ich sagte: »Das wird aber eine Weile dauern.«

»Überanstrengen Sie sich nur nicht. Ich habe nicht den ganzen Tag lang Zeit.«

Elaine Damone kam hinter dem Bett hervor, stieß mit ihrem Fuß den Hocker unter ihrem Schminktisch hervor und setzte sich, mit dem Rücken zur Tür, mir gegenüber. Ihr Haar war noch nicht gekämmt. Es fiel ihr in anmutigen, üppigen Locken ins Gesicht und verdeckte fast ganz ihr eines dunkles Auge.

Elaine Damone ließ die Hand, in der sie die Waffe hielt, in ihren Schoß sinken. Sie öffnete ihre Beine und preßte den Griff dazwischen, und zwar gerade unterhalb ihres Venushügels. Mein Mund wurde trocken und zuckte so heftig, daß meine Camel fast zu Boden gefallen wäre.

»Es war der Fotorahmen«, fing ich schließlich an. »Dieses Ding, das Sie auf dem Kaminsims im Wohnzimmer stehen hatten.«

Die Lage von Elaine Damones Hand raubte mir fast die Sprache. Aber ich fuhr trotzdem mit meiner Geschichte fort.

»Das war Ihr einziger Fehler. Aber das hatte mehr mit Ihrer Persönlichkeit zu tun als mit Ihrem Plan. Sie sind eine Frau, wie man sie auf der Welt kaum zweimal findet. Wie Sie sich anziehen, wie Sie Ihre Wohnung einrichten, und auch wie Sie einen Mann lieben.«

»Erzählen Sie mir doch zur Abwechslung mal etwas, das ich noch nicht weiß«, unterbrach sie mich mit einem zufriedenen Lächeln.

»Alles an Ihnen ist perfekt«, redete ich weiter. »Es gibt an Ihrem wunderbaren Körper nicht einen Makel. Diese Art der Vollkommenheit ist zugleich schön und krank. Nicht nur in der Zielsetzung, sondern auch im fertigen Produkt. Und nun paßte es einfach nicht zu Ihnen, sich einen Bilderrahmen aufs Kaminsims zu stellen und kein Foto dafür zu haben. Ich konnte damals nicht wissen, wieso er leer war. Noch konnten sie damals wissen, als Sie mich in Ihrem Wagen mitnahmen, nachdem Warrens Jungs den Buick zu Schrott gefahren hatten, daß ich der Privatdetektiv war, mit dem Warren sich ein wenig unterhalten wollte. Aber nachdem Sie dann meine Sachen durchstöbert hatten, bevor Sie sie zur Reinigung brachten, stießen Sie auf ein Bild, das ich einem toten Franzosen abgenommen hatte – ein Foto von Ihrem Boß und einer Blondine.«

Ich war mit meiner Zigarette fertig und sah mich nach einem Aschenbecher um. Da keiner zur Hand war, drückte ich sie zwischen Daumen und Zeigefinger aus und legte den Stummel ordentlich auf die Lehne des Sessels.

Als ich wieder Elaine Damone ansah, war da etwas anders. Die Pistole ruhte zwar immer noch an derselben Stelle, eingebettet in die dunkle Spalte zwischen ihren Schenkeln, aber nun hatte sie sich ihren Morgenmantel über die Beine heraufgeschoben. Noch nie hatte ich eine schönere Nacktheit gesehen. Ihr Atem ging rasch, und ich konnte ihn von der Stelle, wo ich saß, deutlich hören.

»Machen Sie weiter«, munterte sie mich auf. »Das klingt ja schon beinahe ganz interessant.«

Ich tat mein Bestes, Elaine Damones Tagebuch zu rekapitulieren.

»Sie werden sich ja vielleicht nicht mehr an unser gemeinsames Bad erinnern. Verglichen mit dem Griff einer deutschen 32er bin ich ja nun wirklich nicht gerade was Besonderes. Aber danach, während Sie hier drinnen mit Coco Chanel und Helena Rubinstein beschäftigt waren, beschäftigte ich mich im Wohnzimmer mit Papa Hemingway. Aus Gründen, die ich mir immer noch nicht erklären kann, trat ich an Ihren Bücherschrank und nahm mir diesen Schinken vom Regal. Wie ich bereits gesagt habe, verstehe ich es vor allem deshalb nicht, weil ich für den guten Ernest nicht sonderlich viel übrig habe. Ich ziehe da schon eher Groschenhefte vor. Die sind witziger, und da wird auch nicht dauernd rumphilosophiert, wie hart und männlich man ist. Na ja, wenn ich mir's jetzt so überlege, dann scheint es mir fast so, als wäre der Rücken dieses Buches nicht ganz in einer Linie mit den anderen gestanden. Vielleicht war es das. Jedenfalls setzte ich mich also hin und schlug es auf. An dem Buch war nichts Ungewöhnliches. Ein ganz normaler, in Leder gebundener Band mit einer Menge Seiten mit noch mehr Worten darauf. Nun war da auch noch ein Bild; allerdings hatte das nicht der Verleger beigefügt. Es war ein Foto, wie ich schon vorher einmal eines gesehen hatte – von einem Mann, der neben einem Swimmingpool in der Sonne saß. Der Kerl hatte fiese Augen, ein häßliches Grinsen und einen Tumor im Hals. Neben ihm war eine Frau. Auf dem Foto, das ich von Frenchy hatte, war sie blond und sonst nicht viel mehr. Auf Ihrer Fotografie hatte allerdings ihren Platz eine andere Frau eingenommen, über deren Beine eine Widmung geschrieben war. ›Für meine süße, kleine Elaine.‹«

Die Frau mit der Pistole machte tief hinten in ihrer Kehle ein Geräusch, als spuckte sie. Sie sagte:

»Ich hätte jedes Mal kotzen können, wenn er mich nur anrührte.«

»Das ist aber hart«, entgegnete ich. »Mich haben nur seine Jungs angerührt, und die haben mich bewußtlos geprügelt.«

Elaine Damone lachte. Ein herzloses, leeres Lachen, das mir galt. Aber für sie stellte es etwas Ekstatisches dar.

»Stell sich das mal einer vor«, sagte sie fast zu sich selbst. »Sie wußten das also die ganze Zeit.«

»Etwas zu wissen, ist eine Sache; aber etwas zu beweisen, eine andere. Außerdem war ich zu jenem Zeitpunkt noch der Gejagte.«

»Und Sie entschlossen sich also, sich auf dieses Spiel einzulassen?« fragte sie spöttisch. »Sie hofften, den Jäger in Ihren Bau locken zu können?«

Ich nickte, und sie preßte sich die Waffe tiefer zwischen ihre Schenkel. Sie schien leicht zu erschaudern.

»Auf diese Stanton-Damone-Geschichte sind Sie also hereingefallen«, sagte sie schließlich, ihre Augen fast geschlossen.

»Über Stanton Damone werden wir uns später unterhalten. Erklären Sie mir erst, weshalb Frenchy ein Bild seines Boß' in seiner Brieftasche mit sich herumschleppte.«

»Sie sind vielleicht ein Einfaltspinsel«, kicherte sie. »Auf Ihre Art ganz nett. Aber trotzdem ein Riesenidiot. Die Blonde war Frenchys Schwester, dieses kleine Flittchen. Warren bildete sich ein, er wäre in sie verliebt, bevor ich in sein Leben trat.«

»Sie schlossen sich also mit Ratenner und seinem Strohmann Eddie Holland zusammen. Ratenner ließ es sich einiges kosten, Sie bei Laune zu halten und sich von Eddie Holland verwöhnen zu lassen, während der Boß gerade mal verreist war. War ja auch nicht gerade übel. Aber Sie hatten weitreichendere Pläne, als an einem Swimmingpool in der Sonne zu braten. Und Sie fanden auch heraus, daß es Eddie ähnlich ging. In seiner Funktion als Strohmann hatte Holland die Geldangelegenheiten abzuwickeln. Das machte das Ganze schon fast zu einem Kinderspiel. Wenn Ratenner so eine kleine Transaktion zum Abschluß brachte, verdoppelte sich das Kapital. Und wenn er einmal ganz Philly abgegrast hatte, belief sich der Gewinn auf ein Vermögen. Es war also Zeit für Sie, in Aktion zu treten. Sie banden Holland den Bären auf, Sie wären Hals über Kopf in ihn verknallt, und überredeten ihn, seinen Boß aufs Kreuz zu legen. Sie brachten ihn dazu, einen kleinen Hoteldieb namens Olly Keppard in die Sache hineinzuziehen. Sein Job bestand darin, nach dem Mord an Kirkpatrick, dem Versicherungsmann, und nach der darauffolgenden Liquidation des Firmenkapitals die Aktentasche mit dem Geld zu entwenden. Das ging allerdings schief. Zuerst verpaßte Keppard die Gelegenheit, die Tasche zu vertauschen, ohne daß davon jemand Wind bekommen hätte. Und als er dann später herausfand, was hier eigentlich gespielt wurde, setzte Keppard Ihnen das Messer auf die Brust. Und dann lief mit einem Mal alles wieder wie am Schnürchen. Sie fanden mich.«

Meine Geschichte ging allmählich ihrem Ende zu, und bis jetzt war noch immer niemand aufgetaucht – weder die US-Kavallerie noch meine gute Fee, und ich konnte auch nirgends einen Nahkampfspezialisten mit einer geladenen Panzerfaust sehen. Scheherezade brachte ihren Alten dazu, sie nicht an die Ameisen zu verfüttern, indem sie ihm eine Geschichte erzählte und dabei die Pointe für sich behielt. Und das Ganze tausendundeine Nacht lang. Ich konnte nur hoffen, daß ich halb so viel Glück haben würde wie sie.

»Und nun bekam Olly Keppard verdammt große Augen. Er wollte nicht nur ein Stück vom Kuchen abhaben, sondern gleich den Backofen, die Mühle und den ganzen verdammten Bäckerladen noch dazu. Und sie machten mir dann weis, Ihr Bruder würde erpreßt. Aber die Erpreßte waren natürlich Sie.«

Elaine Damone warf den Kopf zurück und lachte. Sie nahm die Pistole zwischen ihren Beinen hervor und biß sich in den Rücken der Hand, in der sie die Waffe hielt. Ihre Beine waren so weit auseinandergespreizt, wie man sich das nur denken kann, und ich gab mir alle Mühe, nicht hinzustarren. Dann stand sie plötzlich auf, und der dünne Morgenmantel fiel zu Boden. Ich konnte an den Stellen, wo er zusammengelegt gewesen war, noch die Falten erkennen. Speichel rann ihr aus dem Mundwinkel, und ihr Atem ging unregelmäßig. Ihre Augen blitzten in schrecklicher Selbstverliebtheit auf. Diesen Eindruck machten sie jedenfalls auf mich, und ich konnte nur hoffen, daß ich damit recht hatte, wenn ich noch ein paar Minuten für mich herausschinden wollte. Hilfe war bereits unterwegs. In dem dunklen Gang, der vom Schlafzimmer abging, bewegte sich etwas.

»Das mit Ihrem Bruder war einfach erstunken und erlogen«, redete ich weiter. »Genauso wie dieser Blödsinn mit Ihrer Familie. Ich habe mich erkundigt. Es gibt keine Damone-Familie – weder in Brasilien noch in Argentinien oder Peru oder El Salvador oder sonst irgendwo in Südamerika.«

»Aber ich bin doch sehr real«, hauchte sie. »Und wie Sie sehen, auch sehr lebendig. Und jetzt werde ich dann weggehen.«

»Aber Sie haben noch nicht den Rest der Geschichte gehört. Es macht nicht allzuviel Spaß, so clever zu sein, wenn man nicht weiß, daß jemand anderer weiß, wie sehr. Sie können mich jeden Moment umbringen, aber sobald ich einmal tot bin, werden Sie nie mehr herausbekommen, wieviel ich eigentlich gewußt habe.«

Sie hielt die Waffe fest in ihrer Hand, hörte aber zugleich auch aufmerksam zu.

Ich redete hastig weiter.

»Sie haben Holland zu mir geschickt, um mich mit einer großzügigen Summe abzuspeisen. Sie dachten, ich hätte Pech gehabt und würde Ihnen nicht weiterhelfen können. Ich war im Weg. Dagegen hatte Holland Glück. Er kam nämlich gerade in dem Moment, als ich Joey Pozos Code entschlüsselte, und war schlau genug, sich das Ganze zu merken. Er folgte mir zum Abington Motel, zog mir eine über und ließ mich in einer höllischen Patsche zurück. An diesem Punkt wurde ganz offensichtlich, daß er Ihr Mann war und nicht Ratenners. Und dann brachte er vermutlich die Tasche mit dem Geld hierher, während Sie gerade losgezogen waren, Ratenner umzubringen. Und zuletzt haben Sie auch noch Eddie Holland erschossen.«

»Kein Mann ist unersetzlich.« Elaine Damone lachte und streckte die Pistole auf Armeslänge von sich. »Übrigens hat Holland Ratenner umgebracht und nicht ich. Ich war die ganze Nacht hier und habe wie ein neugeborenes Baby geschlafen. Aber abgesehen davon war Ihr kleiner, zusammenfassender Bericht durchaus hörenswert. In einem anderen Leben hätten Sie mir vielleicht durchaus etwas bedeuten können. Und eigentlich sollte eine solch hervorragende Kombinationsgabe mit etwas Besserem belohnt werden, als mit einem schnellen Tod. Aber das, mein lieber Mister Dime, ist nun eben einmal Ihr Schicksal.«

Sie entsicherte die Walther und begann, den Abzug zu drücken.

33

Zwei Metallröhren, jede mit etwa drei Zentimetern Durchmesser, schoben sich langsam über den roséfarbenen Teppichboden, bis sie schießlich in ihrer vollen Länge von etwa dreißig Zentimetern zu sehen waren. Darauf gingen sie in einen hölzernen Kolben über, der wiederum gegen die Schulter eines blutenden sterbenden Mannes gepreßt war. Er war genauso gekleidet, wie ich ihn den Abend zuvor gesehen hatte, als er in mein Büro gekommen war und mir seine guten Ratschläge gegeben hatte. Nur die Schußwunde über seinem Herzen hatte er damals noch nicht gehabt. Wäre Elaine Damone nicht so eifrig damit beschäftigt gewesen, mir über die seltsamen Wege des Schicksals zu erzählen, sie hätte sicher gehört, wie Eddie Holland sich auf dem Bauch über den Boden schleppte. Aber alles, was sie hörte, war nur das Krachen eines Laufes von Hollands abgesägter Schrotflinte. Die Wucht der Explosion war so gewaltig, daß sie Elaine Damone durch den ganzen Raum und mir direkt in die Arme wirbelte. Wir gerieten ins Wanken, sie sackte zusammen, und ich konnte uns gerade noch auf den Beinen halten. Elaine Damone gab nicht einen Ton von sich, auch nicht den leisesten. Sie starrte mich im Tod mit ihren weit aufgerissenen Mandelaugen hilflos an.

Ich sah ihr nervös über die Schulter, da ich auf einen zweiten Schuß wartete. Aber Holland hatte genug vom Leute-Erschießen. Völlig ruhig lag er bäuchlings auf dem Boden, seine Flinte gemächlich vor sich hin rauchend.

Ich tanzte mit Elaine Damones Leiche zum Bett und legte sie darauf. Der scharlachrote Drachen auf ihrem Morgenmantel veränderte seine Gestalt und wurde größer, als das Blut der Frau den weißen Baumwollstoff durchtränkte. Blut strömte aus ihrer Nase und aus ihrem Mund. Blut schien überall an ihr hervorzuströmen.

Ich hatte das Gefühl, als würde es plötzlich sehr kühl im Raum, und mein Herz pochte lauter als eine Baßtrommel bei einer Parade in New Orleans. In Elaine Damones Schlafzimmer mußte sich wohl plötzlich Nebel ausgebreitet haben, da ich nicht mehr deutlich sehen konnte.

Ich stand da und starrte auf diesen Drachen, bis seine Umrisse völlig verschwommen waren. Nichts mehr lebte und rührte sich in Elaine Damones herrlichem Körper. Ich beugte mich über sie und schloß ihr die Augen. Anscheinend muß ich sie auch geküßt haben, denn an meinem Mund klebte etwas Blut, als ich mich wieder aufrichtete.

Holland war keine Sekunde zu früh aufgetaucht. Das heißt, er war natürlich die ganze Zeit über in der Wohnung gewesen und war im Salon langsam vor sich hin gestorben. Sie hatte ihn über dem Herz in die Brust geschossen und dann verbluten lassen. Er war jedoch noch nicht ganz tot gewesen, als ich vorbeikam. Seine Flinte lag auf dem Flügel. Er brauchte sie sich nur zu holen, den Gang entlang zum Schlafzimmer zu kriechen und...

Mir war speiübel. Ich setzte mich neben Elaine Damones Leiche auf das Bett, säuberte mir mit einem Laken die Hände und nahm das Telefon vom Nachttisch. Ich wählte eine Nummer und wartete. Es war Sonntag vormittag, kurz nach zehn. Die Leute gingen zur Kirche, jäteten das Unkraut in ihrem Garten, überflogen die Zeitungen. Ganz Philadelphia tat etwas, nur im Polizeirevier von Germantown nahm niemand den Hörer ab.

Gedankenversunken fuhr ich mit meiner freien Hand in einen der Koffer, die Elaine Damone gerade gepackt hatte, als ich auf der Bildfläche erschien. Unter ein paar Kleidungsstücken fand ich die Aktentasche. Es war ein seltsames Gefühl, sie zu guter Letzt doch noch zu Gesicht zu bekommen. Es war ein Gefühl, als träfe ich auf einer Party zufällig eine alte Flamme oder in einem fernen Land einen Schulkameraden. Ich rührte sie jedoch nicht an. Wesentlich mehr interessierte mich ein altes Fotoalbum in einem vergilbten, mit Blumen bedruckten Stoffeinband, das sorgfältig verpackt daneben lag. Ich legte mir das Album auf die Knie und ließ eine Seite nach der anderen auffallen. Alle Bilder hatten die gleiche Größe, das unscheinbare, quadratische Format einer alten Box. Die Gesichter auf den Fotos gehörten alle zu einer Familie. Nichts als dunkles Haar und Mandelaugen. Das letzte Bild war etwas größer als der Rest und schien von einem Fotografen aufgenommen. Es hatte auch eine Unterschrift. Die Aufnahme zeigte eine große Familiengruppe von Landpächtern, die in Schwarz gekleidet waren. Hinter den wie die Orgelpfeifen aufgereihten Kindern war ein endloser Horizont von Dreck zu sehen. Im Vordergrund gab es noch mehr Dreck. Die Parade wurde von einem erwachsenen Mann angeführt, der einen schlecht sitzenden Anzug und ein Hemd mit gestreiftem Kragen trug. Sein Gesicht glich weniger denen seiner Töchter als denen seiner Jungen. Es machte einen sorgengeplagten Eindruck – überwältigt und erstickt durch den endlosen, verzweifelten Kampf, diesem Dreck um ihn herum etwas abzugewinnen. Im Hintergrund waren außerdem eine baufällige Scheune und eine wacklige Bretterhütte zu sehen, von deren gemauertem Kamin Rauch hochstieg. Sonst war da nicht viel – außer der Traurigkeit auf den Gesichtern; und da war auch keine Mutter. Die von einer ordentlichen Kinderhand unter die Fotografie geschriebenen Worte lauteten: ›Der Tag, an dem Mama starb und begraben wurde.‹

Elf Kinder standen nebeneinander aufgereiht. Das mittlere, ein Mädchen, lag tot neben mir.

Bei der Polizei ging niemand ans Telefon. Inzwischen wollte ich allerdings auch mit niemandem mehr sprechen – höchstens vielleicht mit einer verständnisvollen Frau oder einem Priester, der noch nichts von Sünde gehört hatte. Nur kannte ich niemanden, der dafür in Frage gekommen wäre.

Vorsichtig legte ich den Hörer wieder auf die Gabel zurück und deckte mit dem Fotoalbum den Blutfleck auf Elaine Damones Brust zu. Dann stand ich auf, ging langsam durch die leere Wohnung mit all ihren verrückten Träumen und öffnete die Tür.

Der Lärm, der entstand, als ich sie ins Schloß warf, weckte die ganze gottverdammte Welt auf.

LAWRENCE BLOCK
Die Mörder-Lady

1

Die Hotelhalle war klimatisiert, und in dem Teppich versank man geräuschlos und weich, ohne eine Spur zu hinterlassen.

Die Hotelboys eilten schweigend durch die Halle und verbreiteten den Eindruck behutsamer Tüchtigkeit.

Die Lifts fuhren leise und stoppten leise, und die hübschen Mädchen, die darin standen und die Knöpfe bedienten, kauten nicht einmal Kaugummi – allenfalls wenn sie abends ihre Arbeit beendet hatten.

An den hohen Decken hingen prunkvolle Kronleuchter.

Die Stimme des Empfangschefs war tief und leise. Er tat so, als wollte er mit jedem Wort um Entschuldigung bitten. Aber das änderte nichts an dem, was er zu sagen hatte. Er wollte das gleiche, was man in jeder stinkenden Kneipe von Hackensack bis Hongkong will: Geld.

»Es tut mir wirklich leid, daß ich Sie belästigen muß, Mr. Gavilan«, sagte er. »Aber wir haben das Prinzip, alle zwei Wochen Bezahlung zu verlangen. Und da Sie bereits mehr als drei Wochen hier sind...«

Den Rest des Satzes sprach er nicht aus; er hing aber in der Luft.

Der Empfangschef stand da und hob die Hände, wie um mir zu zeigen, daß es ihm eigentlich peinlich war, von Geld reden zu müssen. Es war ihm angenehm, welches zu bekommen, aber reden mochte er nicht darüber.

Ich erwiderte sein Lächeln.

»Wenn Sie mir das bloß eher gesagt hätten«, antwortete ich. »Die Zeit vergeht so schnell, daß man gar nicht mehr richtig mitkommt. Hören Sie, ich geh jetzt gleich hinauf und zieh mich um. Sehen Sie zu, daß die Rechnung fertig ist, wenn ich wieder herunterkomme. Ich muß ohnehin zur Bank. Da kann ich ja sozusagen gleich zwei Fliegen mit einer Klappe schlagen: mir Geld holen und meine Rechnung bezahlen.«

Sein Lächeln war noch breiter als meines. »Wir nehmen selbstverständlich auch einen Scheck, Mr. Gavilan. Das heißt...«

»Das hätte keinen Sinn«, widersprach ich. »Ich hab' mein Konto bei einer Bank in Denver. Es würde Wochen dauern, bis der Scheck ausbezahlt wird. Aber ich habe einen Wechsel auf eine Bank hier in der Stadt. Lassen Sie nur die Rechnung fertigmachen, bis ich herunterkomme, dann zahl ich heute nachmittag in bar. Einverstanden?«

Natürlich war er einverstanden. Ich ging zum Lift und betrat ihn, ohne mein Stockwerk anzugeben. Wenn man im *Benjamin Franklin* ein oder zwei Tage wohnt, merken sich die Liftfahrer, in welche Etage man gehört.

Ich stieg im siebten Stockwerk aus und ging zu meinem Zimmer. Das Zimmermädchen hatte noch nicht aufgeräumt. Es sah noch genauso übel aus wie vorher, als ich zum Frühstück hinuntergegangen war.

Ich setzte mich ein paar Minuten auf das ungemachte Bett und überlegte, wie hoch die Rechnung im ersten Hotel von Philadelphia wohl sein würde. Einen Batzen Geld würde es jedenfalls kosten, ganz gleich, wie man auch rechnete. Mehr als drei Wochen bei fünfundzwanzig Dollar am Tag. Und dann hatte ich auch drei Wochen im Restaurant die Rechnungen nur abgezeichnet, und genauso hatte ich es mit dem Zimmer-Service gemacht, wenn ich mir Whisky heraufschicken ließ. Ebenso mit der Wäscherei und der chemischen Reinigung und all den anderen Diensten, die Philadelphias führendes Hotel anzubieten hatte. Eine imposante Summe.

Vielleicht zwölfhundert Dollar. Vielleicht weniger, vielleicht mehr.

Ein verdammt dicker Batzen Geld.

Ich griff in die Tasche, holte meine Geldbörse heraus und zählte mein Geld. Etwas mehr als zweihundert Dollar. Und – muß ich es noch erwähnen? – es gab natürlich keinen Wechsel auf eine Bank in Philadelphia, kein Konto bei einer Bank in Denver. Keine Aktien. Keine Obligationen. Gar nichts. Es gab reichlich zweihundert Dollar, und das war alles.

Ich zündete mir ein Zigarette an und überlegte, was ich doch für ein Glück gehabt hatte, daß sie mich jetzt beinahe einen Monat durchgefüttert hatten, ohne Geld auch nur zu erwähnen. Die meisten schnappen sie schon früher. Zum Glück war ich vorsichtig und hatte alles streng nach gewissen Spielregeln gespielt. Ich war nicht wie ein Tramp eingezogen. Das ist wichtig.

Trinkgelder zum Beispiel gab ich immer in bar. Es ist nicht fair, Pagen und Kellnerinnen hereinzulegen, die wahrscheinlich genauso blank wie ich sind. Denn wenn man Trinkgelder auf die Rechnung setzen läßt und sie dann bloß abzeichnet, wird man genau beobachtet. Ein jeder paßt dann auf einen auf.

Also gab ich meine Trinkgelder in bar, und zwar reichlich; einen Dollar für die Pagen und genau zwanzig Prozent für die Kellnerinnen. Das war teuer, aber das war es auch wert. Es hatte sich rentiert.

Ich zog mich aus und duschte. Zuerst heiß und dann eiskalt. Ich dusche mich gern. Nachher fühlt man sich wieder wie ein Mensch.

Während ich mich abfrottierte, sah ich mich im Spiegel an. Es stimmte noch alles. Ein durchtrainierter Körper, kräftige Schultern, Sonnenbräune, schmale Hüften, Muskeln. Ich sah gepflegt und wohlhabend aus. Mein Gepäck war aus erstklassigem Rindsleder, und meine Schuhe waren teuer. Ebenso meine Anzüge.

Ich würde sie vermissen.

Ich zog mich schnell an, und zwar alles, was nur gerade ging. Unter dem Anzug trug ich eine Badehose und unter dem Seidenhemd ein gestricktes. In die Schuhe legte ich zwei paar Kaschmirsocken. Ich band mir meine beste Krawatte um und schob die zweitbeste in die Tasche. Vier Krawattenspangen steckte ich mir an; unter der Jacke sah man sie nicht.

Noch mehr, und ich hätte ausgesehen wie ein Kartoffelsack. Aber das wollte ich nicht. Ich steckte das Portemonnaie ein, hinterließ noch etwas mehr Durcheinander in meinem Zimmer, als vorher schon geherrscht hatte, und klingelte nach dem Lift.

Meine Rechnung war fertig, als ich wieder in die Halle kam. Ziemlich hoch. Eintausendzweihundertvierunddreißig Dollar und sechsundachtzig Cent; sogar noch etwas mehr, als ich angenommen hatte. Ich lächelte, dankte dem Empfangschef und ging hinaus, wobei ich so tat, als musterte ich die Rechnung.

Die Rechnung war natürlich auf David Gavilan ausgestellt.

Und David Gavilan heiße ich natürlich nicht.

Ich brauchte zwei Dinge: Geld und eine neue Stadt, in der ich es ausgeben konnte. Philadelphia war ganz nett gewesen, aber irgendwie hatte es hier nicht geklappt. Ich hatte eine Woche gebraucht, um den richtigen Dreh rauszukriegen, noch mal eine, um damit anzufangen und die dritte Woche, um festzustellen, daß es von Anfang an ein Fehler gewesen war.

Ein Mädchen spielte dabei natürlich auch eine Rolle. Das ist immer so.

Sie hieß Linda Jamison, und sie roch nach Geld. Sie hatte kurzes schwarzes Haar, wilde Augen und einen hübschen Busen. Wenn man sie reden hörte, klang es nach Vassar. Sie sah gut aus, kleidete sich gut und konnte reden. Ich nahm an, daß sie aus einer der großen Familien stammte, oder zumindest ganz aus der Nähe.

Aber das traf nicht zu.

Ich gabelte sie in einer guten Bar auf der Sansom Street auf, wo die obere Gesellschaft verkehrt. Wir tranken miteinander Gibsons, aßen zusammen zu Abend und sahen uns miteinander eine Show an. Dann fuhren wir mit ihrem Wagen weg. Einem teuren Wagen natürlich.

Alles sah prächtig aus.

Ich verabredete mich dreimal hintereinander mit ihr, ehe ich sie auch nur küßte.

Ich bereitete alles ganz sorgfältig vor.

Ich bin schon achtundzwanzig – zu alt, um noch herumzuspielen. Wenn ich einen Hauptgewinn wollte, dann einen richtigen. Vielleicht würde ich sie sogar heiraten. Warum auch nicht, zum Teufel?

Sie sah nicht schlecht aus, und genaugenommen würde es vielleicht sogar im Bett mit ihr Spaß machen. Außerdem roch sie nach Geld. Ich mag Geld. Man kann sich so nette Dinge damit kaufen.

Also küßte ich sie beim vierten Rendezvous und beim fünften ein wenig mehr und beim sechsten zog ich ihr den Büstenhalter aus und spielte ein wenig mit ihren Brüsten. Nette Brüste. Fest, süß, schwer. Ich streichelte sie, und das schien ihr ebenso zu gefallen wie mir.

Zwischen dem sechsten und siebten Rendezvous gebrauchte ich meinen Kopf ein wenig. Ich ließ es mich zehn Dollar kosten, eine Dun & Bradstreet-Auskunft zu bekommen und stellte fest, daß sie ebensowenig ein reiches Mädchen war, wie eine Weintraube viereckig ist. Sie war eine Goldgräberin, und das verdammte Biest verschwendete seine Zeit damit, um bei mir nach Gold zu suchen. Und ich raffinierter Idiot verschwendete meine Zeit und mein Geld, um bei ihr nach Gold zu suchen. Eigentlich wäre es ja lustig gewesen, nur hatte ich im Moment keinen Sinn für Humor.

Also ließ ich mich beim siebtenmal auszahlen. Ich ging wieder mit ihr aus. Wir fuhren in ihrem Wagen, und drei Stunden lang brauchte ich für sie keinen Cent auszugeben. Dann fuhren wir in ihre Wohnung. Ein nettes, kleines Appartement, das offensichtlich ihre Investition für die Zukunft darstellte, ebenso wie meine das Zimmer im *Franklin* war. Wir gingen hinauf und fanden uns kurz darauf wieder im Schlafzimmer.

Diesmal meinte ich es ernst. Ich zog ihr das Kleid und den Büstenhalter aus und vergrub meine Lippen in ihrem Busen. Ich zog ihr den Unterrock aus und den Strumpfgürtel, und dann rollte ich ihr die Strümpfe herunter. Anschließend kam noch das Höschen. Dann war nichts mehr auf dem Bett als die süße, kleine Linda Jamison, das Mädchen meiner Träume.

Die Schlacht war gewonnen, aber ich war entschlossen, meinen Triumph bis zur Neige auszukosten. Meine Hand strich über ihren Rücken und endete im verheißenen Land. Sie stöhnte glücklich, und ich glaubte nicht, daß das Stöhnen gespielt war. Sie war heiß wie ein Sonnenbrand.

»Linda«, flüsterte ich an ihrem Ohr, »ich liebe dich. Willst du mich heiraten?«

Das brachte sie in Ekstase.

Von da an war es wie im Himmel. Ich stürzte mich auf sie wie ein Stier auf den Matador. Sie liebte mich mit der Hingabe einer ungeduldigen Jungfrau und der Raffinesse einer alten Hure. Ihre Nägel rissen Hautfetzen aus meinem Rücken, und ihre Hüften erdrückten mich beinahe.

Es dauerte lange. Beim erstenmal war es wild und frei und sehr gut. Dann gab es ein Zwischenspiel mit zwei Köpfen, die ein Kopfkissen teilten, und sinnlosem Geturtel im Flüsterton. Das Schlimme war, daß wir beide logen wie die Raben. Trotzdem machte es Spaß. Verstehen Sie mich bloß nicht falsch!

Und dann das zweitemal. Diesmal kontrolliert, aber noch leidenschaftlicher, wenn das überhaupt möglich ist. In gewisser Weise war es eine sehr eigenartige Liebe. Wir beide spielten einander etwas vor. Ich wußte genau, was gespielt wurde, sie nur die Hälfte davon.

Vielleicht wäre es sogar der Mühe wert gewesen, sie noch eine Weile zappeln zu lassen. Sie war gut, verdammt gut, falls ich das noch nicht gesagt habe.

Ich hätte mich weiter mit ihr verabreden, vielleicht noch eine Woche mit ihr schlafen können. Aber ich hatte schon gewonnen, und der Sport hörte auf, interessant zu sein. Also beschloß ich, es hinter mich zu bringen.

Wir lagen auf dem Bett. Ich hatte eine Hand auf ihrer Brust. Ich fühlte mich wohl.

»Linda«, sagte ich. »Ich habe dich angelogen.«

»Was meinst du damit?«

»Ich weiß, daß es dir nichts ausmachen wird«, sagte ich. »Wenn ich dich nicht so gut kennen würde, würde ich es wahrscheinlich gar nicht riskieren, es dir zu sagen. Aber ich kenne dich, meine Liebe. Und zwischen uns darf es keine Geheimnisse geben. Ich muß es dir sagen.«

Jetzt fing sie an, Interesse zu zeigen.

»Linda«, sagte ich, »ich bin nicht reich.«

Sie bemühte sich, nicht zusammenzuzucken. Möge der Herrgott im Himmel sie dafür segnen. Aber meine Hand lag auf ihrer Brust, und ich spürte, wie sich jeder Muskel in ihr anspannte, als sie meine Worte verarbeitet hatte. Eigentlich tat sie mir leid.

»Ich habe dir etwas vorgespielt«, sagte ich. »Weiß du, ich habe dich kennengelernt und mich sofort in dich verliebt. Aber zwischen uns war eine solche Kluft – du reich und ich arm wie eine Kirchenmaus. Ich konnte mir nicht vorstellen, daß ich bei dir eine Chance hätte. Das war natürlich, ehe ich dich genau kennengelernt hatte. Aber jetzt weiß ich, daß Geld dir nichts bedeutet. Du liebst mich, und ich liebe dich, und sonst ist alles unwichtig. Stimmt's?«

»Natürlich.« Das klang nicht sehr überzeugend.

»Aber jetzt«, fuhr ich fort, »mußte ich es dir sagen. Ich hatte keine Ahnung, daß alles so schnell gehen würde. Ich meine, jetzt sind wir hier und wollen heiraten. Also mußte ich es dir sagen, daß ich – nun, daß ich mit falschen Karten gespielt habe, sozusagen. Ich weiß, daß es dir nichts ausmachen wird, aber ich wollte es dir sagen.«

Damit war das Spiel natürlich zu Ende.

Als ich am nächsten Tag anrief, meldete sich niemand am Telefon. Ich ging zu ihrem Haus und erkundigte mich bei ihrem Vermieter. Sie war ausgezogen, mit dem ganzen Gepäck. Sie hatte auch keine Nachsendeadresse hinterlassen. Kunststück, schließlich schuldete sie zwei Monate die Miete.

Zum Totlachen.

Aber jetzt war es gar nicht mehr so komisch. Jetzt stand ich selbst auf der Straße, beinahe pleite und ohne die geringsten Aussichten. Es war Sommer, heiß, und ich langweilte mich. Ich brauchte Tapetenwechsel. Es mußte eine Stadt in der Nähe sein, aber im nächsten Staat, eine Stadt, die ich kannte, aber eine Stadt, die sich nicht an mich erinnern würde. Zu viele Städte erinnerten sich meiner. Und die Liste wurde alle paar Monate länger.

Dann hatte ich eine Idee. Atlantic City. Drei Jahre war das her. Eine Mrs. Ida Lister, nahe an die Vierzig, aber immer noch gut gebaut, immer noch hungrig, immer noch ein Tiger im Bett. Sie hatte für zwei Wochen meine Dienste sehr gut bezahlt. Sie hatte alle Rechnungen übernommen, eine neue Garderobe spendiert und mir noch einen Tausender in bar zugesteckt.

Die Juwelen, die ich ihr stahl, brachten mir weitere fünftausend. Atlantic City.

Eine dreckige, kleine Stadt. Eine Mischung aus Times Square, Coney Island und Miami Beach. Nicht gerade ein aufregender Ort.

Aber eine Fahrkarte von Philadelphia nach Atlantic City kostete bloß einen Dollar. Außerdem lag Atlantic City in einem anderen Staat. Es war ein Erholungsort, eine Stadt voll von Durchreisenden. Alles hübsch grau in grau. Dort konnte man anfangen. Diesmal richtig. Diesmal konnte ich es mir nicht leisten, wieder eine Schlacht zu gewinnen und den Krieg zu verlieren. Keine Tändeleien mehr mit vollbusigen Flittchen wie Linda Jamison.

Ich stieg in ein Taxi und sagte dem Fahrer, er solle mich zur Bahnstation bringen. Er raste die Market Street hinunter, und ich fragte mich, wann die Boys im *Franklin* wohl merken würden, daß ich ausgerückt war.

Es war ein Bummelzug, aber die Fahrt war nicht weit. Wir fuhren durch Haddonfield und Egg Harbor und noch ein paar Städte, an die ich mich nicht mehr erinnere. Dann trafen wir in Atlantic City ein, und die Passagiere standen auf und schickten sich an, auszusteigen.

Es war ein höllisch heißer Tag, und ich sah keine Wolke am Himmel. Ein Glück, daß ich die Badehose mitgenommen hatte. Es würde Spaß machen, den Anzug auszuziehen und ins Wasser zu springen. Schwimmen habe ich immer schon gern gemocht. Außerdem sehe ich am Strand gut aus. Das ist einer meiner Vorzüge.

Ich hatte den Bahnhof schon verlassen, als mir etwas einfiel. Ich mußte ich einem Hotel wohnen, und das ging nicht ohne Gepäck. Oh, es *ging* natürlich, aber nicht besonders gut. Ohne Gepäck muß man jeden Tag bezahlen. Und in einem Laden, wie ich ihn mir vorgestellt hatte, würde das gut dreißig Dollar am Tag kosten – ohne Mahlzeiten, und vierzig mit. In der Hochsaison ist das Leben in solchen Orten verdammt teuer. Klar, es gibt überall billige Bleiben, Löcher, wo man vier Dollar für ein Zimmer bezahlt und keiner einem Fragen stellt. Aber das war für mich nicht das Richtige. Wenn man irgendwohin geht, soll man es erster Klasse tun, sonst hat es überhaupt keinen Sinn, auch nur anzufangen.

Gepäck. Ich konnte mir einen gebrauchten Pappkoffer bei einem Pfandleiher kaufen, ihn mit alten Kleidern und ein oder zwei Telefonbüchern vollstopfen, aber das würde nicht viel nützen. Die großen Hotels rümpfen die Nase, wenn ein Gast mit billigem Gepäck einzieht. Und die Zimmermädchen geraten nicht gerade in Ekstase, wenn sie einen Koffer voll Telefonbüchern finden.

Ich hatte keine Wahl.

Ich ging in den Bahnhof zurück, ganz langsam. Am Gepäckschalter stand eine Schlange, und ich schloß mich ihr an. Ich besah mir die ausgestellte Ware und versuchte, das beste Stück für mich herauszufinden. Das war nicht schwer. Zwei zueinander passende Koffer mit dem Monogramm LKB standen ganz oben auf der Theke. Erstklassige Ware, beinahe neu. Sie gefielen mir.

Ich blickte mich um. Mr. LKB war austreten gegangen oder sonst wohin. Jedenfalls schien sich niemand für sein Gepäck zu interessieren, auch der Beamte nicht.

Ich nahm beide Koffer.

So einfach war das. Kein Gepäckzettel, nichts. Ich nahm die Koffer, warf dem Mann einen Dollar zu und schlenderte davon. Niemand stellt einem Fragen, wenn man einen Dollar Trinkgeld gibt; jedenfalls nicht Leute in einer Gepäckaufbewahrung, die sich für achtzig Dollar die Woche fünfmal täglich blöde Bemerkungen gefallen lassen müssen. Der Mann würde sich nicht einmal daran erinnern, was für Koffer ich weggenommen hatte. Bis LKB bemerkte, was passiert war, würde ich schon lange verschwunden sein. Die Leute brauchen viel Zeit, um zwei und zwei zusammenzuzählen, und selbst dann bringen sie gewöhnlich fünf heraus.

Ein Taxi brachte mich ins *Shelburne*. Ein Portier machte mir die Tür auf und nahm meine Koffer. Ein Page nahm sie ihm ab und führte mich zur Rezeption. Ich zeigte dem Mann hinter der Theke mein bestes Sonntagslächeln und verlangte das beste Einzelzimmer im Hause. Ich bekam es. Er fragte mich, wie lange ich bleiben wollte, und ich sagte, ich wüßte es nicht – eine Woche, zwei Wochen.

Das gefiel ihm.

Mein Zimmer war im obersten Stockwerk, ein herrlicher Palast, groß genug für sechs ausgewachsene Menschen. Das Mobiliar war modern, der Teppich dick. Ich fühlte mich wohl.

Ich zog mich aus und duschte mich, um den Eisenbahngeruch loszuwerden. Dann streckte ich mich auf dem Doppelbett aus und hing angenehmen Gedanken nach. Jetzt hieß ich Leonard K. Blake. Ein guter Name. Ebenso gut wie David Gavilan. Ebenso gut wie mein eigener.

Ich stand auf, ging zum Fenster und blickte hinaus. Es gab einen Bürgersteig. Auf der anderen Seite des Bürgersteigs war schon der Strand, und am Strand waren Leute. Nicht zu viele Leute an diesem Teil, weil er privat war – reserviert für Gäste des *Shelburne*. Man brauchte sich nicht von dem Pack zertreten lassen. Nicht wenn man Leonard K. Blake hieß. Der reiste bloß erster Klasse.

Es gab Männer am Strand und Mädchen und Kinder. Ich entschied, daß es höchste Zeit war, daß *ich* am Strand war. Der Tag war zu heiß, um im Hotel herumzusitzen, auch wenn es eine Klima-Anlage gab. Ich wollte schwimmen, und ich brauchte Sonne. Philadelphia verdirbt einem den schönsten Sonnenbrand.

Ich zog die Badehose wieder an, hängte den Anzug in den Schrank und legte die übrigen Sachen, die ich mitgebracht hatte, in die Schubladen. Die Koffer von LKB stellte ich in den Gepäckschrank. Später würde ich sie auspacken und feststellen, was für feine Sachen ich von ihm geerbt hatte. Dem Gepäck nach zu schließen, würden seine Kleider gut genug sein, um sie anzuziehen. Hoffentlich hatte er meine Größe.

Ich nahm den Lift und ließ mir von einem Gesichtslosen ein Handtuch geben. Das *Shelburne* hatte einen Privatweg vom Hotel unter dem Bürgersteig hindurch an den Strand, und das war bequem. Ich fand eine freie Stelle, legte mein Handtuch aus und rannte ins Wasser.

Es war ein guter Tag zum Schwimmen. Ich ließ mich eine Weile von den Wellen treiben, schwamm dann ein paar Züge und drehte mich auf den Rücken. Aber ich blieb dabei wach. Ein Onkel von mir hat einmal in Jones Beach versucht, auf dem Rücken zu treiben und ist dabei eingeschlafen. Die Küstenwache hat ihn dann fünfzehn Meilen vom Strand entfernt aufgefischt. Also blieb ich wach.

Nach einer Weile wurde das etwas anstrengend. Ich ging aus dem Wasser und kletterte wie ein Walroß mit bleiernen Armen an den Strand. Oder mit den Vorderbeinen. Was auch immer Walrösser haben. Dann fand ich mein Handtuch und legte mich auf den Bauch.

Und fiel in süßen Schlummer.

Ihre Berührung weckte mich, nicht ihre Stimme, obwohl ich mich viel später daran erinnerte, sie im Schlaf gehört zu haben, ebenso wie man sich später an einen Wecker erinnert, den man nie abgestellt hat. Aber ihre Hände weckten mich. Weiche Hände an meinem Nacken, Finger, die rhythmisch auf mir herumtrommelten. Ich wälzte mich zur Seite und riß die Augen auf.

»Sie sollten nicht so schlafen«, sagte sie. »Nicht bei dieser Sonne. Sie holen sich einen bösen Sonnenbrand auf dem Rücken.«

»Danke«, sagte ich.

»Sie brauchen mir nicht zu danken. Ich wollte Sie wecken. Ich war so einsam.«

Ich sah sie an. Ich sah ein gutgebautes Mädchen im einteiligen roten Badeanzug. Der Badeanzug war naß und preßte sich an sie wie ein alter Freund. Ich sah ihr dunkles Haar. Ich sah ihren Mund. Er war rot und feucht. Er wirkte gierig und hungrig.

Dann blickte ich ganz gewohnheitsmäßig auf ihren linken Ringfinger. Es gab dort eine Druckstelle von einem Ring, aber im Augenblick trug sie den Ring nicht. Ich fragte mich, ob sie ihn abgenommen hatte, ehe sie an den Strand ging oder erst, als sie mich gesehen hatte.

»Und wo ist Ihr Mann?«

»Fort«, sagte sie, und ihre Augen lachten mich an. »Fort von hier. Nicht hier. Ich bin einsam.«

»Er ist nicht in Atlantic City?«

Sie tippte mir mit dem Finger an das Kinn. Sie sah eine Spur zu gut aus. Das störte mich. Wenn einen eine Frau blendet, leidet die Arbeit darunter. Dann übernimmt nämlich ein gewisser Teil der Anatomie die Führung. Das kann unangenehm werden.

»Er ist in Atlantic City«, sagte sie. »Aber er ist nicht *hier*.«

»Wo ist *hier*?«

»Der Strand«, sagte sie, »wo *wir* sind.«

Und wo noch ein halbes Hundert anderer Leute waren.

»Wollen Sie schwimmen gehen?«

Sie schnitt eine Grimasse. »Das habe ich schon getan«, sagte sie. »Es ist kalt. Und meine Bademütze ist zu eng. Davon bekomme ich Kopfschmerzen.«

»Dann gehen Sie eben ohne.«

»Das mag ich nicht. Ich kann es nicht leiden, wenn mein Haar naß wird. Besonders bei diesem Salzwasser hier. Man muß es dauernd waschen, um das Salz wieder herauszubekommen, und das verdirbt das Haar. Ich habe sehr feines Haar. Nicht daß ich mir selber Komplimente machen möchte...«

»Das brauchen Sie nicht«, sagte ich. »Das tun bestimmt genügend andere Leute.«

Sie lächelte, wie ich es erwartet hatte. Mit ein bißchen Erfahrung lernt man diese Sprache. Das muß man.

»Sie sind süß«, sagte sie. »Sehr süß.«

»Ist Ihr Mann nicht süß?«

»Vergessen Sie ihn.«

»Wie kann ich das? Er ist mit dem schönsten Mädchen auf der ganzen Welt verheiratet.«

Wieder ein Lächeln.

»Nun?«

»Er ist nicht süß. Er ist alt und fett und häßlich. Und dumm. Und widerlich.«

Eine nette Liste.

»Warum haben Sie ihn dann geheiratet?«

»Er ist reich«, sagte sie. »Sehr reich. Sehr, sehr, sehr reich.«

Das erklärte manches.

Also vergaßen wir ihren Mann. Sie tat das jedenfalls. Ich nicht, weil er ein wichtiger Teil in der ganzen Geschichte war. Der fette, häßliche, alte Mann, der außerdem reich war. Die hübsche Frau, die mehr wollte, als ihr alter Mann ihr geben konnte. Geradezu eine Standardsituation.

Die Abweichungen von der Norm machten nicht sehr viel aus. Sie störten mich nur ein klein wenig. Das Mädchen war zu jung. Nicht zu jung, um einen alten, fetten Bock zu heiraten, weil man das in jedem Alter tun kann. Aber zu jung, um Männer zu jagen.

Sie war vierundzwanzig oder fünfundzwanzig oder sechsundzwanzig oder siebenundzwanzig. Es war völlig logisch für sie, mit einem alten Bock verheiratet zu sein, und völlig logisch, daß sie versuchte, mit einem anderen ins Bett zu gehen.

Aber in ihrem Alter und bei ihrem Aussehen sollte eigentlich sie nicht diejenige sein, die auf die Jagd ging. Sie brauchte ja nicht zu wählerisch sein, aber wenigstens den Anschein konnte sie sich geben.

Später, wenn die Jahre ihr Werk an ihrem Busen und ihrer Haut getan hatten, würde sie sich etwas mehr anstrengen müssen. Dann würde sie auf die Jagd gehen müssen. Und vielleicht auch bezahlen. Aber im Augenblick gab es noch genügend junge Burschen, die sie verfolgen würden, ohne daß sie sie dazu aufmunterte. Genügend Burschen, die mit ihr ins Bett gehen würden, ohne dafür Bezahlung zu erwarten.

Freilich, wir hatten bisher noch nicht vom Zahlen geredet. Noch nicht einmal vom Bett.

Wir schwammen.

Jedenfalls waren wir im Wasser. Die Badenixe mühte sich redlich, ihr feines Haar vor den Schrecken des Salzwassers zu bewahren. Wir beide waren vollauf damit beschäftigt, uns von den Wellen umwerfen zu lassen. Dann wollte sie natürlich schwimmen lernen, und ich wollte es ihr beibringen.

Ich streckte die Hände aus, und sie legte sich darüber und lernte, auf dem Bauch zu liegen. Irgendwie brachte sie es fertig, sich so hinzulegen, daß ihre Brüste meinen einen Arm berührten und ihre Hüften meinen anderen. Ich spürte selbst in dem kalten Wasser ihre süße animalische Wärme.

»So richtig?«

Ich sagte, sie mache es ausgezeichnet.

»Was tu ich jetzt?«

»Sie müssen die Arme bewegen.«

Sie bewegte mehr als ihre Arme. Es war eine Art Kraulstil. Ihre Brüste hüpften dabei auf meinem Arm. Sie schlug leicht mit den langen Beinen aus, und ihre Hüften rotierten über dem anderen Arm.

Ich fragte mich, wer hier bei wem Stunden nahm.

So alberten wir noch eine Weile herum. Sie sagte, sie heiße Mona, und ich sagte, mein Name sei Lennie. Sie konnte einem wirklich Spaß machen. Ein paarmal vergaß ich sogar, daß sie die Frau eines anderen war, jemand, der mir mein nächstes Dinner bezahlen würde. Ich dachte, wir seien einfach zwei nette, junge Leute, die sich am Strand vergnügten.

Dann erinnerte ich mich wieder daran, wer sie war und wer ich war, und die nette Illusion schwand dahin.

»Lennie...«

Wir waren wieder am Strand, und ich trocknete ihr den Rücken mit einem großen, gestreiften Handtuch ab.

»Ich muß jetzt auf mein Zimmer zurück, Lennie. Ich glaube, er wartet auf mich. Es ist schon ziemlich spät.«

Ich wußte, wen sie mit *er* meinte.

»Wann seh ich Sie wieder, Mona?«

»Heute abend.«

»Können Sie weg?«

»Natürlich.«

»Wo und wann?«

Sie dachte nach, volle drei Sekunden lang. »Hier«, sagte sie dann. »Um Mitternacht.«

»Ist der Strand nachts nicht geschlossen?«

Sie lächelte. »Sie sind doch ein kluger Mann«, sagte sie. »Sie finden bestimmt Mittel und Wege, hier allein herauszukommen. Meinen Sie nicht?«

Das meinte ich schon.

»Mitternacht«, sagte sie. »Hoffentlich scheint heute nacht der Mond. Ich mag es, wenn der Mond scheint.«

Sie drehte sich um und ging. Ich sah ihr nach. Sie hatte einen guten Gang. Noch eine Spur mehr, und ich hätte an eine Hure denken müssen. Sie ging jedoch gerade so provizierend, wie eine anständige Frau es sich noch leisten kann. Ich fragte mich, wie lange sie wohl gebraucht hatte, um zu lernen, so zu gehen. Aber vielleicht war sie auch ein Naturtalent.

Ich ließ mich von der Sonne abtrocknen. Dann ging ich über den heißen Sand zu dem Gang hinüber, unter dem Bürgersteig hindurch und zum Hoteleingang für Badegäste. Ich warf dem Wärter mein Handtuch zu und lächelte. Dann fuhr ich im Lift bis ins oberste Stockwerk und ging zu meinem Zimmer. Den Zimmerschlüssel hatte ich in die Tasche meiner Badehose gesteckt. Ich nahm ihn heraus, feucht wie er war, und schloß auf.

Wieder duschte ich, um das Salzwasser loszuwerden. Diesmal dauerte es etwas länger, denn das Hotel hatte eine nette Einrichtung: Man konnte eine Salzwasserdusche oder eine normale nehmen, je nachdem, wie man sich gerade fühlte. Beim erstenmal paßte ich nicht auf. Es war recht angenehm, aber ich blieb natürlich so salzig wie zuvor. Dann kam ich hinter die Kniffe des Systems und duschte mit Süßwasser.

Als ich fertig war, war Zeit zum Abendessen. Der Gedanke, denselben Anzug tragen zu müssen, den ich schon im Zug angehabt hatte, sagte mir nicht besonders zu, also beschloß ich, mir das Geschenk von Mr. LKB etwas näher anzusehen. Wenn ich Glück hatte, würden seine Anzüge passen. Und wenn ich noch mehr Glück hatte, dann hatte er vielleicht etwas Bargeld in die Koffer gepackt. Manche Leute tun das, Sie können es glauben oder nicht.

Die Koffer waren abgeschlossen. Aber Kofferschlösser sind ebenso wie Schrankschlösser alle gleich. Ich fand einen Schlüssel und sperrte auf.

Wer auch immer dieser LKB war, er hatte die falsche Größe. Seine Hosen waren zu kurz und um die Hüften zu weit. Seine Unterwäsche fiel von mir herunter. Aber Gott sei Dank hatten seine Füße wenigstens die richtige Größe. In der kleinen Tasche waren zwei Paar teure Schuhe, die beide paßten. Es gab auch zehn Paar Socken, aber ich machte mir gar nicht erst die Mühe, sie anzuprobieren; wenn die Schuhe paßten, würden die Socken auch passen. Es sei denn, der Bursche hatte ungewöhnliche Füße.

Soweit der kleinere Koffer. Ich stopfte sein Zeug in meine Schubladen und stellte ihn in den Schrank zurück. Dann nahm ich mir den großen Koffer vor, legte ihn auf mein Bett und öffnete ihn mit dem Schlüssel.

Ich hängte die Jacketts in den Schrank, ohne sie auch nur anzusehen. Ich war ziemlich sicher, daß sie ohnehin nicht paßten und wollte es auch nicht riskieren, dem Burschen zu begegnen, solange ich seine Jacke anhatte. Schuhe und Socken würde er nicht bemerken, wer auch immer er war, aber den Anzug wohl.

Mit seinen Hemden hatte ich wieder Glück. Wir waren verschieden gebaut, er und ich, aber seine Arme waren genauso lang wie meine, und er hatte dieselbe Kragenweite. Seine Hemden paßten, und er hatte eine Menge Hemden. Ich legte sie in die Schubladen.

Es gab noch den üblichen Kram. Krawattennadeln, Manschettenknöpfe und solches Zeug. Ich sah mir alles an und legte es dann weg. Seine Kleider waren aus New York, und ich fragte mich, ob er auch von dort stammte oder nur dort einzukaufen pflegte.

Und dann fand ich die Kassette.

Zuerst dachte ich an Geld. Es war eine kleine Holzkassette aus Teak oder Mahagoni, und sie hatte etwa die gleiche Größe und Form wie ein Dollarschein. Ich holte tief Luft und betete, daß ein Bündel Hunderter in der Schachtel sein möge. Vielleicht war der

Kerl ein Arzt, der nur gegen Bargeld arbeitete, um die Steuer auszuschmieren. Oder was weiß ich.

Die Kassette machte mir Mühe. Sie war abgeschlossen, und keiner meiner Schlüssel paßte. Nach einer Weile gab ich es auf und stellte sie auf die Kommode. Auf der Rückseite hatte die Kassette Scharniere. Ich hatte eine Feile und machte mich an die Arbeit.

Dann hielt ich inne, holte mir eine Zigarette und zündete sie mir an. Ich spielte jetzt ein kleines Spiel mit mir selbst. Die Kassette war ein Geschenk, und ich mußte erraten, worin das Geschenk bestand. Geld? Pfeifentabak? Kunstdünger?

Es konnte alles mögliche sein.

Ich nahm den Deckel ab. Oben lag ein Stück Seidenpapier, das ich wegnahm.

Unter dem Papier war nichts als weißes Pulver.

Ich war komplett am Boden zerstört. Es gibt nichts Aufregenderes als eine verschlossene Kassette. Für mich hatte der Inhalt schon die Ausmaße eines Vermögens angenommen. Und jetzt war in der Schachtel nichts als Pulver.

Vielleicht lag etwas unter dem Pulver. Ich wollte es schon wegblasen, aber dann klingelte es plötzlich irgendwo in meinem Kopf, und ich überlegte es mir anders.

Ich starrte das Pulver an.

Und es starrte zurück.

Ich brachte es fertig, meine Zigarette zu Ende zu rauchen und drückte sie in einem Aschenbecher aus, den das Hotel Shelburne freundlicherweise bereitgestellt hatte. Dann wandte ich mich wieder der Kassette zu. Ich befeuchtete den Finger an den Lippen und nahm ein paar Körner von dem Pulver auf.

Ich leckte den Finger ab.

Erstaunlich. Ich blinzelte ein paarmal, leckte den Finger noch einmal ab und tappte noch einmal nach der Schachtel.

Ich leckte erneut.

Der Geschmack war unverkennbar. Nach all den Jahren unverkennbar. Wenn man bei einer Schieberbande arbeitet, selbst nur kurze Zeit, bemüht man sich, alles zu erfahren, was dabei wissenswert ist. Zuallererst lernte man den Kram kennen, um den es geht, ganz gleich, wie klein und unbedeutend man auch ist. Ich hatte das Spiel zwei Monate mitgemacht, nur als ganz unbedeutender Laufbursche. Aber ich wußte, was hier auf meiner Kommode stand.

Etwa sechzig Kubikzoll rohes Heroin.

2

Ein paar Minuten stand ich da und kam mir wie ein Narr vor. Ich hatte an der Bahnstation mehr als eine Garderobe mitgenommen – ein Vermögen.

Wieviel war das Heroin wert?

Ich hatte keine Ahnung. Hundert Riesen, eine Viertelmillion, vielleicht mehr, vielleicht weniger. Ich wußte es nicht, und ich wollte nicht einmal daran denken.

Ich konnte das Zeug nicht behalten. Ich konnte es auch nicht verkaufen oder zurückgeben. Wenn LKB mich je damit fand, würde er mich ebenso sicher umbringen, wie in der Kirche das Amen folgt. Wenn die Behörden mich damit fanden, würden sie mich einsperren und den Schlüssel mitten im Chinesischen Meer versenken.

Ich konnte es wegwerfen. Haben Sie jemals versucht, hundert Tausender oder eine Viertelmillion wegzuwerfen?

Ich legte den Deckel auf die Kassette und wollte mir darüber klarwerden, was ich damit tun sollte. Verstecken konnte ich das Zeug nicht. Leute, die große Mengen Heroin herumtragen, sind keine Anfänger. Wenn sie ein Zimmer durchsuchen, finden sie das, was sie haben wollen. Wenn LKB und seine Kumpane herausfanden, daß ich ihr Mann war, dann gab es kein Versteck im ganzen Zimmer, das vor ihnen sicher war. Ich mußte das Zeug behalten. Vielleicht war es meine Trumpfkarte und das einzige, was mein Leben rettete, falls sie mich jemals entdeckten. Ich konnte ein Geschäft damit machen.

Aber für den Augenblick brauchte ich ein Versteck. Die üblichen Verstecke verwarf ich gleich, diese netten Stellen, wo echte Profis immer zuerst nachsehen: der Wasserkasten hinter der Toilette, das Bett, die äußere Fensterbank. Ich legte es unter die Kommode auf den Boden und versuchte es zu vergessen.

Dann zog ich mich schnell an und verließ das Hotel. Der Laden, den ich suchte, lag zwei Blocks entfernt auf der Atlantik Avenue in der Nähe der Tennessee Street. Ich ging hinein und kaufte mir für mehr als vierzig Dollar einen guten Aktenkoffer. Es war ein hübscher Koffer. Ich hatte gar nicht gewußt, daß man sie außerhalb der Madison Avenue überhaupt in dieser Qualität bekommt.

Ich trug den Koffer ins Hotel zurück, kaufte mir am Zeitungsstand ein paar Zeitungen aus Philadelphia und ging in mein Zimmer.

Die kleine Kassette mit den aufgefeilten Scharnieren stand noch dort, wo ich sie gelassen hatte. Ich holte sie hervor, wickelte sie in das Zeitungspapier, so daß sie nicht aufgehen konnte, und legte sie in den Aktenkoffer. Dann zerknüllte ich das restliche Papier und stopfte es rundherum so fest, daß nichts klapperte. Ich brauchte die ganze Zeitung dazu, klappte den Koffer zu und schloß ihn ab. Ich nahm mir vor, den Schlüssel wegzuwerfen. Im richtigen Augenblick würde ich den Koffer immer noch aufbrechen können. Aber den Schlüssel wollte ich nicht bei mir haben.

Ich hob den Koffer ein paarmal auf. Er war nicht zu schwer und nicht zu leicht. Alles mögliche konnte darin sein.

Dann ging ich wieder in die Halle hinunter und trug den Koffer an den Empfangstisch. Der Mann dahinter wartete geduldig, während ich den Koffer hochhob und ihn auf die Theke legte.

»Ob Sie mir wohl einen Gefallen tun?« fragte ich. »Ich hab' da ein paar wichtige Muster«, erklärte ich. »Für einen anderen völlig wertlos. Aber am Ende stiehlt mir jemand den Koffer, ohne zu wissen, was drinsteckt. Die Firma würde toben. Könnten Sie den Koffer für mich in den Safe stellen?«

Das konnte er natürlich und tat es auch. Er wollte mir eine Quittung ausstellen, aber ich schüttelte den Kopf.

»Die verlier ich doch bloß«, sagte ich. »Ich hab' da keine Angst. Ich hol mir den Koffer schon, ehe ich ausziehe.«

Ich gab ihm einen Dollar und verließ den Mann mit einem Safe voll Heroin.

Jetzt hatte ich genügend Zeit und viel nachzudenken. Ich verließ das Hotel und ging auf dem Bürgersteig entlang spazieren. Es war noch schlimmer, als es vor drei Jahren gewesen war. Es gab noch mehr Verkaufsstände für heiße Würstchen und Fruchtsaft, noch mehr Spielautomaten und Souvenir-Shops. Auch Sex war zu haben. Die Profis hielten sich in den Bars in den Seitenstraßen auf, aber die Amateurkonkurrenz trat einem alle paar Meter auf die Zehen. Junge Mädchen, die zu zweien, dreien und vieren auf und ab gingen. Blondinen, die ihr Haar auf Flaschen zogen, Fünfzehn-, Sechzehn-, Siebzehnjährige mit Blusen, die zu durchsichtig und Blue jeans, die zu eng waren, Mädchen mit zu dickem Make-up und einem zu auffälligen Hüftschwenken.

Die Boys waren natürlich auch da, weil die Girls da waren. Sie spielten ein Spiel, das so alt ist wie die Menschen. Die Boys, die versuchten, einen Gewinn zu machen; die Mädchen, die sich bemühten, sich gewinnen zu lassen, ohne billig auszusehen – als hätten sie je eine Chance gehabt, anders auszusehen. Die Boys waren tolpatschig und die Mädchen noch tolpatschiger. Aber irgendwie brachten sie es immer fertig, zusammenzukommen. Irgendwie schafften sie es, einen Platz zu finden, an dem sie herumknutschen und sich auf billige Weise lieben konnten. Dann wurden die Mädchen schwanger, und die Jungen bekamen einen Tripper.

Ein Hotel hatte eine Terrasse mit Blick auf den Strand und Tische mit riesigen Drinks, über denen Sonnenschirme schwebten. Ich fand einen leeren Tisch und setzte mich in den Schatten eines der Schirme, bis ein Ober mich fand, meine Bestellung annahm und kurz darauf mit einem riesenhaften kühlen Wodka Collins zurückkam. Es gab einen farbigen Strohhalm dazu. Ich schlürfte den Drink wie ein Kind seine Limonade. Ich zündete mir eine Zigarette an und lehnte mich in meinem Stuhl zurück. Ich versuchte alles zusammenzuzählen und die richtige Summe zu finden.

Wenn ich bloß irgendwelche Beziehungen zum Rauschgifthandel gehabt hätte, dann wäre alles leichter gewesen. Vor einer Weile hatte ich ein paar Jobs für einen Mann namens Marcus erledigt. Reine Bodenaufträge: Holen Sie das, schaffen Sie es dorthin und geben Sie es dem und dem. Ich hatte Marcus seit Jahren nicht mehr gesehen und wußte nicht, wo er steckte. Wahrscheinlich würde er sich gar nicht an mich erinnern.

Also war es unmöglich, das Zeug zu verkaufen.

Mein anderer Ausweg war LKB. Ich kannte ihn nicht. Aber wahrscheinlich würde es nicht zu schwierig sein, ihn zu finden. Er war am gleichen Tage wie ich angekommen und hatte wahrscheinlich bereits ein Zimmer in einem Hotel bezogen. Ich brauchte also nur die Ankunftslisten der sechs besten Hotels der Stadt durchzusehen. Irgend jemand würde seine Initialen haben. Er könnte mein Mann sein. Ich konnte mit ihm Verbindung aufnehmen – aus der Ferne natürlich –, versuchen, einen Handel mit ihm zu machen und ihm sein eigenes Zeug zurückverkaufen.

Es konnte klappen. Es konnte mich aber auch den Kopf kosten. Das höchste, was ich erhoffen konnte, waren ein paar Tausender, ein Bruchteil des eigentlichen Wertes. Und den Rest meines Lebens würde ich dann darauf warten, daß mir jemand ein Messer in den Rücken stieß.

Das gefiel mir nicht.

Ich nahm wieder einen Schluck. Ein Mann mit einem Mädchen am Arm schlenderten vorbei. Zwei alte Damen wurden auf einem Rollstuhl von einem gelangweilten Neger vorbeigeschoben. Wieder ein paar Mädchen, die mich anstarrten, entschieden, daß ich zu alt war, und mit wippenden Hüften weiterzogen.

Ich beschloß, sitzen zu bleiben. Im Augenblick konnte mir nichts passieren. So, wie die Dinge standen, konnte es schlimmstenfalls dazu kommen, daß ich aus dem Hotel auskniff und ihnen eine Schachtel Heroin zurückließ. Wenn alles klappte, würde ich mit der Kassette abhauen und sie ein paar Jahre behalten, bis sie in Vergessenheit geraten war. Dann würde ich Mittel und Wege finden, ihren Inhalt zu verkaufen, in kleinen Rationen natürlich, um nicht aufzufallen.

In der Zwischenzeit gab es Mona. Ich dachte über sie nach und erinnerte mich, daß sie um Mitternacht am Strand sein und auf mich warten würde. Beinahe hätte ich bei dem Gedanken das Heroin vergessen.

Ich warf einen Dollar für den Drink auf den Tisch und noch etwas Kleingeld für den Kellner und ging. Zwei Blocks weiter fand ich ein gutes Restaurant, wo man ein ausgezeichnetes Steak und kohlschwarzen Kaffee serviert bekam.

Das Kino war lausig. Ein historischer Schinken mit dem Titel *Trommeln hinter den Bergen*, ein Technicolor-Cinemascope-Film mit hübschen Mädchen, blitzenden Degen und Männern, die auf heroische Weise ihr Leben für das Vaterland gaben. Den größten Teil des Films verschlief ich. Kurz nach zehn ging ich wieder hinaus und zu meinem Hotel zurück.

Ich ging hintenherum, fand den Durchgang zum Strand und ging hinaus. Es gab eine Landungsbrücke, die ins Meer hinausführte, und dort blieb ich, so daß niemand mich vom Hotel aus sehen und mich darauf hinweisen konnte, daß ich eigentlich gar nicht am Strand sein durfte. Das war ohnehin eine dumme Vorschrift. Aber Atlantic City war so eine Stadt, die man mit der Stoppuhr gebaut hat. Der Strand wurde zu einer bestimmten Stunde geschlossen, der Swimming-pool im Hotel ebenso. Die Welt wurde zusammengeklappt und verschwand zu einer bestimmten Stunde. Wenn jemand nicht schlafen konnte, wurde er hier verrückt. Selbst die Fernseh-Shows waren um ein Uhr zu Ende.

Der Strand war leer. Ich ging bis zum Wasser und sah den Wellen zu. Das Meer kann einen hypnotisieren, so, wie die Flammen in einem Kamin. Ich weiß nicht, wie lange ich dort gestanden und den Wellen zugesehen hatte, ohne einen Muskel zu bewegen oder etwas zu denken. Ich erinnere mich, daß der Wind kalt war, aber das machte mir nichts aus.

Schließlich gab ich mein Spiel auf, ging die paar Schritte zum Strand zurück, nahm mein Jackett ab und machte mir ein Kissen daraus. Es war noch früh. Sie würde erst gegen Mitternacht kommen. Wenn sie überhaupt kam. Ich dachte darüber nach.

Ich streckte mich im Sand aus und legte den Kopf auf das improvisierte Kissen. Dann schloß ich die Augen und entspannte mich, schlief aber nicht ein. Ich döste ein wenig.

Ich hörte sie kaum kommen, weil ich an etwas anderes dachte. Aber als ich die Schritte im Sand vernahm, wußte ich, daß sie es sein mußte. Ich lag da, ohne mich zu bewegen, und hörte ihr zu.

»Sie schlafen auch immer«, sagte sie. »Schlafen die ganze Zeit. Und jetzt beschmutzen Sie sich die Kleider. Das ist nicht sehr klug.«

Ich schlug die Augen auf. Sie trug ein einfaches rotes Kleid und keine Schuhe. Das Mondlicht fiel auf sie und zeigte mir, wie gut sie aussah.

»Wir können uns auf das da legen. Sie können sich meinetwegen den Anzug verderben, aber ich mag dieses Kleid nicht über und über voll Sand bekommen.«

Jetzt sah ich die Decke, die sie trug. Ich grinste.

»Werden Sie nicht aufstehen?«

Ich stand auf und sah sie an. Sie wollte etwas sagen, ließ es aber bleiben. Ihr Mund blieb geöffnet. Ich konnte das verstehen. Es lag eine eigenartige Spannung in der Luft, etwas, das wir beide nicht in Worte hätten kleiden können. Es gab jetzt nichts zu sagen. Ich wußte es, und sie wußte es ebenfalls.

Ich trat einen Schritt auf sie zu. Sie hielt mir die Decke hin. Ich nahm zwei Enden davon und trat etwas zurück. Wir legten die Decke auf den Sand, richteten uns auf und sahen einander wieder an. Die elektrische Spannung war immer noch da.

Ich wollte etwas sagen, aber ich konnte es nicht. Ich weiß, daß es ihr ebenso erging. Man hätte durch eine Wand sprechen müssen. Zuerst mußten wir die Wand niederreißen. Dann würde noch genügend Zeit zum Reden sein.

Ich zog mein Hemd aus der Hose. Ich begann es aufzuknöpfen. Dann ließ ich es in den Sand fallen. Ich wandte mich zu ihr um. Sie tastete nach meiner Brust.

Dann drehte sie sich um und bat mich, ihre Haken zu öffnen.

Der Haken am Halsausschnitt ihres Kleides machte mir Mühe. Meine Hände funktionierten nicht richtig. Schließlich schaffte ich es. Ich zog ihren Reißverschluß bis über ihre Hüften herunter, berührte dabei aber ihre Haut nicht. Eine Bewegung wie ein Achselzucken, und das Kleid fiel von ihren Schultern.

»Den BH, Lennie.«

Ich nahm ihr den BH ab. Er war schwarz. Ich erinnere mich daran, wie mich der Kontrast zwischen dem schwarzen BH und der bleichen Haut erregte. Dann drehte ich mich um und zog den Rest meiner Kleider aus.

Als ich mich ihr wieder zuwandte, waren wir beide nackt. Ich sah sie an. Von oben bis unten. Ich fing beim Gesicht an und ließ meine Augen herunterwandern, über ihre Brüste, die Taille, die Hüften, bis zu ihren nackten Füßen. Dann wanderten meine Augen langsam wieder empor, suchten ihren Blick. Keine Worte.

Wir gingen aufeinander zu, bis unsere Körper sich berührten. Ich umfing sie mit meinen Armen und preßte sie an mich. Die Stimmen von tausend Menschen schwebten von der Straße zu uns herüber wie Worte aus einem sinnlosen Traum. Die Wellen tosten hinter uns.

Sie küßte mich.

Dann sanken wir gemeinsam auf die Decke am Strand und vergaßen die Welt.

Ich lag auf der Seite und blickte über den Strand auf das Meer hinaus. Über dem Wasser war beinahe Vollmond. Neben mir im Sand lag ein Hauch aus schwarzer Seide. Ich beobachtete die Wellen und lauschte Monas Atem.

Ich hatte das eigenartige Gefühl, schwach und stark gleichzeitig zu sein. Ich erinnerte mich, warum ich ursprünglich nach Atlantic City gekommen war und erinnerte mich an all die Dinge, die ich so viele Jahre lang getan hatte. Alles kam mir nun dumm und kindisch vor. Zusammenhanglos fiel mir plötzlich Mrs. Ida Lister ein. Ich hatte auch mit ihr in Atlantic City geschlafen. Nicht am Strand, sondern in einem luxuriösen Hotelzimmer mit Klima-Anlage. Nicht weil ich es wollte, sondern weil sie die Rechnung bezahlte.

Es war alles so dumm gewesen. Nicht falsch, nicht unmoralisch. Ebenso dumm waren all die Jahre gewesen, in denen ich vor Hotelrechnungen davongelaufen war und immer am Rande des Gesetzes gelebt und nach der einen großen Chance Ausschau gehalten hatte, die alles ändern würde.

Jetzt war sie zustande gekommen, diese Chance. Zum erstenmal konnte ich klar sehen. Die Dinge wirkten jetzt ganz anders.

»Lennie...«

»Ich weiß«, sagte ich.

»Es war...«

»Ich weiß, Mona. Bei mir auch.«

Ich drehte mich herum, um sie anzusehen. Ihr Körper war nicht derselbe. Vorher war er etwas gewesen, das ich begehrte, etwas, das man in seine Bestandteile zerlegen mußte – in Brüste, Hüften, Schenkel, Leib – und dahinter etwas, das man abschätzen mußte. Jetzt war es *ihr* Körper. Jetzt war es ein Körper, den ich gekannt hatte. Er war sie.

»Ich kann nicht mehr lange bleiben.«

»Warum nicht?«

»Keith. Er wird sich fragen, wo ich bin. Es wird ihm gleichgültig sein, aber er wird es wissen wollen.« Ihre Stimme klang sehr bitter.

»Ist das sein Name? Keith?«

Sie nickte.

»Wie lange seid ihr schon verheiratet?«

»Beinahe zwei Jahre. Ich bin fünfundzwanzig. In diesem September werden es zwei Jahre, daß wir geheiratet haben. Damals war ich dreiundzwanzig.«

Sie sagte es, als dächte sie daran, daß sie nie mehr dreiundzwanzig sein würde.

»Warum hast du ihn geheiratet?«

Ihr Lächeln war alles andere als glücklich. »Geld«, sagte sie. »Und Langeweile. Und weil man mit dreiundzwanzig nicht mehr achtzehn ist. Und aus all den anderen Gründen. Warum heiraten hübsche Mädchen reiche, alte Männer? Du kennst die Antwort ebensogut wie ich.«

Ich fand eine Packung Zigaretten in der Jackentasche. Sie waren zerdrückt. Ich zog eine heraus, bog sie gerade und bot sie ihr an. Sie schüttelte den Kopf. So zündete ich sie mir an und rauchte eine Weile schweigend.

»Und jetzt gehst du zu ihm zurück?«

»Das muß ich.«

»Und was dann?«

»Das weiß nicht nicht.«

»Dann treffen wir uns ein- oder zweimal hier, jedesmal um Mitternacht«, sagte ich. »Und jede Nacht gehst du zu ihm zurück. Dann reist ihr beide ab, und du vergißt mich.«

Sie sagte nichts.

»Wird es so sein?«

»Ich weiß nicht.«

Ich zog an der Zigarette. Sie schmeckte mir nicht, und ich vergrub sie im Sand.

»Das ist zuvor nie geschehen, Lennie.«

»Das?«

»Wir.«

»Also lassen wir es dabei bewenden.«

»Ich weiß nicht, Lennie. Ich weiß überhaupt nichts mehr. Früher hab ich alle Antworten gewußt. Und jetzt hat jemand ganz andere Fragen gestellt.«

Ich wußte, was sie damit meinte.

Ihre Stimme klang jetzt wie aus weiter Ferne. »Wir haben ein Haus in Cheshire Point. Es steht auf zwei Morgen Land mit alten Bäumen. Wertvolle Möbel. Meine Kleider kosten Geld. Ich habe einen Zobelmantel und einen Hermelinmantel und eine Chinchilla-Stola. Mit Nerz haben wir gar nicht erst angefangen. Kannst du dir vielleicht vorstellen, wieviel Geld Keith hat.«

»Wie hat er es verdient?«

Sie zuckte die Schultern. »Er ist Geschäftsmann. In der Stadt hat er ein Büro in der Chambers Street. Ich weiß nicht, was er tut. Er geht ein paarmal in der Woche in die Stadt. Er spricht nie von seinen Geschäften und bekommt nie Post oder bringt sich Arbeit mit. Er sagt, er kauft Dinge ein und verkauft sie wieder. Mehr redet er nicht darüber.«

»Und was tut ihr beide zu eurem Vergnügen?«

»Das weiß ich nicht.«

»Habt ihr viele Freunde? Partys? Bridge-Partien am Samstagabend? Steaks vom Barbecue?«

»Hör auf damit, Lennie!«

»Gehst du mit ihm nach Cheshire Point zurück? Um mit ihm das Bett zu teilen, Kinder von ihm zu bekommen und sein Geld auszugeben? Wirst du...«

»Hör auf!«

Ich hörte auf. Ich wollte nach ihr greifen, sie in meine Arme nehmen und ihr sagen, daß alles gut werden würde. Aber ich glaubte es selbst nicht.

»Jetzt nehm ich eine von deinen Zigaretten, Lennie.«

Ich holte zwei heraus, strich sie gerade und gab ihr eine. Die andere behielt ich selbst. Dann riß ich ein Streichholz für sie und hielt es in der hohlen Hand. Sie kam herüber, um sich Feuer zu holen. Ich blickte auf ihren Kopf herunter und dachte, wie schön sie doch war. Ich beneidete Keith und erkannte, daß er mich beneiden würde. So ist es immer.

»Wahrscheinlich hat das jetzt nichts zu bedeuten«, sagte sie. Sie sprach mit sich selbst, nicht mit mir. »Es war nur einmal. Es passierte. Wir waren beide bereit, und es war gut. Aber es hatte nichts zu bedeuten. Ich kann dich vergessen, und du kannst mich vergessen. In einer Woche haben wir beide einander vergessen. Es ist unwichtig.«

»Glaubst du das wirklich?«

Eine Weile Schweigen.

Und dann, bitter: »Nein, natürlich nicht. Nein, ich glaube es nicht.«

»Würdest du ihn verlassen?«

Sie lächelte. »In diesem Augenblick würde ich ihn verlassen. Aber das ist es nicht, was du meinst«, sagte sie. »Du meinst, ob ich sein Geld verlassen würde.«

Ich sagte gar nichts.

»Hast du Geld, Lennie?«

»Hundert Dollar. Zweihundert vielleicht.«

Sie lachte. »Soviel gibt er für seine Huren aus.«

»Wofür braucht er die denn? Er hat doch dich.«

Mir war nicht klar, wie das klang, bis ich es selbst hörte. Ich sah, wie ihre Gesichtszüge entgleisen.

»Wahrscheinlich hast du recht«, sagte sie. »Er braucht keine Hure. Er hat eine geheiratet.«

»So hab' ich es nicht gemeint. Ich...«

»Aber es stimmt.« Sie atmete tief, steckte dann die Zigarette in den Sand und richtete sich auf. »Ich kann ihn nicht verlassen, Lennie. Ich habe all das Geld, und ich kann es nicht loslassen. Das würde nicht klappen.«

Ich sagte nichts.

»Zwei Jahre«, sagte sie. »Warum hab' ich dich nicht vor zwei Jahren kennengelernt? Warum?«

»Hätte das einen großen Unterschied gemacht?«

»Einen großen Unterschied«, sagte sie. »Geld ist etwas Komisches, nicht wahr? Ich bin nicht so geboren worden, Lennie. Ich hätte ohne Geld leben können. Andere Leute schaffen das auch. Wenn ich dich kennengelernt hätte, ehe ich Keith traf ...«

»Und wenn diese Decke Flügel hätte, könnten wir fliegen.«

»Oder wenn sie ein fliegender Teppich wäre«, sagte sie. »Aber begreifst du denn nicht, was ich sagen will? Jetzt hab' ich mich ans Geld gewöhnt. Ich weiß, wie es ist, wenn man welches hat. Ich weiß, wie es ist, wenn man alles tun kann, was man will. Ich könnte nicht wieder arm sein wie vorher. «

»Wie war es denn vorher?«

»Es war nicht schlimm«, sagte sie. »Ich war nicht gerade arm. Wir sind nicht verhungert. Wir hatten unser Haus und haben uns nie Sorgen gemacht, ob wir etwas zu essen bekommen würden. Aber wir hatten kein Geld übrig. Du weißt doch, was ich meine.«

Natürlich wußte ich es. Und ich fragte mich, was ich eigentlich wollte. Sie überzeugen, alles wegzuwerfen und mich zu heiraten? Damit wir Hand in Hand verhungern konnten? Um Kinder aufzuziehen und auf einer Farm irgendwo in Yahooville zu leben? Daß ich mein Essen im Kochgeschirr mit zur Arbeit nehmen und der Bank und der Finanzierungsgesellschaft und tausend anderen Leuten Geld schuldete? Wofür? Für ein Mädchen, das nicht einmal meinen richtigen Namen kannte?

Aber ich hörte mich sagen: »Es könnte gehen. Wir könnten es schaffen, Mona.«

Sie sah mich an, und ihre Augen glänzten. Sie wollte etwas sagen, tat es aber nicht. Ich fragte mich, was es wohl war.

Statt dessen stand sie auf und begann, sich anzuziehen. Ich sah ihr dabei zu.

»Ich laß die Decke hier«, sagte sie. »Das Hotel wird sie nicht vermissen. Es würde doch komisch aussehen, wenn ich mit einer Decke hereinginge.«

Jetzt sah sie mich an. »Ich muß gehen«, sagte sie. »Ich muß wirklich gehen.«

»Sehen wir uns wieder?«

»Willst du das?«

Das wollte ich.

»Ich melde mich irgendwie. Aber jetzt muß ich gehen.«

»Zu Keith.«

»Zu Keith«, wiederholte sie. »Zurück zu ihm, um seine Frau zu sein. Mrs. L. Keith Brassard.«

Ich hörte sie kaum. Ich sah ihr nach. Sah wieder diesen perfekten halb hurenhaften und halb damenhaften Gang. Ich folgte ihr mit den Augen und dachte über sie und über mich nach, und ich fragte mich, was uns beiden zugestoßen war und was von jetzt an geschehen würde.

Sie hatte schon beinahe den Bürgersteig erreicht, als mir ihre letzten Worte wieder einfielen. Da wurde mir klar, wer ihr Mann war.

L. Keith Brassard.

3

Ich legte die Decke sehr sorgfältig zusammen, bis sie ein kleines Kissen, fünfzig Zentimer im Quadrat, bildete. Dann setzte ich mich darauf und blickte auf das Meer hinaus. Ich wollte ins Wasser hinausrennen und wie ein Verrückter schwimmen, bis ich irgendwo ankam, wo nicht Atlantic City war.

Er ist Geschäftsmann. In der Stadt hat er ein Büro in der Chambers Street. Ich weiß nicht, was er tut.

Inzwischen war sie wieder im Hotel, im Lift zu ihrem Zimmer. Wo ihr Zimmer wohl liegen mochte? Vielleicht sogar im selben Stockwerk wie das meine.

Er geht ein paarmal in der Woche in die Stadt. Er spricht nie von seinen Geschäften und bekommt nie Post oder bringt sich Arbeit mit. Er sagt, er kauft Dinge ein und verkauft sie wieder. Mehr redet er nicht darüber.

Ich fragte mich, ob er ihr von seinen verschwundenen Koffern erzählt hatte. Daß sie von dem Heroin nichts wußte, war offensichtlich. Und wenn man ihm seine Koffer gestohlen hatte, bedeutete ihr das nichts. Ein Mann, der ihr einen Zobelmantel, einen Hermelinmantel und eine Chinchilla-Stola kaufte, konnte zweifellos den Inhalt von zwei Koffern verschmerzen, ohne dadurch in finanzielle Schwierigkeiten zu geraten. Ein Mann, der im Luxus von Cheshire Point lebte, konnte es sich leisten, sich ein paar zusätzliche Anzüge und eine neue Garnitur Unterwäsche zu kaufen.

Ich dachte über ihn nach, über sie und über mich. Wir waren alle etwas Besonderes. L. Keith Brassard, ein Import-Export-Mann, der einen neuen Dreh gefunden hatte. Ein großer Mann im Rauschgift-handel. Ein Mann mit einer hübschen Frau und einer perfekten Fassade. Mona Brassard. Meine Kehle wurde trocken und meine Handflächen wurden feucht – etwas Süßes, das einen ergriff und erwürgte. Sie wollte mich, und sie wollte Geld. Ich hatte keine Ahnung, wie sie uns beide haben konnte.

Und Joe Marlin. So hieß ich, bevor sich mein Name in David Gavilan änderte, bevor er Leonard K. Blake wurde. Und vor vielen anderen Namen.

Haben Namen etwas zu besagen?

Niemals.

Aber aus irgendeinem verdammten Grund wollte ich, daß sie mich Joe nannte.

Feine Kerle waren wir – Dave und Lennie und ich. Wir hatten das weiße Pulver und diese tolle Frau. Wir hatten alles, nur keine Zukunft.

Ich rauchte eine Zigarette, bis sie mir auf den Lippen brannte, und warf den Stummel ins Meer. Dann versteckte ich die Hotel-decke unter den Landungssteg und ging zurück.

In meinem Zimmer griff ich zum Telefon und bestellte beim Zimmer-Service eine Flasche Jack Daniels, einen Eimer mit Eiswür-feln und ein Glas. Dann setzte ich mich in meinen Lehnsessel und wartete, daß etwas passierte. Die Klima-Anlage war ganz herunter-gedreht, und das Zimmer war auf dem besten Weg, ein Eisschrank zu werden.

Es klopfte an der Tür. Es war der Boy, ein drahtiger Bursche mit wieselflinken Augen. Er stellte die Flasche Bourbon und den Eiskübel auf die Kommode und gab mir die Rechnung. Ich zeichne-te sie ab und gab ihm einen Dollar.

Wenn man von seinen Augen absah, war er ein Student in Sommerferien. Aber seine Augen wußten zuviel.

»Danke!« sagte er. Und dann: »Ich kann Ihnen alles besorgen, was Sie wollen. Ich heiße Ralph.«

Er ging, und ich ließ mich mit meinem Jack Daniels nieder.

Ich warf zwei Eiswürfel in ein Wasserglas und goß drei Zoll Bourbon darüber. Während das Eis den Whisky kühlte, lehnte ich mich in meinem Stuhl zurück und dachte nach. Dann nahm ich meinen Drink. Er war glatt wie Seide. Auf dem Etikett der Flasche stand, daß sie ihn durch Holzkohle oder so etwas filterten. Was auch immer sie damit anfingen, es funktionierte.

Ich trank ein zweites Glas und rauchte. Der Whisky lockerte mich auf, bis mein Verstand wieder zu arbeiten anfing, nach Antworten suchte und dabei neue Fragen fand.

Ich sollte packen, ausziehen, sie vergessen. Aber ich wußte genau, wenn ich jetzt auszog, würde ich sie nie wieder finden – weder sie noch jemand anderen wie sie. Vorher hatte ich es fertiggebracht, ohne sie zu leben. Aber jetzt hatte ich sie besessen. Wie hatte sie es ausgedrückt?

Begreifst du nicht, was ich meine? Jetzt habe ich mich ans Geld gewöhnt. Ich weiß, wie es ist, wenn man welches hat. Ich weiß, wie es ist, wenn man alles tun und alles kaufen kann, was man will. Ich möchte es nicht mehr ertragen, so zu leben wie vorher.

Ich hatte sie gehabt – einmal – und ich hatte mich an sie gewöhnt. Ich wußte, wie es war, sie zu haben, sie zu lieben und von ihr geliebt zu werden.

Liebe?

Ein eigenartiges, flüchtiges Wort. Ich kam mir wie der Held aus einer Schnulze vor.

Aber ich konnte es auch nicht mehr so ertragen, wie es vorher gewesen war.

Sie hatte recht und ich hatte recht, nur die Welt hatte nicht recht. Wir brauchten einander, und wir brauchten jenes Geld. Wenn es einen Weg gab, beides zu bekommen, wußte ich nicht, wo ich ihn finden sollte. Ich versuchte ihn auf dem Grund des Glases zu finden, aber da war er nicht. Ich füllte das Glas aufs neue und sparte mir diesmal das Eis. Der Whisky schmeckte auch ohne Eis gut.

Ich hatte das Heroin. Ich konnte es nach New York bringen, dort nach Verbindungen suchen und es dann für das, was ich dafür bekam, verkaufen. Vielleicht klappte es. Vielleicht würde das Geld ausreichen, um uns weit von L. Keith Brassard fortzubringen. Genug, um das Land zu verlassen – Südamerika oder Spanien oder die italienische Riviera. Wir konnten eine lange Zeit von dem Geld leben. Wir konnten ein Boot kaufen und darauf wohnen. Ich habe einmal Segeln gelernt. Es ist etwas Herrliches. Man kann ein Boot nehmen und sich zwischen einer Million kleiner Inseln verlieren, irgendwo auf der Welt – Inseln, wo es immer warm, wo die Luft sauber und rein ist. Überall konnten wir hingehen.

Und uns niemals umsehen.

Aber wir würden niemals entkommen. Er war kein gewöhnlicher Mann, kein Spießbürger aus Westchester mit einem gesetzesfürchtigen Verstand und entsprechenden Freunden. Jemand, der soviel Heroin herumschleppte, hatte die richtigen Verbindungen. Ein Wort würde die Runde machen. Ein bestimmter Mann und eine bestimmte Frau würden von diesem Augenblick an gleichsam einen Preiszettel um den Hals tragen. Und irgendwann würde irgend jemand irgendwo einen zweiten Blick für uns übrig haben. Wir konnten davonlaufen, aber uns nicht verstecken.

Lange würden wir das nicht durchhalten. Wir würden anfangen, einander zu lieben. Dann jedoch würden wir jeden Tag mehr über die Männer nachdenken, die uns eines Tages aufspüren würden. Und dann würde es plötzlich soweit sein, daß wir diese Männer vergessen würden. Aber es würde etwas passieren, was uns erneut die Erinnerung an sie aufdrängte. Und wir würden unsere Flucht wieder beginnen.

Und dann würde es langsam anfangen.

Sie würde sich daran erinnern, wie sie einmal Mrs. L. Keith Brassard gewesen war und mit ihrem Hermelinmantel und ihrem Zobelmantel und ihrer Chinchilla-Stola in Cheshire Point gelebt hatte, in ihrem großen, soliden Haus mit den schweren Möbeln und all den Kreditkarten. Sie würde sich daran erinnern, wie es war, wenn man keine Angst hatte, und sie würde feststellen müssen, daß sie, ehe sie mich kennengelernt hatte, nie Angst gehabt hatte, aber daß sie jetzt immer Angst hatte und jeden Tag mehr. Von diesem Augenblick an würde sie beginnen, mich zu hassen.

Und ich würde mich an ein umkompliziertes Leben erinnern, mich daran erinnern, daß man eine Stadt verließ, wenn die Dinge anfingen, Schwierigkeiten zu machen. Ein Leben, in dem die größte Drohung ein vorsichtiger Hotelmanager war und das größte Problem die nächste Mahlzeit. Ich würde sie ansehen und anfangen, an den Tod zu denken, einen langsamen, unangenehmen Tod, weil die Männer, die er schicken würde, Experten in ihrem Handwerk sein würden. Und dann würde auch ich sie zu hassen beginnen.

Ich konnte nicht sie und das Geld haben; nicht auf diese Weise. Wieder leerte ich mein Glas, dachte darüber nach und kam nicht weiter. Es mußte einen Weg geben, doch es gab keinen.

Die Flasche war halb leer, als ich den Weg endlich fand. Den einzigen Weg. Ein anderer hätte vielleicht sofort daran gedacht; aber mein Gehirn hat bestimmte Bahnen, in denen es sich bewegt.

Und das hier lag außerhalb dieser Bahnen. Also brauchte ich eine halbe Flasche Jack Daniels, ehe ich darauf kam.

Brassard konnte sterben.

Das jagte mir eine panische Angst ein. Ich nahm zwei weitere Drinks, zog mich aus und ging ins Bett. Ich schlief fast augenblicklich ein. Vielleicht war der Alkohol daran schuld. Ich weiß es nicht. Vielleicht schlief ich ein, weil ich Angst hatte, wach zu bleiben.

Ich träumte. Aber es war einer jener Träume, die man im gleichen Augenblick vergißt, wenn man aufwacht. Das Klopfen an der Tür weckte mich, und der Traum entglitt mir. Ich öffnete langsam die Augen. Ich hatte keinen Kater und fühlte mich wohl. Das heißt, ich hätte mich mit ein paar Stunden mehr Schlaf wohler gefühlt.

Wieder klopfte es.

»Wer ist da?«

»Zimmermädchen.«

»Lassen Sie mich in Frieden.« Was für ein grandioses Hotel, in dem einen die Zimmermädchen mitten am Morgen aufwecken. »Kommen Sie nächstes Jahr wieder.«

»Machen Sie die Tür auf, Mr. Blake!«

»Gehen Sie zum Teufel! Ich bin müde.«

Jetzt veränderte sich die Stimme. »Lennie«, sagte sie, »bitte, mach auf!«

Einen Augenblick dachte ich, mein Traum wäre zurückgekehrt. Dann sprang ich aus dem Bett und hüllte mich in ein Laken. In ihrer weißen Baumwollbluse und der grünen Hose wirkte sie kühl und frisch. Sie kam herein, und ich schloß die Tür.

»Du bist verrückt«, sagte ich, »hierherzukommen. Aber das weißt du natürlich.«

»Ja, ich weiß.«

»Er hätte dich sehen können. Er wird sich fragen, wohin du gegangen bist. Besonders klug war das nicht von dir.«

Sie lächelte. »Du siehst lustig aus«, sagte sie. »Eingehüllt in dieses Laken wie ein Araberscheich. Hast du geschlafen?«

»Natürlich. Es ist ja mitten in der Nacht.«

»Mitten am Tag, meinst du.«

»Wie spät ist es denn?«

»Beinahe Mittag«, sagte sie. »Er hätte mich bestimmt nicht sehen können. Er ist am frühen Morgen schon weggegangen. Geschäfte, sagte er. Irgend etwas Unerwartetes. Selbst in Atlantic City hat er Geschäfte. Das Geschäft geht vor. Immer.«

Ich wußte, was für Geschäfte er hatte. Eine ganze Kassette voll Geschäfte, die einfach verschwunden waren.

Sie zog einen Flunsch. »Freust du dich nicht, mich zu sehen?«

»Das weißt du doch ganz genau.«

»Aber du scheinst dich jedenfalls nicht zu freuen. Du hast mir nicht einmal einen Kuß zur Begrüßung gegeben.«

Ich gab ihr einen Kuß. Und dann kam alles zurück. Alles. Und es war wieder wie in der Nacht am Strand. Es kam schon von einem Kuß. Eine solche Frau war sie.

»So ist's besser.«

»Viel besser.«

Sehr entschlossen zog sie die Bluse und die Slacks aus und stieß die Schuhe unter mein Bett. Sonst trug sie nichts. Ich konnte nicht aufhören, sie anzusehen.

Ihre Augen lachten. »Du bist ein dummer Mann«, sagte sie. »Du brauchst doch dieses blöde Laken nicht, oder?«

Da hatte sie recht.

Viel später schlug ich die Augen auf. Sie hatte sich zusammengerollt wie ein schlafendes Kätzchen, und ihre Haar lag wirr über dem ganzen Kissen. Meine Hand fuhr über ihren Körper, von der Schulter bis zur Hüfte. Sie rührte sich nicht.

Ich griff nach den Zigaretten auf dem Nachttisch, fand ein Streichholz und zündete mir eine an. Als ich sie wieder ansah, hatte sie die Augen geöffnet.

Sie lächelte.

»Weißt du, du bist großartig.«

Sie lächelte noch mehr.

»Ich werde dich vermissen.«

Sie biß sich auf die Lippen. »Lennie...«

Ich wartete.

»Weißt du, was ich dir am Strand gesagt habe? Daß ich das Geld nicht aufgeben könnte?«

Ich erinnerte mich.

»Ich hab' heute etwas herausgefunden. Hier. Mit dir.«

Ich wartete.

»Ich – ich kann das Geld immer noch nicht aufgeben.«

Die Zigarette schmeckte nicht richtig. Ich zog noch einmal daran und hustete.

»Aber ich kann dich auch nicht aufgeben, Lennie. Ich weiß nicht, wie es weitergehen soll. Ich möchte das Geld, und ich möchte dich. Und ich kann nicht beides zusammen haben. Ich bin ein verwöhntes, kleines Mädchen. Ich kann überhaupt nichts *tun*. Aber ich will doch.«

Ich kannte die Antwort, und ich wußte, daß ich Angst hatte, sie vor ihr auszusprechen. Aber die Würfel waren gefallen. Ich konnte nicht sehen, was für eine Zahl ich geworfen hatte. Aber zu ändern gab es nichts mehr.

»Wie alt ist Keith?«

Sie zuckte die Schultern. »Fünfzig«, sagte sie. »Fünfundfünfzig. Ich weiß nicht. Ich habe ihn nie gefragt. Dumm, nicht wahr? Nicht einmal zu wissen, wie alt mein Mann ist. Fünfzig oder fünfundfünfzig oder so etwas. Warum?«

»Ich hab' nur nachgedacht.«

Sie sah mich an.

»Ich meine, er ist kein junger Mann mehr, Mona. Männer in seinem Alter leben nicht mehr ewig.«

Dabei beließ ich es, ließ den Satz mitten in der Luft hängen und sah ihr Gesicht an, sah, wie sie sich bemühte, ihren Ausdruck nicht zu verändern. Sie schaffte es nicht ganz. In dieser Hinsicht war es erschreckend. Wir waren einander ein wenig zu ähnlich. Wir hatten beide dasselbe gedacht. Wahrscheinlich mußte das so sein.

»Vielleicht ist sein Herz nicht mehr so gut«, fuhr ich fort, um die Sache herumzureden. »Vielleicht fällt er eines Tages um, und alles ist vorbei. Das passiert jeden Tag, weißt du? Es könnte ihm auch passieren.«

Sie gab mir meine eigenen Worte zurück. »Wenn dieses Bett Flügel hätte, könnten wir fliegen, Lennie. Oder wenn es ein Zauberteppich wäre. Sein Herz ist in Ordnung. Er geht dreimal im Jahr zum Arzt, um sich untersuchen zu lassen. Vielleicht hat er Angst vor dem Sterben. Ich weiß es nicht. Dreimal im Jahr geht er zum Arzt, verbringt den ganzen Tag dort und läßt sich von Kopf bis Fuß untersuchen. Erst vor einem Monat war er dort. Er ist in Ordnung. Er hat noch damit angegeben.«

»Trotzdem könnte er einen Infarkt bekommen. Selbst wenn er in Ordnung ist...«

»Lennie!«

Ich hielt inne und sah sie an.

»Du meinst doch nicht, daß er einen Infarkt bekommen könnte. Du meinst doch etwas anderes.«

Ich sagte nichts.

»Du meinst, er könnte einen Unfall haben. Das meinst du doch, oder?«

Ich zog an der Zigarette. Aber ich sagte nichts.

»Ich wollte, wir wären nicht wir«, sagte sie jetzt. »Ich wollte, wir wären andere Menschen. Andere Menschen würden so schlimme Dinge nicht denken. Und das ist schlimm.«

Ich sagte nichts.

»Ich liebe ihn nicht, Lennie. Vielleicht liebe ich dich. Das weiß ich nicht. Ich weiß nur, daß ich bei dir sein möchte und nicht bei ihm. Aber er ist ein guter Mann, Lennie. Er ist gut zu mir. Er ist nicht gemein oder grausam oder böse oder...«

Er war ein Rauschgifthändler großen Umfangs, ein Import-Export-Schieber, der nur die falsche Ware importierte. Er war ein Big Boß in einem Geschäft, das Universitätsstudenten dazu brachte, Raubmorde zu begehen, um Geld für ihre Sucht zu bekommen.

Aber das wußte sie nicht, und ich wußte nicht, wie ich es ihr beibringen sollte. Deshalb war er ein guter Mann, nicht böse oder grausam oder gemein.

»Was willst du jetzt tun?«

Sie wollte das Thema wechseln. Dafür hatte sie eine gute Methode: Sie streckte die Arme nach mir aus und lächelte.

»Wir haben noch ein paar Stunden«, sagte sie. »Wir wollen sie im Bett verbringen.«

Im Augenblick schien das eine ausgezeichnete Idee zu sein. Aber nach einer Weile schlief ich ein. Sie nicht. Das hätte ich wahrscheinlich nicht tun sollen. Das war ein Fehler. Aber in dem Augenblick war ich nicht besonders gut in Form, zumindest nicht zum Nachdenken. Und das war schade.

Denn als ich aufwachte, schüttelte sie mich an der Schulter und sah mich aus großen Augen und erschreckt an. Ich kapierte nicht gleich. Ich mußte es erst hören, ehe es mir dämmerte.

»Lennie!«

Ich saß auf dem Bettrand und schob ihre Hand von meiner Schulter. Ihre Nägel hatten mir wehgetan, aber das war ihr wahrscheinlich gar nicht aufgefallen.

»Die Koffer!«

Wenn ich aufwache, denke ich nicht besonders scharf. Ich war immer noch etwas abwesend.

»Lennie, was machst du mit Keiths Koffern in deinem Schrank?«

Eine gute Frage.

Sie war so verwirrt, daß sie nicht richtig denken konnte. Sie stand da und plapperte. Ich mußte sie zweimal ins Gesicht schlagen, um sie zu beruhigen. Ich schlug nicht besonders fest zu, aber jeder Schlag tat mir weh. Schließlich setzte ich sie in einen Stuhl und brachte sie dazu, die Ohren offen und den Mund geschlossen zu lassen.

Es gab eine Menge Dinge, die ich ihr noch nicht sagen wollte, und einige, die ich ihr am liebsten überhaupt nicht gesagt hätte. Aber ich hatte keine Wahl. Sie hatte die LKB-Koffer im Schrank gesehen. Gott allein weiß, wie sie auf die Idee gekommen war, in meinem Schrank herumzustöbern. Aber das war jetzt nicht wichtig. Wichtig war einzig und allein, daß die Katze zur Hälfte aus dem Sack war und daß es nichts mehr ausmachte, sie ganz herauszulassen.

»Unterbrich mich jetzt nicht«, sagte ich. »Das ist eine lange Geschichte. Du wirst sie erst begreifen, wenn du sie ganz gehört hast.«

Ich fing damit an, wie ich den Zug aus Philadelphia verlassen hatte und Gepäck brauchte. Ich ging noch ein Stückchen weiter zurück. Aber der Rest war nicht wichtig. Wenigstens nicht für den Augenblick. Wenn alles klappte, würde ich ein ganzes Leben haben, um ihr meine Lebensgeschichte zu erzählen. Wenn nicht, dann war es ohnehin gleichgültig.

Ich sagte ihr, daß es zufällig sein Gepäck gewesen war und ich mich im Hotel unter falschem Namen eingetragen hatte. Ich erzählte, wie ich ihr begegnet sei und wie ich die Koffer geöffnet und das Heroin gefunden hätte. Das glaubte sie zuerst nicht, aber ich sagte es ihr immer wieder, bis sie es glaubte. Ihr Gesicht wirkte hysterisch, als sie begriff. Sie sah den alten Keith jetzt in völlig anderem Licht. Er war Rauschgifthändler, kein netter Bursche. Sie hatte es fertiggebracht, zwei Jahre mit ihm zusammenzuleben, ohne das zu erfahren. Ich glaube, wenn ich ihr gesagt hätte, er sei in Wirklichkeit eine Frau, wäre sie auch nicht überraschter gewesen.

Ich erzählte ihr alles von A bis Z. Dann hörte ich auf, weil es nichts mehr zu erzählen gab. Ihr Mann war ein Verbrecher, und ich hatte seine Ware im Hotelsafe. Wir befanden uns zusammen in meinem Zimmer, und die ganze Welt drehte sich um uns.

»Das verändert alles, Lennie. Joe, meine ich. Ich glaube, ich sollte dich jetzt Joe nennen, oder?«

»Ich glaube schon.«

»Joe Marlin und nicht Lennie Blake. In Ordnung. Gefällt mir auch besser. Aber das ändert alles, Joe, nicht wahr?«

»Wie?«

»Jetzt will ich sein Geld nicht mehr«, sagte sie. »Ich könnte es nicht ausstehen, noch länger mit ihm zusammenzuleben. Jetzt will ich nur dich. Wir können ihn vergessen und einfach davonlaufen und beieinander bleiben.«

Das klang gut. Aber so ging das nicht. Sie sah immer noch nicht das ganze Bild. Er war immer noch der alte Keith. Jetzt verdiente er nur sein Geld mit schmutzigen Geschäften, und das machte sie krank. Aber daß der Mann selbst ein anderer war, sah sie noch nicht.

»Man würde uns umbringen, Mona.«

Sie starrte mich an.

»Wir würden davonlaufen, und man würde uns einfangen. Gangster, Mona. Weißt du, was ein Gangster ist?«

Ihre Augen wurden groß und rund.

»Du bist seine Frau«, fuhr ich fort. »Er hat dich gekauft. Er hat schwer für dich bezahlt, Hermelinmantel, Zobelmantel, Chinchillastola. Diese Dinge kosten viel Geld.«

»Aber...«

»Also gehörst du jetzt ihm. Du kannst nicht weglaufen. Er würde dich einfangen und dich umbringen lassen. Willst du, daß wir sterben, Mona?«

Ich sah den Blick in ihren Augen und erinnerte mich an den Unterton von Verachtung in ihrer Stimme, als sie von Brassards ärztlichen Untersuchungen sprach. Sie hatte gesagt, er hätte vielleicht Angst vor dem Sterben; aber er war nicht der einzige. Sie hatte selbst Angst davor. Da paßten wir zwei ja gut zusammen.

»Wir können nicht davonlaufen«, sagte ich. »Wir würden nicht wegkommen.«

»Aber die Welt ist doch groß.«

»Und seine Bande ist eine große Bande, größer als die ganze Welt. Wohin willst du denn?«

Sie gab keine Antwort.

»Nun?«

Sie biß sich auf die Unterlippe. »Der Unfall«, sagte sie. »Vorhin hast du gesagt, er könnte einen Unfall haben, nicht wahr?«

»Ich hab's ein wenig anders ausgedrückt.«

»Aber das hast du doch gemeint. Er könnte doch immer noch einen Unfall haben, oder?«

»Ich dachte, du wolltest nicht über solche Dinge nachdenken.«

»Jetzt ist es ganz anders, Joe. Ich hab' nicht gewußt, was für ein Mensch er ist. Jetzt ist es anders.«

Es war überhaupt nicht anders. Vorher war er großzügig und nett gewesen, und jetzt war er gemein und bösartig. Das war sein Etikett. Auf die Weise konnte man sich etwas leichter mit einem Mord abfinden. Eine verzuckerte Pille. Aber die Pille war die gleiche, ganz gleichgültig, wie süß sie auch schmeckte. Die Pille hieß immer noch Mord.

»Joe?«

Ich fing an zu schwitzen. Atlantic City fing an, verdammt heiß zu werden, und die Klimaanlage konnte gar nichts dagegen ausrichten. Ich griff ihr unter das Kinn und hob ihren Kopf so hoch, daß sie mich ansehen mußte.

»Wann fährst du mit Keith nach Cheshire Point zurück?«

»Joe, ich will nicht mit ihm gehen. Ich kann nicht mit ihm gehen, Joe. Ich muß bei dir bleiben.«

»Wann fahrt ihr nach Cheshire Point zurück? Verdammt, gib mir Antwort auf meine Frage!«

»In einer Woche. In sechs Tagen. Ich weiß es nicht.«

Ich rechnete. »Okay«, sagte ich. »Zuerst einmal darfst du mich nicht mehr sehen. Wenn wir einander auf der Straße begegnen, darfst du mich nicht einmal ansehen, ganz gleich, wo Keith ist. Ist das klar? Er hat Freunde hier. Ich möchte nicht, daß jemand eine Verbindung zwischen uns beiden herstellt. Niemand darf uns zusammen sehen, oder das Spiel ist aus.«

»Ich verstehe nicht, Joe.«

»Wenn du jetzt den Mund hieltest, hättest du eher eine Chance, mich zu verstehen.«

Ihre Augen blickten verletzt. Aber sie schwieg.

»Ich reise übermorgen hier ab«, sagte ich. »Ich reise mit Koffer und Gepäck ab. Ich fahre nach New York. Dort such' ich mir unter einem anderen Namen eine Bleibe.«

»Unter welchem Namen?«

»Das weiß ich noch nicht. Das ist auch unwichtig. Du darfst nicht mit mir in Verbindung treten. Ich melde mich bei dir. Bleib einfach zu Hause. Soweit es dich betrifft, ist nichts geschehen. Keith ist der gute, alte Keith, und du hast mich nie kennengelernt. Ist das klar?«

Sie nickte ernst.

»Vergiß es nicht. Du mußt es dir immer wieder einreden, damit es nicht auffällt. Du bist Keiths Frau. Es ist nie etwas geschehen. Du fährst mit ihm zurück, und du wirst die gleiche Frau sein, die mit ihm nach Atlantic City gekommen ist. Die gleiche. Von Kopf bis Fuß. Du weißt überhaupt nichts. Ist das klar? Du verstehst doch, was du für eine Rolle spielen mußt?«

»Ich verstehe.«

Jetzt kam der schwierigere Teil. Es war schwierig, es ihr beizubringen und schwierig, darüber nachzudenken. »Du wirst mit ihm schlafen müssen«, sagte ich. »Ich wünschte, du müßtest es nicht. Es gefällt mir nicht.«

»Mir auch nicht.«

»Vielleicht kannst du ihm sagen, daß du krank bist«, sagte ich. »Es könnte klappen. Aber bedenke eines: Wenn alles richtig funktioniert, brauchst du nie mehr mit ihm zu schlafen, ihn nie mehr anzusehen und den Rest deines Lebens nicht mehr über ihn nachzudenken. Das macht es vielleicht etwas leichter.«

Sie nickte.

Ich zögerte und sah mich nach meinen Zigaretten um. Sie wollte auch eine, und das war begreiflich. Ich gab ihr eine, nahm mir selbst eine und zündete beide an. Wir rauchten ein paar Minuten schweigend.

»Mona«, sagte ich dann, »ich werde Geld brauchen.«

»Geld?«

»Um die Hotelrechnung zu bezahlen«, sagte ich. »Ich kann mir diesmal keinen Detektiv auf meiner Spur leisten. Und ich muß den Koffer mit dem Heroin aus dem Safe bekommen.«

»Was wird das kosten?«

»Ich weiß nicht. Ich brauche auch Geld, um damit in New York zurechtzukommen. Nicht viel, aber so viel ich bekommen kann. Es tut mir leid, daß ich dich darum bitten muß.«

»Rede doch keinen Unsinn!«

Ich grinste. »Wieviel kannst du erübrigen?«

Sie überlegte eine Weile. »Ich hab' ein paar Hunderter in bar. Die kann ich dir geben.«

»Wie wirst du es ihm erklären?«

»Wenn er mich fragt, sag' ich ihm, ich hätte Schmuck gesehen und haben wollen. Ich glaube aber nicht, daß er fragen wird. Er ist nicht so. Es ist ihm gleichgültig, was ich ausgebe oder wie ich es ausgebe. Wenn ich ihm sagte, daß ich es beim Rennen verloren habe, wäre es ihm auch egal.«

»Bist du ganz sicher, daß es nicht gefährlich ist?«

»Ganz sicher.«

»Tu so viel du erübrigen kannst in einen Umschlag«, sagte ich. »Einen von den Hotelumschlägen. Schreibe nichts darauf. Irgendwann heute abend gehst du an meinem Zimmer vorbei. Die Tür wird zu, aber nicht abgesperrt sein. Öffne, wirf den Umschlag herein und verschwinde. Bleib nicht stehen, um mir irgend etwas zu sagen.«

Sie lächelte. »Das klingt wie ein Spionagefilm. Mit Dolch und Maske, weißt du? Robert Mitchum in einem Trenchcoat.«

»So ist es am sichersten.«

»Ich werde es tun. Nach dem Abendessen?«

»Wann immer du Zeit hast. Ich werde hierbleiben, bis ich den Umschlag habe. Übermorgen reise ich nach New York ab. Ich möchte nichts überstürzen. Einverstanden?«

»Ich glaube schon.«

»Zieh dich an«, sagte ich. »Wir sehen uns in New York.«

Wir zogen uns beide eilig an. Dann gab ich ihr mit einer Handbewegung zu verstehen, von der Tür zurückzutreten, ging selbst zur Tür und machte auf. Ein Zimmermädchen kam den Flur herunter. Es ließ sich Zeit. Ich wartete, bis es verschwunden war.

Ehe ich Mona hinausschickte, packte ich sie und küßte sie schnell. Es war ein seltsamer Kuß, leidenschaftslos und dennoch überraschend intensiv. Dann war sie draußen im Gang und ging auf den Lift zu. Ich schloß die Tür und ging zu meinem Bett zurück.

In der Flasche waren noch zwei oder drei Drinks. Ich trank den Bourbon aus und fühlte mich etwas besser.

4

Ich bekam das Geld ein paar Minuten nach sechs. Es war ein sehr eigenartiges Gefühl. Ich lag auf dem Bett, hatte das Licht ausgeschaltet und schwebte auf der Wolke dahin, auf die mich der Bourbon versetzt hatte. Die Klimaanlage summte leise im Hintergrund. Dann öffnete sich die Tür ein paar Zoll, ein Umschlag klatschte auf den Boden, und die Tür schloß sich wieder.

Ich hatte nicht einmal ihre Hand gesehen. Und das machte die ganze Sache so unpersönlich, daß es geradezu erschreckend war. Die Tür hatte sich wie von selbst geöffnet, der Umschlag war aus dem Nichts gekommen, und die Tür hatte sich wieder geschlossen, als gäbe es dabei keine lebenden Wesen.

Ich hob den Umschlag auf und öffnete ihn. Zehner, Zwanziger und Fünfziger. Ich zählte das Geld zweimal und kam jedesmal auf eine Summe von siebenhundertvierzig Dollar.

Ich schob sie in die Brieftasche und warf den Umschlag in den Abfallkorb. Dann ergriff es mich, und ich fiel auf das Bett und mühte mich hart, nicht zu lachen. Es war so komisch, aber gleichzeitig war es alles andere als komisch. Ich vergrub mein Gesicht in ein Kissen und heulte wie ein kleiner Junge.

Wenn es irgend jemand anderer als Mona gewesen wäre, wäre es ganz einfach. Ich würde ein glückliches Lächeln aufsetzen, aus dem Hotel gehen und mit siebenhundertvierzig hartverdienten Dollars in der Tasche einen Zug nach Nirgendwo besteigen. Wenn man es so betrachtete, war es der einfachste und raffinierteste Job, den ich in meinem ganzen Leben hinter mich gebracht hatte. Süß und leicht, ohne irgendein Problem.

Nur daß das hier kein Job war. Jetzt, da ich das Geld auf einem silbernen Tablett überreicht bekommen hatte, würde ich meine Hotelrechnung bezahlen und meine Karten richtig ausspielen, würde nach New York fahren und dort auf sie warten. Ich weiß nicht, ob das so komisch war; jedenfalls platzte mir beinahe der Kopf vor Lachen.

Als ich nicht mehr lachen konnte, nahm ich eine Dusche, rasierte mich und ging in das Hotel nebenan, um zu Abend zu essen. Niemand geht ins Hotel nebenan, um zu Abend zu essen. Entweder ißt man in seinem eigenen Hotel oder man geht in ein Restaurant. Und genau deshalb tat ich es: Ich wollte weder mit Mona noch mit Keith zusammentreffen. Erst wenn ich dazu bereit war.

Das Dinner war wahrscheinlich ganz gut. In großen Hotels kochte man verläßlich, wenn auch nicht gerade mit viel Phantasie. Man kann zumindest Steaks grillen. Und ein Steak hatte ich bestellt. Aber trotzdem schmeckte mir mein Abendessen nicht. Ich dachte über ihn nach, und ich dachte über sie nach. Während des ganzen Essens brannte meine Zigarette, und ich achtete mehr auf sie als auf das Steak. Dann saß ich lange da und starrte in meinen Kaffee. Als ich ihn schließlich trinken wollte, hatte er Zimmertemperatur und schmeckte scheußlich. Ich ließ ihn stehen und ging ins Kino.

Von dem Film verstand ich genausoviel, als wenn die Schauspieler persisch gesprochen hätten und das Ganze mit chinesischen Untertiteln versehen gewesen wäre. Ich kann mich überhaupt nicht an die Story erinnern, nicht einmal an den Titel. Das Kino half mir nur dabei, die Zeit verstreichen zu lassen; das war auch alles. Ich blickte auf die Leinwand, sah aber nichts. Ich dachte. Ich plante. Sie können es nennen, wie Sie wollen.

Am liebsten wäre ich sofort aus Atlantic City verschwunden. Hierzubleiben war ein Risiko, das mit jeder Minute, die ich in dieser scheußlichen Stadt verbrachte, größer wurde. Und jetzt, da ich beschlossen hatte, meine Zimmerrechnung zu bezahlen, war jeder zusätzliche Tag ein Kostenfaktor, den ich mir eigentlich nicht leisten konnte. Monas Beitrag, verbunden mit dem bißchen Geld, das mir selbst noch übriggeblieben war, machte etwas mehr als achthundert Dollar aus. Diese Summe würde zu schnell zusammengeschmolzen sein, um mir viel zu nützen.

Aber ich konnte noch nicht abreisen. Ich mußte mir meinen Mann ansehen, meinen L. Keith Brassard. Ich mußte den Feind kennen, ehe ich entscheiden konnte, wie und wann und wo ich ihn töten würde.

Der Film war zu Ende. Ich ging ins Hotel zurück. Jetzt gab es etwas weniger Leute auf der Straße, aber genausoviel Lärm wie zuvor. Ich blieb einen Augenblick stehen und sah einem Straßenverkäufer zu, der seinem Publikum erklärte, wie man zehn Jahre länger leben konnte, wenn man Gemüse in einer patentierten Gemüsepresse ausquetschte und den Dreck trank, der dann im Becher blieb. Ich sah ihm zu, wie er ein Stück Kohl durch die Maschine trieb. Der Verkäufer kippte die schwammigen Überreste in einen Abfalleimer und hob dann voll Stolz ein Glas mit übel aussehendem Zeug an seine Lippen. Er leerte das Glas in einem Zug und lächelte breit.

Ich fragte mich, ob man das gleiche mit einem Menschen tun konnte, ihn in eine patentierte Fruchtpresse stecken, alle Säfte aus ihm herausquetschen, dann den Abfall in einen Eimer kippen und den Deckel zuklappen.

Ich ging weiter und trank an einem Fruchtsaftstand ein Glas Pina Colada. Ich fragte mich, wie man es herstellte. Plötzlich drängte sich mir ein erschreckendes Bild auf, wie Ananas und eine Kokosnuß Hand in Hand in eine patentierte Fruchtpresse wanderten; eine Art vegetarischer Selbstmordpakt. Ich trank die Pina Colada aus und ging ins Hotel.

Ein Mann kam heraus, gerade, als ich eintrat. Ich sah ihn nur ganz schnell von der Seite, aber irgend etwas an ihm kam mir bekannt vor. Ich hatte ihn schon einmal irgendwo gesehen; dabei hatte ich keine Ahnung, wo oder wann das gewesen war oder wer es sein mochte.

Er war klein, dunkelhaarig und dünn. Er hatte noch all sein Haar und trug es ziemlich lang. Sein schwarzer Schnurrbart war sorgfältig gestutzt. Er war gut gekleidet und ging mit schnellen Schritten.

Aus irgendeinem Grund hoffte ich, daß er mich nicht erkannt hatte.

Am nächsten Tag sah ich ihn wieder.

Ich wachte gegen zehn auf, zog mir Slacks und ein offenes Hemd an und ging zum Frühstücken hinunter. Ich war am Verhungern und stürzte Waffeln, Würstchen und zwei Tassen schwarzen Kaffee hinunter, ehe ich richtig merkte, daß ich mit dem Essen begonnen hatte. Dann zündete ich mir die erste Zigarette des Tages an und ging hinaus, um auf Brassard zu warten.

Ich ging auf die Hotelterrasse, wo ich am ersten Abend einen Drink genommen hatte. Ich fand einen Tisch unter einem Schirm. Er war nahe genug an der Promenade, um mir einen guten Überblick zu gestatten, und weit genug entfernt, so daß niemand mich bemerken würde, wenn er nicht besonders auf mich achtete. Der Kellner kam herüber, und ich bestellte schwarzen Kaffee. Zum Trinken war es noch etwas zu früh, obgleich die übrigen Kunden darüber anders zu denken schienen. Eine Vertretertype und eine schon etwas abgetakelte Blondine tranken um die Wette Daiquiris und schienen einen Mordsspaß dabei zu haben. Die fangen früh an, dachte ich. Oder vielleicht waren sie noch von der Nacht zuvor in Schwung. Ich achtete nicht mehr auf sie und sah auf die Promenade hinunter.

Und dann hätte ich sie beinahe nicht gesehen.

Wenn man einmal einen Tag in Atlantic City gewesen ist, achtet man nicht mehr auf die Rollstühle, die über die Promenade geschoben werden. Sie gehören mit zur Szene, und man kommt nie auf die Idee, daß jemand, den man kennt, in einem der Rollstühle sitzt. Ich hatte also die Rollstühle völlig vergessen und konzentrierte mich auf die Fußgänger, und dabei sah ich sie kaum. Aber da fiel mir plötzlich ein blonder Schopf auf. Ich sah ein zweites Mal hin. Sie waren es.

Er war klein, fett und alt, der typische Spießbürger aus Westchester. Jetzt fiel es mir nicht mehr schwer, mir vorzustellen, wie er Mona getäuscht hatte. Manche ehrlichen Leute sehen wie Verbrecher aus und manche Verbrecher wie ehrliche Leute. Er gehörte zur zweiten Kategorie.

Er hatte ein festes, ehrliches Kinn und einen ehrlichen Mund mit schmalen Lippen. Seine Augen waren wasserblau. Das konnte ich selbst von meinem Platz aus erkennen. Sein Haar war weiß. Nicht grau, sondern weiß. Weißes Haar hat etwas sehr Würdiges an sich.

Ich blickte dem nett aussehenden, ehrlichen, alten Mann nach, bis der Stuhl vor dem Shelburne stehen blieb. Dann trank ich meinen Kaffee und fragte mich, wie wir den Mann wohl umbringen würden.

»Noch einen Kaffee, Sir?«

Ich blickte zu dem Kellner auf. Ich hatte noch keine Lust, wegzugehen, aber ich wollte auch keinen Kaffee mehr.

»Nein, jetzt noch nicht.«

»Aber natürlich, Sir. Möchten Sie vielleicht etwas essen? Ich habe hier die Speisekarte.«

Die Burschen lassen einen nicht im Zweifel darüber, was sie wollen. Ich wollte nichts essen, und ich wollte keinen Kaffee. Folglich sollte ich zahlen und verschwinden. Sie hatten fünfzig leere Tische auf dieser Terasse, und sie wollten einundfünfzig.

»Einen Martini«, sagte ich müde. »Extra trocken mit einem Spritzer Limonensaft.«

Er verbeugte sich und verschwand. Kurz darauf erschien er wieder mit dem Martini. Es gab zwei Oliven anstatt der üblichen einen, und er hatte an den Limonensaft gedacht, was die meisten nicht tun. Vielleicht meinte er es gut mit mir.

Ich weiß nicht, warum ich den Drink bestellte. Normalerweise wäre ich jetzt weggegangen. Ich wollte keinen Drink, ich wollte nichts essen, und ich wollte keinen Kaffee. Und Brassard hatte ich bereits gesehen. Diese Faktoren, verbunden mit meiner Abneigung für die Terrasse und den Ober, hätten ausreichen sollen, mich aufbrechen zu lassen.

Aber das taten sie nicht. So bekam ich L. Keith Brassard noch einmal zu sehen, diesmal länger und gründlicher.

Ich weiß nicht, wie er eigentlich hierherkam. Ich blickte auf, und da saß er, drei Tische von mir entfernt. Ein Kellner stand neben ihm. Mein Kellner. Ich sah ihn von der Seite, und er wirkte ebenso solid und respektabel wie beim erstenmal.

Ich saß da und kam mir verdammt auffällig vor. Ich wünschte, ich hätte eine Zeitung, hinter der ich mich verstecken konnte. Ich wollte den Mann nicht ansehen. Es gibt einen alten Trick. Man starrt jemanden eine Weile an, dann fängt der Betreffende an, unruhig zu werden und dreht sich schließlich um und blickt einen an. Das hat nichts mit Telepathie oder solchem Zeug zu tun. Sie sehen dich einfach irgendwie aus dem Augenwinkel.

Ich war überzeugt, wenn ich ihn jetzt anstarrte, würde er sich umdrehen und mich ansehen. Ich wollte nicht, daß es dazu kam. Ganz gleich, wie wir es in New York anstellten, ich hatte einen großen Vorteil: ich kannte ihn, und er kannte mich nicht. Das war eine Trumpfkarte, und ich hatte nicht die geringste Lust, sie hier in Atantic City zu verlieren.

Folglich ließ ich mir mit meinem Drink Zeit und sah nur hin und wieder zu ihm hinüber. Je mehr ich ihn beobachtete, desto härter wirkte er auf mich. Man muß in seinem Inneren sehr hart sein, wenn man es fertigbringt, so weich auszusehen. Es ist viel leichter, als Gangster Erfolg zu haben, wenn man wie ein Gangster aussieht. Je mehr man dem Klischee aus Hollywood gleicht, desto schneller wird man akzeptiert. Wenn man mehr wie Wall Street aussieht als wie die Mulberry Street, dann will dich die Mulberry Street nicht sehen.

Es würde nicht leicht sein, ihn umzubringen.

Ich kaute die erste Olive, als er Gesellschaft bekam. Es mußte wichtigere Gründe als nur Durst geben, die ihn dazu veranlaßten, hier auf der Terrasse herumzusitzen. Und diese Gründe tauchten jetzt auch auf. Er war klein und dünn und sorgfältig gekleidet und trug sein langes Haar sorgfältig gekämmt und hatte einen kleinen, gepflegten schwarzen Schnurrbart. Der Grund war der Mann, den ich am Abend zuvor vor dem Shelburne gesehen hatte. Jetzt erinnerte ich mich auch daran, woher ich ihn kannte.

Beinahe wäre ich an meiner Olive erstickt.

Er hieß Reggie Cole. Er arbeitete für einen Mann namens Max Treger, und halb New Jersey tat das auch. Treger war ein weiser, alter Mann, der eine sichere und irgendwie nebelhafte Position weit über den Wolken einnahm und praktisch alles kontrollierte, was in New Jersey auf der unsauberen Seite des Gesetzes geschah. Treger kannte ich nur seinem Ruf nach. Reggie Cole war ich einmal begegnet, vor vielen Jahren, auf eine Party. Reggie war damals noch kleiner, aber die Jahre und Max Treger hatten es gut mit ihm gemeint. Reggie war aufgestiegen. Er saß jetzt an der rechten Seite Gottes, wenn man den Gerüchten vertrauen durfte.

Und jetzt saß er an der rechten Seite von I. Keith Brassard. Ich bekam dadurch seine Frontalansicht zu sehen und machte mir Sorgen. Seit jenem kurzen Zusammentreffen war viel Zeit vergangen. Aber ich erkannte ihn. Auch er hatte allen Grund, sich meiner zu erinnern. Ich hatte ihm ein Mädchen weggeschnappt. Das Mädchen war eine Schlampe, und es hatte ihm damals wahrscheinlich nicht besonders viel ausgemacht. Aber jedenfalls würde er es nicht vergessen haben.

Ich wartete darauf, daß er aufblicken und mich sehen würde. Aber er und Brassard waren beschäftigt. Sie sprachen schnell und ernsthaft miteinander. Ich wünschte, ich könnte ihr Gespräch belauschen. Den Inhalt konnte man sich leicht vorstellen. Brassard sollte eine Ladung Heroin liefern, die ausreichte, um halb New Jersey eine lange Zeit *high* zu kriegen. Aber das Zeug war auf wundersame Art und Weise verschwunden. Das war wohl ein ausreichender Anlaß für ein Gespräch.

Ich schluckte die zweite Olive. Dann legte ich Geld auf den Tisch, das für den Martini, den Kaffee und den Ober reichte, und schob den Schein unter das leere Glas, so daß der Wind ihn nicht wegblasen konnte.

Gerade, als ich mich anschickte, aufzustehen, hob sich ein Kopf, und kleine Augen sahen mich an. Ein kurzer, suchender Blick, wahrscheinlich der gleiche, den ich am ersten Abend für ihn übrig gehabt hatte. Ein Blick vagen und fernen Erkennens. Er erinnerte sich offensichtlich an mich, wußte aber nicht, wo er mich hintun sollte.

Beim nächstenmal würde er es wissen. Ich hoffte, das Gespräch mit Brassard war so wichtig, daß es seine ganze Aufmerksamkeit beanspruchte.

Ich stand auf und bemühte mich, nicht zu laufen. Ich ging und wandte den beiden den Rücken. Hoffentlich sahen sie mir nicht nach. Mein Hemd war schweißnaß und klebte an meinem Rücken, als ich das Shelburne erreichte. Dabei war es nicht einmal ein besonders warmer Tag.

Es hatte keinen Sinn, länger hierzubleiben. Ich hatte schon mehr, als ich erwartet hatte, bekommen: einen Blick auf ihn und eine Andeutung, wer seine Kumpane waren. Soweit ich mir das zusammenreimen konnte, war Brassard mit einer Ladung Heroin nach Atlantic City gekommen. Er war kein Botenjunge, es war *sein* Heroin, gekauft, bezahlt und bereit zum Wiederverkauf. Niemand würde ihn wegen Unterschlagung oder so etwas anklagen. Seine einzige Sorge war finanzieller Art.

Wenn hier jemand schlecht aussah, dann war es Max Treger. Aus Brassards Gesichtswinkel war der einzige, der ihn bestohlen haben konnte, der Mann, der wußte, was er bei sich trug. Treger hatte einen ausgezeichneten Ruf für seine Ehrlichkeit unter Dieben. Aber bei einem so dicken Paket würde Brassard trotzdem zweifellos in Verdacht geraten. Hoffentlich führte er sich recht ungeschickt auf und ärgerte jemanden so, daß dieser wild wurde und ihm ein paar Löcher in den Kopf schoß. Das würde mir eine Menge Arbeit ersparen.

Aber dazu würde es wahrscheinlich nicht kommen. In ein paar Tagen würde Brassard Treger davon überzeugen, daß er mit dem Heroin nicht Versteck spielte. Treger wiederum würde Brassard überzeugen, daß er bessere Geschäfte machte und es nicht nötig hatte, Geschäftspartner zu bestehlen. Dann würden die beiden Clowns ihre Gangsterköpfe zusammenstecken und darauf kommen, daß ein Unbekannter im Spiel war. Und dann würden sie anfangen, diesen Unbekannten zu suchen. Es würde überhaupt keinen Spaß mehr machen, Joe Marlin zu heißen.

Ich wollte abhauen, aber es war zu früh. Am meisten störte mich das verdammte Gepäck. Die Koffer waren ganz normale Koffer, aber man würde sie erkennen, ganz besonders dann, wenn Großalarm geschlagen wurde. Es war mir völlig egal, ob jemand sich in einer Woche erinnerte; bis dahin würde ich in New York sitzen und meine Spuren verwischt haben. Aber ich wollte nicht, daß jemand in Atlantic City auf die großartige Idee kam, mich zu entdecken.

Ich rief von meinem Zimmer aus beim Bahnhof an und erfuhr, daß jeden Morgen um sieben Uhr dreißig ein Zug nach Philadelphia ging. Am Nachmittag gab es auch noch einen, aber der Morgenzug war viel sicherer. Ein jeder schläft um diese Stunde, wie es sich gehört. Außerdem macht man sich nicht verdächtig, wenn man um sieben Uhr sein Hotelzimmer aufgibt; wenigstens nicht so, wie wenn man, sagen wir um vier Uhr früh, seinen Zug erwischen möchte. Je weniger Leute meine Koffer sahen, wenn ich das Hotel verließ, desto besser für mich. Je geringer die Chance war, daß Brassard in der Nähe war, desto sicherer fühlte ich mich.

Ich rief am Nachmittag in der Telefonzentrale an und verlangte, man solle mich um sechs Uhr früh am nächsten Morgen wecken. Wahrscheinlich kapierten sie das nicht. Dann rief ich den Zimmerservice an und bestellte mir wieder eine Flasche Jack Daniels. So verbrachte ich den Nachmittag und den Abend in einem schwachen alkoholischen Nebel. Ich trank langsam, weil ich nichts Besseres zu tun hatte. Gleichzeitig hatte ich keineswegs die Absicht, mir einen Vollrausch anzutrinken. Also ließ ich mir Zeit und wartete, bis ich müde genug war, um schlafen zu können. Dann kippte ich noch ein paar Gläser und legte mich hin. Kurz darauf war ich eingeschlafen.

Meine Augen waren im gleichen Augenblick offen, als das Telefon klingelte. Ich war sofort hellwach. Diesmal nahm ich eine Salzwasserdusche und anschließend eine eiskalte normale Dusche. Ich brauchte drei Handtücher, bis ich trocken war.

Ich zog mich an und ging hinunter. Diesmal stand ein anderer hinter der Theke, aber er war ebenso nett wie sein Kollege. Er machte nicht die geringsten Schwierigkeiten und reichte mir meinen Aktenkoffer und bekam dafür mein nettestes Lächeln. Den ganzen Weg durch die Halle zum Lift und viel zu viele Stockwerke hinauf zu meinem Zimmer kam ich mir vor, als starrte die ganze Welt auf mein Köfferchen.

Ich versuchte sogar, es zu öffnen. Dann fiel mir aber ein, daß ich es abgesperrt und den Schlüssel weggeworfen hatte.

Eine Schande!

Schließlich konnte ich keinen von Brassards Koffern herumliegen lassen. Wäre der Aktenkoffer offen, könnte ich das Heroin in einen seiner Koffer tun und den Koffer liegenlassen. So mußte ich nun drei Koffer tragen. Anfangs würde das nicht schwierig sein. Aber später, wenn ich die Züge wechselte, vielleicht schon.

Ich packte meine Sachen und auch alle Sachen von Brassard in seine zwei Koffer. Da ich praktisch nichts dabeigehabt hatte, war das auch nicht besonders schwierig. Dann ging ich wieder in die Halle hinunter und ließ mir von einem Pagen die Koffer zu dem bereits wartenden Taxi tragen. Ich selbst ging zur Kasse. Der Uniformierte dort hoffte, daß es mir gefallen hatte.

»Eine herrliche Stadt!« sagte ich, ohne bei der Lüge rot zu

werden. »Ich hab' die Ausspannung wirklich gebraucht. Ich komme mir wie ein neuer Mensch vor.«

Das stimmte sogar.

»Geht's jetzt wieder nach Hause?«

»Zurück nach Philly«, sagte ich. Ich hatte eine gute Adresse in der Nähe des Rittenhouse Square ausgesucht, als ich mich eingetragen hatte.

»Besuchen Sie uns wieder.«

Ich nickte. Hoffentlich wartete er nicht auf mich, denn dabei konnte er alt werden. Ich ging zum Seitenausgang hinaus. Das Taxi stand dort, und meine Koffer lagen im Kofferraum. Ich gab dem Boy einen Dollar und hoffte, daß er das Gepäck schon wieder vergessen hatte.

Auf dem Bahnhof kaufte ich mir eine Fahrkarte nach Philadelphia. Ich trug mein Gepäck selbst zum Zug. Es war eine Quälerei, drei Gepäckstücke zu tragen, noch dazu, ohne dabei aufzufallen. Aber irgendwie schaffte ich es. Der Schaffner kam, nahm meine Fahrkarte und wies mich in ein Abteil nach Philadelphia. Ich lehnte mich zurück, und der Zug stampfte an Egg Harbor und Haddonfield vorbei. Dann waren wir in Philadelphia Nord. Ich mußte jetzt aussteigen. Ich und meine drei kleinen Koffer. Ich erinnerte mich an die Geschichte von *Benjamin Franklin*, wie er als junger Mann mit einem Laib Brot unter jedem Arm und einem dritten im Mund durch die Straßen von Philadelphia gerannt war. Ich konnte mir genau vorstellen, wie er ausgesehen hatte. Hoffentlich hatte sich Philadelphia inzwischen schon an den Anblick gewöhnt.

Ich versuchte mich aufzuregen, aber ich brachte nicht den richtigen Enthusiasmus auf. Es gab keine Probleme, keinen Schweiß, keine Kopfschmerzen. Wer würde sich auch an einen adretten jungen Mann mit drei Koffern erinnern? Wen würden Brassards Männer ausfragen? Die Vorortreisenden? Die Schaffner?

Keine Probleme.

Wenn irgendein schlauer Kopf den Zusammenhang zwischen L. K. Brassard und Leonard K. Blake feststellte, würde er vielleicht meine Spur bis zum Bahnhof verfolgen können, vielleicht sogar einen Beamten finden, der sich an die Fahrkarte nach Philadelphia erinnerte, die er mir verkauft hatte. Aber niemand auf der ganzen Welt würde auf die Idee kommen, daß ich nach New York gefahren war.

Kein Problem.

In weniger als drei Minuten hatte ich den Zug verlassen, war die Treppe hinunter und durch die Tunnels gerannt und befand mich auf dem Bahnsteig gegenüber. Dort wartete ich höchstens fünf Minuten, bis der Zug nach New York einlief. Ich stieg ein. Ich legte meine Koffer in das Gepäcknetz und machte es mir bequem. Als der Schaffner kam, kaufte ich ihm eine Fahrkarte bis nach Boston ab. Das war nicht nötig, wirklich nicht. Aber ich wollte nicht den geringsten Fehler machen.

Das klingt wie ein Spionagefilm. Robert Mitchum im Trenchcoat.

Ich dachte an Mona und fragte mich, wie lange es wohl dauern würde, bis ich sie wiedersah. Ich dachte an das erste Mal am Strand und an die beiden Male im Hotelzimmer. Ich dachte daran, wie sie sich bewegte, und an ihre Augen.

Natürlich hatte sie mit Robert Mitchum und seinem Trenchcoat recht. Ich übertrieb. Wir brauchten uns über nichts Sorgen zu machen. Ich war unterwegs nach New York und hatte keine Spuren hinterlassen. Brassard suchte die falschen Bäume, an denen er hinaufbellen konnte. Alles war in Ordnung.

Jetzt mußten wir nur noch den Mord schaffen, ohne dabei erwischt zu werden.

5

Ich schrieb mich als Howard Shaw in das Collingwood-Hotel ein. Das Collingwood war ein gutes, aber zweitklassiges Hotel in der Fünfunddreißigsten Straße westlich der Fünften Avenue. Mein Zimmer kostete sechzig Dollar in der Woche; es war sauber und bequem. Ich befand mich zwar in zentraler Lage, ohne jedoch mitten im Zentrum zu sein, wie es in einem Hotel am Times Square der Fall gewesen wäre. Also waren die Aussichten gering, daß ich irgendwelche Bekannten treffen würde. Die Tür fiel hinter mir ins Schloß, und ich ließ meine drei Koffer auf den Boden fallen. Den Aktenkoffer schob ich unter das Bett und beschloß, das Beste zu hoffen.

Das Collingwood war eigentlich eine Pension. Es gab also dort keine Pagen, die einem die Koffer trugen. Niemand sah deshalb das Monogramm LKB, und das war mir nur recht. Der nächste Schritt bestand jetzt darin, die Koffer loszuwerden. Es wäre natürlich einfacher gewesen, sie in einer Box in der U-Bahn einzuschließen und den Schlüssel wegzuwerfen, aber dafür waren sie zu gut, und ich war zu pleite. Also riß ich die Etiketten aus sämtlichen Kleidungsstücken Brassards, mit Ausnahme jener, die mir paßten, stopfte die Kleider in die Koffer und ging in die Downtown, wo die Dritte Avenue zur Bowery wird.

Ich verkaufte Kleider im Wert von mehr als fünfhundert Dollar an einen kleinen Mann mit runden Schultern und Augen wie ein Käfer für bare sechzig Dollar. Dann versetzte ich zwei Koffer im Wert von mehr als zweihundert Dollar für fünfzig. Dann ging ich in mein Hotel und legte mich schlafen.

Es war Donnerstag. Am Sonntag oder Montag würden sie nach New York zurückkommen. Jetzt waren sie zusammen im Shelburne. Wahrscheinlich im Bett.

Ich träumte von ihnen und wachte dann in Schweiß gebadet auf.

Am Freitag suchte ich ihn im Telefonbuch. Es war nur eine ganz einfache Eintragung, nicht einmal in Fettdruck. Dort stand: *Brassard, L. K., 117 Chmbrs... Worth 4-6363.* Ich verließ das Hotel und fand in einem Drugstore gleich um die Ecke eine Telefonzelle. Ich wählte Worth 4-6363 und ließ es achtmal läuten, ohne daß sich jemand meldete. Ich ging zur Sechsten Avenue hinüber und nahm den D-Zug nach Chambers. Dort schlenderte ich umher, bis ich Nummer 117 fand.

Es war das richtige Gebäude für ihn. Die Ziegel waren einmal rot gewesen; jetzt waren sie verblaßt. Die Fenster hätten dringend geputzt werden müssen. Die Namen der Mieter waren mit Ölfarbe auf die Fenster gepinselt – *Comet Enterprises, Inc.... Cut-Rate Auto Insurance... Passport Fotos While-U-Wait... Zenith Employment... Kallett Confidential Investigations... Rafael Mesero, Merican Attorney, Divorce Information.* Neun Stockwerke mit kleinen Büros. Neun Stockwerke freien Unternehmertums. Ich fragte mich, warum er kein besseres Büro hatte. Ich fragte mich, ob er das Büro, das er hatte, je betrat.

Sein Name stand auf dem Wegweiser. Der Lift ging automatisch, und ich fuhr damit in das fünfte Stockwerk. Ich stieg aus, ging an dem Arbeitsvermittlungsbüro vorbei zu der Tür mit der Aufschrift *L. K. Brassard.* Es hatte eine Milchglasscheibe. Ich konnte nicht hindurchsehen.

Ich versuchte die Tür zu öffnen und stellte ohne besonderes

Erstaunen fest, daß sie versperrt war. Es handelte sich um ein normales Federschloß, das automatisch schließt, wenn man die Tür zumacht. Es gab eine Spalte von gut drei Millimetern zwischen Tür und Türstock. Ich sah mich zu Zenith Employment um; die Tür war verschlossen. Ich fragte mich, wieviel Strafe es wohl kostete, wenn man eine Tür aufbrach.

Mit der Klinge meines Taschenmessers brauchte ich höchstens zwanzig Sekunden. Es ist eine ganz einfache Operation: Man schiebt die Messerklinge zwischen Tür und Türstock und drückt dann den Schloßmechanismus zurück. Gute Türen haben einen versenkten Türstock, so daß man das nicht machen kann. Das hier war aber keine gute Tür. Ich öffnete sie etwa einen Zoll und sah mich noch einmal um. Dann schob ich sie auf, trat ein und schloß sie hinter mir.

Das Büro sah genauso aus, wie ich es mir vorgestellt hatte. Einer der ältesten Rollschreibtische Amerikas mit einem Tintenfaß darauf stand in einer Ecke. Ich suchte automatisch nach einem Federkiel und war beinahe überrascht, keinen zu finden.

Auf dem Schreibtisch lag ein halbes Dutzend große Journale. Ich untersuchte sie ziemlich sorgfältig. Ich wußte nicht, was ich zu finden hoffte. Ich konnte auch nicht sagen, ob die Eintragungen im Code waren oder überhaupt nichts bedeuteten. Jedenfalls war es Zeitverschwendung, sie zu studieren.

Die Schubladen und Fächer des Schreibtisches brachten auch keine besondere Beute. Es gab Rechnungen, abgestempelte Schecks und Kontoauszüge. Offenbar führte er neben seinen Rauschgiftgeschäften auch ein paar durchaus legale Unternehmen. Nach allem, was ich feststellen konnte, importierte er eine Menge japanischen Kram – Feuerzeuge, Spielwaren, Modeschmuck und solches Zeug. Das paßte zu dem allgemeinen Bild. Man konnte sich sehr gut vorstellen, daß Heroin aus Japan kam.

Ich saß auf dem Lederstuhl vor seinem Schreibtisch und versuchte mich in seine Lage zu versetzen. Was mich am meisten beeindruckte, war das Doppelleben, das er führte. Er war nicht Gangster im selben Sinn wie Reggie Cole oder Max Treger. Jeder, der Treger kannte, wußte, was für ein Mann er war. Er schaffte es, außerhalb der Gefängnisse zu bleiben, weil niemand genügend Beweise sammeln konnte, die ihn dorthin befördern würden. Aber wenn Treger eine Frau hatte, so wußte Mrs. Treger ganz genau, womit ihr Mann für ihre Nerzmäntel bezahlte. Einige von Tregers Nachbarn schnitten ihn, während andere so taten, als wäre er einer der ihren. Aber alle wußten, daß er ein Gangster war. Die Leute in Cheshire Point aber wußten das nicht von dem guten, alten Keith Brassard.

Ich trommelte mit meinen Fingern ein Solo auf dem respektablen Schreibtisch und fragte mich, warum, zum Teufel, ich überhaupt in sein Büro gekommen war. Ich wußte nicht, was ich zu finden gehofft hatte. Ich war kein Mann vom Rauschgiftdezernat, der einen Rauschgiftring knacken wollte. Ich war ein Schlaumeier, der Brassard umbringen und sich seine Frau schnappen wollte. Was hatte ich also hier verloren?

Ich wischte jeden Gegenstand ab, den ich berührt hatte. Wahrscheinlich war das nicht notwendig; aber ich wollte jedenfalls keine Fingerabdrücke in seinem Büro hinterlassen, falls man jemals eine Verbindung zwischen mir und ihm herstellte. Ich fand einen Fetzen Papier mit vier Telefonnummern, ohne den geringsten Hinweis, was die Nummern bedeuteten. Ich schrieb sie ab.

Er konnte feststellen, daß jemand sein Büro betreten hatte. Ich tat, was ich konnte, wußte aber, daß einige Gegenstände den Einbruch verraten würden. Ich hoffte, daß es eine Putzfrau mit einem Schlüssel gab; dann würde er nämlich nicht argwöhnen, daß man sein Büro durchsucht hatte.

Auf dem Weg zurück zum Hotel kaufte ich eine Hose und etwas Unterwäsche. Ich fand auch einen Anzug mit einem zusätzlichen Sportsakko und veranlaßte, daß man sie mir am Montag in das Collingwood lieferte. Insgesamt kosteten die Kleider gute zweihundert Dollar, so daß mir nicht mehr viel Geld übrigblieb. Es tat mir weh, so viel für Kleider auszugeben; aber es mußte sein. Ich brauchte sie. Und sie durften auch nicht zu billig sein, sonst würde es keinen besonders guten Eindruck machen. Dann kaufte ich mir einen verhältnismäßig ordentlichen Koffer um fünfzig Dollar. Auch das tat weh.

Als ich in das Hotel zurückkam, war mir ziemlich scheußlich zumute. Ich war müde, schwitzte und langweilte mich. Gegen das Schwitzen half eine Dusche; aber die Langeweile blieb. Ich hatte nichts zu tun und wußte nicht, wo ich hingehen sollte. Auch mich selbst konnte ich jetzt nicht besonders gut leiden. Und Mona vermißte ich so, daß ich es geradezu spürte.

Ich nahm ein gutes Abendessen mit einem Drink vorher und einem Brandy danach. Dann ging ich weg, kaufte eine Flasche und ging damit zu Bett.

Der Samstag kam und ging, ohne daß ich besonders viel leistete. Ich ließ mir beim Friseur einen Bürstenhaarschnitt verpassen, etwas, was ich schon lange nicht mehr getan hatte. Als ich in mein Zimmer zurückkam, musterte ich mich lange im Badezimmerspiegel. Der Haarschnitt hatte mich mehr als alles andere verändert. Mein Gesicht wirkte jetzt runder, meine Stirn höher und ich gute zwei Jahre jünger.

Ich ging hinunter in den Drugstore und kaufte mir ein paar Taschenbücher. Dann kehrte ich wieder in das Hotel zurück. Den Rest des Tages verbrachte ich mit Lesen, wobei der Inhalt der Flasche immer mehr abnahm. Ich mußte die Zeit totschlagen, und ich wollte, daß das so schnell wie möglich ging. Hätte ich zwei Tage im Koma verbringen können, so wäre ich froh gewesen. Ich wollte nicht denken, und ich wollte nicht planen. Ich wollte überhaupt nichts tun. Ich wartete nur darauf, daß die Zeit verstrich.

Am Sonntagnachmittag ging ich zur Penn Station hinüber und suchte sie im Telefonbuch von Westchester. Die Straße, in der sie wohnte, nannte sich Roscommon Drive. Ich merkte mir die Nummer und ging.

An diesem Abend rief ich sie an.

Es war ein warmer Abend, und der Ventilator in der Telefonzelle funktionierte nicht. Ich schob einen Dime in den Schlitz und wählte ihre Nummer. Es meldete sich die Vermittlung, die mir meinen Dime zurückschickte und verlangte, daß ich zwanzig Cents einwarf. Ich schob den Dime und einen zweiten hinein, und das Telefon klingelte. Eine Männerstimme sagte: »Hallo!«

»Ist Jerry da?«

»Ich glaube, Sie haben eine falsche Nummer.«

»Ist das nicht Jerry Hillmans Wohnung?«

»Nein«, sagte er. »Tut mir leid.«

Er legte auf, und ich saß in der heißen Zelle und hörte im Geist immer noch seine Stimme. Es war eine gepflegte Stimme. Er sprach deutlich und angenehm.

Ich verließ die Zelle und ging um den Block herum. Sie waren zu Hause. Ich holte eine Zigarette heraus und rauchte hastig. Ich mußte mit ihr in Verbindung treten, wußte aber nicht, wie ich es anpacken sollte. Ich fragte mich, ob sein Telefon überwacht wurde. Höchstwahrscheinlich. Sicher hatte er das selbst veranlaßt. Das wäre nicht das erste Mal.

Ich rief wieder von derselben Zelle aus an; diesmal meldete sie sich. Als sie Hallo sagte, sah ich sie vor meinem geistigen Auge und spürte sie in meinen Armen. Ich fing an zu zittern.

»Ist Jerry Hillman da?«

»Nein«, sagte sie. »Sie müssen die falsche Nummer gewählt haben.«

Sie erkannte meine Stimme; das wußte ich.

»Ist das nicht AL-2504?«

»Nein«, sagte sie.

Ich saß mehr als eine Viertelstunde in der Telefonzelle. Den Hörer hielt ich mit einer Hand an das Ohr, damit es so aussah, als telefonierte ich, während ich mit der anderen Hand den Haken herunterzog. Dann klingelte es, und ich ließ den Haken los und sagte Hallo.

»Joe«, sagte sie. »Hallo, Joe.«

»Wie war's denn?«

»Schon recht«, sagte sie. »Glaube ich wenigstens. Du hast mir gefehlt, Joe.«

»Ich bin vor lauter Warten auf dich fast verrückt geworden. Ich hatte schon Angst, du hättest die Nummer nicht verstanden. Von wo aus rufst du denn an?«

»Von einem Drugstore«, sagte sie. »Ich hab' auf deinen Anruf gewartet. Keith hat sich beim erstenmal gemeldet und gesagt, es sei eine falsche Nummer. Aber ich wußte, daß du es warst.«

Ich atmete tief. »Ich muß dich sehen«, sagte ich. »Kannst du morgen nach Manhattan kommen?«

»Ich denke schon. Er geht in sein Büro. Ich fahre mit und sage ihm, ich hätte Einkäufe zu machen. Irgendwann zwischen neun und zehn bin ich da. Einverstanden?

»Ausgezeichnet.«

»Wo wohnst du?«

»In einem Hotel«, sagte ich. »Im Collingwood. Östlich vom Herald Square.«

»Wollen wir uns dort treffen?«

Ich überlegte. »Nein, besser nicht«, sagte ich. »In der Vierunddreißigsten Straße zwischen der Sechsten und Siebten Avenue ist ein Automatenrestaurant. Treffen wir uns dort.«

»Vierunddreißigste zwischen der Sechsten und Siebten. Ich kommte. Ich liebe dich, Joe.«

Ich sagte, daß auch ich sie liebe. Ich sagte ihr, wie ich sie begehrte.

»Ich muß jetzt auflegen«, sagte sie. »Ich bin in den Drugstore gegangen, um Tampax zu kaufen. Er wird sich fragen, weshalb ich so lange brauche.«

»Tampax?«

Meine Stimme muß enttäuscht geklungen haben, weil sie kicherte, sehr sexy kicherte. »Keine Sorge«, sagte sie. »Auf die Weise hab' ich zwei Fliegen mit einer Klappe geschlagen. Das war eine Ausrede, um zum Drugstore gehen zu können, und gleichzeitig eine Ausrede, um mir heute nacht Keith fernzuhalten. Ich will nicht, daß er mich heute nacht anfaßt, Joe. Nicht wenn du so nahe bist. Ich könnte das nicht ertragen.«

Sie legte auf, und ich stand da mit dem Telefonhörer in der Hand. Ich ging hinaus und versuchte mir mein Zittern nicht anmerken zu lassen. Dann machte ich in einer kleinen Bar auf dem Heimweg Station und kippte einen doppelten Bourbon und trank dann langsam ein Bier.

Der Barkeeper war ein hünenhafter Mann mit breiter Stirn. Er hörte sich Hillbilly-Musik in einem Transistorradio an, das er hinter der Bar auf die Theke gestellt hatte. Das Lied handelte von einem herzlosen Mädchen, das dem Sänger ungeahnte Leiden bereitete. Der Barkeeper polierte im Rhythmus des Liedes seine Gläser. Zwei oder drei Burschen tranken sich einsam einen Fetzenrausch an. Ein Mann und eine Frau saßen in einer Nische und tranken und kamen sich dabei immer näher.

Wie lange war es her, daß ich sie zuletzt gesehen hatte? Weniger als eine Woche. Fünf oder sechs Tage. Aber in dieser Zeit kann man eine Menge vergessen. Ich erinnerte mich daran, wie sie ausgesehen hatte, wie ihre Stimme klang und wie es war, sie in den Armen zu halten. Aber ich hatte fast vergessen, wie sehr ich sie brauchte.

Der Klang ihrer Stimme hatte diese Erinnerung in mir aufleben lassen, mit Gewalt.

Ich überlegte, wie ich ihn töten würde. Ich würde natürlich der Killer sein müssen. Und ich würde es allein tun müssen. Auf sie würde der erste Verdacht fallen. Sie würde die erste sein, deren sich die Cops annahmen. Ich mußte vor allem dafür sorgen, daß sie ein perfektes Alibi hatte.

Ich konnte ihn zu Hause oder in seinem Büro töten. Zu Hause war es vielleicht besser. Die Mordkommission von Manhattan ist verdammt gründlich. Die Polizei von Westchester würde vielleicht weniger auf Draht sein.

Wie? Mit der Pistole oder mit einem Messer? Dem sprichwört-
lichen stumpfen Gegenstand? Oder sollte ich ihm mit bloßen
Händen den Hals umdrehen? Ich versuchte mich zu erinnern, ob
man auf dem Hals eines Menschen Fingerabdrücke hinterlassen
konnte, aber ich glaubte es nicht.

Wieder begann ich zu zittern. Dann nahm ich noch einmal einen
doppelten Bourbon und noch ein Bier und ging in das Hotel
zurück.

6

Ich betrat das Automatenrestaurant um neun Uhr. Das Mädchen
an der Kasse gab mir eine Handvoll Nickels, und ich wanderte
herum und spielte an New Yorks beliebtesten Spielautomaten. Ich
belud ein Tablett mit einem Glas Orangensaft, einer gefährlich
aussehenden Schüssel mit Haferflocken, zwei heißen Würstchen
und einer Tasse schwarzen Kaffee. Dann fand ich einen Tisch, der
mir gute Sicht auf den Eingang gewährte, und begann mit meinem
Frühstück.

Ich war bei der zweiten Tasse Kaffee, als sie auftauchte. Ich sah
sie an, und mein Kopf fing an, sich zu drehen. Sie trug ein ganz
einfaches blaugraues Sommerkleid, das vorn zugeknöpft war. Sie
wirkte süß, jungfräulich und lieblich. Ich wartete darauf, daß sie
auf meinen Tisch zugeschossen kam und sich mir um den Hals
warf.

Aber sie war so gelassen, daß ich beinahe Angst bekam. Sie sah
mich an, und der Schatten eines Lächelns huschte über ihr Gesicht.
Dann rauschte sie an mir vorbei, ließ sich einen Quarter in Nickels
wechseln und investierte die Nickels in Kaffee und ein Zuckerhörn-
chen. Dann stand sie mit dem Tablett in der Hand herum und
suchte sich einen Platz. Schließlich kam sie zu meinem Tisch, stellt
das Tablett ab und setzte sich.

»Das macht wirklich Spaß«, sagte sie. »Dieses Krimi-Spielen,
meine ich. Ich gehe richtig darin auf.«

Ich hatte viel zuviel zu sagen und wußte nicht, wie ich anfangen
sollte. Ich zündete mir eine Zigarette an und begann einfach in der
Mitte. »War es schwer hierherzukommen?«

»Nein, ganz und gar nicht. Ich bin mit Keith im Zug gefahren. Ich
hab' ihm gesagt, ich müßte einkaufen. Erinnere mich dann, daß ich

ein paar Dinge kaufe. Vielleicht ein Paar Schuhe oder irgend etwas
– ist ja gleichgültig.«

»Es muß prima sein, wenn man Geld hat.«

Ich sagte das nur so dahin; vielleicht war das ein Fehler. Sie sah
mich an, und ihre Augen sagten viele Dinge, die man nicht in
Worte fassen kann. Natürlich war es prima, Geld zu haben. Es war
auch prima, verliebt zu sein. Viele Dinge waren prima.

»Joe?«

»Ja?«

»Ich hab' mir überlegt, daß wir ihn vielleicht gar nicht umbringen
müssen.«

»Nicht so laut!«

»Niemand achtet auf mich. Schau, ich hab' mir etwas anderes
überlegt. Wir brauchen ihn nicht umzubringen, wenn es klappt.«

»Fängst du an, weich zu werden?«

»Nicht weich«, sagte sie.

»Was denn?«

»Vielleicht bekomme ich Angst. Ich will nicht lebenslänglich
hinter Gitter.«

»Zuerst mußt du verurteilt werden.«

Ihre Augen blitzten. »Das klingt bei dir gerade, als würdest du
ihn hassen«, sagte sie. »Das klingt, als wäre es wichtiger, ihn zu
töten, als dann davonzukommen.«

»Und bei dir klingt es, als wolltest du dich drücken. Vielleicht
willst du das. Vielleicht sollten wir das alles vergessen. Du gehst
deiner Wege, und ich gehe meiner Wege. Kauf dir doch so viele
Schuhe, wie du willst, und ein paar Pelze und...«

Ein Mann nahm an unserem Tisch Platz; ein alter Mann, den die
Zeit mürbe gemacht hatte. Ein alter Mann mit einem abgewetzten
Kragen an seinem sauberen weißen Hemd und mit Flecken auf
seiner breiten, gepunkteten Krawatte. Er schüttete langsam, aber
sorgfältig Milch über seine Cornflakes und gab zwei Eßlöffel Zucker
darüber, während wir ihm mit offenem Mund zusahen. »Gehen
wir!« sagte ich. »Komm!«

Ganz gleich, wo man in Manhattan ist, es gibt immer irgendwo
eine Bar gleich um die Ecke. Es gab auch hier eine Bar um die Ecke,
und wir gingen hinein. Wir setzten uns in die letzte der drei
Nischen. Ich hatte keinen Drink gewollt, aber jetzt brauchte ich
einen. Ich ließ mir Bourbon und Wasser bringen und sie sich einen
Screwdriver.

»Nun?«

»Du siehst das alles ganz falsch«, sagte sie. »Ich will mich nicht drücken. Deine Ehre bleibt unangetastet, nicht wahr? Du brauchst ja nicht mit ihm zu leben. Du brauchst nicht...«

»Komm zur Sache!«

Sie nahm einen Schluck von ihrem Drink und atmete tief. »Das Heroin«, sagte sie. »Hast du es immer noch?«

Ich nickte.

»Wir könnten es gebrauchen«, sagte sie.

»Es verkaufen und davonlaufen?« Ich fing an, ihr noch einmal zu erklären, warum das nicht klappen würde, aber sie ließ mich nicht ausreden.

»Wir müßten es ihm unterschieben«, sagte sie. »In seinem Wagen, im Haus oder irgendwo. Dann müßtest du oder ich anonym die Polizei anrufen und ihr einen Tip geben. Sie würden suchen und das Heroin finden und ihn verhaften.«

Irgendwo in mir klingelte es, aber ich achtete nicht darauf. »Einfach so?« fragte ich. »Es ihm unterschieben, den Bullen einen Tip geben und deinen Mann in den Kasten schicken?«

»Warum nicht?«

»Weil es nicht klappen würde.«

Sie sah mich an.

»Wir wollen doch mal überlegen, was passieren würde, Mona. Die Polizei würde auf den Tip reagieren und das Heroin finden. Dann würden sie ihn fragen, wie es dorthin gekommen ist, und er würde sagen, er hätte nicht die leiseste Ahnung. Richtig?«

Sie nickte.

»Also würden sie ihn festnehmen und einlochen«, fuhr ich fort. »Man würde ihn wegen unerlaubten Rauschgiftbesitzes unter Anklage stellen. In zehn Minuten würde ihn ein teurer Anwalt mit einer Kaution wieder loseisen. Zehn Monate darauf würde sein Fall zur Verhandlung kommen. Er würde auf unschuldig plädieren. Sein Anwalt würde dem Gericht klarmachen, daß hier ein Mann ohne die geringsten Vorstrafen steht – ein Mann ohne irgendwelche Verbindungen zur Verbrecherwelt, ein angesehener Geschäftsmann, den irgend jemand hereingelegt hat. Und er würde freigesprochen werden.«

»Aber das Rauschgift wäre doch da!«

»Na und?« Ich trank einen Schluck von meinem Bourbon. »Neunundneunzig zu eins würden die Geschworenen ihn freisprechen. Und die hundertste Chance – eins zu hundert ist wirklich eine schlechte Chance – wäre, daß man ihn schuldig spräche. Und dann würde sein Anwalt Revision verlangen. Und damit würde er durchkommen. Selbst wenn dann das Unwahrscheinliche geschähe – und der Teufel soll mich holen, wenn ich jemals auch nur einen Cent auf eine solche Wette setzen würde –, dann würde es immer noch zwei oder drei Jahre dauern, bis er länger als fünf Stunden hintereinander in einer Zelle sitzt. Außerdem ist es durchaus möglich, daß er irgendwann während dieser zwei oder drei Jahre herausbekommt, wer den Cops den Tip gegeben hat. Dann würde er sich einen tüchtigen Killer suchen, der dir ein großes Loch in deinen hübschen Kopf schießen würde.«

Sie schauderte.

»Also müssen wir ihn töten.«

»Das will ich aber nicht.« Ihre Stimme klang jetzt sehr schwach.

»Weißt du einen besseren Weg?«

»Ich hatte gedacht... Aber du hast recht. Es gibt keinen anderen Weg. Wir müssen ihn – töten.«

Darauf trank ich. Ich bestellte noch einmal dasselbe für uns, und der Barkeeper brachte die Drinks; Bourbon und Wasser für mich und einen Screwdriver für sie. Ich zahlte.

»Wie?«

Ich gab keine Antwort.

»Wie werden wir...«

»Laß nur!« sagte ich. »Ich versuche nachzudenken.« Ich stützte die Ellbogen auf den Tisch und meine Stirn auf die Handflächen. Ich schloß die Augen und versuchte, klar und in der richtigen Reihenfolge zu denken. Es war nicht besonders leicht. Brassard, Geld, Mona und Heroin jagten sich im Kreis. Es mußte einen Weg geben, um alle Stücke zusammenzufügen und einen Plan zu fassen. Aber ich fand ich nicht.

»Nun?«

Ich zündete mir eine Zigarette an und studierte ihr Gesicht durch eine Rauchwolke. Ich legte die Zigarette auf einen kleinen Aschenbecher aus Glas und nahm ihre Hände in die meinen. Und plötzlich war jeder Plan völlig unwichtig. Es war wie beim erstenmal, wie bei jedem Mal; ich glaube, elektrisch ist das richtige Wort dafür. Es war ganz genauso.

Elektrisch. Ich habe einmal gesehen, wie ein Mann eine Lampenschnur, die bis auf die Drähte durchgebrochen war, aufhob. Der

Strom klebte ihn und die Schnur zusammen, und er konnte nicht loslassen. Die Spannung war ein bißchen zu niedrig, um ihn umzubringen. Er blieb an dem Draht kleben, bis irgendein Genie den Stecker aus der Steckdose zog.

So war das jetzt auch.

»Joe!«

»Gehen wir.«

»Wohin?«

»In mein Hotel.«

»Ist das nicht gefährlich?«

Ich starrte sie an.

»Jemand könnte uns sehen«, sagte sie. »Wir würden damit etwas riskieren. Aber wir dürfen nichts riskieren.«

Sie wußte, wie sehr ich sie brauchte. Und jetzt führte sie mich an der Nase herum, neckte sie mich. Ich sah sie an, und sie wurde vor meinen Augen zu einem Sexsymbol. Sie sah jetzt nicht mehr süß, jungfräulich und lieb aus. Ich sah ihr einfaches Sommerkleid und sah ihre Brüste, ihren Leib und ihre Hüften. Ich sah ihre Augen und sah darin die Lust, die so nackt wie meine eigene war.

»Ich gehe jetzt einkaufen«, sagte sie. »Ich kaufe mir ein Paar Schuhe, damit Keith nicht anfängt zu fragen, warum ich überhaupt in die City gefahren bin. Inzwischen gehst du ins Hotel zurück und denkst dir einen guten Plan aus. Dann rufst du mich an und erklärst ihn mir, und wir werden sehen, was wir machen können. So ist es sicherer.«

»Der Teufel soll die Sicherheit holen!«

»Aber wir können es uns einfach nicht leisten, etwas zu riskieren. Wir müssen es ganz sicher machen. Du weißt das.«

Das waren nur Worte, und sie meinte es überhaupt nicht ernst. Ich stand auf, ohne ihre Hand loszulassen, ging auf ihre Seite der Nische und setzte mich neben sie. Unsere Augen klammerten sich aneinander.

»Joe!«

Ich legte meine Hand an ihren Hals. Ich fuhr damit langsam über die Brüste und zu den Hüften hinunter. Ich drückte sie an mich.

»Jetzt«, sagte ich. »Jetzt kannst du mir sagen, was sicher ist.«

Vor der Bar stiegen wir in ein Taxi. Es waren nur drei Blocks bis zum Collingwood, aber wir hatten es zu eilig, um zu Fuß zu gehen.

Es war beinahe zu gut.

Vielleicht war die Spannung daran schuld, der Drang, etwas zu finden, daß die Angst von uns trieb und uns unseren Plan vergessen ließ. Vielleicht war auch ein Funken Moral in uns, der unsere verbotene Liebe durch den Kontrast noch beglückender erscheinen ließ.

Jedenfalls fühlte ich mich herrlich.

Ich zündete Zigaretten für uns beide an und gab ihr eine. Seite an Seite lagen wir da und rauchten, ohne ein Wort zu sagen. Ich war mit meiner Zigarette zuerst fertig und drückte sie aus. Sie brauchte ein paar Sekunden länger und warf den Stummel dann durch das offene Fenster hinaus.

»Vielleicht steckte ich damit New York in Brand«, sagte sie. »Vielleicht brennt die ganze Stadt.«

»Vielleicht.«

»Oder vielleicht ist sie jemandem auf den Kopf gefallen.«

»Das glaube ich nicht. Vor dem Fenster ist ein Luftschacht. Dort unten geht niemand.

»Das ist gut«, sagte sie. »Ich möchte niemanden in Brand stecken.«

»Auch mich nicht?«

»Das ist etwas anderes.«

Ich küßte ihr Gesicht und ihren Hals. Sie dehnte sich auf dem Rücken mit geschlossenen Augen und schnurrte wie eine dicke Katze vor einem warmen Ofen. Ich streichelte sie, und sie schnurrte wieder.

»Wie, Joe?«

Und wir waren wieder da, wo wir begonnen hatten: beim Mord. Jetzt war es irgendwie leichter, darüber zu sprechen. Vielleicht war unsere Liebe daran schuld. Vielleicht brauchten wir die starke gegenseitige Anziehung, um unsere Taten zu rechtfertigen.

»Joe?«

»Wir wollen von Keith reden«, sagte ich. »Hat er sich in letzter Zeit irgendwie auffällig benommen?«

»Wie meinst du das?«

»Weil das Heroin verschwunden ist.«

»Oh«, sagte sie. »Zuerst schien er sich über irgendetwas Sorgen zu machen. Er ist immer noch etwas – wie soll ich sagen – irritiert, meine ich.«

»Verständlich.«

Sie nickte langsam. »Aber er hat sich nicht verändert«, sagte sie. »Nicht daß er herumläuft oder unruhig wäre oder so etwas. Er ist noch ganz der alte.«

»Das ist auch klar. Schließlich ist er kein Botenjunge, sondern ein Boß. Er kann nur Anweisungen geben und zusehen, was geschieht.«

»Wahrscheinlich.« Sie gähnte und streckte sich. »Also geht das Leben weiter. Er steht am Morgen auf und liest die Zeitung. Dann macht er sich an sein Kreuzworträtsel. Hab' ich dir je davon erzählt? Er ist eine Art Kreuzworträtselfanatiker. Wenn er an einem arbeitet, ist er für mich nicht zu sprechen. Jeden Morgen kommt die *Times*, und jeden Morgen ist es das gleiche Ritual: zuerst der Wirtschaftsteil und dann das Kreuzworträtsel. Wenn er beim Rätsel hängenbleibt, macht das nichts. Er wirft das verdammte Ding nicht weg, wie ein normaler Mensch das tun würde. Er sucht und arbeitet, bis er fertig ist. Er nimmt sogar ein Lexikon zu Hilfe. Hast du jemals von Menschen gehört, die mit einem Lexikon Kreuzworträtsel lösen? Das ist seine Methode.«

Ich stellte ihn mir am Frühstückstisch vor, den Bleistift in der Hand, das Lexikon neben sich. Ich konnte ihn sehen, wie er beständig arbeitete und die leeren Quadrate mit sauberen Buchstaben füllte. Natürlich würde er ein Lexikon benützen, und natürlich würde er nicht aufhören, bis alles fertig war. Das paßte alles zusammen.

»Dann geht er ins Büro«, fuhr sie fort. »Montag, Mittwoch und Freitag. Er geht ins Büro.«

Ich sah auf. »Ich dachte, er hätte keinen festen Tagesplan.«

»Das hat er auch nicht. Manchmal arbeitet er an einem Dienstag oder einem Donnerstag, wenn er viel zu tun hat. Aber beinahe jeden Montag, Mittwoch und Freitag geht er ins Büro. Dann kommt er nach Hause, wir essen, und es ist wieder ein langweiliger Abend bei Mr. und Mrs. L. Keith Brassard. Dann ist es Morgen, und ein anderer langweiliger Tag beginnt.«

»Ist heute ein langweiliger Tag?«

Sie grinste. Ihre Hand berührte mich, ganz sanft. Ich griff nach ihr.

»Nicht jetzt, Joe. Du wolltest mir den Plan erklären. Wie du ihn töten wirst.«

Wie du ihn töten wirst, nicht wie wir ihn töten werden. Aber zu dem Zeitpunkt bemerkte ich den Unterschied kaum.

»Ich werde es dir nicht sagen.«

»Nein?«

Ich schüttelte den Kopf.

»Vertraust du mir nicht?«

Ich mußte lachen. »Dir vertrauen? Wenn ich das nicht täte, hätte das Ganze doch keinen Sinn. Natürlich vertrau' ich dir.«

»Dann sag es mir!«

»Das kann ich nicht.«

»Warum nicht.«

Zum Teil, weil ich es selbst nicht wußte. Aber das wollte ich ihr nicht sagen. Es gab noch einen Grund, und der mußte für den Augenblick ausreichen. »Die Polizei wird dir Fragen stellen«, sagte ich zu ihr. »Hinauf und hinunter und vor und zurück. Du hast Geld, gehörst zu einer guten Familie, bist eine wichtige Person – also werden sie nicht mit grellem Licht und Gummischläuchen arbeiten. Nicht die klassenbewußte Polizei von Westchester. Trotzdem ist er ein reicher, alter Mann, und du bist eine hübsche Frau. Also werden sie dich verdächtigen.«

»Ich werde ein Alibi haben.«

»Ja, wirklich.« Ich holte mir wieder eine Zigarette und zündete sie an. »Natürlich wirst du ein Alibi haben. Das werden die Cops von Anfang an wissen. Sie werden glauben, es sei die ganz normale Masche: Geliebter der Frau tötet reichen Ehemann. Seite drei in der *Daily News*, vier von fünf Tagen. Sie werden ganz ruhig sein und höflich, ganz wie Emily Post es verlangt. Aber sie werden auf der Hut sein. Je mehr Fragen du mit ›Ich weiß es nicht‹ beantworten kannst, desto besser sind wir beide dran. Je weniger du weißt, desto leichter wird es sein, diese Antwort zu geben. Also sag' ich dir so wenig wie möglich.«

Sie sagte gar nichts. Sie sah mich nicht einmal an, sondern starrte die Wand an; wenigstens sah das so aus. Aber ich hatte das Gefühl, daß sie die Wand auch nicht sah. Ich hatte das Gefühl, daß sie hindurchsah, hinaus ins Leere.

Was sie wohl sehen mochte?

»Joe«, sagte sie.

Ich wartete.

»Ich mache mir Sorgen«, sagte sie. »Ich habe versucht, vorher nicht daran zu denken. Aber du hast recht: Seite drei in der *Daily News*. Vier von fünf Tagen. Sie werden mich verhören.«

»Natürlich werden sie das tun.«

»Vielleicht breche ich zusammen.«

»Red keinen Blödsinn!«

»Vielleicht...«

Ich sah sie an. Sie zitterte. Das war kein gewöhnliches Zittern, aber ich sah es deutlich. Ich nahm sie in die Arme und strich über ihren Nacken. Ich drückte sie an mich und streichelte sie, bis ich spürte, daß die Spannung nachließ. Dann küßte ich sie und ließ sie los.

»Mach dir keine Sorgen.«

»Jetzt ist alles in Ordnung. Ich habe nur...«

»Ich weiß. Aber mach dir keine Sorgen. Sie werden dich nicht in die Mangel nehmen. Überhaupt nicht, ist das klar? Du sagst ihnen das gleiche, was du mir gesagt hast, als wir uns kennenlernten. Du weißt nicht genau, was Keith für einen Beruf hatte. Er hatte keine Feinde, die du kennst. Du kannst dir einfach nicht vorstellen, daß jemand ihn hätte töten wollen. Du begreifst das alles nicht. Er war dein Mann, und du hast ihn geliebt. Übertreibe deinen Kummer nicht, aber reagiere ganz normal. Wahrscheinlich wird er dir wirklich ein wenig leidtun, wenn alles vorüber ist, weißt du? Eine ganz normale Reaktion. Zeige sie ruhig, aber übertreibe nicht.«

Sie nickte.

»Bleib ruhig«, sagte ich, »das ist das Wichtigste.«

»Wann?«

Ich sah sie an.

»Wann wirst du es tun?«

»Ich weiß nicht.«

»Du weißt es nicht, oder willst du es mir nicht sagen?«

Ich zuckte die Schultern. »Wohl beides. Wahrscheinlich diese Woche. Wahrscheinlich an einem der Tage, wenn er zur Arbeit fährt.«

»In seinem Büro?«

»Vielleicht. Vielleicht auch nicht. Geh nicht aus dem Haus, bis er weg ist. Verstanden?«

Sie nickte. »Habt ihr ein Dienstmädchen oder so etwas?«

»Zwei. Warum?«

»Ich meine bloß. Bleib mit ihnen im Haus, wenn er geht. Ist das klar?«

Ein Nicken.

»Und mach dir keine Sorgen. Das ist das Wichtigste. Wenn du

ruhig bleibst, brauchst du dir um nichts in der Welt Sorgen zu machen.«

Ich drückte meine Zigarette aus und dachte nach. Jetzt funktionierte mein Verstand, und die Dinge nahmen Gestalt an. Aus mir wurde eine Maschine, und das machte alles viel einfacher. Maschinen schwitzen nicht. Man legt einen Schalter um, bedient einen Hebel, und die Maschine tut das, wofür sie gebaut ist. Die Maschine namens Joe Marlin dachte jetzt, dachte so, wie Uhren ticken.

»Nachher«, sagte ich, »das ist das Wichtigste. Wenn alles klappt, werden sie dich nicht besonders in die Mangel nehmen. Aber sie werden sich an dich erinnern. Sie werden das Verbrechen als ungelöst notieren und den Fall offenlassen. Ich kann nicht an dem Tag, an dem er unter der Erde liegt, kommen und zu dir ziehen. Das wäre gefährlich.«

Sie schien zu schaudern.

»Der Skandal wird dich quälen«, sagte ich. »Du bleibst eine Weile zu Hause, und dann gehst du zu einem Immobilienmakler. Du willst nicht mehr in Cheshire Point leben. Es quält dich. Du fühlst dich dort nicht mehr wohl. Du möchtest weggehen und mit dir allein sein. Später kannst du an ein anderes Haus denken.«

»Es ist ein hübsches Haus...«

»Hör mir zu, willst du? Du sagst ihm, er solle das Haus mit dem ganzen Mobiliar verkaufen. Geb dich nicht geldhungrig. Es wird genügend Geld da sein. Sag ihm, er soll eine Anzeige über das Haus aufgeben und dafür nehmen, was er für angemessen hält. Sag ihm, es hätte keine Eile, und er sollte sich selbst überlegen, was er verlangen soll. Dann gehst du zu einem Reisebüro und buchst einen Flug nach Miami.«

»Miami?«

»Ja. Du fliegst etwa eine Woche später nach Miami. Vielleicht nach zehn Tagen. Du wirst genügend Geld haben. Du fliegst erster Klasse und bleibst dort im Eden Rock. Du bist eine Witwe, deren Mann auf schreckliche Weise zu Tode gekommen ist. Du willst es vergessen.«

»Ich verstehe.«

Ich zündete mir wieder eine Zigarette an und sah, wie sich die Räder in ihrem Kopf drehten. Sie war nicht dumm. Sie würde sich alles merken, was ich ihr sagte. Das war gut so. Denn wenn sie etwas vergaß, konnte es unangenehm werden.

»Ich werde selbst in Miami Beach sein«, sagte ich. »Ich nehme mir ein Zimmer im Eden Rock. Denn gleich nach der Tat verschwinde ich sofort aus New York. Nach Cleveland oder Chicago oder irgendwo anders hin. Eine Woche später fliege auch ich nach Miami. Wir werden zwei Fremde sein, die zufällig im selben Hotel wohnen. Wir kennen einander nicht und kommen nicht gleichzeitig an. Nicht einmal aus derselben Stadt. Wir werden uns kennenlernen und langsam auftauen. Eine nette Bekanntschaft entwickelt sich und blüht in einem Urlaubsort schnell auf – in einem Ort, wo solche Bekanntschaften überhaupt nicht auffallen. Wir werden miteinander reden, uns verabreden, uns verlieben. Nichts wird uns mit Keith oder New York oder irgend etwas, was vor Miami Beach war, in Verbindung bringen.«

»Ein neuer Anfang.«

»Du hast's erfaßt. Und von da an tun wir, was wir wollen. Vielleicht machen wir Reisen. Eine Weltreise. Europa, die Riviera, alles mögliche. Wir werden einander haben, eine Welt voll Geld und zwei Leben und alles genießen.«

»Das klingt gut.«

»Das ist auch so gut, wie es klingt«, sagte die Maschine. »Und jetzt wiederhole mir genau, was ich dir gesagt habe.«

Ein Tonbandgerät hätte es nicht besser tun können. Ich hörte mir alles an, wiederholte ein oder zwei Einzelheiten mit ihr und sagte ihr, sie solle jetzt gehen. Wir standen auf und zogen uns an. Ich sah ihr zu, wie sie jenes jungfräuliche Kleid anzog, und hatte gute Lust, es ihr wieder herunterzureißen; aber dafür würde später Zeit sein. Genügend Zeit.

Ich richtete gerade meine Krawatte, als ich sie lachen hörte. Ich drehte mich um und sah sie an. Sie war jetzt ganz angezogen und stand neben mir. Ich musterte sie. Sie hatte sich das Haar gekämmt.

Sie blickte auf meine Füße.

»Was ist denn so komisch?«

Sie lachte weiter. Ich blickte hinunter und verstand nicht. Meine Socken paßten zueinander. Meine Schuhe waren gute braune Sportschuhe und erst gestern poliert worden.

Sie sah auf und versuchte ihr Lachen unter Kontrolle zu bringen. Ich fragte sie noch einmal, und sie kicherte.

»Die Schuhe«, sagte sie. »Du trägst seine Schuhe. Er lebt noch, und schon trägst du seine Schuhe.«

Ich sah die Schuhe an und dann sie. Sie hatte natürlich recht. Es waren seine Schuhe aus dem Koffer. Sie paßten ausgezeichnet, und ich hatte keinen Grund, sie wegzuwerfen. Ich stand ein wenig unsicher da und versuchte zu entscheiden, wie ich reagieren sollte. Dann fing ich auch zu lachen an. Es war komisch. Wir lachten, bis es nicht mehr komisch war, und dann ging ich mit ihr zur Tür.

»Du wirst Geld brauchen«, sagte sie.

»Ja, wahrscheinlich.«

»Ich hab' Geld gespart, seit wir in Atlantic City waren«, sagte sie. »Ich hatte zu Hause auch welches liegen. Ich habe es heute mitgebracht und hätte beinahe vergessen, es dir zu geben. Ich weiß nicht, wie lange es reichen wird. Aber es wird schon helfen.«

Sie gab mir den Umschlag. Sein Name und seine Adresse standen darauf. Ich beschloß, den Umschlag gleich wegzuwerfen.

»Du rufst mich nicht noch einmal an?«

Ich schüttelte den Kopf.

»Und wir werden einander nicht sehen?«

»Erst wenn es vorüber ist.«

»Und wenn etwas passiert – wie kann ich dich dann erreichen?«

»Was könnte denn passieren?«

»Irgend etwas Unvorhergesehenes.«

Ich überlegte. »Das darf es nicht geben«, sagte ich. »Und wenn, dann würde es nichts nützen, wenn wir miteinander in Verbindung träten.«

»Hast du Angst, daß ich die Polizei auf deine Spur bringen könnte?«

»Red keinen Unsinn!«

»Dann...«

»Ich weiß nicht, wo ich sein werde«, sagte ich. »Es kann auch nichts passieren, daß es helfen könnte, wen du mich erreichst. Tu nur, was ich dir gesagt habe. Das ist alles.«

Sie trat von einem Fuß auf den anderen. Es war ein wenig peinlich.

»Nun«, sagte sie, »wir sehen uns in Miami.«

Ich nickte etwas unbeholfen und griff nach ihr. Sie fiel beinahe auf mich, und meine Arme umfaßten sie. Ich weiß nicht, ob der Kuß ein Zeichen der Liebe oder ein Vertrag war, der mit Lippenstift anstatt mit Blut besiegelt wurde. Ich ließ sie los, und wir starrten einander an.

»Heute war es schön«, sagte sie. »Es wird schwer sein, einen Monat auf dich zu warten.«

Dann war sie gegangen. Ich blickte ihr nach und schloß die Tür. Dann sank ich auf das Bett und riß den Umschlag auf. Ich verbrannte ihn in einem Aschenbecher und kam mir dabei etwas melodramatisch vor. Die Asche spülte ich in die Toilette. Dabei fühlte ich mich noch melodramatischer. Dann zählte ich das Geld.

Es war eine ganze Menge. Über vierzehnhundert Dollar. Es war nicht besonders viel, wenn man einmal überlegte und eine Fahrkarte nach Chicago oder Cleveland oder ein Flugzeug nach Miami mit einrechnete. Es war nicht viel, verglichen mit den Kosten, die ich im nächsten Monat haben würde. Aber es waren immerhin vierzehnhundert Dollar. Sie würden sehr nützlich sein.

Dann kam mir plötzlich ein Gedanke. Es war das zweite Mal, daß Mona mir einen Umschlag mit Geld gegeben hatte. Und beide Male war es gewesen, kurz nachdem wir uns geliebt hatten.

Das störte mich.

7

Der Montagabend war monoton. Ich aß zu Abend, saß in meinem Zimmer im Collingwood herum und wartete darauf, daß die Zeit verstrich. Ich dachte an sie und an ihn und an mich selbst und überlegte, wie ich es tun würde. Vor ihr hatte ich so getan, als sei alles klar. Vor ihr war ich als ein Genie aufgetreten, das alles konnte. Aber mir selbst brauchte ich nichts vorzumachen. Ich hatte noch nie einen Mord begangen.

Immer wieder überlegte ich, und immer wieder kam etwas Falsches heraus. Eigentlich war es ganz einfach: Ich wollte einen Mann töten und nicht von der Polizei geschnappt werden. Dafür gibt es ein paar Standardregeln. Ich überdachte eine nach der anderen, aber keine von ihnen paßte.

Ich konnte es so planen, daß es wie ein Unfall aussah. Das Unangenehme dabei ist nur, daß nichts, aber auch gar nichts schiefgehen darf. Wenn man einen Unfall oder einen Selbstmord vortäuscht, braucht man nur einen Fehler zu machen, und das Spiel ist aus. Ein Fehler, und es ist kein Unfall und kein Selbstmord. Es ist ein Mord, und du bist dran.

Die Cops sind zu gut. Die Kriminallabors sind zu gut. Ich konnte dem fetten Schweinehund eins über den Schädel geben, ihn in seinen Wagen laden und ihn über die nächste Klippe schieben.

Dann würden die Schnüffler anfangen zu schnüffeln. Ich würde irgendwo einen Fingerabdruck hinterlassen, oder irgendein Knülch würde auf den Gedanken kommen, daß man ihm vorher eins über den Kopf gegeben hatte. Oder tausend andere Dinge.

Oder ich konnte mir eine Pistole besorgen und ihm den Lauf in den fetten Mund stecken, seine lausige Hand um den Abzug legen, für ihn abdrücken und sein Gehirn gegen die nächste Wand jagen. Und irgend etwas würde schiefgehen, irgend etwas, irgendwo. Und jemand würde wissen, daß es kein Selbstmord war. Dann würden sie sich Mona holen und sie in die Zange nehmen. Am Anfang würde sie es gut machen. Sie würde sich wehren.

Eine Weile.

Aber sie würden sie nicht loslassen, weil es Mord war und weil sie die einzige Verdächtige war. Sie würden immer härter werden. Schließlich würde sie zusammenbrechen. Vielleicht würde sie kein Geständnis ablegen. Aber sie würden meinen Namen aus ihr herausfragen und mich schnappen. Dann würden sie uns gegeneinander ausspielen. Sie würden uns Angst einjagen und halb verrückt machen. Das würde uns schließlich zerbrechen.

Ich zählte alles zusammen, aber jedesmal kam das gleiche Ergebnis heraus. Ich drehte und wendete alles, aber ich fand keine Lösung. Es war nicht fair. Er hatte sie und das Geld, und ich wollte beides.

Es mußte einen Weg geben.

Ich schlief und träumte davon. Die schlimmen Träume quälten mich fast die ganze Nacht. Sie waren einander ähnlich. Träume, in denen ich rannte, mit oder ohne Mona, immer davonrannte und nicht von der Seite kam. Wir rannten die meiste Zeit durch einen kohlschwarzen Tunnel, und irgend etwas, das uns angst machte, jagte uns, kam immer näher. Dann erreichten wir das Ende des Tunnels, und die Dunkelheit machte einem Teich und grünem Gras und einem Picknicktisch Platz. Das Schlechte hinter uns packte uns, gerade als wir uns der Mündung des Tunnels näherten. Ich fand nie heraus, was der Verfolger mit uns anfangen wollte, weil ich jedesmal in dem Augenblick schweißgebadet erwachte.

Um acht Uhr dreißig stand ich auf. Ich hatte eine neue Idee. Sie fing an, Gestalt anzunehmen. Ich saß auf dem Bettrand, und zwischen meinen Fingern verglimmte die erste Zigarette des Tages. Es war eine interessante Idee und berücksichtigte den einen springenden Punkt, an den ich am Tag zuvor nicht gedacht hatte. Brassard war ein Verbrecher.

Ich erinnerte mich an das, was Mona gesagt hatte. *Wir wollen ihn nicht töten, Joe. Wir wollen ihn hereinlegen und dafür sorgen, daß sie ihn ins Gefängnis stecken.*

Aber das würde nicht klappen. Ich hatte ihr einen ganzen Waschkorb voll Argumente gegen diesen Vorschlag überreicht. Wir hatten keine Chance.

Aber jetzt hatte ich die rettende Idee. Solange Brassard lebte, konnte man nichts gegen ihn ausrichten.

Wenn er tot war, war das eine ganz andere Geschichte.

Ich saß da und überlegte. Immer wieder kam mir etwas in die Quere. Immer wieder mußte ich von vorn anfangen. Aber dann nahmen meine Gedanken mehr und mehr Gestalt an. Je mehr ich darüber nachdachte, desto besser wurde es. Und als der Plan beinahe perfekt war, stand ich auf, ging ins Bad, um zu duschen und mir die Zähne zu putzen.

Unter der Dusche sang ich.

Ich zog ein sauberes weißes Hemd, eine Krawatte und einen Anzug an. Dann ging ich hinunter und aß Rührei und trank zwei Tassen schwarzen Kaffee an einer Theke. Ich ging zur Vierunddreißigsten Straße hinüber und nahm einen Bus zur Dritten Avenue. Der Bus war überfüllt. Ich mußte die ganze Strecke stehen. Aber das machte nichts.

Der Pfandleiher, den ich aufsuchte, war nicht der, bei dem ich meine Koffer versetzt hatte. Der Laden war an der Zweiunddreißigsten Straße und der Dritten Avenue, ein Loch in der Wand mit den unvermeidlichen drei Goldkugeln darüber. Der Besitzer war ein kleiner Mann mit einer randlosen Brille und tiefen Furchen in der Stirn. Er hieß Moe Rader und war ein Hehler.

Als ich hineinkam, war ein Junge im Laden. Der Junge versuchte Moe eine Uhr zu verkaufen. Ich tat so, als untersuchte ich ein Saxophon, während sie um den Preis feilschten. Der Junge ließ sich schließlich auf zehn Dollar ein, und ich wartete darauf, daß er sein Geld nahm und nach Hause ging und fragte mich dabei, wem die Uhr wohl gehört hatte und wieviel sie wirklich wert war.

Dann ging er.

»Ich möchte eine Pistole«, sagte ich.

»Was für eine?«

»Gängiges Kaliber.«

»Sie haben natürlich einen Waffenschein?«

Ich schüttelte den Kopf. Er lächelte traurig. Man konnte seine Goldplomben dabei sehen.

»Wenn Sie keinen Waffenschein haben, kann ich Ihnen auch keine Pistole verkaufen.« Er redete so, wie wenn man etwas einem kleinen Kind erklärt.

Ich sagte nichts.

»So lautet das Gesetz«, sagte er.

Ich sagte immer noch nichts. Ich holte meine Brieftasche heraus und nahm zwei Fünfziger, die ich auf die Theke legte. Er sah zuerst mich, dann das Geld und dann wieder mich an. Er versuchte herauszubekommen, wer ich war.

»Leute«, sagte ich. »Augie Manners, Bunny DiFacio, Ruby Crane. Leute.«

»Kennen Sie diese Leute?«

Ich nickte langsam.

»Sagen Sie mir etwas von ihnen.«

Ich gab ihm die Namen von zwei Nachtclubs, die August Manners inoffiziell gehörten. Ich sagte ihm, wann Bunny DiFacio nach Dannemorra fuhr und warum. Ich fing an, ihm etwas über Ruby Crane zu sagen; aber er hob die Hand.

»Genug«, meinte er. »Kommen Sie mit!«

Ich ging an ihm vorbei in den Nebenraum. Er schob den Riegel vor die Tür und zog den Vorhang herunter. Dann suchte er auf einem Regal herum und brachte schließlich eine 38er Smith & Wesson zum Vorschein. Genau, was ich verlangt hatte.

»Steht die irgendwo in den Akten?«

Wieder lächelte er sein melancholisches Lächeln. »Vielleicht«, sagte er. »Ein junger Bursche hat sie in einem Handschuhfach in irgendeinem Wagen gefunden. Er hat sie gebracht und mir verkauft. Der ehemalige Besitzer hat es vorgezogen, den Diebstahl nicht der Polizei zu melden. Wissen Sie, wir bekommen eine Liste von Diebesgut, und ich hab' die Liste sorgfältig überprüft. Ich habe den Verdacht, daß diese Waffe noch nie registriert war. Wollten Sie das wissen?«

Das war es, was ich wissen wollte. Die Pistole war sauber. Man konnte sie nicht zu Moe und auch nicht zu mir zurückverfolgen.

»Ich brauche Munition«, sagte ich.

»Eine Schachtel?«

»So viel, um die Pistole damit zu laden.«

»Sie wollen sie bloß einmal benutzen?«

Ich gab darauf keine Antwort; das erwartete er wohl auch nicht. Er packte alles zusammen und legte es auf die Theke.

Ich verließ den Laden, ohne mich zu verabschieden. Ich hatte eine Pistole mit Munition, und er hatte zwei Fünfzigdollarscheine. So einfach war das.

Wieder saß ich auf dem Bettrand. Die Waffe und die Munition lagen zwischen ein paar Hemden in der Schublade. Ich überlegte wieder; langsam wurde das zur Gewohnheit.

Wenn wir einen Unfall vortäuschten, waren wir gefährdet. Wenn wir einen Selbstmord vortäuschten, waren wir auch gefährdet.

Also mußten wir einen Mord vortäuschen.

Respektable Spießbürger aus Westchester werden nicht oft ermordet. Und wenn sie getötet werden und wenn es alte Männer mit jungen Frauen sind, ist es nicht schwer, sich auszumalen, wer sie umgebracht hat und warum.

Aber bei Gangstern ist das etwas anderes. Gangster werden am laufenden Band umgebracht, aus tausend Gründen. Und Gangster werden von Profis umgelegt. Sie werden von Gunmen abgeknallt, die aus einer fremden Stadt für diese Aufgabe eingeflogen werden und die wieder verschwinden, wenn die Arbeit getan ist. Morde im Gangland werden nicht gelöst. Morde im Gangland sind perfekte Verbrechen. Und die Cops bringen sich nicht selbst um, nur um den Killer zu finden. Das wäre Zeitverschwendung.

In einer Hinsicht war L. Keith Brassard ein ehrenwerter Spießbürger; in anderer Hinsicht war er ein Gangster.

Ich mußte den Gangster töten. Ich mußte dafür sorgen, daß es so aussah, als wäre es die Tat eines Syndikats, berufsmäßig geplant und berufsmäßig ausgeführt. Ich hatte eine Pistole, die man nicht zurückverfolgen konnte. Das war der erste Schritt.

Es gab andere Schritte, und wenn sie getan waren, würde es einfach sein. Die Tat würde nicht auf Seite drei in der *Daily News* erscheinen, sondern auf der Titelseite, und es würde darin heißen, daß ein Gangster aus Westchester mit einer soliden Fassade von den Boys umgelegt worden war. Die Welt würde die Witwe in Frieden lassen; man würde sie bedauern.

Sie würden sie mir lassen.

Ich zog die Schublade auf, sah die Pistole an und lächelte. Ich schloß die Schublade, verließ das Hotel und aß zu Mittag. Gegen drei Uhr nachmittags beschloß ich, Brassards Büro anzurufen und festzustellen, ob er da war. Ich suchte in meiner Brieftasche nach seiner Nummer und wußte nicht, ob ich sie überhaupt notiert hatte. Aber ich hatte sie nicht notiert, ich hatte nur vier andere Nummern, die ich ein paar Minuten anstarrte. Dann fiel mir ein, daß ich sie von einem Blatt Papier in Brassards Büro notiert hatte.

Ich rief sie der Reihe nach aus einer Telefonzelle an.

Bei den ersten beiden bekam ich keine Antwort. Die dritte war eine Bar an der East Side in den Sechzigern, die vierte ein griechischer Nachtclub in Chelsea. In beiden Fällen legte ich auf.

Wahrscheinlich waren die Nummern Briefkästen, Kontakte für Brassards Heroingeschäft. Das half mir nicht besonders weiter. Es bestätigte mir nur, daß Brassard in der Branche tätig war; aber das wußte ich ohnehin. Ich fing schon an, das Papier zu zerreißen, überlegte es mir dann aber anders und schob es wieder in die Brieftasche.

Seine Nummer fand ich in einem Telefonbuch. Ich wählte Worth 4-6363 und ließ es endlos klingeln. Dann legte ich auf und ging zu meinem Zimmer zurück. Ich nahm mein Taschenmesser und bearbeitete damit das Schloß des Aktenköfferchens. In weniger als einer Minute hatte ich es offen.

Die Packung war immer noch da. Ich sah sie an, zitterte ein wenig, legte sie wieder in den Koffer und schloß ab. Mein Taschenmesser steckte ich ein und nahm den Koffer.

Ein wenig komisch kam ich mir schon vor, all das Heroin mit der U-Bahn zu befördern. Aber ich schaffte es.

Ich stieg im fünften Stock aus und sah ganz wie ein aufstrebender, junger Geschäftsmann aus. Mein Anzug war gebügelt, meine Krawatte gerade, und den Aktenkoffer trug ich, als täte ich den ganzen Tag nichts anderes. Die Tür drüben bei Zenith Employment war offen, aber niemand beobachtete mich.

Ich betrat Brassards Büro. Die Tür schloß sich hinter mir, und ich sah mich um. Das Büro war unverändert. Das einzige, was fehlte, war der Zettel mit den vier Telefonnummern. Ich dachte eine Weile darüber nach und beschloß, es perfekt zu machen. Ich fand einen Bleistift in einer Schublade, holte den Zettel aus der Tasche und kopierte die Nummern auf seinen Notizblock. Dabei bemühte ich mich, seine Handschrift so gut wie möglich nachzuahmen.

Dann öffnete ich den Koffer wieder. Ich nahm die kleine Kassette mit Heroin liebevoll heraus und stellte sie auf seinen Schreibtisch.

Dann zog ich eine Schublade auf und holte vier glatte, weiße Umschläge heraus. In jeden einzelnen schüttete ich etwas Heroin, bis er zu einem Drittel voll war. Ich klebte sie zu, legte drei in die oberste Schublade und klemmte einen zwischen die Schreibunterlage und seine Bleistiftschale. Dann öffnete ich eine der unteren Schubladen und stellte die Kassette mit dem Heroin hinein.

Auf die Weise, so überlegte ich, würden sie eine Weile suchen müssen. Gleichzeitig konnten sie es unmöglich verfehlen. Es war so etwas Ähnliches wie eine Schnitzeljagd für kleine Kinder. Der erste Umschlag lag vor ihren Augen. Kein Detektiv konnte ihn verfehlen. Die anderen drei waren in der mittleren Schublade, der ersten, in der sie nachsehen würden. Dann würden sie natürlich das Büro von oben nach unten umstülpen, die Kassette finden, und alles wäre vorbei.

In diesem Augenblick begann das Telefon zu klingeln.

Ich glaube, ich wurde grün im Gesicht. Ich schreckte von dem Schreibtisch zurück, als wäre er elektrisch geladen. Ich preßte mich aus keinem vernünftigen Grund an die Wand und zählte, wie oft es klingelte.

Es klingelte zwölfmal.

Jemand versuchte ihn zu erreichen; jemand, der ziemlich sicher war, daß er da war. Es sei denn, es wäre jemand falsch verbunden; die Möglichkeit gab es immer. Es konnte eine falsche Nummer sein.

Dann fing es wieder zu klingeln an.

Ich stellte mir vor, wie es wäre, wenn Brassard jetzt ins Büro käme und das Heroin fände. Meine Knie fingen an zu zittern. Die Umschläge waren ein netter Trick, aber ich konnte es nicht riskieren. Ich nahm den einen vom Schreibtisch und holte die drei anderen aus der Schublade. Ich stopfte sie mir in die Taschen und betete darum, daß er nicht in die unterste Schublade sehen würde.

Nur die Cops sollten nachsehen.

Ich sah mich noch einmal um, dann ging ich hinaus und holte den Lift.

Auf der anderen Straßenseite war ein Stand mit Fruchtsäften. Ich fand einen freien Hocker, bestellte mir einen Hot dog und ein Glas Pina Colada und blickte zum Eingang seines Bürogebäudes hinüber. Es war fast fünf, und ich ärgerte mich schon über die Angst, in die ich geraten war. Ich hätte die Umschläge dort lassen sollen. Er würde nicht mehr ins Büro gehen; nicht mehr um diese Zeit.

Ich sah auf meinen Aktenkoffer. Kein Heroin. Überhaupt keines mehr. Jetzt hatte ich Heroin in den Taschen. Eine ganze Menge sogar.

Ich machte mich über mein Hot dog her und trank die Pina Colada mit einem Strohhalm. Dabei ließ ich den Eingang nicht aus den Augen, sah die Mädchen, die nach Hause gingen, sah, wie die Putzfrau langsam ihre Arbeit antrat.

Dann hielt ein Taxi, und er stieg aus. Er bezahlte, und das Taxi fuhr weiter. Meine Augen folgten ihm, bis er durch die Tür verschwunden war.

Er war fünfzehn Minuten dort. Es war eine nervenzerrüttende Viertelstunde. Zu allem Überfluß mußte ich meine Anwesenheit an dem Verkaufsstand dadurch rechtfertigen, daß ich mir noch zwei weitere Hot dogs und zwei weitere Pina Coladas kaufte. Das Essen wäre mir beinahe im Hals steckengeblieben.

Aber das Warten war noch schlimmer; das Warten und das Überlegen, was er wohl finden und was er wohl denken würde und was für Fehler ich wohl gemacht hatte.

Als er herauskam, sah er aus wie zuvor. Ich fragte mich, ob er sich Sorgen machte oder ob ich mir Sorgen machen sollte. Ich fragte mich, was ich machen sollte, wenn er die Kassette entdeckt hatte; dann gab es keine Chance mehr. Wenn ich jetzt einen Fehler gemacht hatte, gab es nur eines: Ich mußte alles aufgeben, New York verlassen und Mona vergessen. Es müßte eigentlich ganz leicht sein. Ich habe viele Städte hinter mir gelassen und viele Frauen vergessen. Man stand einfach auf und reiste ab.

Ich dachte an sie, wie sie war und wie es war, bei ihr zu sein. Und ich wußte, daß ich nicht abreisen konnte, daß ich nicht aufgeben konnte. Wir waren gefangen, ganz gleich, was geschah.

Ich sah zu, wie er in ein Taxi stieg und wegfuhr. Ich schlürfte meine Pina Colada und atmete tief. Dann ging ich über die Straße, in das Gebäude zurück und fuhr in den fünften Stock hinauf.

Wieder öffnete ich mit meinem Taschenmesser die Tür. Er hatte das Heroin nicht gefunden; es war noch da. Wahrscheinlich hatte er die unterste Schublade überhaupt nicht geöffnet.

Die Spannung ließ nach. Ich griff in meine Tasche, holte die vier Umschläge heraus und legte sie wieder an ihren ursprünglichen Platz. Ich sah auf die Schreibunterlage. Die Nummern waren nicht mehr da; er hatte meinen Papierfetzen zerrissen.

Ich seufzte. Es war schon ein komisches Spiel. Ich holte meine

Brieftasche heraus, fand den Zettel wieder und notierte die Nummern erneut auf seinem Block.

Dann wischte ich wieder alle möglichen Fingerabdrücke ab und verließ das Gebäude. Langsam kam ich mir vor, als wäre es mein Büro. Zum Teufel, schließlich hatte ich mehr Zeit darin verbracht als er.

Ich ging ein paar Blocks und warf dann meinen Aktenkoffer in eine Abfalltonne. Ich brauchte ihn nicht mehr. Schließlich schleppte ich kein Heroin mehr durch die Stadt. Ich hatte es untergebracht.

Ein Vermögen in Heroin. Eine teure Investition.

Ich war zu müde, um mit der U-Bahn zu fahren. Ich winkte einem Taxi und sank erschöpft in die Polster. Es war ein anstrengender Tag gewesen; wahrscheinlich zu anstrengend. Ich fragte mich, wie anstrengend die nächsten paar Tage wohl noch werden würden.

Dann dachte ich noch einmal über diese vier Telefonnummern nach. Der Schweinehund kannte wahrscheinlich seine eigene Schrift. Wahrscheinlich erinnerte er sich daran, daß er den Zettel schon einmal zerrissen hatte, und wußte ganz genau, daß er sie nicht ein zweitesmal aufgeschrieben hatte. Wahrscheinlich war er argwöhnisch geworden, und das war gut so.

Vielleicht drückte er auf den Panikknopf. Vielleicht würde er ein paar Leute anrufen und ihnen sagen, daß irgend etwas Komisches vorging; auch das war in Ordnung. Um so wahrscheinlicher und plausibler würde alles andere erscheinen.

Denn ganz gleich, was geschah: Er würde heute abend nicht mehr in sein Büro zurückkehren. Er würde nach Hause fahren, zu Mona. Und diese vier kleinen Telefonnummern würden am nächsten Tag wieder dasein.

Ich mußte nur sicherstellen, daß es ihn dann nicht mehr gab.

8

Nach dem Dinner packte ich meinen Koffer und verließ das Collingwood. Ich fand ein Schließfach im Grand Central und schob den Koffer hinein. Die Pistole, geladen, blieb in meiner Jackentasche. Sie beulte die Jacke lächerlich aus und schob sich beim Gehen immer wieder in die Höhe. In der Toilette des Zuges nach Scarsdale schob ich sie daher in den Hosengurt. Das war zwar viel professioneller, machte mir aber Sorgen. Ich hatte Angst, das Ding könnte plötzlich losgehen. In dem Fall würde ich Mona wahrscheinlich nicht mehr sehr viel nützen. Ich versuchte an angenehmere Dinge zu denken.

Als wir Scarsdale erreichten, fing ich innerlich an zu zittern. Es galt, zu viel Zeit totzuschlagen, und ich wußte nicht wie. Ich fragte mich, ob ich etwas falsch gemacht hatte. Vielleicht wäre es besser gewesen, über Nacht im Collingwood zu bleiben und dann mit einem Frühzug herauszufahren. Das hätte mir mindestens die Ruhe einer allerdings schlaflosen Nacht verschafft. Aber das überließ ich auch zuviel dem Zufall. Ich mußte mir einen Wagen besorgen. Das bedeutete, daß ich nach Westchester kommen mußte, solange es noch dunkel war. Es war außerdem auch viel sicherer, in einem überfüllten Zug anzukommen. Deshalb kamen Züge um vier Uhr früh auch nicht in Frage. Ich hatte also wohl doch die beste Methode gewählt, fühlte mich aber trotzdem nicht wohl dabei.

Einen Block vom Bahnhof entfernt fand ich ein Kino, zahlte meinen Dollar und ging hinein, um mich hypnotisieren zu lassen. Ich nahm einen Platz in der hintersten Reihe ein und bemühte mich, mich an das Gefühl einer Pistole in der Hose zu gewöhnen. Das Metall war jetzt nicht mehr kalt. Es hatte meine Körpertemperatur angenommen und kam mir langsam wie ein Stück von mir vor. Ich starrte auf die Leinwand und ließ die Zeit verstreichen.

Ich sah den ganzen Film mindestens zweimal; das war nicht schwierig. Ich konnte mich nicht auf den Film konzentrieren. Selbst beim zweitenmal segelte das Thema des Films weit über meinem Kopf dahin. Das Kino war ein völlig anonymer und ziemlich harmloser Zeitvertreib. Nach Mitternach war die letzte Vorstellung zu Ende, und ich folgte der Menschenmenge auf die leeren Straßen von Scarsdale.

Jetzt begann es einfacher zu werden. Das Kino hatte mich in die Maschine verwandelt, die ich sein mußte. Zahnräder verschoben sich, Knöpfe wurden gedrückt, und Schalter wurden umgelegt. Ich fand eine Bar. Bars bleiben länger offen als Kinos, weil das Auge schwächer ist als die Leber. Ich nahm einen Hocker ganz am Ende der Bar und trank Bier, bis auch dieses Lokal schloß. Niemand redete mit mir. Ich war ein Fremder, und hier verkehrten Leute, die jede Nacht in derselben Bar saßen. Das hätte gefährlich werden können nur mit der Ausnahme, daß sie sich unmöglich an mich erinnern konnten. Sie bemerkten mich von Anfang an nicht.

Die Bar schloß gegen vier, und das war gut so. Ich ging in einen Schnellimbiß, der die ganze Nacht offen hatte, und kaufte dort ein Hamburger und ein paar Tassen Kaffee. Es war fast auf die Minute genau vier Uhr dreißig, als ich das Lokal verließ. Das war etwa die richtige Zeit.

Das Wetter war gut. Es begann gerade Tag zu werden. Die Luft war frisch und sauber. Eine angenehme Abwechslung nach der New Yorker Luft. Nur ein paar Spuren von schlechten Gerüchen erinnerten einen daran, daß man sich in einer Vorstadt und nicht auf dem Land befand. Der Himmel begann hell zu werden. In höchstens einer Stunde würde die Sonne aufgehen. Es waren keine Wolken zu sehen. Es würde ein schöner Tag werden.

Ich ging die Hauptstraße hinunter und bog dann in eine Seitenstraße ein und aus dieser in eine zweite Seitenstraße. Es war gar keine üble Umgebung. Nicht das reiche Scarsdale, sondern das mittlere Scarsdale – gewöhnliche Einfamilienhäuser, die um die fünfzigtausend kosteten, in erster Linie, weil sie eben in Scarsdale lagen. Bäume davor, Hecken, so wie eben mittlere Angestellte wohnen. Ich hatte einen ziemlich langen Weg zu machen, weil zu viele Leute ihre Autos in der Garage hatten. Dann fand ich, was ich suchte.

Auf der linken Straßenseite parkte ein grüner Mercury direkt am Bürgersteig. Auf der rechten Seite stand ein schwarzer Ford, vielleicht ein Jahr alt. Den Ford wollte ich. Ich wollte ihn aus dem gleichen Grund, wie ihn ein professioneller Killer gewählt hätte. Es war ein ganz gewöhnliches, unauffälliges Auto. Wenn man einen Wagen stiehlt, um einen Mord zu begehen, stiehlt man einen schwarzen Ford. Das ist eine der Regeln dieses Spiels.

Es gab nur ein Problem: Der Besitzer des Fords konnte vielleicht früh aufwachen. Wenn er jeden Morgen nach New York fuhr, würde er wahrscheinlich gegen sieben aufstehen. Wenn er dann feststellte, daß der Wagen nicht mehr da war, und die Polizei rief, würde die Suche nach dem Ford zu früh für mich beginnen.

Das brachte den Mercury ins Spiel.

Ich arbeitete schnell, schraubte die Kennzeichen von dem Merc, trug sie zu dem Ford hinüber, schraubte die Kennzeichen des Fords ab und befestigte an ihrer Stelle die des Mercurys. Dann ging ich noch einmal über die Straße und brachte die Ford-Kennzeichen am Mercury an. Das klingt kompliziert; in Wirklichkeit tauschte ich eben nur die Kennzeichen aus. Aber das würde einen großen

Unterschied machen. Während der Fordbesitzer seinen *Wagen* als gestohlen melden würde, würde der Mercury-Besitzer nicht melden, daß man ihm die *Kennzeichen* gestohlen hatte. Wahrscheinlich würde er es lange Zeit überhaupt nicht bemerken. Wie oft schaut man denn schon auf seine Kennzeichen, wenn man einsteigt.

Selbst wenn also der Fordbesitzer den Diebstahl seines Wagens meldete und irgendein neunmalkluger Cop mich anhielt, würde er die falschen Kennzeichen sehen. Das konnte von Bedeutung sein; vielleicht natürlich auch nicht. Aber ich riskierte ohnehin schon genug. Jedenfalls war das eine Chance, mein Risiko zu verringern.

Ich wischte beide Kennzeichen mit dem Taschentuch ab und zog dann ein Paar gewöhnliche Gummihandschuhe an, so, wie sie in Drugstores verkauft werden. Ich hatte sie mir besorgt, ehe ich New York verließ. Jetzt würde ich sie brauchen. Es waren gute Handschuhe; nicht gerade Medizinerqualität, aber dünn genug, um noch Gefühl in den Händen zu haben. Ich sah mich sorgfältig um, schickte ein Stoßgebet zum Himmel und öffnete die Tür des Fords. Ich nahm hinter dem Steuer Platz und schloß die Zündung kurz; das war nicht schwierig. Das ist es nie. Ich war vierzehn, als ich lernte, wie leicht es ist, einen Wagen ohne Schlüssel anzulassen. Solche Dinge vergißt man nie.

Der Motor brummte zufriedenstellend. Ich rollte langsam zur Ecke hinunter. Dann bog ich ab und noch einmal, und dann war ich auf der Hauptstraße nach Norden, in der Richtung nach Cheshire Point. Ich verließ Scarsdale ohne besonderes Bedauern. Ein netter Ort für einen Autodiebstahl; aber wohnen möchte ich dort nicht.

Der Ford war für einen Mord ideal geeignet; aber auf der freien Landstraße taugte er überhaupt nichts. Die Maschine setzte ein paarmal aus. Der Verteiler schien nicht richtig eingesetzt zu sein. Der Wagen bewegte sich langsam und träge. Hinzu kam, daß die automatische Schaltung nicht richtig eingestellt war und der Wagen Servolenkung hatte – eine Erfindung, die jeden normalen Menschen verrückt macht.

Ich ließ den Ford dahinzockeln und dachte über den Wagen nach, den Mona und ich eines Tages haben würden, wenn alles vorbei war. Einen Jaguar vielleicht. Eine große, schlanke Bestie mit einem Kraftwerk unter der Haube und vernünftig konstruiert.

Ob man sie wohl schon einmal auf dem Rücksitz eines Jaguars geliebt hatte?

Wahrscheinlich nicht.

Cheshire Point ließ Scarsdale wie Levittown aussehen. Ich fuhr herum und sah zwei Morgen große Grundstücke mit Villen, die einen halben Morgen groß waren und nach Geld rochen. Die Straßen waren breit und ruhig. Die Bäume zu beiden Seiten der Straße waren hochgewachsen und wirkten ernst und feierlich. Es war eine Vorstadt, die ehemalige New Yorker gegründet hatten; Menschen, die die Großstadt hinter sich gelassen und nur ihr Geld mitgebracht hatten. Weil es eine so künstliche Stadt war, war es für mich schwer, mich zurechtzufinden. Die ganze Anlage war völlig unsinnig. Straßen wanderten von hier nach dort, offenbar mit der einzigen Absicht, es sich gutgehen zu lassen. Mein Richtungssinn war dahin.

Nach einer Weile fand ich den Roscommon Drive. Die Straße war breiter als die meisten und hatte in der Mitte einen Grünstreifen mit Sträuchern und Pflanzen. Ich suchte nach Hausnummern, brachte schließlich heraus, wo ich mich befand, und fuhr weiter, bis ich schließlich Brassards Haus entdeckte. Ich glaube, man nennt diesen Stil Georgianischen Kolonialstil; hauptsächlich Stein, mit weißen Holzbalken abgesetzt. Ein gepflegter, niedriger Rasen, der wie ein Teppich wirkte. Eine große Ulme mitten darauf. Sehr eindrucksvoll.

Ich hatte mir das Haus zwar vorgestellt, aber ich hatte es nie gesehen, und der Anblick war doch etwas Besonderes. Ich sah den gepflegten Rasen und die große, alte Ulme. Und dann sah ich wieder den netten alten Mann in einem Rollstuhl über die Promenade rollen, neben sich eine hübsche junge Frau. Es wäre eine abgrundtiefe Gemeinheit, diesen Mann zu töten. Es wäre ein verächtliches, gemeines Verbrechen, L. Keith Brassard, die Säule von Cheshire Point, umzubringen.

Ich mußte die Illusion von mir schütteln. Ich mußte hart daran arbeiten, mich zu erinnern, daß der Mann alles andere als ein netter alter Mann war. Daß das schöne, alte Haus mit Nadelnarben und zu Gummi gewordenen Adern zusammengehalten war. Und daß seine hübsche junge Frau die Frau war, die ich liebte. Ich mußte mich daran erinnern, daß er ein verkommener, alter Bastard war und daß ich ihn umbringen würde. Ich sagte mir immer wieder, was ich mir schon hunderte Male vorgesagt hatte – daß die Tatsache, daß er ein so verkommener, alter Bastard war, den Mord an ihm fast zu einer gesellschaftlichen Pflicht machte.

Aber wenn man sich das Haus ansah, war es wirklich schwer.

Nicht sein Glanz – erfolgreiche Gangster leben häufiger wie die Könige als Könige selbst –, aber seine Wohlanständigkeit...

Wieder schüttelte ich mich. Mein nächster Schritt bestand darin, die Bahnstation zu finden. Wie Mona sagte, ging er jeden Morgen zu Fuß zum Bahnhof und ließ den Wagen für sie zurück. Das bedeutete, daß die Station in der Nähe liegen mußte. Für mich war nur herauszufinden, wie nahe. Auch mußte ich in Erfahrung bringen, wie man schnell dort hinkam. Das würde wichtig sein.

Der Ford fand den Bahnhof; ich selbst habe mir wirklich nichts darauf einzubilden. Er bog in eine Seitenstraße nach der anderen, bis er schließlich den üblichen braunen Ziegelbau mit den Gleisen davor fand. Dann fand er auch brav den Weg zum Roscommon Drive zurück, und wir stellten gemeinsam fest, wie lange es dauerte, auf dem kürzest möglichen Weg vom Haus zur Station zu gelangen; nämlich in etwa sieben Minuten.

Es war immer noch zu früh. Ich überlegte, ob ich vor dem Haus der Brassards parken und auf ihn warten sollte. Ich stellte mir vor, wie Brassard zum Fenster heraussah, mich entdeckte und selbst mit einer Pistole herauskam.

Dann suchte ich mir einen Schnellimbiß.

Ich fand einen. Es gab einen Parkplatz davor, und ich lenkte den Ford hinein, zog die Handschuhe aus und schob sie in die Tasche. Der Kaffee war heiß, schwarz und stark. Ich brauchte ihn.

Später zog ich die Handschuhe wieder an, öffnete die Tür und klemmte mich erneut hinter das Steuer. Wenn mich jemand gesehen hätte, hätte ich wahrscheinlich sehr eigenartig auf ihn gewirkt. Wie oft sieht man es schon, daß ein Mann Gummihandschuhe anzieht, ehe er seinen Wagen besteigt. Aber es war niemand da, und so ließ ich den Wagen an und fuhr zum Roscommon Drive zurück. Es war inzwischen etwa acht Uhr dreißig. Jetzt saß er vermutlich bei seinem Kreuzworträtsel am Frühstückstisch, mit dem Bleistift in der Hand, der Zeitung vor sich und einer Tasse Kaffee neben dem rechten Ellbogen. Ob er wohl jetzt gerade im Lexikon nachsah? Ob das Rätsel schwierig oder einfach war?

Drei Türen von seinem Haus entfernt bremste ich, legte den Leerlauf ein und zog die Handbremse. Den Motor ließ ich laufen. Von hier aus konnte ich sein Haus sehen, die schwere Eichentür und den mit Platten belegten Weg. Hoffentlich konnte er mich nicht sehen.

Ich hatte Lust auf eine Zigarette. Obwohl es nicht den leisesten Grund für mich gab, jetzt keine Zigarette zu rauchen, erinnerte ich mich daran, was Kriminallabors mit Zigarettenasche alles anstellten. Ich wußte, daß es unbedeutend war. Meinetwegen sollten sie alles über mich wissen: was für eine Zigarettenmarke ich rauchte, was für Zahnpasta ich benutzte, um meinen Atem reinzuhalten, und ob ich kurze oder lange Unterhosen trug. Dennoch würden sie nicht wissen, wer ich war. Nichts, das mich mit Brassard verband. Nichts, das die Cops auf mich bringen konnte. Selbst wenn sie eine komplette Beschreibung meiner Person hätten, würden sie nicht weiterkommen.

Trotzdem rauchte ich die Zigarette nicht.

Statt dessen zog ich meine Krawatte gerade, obwohl sie von vornherein gerade gewesen war, und musterte mein Bild sehr genau im Rückspiegel. Das Spiegelbild war kühl und ruhig, eine Studie der Gelassenheit. Aber es war eine Lüge.

Ich wartete und wünschte, er würde sich mit seinem Kreuzworträtsel beeilen. Und ich wartete weiter.

Jetzt kurbelte ich das rechte Türfenster des Wagens herunter. Ich knöpfte mein Jackett auf und holte die Pistole heraus. Ich nahm sie in die rechte Hand und legte meinen Zeigefinger um den Abzug. Es war ein eigenartiges Gefühl, die Waffe mit einem Handschuh an der Hand zu halten. Ich konnte sie vollkommen fühlen; aber der Handschuh, eine dünne Schicht zwischen dem Fleisch und dem Metall, schien das Bild der Gewalt etwas zu mildern. Der Handschuh und nicht meine Hand war es, der die Waffe hielt. Der Handschuh und nicht mein Finger würde den Abzug betätigen.

Ich verstand jetzt, warum Generale keine Schuld empfanden, wenn ihre Piloten Zivilisten bombardierten. Ich war froh, daß ich die Handschuhe trug.

Acht Uhr fünfundvierzig.

Die Eichentür schwang auf, und ich sah ihn, für den Weg zur Arbeit gekleidet, die Aktentasche unter den Arm geklemmt. Sie führte ihn zur Tür und wirkte mit ihren Lockenwicklern so häuslich, wie man es sich nur denken konnte. Er wandte sich um und küßte sie kurz. Aus irgendeinem Grund konnte ich ihm diesen letzten Kuß nicht verübeln. Ich war beinahe froh, daß er Gelegenheit bekam, ihr einen Abschiedskuß zu geben.

Ob sie sich wohl in der Nacht zuvor geliebt hatten?

Vor ein paar Tagen hätte mich der Gedanke krank gemacht. Jetzt war es mir gleichgültig. Es war seine letzte Chance. Er sollte alles bekommen, was er kriegen konnte.

Sie wandte sich von ihm ab. Die Tür schloß sich. Ich löste die Handbremse und legte den Gang ein.

Ich atmete nicht, während er den Plattenweg zur Straße herunterging. Inzwischen war sie bereits in einem anderen Zimmer, vielleicht zusammen mit einer der Hausbediensteten. Oder sie wartete darauf, stand vielleicht am Fenster, um in morbider Faszination zuzusehen. Hoffentlich war sie nicht am Fenster. Ich wollte nicht, daß sie zusah.

Er erreichte die Straße und wandte sich von mir ab, in Richtung Bahnstation. Ich fuhr ihm nach, ganz langsam.

Für einen Mann seines Alters ging er sehr gut. Wenn er den Ford hörte, ließ er es sich nicht anmerken. Mit einem Arm hielt er die Aktentasche, der andere schwang an seiner Seite. Die Waffe fühlte sich jetzt kalt an, selbst durch den Gummihandschuh.

Jetzt hatte ich ihn eingeholt, bremste schnell und beugte mich über den Sitz auf ihn zu. Er wandte sich um, als er das Geräusch hörte; nicht schnell, nicht verängstigt, sondern einfach überrascht.

Ich richtete die Pistole auf ihn und drückte ab.

Vorher war um mich das totale Schweigen einer stillen Straße gewesen. Der Lärm des Schusses platzte in all das Schweigen hinein, viel lauter, als ich angenommen hatte. Mir war, als hörte ein jeder auf der ganzen Welt zu.

Wahrscheinlich reichte die erste Kugel schon. Sie traf ihn ein paar Zoll unter dem Herzen in die Brust. Er sank auf die Knie. Sein Gesichtsausdruck war überrascht, beinahe verletzt. Seine Aktentasche fiel zu Boden. Ich wollte nicht noch einmal schießen. Einmal war genug. Der eine Schuß würde ihn töten.

Aber Profis arbeiten nicht so. Profis riskieren nichts.

Und ich riskierte auch nichts.

Ich leerte das ganze Magazin in ihn. Die zweite Kugel traf ihn in den Leib, und er knickte zusammen. Die dritte Kugel verfehlte ihr Ziel. Die vierte riß ihm den halben Kopf ab. Die fünfte und sechste trafen ihn auch, aber ich weiß nicht wo...

Ich warf die Pistole nach ihm. Dann trat ich das Gaspedal bis zum Boden durch, falls irgend jemand zugesehen haben sollte, und der Ford schoß davon. Ich fuhr zwei Blocks geradeaus, das Gaspedal ganz durchgedrückt, bog dann auf zwei Rädern um eine Ecke und fuhr etwas langsamer. Jetzt rollte der Ford nur noch mit vierzig Stundenkilometer dahin.

Ich schwitzte, und meine Hände juckten in den Handschuhen. Ich mußte mich mächtig anstrengen, um nicht die Geschwindigkeitsgrenze zu überschreiten. Aber ich schaffte es, und die Fahrt zum Bahnhof dauerte die geschätzten sieben Minuten.

Neben dem Bahnhof parkte ich. Ich schaltete den Motor ab und zog die Handbremse. Dann stieg ich aus, schloß die Tür, streifte die Gummihandschuhe ab und warf sie auf den Rücksitz. Ich wischte mir die Hände an der Hose ab und bemühte mich, ruhig zu bleiben.

Dann ging ich in den Bahnhof. Es gab einen Zeitungsstand am Bahnsteig, und ich kaufte mir für einen Nickel die *Times* und wartete auf den Zug. Ich mußte mich dazu zwingen, die Schlagzeilen zu lesen. Der Vietkong hatte wieder eine Garnison überfallen. In Chile gab es Erdbeben. Keine Morde. Noch nicht.

Der Zug kam. Ich stieg ein und fand einen Sitzplatz. Ich saß in einem Raucherabteil und zündete mir eine Zigarette an. Ich brauchte sie. Ich schlug den Wirtschaftsteil der Zeitung auf und studierte die Aktiennotierungen, die mir nicht das geringste sagten.

Ich sah mich um. Niemand interessierte sich für mich. Dutzende von Männern in Anzügen saßen da und lasen die *Times*, und keiner sah mich an.

Warum sollten sie auch?

Ich sah ja genauso aus wie sie selber.

9

Im Leben sind es die Kleinigkeiten, die einem bleiben. Ich habe zum erstenmal mit einer Frau geschlafen, als ich gerade siebzehn geworden war. Die Frau ist völlig aus meinem Gedächtnis verschwunden. Ich weiß nicht, wie sie aussah, wie sie hieß, nur daß sie an die Dreißig gewesen sein mußte. Ich kann mich auch an den eigentlichen Akt nicht mehr erinnern. Wahrscheinlich war es angenehm. Aber ich weiß nicht mehr, ob ich Genuß empfunden habe. Ich glaube auch nicht, daß Vergnügen etwas damit zu tun gehabt hat. Es war eine Grenze, die überschritten werden mußte, und ob ich dabei Vergnügen empfand oder nicht, war zum damaligen Zeitpunkt belanglos.

Aber ich erinnere mich an etwas, das sie nachher sagte. Wir lagen nebeneinander auf ihrem Bett, nehme ich an, und ich sagte mir in Gedanken vor, daß ich jetzt ein Mann wäre. »Herrgott!«, sagte sie, »das war ein guter!« Nicht *Das war gut*, sondern *Das war ein guter*.

Ich muß irgend etwas gemurmelt haben, irgend etwas Dummes, denn ich erinnere mich daran, daß sie lachte; eine eigenartige Mischung aus Belustigung und Bitterkeit.

»Du weißt nicht, wie gut es war«, sagte sie. »Du bist viel zu jung, um den Unterschied zu kennen. Jung genug, um es gut zu machen, und zu jung, um zu wissen, was du tust.«

Ich weiß nicht, was das beweist; nur daß das menschliche Gedächtnis eine seltsame Auswahl trifft. Der Akt selbst hätte bedeutungsvoll sein müssen, etwas, woran man sich erinnert. Aber er hinterließ keinen Eindruck bei mir, den ich im Gedächtnis behalten hatte. Nur das Gespräch ist mir geblieben.

Genauso war es mit dem Mord. Ich spreche jetzt von dem Eindruck, nicht von der Erinnerung. Aber das läuft ziemlich auf dasselbe hinaus. Ich hatte einen Mann getötet. Das Töten, so habe ich gehört, ist eine sehr traumatische Angelegenheit. Soldaten und bezahlte Revolvermänner gewöhnen sich manchmal daran, aber das dauert eine Weile. Ich hatte nie zuvor getötet. Und jetzt, nach sorgfältiger Planung und gewissenhafter Ausführung, hatte ich eine Waffe auf einen Mann gerichtet und das Magazin in ihn geleert. Zugegeben, in sozialer Hinsicht war er wertlos: ein Parasit, ein Blutsauger. Aber der Charakter des Mannes änderte die Tatsache nicht, daß ich ihn ermordet hatte, daß er tot war und ich sein Mörder.

Aber der menschliche Verstand ist komisch. Ich hatte seinen Tod geplant, ich hatte ihn getötet, und jetzt war es vorüber. Schluß. Die einfache Tatsache des Mordes schien etwas zu sein, womit ich leben konnte. Die Schuld würde mich nicht peinigen. Als Resultat von Charakterstärke oder Charakterschwäche war ich ein Killer mit verhältnismäßig reinem Gewissen.

Und jetzt der Rest davon. Drei Dinge waren mir geblieben, waren ganz vordergründig in meinen Gedanken. Zuallererst der eigenartige Ausdruck in seinem Gesicht in dem Sekundenbruchteil, ehe ich ihn erschossen habe. Ein völliger Unglauben, als wäre er plötzlich in ein anderes Raum-Zeit-System gewandert, in das er nicht paßte.

Dann der Lärm des ersten Schusses. Er hallte so laut in meinen Ohren, daß die anderen vier Sinne völlig dahinter verschwanden.

All der Lärm inmitten dieses lastenden Schweigens – das war eindrucksvoll.

Und das dritte war, wie ungeheuer dumm es doch war, Kugeln in einen toten Körper zu jagen. Ich glaube, es ist, emotionell gesehen, viel widerlicher, auf einen toten Mann zu schießen als auf einen lebenden. Darin liegt eine konzentrierte Brutalität, die vielleicht erklärt, warum die Zeitungen und das Publikum wild werden, wenn ein Mörder eine Leiche zerhackt und sie Stück für Stück in U-Bahn-Schließfächer verteilt oder wo auch immer sonst. Der Mord an sich ist wenigstens etwas Rationales. Aber das lächerliche Bild eines Mörders, der eine ganze Pistole in einen Mann ausleert, der bereits ein Loch im Kopf hat, ist sinnlos, dumm und viel schrecklicher.

Der Blick im Gesicht eines Mannes. Der Knall eines Pistolenschusses. Die Verschwendung von drei, vier oder fünf Kugeln.

Das war von Belang, das war wichtig.

Mehr als der Mord.

Der Vorortzug hielt in der Grand Central Station. Ich faltete die *Times* zusammen und klemmte sie mir unter den Arm. Dann folgte ich den anderen in den Bahnhof. Ein paar Sekunden war ich verwirrt; dann fand ich meine Orientierung wieder und ging zu dem Schließfach, in dem ich meinen Koffer abgestellt hatte. Ich fand es, holte den Schlüssel aus der Tasche, sperrte auf und nahm meine Tasche heraus. Ich trug sie zum Fahrkartenschalter, wo ein gebeugter Mann mit zottigem grauem Haar und dicken, beinahe undurchsichtigen Brillengläsern mir eine Fahrkarte zweiter Klasse nach Cleveland verkaufte. Der menschliche Roboter am Informationsstand teilte mir mit, daß der nächste Zug nach Cleveland in achtunddreißig Minuten vom Gleis einundvierzig abfahren würde. Es war nicht besonders schwierig, das Gleis zu finden. Dort nahm ich, mit dem Koffer zwischen den Knien, auf einer Bank Platz.

Der Zug war bequem. Er nannte sich Ohio State Limited und fuhr über Albany, Utica Syracuse, Rochester, Erie und Buffalo und sollte um neun Uhr vier am Abend in Cleveland eintreffen. Ich zählte in Gedanken noch dreißig Minuten zur Ankunftszeit hinzu und setzte mich mit meiner Zeitung hin. Nach einiger Zeit erschien der Schaffner, nahm meine Fahrkarte und tauschte sie gegen einen schmalen roten Kartonstreifen mit Nummern darauf ein. Er knipste eine der Nummern und schob den Kartonstreifen dann in den

Schlitz vor mir am Sitz meines Vordermannes. Kurz darauf tauchte ein anderer Mann auf. Er verkaufte mir zwei Scheiben Brot mit einem Stück amerikanischem Käse dazwischen sowie eine Papptasse mit Orangensaft, um das Sandwich damit hinunterzuspülen. Ich reichte ihm einen Dollar, und er gab mir einen Nickel zurück. Eisenbahnen sind etwas Einzigartiges. Es gibt kein Verkehrsmittel seit den Planwagen, das so kurze Entfernungen in so langer Zeit und für so teueres Geld überwindet. Wirklich eine Leistung.

In Albany trafen wir fahrplanmäßig ein, in Utica hatten wir bereits fünf Minuten Verspätung, und in Syracuse waren es schon sieben. Acht Minuten verloren wir bis Rochester und weitere fünf bis Buffalo. Dann warteten wir aus irgendwelchen obskuren Gründen im Bahnhof von Buffalo. Vielleicht stand eine Kuh auf den Schienen oder irgend so etwas.

Als wir Cleveland erreichten, war es zehn Minuten vor zehn. Der Zug sollte anschließend nach Süden weiterfahren und über so unwahrscheinliche Zwischenstationen wie Springfield, Columbus und Dayton nach Cincinnati gehen. Ich wollte gar nicht daran denken, wieviel Verspätung er dann haben würde, wenn er endlich in Cincinnati eintraf. Ich stieg mit dem Koffer in der Hand in Cleveland aus und suchte mir ein Hotel und ein Restaurant.

Das Hotel war an der Ecke der Dreizehnten Straße und der Paine; heruntergekommen, aber immer noch repräsentabel, preiswert, aber nicht billig. In dem Zimmer gab es eine Dusche, was es schon angenehmer machte, und ein großes Bett, das einladend wirkte. Ich wechselte meine Kleidung gegen etwas, das weniger nach Madison Avenue aussah, und ging zum Abendessen.

Das Restaurant war eines jener Lokale, die immer vorgeben, es wäre noch neunzehnhundertzehn. Imitierte Gaslampen, Sägemehl auf dem Boden, Ober mit weißen Röcken und breitkrempigen Strohhüten. Aber das Essen brachte den Ausgleich dafür. Ich nahm ein Steak, eine gebackene Kartoffel und Spinat. Vor dem Essen bestellte ich Bourbon und Wasser und nachher schwarzen Kaffee. Der Kaffee wurde in einer kleinen Zinnkanne mit Holzgriff serviert. Was essen Mörder? Was trinken sie?

In der *Cleveland Press* stand nichts von einem Mord. Es war eine wahre Fundgrube an Informationen über Cleveland, angefangen von Bränden und städtischer Korruption bis zu Gedichten am Ende, die mir beinahe mein Steak wieder hochkommen ließen. Hier und da konnte ein Leser sogar feststellen, daß es außerhalb

Clevelands auch noch eine Welt gab, in der – man stelle sich das vor – auch noch etwas geschah. In Kap Kennedy schoß man Leute in den Weltraum, in Kambodscha wurde gekämpft und in Italien gab es Wahlen. In New York gab es einen Mord, aber davon wußte die *Cleveland Press* nichts.

Ich fand eine Abfalltonne, in die ich die *Press* stopfte, und sah mich nach einem Zeitungsstand um, der sich herabließ, New Yorker Zeitungen anzubieten. Bei den meisten war das nicht der Fall. Aber dann fand ich einen und kaufte ihm eine Zeitung ab. Ich nahm sie mit ins Hotel und arbeitete mich hindurch.

Es war ziemlich mühsam, und ich fing vorn an. Schließlich hatte ich Seite zweiundzwanzig erreicht. Da war die Story. Sie füllte sechs Absätze in der dritten Spalte, und die Überschrift lautete:

MANN VOR SEINEM HAUS IN WESTCHESTER ERSCHOSSEN

Die Morgenruhe in Cheshire Point wurde heute von Schüssen gestört, als fünf Kugeln aus einem fahrenden Auto einen prominenten Import-Kaufmann wenige Schritte vor seiner Haustür entfernt zu Boden streckten.

Das Opfer ist Lester Keith Brassard, 341 Roscommon Drive, ein zweiundfünfzigjähriger Importeur mit einem Büro im unteren Manhattan. Er wurde ermordet, als er sein Haus verlassen hatte und auf dem Weg zu seinem Büro war. Die Polizei hat einen gestohlenen Wagen sichergestellt, von dem aus der Mord wahrscheinlich begangen wurde. Der Wagen wurde nur wenige Blocks vom Schauplatz des Verbrechens entfernt aufgefunden.

Mona Brassard, die Frau des Opfers, konnte keine Informationen hinsichtlich möglicher Motive für den Mord geben, einem Mord, der nach typischer Gangstermanier ausgeführt wurde. »Keith hatte auf der ganzen Welt keine Feinde«, sagte sie der Polizei und den Reportern. Sie gab zu, daß er in letzter Zeit ziemlich nervös gewesen sei. »Aber das hatte etwas mit seinen Geschäften zu tun«, sagte sie. »Er hatte keine persönlichen Probleme. Keine, von denen ich gewußt hätte.«

Arnold Schwerner, ein Detektiv der Polizei von Cheshire Point, sagte, daß die Tat sinnlos erscheine. »Vielleicht ist er versehentlich erschossen worden«, meinte er. »Jedenfalls sieht das Ganze wie die Arbeit von Fachleuten aus.«

Schwerners Feststellung bezog sich auf die Mordmethode – einige Schüsse aus einem gestohlenen Wagen. Diese Methode wird von Gangstern seit Jahren praktiziert.

Die Polizei von Cheshire Point arbeitet an der Aufklärung des Falles eng mit Detektiven der Mordkommission von Manhattan West zusammen.

Der letzte Absatz war das, worauf es ankam. Wenn die Mordkommission von Manhattan West eingeschaltet war, bedeutete das, daß die Cops bereits geschäftliche Motive für den Mord suchten. Und das wiederum bedeutete, daß sein Büro durchsucht werden würde. Ich konnte nicht sicher sein, daß sie das Heroin finden würden; aber die Aussichten waren gut. Die Mordkommission Manhattan West ist alles andere als ein lausiger Verein.

Ich las die Stelle noch einmal, in der Mona zitiert wurde, und mußte unwillkürlich grinsen. Sie hatte es ausgezeichnet gemacht und gerade den richtigen Ton gefunden. *Keith hatte auf der ganzen Welt keine Feinde.* Bloß seine Frau und ihren Freund. *Er schien in letzter Zeit etwas nervös. Aber das hatte mit seinen Geschäften zu tun. Persönliche Probleme hatte er nicht. Keine, von denen ich wußte.*

Genau der richtige Ton. Sie hatte nicht versucht, ihnen irgend etwas zu erklären, sondern nur ein paar Hinweise gegeben und es dann ihnen überlassen, daraus Folgerungen zu ziehen. Ich hatte den Job richtig vorbereitet. Ein Mord nach Gangsterart. Sie hatte richtig reagiert, und das Heroin war das nächste Glied in unserer Kette. Wenn sie es fanden, war das Spiel aus. Ein typischer Gangstermord, würde es heißen. Was, zum Teufel, sollte es denn sonst sein!

Ich legte die Zeitung zusammen und warf sie in den Papierkorb. Dann zündete ich mir eine Zigarette an und nahm auf einem Stuhl Platz. Ich wollte Pläne machen, aber das war nicht leicht. Ich sah immer noch diesen Blick völligen Unglaubens im Gesicht von Lester Keith Brassard. Ich hatte nicht gewußt, daß er Lester hieß. Das erklärte auch, warum er Keith vorzog. Jeder würde das tun.

Ich sah sein Gesicht und hörte den Schuß. Und dann sah ich mich selbst über den rechten Vordersitz des schwarzen Ford gebeugt und Kugeln in eine Leiche pumpen. Den Zeitungen nach war die Polizei der Meinung, der Wagen hätte sich im Augenblick des Mordes in Fahrt befunden. Meinetwegen. Das bedeutete zwei Killer: einer, der schoß, und ein anderer am Steuer. Das Kriminallabor würde wahrscheinlich feststellen, daß es nicht so gewesen war. Aber bis dahin war es schon gleichgültig. Im Augenblick sollten sie ruhig zwei Killer suchen. Oder fünf. Ein ganzes Armeekorps.

Das Gesicht und der Schuß und die Übung in studierter Dummheit. Sie zogen vor mir vorbei, und ich fragte mich, ob es das vielleicht war, was man als Schuld bezeichnete. Nicht Sorge über die Tat, nicht ein Gefühl, daß sie moralisch falsch war, nicht einmal Angst vor Strafe – nur eine tiefe Abscheu vor gewissen Erinnerungen an den Mord, gewisse Sinneseindrücke, die sich nicht vertreiben ließen.

Ich glaube nicht, daß Brutus es bedauerte, daß er Cäsar erstochen hatte. Ich glaube nicht, daß er es für moralisch falsch hielt.

Aber ich bin überzeugt, daß die Worte *Et tu, Brute* ihn verfolgten, bis er in das Schwert rannte, das Strato für ihn hielt. Diese Worte waren es, die ihn quälten, ebenso wie das Blut es bei Macbeth und seiner guten Frau war.

Ich zündete mir wieder eine Zigarette an und versuchte in gerader Linie zu denken. Es war nicht leicht.

Nach unserem Plan würde sie acht bis zehn Tage nach dem Mord nach Miami abreisen. Heute war Mittwoch, Mittwoch abend, und am Samstag nächster Woche würde sie im Eden Rock sein. Ich hatte ihr gesagt, daß ich vor ihr dort sein würde. Ich konnte jederzeit abreisen.

Das Komische war, daß ich es eigentlich gar nicht wollte. Ich war eine Maschine gewesen, geölt und für den Mord vorbereitet. Aber jetzt, da alles vorbei war, kam ich mir funktionslos vor. Ich war fertig. Es blieb nur noch der leichtere Teil, aber ich wollte nicht einmal daran teilhaben. Ein eigenartiger Gedanke quälte mich. Ich hatte mehr als tausend Dollar übrig. Ich konnte meine Koffer packen und gehen, eine neue Stadt finden und dort einen neuen Anfang machen. Ich konnte diese Frau und ihr ganzes Geld vergessen.

Und das Gesicht und den Knall und die fünf nutzlosen Kugeln?

Das war eine emotionelle Reaktion auf Mord, keine vernünftige, keine logische. Es war nicht logisch, denn dann hätte ich L. Keith Brassard für nichts und wieder nichts getötet. Die Beute gehörte dem Sieger. Ich hatte gewonnen, und jetzt waren Brassards Frau und Brassards Geld mein. Beide waren erstrebenswert. Es wäre idiotisch, sie jetzt auszuschlagen.

Wenn man die emotionelle Seite Stück für Stück betrachtete, kam dasselbe heraus. Ich liebte Mona immer noch, begehrte sie immer noch, brauchte sie noch. Selbst wenn ich das Geld hätte, wäre ich ohne sie nichts. Sie war es, die den Unterschied machte. Sie war das neue Leben und das höhere Ziel.

Ich mußte lachen. Auf einer Seite ein Gesicht, ein Knall und fünf Extrakugeln. Mona und das Geld auf der anderen. Die Wahl war so leicht, so offensichtlich, daß es eigentlich gar keine Wahl war. Ich würde am Samstag in Miami sein, und sie würde vier oder fünf Tage nach mir auftauchen.

Ich drückte meine Zigarette aus und war froh, daß all der Unsinn damit erledigt war. Die Luft draußen war schwer vom Industrierauch und menschlichem Schweiß. Ich quälte mich hindurch, fand eine Bar und nahm einen Drink. Eine Hure saß dort und wartete darauf, daß ich sie mitnahm. Der Impuls war da, das Verlangen nach einer Möglichkeit, all die Spannung abzubauen. Ich sah sie an, und sie lächelte und zeigte wenigstens dreiundfünfzig Zähne, von denen kein einziger echt war.

Sie war die Art von Frau, die gut aussehen, solange man ihnen nicht zu nahe kommt. Ein harter, zäher Körper und ein Gesicht, das mit jedem kosmetischen Mittel behandelt worden war, das man sich denken konnte. Billige Kleider, billig getragen. Ich erinnerte mich an die Worte aus Kipling: *I've a neater, sweeter maiden in a cleaner, greener land.*

Ich wandte mich von ihr ab und konzentrierte mich wieder auf meinen Drink. Ich leerte das Glas, nahm mein Wechselgeld und verließ Mandalay. Ich überlegte, ob ich ins Kino gehen sollte, entschied aber dann, daß ich nicht die Kraft hatte, einen ganzen Film anzusehen. Vielleicht würde ich es eines Tages schaffen, in ein Kino zu gehen, nur weil ich den Film sehen wollte. Vielleicht würde ich eines Tages in ein Kino gehen, um mir einen Film wirklich anzusehen.

Aber noch eine ganze Weile nicht.

Ich schlenderte noch ein paar Minuten herum, vielleicht insgesamt eine halbe Stunde. Ich kam an Kinos vorbei und an Bars, ohne hineinzugehen. Ich ging an der Greyhound vorbei, und wieder kam der Impuls, der Drang, den ersten Bus zu besteigen und irgendwohin zu fahren. Mit dem Glück, das ich hatte, hätte er mich vielleicht sogar nach New York gebracht.

Wieder schlenderte ich dahin. Dann wurde mir plötzlich klar, daß ich erstens hundemüde war und zweitens überhaupt nichts zu tun hatte. Es lag also auf der Hand, zurück zu meinem Hotel zu gehen und mich schlafen zu legen. Aber ich wußte instinktiv, daß ich stundenlang nicht würde schlafen können. Schließlich hatte ich gerade erst einen Mord begangen. Man tut alles mögliche, nachdem man einen Mord begangen hat. Aber schnell einschlafen gehört nicht dazu. Ich konnte mir gut vorstellen, daß ich – nachdem dies schließlich mein erster Mord war – erst gegen Morgengrauen an Schlaf denken konnte.

Ich beschloß, unlogisch zu sein. Der schläfrige Portier warf mir den Schlüssel hin, und der schläfrige Liftboy brachte mich in mein Stockwerk. Ich konnte sie beide verstehen. Ich zog mich aus, wusch mich und kroch unter die Decke.

Ich bereitete mich vor, Schäfchen zu zählen. Die Schäfchen waren kleine, nackte Monas, und sie sahen überhaupt nicht wie Schafe aus. Sie waren nur an ein paar Stellen wollig, und sie waren überhaupt nicht wie Schafe gebaut. Sie sprangen auch nicht über einen Zaun. Statt dessen sprangen sie fröhlich und vergnügt über eine Leiche. Und wer die Leiche war, wissen Sie ja.

Als die vierte Mona über die Leiche sprang, hatte ich meine Schlaflosigkeit überwunden. Ich schlief wie eine Leiche, und niemand sprang über mich.

10

Ich schaffte die Titelseite der *Times*. Nicht die Titelstory, die sich mit einer Sitzung des Sicherheitsrats der Vereinten Nationen befaßte. Nicht einmal die zweite Titelstory, die sich mit irgendeiner neuen Erfindung auf dem Gebiet des Bestechungswesens befaßte. Aber jedenfalls, nach dem Standard der *Times*, nahm man mich wichtig: zehn Zoll, zwei Spalten, in der linken Ecke von Seite eins. Das entspricht etwa der Schlagzeile der *News* oder des *Mirror*, die ich ohnehin schaffte.

Die Schlagzeile der Story in der *Times* lautete: RAUSCHGIFT IM MORDFALL VON CHESHIRE POINT. Wie gewöhnlich bei Schlagzeilen der *Times* war das die Untertreibung des Jahres. Die Story mit zehn Zoll Text auf der Titelseite und fünfzehn weiteren auf Seite vierunddreißig ließ alles sehr nett erscheinen. Besser hätte ich es mir nicht wünschen können.

Die Mordkommission Manhattan West hatte das Heroin nach – wie die *Times* es freundlicherweise bezeichnete – »einer sorgfältigen Untersuchung von Brassards Büro in der 117 Chambers Street« gefunden.

Mir schien eine sorgfältige Untersuchung nicht nötig, nicht wenn ein Briefumschlag mit Heroin auf der Schreibunterlage liegt und ein weiterer in der obersten Schublade. Aber ich wollte mich ja schließlich nicht mit der *Times* anlegen.

Das Heroin besaß – nach der *Times* – einen Wiederverkaufswert von mehr als einer Million Dollar. Was, in aller Welt, das bedeutete, konnte sich jeder selbst zusammenreimen. Bis das Zeug beim Endverbraucher war, würde es wenigstens fünfzehn Mittelsmänner durchlaufen haben und ebensooft mit irgendwelchen minderwertigem Stoff vermischt werden. Der Wiederverkaufswert hatte keine besondere Bedeutung. Und den Großhandelspreis des Heroins daraus zu errechnen, war so gut wie unmöglich. Außerdem war es ja schließlich gleichgültig.

Von dem Punkt an hatten sie natürlich zwei und zwei zusammengezählt. Und sie waren auf vier gekommen. Die Telefonnummern, so die *Times*, gehörten ein paar wohlbekannten Rauschgiftzwischenhändlern. Warum sie noch in Funktion waren, wenn sie als Zwischenhändler bekannt waren – diese Frage wurde weder gestellt noch beantwortet. Aber was die Mordkommission in Erfahrung gebracht hatte, und zwar mit Hilfe des Rauschgifts und der Telefonnummern, war, daß Lester Keith Brassard ein Importeur war, der sich mit ganz anderen Dingen als Feuerzeugen aus Japan beschäftigte.

Diese Tatsache, verbunden mit der Mordmethode, ließ die Schlußfolgerung beinahe automatisch erscheinen. Brassard war von Gangstern umgelegt worden; entweder weil er sie hereingelegt hatte oder weil sie sich in sein Geschäft drängen wollten. Der Reporter der *Times*, der offensichtlich ein paar Filme zuviel über die *Mafia* gesehen hatte, meinte, dies könne noch ein Nachspiel der Appalachin-Besprechung sein. Seiner Meinung nach hatte das Syndikat damals den Beschluß gefaßt, den Rauschgifthandel aufzugeben. Nach seiner Interpretation war Lester Keith Brassard Mitglied des Syndikats, und zwar ziemlich hoch in der Hierarchie. Er weigerte sich, den Wechsel der Geschäftspolitik mitzumachen, und hatte jetzt die Konsequenzen für seine »Auflehnung gegen das Syndikat« ziehen müssen. Eine ziemlich faszinierende Theorie und ein wunderbares Beispiel für das Interpretationsvermögen von Journalisten. Hoffentlich bekam der Junge dafür den Pulitzer-Preis.

Es gab drei oder vier Abschnitte, die sich mit Mona beschäftigten. Sie besagten genau das, was ich vorbereitet hatte. Die trauernde Witwe war von der neuen Entwicklung des Falles völlig überrascht. Jeder Hinweis, daß ihr Mann etwas anderes als ein ehrbarer Bürger gewesen war, schockierte sie bis auf die Knochen. Sie hatte natürlich nie ganz genau gewußt, womit er seinen Lebensunterhalt bestritt. Er war nicht die Art Mann, der gewöhnlich Geschäfte aus dem Büro nach Hause bringt. Er hatte ein gutes Einkommen, und mehr wußte sie nicht. Aber sie konnte einfach nicht *glauben*, daß er sich auf etwas – auf etwas wirklich *Kriminelles* eingelassen haben sollte. Das paßte überhaupt nicht zu Keith.

Sie hatte ihren Beruf verfehlt und hätte Schauspielerin werden sollen.

Mir gefiel der Artikel. Was er nicht sagte, war, von meinem Gesichtspunkt aus betrachtet, ebenso wichtig wie das, was er sagte. Praktisch war der Schauplatz des Verbrechens aus Cheshire Point verschwunden. Ein paar Zeugen waren aufgetaucht und hatten die üblichen, sich widersprechenden Aussagen gemacht. Einer bestand darauf, daß die drei Killer vor den tödlichen Schüssen ausgerufen hätten *Das ist für Al, du Schwein!* Der Rest der Aussagen kam der Wirklichkeit etwas näher, aber auch nicht sehr viel. Wichtig war, daß sich keiner mehr besonders für die Schüsse zu interessieren schien. Brassard, der als Schurke demaskiert war, würde nicht mehr betrauert werden. Die Polizei verlegte sich ganz darauf, Rauschgiftspuren zu suchen, und interessierte sich nicht mehr sonderlich für den Mord als solchen. Man würde Mona in Frieden lassen, nur ein paar Reporter von Frauenblättern würden sie aufsuchen. Sie würde sich weigern, sie zu empfangen, und jeder würde das verstehen. Niemand würde sich besonders wundern, wenn sie das Haus zum Verkauf anbot und nach Florida reiste, um all das Schreckliche hinter sich zu lassen. Und niemand würde besonders aufmerksam werden, wenn sie mich vier oder fünf Monate später heiratete; als Reaktion sozusagen. Alles würde zusammenpassen, und das war wichtig. Zusammenpassen mußte es. Man kann eine ganze Welt von Lügen aufbauen, solange jede einzelne Lüge jede bisher ausgesprochene verstärkt. Man kann ein meisterhaftes Gebilde aus reiner Logik aufbauen, wenn man mit einer falschen Voraussetzung beginnt. Nur zusammenpassen muß alles.

An diesem Abend sah ich mir einen Film an. Bis zu diesem Zeitpunkt war der ganze Tag völlig unwirklich gewesen; es war ein Tag des Wartens gewesen, und nichts war geschehen. Ich kam mir vor, als lebte ich nur zum Teil, als befände ich mich in einer Art Winterschlaf, ohne wirklich zu schlafen. Das völlige Fehlen irgendwelcher Ereignisse war überwältigend, besonders nach einer Zeit so hektischen Planens und dauernder Flucht. Diesmal diente also der Film nicht dazu, die Zeit totzuschlagen, sondern er sollte es mir ermöglichen, wirkliches Leben mitzuerleben. Ein Versuch, meine eigene Passivität mit der Aktivität der Bilder auf der Leinwand zu vertauschen.

Vielleicht habe ich aus diesem Grund den Film aufmerksamer betrachtet, als das für mich normal war. Es war ein Hitchcock-Film, ein alter, und er packte mich. Der plötzliche Wechsel zwischen Spannung und Humor, zwischen Schrecken und Gelächter waren erstaunlich wirksam. Aber diesmal sah ich durch diese Fassade hindurch die eigentliche Handlung und erkannte, daß sie fadenscheinig war, ein Gespinst lächerlicher Zufälle, zusammengehalten durch ein hervorragendes Drehbuch und einen erstklassigen Regisseur.

Später, als ich im Bett lag und einzuschlafen versuchte, erkannte ich etwas. Ich versuchte mir einen Film vorzustellen, in dem der Held zwei Gepäckstücke stiehlt, von denen eines ein Vermögen in Heroin enthält. Dann lernt derselbe Held zufällig ein Mädchen kennen, das sich dann später als die Frau des Mannes entpuppt, dem das Gepäck und das Heroin gehören.

Zufall?

Mehr als das. Beinahe unglaublich. Mindestens ebensoweit hergeholt wie der Film. Dennoch hatte ich es als Zufall hingenommen, einfach weil es mir selbst zugestoßen war. Die Zufälle in dem Hitchcock-Film waren von anderer Art. Sie waren nicht im wirklichen Leben passiert, sondern auf der Leinwand.

Ich mußte darüber nachdenken. So hatte ich es bisher noch nicht betrachtet. Ich brauchte einige Zeit, um mir das alles zu überlegen.

»Möchten Sie eine Zeitschrift, Sir?«

Ich schüttelte den Kopf.

»Kaffee? Tee? Milch?«

Wieder schüttelte ich den Kopf. Die Stewardeß, hübsch und gesichtslos wie Miß Rheingold, schlenderte weiter, um jemand anderen zu belästigen. Ich sah zum Fenster hinaus und sah nur Wolken unter mir. Von oben sehen sie ganz anders aus. Wenn man über ihnen fliegt, sind es nicht weiße Baumwollbälle, sondern einfach formloser, dichter Nebel. Ich starrte noch ein paar Sekunden hinaus, verlor dann aber das Interesse. Ich sah weg.

Es war Samstag morgen. Das Flugzeug war eine Düsenmaschine und flog direkt nach Miami. Wir würden ein paar Minuten nach zwölf dort landen. Am Abend zuvor hatte ich das Eden Rock angerufen und ein Einzelzimmer reservieren lassen. Es würde für mich bereitstehen. Das war Glück. Es gab eine Zeit, in der Miami Beach im Sommer leer war. Jetzt ist die Sommersaison nahezu ebenso ausgebucht wie die Wintersaison, obwohl die Preise im Winter wesentlich niedriger sind.

»Achtung, bitte!«

Ich hörte die Männerstimme über den Lautsprecher kommen und fragte mich, was passiert sein mochte. Ich erinnerte mich, daß ich mich in einem Flugzeug befand und daß hin und wieder Flugzeuge abstürzen. Ich fragte mich ganz ruhig, ob wir abstürzen würden.

Dann aber fuhr dieselbe Stimme – die des Piloten – fort, mir zu erzählen, daß wir uns in einer Höhe von soundso vielen tausend Metern befänden, daß die Temperatur in Miami soundso viel betrüge, daß die Landebedingungen ideal wären und daß wir pünktlich ankommen würden. Der Pilot schloß mit der Bitte, bei künftigen Flügen wieder seine Fluglinie zu wählen, und ich dachte, was ich doch für ein Idiot sei. Wir würden nicht abstürzen. Alles war in Ordnung.

Wir landeten glücklich und zufrieden fahrplanmäßig. Ich stieg aus, schlenderte ins Flughafengebäude hinüber, wo ich auf mein Gepäck wartete. Die Sonne war heiß und der Himmel wolkenlos. Gutes Florida-Wetter, gutes Strandwetter. Mona und ich konnten am Strand liegen und Sonne in uns aufsaugen. Wir konnten auch nachts am Strand liegen und Mondlicht in uns aufsaugen. Ich erinnerte mich an Atlantic-City, jenes erstemal um Mitternacht am Strand. Das Leben ist ein ewiger Kreis.

Nach etwa zehn Minuten traf das Gepäck ein. Ich tauschte meinen Gepäckzettel dafür ein und trug es dann zu dem wartenden Bus, der uns in nördlicher Richtung nach Miami Beach bringen würde. Der hochgewachsene, sehnige Fahrer war ein Eingeborener des Staates; das konnte man aus zwei Dingen ablesen – einmal seine Redeweise, die mehr nach Kentucky oder Tennessee klang als nach tiefem Süden. Bewohner des Dade County reden in neun von zehn Fällen so. Und der andere Hinweis war die Tatsache, daß er überhaupt nicht gebräunt war. Die Leute, die in Miami leben, wissen, daß man sich der Sonne nicht aussetzen sollte; nur die Yankee-Touristen sind Sonnenanbeter.

Er war auch ein guter Fahrer. Er schaffte es, mich schneller, als ich es erwartet hatte, bei meinem Hotel abzuladen. Ein Page schnappte sich meine Koffer, und ich folgte ihm zur Rezeption. Ja, es gab eine Reservierung für mich. Ja, mein Zimmer sei bereit. Und willkommen im Eden Rock, Mr. Marlin. Bitte folgen Sie mir, Sir!

Das Zimmer lag im fünften Stock. Ein großes Einzelzimmer mit einem riesigen Bad und mit Blick auf das Meer. Ich sah zum Fenster hinaus und sah braune Leiber wie Punkte auf einem goldenen Strand. Das Meer war sehr ruhig. Überhaupt keine Brandung, nur leichte Wellen. Ich sah zu, wie eine Möwe im Sturzflug auf einen Fisch herunterging, sah, wie ein kleiner Junge einen anderen über den Strand jagte, und sah, wie zwei Halbwüchsige – wohl Studenten – ein Mädchen – wohl eine Studentin – mit Sand bedeckten. Miami Beach.

Der Strand war an diesem Nachmittag angenehm, die Sonne warm und das Wasser erfrischend. Ich blieb draußen, bis es Zeit zum Abendessen war. Je älter der Tag wurde, desto dünner wurde die Menschenmenge. Fette Männer in mittleren Jahren aus New York rieben sich mit Sonnenbrandsalbe ein, zogen schreiend bunte Sporthemden an und begaben sich auf die Terrasse, um Karten zu spielen. Mütter trieben ihre Kinder in die Zimmer, und die Sonne ging unter.

Nach dem Abendessen sah ich mir die Show an. Der Star des Abends war eine vollbusige Sängerin, die in natura noch schrecklicher wirkte als auf ihren Platten. Aber der Komiker war ganz nett, auch die Band passabel. Die Drinks waren teuer. Mir machte das nichts aus. Wenn es Zeit war, die Rechnung zu bezahlen, würde Mona dasein und alles Geld der ganzen Welt bei sich haben. Keine Sorge also.

Das war Samstag. Der Sonntag war etwa ebenso und Montag und Dienstag auch. Meine Bräune nahm zu, und meine Muskeln lockerten sich von all dem Schwimmen. Am Montagnachmittag verbrachte ich ein paar Stunden in der Turnhalle, um mich auszuarbeiten. Dann ging ich in die Sauna und schwitzte. Ein hünenhafter

Pole, der kein einziges Haar mehr auf dem Kopf hatte, massierte mich fünfzehn Minuten lang, und ich fühlte mich nachher wie ein neuer Mensch. Körperlich hatte ich mich nie wohler gefühlt.

Die Nächte vertrank ich, wobei ich immer leicht angeheitert war, es jedoch nie übertrieb. Ich nützte keine der vielen Chancen aus, die sich boten, mit den Frauen anderer Männer zu schlafen. Das Bedürfnis nach einer Frau war stark, und die Frauen waren fast alle zu haben. Aber ich benutzte immer einen Trick, der mich nie im Stich ließ. Ich sah sie an und verglich sie mit Mona. Und keine kam ihr nahe.

Am Mittwoch fing ich an, sie zu erwarten. Den größten Teil des Nachmittags verbrachte ich in der Halle, und alle zehn Minuten sah ich zur Rezeption hinüber. Seit dem Mord war eine ganze Woche vergangen. Sie müßte jetzt eigentlich jeden Augenblick auftauchen. Es gab keine Komplikationen. In den New Yorker Zeitungen las man kaum mehr von dem Mord. Nur hier und da noch ein paar Zeilen auf der letzten Seite der *Times*, und dann nicht viel Neues. Ich wartete auf sie.

Als sie auch am Donnerstag noch nicht auftauchte, wurde ich ungeduldig. Schließlich hatte ich ihr gesagt, eine Woche, höchstens zehn Tage. Und nachdem alles so ideal lief, brauchte sie keine Zeit zu verschwenden. Alles war klar. Zum Teufel mit Fernsehkrimis, mit Mitchum in seinem Trenchcoat. Ich wollte Mona.

Auch am Freitag tauchte sie nicht auf.

Freitag abend trank ich zuviel. Ich saß vor der Bar und schüttete zu viele Gläser Bourbon – nun aber ohne Wasser – hinunter. Es hätte gefährlich werden können. Aber ich war ein stummer Trinker und nicht ein lauter, was vorteilhafter war. Ein Page brachte mich schließlich zu Bett.

Ich wachte früh am Morgen mit einem völlig neuen Kater auf. Mir war, als führte ein Draht von einem Ohr zum anderen durch meinen Kopf. Er war rotglühend, und jemand zupfte daran. Dann trank ich eine Bloody Mary und fühlte mich etwas wohler.

Samstag morgen. Eine Woche in Miami Beach. Das ist eine ganze Menge. Und keine Mona. Den ganzen Tag wartete ich in der Halle, aber sie kam nicht.

Ich begann zu schwitzen. Beinahe wäre ich zur Rezeption hinübergegangen und hätte gefragt, ob sie ein Zimmer reserviert hatte. Aber das wäre natürlich der Gipfel von Dummheit gewesen. Statt dessen ging ich hinaus und schlenderte die Collins Avenue hinunter zur ersten Bar. Dort gab es eine Telefonzelle. Ich rief das Eden Rock an. Ich erkundigte mich nach Mrs. Brassard.

»Einen Augenblick, bitte«, sagte die Stimme an meinem Ohr. Ich wartete wesentlich länger als einen Augenblick, und dann kam er wieder.

»Tut mir leid«, sagte er. »Aber hier wohnt niemand unter diesem Namen.«

»Könnten Sie unter den Vorbestellungen nachsehen?«

Das konnte er und tat es auch. Es gab keine Vorbestellung für Mrs. Brassard.

Ich ging zur Bar zurück und nahm einen Drink. Dann schlenderte ich zum Hotel zurück und versuchte mit mir ins reine zu kommen. Vielleicht hatte sie vergessen, in welchem Hotel sie wohnen sollte. Vielleicht war das Eden Rock ausgebucht. Ich führte ein halbes Dutzend Telefongespräche. Ich sah im Fontainebleau, im Americana und im Sherry Frontenac nach und dann auch im Martinique und zwei anderen. Jedesmal erkundigte ich mich zuerst nach Mrs. Brassard und fragte dann, ob es eine Vorbestellung für sie gäbe.

Und jedesmal zog ich eine Niete.

Irgendwo gab es eine Antwort, mußte es eine geben. Aber was die Antwort auch sein mochte, ich konnte sie nicht finden. Ich sah die Dinge entweder falsch an, oder die Dinge passierten falsch; jedenfalls kam ich mir wie eine Ratte in einem Labyrinth vor. Es gibt ein nettes, kleines Spiel in psychologischen Labors. Man nimmt eine Ratte, der man beigebracht hat, durch ein Labyrinth zu kommen, und steckt sie in ein Labyrinth, das überhaupt keinen Ausweg hat. Die Ratte versucht alles, aber nichts funktioniert. Und dann reagiert das arme Tier unweigerlich so: Es setzt sich in eine Ecke und beißt sich die eigenen Füße ab.

Ich biß mir die meinen nicht ab. Ich ging ins Eden Rock zurück, nahm eine kalte Dusche und dachte an die Rechnung, die jetzt jeden Tag fällig werden würde. Ich fragte mich, ob ich sie würde bezahlen können und wie lange es dauern würde, bis Mona auftauchte. Die einzige Antwort war, daß sie sich gar nicht die Mühe gemacht hatte, eine Bestellung aufzugeben. Vielleicht hatte sie in New York bleiben müssen, bis die Erbschaftsangelegenheiten geregelt waren. Solche Dinge liest man hin und wieder. Solche juristischen Probleme können einen eine Weile festhalten. Kleinigkeiten.

Ich redete mir diese Geschichte ein, bis ich sie selbst glaubte. Dann kam die Nacht und ging wieder. Am nächsten Morgen ging ich an den Strand und ließ von der Sonne die Bitterkeit und die Angst aus mir herausbrennen. Ich schwamm und schlief und aß und trank. Das war der Sonntag.

Am Montagmorgen stand ich spät auf. Ich ging frühstücken – das kann man im Eden Rock bis drei Uhr nachmittags – und ging dann zum Lift.

Der Mann an der Rezeption war zu schnell für mich.

»Mr. Marlin!«

Ich hätte so tun können, als hörte ich ihn nicht; aber die Rechnung würde mich früher oder später ohnehin einholen. Es hatte keinen Sinn, ihr ein oder zwei Tage auszuweichen. Wahrscheinlich konnte ich sie ohnehin bezahlen. Also ging ich zur Theke hinüber, und er lächelte.

»Ihr Kontoauszug«, sagte er und reichte mir ein zusammengefaltetes gelbes Blatt Papier. Ich zeigte ihm, daß ich ebenso höflich sein konnte, und steckte das Blatt, ohne es anzusehen, in die Tasche.

»Und ein Brief«, sagte er. Er gab ihn mir. Wahrscheinlich war das ein Reflex, denn ich steckte ihn in die Tasche, ohne ihn anzusehen. Das war nicht leicht.

»Vielen Dank«, sagte ich.

»Wissen Sie, wie lange Sie bei uns bleiben werden?«

Ich schüttelte den Kopf. »Schwer zu sagen«, meinte ich. »Nett haben Sie's hier. Macht Spaß.«

Er strahlte.

»Noch ein paar Tage«, sagte ich. »Vielleicht eine Woche. Können sogar zwei Wochen werden. Es kann aber auch sein, daß ich schnell abreisen muß. Schwer zu sagen.«

Das Lächeln blieb. Es schien ungezogen, mitten in einem so netten Lächeln wegzugehen; aber er hielt so daran fest, daß ich keine andere Wahl hatte. Ich ließ ihn durch die ganze Halle lächeln, während ich im Lift hinauffuhr.

Zuerst die Rechnung. Sie machte mir Angst. Eindrucksvolle 886,50 Dollar. Mehr als ich gedacht hatte. Zu viele Tage, zuviel gutes Essen, zuviel Alkohol. Ich hatte keine 886,50 Dollar.

Ich legte das gelbe Papier wieder in seine ursprünglichen Falten und schob es in die Brieftasche. Dann nahm ich den Brief und drehte ihn in den Händen herum wie ein Kind, das den Inhalt eines Geburtstagspaketes erraten will. Er war dick. Kein Absender.

Ich öffnete ihn.

Es war ein Blatt weißes Papier darin. Es war nur eine Hülle. Sie enthielt Geld.

Hundertdollarscheine.

Ich zählte sie und dachte, wie unwichtig die Hotelrechnung plötzlich geworden war. Es waren sechzig. Jeder einzelne frisch und neu. Jeder ein Hunderter. Sechzig Einhundertdollarscheine. Sechstausend Dollar. Sechzighundert Dollar.

Eine Menge Geld.

Alle meine Sorgen verließen mich, weil ich wußte, daß es nichts mehr gab, worüber ich mir Sorgen machen mußte. Mona hatte nicht vergessen, daß ich lebte. Die Erbschaft machte keine Schwierigkeiten, nicht wenn sie mir sechs Große in bar schicken konnte.

Es gab keine Probleme.

Ich nahm das Geld. Es war mehr als Geld. Es war ein Symbol. Es bedeutete ganz entschieden, daß alles in Ordnung war. Keine Sorgen. Kein Schweiß. Gott war in seinem Himmel, und alles war mit der Welt in Ordnung. Das war ihre Weise, mir das zu sagen; eine Entschuldigung für ihre Verspätung und ein Versprechen, daß sie bald eintreffen würde. Alles in mir erwärmte sich bei dem Gedanken an sie. Bald, dachte ich. Sehr bald.

Sie war aufgehalten worden. So etwas passiert. Sie konnte keinen Brief, Telefonanruf oder Kabel riskieren. Sie hatte mir vertraut, daß ich auf sie warten würde, und jetzt wollte sie damit andeuten, daß alles in Ordnung war. Ich empfand tiefes Schuldgefühl, weil ich mir Sorgen gemacht hatte. Das war schlecht von mir gewesen.

Aber ich würde es ihr vergelten.

Sie war jetzt in New York. Aber bald, sehr bald würde sie unterwegs nach Miami sein.

Aber eines nach dem anderen. Ich zog mir meine Badehose an, warf mir mein Handtuch über die Schultern und nahm die obersten zehn Scheine von dem Päckchen. Den Rest steckte ich in meine Brieftasche und warf sie in die Kommodenschublade. Ich sah mich nach dem Papierkorb um, überlegte es mir dann aber anders und warf den Umschlag auch in die Schublade. In Miami Beach kann man im Badeanzug mit dem Lift in die Halle fahren. Das einzig Formelle an diesen Hotels ist die finanzielle Seite. Und die erledigte ich jetzt.

Der Angestellte hatte noch dasselbe Lächeln im Gesicht.

»Am besten erledige ich das gleich«, sagte ich und schob ihm neun Hunderter über die Theke.

»Behalten Sie das, was übrigbleibt«, sagte ich und fühlte mich reicher als Gott. »Schreiben Sie es auf mein Konto. Diese Hose hat nur eine Tasche, und da geht nicht viel rein.«

Ich ging durch die Lobby zum Strandeingang und kam mir zwei Meter groß und drei Meter breit vor. Es war großartiges Wetter, und ich war gerade in der richtigen Stimmung. Ich fand einen Platz, wo ich mein Handtuch hinwerfen konnte, und rannte dann ins Meer. Die Wellen waren heute höher, und ich ließ mich mitten hineinplumpsen.

Ein Mann mit einem komischen Gesicht, einem sehr dicken Bauch und dunkelbraungebrannt, lehrte seine kleine Tochter schwimmen. Er streckte die Hand aus, die Handfläche nach oben, und sie lag mit dem Bauch darauf, während sie wie wild mit den Armen und Beinen um sich schlug. Ich lächelte ihr und ihm zu und fühlte mich glücklich.

Ich schwamm noch etwas herum. Dann ging ich zur Terrasse und trank einen Wodka Collins. Ich streckte mich auf meinem Handtuch aus und ließ die Sonne den Wodka wieder aus mir herausbraten.

Es war gut, daß ich schon ziemlich gebräunt war, denn ich schlief ein. Eine nette Art einzuschlafen. Da war all diese Wärme, und in meinem Kopf tanzte die Erinnerung an Mona und die Gedanken an Mona und andere nette Dinge dieser Art. Vom Meer wehte eine kühle Brise herüber, und die Wellen dröhnten in der Ferne.

Also schlief ich.

Als ich aufwachte, war die Sonne untergegangen. Heiß war es auch nicht mehr. Der Strand war kalt, und ich fröstelte. Ich hüllte mich in mein Handtuch und rannte in mein Zimmer.

Das Komische war, daß dieses wohlig warme Gefühl mit der Sonne untergegangen war. Jetzt schien eigenartigerweise etwas nicht zu stimmen, und das war lächerlich. Ich schüttelte ärgerlich den Kopf. Zum Teufel, ich war eingeschlafen und hatte schöne Träume geträumt, und als ich aufwachte, hatte ich mich nicht mehr wohl gefühlt. Was war das? Das Gesicht und der Lärm und die fünf Kugeln?

Hin und wieder mußte ich noch an sie denken, besonders wenn ich zuviel trank. Aber das war es nicht.

Es war etwas anderes.

Ich ging in mein Zimmer, fand eine frische Packung Zigaretten und zündete eine an. Der Rauch schmeckte nicht gut, aber ich rauchte trotzdem und drückte die Zigarette nur halb geraucht aus. Was stimmte nicht?

Ich ging zur Kommode hinüber und zog die Schublade auf. Ich nahm meine Brieftasche heraus und bestaunte all das wunderschöne grüne Papier, das von New York gekommen war. Dann sah ich den unbedruckten Umschlag an, in dem es gekommen war. Vielleicht hatte ich es schon vorher gesehen. Manchmal geht das so. Man sieht Dinge und bemerkt sie nicht bewußt. Sie bleiben in einem haften und nagen an einem.

Vielleicht war ich auch ein Telepath.

Oder vielleicht roch etwas einfach falsch. Vielleicht paßte irgend etwas nicht zusammen, gleichgültig, wie ich es mir auch zurechtlegte. Vielleicht machten ein paar Stunden in der Sonne einen klaren Kopf.

Ich sah den Umschlag aus New York an. Ich sah ihn an, bis mir fast die Augen aus dem Kopf traten.

Der Poststempel lautete *Las Vegas*.

11

Wir hatten uns in meinem Zimmer im Shelburne geliebt. Und dann, als ich im Dunkeln auf dem Bett lag und die letzten Spuren ihres Parfüms roch, hatte die Tür sich ein paar Zoll geöffnet. Ein Umschlag fiel auf den Boden, und die Tür schloß sich wieder.

Jener Umschlag hatte siebenhundert Dollar enthalten.

Wir liebten uns in meinem Zimmer im Collingwood, und kurz bevor sie ging, gab sie mir einen Umschlag; und in jenem Umschlag waren etwas mehr als vierzehnhundert Dollar gewesen. Vielleicht war meine Leistung damals besser gewesen, oder vielleicht wird man jedesmal höher bezahlt.

Diesmal betrug die Bezahlung sechs Riesen, und ich hatte sie nicht einmal geliebt.

Jetzt erinnerte ich mich an das schlechte Gefühl im Collingwood, nachdem sie mir das Geld gegeben hatte; das eigenartige Gefühl, daß das Geld Bezahlung für geleistete Dienste war. Das war offenbar auch bei diesen sechstausend der Fall. Zahlung, wahrscheinlich volle Bezahlung für die Beseitigung ihres Mannes. Ich fragte mich, was der Marktpreis für Gattenmord war. Oder gab es einen festen Preis? Vielleicht variierte er, weil es so viele Variablen gab, die berücksichtigt werden mußten. Der Nettowert des Mannes zum Beispiel und das vergleichsweise Elend, mit ihm leben zu müssen. Das waren wichtige Faktoren. Es müßte mehr kosten, einen widerlichen Millionär umzubringen als einen netten unversicherten armen Teufel. Das war doch logisch.

Sechstausend Dollar für Mord.

Sechstausend Dollar.

Sechstausend Dollar und nicht einmal ein Zettel, der Lebewohl sagte. Sechstausend Dollar und kein Wort, keine Adresse, gar nichts. Sechstausend Dollar als Lebewohl mit einem unbedruckten Umschlag, der ganz deutlich ausdrückte, *es ist vorbei, du bist für alles bezahlt, verschwinde, vergiß mich, und zum Teufel mit dir.* Sechstausend Dollar und eine kalte Schulter.

Für sechstausend Dollar kann man zweihunderttausend Zigaretten kaufen. Ich rauche zwei Packungen Zigaretten am Tag. Sechstausend Dollar würden mich also beinahe vierzehn Jahre lang mit Zigaretten versorgen. Mit sechstausend Dollar kann man vierhundert guten Bourbon kaufen oder ein sehr gutes neues Auto. Oder dreihundert Morgen billiges Land. Mit sechstausend Dollar kann man dreißig gute Anzüge oder hundert Paar gute Schuhe oder dreitausend Krawatten kaufen. Man kann sogar sechstausend Stunden hintereinander Billard dafür spielen.

Sechstausend Dollar für Mord.

Das war nicht annähernd genug.

Was mich überraschte, war die seltsame Ruhe, die mich überkommen hatte, wahrscheinlich weil ich noch gar nicht unter dem vollen Eindruck des Geschehenen stand. Ich sah alles in einem anderen Licht. Mona, mich, das ganze Bild des seltsamen kleinen Spiels, das wir gespielt hatten. Ich war von Anfang an ihr Hampelmann gewesen. Ich hatte mehr für sie als für das Geld getötet. Ich war nach Miami gekommen und hatte auf sie gewartet, und sie war nach Las Vegas geflogen und hatte mich vergessen.

Warum mich dann aber überhaupt bezahlen? Nicht um ihr Gewissen zu beruhigen, denn ich wußte ganz genau, daß sie keines besaß. Nicht aus Ausgleich, weil sechstausend Dollar kaum ein fairer Anteil waren.

Warum dann?

Ich dachte nach und fand zwei Lösungen, die zu passen schienen. Eine war ganz vernünftig. Ohne irgend etwas von ihr zu hören, würde ich in Panik geraten. Ich würde mich fragen, wo sie war, und versuchen, mit ihr Verbindung aufzunehmen. Schließlich würde ich einen Weg finden, um alles durcheinanderzubringen. Sie wollte nicht, daß das geschah, also mußte sie mich davon informieren, daß ich nicht mehr gebraucht wurde. Das hatte sie perfekt erreicht. Kein Breif, kein Anruf, kein Telegramm. Nur anonymes Geld.

Die andere Lösung war nur für Mona logisch. Sie war ein Mädchen, das gewöhnt war, daß alles klappte. Vielleicht würde ich verschwinden, wenn sie mir etwas Kleingeld gab, und weggehen. Vielleicht würde ich mit meinem winzigen Anteil zufrieden sein und sie in Ruhe lassen. Vielleicht würde ich den mir gütig zugedachten Anteil nehmen und damit verschwinden. Ihr Wunsch. Aber Mona war es gewöhnt, Wünsche zu haben.

Sechstausend Dollar. Ich konnte sie mit sechstausend Dollar vergessen. Ich konnte mit sechstausend Dollar Miami Beach auf den Kopf stellen und mir eine reiche, geschiedene Frau suchen und sie sogar dazu überreden, mir bis ans Ende meiner Tage die Mahlzeiten zu bezahlen. Mit sechstausend konnte ich einen neuen Anfang machen. Damit rechnete sie.

Wie wenig sie mich doch kannte.

Irgendwie hatte der Gedanke an Meer und Strand und Brandung seinen ganzen Zauber für mich verloren, ebenso der Gedanke an Essen. Aber die Bar war offen, und Alkohol war durchaus attraktiv. Ich trank, betrank mich aber nicht. Ich war viel zu beschäftigt, all den kleinen, winzigen Stimmen zu lauschen, die irgendwo in mir miteinander sprachen. Sie hörten auch nicht auf.

Ich glaube, ich hätte sie vergessen können, wenn es nur um das Geld gegangen wäre. Aber so war es nicht gewesen. Ich hatte Keith Brassard niedergeschossen, weil ich seine Frau wollte, nicht sein Geld. Man hatte mich hereingelegt, und zwar nicht den kurzfristigen Partner dieses Verbrechens, sondern durch die Belohnung des Verbrechens. Erstens durfte ich ihr das nicht durchgehen lassen; zweitens durfte sie mich nicht verlassen.

Ich trank Bourbon und dachte an Mord. Ich überlegte, wie ich sie töten konnte. Ich dachte an Revolver und Messer. Ich sah meine Hand an, meine Finger, die sich um ein altmodisches Glas krampften, und dachte an Mord mit bloßen Händen. Sie erwürgen, sie erschlagen. Wieder trank ich Bourbon und erinnerte mich an ein Gesicht, einen Knall und fünf Kugeln, und ich wußte, daß ich sie nicht töten würde.

Eines war mir ganz klar: Ich konnte niemals wieder töten. Der Gedanke überkam mich, und ich nahm ihn hin wie einen Befehl. Dann fing ich an, mich zu fragen, warum es so war. Nicht weil es schwierig oder beängstigend oder gar gefährlich gewesen wäre, Brassard zu töten; einfach weil ich nicht gern tötete. Ich wußte nicht, ob das logisch war, aber das war mir gleichgültig. Ich wußte jedenfalls, daß es stimmte. Das war alles, worauf es ankam.

Ich würde sie nicht töten. Weil ich nicht töten wollte und weil das mein Problem nicht lösen würde. Es würde ein Risiko ohne Nutzen sein, nur mit dem Nutzen der Rache. Ich würde meine Rache bekommen, aber nicht das Geld und nicht Mona.

Und das Geld wollte ich immer noch. Und die Frau auch. Fragen Sie mich nicht warum.

»Haben Sie ein Streichholz?«

Ich hatte eines. Ich drehte mich um und sah das Mädchen an, das eines haben wollte. Brünett, Mitte Zwanzig, schickes schwarzes Kleid und gute Figur. Dunkelroter Lippenstift, eine Zigarette, die von den Lippen hing und auf ein Streichholz wartete. Aber sie wollte kein Streichholz.

Ich zündete ihre Zigarette an. Sie war gelassen und kühl, aber nicht unterkühlt. Sie beugte sich vor, um sich Feuer geben zu lassen, damit ich ihre großen Brüste bestaunen konnte, die ein schwarzer Spitzen-BH bändigte. Eva lernte diesen Trick an dem Tage, als sie sich zum erstenmal anzog und den Garten Eden verließ. Seitdem hat er immer gewirkt.

Ich erinnerte mich an die Hure im Cleveland und den Fetzen aus dem Lied von Mandalay: *I've a richer, bitchier maiden in a funny money land.* Mona war reich und eine Schlampe und in Las Vegas. Schlechter Vers, aber zutreffend.

Aber das Mädchen auf dem Hocker neben mir war hübsch. Ich brauchte nicht so zu tun, als wäre ich ein Priester.

Ich erwiderte ihr Lächeln. Ich bemerkte den Blick des Barkeepers und deutete bezeichnungsvoll auf ihr leeres Glas. Er füllte es.

»Danke!« sagte sie.

Die Unterhaltung ließ sich leicht an, weil sie hauptsächlich von ihr bestritten wurde. Sie hieß Nan Hickman. Sie bändigte in einer Versicherungsgesellschaft in New York eine Schreibmaschine. Sie hatte zwei Wochen Ferien. Die übrigen Stenotypistinnen benutzten ihre zwei Wochen dazu, um in den Catskills einen Mann zu jagen. Sie mochte die Catskills nicht, und sie wollte auch keinen Mann haben. Sie wollte sich amüsieren, aber das gelang ihr nicht.

Sie war süß und ehrlich. Billig war sie nicht. Sie wollte sich amüsieren. In zwei Wochen würde sie wieder in die Bronx zurückgehen. Ihre Mutter würde wissen, mit wem sie ausging und wann sie heimkam. Ihre Tanten würden versuchen, Ehemänner für sie zu finden. Sie hatte nur zwei Wochen.

Ich legte meine Hand auf ihren Arm. Ich sah sie an, und sie blickte nicht weg.

»Gehen wir hinauf«, sagte sie. »Wir wollen miteinander schlafen.«

Ich legte Geld auf die Bar. Wir gingen hinauf in ihr Zimmer und liebten uns. Wir liebten uns sehr langsam, sehr sanft und sehr gut. Sie hatte irgend etwas mit Rum getrunken, und ihr Mund schmeckte warm und süß.

Sie hatte einen guten Körper. Er war von den Brüsten bis zu den Hüften weiß, und das gefiel mir, und die Arme, Beine und das Gesicht waren gebräunt. Es gefiel mir, sie anzusehen und sie zu berühren. Es gefiel mir, mich mit ihr und gegen sie zu bewegen. Und nachher war es gut, neben ihr zu liegen, heiß und verschwitzt und herrlich erschöpft, während die Erde langsam unter uns wieder fest wurde.

Eine Weile brauchten wir nicht miteinander zu reden. Dann fing sie an, Kleinigkeiten über sich, über John und ihre Familie zu erzählen. Sie hatte einen älteren Bruder, der verheiratet war und auf Long Island wohnte, und eine jüngere Schwester.

Sie entschuldigte sich nicht dafür, daß sie mich aufgegabelt und mit mir geschlafen hatte. Sie wollte sich amüsieren.

Sie sprach auch nicht von morgen oder übermorgen oder den Tagen nachher. Sie sprach nicht von einem Heim, einer Familie oder einer Ehe oder kleinen weißen Häusern mit grünen Läden. Sie stellte mir auch keine Fragen.

Ich sah ihr hübsches Gesicht und ihren Körper an. Ich dachte, wie gut es doch wäre, sich in sie zu verlieben und sie zu heiraten. Ich wollte, ich könnte das. Und ich wußte, daß ich es nicht konnte.

I've a richer, bitchier maiden...

Ich wartete, bis sie schlief. Dann glitt ich unter der Decke hervor und zog mich an. Meine Schuhe zog ich nicht an, weil ich sie nicht wecken wollte. Ich blickte auf sie hinab. Eines Tages würde jemand sie heiraten. Ich hoffte, daß er gut genug für sie sein und glücklich werden würde. Ich hoffte, ihre Kinder würden wie sie aussehen.

Ich ging mit den Schuhen in der Hand hinaus und zu meinem Zimmer zurück.

Nach dem Frühstück am nächsten Morgen verließ ich das Eden Rock. Der Mann an der Rezeption bedauerte, mich gehen zu sehen. Und ob er es nun bedauerte oder nicht, sein Lächeln wich nicht aus seinem Gesicht.

Er überprüfte mein Konto. »Sie bekommen eine Rückzahlung, Mr. Marlin. Etwa fünfzehn Dollar.«

»Ich will Ihnen was sagen«, sagte ich. »Ich hatte keine Gelegenheit, dem Zimmermädchen etwas zu hinterlassen. Behalten Sie doch das Geld und verteilen Sie es.«

Er war überrascht und erfreut. Ich fragte mich, wieviel von dem Geld an seinen Fingern festkleben würde. Mir war das egal. Ich brauchte die fünfzehn Dollar nicht. Es war mir gleichgültig, wer sie bekam.

Eigenartigerweise war mir im Augenblick ziemlich alles gleichgültig.

Ich fand eine Telefonzelle in einer Bar. Nicht die, die ich vorher benutzt hatte, aber ziemlich die gleiche. Es war recht kompliziert. Ich rief die Auskunft von Cheshire Point an und fragte nach dem größten Immobilienmakler. Ich erreichte sein Büro und erkundigte mich, ob 341 Roscommon Drive zu verkaufen sei; das war nicht der Fall. Ob er wohl herausfinden könnte, wer es anbot? Das konnte er, und er würde mich auf meine Kosten wieder anrufen. Ich wartete. Ich hatte noch nie zuvor ein R-Gespräch von einer Telefonzelle aus geführt. Das Mädchen von der Vermittlung überzeugte sich zuerst, daß ich am Apparat war, und sagte mir dann, ich solle Geld in den Kasten werfen. Das tat ich.

»Lou Pierce bietet das Anwesen an«, sagte er. »Pierce und Pierce.« Er gab mir die Telefonnummer, und ich notierte sie.

»Hoher Preis«, sagte er. »Zu hoch, wenn Sie mich fragen. Ich kann Ihnen ein ähnliches Anwesen in derselben Umgebung um mindestens zehntausend Dollar billiger anbieten. Und gute Bedingungen. Interessiert Sie das?«

Ich sagte ihm, wahrscheinlich nicht, aber ich würde ihm noch Bescheid sagen. Ich dankte ihm und sagte, er sei sehr hilfsbereit gewesen. Dann legte ich auf, warf einen Dime hinein und ließ mir noch einmal die Vermittlung geben. Ich rief Pierce und Pierce an, und jemand namens Lou Pierce war kurz darauf am Apparat.

»Fred Ziegler hat mich angerufen«, sagte er. »Er sagte, Sie interessierten sich für 341 Roscommon Drive. Glauben Sie mir, Sie können sich nichts Besseres wünschen. Ein herrliches Haus und wunderschönes Anwesen. Ein Gelegenheitskauf.«

Beinahe hätte ich gesagt, daß Ziegler anderer Meinung war, ließ es dann aber bleiben. »Ich habe das Anwesen gesehen«, sagte ich. »Ich interessiere mich nicht für den Kauf. Ich hätte gern einige Informationen.«

»Oh?«

»Über Mrs. Brassard.«

»Nur zu«, sagte er. Seine Stimme klang jetzt nicht mehr so warm, eher vorsichtig.

»Ihre Adresse.«

Eine Pause, eine ganz kurze. »Tut mir leid«, sagte er dann. Seine Stimme strafte ihn Lügen. »Mrs. Brassard hat strikte Anweisung hinterlassen, ihre Adresse vertraulich zu behandeln. Ich kann sie Ihnen nicht geben. Und sonst auch niemandem.«

Das war verständlich.

Ich war darauf vorbereitet. »Oh«, sagte ich, »Sie mißverstehen mich. Sie hat mir selbst geschrieben und mir gesagt, wo sie wohnt. Aber ich habe ihre Adresse in Nevada verloren.«

Er wartete darauf, daß ich mehr sagte. Ich ließ ihn warten.

»Sie hat Ihnen also geschrieben, wie? Ihnen gesagt, wo sie wohnt, aber Sie haben den Brief verloren?«

»So ist es.«

»Nun«, sagte er, »nun, ich will nicht sagen, daß ich Ihnen nicht glaube. Aber wenn mir jemand den Namen eines Hotels in Tahoe schreiben würde, würde ich ihn nicht vergessen. Aber ich habe vielleicht ein besseres Gedächtnis als die meisten Leute. Ich kann Ihnen nur wiedergeben, was sie mir gesagt hat. Ich darf Ihnen keine vertraulichen Informationen geben.«

Aber das hatte er schon getan. Ich wahrte den Anschein, sagte, ich verstünde, in welcher Lage er sich befände, dankte ihm trotzdem und legte auf. Hoffentlich fiel ihm nicht auf, was er mir verraten hatte.

Ich nahm meine Koffer, verließ die Bar, fand ein Taxi und stieg ein.

Ich hatte Ihre Adresse in Nevada verloren.

Vielleicht war es Glück, daß ich Nevada und nicht Las Vegas gesagt hatte. Ich hatte die Adresse selbst haben wollen und nicht den Namen der Stadt. Ich hatte gar nicht daran gedacht, daß sie den Brief außerhalb der Stadt aufgegeben haben könnte. Ich hatte die Adresse gesucht und sie nicht bekommen. Jetzt brauchte ich sie auch nicht mehr.

Tahoe. Nicht Las Vegas. Der gute, alte Lake Tahoe, wo ich nie in meinem Leben gewesen war. Aber ich wußte ein wenig über Tahoe. Ich wußte, daß der Ort klein genug war, um sie dort leicht zu finden, ob ich den Hotelnamen kannte oder nicht.

Tahoe.

Ich sah wieder ein Bild vor mir, ein Bild von Mona Brassard, die in einem stinkvornehmen Club in Tahoe würfelte und sich über den armen Trottel zu Tode lachte, der ganz Las Vegas nach ihr absuchte. Sehr komisch.

Sie würde überrascht sein, mich zu sehen.

Es gab keinen direkten Flug nach Lake Tahoe. TWA hatte einen nach Vegas mit einer Zwischenlandung in Kansas City; das war in Ordnung. Ich wollte ohnehin nicht zu schnell nach Tahoe. Ich hatte noch genug Zeit.

Der Flug war schlecht. Das Wetter war nicht übel, aber der Pilot fand jedes einzelne Luftloch zwischen Miami und Kansas City, und davon gab es eine ganze Menge. Das Fliegen erreichte bei mir nur, daß mir der Appetit verging. Ein paar Passagiere litten stärker darunter. Die meisten erwischten auch noch die kleinen Papiertüten, die TWA für diesen Zweck vorbereitet hatte; aber einer schaffte statt dessen den Boden. So war die Reise wenigstens nicht langweilig.

Den Umständen entsprechend war ich sehr ruhig. Es war wieder diese eigenartige Ruhe, die mich jedesmal erfaßt, wenn ich gespannt sein sollte. Die Maschine in mir begann sich wieder zu regen. Ich hatte eine Funktion, einen Zweck. Ich brauchte mir nicht darüber Sorgen zu machen, was ich als nächstes tun mußte, weil ich genau wußte, was ich tun würde. Ich würde Mona und das Geld finden. So einfach war das.

Warum in aller Welt wollte ich die beiden eigentlich? Eine gute Frage. Ich war nicht ganz sicher. Aber jedenfalls wollte ich sie, und das war die einzige Frage, auf die es ankam. Also hörte ich auf, mir über die Gründe Sorgen zu machen.

Der Pilot überraschte uns alle mit einer glatten Landung in Kansas City. Ich verbrachte die fünfundzwanzig Minuten zwischen der Landung und dem Start im Flughafen von Kansas City. Es war ein hübsches neues Gebäude, das nach Farbe und Plastik roch.

Der Rest des Fluges war besser. Sie hatten entweder die Piloten ausgewechselt oder eine nagelneue Atmosphäre für uns gefunden. Jedenfalls war der Flug nach Las Vegas glatt wie Seide. Ich ließ mir von der Stewardeß ein gutes Abendessen servieren und meine Kaffeetasse zwei- oder dreimal nachfüllen. Das Essen rutschte gut hinunter und blieb auch dort. Vielleicht konnte man sich doch an Luftreisen gewöhnen.

Ich lachte und erinnerte mich an den Wahlspruch. Sie wissen schon: Frühstück in London, Mittagessen in New York, Abendessen in Los Angeles, Gepäck in Buenos Aires.

Aber so ging es nicht. Mein Gepäck und ich trafen beide in Las Vegas ein. Ich hatte gerade noch Zeit, den Sonnenuntergang zu beobachten. Wir fanden uns auch wieder, mein Gepäck und ich, und nahmen ein Taxi zum Dunes. Ich hatte telefonisch ein Zimmer bestellt, und es wartete auf mich. In Las Vegas meinen sie es ernst. Der Luxus ist unglaublich, und die Preise sind anständig. Der Gewinn kommt aus den Casinos.

Ich duschte heiß, trocknete mich ab, zog mich an und packte meine Koffer aus. Ich ging zum Casino hinunter. Es herrschte ziemlicher Betrieb. In keiner Stadt der ganzen Welt gibt es so viele gelangweilte Menschen wie in Las Vegas. Verbitterte kleine Mädchen, die ihre Scheidung absitzen, Syndikatstypen, die sich entspannen wollen und keine Entspannung finden, und andere nette Leute dieser Art.

Rot kam sechsmal hintereinander am Roulette heraus. Ein Mann mit vorstehenden Zähnen legte einen Fünfundzwanzig-Dollar-Chip auf den Tisch, gewann siebenmal hintereinander, nahm alles weg mit Ausnahme des ursprünglichen Chips und verschwand. Eine ältere Frau mit grauem Haar und mit einem Silberfuchs um die Schultern holte sich den Hauptgewinn in Nickels aus einem Spielautomaten, wechselte die Nickels in halbe Dollars und stopfte sie der Reihe nach wieder in die Maschine.

Las Vegas.

Ich sah den Männern zu, wie sie gewannen und wie sie verloren. Alles ging hier ehrlich zu. Das Haus nahm seinen eigenen kleinen

Anteil und wurde reich dabei. Geld, das mit Schmuggel, Waffen-schieberei und Rauschgifthandel verdient war, wurde in eine ganze Stadt investiert, die wie ein Monument menschlicher Dummheit dastand; eine blühende Stadt in dem Staat mit der geringsten Bevölkerung.

Las Vegas.

Ich sah ihnen drei Stunden lang zu. Im Laufe dieser drei Stunden hatte ich ein halbes Dutzend Drinks gehabt, und keiner von ihnen machte mir etwas aus. Dann ging ich hinauf und legte mich schlafen.

Es war ein billiger Abend. Ich hatte keinen Penny riskiert. Ich bin kein Spieler.

12

Las Vegas ist am Morgen eine komische Stadt. Es ist eine typische Nachtstadt, aber eine Stadt, in der die Nacht den ganzen Tag dauert. Die Spielcasinos schließen nie. Die Spielautomaten sind natürlich neben jeder Registrierkasse in der ganzen Stadt instal-liert. Das Frühstück war schwierig. Ich saß an einer Theke und trank die erste Tasse Kaffee und rauchte meine erste Zigarette. Ein paar Fuß entfernt ließ irgendeine Großmutter ihr Kleingeld ver-schwinden, indem sie es in einen verchromten Spielautomaten steckte. Das störte mich. Glücksspiel am Morgen wirkt auf mich ebenso anständig, als wenn man seine eigene Schwester am Sonntagmorgen im vordersten Kirchenstuhl umlegt. Sie können mich einen Puritaner nennen, jedenfalls denke ich so.

Ich trank meinen Kaffee aus und verließ das Hotel. Zur Grey-hound-Station war es nur ein kurzer Weg. Dort sagte mir ein Angestellter mit fliehendem Kinn, daß alle zwei Stunden Busse nach Tahoe abgingen. Ich stellte fest, daß der nächste um drei Uhr dreißig fuhr; das sollte ausreichen.

Zuerst hatte ich etwas zu tun.

Ich mußte den Mann finden; also suchte ich ihn. Es hätte leichter, aber auch schwieriger sein können.

Ich suchte einen Mann, den ich nicht kannte. Ich schlenderte in den Teilen von Las Vegas herum, die Touristen niemals sehen; die heruntergekommenen Viertel, die versteckten Viertel, die Viertel, in denen aus den Neonreklamen hier und dort ein Buchstabe fehlt, und die Orte, wo statt der erlaubten Laster des Glücksspiels andere Laster herrschen.

Es dauerte drei Stunden. Drei Stunden wanderte ich herum, und drei Stunden bemühte ich mich, meine Umgebung durch andere Augen zu sehen. Aber nach drei Stunden fand ich ihn. Zum Teufel, er versteckte sich nicht. Sein Beruf war es, sich finden zu lassen. Man findet immer Männer wie ihn, findet sie in jeder Stadt im ganzen Land. Sie warten.

Es war ein großer Mann. Als ich ihn fand, saß er in einem kleinen, dunklen Café am Nordende der Stadt. Seine Schultern waren eingesunken, und seine Krawatte lag locker um seinen Hals. Er wirkte jedenfalls groß. Er trank Kaffee. Alle anderen in dem Lokal tranken entweder Bier oder Whisky. Die Kaffeetasse stand vor ihm, und er saß da, kümmerte sich nicht darum und las Zeitung. Hin und wieder, wenn die Brühe in seiner Tasse lauwarm geworden war, erinnerte er sich daran und leerte sie. Kurz darauf brachte ihm eine aufgedunsene Blondine wieder eine neue.

An der Bar nahm ich mir eine Flasche Bier, winkte ab, als man mir ein Glas geben wollte, und trank aus der Flasche. Ich trug sie zu seinem Tisch, stellte sie darauf und setzte mich im gegenüber.

Er ignorierte mich ein paar Sekunden. Ich sagte nichts und wartete auf ihn. Schließlich ließ er die Zeitung sinken, und seine Augen musterten mich.

»Ich kenne Sie nicht«, sagte er.

»Das brauchen Sie auch nicht.«

Er überlegte. Dann zuckte er die Schultern. »Reden Sie«, sagte er. »Ist ja Ihr Nickel.«

»Ich könnte ein paar Nickels gebrauchen«, sagte ich, »einen ganzen Hof voll.«

»Ja?«

Ich nickte.

»Wozu?«

»Ich kaufe und verkaufe.«

»In der Gegend?«

Ich schüttelte den Kopf.

»Was, zum Teufel«, sagte er langsam. »Wenn was dran faul wäre, hätte ich's schon gehört. Einen Hof?«

Ich nickte.

Er erinnerte sich an seinen Kaffee und schlürfte daran. »Es ist nicht hier«, sagte er. »Haben Sie einen Wagen?«

Den hatte ich.

»Nehmen wir meinen. Fahren wir zusammen. Verkäufer und Kunden im selben Wagen. Nett, wenn die richtigen Leute die Stadt leiten. Kein Schweiß, kein Kopfschmerz.«

Ich folgte ihm auf die Straße. Niemand blickte uns nach. Die wußten, was gut war für sie. Sein Wagen stand um die Ecke: ein nagelneuer pulverblauer Olds mit Servomotoren für alles. Er fuhr langsam und gut. Der Olds schwebte durch die Innenstadt über eine Freeway und um die Vorstädte zum Südteil der Stadt.

»Nette Umgebung«, sagte er.

Ich sagte etwas Passendes. Er hielt vor einer weißen Villa und sagte, er wohne hier. Wir gingen hinein, und ich sah mir das Haus an. Es war gut möbliert mit modernen Möbeln, die nicht zu extrem waren. Teuer, aber nicht auffällig. Ich fragte mich, ob er die Sachen selbst ausgesucht oder einen Innenarchitekten eingeschaltet hatte.

»Setzen Sie sich«, sagte er. »Machen Sie es sich bequem.«

Ich nahm auf einem Stuhl Platz, der viel bequemer war, als er aussah. Die Transaktion ging fast zu glatt. Mein Mann war in Ordnung. Es war gut, wenn die richtigen Leute eine Stadt leiteten. Keine Kopfschmerzen. Ich sah die Wände an und wartete darauf, daß er zurückkam. Als er wieder erschien, hielt er eine Papptüte in der Hand. »Dreißig Nickel für einen Dollar«, sagte er. »Ausverkaufstag. Sie haben sich die richtige Zeit ausgesucht. Unser Lager ist etwas zu groß, also haben wir einen Sonderverkauf. Wollen Sie abzählen?«

Ich schüttelte den Kopf. Wenn er mich beschummeln wollte, hatte es auch keinen Sinn, nachzuzählen. Ich griff nach meiner Brieftasche, und da fiel mir ein, daß ich noch etwas brauchte.

»Ein Werkzeug«, sagte ich. »Ich brauche ein Werkzeug.«

Er sah mich amüsiert an. »Für Sie selbst?«

»Für jemanden.«

Er zuckte die Schultern. »Das kostet noch einen Dime.«

Ich erklärte mich einverstanden. Er ging wieder weg und kam mit einem flachen Lederetui zurück, das aussah, als enthielte es Zeichenutensilien. Ich nahm das Etui und den Sack und gab ihm einhundertzehn Dollar; einen Dollar und einen Dime in seiner Sprache. Er faltete die Scheine zweimal zusammen und steckte sie in die Hemdtasche; dort trug er wahrscheinlich sein Kleingeld.

Auf dem Rückweg in die Innenstadt wurde er beinahe geprä-

chig. Er fragte mich, was ich in Vegas zu tun hätte, und ich sagte, ich sei nur auf der Durchreise. Das stimmte auch.

»Ich reise ziemlich viel«, sagte ich. »Überall, wo es Leute gibt. Und wenn man zu lange bleibt, wird es einem zu warm.«

»Kommt darauf an, was für Beziehungen man hat.«

Ich zuckte die Schultern.

»Besuchen Sie mich, wenn Sie das nächstemal nach Vegas kommen«, sagte er. »Ich bin immer an derselben Stelle. Oder fragen Sie nach mir, dann richtet man es mir aus. Manchmal ist der Preis sogar besser als heute. Wir können immer ein Geschäft machen.«

»Klar.«

Ehe er mich aussteigen ließ, fing er zu lachen an. Ich fragte ihn, was denn so komisch sei.

»Nichts«, sagte er. »Ich hab' bloß nachgedacht. Ist das nicht ein feines Geschäft? Auch eine Wirtschaftskrise tut uns nichts. Ist das nicht prima?«

Ich ließ meine Koffer im Dunes. Ich wollte nicht ausziehen, war noch nicht bereit dazu. Um drei Uhr dreißig nahm ich den Bus nach Tahoe. Er war ziemlich leer. Die Straßen waren auch nicht überfüllt, und wir kamen schnell vorwärts. Es war eine gute Fahrt. Heiß und klarer Himmel. Ich saß allein und sah zum Fenster hinaus, und rauchte Zigaretten. Der Bus hatte eine Klimaanlage. Der Rauch meiner Zigarette kräuselte sich an der Fensterscheibe hoch und verschwand dann.

Als wir nach Lake Tahoe kamen, war es Zeit zum Abendessen. Ich hatte Hunger. Zuerst ging ich in den Waschraum der Busstation, warf einen Quarter in den Schlitz und betrat das Kabinett mit frischen Handtüchern und einem großen Waschbecken. Ich wusch mich, richtete mir meine Krawatte gerade und kam mir wieder beinahe wie ein Mensch vor.

Dann aß ich schnell ein reichliches Abendessen. Aber ich schmeckte es kaum. Dann verließ ich das Restaurant und machte meine Runde.

Zuerst war es zu früh, aber ich sah trotzdem nach. Wenn sie in Tahoe war, würde sie auch spielen. Es gab nicht sehr viele Casinos. Früher oder später würden wir aufeinandertreffen.

Im ersten Casino ging ich an den Würfeltisch und gewann ein paar Dollar. Im zweiten steckte ich meinen Gewinn in einen

Spielautomaten und sah mich weiter nach ihr um; aber ich fand sie nicht. Also ging ich.

Dann kam ich an einem Modegeschäft für Herren vorbei, sah einen Hut im Schaufenster und überlegte, daß es viel besser war, wenn ich sie entdeckte, ehe sie mich sah. Ein Hut war dafür günstig. Er ändert die Kopfform oder so etwas. Es gibt Orte, wo man mit Hut auffällt. In einem Casino in Nevada ist das aber nicht der Fall. Die Besitzer selbst nehmen nicht einmal die Hüte ab. Ich ging hinein und kaufte den Hut. Es war Importware aus Italien, ein Borsalino, und er kostete vierzig Dollar. Blöd, vierzig Dollar für einen Hut auszugeben, den ich nur einmal tragen und dann wegwerfen würfe. Aber ich erinnerte mich, daß es inzwischen gleichgültig war, was die Dinge kosteten. Ein Zehn-Dollar-Hut hätte es auch getan, aber ich war eben in keinem Laden, wo es Zehn-Dollar-Hüte gab. Ich kaufte den Borsalino und setzte ihn gleich auf.

Ich sah nicht schlecht aus. Es war ein hoher Hut mit schmaler Krempe, schwarz und sehr weich. Ich musterte mein Bild im Schaufenster. Dann schob ich den Hut ein paarmal hin und her, bis er richtig saß und auch seinen Zweck erfüllte. Ich ging ins nächste Casino.

Ein paar Minuten nach neun fand ich sie im Charlton Room. Ich trank gerade einen Bourbon Sour und beobachtete das Roulette, als ich sie sah. Sie waren an einem Würfeltisch, nur ein paar Meter entfernt. Ich nahm meinen Drink und ging weg.

Ich hatte gewußt, daß er bei ihr sein würde. Ich hätte sogar sagen können, wie er aussah: schwarzes Haar – schwarz, nicht dunkelbraun – und breite Schultern und ein teurer Anzug. Zu sorgfältig gekämmtes Haar, das immer richtig lag. Zu sorgfältig getragene Kleider und ein beständiges Lächeln. So sehen nur zwei Typen aus: Gigolos und Schwule. Und er war nicht schwul.

Ich kenne die Spielregeln. Sie würde ihm etwas Geld geben, mit dem er spielen konnte, und er würde es behalten, gewinnen oder verlieren. Natürlich würde er sagen, daß er verloren hatte. Sie konnte es glauben oder nicht, je nachdem, wie sie sich fühlte.

Was sie wahrscheinlich nicht wußte, war, daß er auch einen Prozentsatz von ihren Verlusten bekam. Das hatte das Casino sich einfallen lassen, damit er sie so lange wie möglich beim Spielen hielt. Das konnte sie nicht wissen, aber wahrscheinlich wäre es ihr gleichgültig gewesen. Das Geld hatte für sie keine Bedeutung, nicht wenn sie alles das bekam, was sie bezahlte.

Ich versuchte den Gigolo zu hassen, konnte es aber nicht. Zum einen tat er mir nicht weh; zum anderen, weil ich aus seiner Art des Gelderwerbs so viel wußte, da ich dasselbe Spiel hin und wieder mitgemacht hatte. Und sich selbst kann man sich nicht so leicht überlegen fühlen.

Jetzt hatte sie die Würfel. Aber sie paßte nicht ganz in das Stereotyp der Frau mit dem bezahlten Mann. Normalerweise versucht eine Frau dieser Art soviel Spaß wie möglich zu haben. Ein dauerndes Lächeln, wilde Gesten und ein brüchiges Lachen. Und tief im Hintergrund Unsicherheit. Das zeigt sich in der Hand, die sich zu krampfhaft am Ellbogen festhält, in dem Lachen über Dinge, die gar nicht spaßig sind, und in dem Eindruck, die solche Frauen machen; wie halb ausgebildete Schauspielerinnen, die einem wichtigen Regisseur vorsprechen. Wem sprechen sie vor? Der Welt oder sich selbst?

Aber Mona war nicht so. Sie schien so furchtbar gelangweilt, daß es einen geradezu erstaunte. Der Bursche bei ihr war schön wie ein Bild, und sie schien kaum zu bemerken, daß er da war. Das Spiel war so schnell, wie es nur selten ist, und es langweilte sie. Sie warf die Würfel, nicht als haßte sie sie, sondern als wollte sie sie loswerden.

Ich konnte sie nicht aus den Augen lassen. Ich musterte immer wieder ihr Gesicht und versuchte Schönheit und, ja, Unschuld mit der Person in Verbindung zu bringen, die ich kannte. Ich sah sie an, starrte sie an und versuchte all die Bruchstücke, die ich kannte, zusammenzufügen. Ich versuchte mir vorzustellen, wie es war, wenn man mit ihr lebte. Und dann versuchte ich mir vorzustellen, wie es war, ohne sie zu leben, und erkannte, daß beide Alternativen gleichermaßen unmöglich waren.

Monas Anblick erinnerte mich an das andere Mädchen, das Mädchen im Eden Rock. Ich hatte ihren Namen vergessen, aber ich erinnerte mich, daß sie in der Bronx lebte und in einer Versicherungsgesellschaft arbeitete und sich im Urlaub amüsieren wollte. Ich erinnerte mich daran, wie wir einander geliebt hatten, und ich erinnerte mich, wie sie aussah, als sie eingeschlafen war. Ich erinnerte mich, wie ich damals gedacht hatte, wie gut es wäre, sich in sie zu verlieben, sie zu heiraten und mit ihr zu leben. Aber ich hatte mehr als ihren Namen vergessen. Ich versuchte mir ihr Gesicht zu vergegenwärtigen, konnte es aber nicht. Ich versuchte mich an ihre Stimme zu erinnern, aber es gelang mir nicht. Das einzige Bild, das ich bekam, war ein abstraktes, das aus den Eigenschaften des Mädchens selbst bestand. Es waren Qualitäten. Mona hatte fast keine davon, nur die Schönheit.

Und doch blieb alles, was Mona betraf, in meinem Gedächtnis haften.

Ich fand einen Spielautomaten, der Nickels annahm, und warf einen hinein. Ich zog sehr langsam den Hebel und sah zu, was jetzt geschah. Ich bekam eine Glocke, eine Kirsche und eine Zitrone. Die Nickelmaschinen, so stellte ich fest, machten mehr Spaß als die Dollarmaschinen. Man konnte nichts gewinnen und nichts verlieren. Nur Zeit vergeuden und zusehen, wie die Räder sich drehten.

Wieder versuchte ich es. Diesmal hatte ich Glück, drei gleiche. Zwölf Nickel kamen in den Ausgabeschlitz galoppiert.

Ich konnte nicht mit ihr leben, und ich konnte nicht ohne sie leben. Ein interessantes Problem. Ich hatte mir früher vorgestellt, wie es sein würde, Mona zur Frau zu haben. Ich wußte, wie ihr Verstand arbeitete: Keith war tot, nicht weil sie ihn gehaßt hatte, nicht weil sie mich gewollt hatte, sondern weil sie ihn nicht mehr brauchte. Er war überflüssig. Es würde keinen großen Unterschied machen, wenn ich seine Stelle einnahm. Nicht daß sie mich töten würde, aber daß sie mich verlassen oder mich dazu bringen würde, sie zu verlassen. Es hätte keinen Sinn.

Ich wußte verdammt gut, was geschehen würde, wenn ich versuchte, ohne sie zu leben. Jede Nacht, ganz gleich wo ich war oder bei wem ich war, würde ich an sie denken. Jede Nacht würde ich mir ihr Gesicht vergegenwärtigen, mich an ihren Körper erinnern und mich fragen, wo sie war und mit wem sie schlief, was sie trug und...

Ein häufiges Mordmotiv auf der Welt ist das des Mannes, der eine Frau ermordet und sagt, wenn ich sie nicht haben kann, dann soll sie auch kein anderer haben. Früher hatte ich das nie begriffen. Jetzt fing ich an, es zu verstehen.

Aber ich hatte entschieden, daß ich sie nicht töten konnte.

Ich konnte nicht ohne sie und nicht mit ihr leben. Ich konnte sie nicht töten. Und ich hatte nicht vor, mich selbst umzubringen. Ein unlösbares Problem.

Wieder warf ich einen Nickel in den Spielautomaten und dachte, daß ich eigentlich ein ganz raffinierter Bursche war, um selbst auf die Lösung gekommen zu sein. Ich zog am Hebel und blickte auf die sich drehenden Räder.

Später besuchten sie ein anderes Casino. Es war Mitternacht, als sie es verließen; Mitternacht oder sogar kurz danach. Sie hatten ein paar Drinks genommen und schienen beide etwas beschwipst. Sie gingen, und ich folgte ihnen zum Roycroft. Es war das beste Hotel in Tahoe. Ich war sicher gewesen, daß sie dort wohnen würden.

Ich wartete draußen und ging erst in die Halle, als sie bereits eine Weile im Lift waren. Ich sah mich um, aber diesmal merkte ich den Geldgeruch überhaupt nicht. Zum Teufel, das Eden Rock war ebenso luxuriös. Und ich hatte dort die Rechnung sogar selbst bezahlt oder beinahe selbst. Jedenfalls wurde es immer schwieriger, mich zu beeindrucken.

Ich sah den Chefportier und ging auf ihn zu. Er musterte mich sorgfältig, von dem neuen Borsalino bis hinab zu Keiths Schuhen, die ich trug. Dann begegneten seine Augen den meinen.

»Die zwei, die gerade reingekommen sind«, sagte ich, »haben Sie die bemerkt?«

»Mag sein.«

Typische Hollywood-Antwort. Ich lächelte. »Gutaussehendes Paar«, sagte ich. »Wissen Sie, ich möchte wetten, daß Sie keine gute Beobachtungsgabe haben. Sie gehen vorbei, wohnen hier im Hotel, und doch merken Sie nichts.«

Er sagte überhaupt nichts.

»Ich meine«, sagte ich, »ich wette mit Ihnen um zwanzig Dollar, daß Sie nicht einmal wissen, in welchem Zimmer sie wohnen.«

Er überlegte. »In Ordnung«, meinte er dann. »Achthundertvier.«

Ich gab ihm die zwanzig. »Das war recht gut«, sagte ich. »Aber beeindrucken tut's mich nicht. Ich wette einen Hunderter, daß Sie keinen Schlüssel haben, mit dem man die Tür von Achthundertvier aufbekommt.«

Beinahe hätte er gelächelt.

»Kein Problem«, sagte er.

Er verschwand und kam wieder. Dann tauschte er einen Schlüssel gegen eine Hundertdollarnote.

»Wenn es Ärger gibt«, sagte er, »wissen Sie nicht, woher Sie den Schlüssel haben.«

»Ich hab' ihn unter einem Stein gefunden.«

»Sie haben kapiert«, sagte er. »Also, Sie halten den Mund, ja?«

»Klar.«

Er musterte mich lange.

»Nicht daß ich das kapiere«, sagte er.

»Für hundertzwanzig brauchen Sie das auch nicht.«

Er zuckte die Schultern. »Neugierde«, sagte er. »Die menschliche Komödie.«

Ich sagte gar nichts.

»Sind Sie ihr Mann?«

Ich schüttelte den Kopf.

»Das hätte ich auch nicht gedacht. Aber...«

»Der Bursche, der bei ihr ist«, sagte ich. »Haben Sie ihn gesehen? Der mit den Schultern und den schwarzen Haaren.«

Sein Gesichtsausdruck verriet mir deutlicher als tausend Worte, was er von dem Boy hielt.

»*Der* ist ihr Mann«, erklärte ich. »Ich bin ihr eifersüchtiger Geliebter. Das Miststück betrügt mich mit ihm.«

Er seufzte. Das war besser als ein Schulterzucken. »Sie wollen nicht offen mit mir reden«, sagte er. »Vielleicht sehe ich mir besser das Fernsehen an. Das macht mehr Spaß.

Er hatte ein Recht auf seine Meinung. Ich suchte mir einen Sessel in der Halle und setzte mich. Sie sollten ruhig Zeit haben, richtig in Fahrt zu kommen. Die Decke war schalldicht, und ich versuchte die kleinen Löcher zu zählen. Ich bin natürlich nicht so ein Idiot, daß ich die Löcher alle zähle. Ich zähle die Löcher in einem der Vierecke und dann versuche ich rauszukriegen, wie viele Vierecke an der Decke sind. Und dann multipliziere ich.

Ist auch eine Beschäftigung.

Ich rauchte meine Zigarette zu Ende, stand auf und steckte mir eine andere in den Mund. Ich zündete sie mir an und sog tief daran. Ich sog den Rauch bis in die Lungen und hielt ihn dort fest. Und dann ließ ich ihn langsam wieder heraus. Auf diese Weise wird man etwas benommen; aber diese Benommenheit gibt einem auch Selbstvertrauen. Ich fühlte mich sehr selbstsicher.

Ich ging zum Lift. Der Liftboy las die Morgenzeitung. Er las die Rennberichte. Ist schon blöd, wenn man in Nevada lebt und immer noch auf Pferde setzen muß. Ich schüttelte traurig den Kopf, und er blickte zu mir auf.

»Acht«, sagte ich.

Er gab keine Antwort, sondern steuerte die Kabine zum achten Stock. Ich stieg aus. Die Tür schloß sich, und er fuhr wieder hinunter, um seine Rennberichte weiterzulesen. Hoffentlich verlor er. Ich war jetzt recht schlecht gelaunt.

Ich ging ein Stück, kam zu einem Zimmer und stellte fest, daß ich in der falschen Richtung ging. Ich kehrte um und arbeitete mich bis Achthundertvier vor. Ein Bitte-nicht-stören-Schild hing am Türknopf. Das kam mir äußerst komisch vor. Ich überlegte, ob ich klopfen sollte. Dann würden sie sagen, daß ich verschwinden sollte; also klopfte ich nicht.

Statt dessen rauchte ich meine Zigarette zu Ende. Ich ging bis zum Lift zurück und steckte den Stummel in eine Vase mit Sand, statt ihn in den dicken Teppich zu treten. Dann ging ich wieder zurück und stand noch eine Weile vor der Tür.

Zwischen der Tür und der Schwelle kam ein schmaler Lichtstreifen hindurch. Nicht viel. So als wäre eine kleine Lampe eingeschaltet.

Das hieß, daß die Bühne bereit war.

Ich holte den Schlüssel aus der Tasche und steckte ihn ins Schloß. Das ging ganz geräuschlos, und ich konnte ihn auch geräuschlos umdrehen. Im stillen sagte ich dem käuflichen Chefportier Dank. Ein Federmesser ist wirksam, aber nicht so subtil. Mir kam es aber sehr darauf an, subtil zu sein.

Es war ein sehr schönes Hotel. Die Tür quietschte nicht einmal. Ich öffnete sie ganz, und da waren sie.

Das Deckenlicht war ausgeschaltet, aber sie hatten das Licht im Kleiderschrank angelassen; das war sehr nett von ihnen. Auf die Weise konnte ich sehen, ohne die Augen zusammenkneifen zu müssen. Und es gab einiges zu sehen.

Sie lag auf dem Bett. Den Kopf hatte sie auf dem Kopfkissen, und ihre Augen waren geschlossen. Ihre Beine waren weit gespreizt. Und er war dazwischen. Er verdiente sich sein Geld und mühte sich sehr ab. Er schien auch Spaß daran zu haben. Aber wer mehr Spaß hatte, war nicht ohne weiteres zu erkennen.

Ich trat ein und dankte dem toten Keith dafür, daß seine Schuhe nicht knarrten. Ich drehte mich um und schloß die Tür. Sie hörten mich nicht und bemerkten mich auch nicht auf andere Weise. Dazu waren sie zu beschäftigt.

Ein paar lange Sekunden beobachtete ich sie. Vor langer Zeit, als ich noch zu jung war, um zu wissen, was es zu bedeuten hatte, habe ich meinen Vater und meine Mutter dabei erwischt. Ich wußte gar nicht richtig, was sie taten. Aber ich wußte, was Mona und ihr Freund taten, und etwas daran hypnotierte mich beinahe. Vielleicht war es der Rhythmus. Ich weiß es nicht.

Und dann war der richtige Zeitpunkt. Ich hätte gern etwas Schlagfertiges gesagt, aber mir fiel nichts ein. Eine Schande. Man bekommt nicht oft eine Gelegenheit wie diese.

Aber es fiel mir nichts Schlaues ein. Ich hatte nicht die ganze Nacht Zeit. Also war das, was ich schließlich sagte, wenig geistreich. Klar und eindeutig, aber nicht sehr originell.

Ich sagte: »Hallo, Mona!«

13

Sie führten nicht einmal zu Ende, was sie gerade taten. Sie hörten sofort auf. Er wälzte sich von ihr weg und stand auf seinen Füßen, während sie noch dalag und sich mit den Händen zu bedecken versuchte. Eine lächerliche Geste.

Er hätte sich anziehen, die Schuhe binden und an mir vorbeigehen können. Ich hatte keinen Streit mit ihm. Ich wollte nicht gerade herumlaufen und meine grenzenlose Liebe für ihn verkünden. Aber ich wollte ihm auch nicht die Zähne einschlagen. Er war nicht in seinem Element. Seine Schlafzimmerakrobatik hatte sich in etwas anderes verwandelt. Für ihn war es jetzt Zeit, seine Hose aufzuheben und nach Hause zu gehen.

Das war nicht sein Stil. Er zeigte nur eine Reaktion darauf: Ich hatte ihn gestört, seinen Sport unterbrochen, und er sah jetzt dumm aus. Das war die einzige Diagnose, die seine schönen blauen Augen seinem von Muskeln umhüllten Gehirn mitteilen konnten. Und es gab nur eine Art und Weise, auf diese Information zu reagieren.

Er griff mich an.

Wahrscheinlich hatte er früher einmal Fußball gespielt. Er kam mit gesenktem Kopf und ausgestreckten Armen auf mich zu. Jeder sieht in dieser Haltung dumm aus, aber er wirkte noch dümmer. Er war nackt, und *alle* Männer wirken nackt lächerlich. Aber dann war noch etwas. Er fiel mich an, und ich starrte von oben auf seinen Kopf und sah, daß jede einzelne Haarsträhne wie durch Zauber liegen blieb.

Ich trat ihm ins Gesicht.

Er kippte nach hinten und saß da. Meine Schuhspitze hatte ihn am Kinn getroffen. Er war benommen; nicht verletzt, aber benommen.

Er versuchte aufzustehen. Das Komische war, daß ich immer noch nicht wütend auf ihn war. Aber ich wußte, daß ich ihm zeigen mußte, wo er stand. Ich wollte ihn loswerden. Ich hatte Wichtigeres zu tun, als mich um diesen Esel zu kümmern.

Ich machte mir nicht die Mühe, fair zu spielen. Das wäre dumm gewesen. Ich wartete, bis er halb aufgestanden war. Dann trat ich ihm noch einmal ins Gesicht. Diesmal traf ich besser. Seine Lippe platzte, und er verlor einen Zahn. Den nächsten Monat würde er nicht hübsch aussehen.

Er würde auch seinen Lebensunterhalt nicht verdienen können, denn den nächsten Tritt verpaßte ich ihm zwischen die Beine. Er gab einen Laut von sich wie ein kleines Mädchen. Dann wurde ein Stöhnen daraus, ehe er einen Schrei hervorbringen konnte.

Dann brach er zusammen.

Ich wandte mich Mona zu. Sie hatte sich jetzt in einen Morgenrock gehüllt. Die modische lila Lederkleidung, die sie am Abend getragen hatte, lag auf einem Stuhl. Ich konnte sehen, daß sie Angst hatte, aber irgendwie brachte sie es fertig, ihre Angst zu verbergen; das mußte man anerkennen.

Ich wartete. Schließlich versuchte sie ein Lächeln, gab es auf und seufzte. »Ich sollte jetzt etwas sagen«, meinte sie, »glaube ich. Aber wo soll ich anfangen?«

Ich zündete mir eine Zigarette an.

»Ich wäre nach Miami gekommen«, sagte sie. »Ich hatte bloß Angst, wenn wir zu schnell Verbindung aufnehmen...«

»Halt's Maul!«

Sie sah aus, als hätte ich sie ins Gesicht geschlagen.

»Du brauchst nicht zu reden«, sagte ich. »Ich rede. Aber zuerst wollen wir deinen Freund loswerden.«

»Er ist nicht mein Freund.«

»Aber ein paar Sekunden lang habt ihr beide sehr freundlich gewirkt.«

Sie schluckte. »Er war nicht wie du, Joe. Das war niemand. Du warst immer der Beste. Du...«

»Spar dir das!« sagte ich. Ich ärgerte mich, daß sie das versuchte. Sie hätte sich etwas Besseres ausdenken sollen. »Wir schaffen deinen Freund jetzt weg«, sagte ich noch einmal. »Dann reden wir.«

Ich ging zum Telefon, nahm den Hörer auf und verlangte den Chefportier. Er war sofort da.

»Oben«, sagte ich, »in Achthundertvier. Sie könnten eine Kleinigkeit für mich wegschaffen.«

»Der eifersüchtige Liebhaber?«

»Genau.«

»Fühlen sie sich immer noch großzügig?«

»Ja, sehr. Und Sie sich immer noch habgierig?«

Ein leises Lachen.

»Komme gleich«, sagte er und legte auf.

Ich sah mir meinen Freund noch einmal an. Er war immer noch
weg. »Zieh ihn an!« sagte ich zu ihr. »Schnell! Zieh ihm die Kleider
an. Er braucht nicht schön aussehen, aber zieh ihn an.«

Sie machte sich ans Werk.

»Der Chefportier ist gleich da«, fuhr ich fort. »Mach keine
Dummheiten. Du schaffst es doch nicht. Wenn es sein muß, sorge
ich dafür, daß es uns beide erwischt.«

»Das würdest du nicht tun.«

»Weißt du das so sicher?«

Keine Antwort. Sie zog ihn an, und ich wartete auf den Portier.
Ein paar Minuten später klopfte es an der Tür, ganz diskret, und ich
ließ ihn ein.

Ich gab ihm noch einen Hunderter. »Unser Freund hier hatte
einen Unfall«, sagte ich. »Zuviel getrunken. Dann ist er gestürzt
und hat sich verletzt. Jemand sollte ihn nach Hause schaffen.«

Er sah ihn an und dann mich. »Ein netter Unfall«, sagte er. »Ich
wüßte nicht, wer ihn mehr verdiente. Er ist doch nicht kalt, oder?«

Ich schüttelte den Kopf. »Das nicht. Aber müde«, sagte ich. »Ich
bin auch müde. Ich würde ihn selbst in sein Apartment zurücktragen. Aber ich brauche meinen Schlaf. Deshalb dachte ich, Sie
würden das vielleicht für mich übernehmen.«

Er lächelte.

»Noch etwas«, meinte ich. »Die Dame und ich würden gern
ungestört bleiben. Eine ganze Weile. Keine Telefonanrufe. Niemand, der an der Tür klopft. Können Sie das erledigen?«

Er sah zuerst Mona und dann mich an. »Ein Kinderspiel.«

Ich wartete, während er den schönen Mann aufhob. Er legte ihn
sich über die Schultern und lächelte mich traurig an. Dann trug er
ihn wie einen Sack nasser Wäsche aus dem Zimmer. Ich schloß die
Tür hinter ihm.

Sie wandte sich zu mir um. Diesmal waren ihre Augen geweitet.
Angst lauerte in ihnen. Auch das Atmen fiel ihr nicht leicht.

»Wirst du mich umbringen, Joe?«

Ich schüttelte den Kopf.

»Was willst du dann? Geld? Du kannst die Hälfte haben, Joe. Es ist so viel. Mehr als ich brauche, mehr als du brauchst. Du kannst die Hälfte haben, einverstanden? Ich geb' dir die Hälfte. Ich wollte dir sowieso die Hälfte geben.«

»Lüg mich nicht an:«

»Es ist die Wahrheit, Joe. Ich . . .«

»Du sollst mich nicht anlügen!«

Sie verstummte und sah mich an. Ihre Augen wirkten verletzt. Sie sagte mir mit ihren Augen, daß ich sie keine Lügnerin nennen sollte, daß das nicht nett war. Ich sollte zu einem hübschen Mädchen, wie sie es war, nett sein.

»Keine Lügen«, sagte ich. »Wir spielen jetzt ein ganz neues Spiel. Es heißt *Sag die Wahrheit*, wie im Fernsehen.«

Sie wirkte sehr nervös. Ich zündete eine Zigarette an und reichte sie ihr. Sie konnte sie gebrauchen.

»Du warst verdammt gut«, sagte ich. »Du warst so gut, daß du dir nicht einmal die Mühe machen mußtest, alle Lücken zu verdecken. Du hast mich die Lücken in deiner Geschichte sehen lassen, und ich hab' sie als Zufälle abgetan. Das war sehr gut.«

Ich erinnerte mich an den Hitchcock-Film, den ich in Cleveland gesehen hatte. Wenn die Regie stimmt, kommt man selbst mit Zufällen durch. Und Mona war ein ausgezeichneter Regisseur.

»Fangen wir vorn an«, sagte ich. »Keith sollte ein Heroin-Importeur sein. Das war sein Geschäft. Du solltest überhaupt nichts davon wissen. Das hätte von Anfang an auffallen müssen. Wie, zum Teufel, sollte er ein solches Geschäft führen, ohne daß du etwas weißt? Und warum sollte er dich mit nach Atlantic City nehmen, während er ein Geschäft vorhatte? Er war nicht auf Urlaub. Er beförderte eine Ladung für Max Treger. Du wußtest das von Anfang an. Das war verdammt nett.«

Sie sah mich unglücklich an.

»Ich stell' mir das so vor«, fuhr ich fort. »Du warst am Bahnhof. Du hast gesehen, wie ich Keiths Koffer nahm. Er hat es nicht gesehen, aber du. Du hättest mich sofort aufhalten können, aber das war viel zu leicht. Dein Verstand fing an zu summen, und die Räder drehten sich. Vielleicht sprang für dich etwas dabei heraus. Also hast du nichts gesagt.

Also hab' ich die Koffer genommen. Dann hast du mich aufgegabelt. Mag sein, daß du dir Zeit gelassen hat. Aber jedenfalls hast du nicht lange gewartet. Du hast mich am Strand gefunden, dich mit mir verabredet, und dann bist du am Abend wieder an den Strand gekommen. Du hast mich Stück für Stück rausfinden lassen, wer du warst. L. Keith Brassards hübsche, kleine Frau. Du hast mich zwei und zwei zusammenzählen lassen, bis fünf herauskam.«

»Ich mochte dich.«

»Du warst verrückt nach mir. Am nächsten Morgen klappte die Sache mit dem Zimmermädchen ausgezeichnet. Du hast gewußt, daß ich das Heroin hatte, aber nicht mehr. Irgendwo mußte etwas für dich drinstecken. Du hast herumgeschnüffelt. Zum Teufel, selbst die Art und Weise, wie du mich aufgeweckt hast, war schön. Du hast mich geschüttelt und etwas herumgeplappert, daß du Keiths Koffer in meinem Schrank gefunden hat. Herrlich! Du brauchtest mir nicht einmal vorzuspielen, daß dich das verwirrt hat. Du warst wirklich verwirrt. Du hast den Stoff nicht gefunden. Das hat dich durcheinandergebracht.«

Ich hielt inne und schüttelte den Kopf. Es war doch einmal etwas anderes, es laut zu sagen, als es sich immer nur auszudenken. Alles paßte so herrlich zueinander, und es blieb kein Raum mehr für Zweifel. Alles fügte sich zusammen wie ein Puzzlespiel.

»Wäre der Stoff dagewesen, wärst du wahrscheinlich damit verschwunden. Gott weiß, was du damit getan hättest. Vielleicht hättest du selbst versucht, ein Geschäft damit zu machen, es an Keith zurückverkauft oder irgend so etwas. Gott weiß. Aber du hast gesehen, daß das nicht ging. Dann fing dein Verstand an zu arbeiten. Vielleicht konntest du mich dazu benutzen, Keith für dich umzubringen. Das war doch eine gute Idee, oder?

Und du hast es wunderbar gespielt, hast mich den Vorschlag machen lassen. Hast mich so tun lassen, als wäre es von Anfang an meine Idee gewesen. Du warst seiner müde. Er fing an, dir auf die Nerven zu gehen, und du wolltest raus aus allem. Aber du wolltest auch das Geld. Vielleicht konnte ich es dir verschaffen. Du hast es ganz kaltblütig angepackt, Mona. Du warst vollkommen.«

»So war es nicht, Joe.«

»Zum Teufel, so war es! Es war ganz einfach. So einfach, daß ich nie auf die Idee kam. Du hast alles wunderbar gespielt. Du hast so getan, als verliebtest du dich in mich. Du hast so perfekt gespielt, daß ich auf die Nase fiel.«

Ihr Gesicht war komisch. Sehr traurig, bedrückt. Ich sah in ihre

Augen und versuchte sie zu ergründen. Aber sie waren undurchsichtig.

Also gab ich auf. Ich saß da und sah sie an, und sie sah mich an. Ich rauchte noch eine Zigarette. Als sie schließlich zu reden anfing, war ihre Stimme kaum mehr als ein Flüstern. Ihre Schauspielkunst hatte sie verlassen. Ich wußte, daß sie mir jetzt die Wahrheit sagen würde, weil sie keinen Grund mehr hatte zu lügen. Das wußte ich, das begriff ich. Sie konnte mich nicht mehr anlügen. Die Lügen würden nur auf sie zurückfallen.

Sie sagte: »Es ist noch mehr, Joe.«

»Ja?«

Ein langsames Nicken.

»Dann sag es mir. Ich bin ein guter Zuhörer.«

»Du glaubst wahrscheinlich, daß es nur das Geld war«, sagte sie. »Das war es nicht. Oh, am Anfang war das Geld das Wichtigste, das gebe ich zu. Aber dann – dann waren wir zusammen, und es war – mehr – als bloß Geld. Es war – wir beide. Ich dachte darüber nach, wie es sein würde, wenn du und ich zusammen wären. Ich dachte darüber nach und...«

Sie hielt inne. Das Schweigen lastete über dem Hotelzimmer. Ich zog an meiner Zigarette.

»Aber irgendwann war es dann doch nur das Geld. Weil du mich nicht mehr brauchtest.«

»Vielleicht.«

»Was sonst?«

Sie überlegte einen Augenblick, ehe sie antwortete.

»Weil du ihn getötet hast«, sagte sie.

»Was?«

»Du hast ihn getötet«, sagte sie. »Oh, wir waren beide schuldig. Juristisch gesehen, meine ich. Das weiß ich. Aber tief innen drinnen, als ich darüber nachdachte, warst du derjenige, der ihn umgebracht hat. Und wenn ich zu dir ging, war ich mitschuldig. Aber wenn ich ganz allein war, dann war es nicht so. Ich konnte so tun, als wäre er einfach gestorben. Als hätte ihn jemand getötet, aber ohne mein Zutun.«

»Und ging das?«

Sie seufzte. »Vielleicht. Ich weiß nicht. Es fing an zu klappen. Dann dachte ich aber an dich und wußte, daß du in Miami auf mich wartetest und dich fragtest, ob etwas nicht stimmte. Und ich dachte, daß du etwas bekommen müßtest für das, was – was du getan hast. Deshalb habe ich dir das Geld geschickt. Sechstausend Dollar.«

»Ich wußte gar nicht, daß du ein Gewissen hast.«

Sie brachte ein Lächeln zuwege. »So schlecht bin ich nicht.«

»Nein?«

»Nicht so schlecht. Schlecht, aber nicht verkommen. Nicht wirklich.«

Sie hatte recht. Mir wurde irgendwie klar, daß ich das von vornherein gewußt hatte. Ein eigenartiges Gefühl.

»Was nun, Joe?«

Ihre Worte brachen das Schweigen. Ich wußte, was jetzt kam, aber irgendwie scheute ich mich davor, es ihr zu sagen. Ich wollte den Augenblick noch ausdehnen, bis er lang wie eine halbe Ewigkeit war. Ich wußte nicht, daß das *Was nun* schon jetzt kam. Wir waren beide noch nicht bereit dazu.

»Joe?«

Ich gab keine Antwort.

»Du hast gesagt, du würdest mich nicht töten. Hast du es dir anders überlegt, Joe?«

Ich sagte, ich würde sie nicht töten.

»Was willst du dann?«

Ich drückte meine Zigarette aus und atmete tief. Die Luft im Hotelzimmer war dick oder schien wenigstens so. Das Atmen machte Mühe.

»Mich heiraten?«

Ich nickte.

»Du willst mich heiraten«, sagte sie. Ihre Stimme klang leicht, beinahe lustig. Sie sprach ebenso mit sich selbst wie mit mir und kostete die Worte auf der Zunge aus: »Nun, ja. Ich . . . Es ist nicht sehr romantisch. Aber wenn du das haben willst, meinetwegen. Ich werde mich nicht sträuben.«

Ich hörte ihre Worte und lauschte durch sie hindurch. Ich suchte mir noch einmal ein Bild von ehelichem Glück vorzustellen, und wieder wurde dieses Bild nicht scharf. Das einzige Bild, das ich sah, war das, das ich mir früher schon gemacht hatte. So, wie sie es wollte, klappte es nicht.

Ich wünschte, es wäre gegangen. Aber nein, nicht ohne meine kleine Lösung. Meine Methode war der einzige Weg, so sehr sie mir auch widerstrebte.

Also setzte ich mich neben sie, dicht zu ihr, und lächelte. Sie erwiderte das Lächeln zögernd. Ihre Welt begann vor ihren Augen wieder Gestalt anzunehmen. Da waren wir, lächelten einander zu, und bald würde alles in Ordnung sein. Eine kleine Veränderung im Plan natürlich, aber nichts Drastisches.

»Es tut mir leid, Mona«, sagte ich.

Und dann schlug ich sie. Ich erwischte den richtigen Punkt genau über der Nasenwurzel. Ich schlug nicht fest zu. Ein kräftiger Schlag bricht den Knochen und jagt Splitter ins Gehirn. Aber ich war sanft. Ich schlug sie nur k. o. Sie verlor sofort die Besinnung und fiel schlaff in meine Arme.

Als sie ein paar Minuten später zu sich kam, hatte sie einen Knebel im Mund. Die Füße hatte ich ihr mit dem Bettlaken zusammengebunden; ebenso auch die Hände hinter ihrem Rücken.

Sie starrte mich an, und ihr Gesichtsausdruck war voller Schrecken.

»Eines Tages wirst du dich daran gewöhnen«, sagte ich. »Eines Tages wirst du verstehen. Ich erwarte nicht, daß du es jetzt begreifst. Aber zur rechten Zeit wirst du es begreifen.«

Ich nahm die beiden Pakete aus der Jackentasche, den Papierbeutel und das Lederetui. Ich rollte den Beutel auf und nahm eine der kleinen schwarzen Kapseln heraus. Dann öffnete ich das Etui und zeigte ihr, was darin war. Sie stöhnte.

»Komisch«, sagte ich. »Wie wir immer wieder darauf zurückkommen. Keith hat es verkauft, ich hab' es gekauft. Weißt du, was besonders komisch daran ist? Ich mußte gutes Geld für das Zeug bezahlen. Ich hab' eine Schachtel voll weggeworfen, um Keith hereinzulegen. Ich hab' ein Vermögen ausgegeben, damit die New Yorker Cops auf die richtige Idee kamen. Und hier sind wir wieder. Ein voller Kreislauf.«

Ich nahm den kleinen Löffel aus dem Lederetui. Es war ein Löffel, wie man ihn in den Cafés im Greenwich Village bekommt, um den Espresso damit umzurühren. Ich legte die Kapsel auf den Löffel und holte mein Feuerzeug heraus. Ich knipste es an. Dann hielt ich den Löffel über die Flamme und sah zu, wie das Heroin schmolz. Meine Hand war erstaunlich fest.

Ich sah Mona an. Ihre Augen starrten wie hypnotisiert auf die Flamme, wie die Augen einer Katze vor dem Feuer. Heißes Eis.

»Du bist mir zu unabhängig«, sagte ich. »Du lebst in dir selbst. Und wenn die Leute dir zu viel wegnehmen, zu viel von deiner

Persönlichkeit, dann rennst du weg und verschenkst dich. Das ist nicht gut.«

Sie gab natürlich keine Antwort. Zum Teufel, sie hatte einen Knebel im Mund. Aber ich fragte mich, was sie dachte.

»Also wirst du etwas weniger unabhängig sein. Du wirst etwas haben, wovon du abhängig bist.«

Ich nahm die Spritze. Ich schob den Kolben ganz hinein und stecke die Nadelspitze in das geschmolzene Heroin auf dem Löffel. Als ich den Kolben wieder zurückzog, füllte sich die Nadel mit dem flüssigen Heroin.

Die Nadel wirkte sehr groß. Sehr gefährlich. Monas Augen waren rund, und man konnte förmlich hören, wie die Räder sich in ihr drehten. Sie wollte es nicht glauben, aber sie mußte.

»Keine Angst«, sagte ich dumm. »Es ist nicht so schlimm, nicht wenn man Geld hat. Man nimmt soundso viele Spritzen am Tag und funktioniert fast wie ein normaler Mensch. Weißt du, welche Gruppe den höchsten Anteil an Süchtigen hat? Ärzte. Weil sie Zugang zu dem Stoff haben. Sie sind meistens morphiumsüchtig. Aber das ist beinahe dasselbe. Sie bekommen, soviel sie brauchen. Wenn du jemals Entzugssymptome hast, ist es nicht so schlimm. Nicht so schlimm wie bei Alkohol zum Beispiel.«

Sie hörte mich nicht einmal, und ich war grausam, ließ mir viel zuviel Zeit, um zu tun, was ich tun mußte. Ich hörte auf zu reden. Ich fand eine gute Stelle an der Innenseite ihres Schenkels. Später konnte ich zur eigentlichen Linie vordringen, der großen Vene, die direkt zum Herzen führt. Aber für den Augenblick genügt es so. Ich wollte nicht, daß sie von einer Überdosis krank wurde.

Ich hob die Nadel, stach in ihren Schenkel und schob den Kolben ganz hinunter. Sie versuchte zu schreien, als die Nadel sie traf; aber da war der Knebel. Der einzige Laut, den sie herausbrachte, war ein kleines Schnauben durch die Nase.

Dann packte sie das Heroin, und sie flog ins Land der Träume.

14

Sie brauchte eine Stunde, um aufzuwachen. Sie war immer noch etwas benommen, also holte ich ihr den Knebel heraus. Die Wahrscheinlichkeit war gering, daß sie einen Schrei ausstoßen würde. Ich fragte sie, wie sie sich fühlte.

»In Ordnung«, sagte sie, »glaube ich.«

Wir redeten ein paar Minuten. Ich stopfte ihr den Knebel wieder in den Mund und ging hinunter. In der Halle war ein Zeitungsstand, und ich kaufte ein paar Taschenbücher. Dann ging ich wieder hinauf und saß lesend herum, bis die Zeit für die nächste Spritze gekommen war.

Gegen die zweite kämpfte sie nicht so sehr wie gegen die erste.

Damit war alles vorbereitet. Wir blieben drei Tage dort. Ich ging gelegentlich hinunter und kaufte etwas zu essen. Alle vier oder fünf Stunden bekam sie ihre Spritze. Den Rest der Zeit blieben wir im Zimmer. Ein- oder zweimal löste ich ihre Fesseln, und wir liebten uns. Es war aber nicht besonders gut. Es würde besser werden.

»Ich habe Tahoe satt«, sagte ich ihr eines Morgens. »Ich brauche ein paar Tausender. Ich kaufe einen Wagen, und wir fahren nach Vegas.«

»Nimm dein eigenes Geld.«

»Ich hab' nicht genug.«

»Dann geh zum Teufel!«

Ich hätte sie schlagen, bedrohen oder ihr einfach befehlen können, mir das Geld zu geben. Aber das war für den Versuch ebenso gut wie jeder andere Zeitpunkt. Also zuckte ich die Schultern und wartete.

Ich wartete, bis ihre Spritze eine halbe Stunde überfällig war. Dann rief sie meinen Namen.

»Was ist denn?«

»Ich möchte – ich möchte eine Spritze.«

»Das ist fein. Und ich möchte sechstausend Dollar. Wo hast du dein Geld?«

Sie zuckte die Schultern, als machte es nichts aus. Aber ich sah, wie der Drang in ihr zunahm. Ich sah die Nervosität in ihren Augen, die Spannung in ihren Muskeln. Sie sagte mir, wo das Geld war. Es stimmte. Ich holte das Etui und bereitete ihre nächste Spritze vor. Diesmal war sie sichtlich dankbar, als das Heroin zu wirken begann. Es war eine Spritze in die Vene. Sie wirkte schneller als die anderen.

Ich zahlte den Wagen bar, einen hübschen, neuen Buick mit genügend Saft unter der Haube und so viel Chrom außen, daß es wie ein Bordell des fünfundzwanzigsten Jahrhunderts auf Rädern aussah. Ich lud sie in den Wagen, und wir fuhren nach Vegas zurück. Auf der Fahrt war sie sehr gelehrig. Wir kamen nach Vegas, nahmen wieder mein Zimmer im Dunes. Es war Zeit für ihre Spritze.

Ich weiß nicht, wie lange es dauert, um aus einem Menschen einen Süchtigen zu machen. Ich weiß nicht, wie lang es bei Mona dauerte. Die Süchtigkeit ist ein stufenweiser Prozeß. Ich trieb den Prozeß nur an und ließ zu, daß sie süchtig wurde. Und mit jeder Spritze brauchte sie das Zeug mehr, physisch wie seelisch.

»Ich gehe weg«, sagte sie.

Ich sah sie an. Es war zwei Uhr nachmittag, ein Freitagnachmittag. Wir waren immer noch im Dunes. Vor zwei Stunden hatte sie eine Spritze bekommen. Und in zwei Stunden würde die nächste fällig sein.

Sie trug ihre lila Lederkleidung. Ihre Stiefel reichten bis zu den Schenkeln. Und sie sagte mir, daß sie wegginge.

Ich fragte, was sie meinte.

»Ich gehe«, sagte sie. »Ich verlasse dich. Ich lasse dich sitzen, Joe. Du bindest mich jetzt nicht mehr fest. Also gehe ich weg.«

»Und kommst nicht zurück?«

»Und komme nicht zurück.«

»Du bist süchtig«, sagte ich. »Du bist ein Junkie. Versuch wegzugehen, und du kommst auf dem Bauch zurückgekrochen. Meinst du, ich nehme dir das ab?«

»Ich bin nicht süchtig.«

»Und das glaubst du wirklich?«

»Ich weiß es.«

»Dann weiß ich, wem du was vormachen willst«, sagte ich. »Dir selbst. Wiedersehn.«

Sie ging. Und ich wartete darauf, daß sie zurückkam. Wartete über eine Stunde hinaus, da die Spritze fällig war.

Und sie kam zurück.

Sie sah nicht wie dasselbe Mädchen aus. Ihr Gesicht war weiß wie ein Fischbauch, und ihre Hände zitterten. Ihr ganzer Körper zuckte. Sie rannte ins Zimmer und warf sich auf einen Stuhl.

»Du bist doch weggegangen«, sagte ich. »Sag mir bloß nicht, daß du schon wieder zurück bist. Das war aber eine schnelle Reise.«

»Bitte!« sagte sie. »Nur das, *bitte!*«

»Stimmt was nicht?«

»Ich brauche es«, sagte sie. »Ich brauch es, verdammt! Du hattest recht, und ich hatte unrecht. Jetzt gib mir meine Spritze.

Ich lachte. Nicht aus Grausamkeit, nicht weil es mir Spaß machte; ich lachte, damit sie richtig begriff. Sie mußte wissen – drinnen und draußen –, daß sie festhing. Je eher sie es wußte, desto süchtiger würde sie sein.

Ich sah zu, wie sie vor Schmerz und Sucht zuckte. Ich hörte mir an, wie sie um die Spritze bettelte, und tat so, als hörte ich nicht. Ich sah ihr zu, wie sie auf Händen und Knien herumkroch und die Spritze suchte. Ich hatte sie versteckt. Sie konnte sie nicht finden.

Dann stand sie auf und riß sich das Lederzeug auf. Sie zog den Büstenhalter und die Unterwäsche aus. Sie hob die Brüste mit beiden Händen und bot sie mir an.

»Alles!« sagte sie. »Alles!«

Ich holte die Nadel und gib ihr die Spritze. Ich sah mit an, wie der Schmerz aus ihren Zügen wich, und strich ihr über den Rücken, bis sie aufhörte zu zittern. Dann hielt ich sie ganz sanft in den Armen, und sie weinte.

Nachher ging es bergab. Ich brauchte sie nicht einmal mehr zu bedrohen, um ihre Zustimmung zu bekommen. Was immer ich sagte, wurde gemacht. Ganz einfach.

Ein Friedensrichter traute uns in Las Vegas. Er stellte uns die üblichen würdevollen Fragen, und ich sagte ja, und sie sagte ja, und er erklärte uns für Mann und Frau. Wir zogen aus dem Dunes in ein Apartment mit drei Zimmern und einer Küche in der nördlichen Hälfte der Stadt. Sie überwies ihr Geld auf eine Bank in Las Vegas und eröffnete ein Konto bei einem hiesigen Makler.

Und ich hatte mehr und mehr mit dem großen Mann zu tun, der im Café sitzt und kalten Kaffee trinkt. Alle fünf Tage verkaufte er mir für hundert Dollar Kapseln. Alle vier Stunden nahm Mona ihre Spritze. Sechs Kapseln am Tag. Ich bekam sogar Großhandelspreise, weil ich ein regelmäßiger Kunde war.

Als ob das einen Unterschied machte. Als ob zehn Dollar am Tag oder zwanzig oder dreißig oder vierzig die geringste Auswirkung auf uns gehabt hätten. Meine Frau hat eine ungeheure Menge Geld. Und es sieht so aus, als würde es ewig reichen, weil der Makler es gut angelegt hat. Einen Teil von dem Kies hat er in Obligationen angelegt, einen Teil in gewöhnlichen Aktien und den

Rest in Immobilien. Allein von den Zinsen können wir großartig leben und brauchen das Kapital überhaupt nicht anzugreifen. Es gibt einen Punkt, wo man aufhört, Geld zu zählen. Dann nennt man es Wohlstand, nicht nur Geld. Zehn Dollar, zwanzig Dollar, dreißig Dollar, ist doch gleichgültig.

Und die Gewohnheit tut nicht weh. Mona ist keine von den Junkies, die ich hin und wieder im Café sehe: hohläugige, zitternde Kreaturen, die mit dem Großen feilschen. Für eine Rauschgiftsüchtige ist Mona eine Schönheit.

Aber es gibt Zeiten, da ich sie ansehe, diese schöne, reiche Frau, die auch meine Frau und zufällig eine Rauschgiftsüchtige ist. Ich sehe sie an und erinnere mich an die Frau, die sie war, die freie, unabhängige Frau. Ich erinnerte mich an die erste Nacht am Strand und an andere Nächte und andere Orte. Und ich weiß, daß etwas für immer dahin ist. Sie ist nicht mehr so lebendig. Das Gesicht ist dasselbe, und der Körper ist derselbe, aber etwas hat sich geändert. Die Augen vielleicht. Oder die tiefe Dunkelheit dahinter.

Der Vogel, den man im Käfig hält, ist nicht derselbe Vogel wie die wilde Kreatur, die man im Wald gefangen hat. Es gibt einen Unterschied.

So viele Dinge könnten geschehen. Eines schönen Tages könnte der Mann für immer aus dem Café verschwinden. Sie würde wie ein Tiefseetaucher reagieren, dem man den Luftschlauch durchgeschnitten hat. Wir würden in Las Vegas herumsuchen und jeden Stein herumdrehen, bis wir eine neue Verbindung fanden. Und ich würde das seltene Privileg haben, Mona sterben zu sehen. Zoll für Zoll.

Oder eine Razzia und sie hinter Gittern, den Kopf gegen die Wand schlagend und die Wächter verfluchend. Oder eine Überdosis, weil irgendein Idiot irgendwo in der Verteilerkette vergessen hatte, die richtige Mischung zu machen. Eine Überdosis und sie mit blauen Venen, hervortretenden Augen und tot, ehe sie die Nadel aus dem Arm brachte.

So viele Dinge.

Ich glaube, sie ist jetzt glücklich. Sobald sie sich daran gewöhnt hatte, süchtig zu sein – wie gewöhnt man sich eigentlich an die Süchtigkeit? Eine gute Frage – jedenfalls sobald sie sich daran gewöhnt hatte, begann sie Spaß daran zu finden. Eigenartig, aber wahr. Wenn es einen juckt, so tut es gut, sich zu kratzen. Jetzt freut sie sich auf ihre Spritzen, hat Vergnügen daran. Einen Teil der

Wirklichkeit verliert man natürlich. Aber sie scheint zu glauben, daß das, was sie statt dessen bekommt, die Wirklichkeit mehr als ausgleicht. Vielleicht hat sie recht. Die wirkliche Welt wird manchmal sehr überschätzt.

Eigenartig.

»Du solltest es versuchen«, sagte sie hin und wieder. »Ich wollte, ich könnte dir sagen, wie es ist. Wirklich großartig. Wie eine Bombe, die detoniert, verstehst du?«

Manchmal, wenn sie *high* ist, redet sie wie ein Teenager.

»Du solltest es machen, Joe. Nur eine kleine Bombe, um dich auf Trab zu bringen. Um zu sehen, wie es ist.«

Ein seltsames Leben in einer seltsamen Welt.

Gestern geschah etwas Seltsames.

Ich gab ihr eine Vier-Uhr-nachmittags-Spritze. Ich gab ihr das Heroin, saugte es in die Spritze, hob ihr Bein und suchte nach der Vene. Sie war gerade an dem Punkt angelangt, wo sie die Spritze brauchte. In fünf oder zehn Minuten hätte sie zu zittern begonnen. Ich fand die Vene, spritzte und sah, wie das dankbare Lächeln sich über ihr Gesicht ausbreitete.

Dann wusch ich den Löffel und ging gerade daran, die Sachen aufzuräumen. Manche Junkies passen nicht auf ihre Geräte auf; auf diese Weise sterben sie an Infektion. Ich bin immer vorsichtig.

Wie gesagt, ich wusch gerade den Löffel und legte ihn weg. Dann hielt ich inne – vielleicht sollte ich sagen, verlangsamte ich meine Bewegung – und dann nahm ich auch eine kleine Kapsel mit dem komischen weißen Pulver und legte sie auf den Löffel.

Ich wollte selbst eine Spritze.

Komisch. Ihre Worte hatten das nicht getan und ihre Einladung, doch auch herauszufinden, wie es war. Ich war kein Schuljunge, der ein verbotenes Laster suchte.

Also legte ich die Kapsel wieder weg. Ich legte auch den Löffel weg und die Spritze. Ich schloß das Etui und die Tüte mit den Kapseln ein. Selbst in Las Vegas weiß man nicht, wann ein Polizist plötzlich auf die Idee kommt, daß seine Verhaftungsquote etwas abgesunken ist. Ich lasse nie etwas herumliegen.

Ich legte alles weg.

Für den Augenblick.

Und seitdem habe ich immer daran gedacht. Ich kann mir gut vorstellen, wie es kommen wird. Vielleicht beim nächstenmal, wenn ich ihr ihre Spritze gebe. Oder eine Woche später. Oder einen Monat. Sie wird ins Land der Träume versinken, und ich werde das Zeug waschen.

Und dann werde ich selbst eine Spritze nehmen.

Nicht zum Spaß, nicht zum Vergnügen oder um der Welt zu entfliehen. Und nicht als Belohnung und nicht als Buße. Nicht weil ich das Leben eines Rauschgiftsüchtigen begehre. Ich nicht.

Aus einem anderen Grund. Um es mit ihr zu teilen vielleicht. Oder vielleicht wegen des nagenden Wissens, daß jedesmal, wenn das Heroin sie erfaßt, sie mir weiter entgleitet. Ich weiß nicht. Aber an einem dieser Tage oder in Wochen oder Monaten werde ich selbst eine Spritze nehmen.

Ich glaube, wir werden irgendwie zusammen sein. Ganz gleich, wie es ist. Jedenfalls werden wir zusammen sein. Und das ist es doch, was ich wollte. Oder?

JAMES M. CAIN

Wenn der Postmann zweimal klingelt...

1

Gegen Mittag warfen sie mich vom Heuwagen herunter. Ich war am Abend davor aufgesprungen, unten an der Grenze, und sobald ich unterm Zeltdach lag, sackte ich auch schon ab. Ich war hundemüde nach den drei Wochen in Tia Juana, und als sie endlich hielten, um den Motor abzukühlen, schnarchte ich immer noch. Da sahen sie meinen Fuß herunterhängen und schmissen mich raus. Ich riß ein paar Witze, aber sie machten nur lange Gesichter, das half also nichts. Immerhin, sie gaben mir eine Zigarette, und ich stromerte die Landstraße hinunter, um was zu essen aufzutreiben.

So kam ich zu dieser Taverne ›Zu den zwei Eichen‹. Es war nichts weiter als eine von diesen Sandwich-Buden an der Straße, genau wie Millionen andere in Kalifornien. Auf der einen Seite war die Gaststube und darüber die Wohnung, daneben die Tankstelle und dahinter ein halbes Dutzend Kabinen, die sich Autohof nannten. Ich stürzte eilig rein und fing an, auf die Straße zu starren. Als der Grieche auftauchte, fragte ich ihn, ob einer in einem Cadillac vorbeigekommen sei. Der wollte mich hier treffen, sagte ich, und wir sollten zusammen Mittag essen. Heute nicht, sagte der Grieche. Er legte ein Gedeck auf an einem der Tische und fragte, was ich haben wollte. Ich sagte Orangensaft, Corn Flakes, Spiegeleier auf Speck, Enchiladas, Pfannkuchen und Kaffee. Bald darauf kam er mit dem Orangensaft und den Corn Flakes.

»Moment mal. Eins muß ich dir gleich sagen. Wenn der Kerl nicht auftaucht, mußt du mir Kredit geben. Er sollte das Essen bezahlen, selber bin ich gerade bißchen knapp.«

»Gutt, gutt. Iß dich satt.«

Ich sah, der hatte verstanden, und ließ die Sache mit dem Kerl im Cadillac sein. Bald merkte ich, daß er was wollte.

»Was kannst du? Was für Arbeit, wie?«

»Ach, dies und jenes. Warum?«

»Wie alt du?«

»Vierundzwanzig.«

»Junger Bursche, wie? Ich könnte gerade jetzt jungen Burschen brauchen. Im Geschäft.«

»Hübsche Bude hast du hier.«

»Luft. Ist so gutt. Nicht Nebel wie in Los Angeles. Gar nicht Nebel. Hübsch, so klar, ganze Zeit hübsch und klar.«

»Muß fein sein nachts. Ich riech's schon jetzt.«

»Schläft gutt. Du verstehst Automobil? Zusammenflicken?«

»Was denn? Geborener Mechaniker!«

Er redete weiter über die gute Luft, und wie gesund er ist, seit er das Wirtshaus gekauft hat, und wie er sich nicht erklären kann, warum keiner bei ihm bleibt. Ich kann mir's erklären, aber ich hielt mich ans Essen.

»Na, wie? Gefällt dir hier?«

Jetzt war ich soweit, hatte den letzten Schluck Kaffee getrunken und zündete mir die Zigarre an, die er mir gegeben hatte. »Mir sind ein paar andere Sachen angeboten worden, aber ich werd's mir bestimmt überlegen.«

Dann sah ich sie. Sie war hinten in der Küche gewesen, aber jetzt kam sie, um mein Geschirr abzuräumen. Von der Figur abgesehen, war sie wirklich keine überwältigende Schönheit, aber sie blickte übellaunig drein und hatte die Lippen auf eine Art geschürzt, daß ich sie ihr am liebsten eingedrückt hätte.

»Meine Frau.«

Sie sah mich nicht an. Ich nickte dem Griechen zu, schwenkte die Zigarre in der Luft, und das war alles. Sie ging mit dem Geschirr hinaus, und was ihn und mich betraf, so hätte sie gar nicht dagewesen sein müssen. Ich ging dann weg, aber nach fünf Minuten kam ich zurück, um dem Kerl im Cadillac eine Bestellung zu hinterlassen. Ich ließ mich eine halbe Stunde lang überreden, aber am Ende war ich in der Tankstelle und wechselte Reifen.

»Wie heißt du, ha?«

»Frank Chambers.«

»Nick Papadakis, ich.«

Wir schüttelten uns die Hand, dann ging er hinaus. Einen Augenblick später hörte ich ihn singen. Er hatte eine richtige Stimme. Von der Tankstelle aus konnte man direkt in die Küche sehen.

2

Gegen drei kam einer vorbei und fluchte, weil ihm jemand einen Zettel auf die Windschutzscheibe geklebt hatte. Ich mußte in die Küche, um das Zeug abzudunsten.

»Enchiladas? Na, wie man die macht, das wißt ihr.«

»Was meinst du, ihr?«

»Na, Sie und Mr. Papadakis. Sie und Nick. Die ich zu Mittag hatte, die waren erstklassig.«

»So.«

»Haben Sie einen Lappen, mit dem ich das Ding hier anfassen kann?«

»Das haben Sie aber vorhin nicht gemeint.«

»Doch. Freilich.«

»Sie denken, ich bin mexikanisch.«

»Keine Idee.«

»Doch. Das denken Sie. Sie sind nicht der erste. Damit Sie es nur wissen, ich bin so weiß wie Sie. Vielleicht, weil ich dunkles Haar habe und ein bißchen so aussehe. Aber ich bin so weiß wie Sie. Wenn Sie's hier zu was bringen wollen, dann merken Sie sich das.«

»Sie sehen überhaupt nicht mexikanisch aus.«

»Das sag' ich ja. Ich bin genauso weiß wie Sie.«

»Nein, nicht ein bißchen mexikanisch sehen Sie aus. Diese mexikanischen Weiber haben alle breite Hüften und runde Beine und den Busen gleich unterm Kinn und gelbe Haut und Haar wie mit Speck angeschmiert. So sehen Sie doch nicht aus. Sie sind schlank und haben hübsche weiße Haut, und Ihr Haar ist weich und lockig, wenn's auch schwarz ist. Das einzige, was an Ihnen mexikanisch aussieht, sind die Zähne. Die haben alle weiße Zähne, das muß man ihnen lassen.«

»Ich habe Smith geheißen vor der Heirat. Klingt nicht sehr mexikanisch, wie?«

»Nein, nicht sehr.«

»Außerdem bin ich gar nicht hier aus der Gegend. Ich bin aus Iowa.«

»Smith, wie? Und der Vorname?«

»Cora. Kannst mich so nennen, wenn du willst.«

Jetzt wußte ich genau, worauf ich es bei ihr hatte ankommen lassen, als ich hereingekommen war. Es waren gar nicht die Enchiladas, die sie braten mußte, und auch nicht ihre schwarzen Haare. Es war einfach die Ehe mit dem Griechen, die ihr das Gefühl gab, sie sei keine Weiße, so daß sie sogar Angst davor hatte, ich könnte sie mit Mrs. Papadakis anreden.

»Cora. Gut. Und zu mir kannst du Frank sagen.«

Sie kam herüber und fing an, mir mit der Windschutzscheibe zu helfen. Sie war so dicht neben mir, daß ich sie riechen konnte. Ich sagte ihr's geradezu ins Ohr, beinahe geflüstert: »Wie kommst du denn zu dem Griechen?«

Sie fuhr auf, als hätte ich ihr eins mit der Peitsche übergezogen. »Geht dich das was an?«

»Das glaub' ich. Ganze Menge.«

»Da hast du deine Scheibe.«

»Danke.«

Ich ging raus. Ich hatte es erreicht. Ich hatte ihr eins versetzt, unversehens, und so tief, daß es weh tat. Von jetzt an würde es zwischen ihr und mir keine Flausen mehr geben. Vielleicht würde sie nicht ja sagen, aber ausweichen konnte sie mir nicht mehr. Sie wußte, was ich wollte, und sie wußte, ich hatte sie durchschaut.

Abends beim Essen wurde der Grieche wütend über sie, weil sie mir nicht mehr von den Bratkartoffeln gab. Er wollte, daß es mir bei ihm gefiel und daß ich ihn nicht sitzenließ wie die anderen.

»Gib 'nem Mann doch was zu essen.«

»Sie stehen drüben auf dem Herd. Kann er sie nicht selber holen?«

»Schon gut. Ich bin noch nicht soweit.«

Er ließ nicht locker. Wenn er ein bißchen Verstand im Kopf gehabt hätte, so wäre ihm klargeworden, daß was dahinter war, denn bei ihr brauchte sich keiner selbst zu bedienen, so eine war sie nicht. Aber er sah und hörte nichts und bohrte immer weiter. Wir saßen am Küchentisch, er an einem Ende, sie am anderen und ich in der Mitte. Ich sah sie nicht an. Aber ich konnte ihr Kleid sehen. Es war einer von diesen weißen Pflegerinnenkitteln, wie sie alle tragen, ob sie bei einem Zahnarzt arbeiten oder in einer Bäckerei. Am Morgen war der Kittel sauber gewesen, aber jetzt war er zerdrückt und verschwitzt. Ich konnte die Frau darin riechen.

»Na, wird's bald?«

Sie stand auf und holte die Kartoffeln. Der Kittel sprang einen Moment lang auf, und ich sah ihr Bein. Als sie mir die Kartoffeln reichte, konnte ich nichts essen. »Da hast du's. Erst die Umstände, und jetzt will er sie nicht.«

»Gutt. Aber er kann haben, wenn will.«

»Ich hab' keinen Hunger. Mittagessen war zu gut.«

Er führte sich auf, als hätte er einen tollen Sieg errungen, und konnte ihr jetzt verzeihen, der großartige Kerl. »Sie ist in Ordnung. Sie ist mein weißes Vögelchen. Meine kleine weiße Taube.«

Er zwinkerte und ging nach oben. Sie und ich saßen da und sagten kein Wort. Als er runterkam, hatte er eine große Flasche in der Hand und eine Gitarre. Er goß Gläser ein, aber es war süßer Griechenwein, und mir drehte es den Magen um. Dann fing er an zu singen. Er hatte einen Tenor, nicht so einen, wie man am Radio hört, sondern einen großen, und bei den hohen Tönen schmuggelte er einen kleinen Schluchzer ein, wie auf Carusoplatten. Aber ich konnte ihm einfach nicht zuhören. Jede Minute wurde mir schlechter. Er sah mein Gesicht und führte mich raus. »In frische Luft fühlst dich besser.«

»Ist nichts weiter. Geht gleich vorbei.«

»Setz dich. Sitz stille.«

»Geh nur rein. Ich hab' mittags zuviel gegessen. Geht gleich vorbei.«

Er ging hinein, und mir kam gleich alles hoch. Von wegen das Essen oder die Bratkartoffeln oder der Wein. Ich war so wild auf die Frau, daß ich einfach nichts bei mir behalten konnte.

Am nächsten Morgen hatte der Wind das Schild abgerissen. Gegen Mitternacht hatte es zu pfeifen angefangen, und am Morgen wurde ein Sturm daraus, und der nahm das Schild mit.

»Schrecklich. Schau dir das an.«

»War ein mächtiger Sturm. Ich nicht schlafen können. Ganze Nacht kein Schlaf.«

»'n ganz gehöriger Wind! Schau dir das Schild an.«

»Is' kaputt.«

Ich machte mich am Schild zu schaffen, und er kam von Zeit zu Zeit heraus und sah mir zu. »Wo hast du das Schild überhaupt her?«

»War da, wie ich Wirtshaus gekauft. Warum?«

»Weil's ein Mist ist. Wundert einen, daß überhaupt jemand hier hält.«

Ich ging nach vorn, um einen Wagen aufzutanken, und er hatte Zeit, darüber nachzudenken. Als ich wiederkam, blinzelte er es immer noch an, wie es da gegen die Vorderfront der Wirtsstube lehnte. Drei von den Glühbirnen waren zerbrochen. Ich tat den Stecker rein, und die Hälfte der anderen brannte nicht.

»Schraub neue Birnen ein, häng's auf, is' gutt.«

»Ist ja dein Laden.«

»Was denn dran schlecht?«

»Nichts, nur einfach altmodisch. Man nimmt keine Glühbirnen

mehr für Schilder. Jetzt nimmt man Neonröhren. Die sind heller und brauchen weniger Strom. Und dann, schau, was draufsteht. Zwei Eichen, das ist alles. Das Wort Taverne ist nicht mal beleuchtet. Also zwei Eichen machen mich nicht hungrig. Dafür würde ich nicht stehenbleiben und mir ein Essen bestellen. Das Schild da kostet dich Geld, du weißt's nur nicht.«

»Mach nur wie war. Wird gutt sein.«

»Warum schaffst du dir kein neues an?«

»Keine Zeit.«

Aber bald darauf kam er wieder mit einem Stück Papier. Er hatte ein neues Schild draufgezeichnet und mit Buntstift rot, weiß und blau angemalt. Da stand Taverne zu den zwei Eichen, und Warme Mahlzeiten, und Grill, und Hygienische Anlagen, und N. Papadakis, Bes.

»Tadellos. Das sticht ins Auge.«

Ich besserte die Worte aus, so daß sie richtig buchstabiert waren, und er hängte noch ein paar Schnörkel an die Buchstaben.

»Nick, wozu sollen wir das alte Schild überhaupt noch aufhängen? Fahr doch heute mal in die Stadt und laß das neue machen. Es ist bildschön, glaub's mir. Und so wichtig. Ein Wirtshaus ist nicht besser als sein Schild, wie?«

»Mach' ich, Sakra, ich fahr' gleich los.«

Los Angeles war kaum zwanzig Meilen weit, aber er putzte sich heraus, als ginge es nach Paris, und gleich nach dem Mittagessen zog er los. Sowie er draußen war, schloß ich die Vordertür ab. Ich nahm einen Teller vom Tisch, den jemand zurückgelassen hatte, und ging damit nach hinten in die Küche.

»Hier ist noch ein Teller von vorn.«

»Oh, danke.«

Ich stellte ihn hin. Die Gabel klirrte wie ein Tamburin.

»Ich wollte mitfahren, aber dann fing ich allerhand zu kochen an, so hab' ich mir's überlegt.«

»Ich hab' auch 'ne Menge zu tun.«

»Geht's dir schon besser?«

»Ich bin in Ordnung.«

»Manchmal ist irgendeine Kleinigkeit schuld. Daß man anderes Wasser trinkt, oder so.«

»Wahrscheinlich zuviel zu Mittag gegessen.«

»Was ist da los?«

Jemand war draußen vor dem Eingang und klapperte an der Tür.
»Klingt so, als versuche einer, reinzukommen.«

»Ist die Tür zugeschlossen, Frank?«

»Ich muß sie abgeschlossen haben.«

Sie sah mich an und wurde blaß. Sie ging zur Schwingtür und sah hinaus. Dann ging sie in die Gaststube, kam aber sofort wieder.

»Die sind schon fort.«

»Weiß nicht, warum ich zugeschlossen hab'.«

»Jetzt hab' ich wieder vergessen, aufzuschließen.«

Sie wollte in die Gaststube zurück, aber ich hielt sie auf. »Laß – sie doch zu.«

»Dann kann doch keiner rein. Ich muß jetzt kochen. Ich muß den Teller abwaschen.«

Ich nahm sie in die Arme und preßte meinen Mund tief in den ihren… »Beiß doch, beiß.«

Ich biß sie. Ich wühlte meine Zähne so fest in ihre Lippen, daß mir das Blut in den Mund spritzte. Es rann ihr den Hals herab, als ich sie die Treppe hochtrug.

3

Noch zwei Tage nachher konnte ich mich nicht rühren, aber der Grieche war wütend auf mich, also konnte ich mich verdrücken. Er war wütend, weil ich die Schwingtür zwischen Gaststube und Küche nicht in Ordnung gebracht hatte. Sie hatte ihm gesagt, die Tür sei zurückgeschnellt und ihr gegen den Mund geschlagen. Sie mußte ihm irgendwas sagen. Ihr Mund war ganz geschwollen, wo ich sie gebissen hatte. Er sagte, es sei meine Schuld, weil ich die Tür nicht in Ordnung gebracht hätte. Ich dehnte die Spiralfeder, so daß sie nicht so scharf zog, und das brachte es in Ordnung.

Aber der wahre Grund für seinen Ärger war das Schild. Er hatte sich so in das Schild verliebt, daß er Angst hatte, ich würde es als meine Idee ausgeben und nicht als seine. Es war so ein verrücktes Schild, daß sie es in einem Nachmittag gar nicht anfertigen konnten. Sie brauchten drei Tage dazu, und als es fertig war, fuhr ich rein und holte es und hängte es auf. Es war alles drauf, was er aufgezeichnet hatte, und noch ein paar andere Sachen. Es hatte eine griechische Flagge und eine amerikanische Flagge, und zwei Hände im Handschlag und *Sie werden zufrieden sein*. Es war ganz aus roten, weißen und blauen Neonröhren, und als ich anknipste, wurde es hell wie ein Weihnachtsbaum.

»Na, ich hab' in meinem Leben schon manche Schilder gesehen, aber so eins noch nie. Alle Achtung, Nick.«

»Sakra, ja. Sakra.«

Wir schüttelten uns die Hände. Wir waren wieder gut.

Am nächsten Tag war ich einen Augenblick mit ihr allein und schlug ihr mit der Faust so hart ans Bein, daß sie beinahe umfiel.

»Was ist denn in dich gefahren?« Sie fauchte mich an wie eine Wildkatze. So gefiel sie mir.

»Na, wie geht's, Cora?«

»Lausig.«

Von da ab begann ich sie wieder zu riechen.

Eines Tages kam dem Griechen zu Ohren, daß einer weiter oben an der Landstraße billigeres Benzin verkaufte. Er sprang in den Wagen, um sich darum zu kümmern. Ich war in meinem Zimmer, als er abfuhr; ich drehte mich rum und wollte in die Küche. Aber da stand sie schon in der Tür.

Ich ging auf sie zu und schaute mir ihren Mund an. Es war das erstemal, daß ich ihn mir ansehen konnte. Die Schwellung war ganz weg, aber man konnte noch die Spuren sehen, die meine Zähne eingegraben hatten, zwei kleine blaue Male auf beiden Lippen. Ich berührte sie mit meinen Fingern. Sie waren weich und feucht. Ich küßte sie, aber nicht fest. Kleine, weiche Küsse. Die waren mir vorher nie eingefallen. Sie blieb, bis der Grieche wiederkam, ungefähr eine Stunde. Wir taten nichts. Wir lagen nur auf dem Bett. Sie wühlte immerzu in meinem Haar und sah zur Decke hinauf, als überlegte sie sich was.

»Magst du Blaubeerkuchen?«

»Weiß nicht. Ja. Schätze, ja.«

»Ich mach' dir welchen.«

»Paß auf, Frank. Du wirst eine Feder brechen.«

»Zum Teufel mit der Feder.«

Wir holperten mitten in einen kleinen Eukalyptuswald am Straßenrand. Der Grieche hatte uns zum Markt geschickt, ein paar Koteletten zum Fleischer zurückzutragen, die ihm nicht gefielen, und auf dem Rückweg war es dunkel geworden. Ich warf den Wagen herum, und er muckerte und hopste, aber zwischen den

Bäumen hielt ich an. Sie schlang die Arme um mich, ehe ich noch die Lichter abgestellt hatte. Wir taten 'ne ganze Menge. Nach einer Weile saßen wir still da. »So geht's nicht weiter bei mir, Frank.«

»Bei mir auch nicht.«

»Ich halte es nicht aus. Und ich will mich richtig besaufen mit dir, Frank. Weißt du, was ich meine? Besaufen.«

»Ich weiß.«

»Und den Griechen hasse ich.«

»Warum hast du ihn genommen? Das hast du mir nie erzählt.«

»Ich hab' dir noch gar nichts erzählt.«

»Wir haben uns nicht viel mit Reden aufgehalten.«

»Ich war in einer Garküche angestellt. Wenn du einmal zwei Jahre in einer Garküche in Los Angeles gearbeitet hast, dann nimmst du den ersten Kerl mit einer goldenen Uhr im Sack.«

»Wann bist du aus Iowa weg?«

»Vor drei Jahren. Ich hab' eine Schönheitskonkurrenz gewonnen. Eine Schönheitskonkurrenz für Oberschulen, in Des Moines. Dort hab' ich gewohnt. Der Preis war eine Reise nach Hollywood. Als ich aus dem Zug stieg, standen da fünfzehn Burschen und fotografierten mich. Und zwei Wochen später war ich in der Garküche.«

»Bist du nicht zurückgefahren?«

»Das Vergnügen wollt' ich ihnen nicht machen.«

»Warst du nicht beim Film?«

»Die machten Probeaufnahmen. Das Gesicht war in Ordnung. Aber außerdem muß man ja reden. Im Film, meine ich. Und als ich zu reden anfing oben auf der Leinwand, da wußten sie, wer ich war, und ich wußte es auch. Eine kleine Schlumpe aus Des Moines, mit soviel Aussichten in der Filmbranche wie ein Affe. Nicht einmal soviel wie ein Affe. Über den kann man wenigstens lachen.«

»Und dann?«

»Zwei Jahre lang mußt' ich mich von irgendwelchen Kerlen ins Bein kneifen lassen und zehn Cents Trinkgeld annehmen und mich fragen lassen, na, wie wär's mit einer kleinen Partie heute abend. Manchmal bin ich auf denen ihre kleine Partie gegangen, Frank.«

»Und dann?«

»Du weißt doch, was die mit ihrer kleinen Partie meinen.«

»Weiß ich.«

»Dann kam er daher. Ich hab' ihn genommen, und, lieber Gott, ich wollte auch bei ihm bleiben. Aber ich halt's nicht mehr aus.

Himmel noch einmal, schau ich aus wie ein kleines, weißes Vögelchen?«

»Mir schaust du eher nach einem Höllenweib aus.«

»Du weißt Bescheid, wie? Das muß man dir lassen, dir braucht man nichts vorzumachen. Und du bist sauber. Du bist nicht fettig. Hast du eine Ahnung, was das heißt: nicht fettig?«

»Kann mir's schon vorstellen.«

»Glaub' ich nicht. Das kann kein Mann wissen, wie das ist für eine Frau. Um jemanden herumtanzen, der fettig ist und dir den Magen umdreht, wenn er dich anfaßt. So ein Höllenweib bin ich nun wieder nicht, Frank. Ich kann's einfach nicht mehr aushalten.«

»Was soll das? Willst du mir was vormachen?«

»Na schön. Bin ich eben ein Höllenweib. Aber gar so übel wär' ich nicht. Mit einem, der nicht fettig ist.«

»Cora, warum brennen wir nicht durch?«

»Ich hab' auch schon dran gedacht. Oft sogar.«

»Wir lassen den Griechen sitzen und reißen aus. Reißen einfach aus.«

»Wohin?«

»Irgendwohin. Kommt nicht drauf an.«

»Irgendwohin. Irgendwohin. Weißt du, wo das hinführt?«

»Überallhin. Wo immer wir wollen.«

»Keine Spur. In die Garküche.«

»Ich red' nicht von der Garküche. Ich red' von der Landstraße. Das macht Spaß, Cora. Ich kenn' jede Biegung, jede Kreuzung. Und wie man weiterkommt. Wollen wir das nicht? Einfach Stromer sein, wie wir's im Grunde doch sind?«

»Na, du warst ein feiner Stromer. Nicht einmal Socken hattest du an.«

»Dir hab' ich gefallen.«

»Ich hab' mich in dich verliebt. Dich würde ich auch ohne Hemd lieben. Besonders ohne Hemd würde ich dich lieben, dann könnte ich spüren, wie hübsch und hart deine Schultern sind.«

»Polizisten niederschlagen, das macht die Muskeln hart.«

»Du bist als Ganzes hart. Groß und breit und hart. Und deine Haare sind hell. Du bist kein solcher kleiner, weicher, fettiger Kerl mit schwarzgekraustem Haar, das er sich jede Nacht mit Pimentrum einschmiert.«

»Muß hübsch riechen.«

»Aber so geht's nicht, Frank. Die Straße da, die führt nirgends hin als in die Garküche. Für mich in die Garküche, und für dich in so was Ähnliches. Aufseher in irgendeinem elenden Autopark, wo sie dir einen Kittel anziehen. Mir wäre das zum Heulen, dich in einem Kittel zu sehen, Frank.«

»Also?«

Sie saß lange so da und drehte meine Hand hin und her mit ihren beiden Händen. »Frank, hast du mich lieb?«

»Ja.«

»Liebst du mich so sehr, daß dir alles andere gleich ist?«

»Ja.«

»Es gibt einen Ausweg.«

»Hast du nicht gesagt, du bist eigentlich gar kein Höllenweib?«

»Das hab' ich gesagt, und das glaub' ich auch. Ich bin nicht, was du denkst, Frank. Ich will arbeiten und es zu was bringen, nicht mehr. Aber ohne Liebe kann man das nicht. Weißt du das, Frank? Eine Frau jedenfalls nicht. Na und, ich hab' eben einen Fehler gemacht. Und jetzt muß ich ein Höllenweib sein, nur ein einziges Mal, um das wiedergutzumachen. Aber ich bin wirklich kein Höllenweib, Frank.«

»Dafür wird man aufgehängt.«

»Nicht, wenn man's richtig macht. Du bist doch schlau, Frank. Dir konnte ich keine Minute lang was vormachen. Dir wird schon was einfallen. Du bist nicht der erste. Mach dir keine Sorgen. Da ist schon manche Frau zu einem Höllenweib geworden, wenn sie aus einem Schlamassel rausmußte.«

»Mir hat er nie was getan. Der ist ganz in Ordnung.«

»Einen Dreck ist er in Ordnung. Er stinkt, sag' ich dir. Er ist fettig und stinkt. Glaubst du, ich laß dich einen Kittel anziehen mit ›Autopark-Dienst‹ auf 'n Rücken gemalt, und drunter ›Beehren Sie uns wieder‹, und er hat vier Anzüge und ein Dutzend Seidenhemden? Gehört mir nicht das halbe Geschäft? Steh' ich nicht in der Küche? Tust du gar nichts?«

»Du redest, als wär gar nichts weiter dabei.«

»Wer soll wissen, ob was dabei ist oder nicht, wenn nicht du und ich.«

»Du und ich.«

»Na eben, Frank. Darauf kommt's doch an, wie? Nicht ›du und ich und die Landstraße‹, oder sonst was, außer ›du und ich‹.«

»Du bist aber doch ein Höllenweib! Sonst könntest du mich nicht so aufregen.«

»Also, so wird's gemacht. Küß mich, Frank!«

Ich küßte sie. Ihre Augen leuchteten zu mir auf wie zwei blaue Sterne. Es war wie in der Kirche.

4

»Hast du ein bißchen heißes Wasser?«

»Warum nicht aus'm Badezimmer?«

»Nick ist drin.«

»Ach so. Hier ist welches im Kessel. Er hat gern den Boiler voll für sein Bad.«

Wir probten, wie wir's schildern würden. Es war gegen zehn Uhr abends, und wir hatten zugemacht, der Grieche war im Badezimmer und ließ den Hahn laufen für sein Bad am Samstagabend. Ich sollte das Wasser in mein Zimmer hinauftragen, die Rasiersachen zurechtlegen und mich dann erinnern, daß ich den Wagen hatte draußen stehenlassen. Ich sollte rausgehen, draußen aufpassen und einmal hupen, sowie einer kam. Sie sollte warten, bis er im Bad war, dann hineingehen, um sich ein Handtuch zu holen, und ihm von hinten eins mit dem Totschläger versetzen. Den Totschläger hatte ich aus einem Zuckerbeutel gemacht, der mit Kugellagern vollgestopft war. Zuerst sollte ich es machen, aber wir überlegten uns, wenn ich reinginge und nach meinem Rasiermesser stöberte, so würde er vielleicht aus der Wanne springen und mir suchen helfen. Dann sollte sie ihn untertauchen, bis er ertrunken war. Dann sollte sie das Wasser eine Weile laufen lassen und aus dem Fenster auf das Dach über dem Eingang klettern und die Leiter hinuntersteigen, die ich dort angelehnt hatte. Unten sollte sie mir den Totschläger geben und zurück in die Küche gehen. Ich sollte die Kugellager in die Kiste zurücklegen, den Beutel wegwerfen, den Wagen in die Garage fahren und dann in mein Zimmer hinaufgehen und mich rasieren. Sie würde warten, bis das Wasser in die Küche durchzusickern begann, und mich dann rufen. Wir würden die Tür aufbrechen, ihn finden und den Doktor anrufen.

Am Ende, dachten wir, würde es so aussehen, als wär er in der Wanne ausgerutscht, auf den Kopf gefallen und bewußtlos ertrunken. Die Idee hatte ich aus einem Zeitungsartikel, wo einer schrieb, daß die meisten Unfälle zu Hause im eigenen Badezimmer passierten.

»Achtung, 's ist heiß.«

»Danke.«

Es war in einem Topf, und ich trug's in mein Zimmer und stellte es auf den Schreibtisch und breitete meine Rasiersachen aus. Dann ging ich hinunter zum Wagen und setzte mich rein, so daß ich die Landstraße und das Badezimmerfenster sehen konnte, alle beide. Der Grieche sang. Mir kam vor, als müßte ich mir merken, was für ein Lied das war. Es war ›Mutter Machree‹. Er sang es einmal und dann noch einmal von vorn. Ich schaute in die Küche. Sie war noch drin.

Ein Lastwagen mit einem Anhänger kam um die Biegung. Ich legte die Hand auf die Hupe. Manchmal hielten die Lastwagenfahrer an und wollten was zu essen, und die waren imstande, gegen die Tür zu trommeln, bis man aufmachte. Aber sie fuhren weiter. Ich schaute in die Küche, und sie war nicht drin. Im Schlafzimmer ging das Licht an.

Dann plötzlich sah ich etwas sich bewegen, hinten beim Eingang. Beinahe hätte ich gehupt, dann sah ich, es war eine Katze. Nur eine graue Katze, aber mich machte sie nervös. Ausgerechnet eine Katze konnte ich jetzt nicht brauchen. Einen Augenblick lang sah ich sie nicht, und dann war sie wieder da und schnupperte an der Leiter herum. Ich wollte nicht hupen, weil es doch nur eine Katze war, aber bei der Leiter wollte ich sie auch nicht haben. Ich stieg aus dem Wagen, ging hin und verscheuchte sie.

Ich war auf halbem Weg zurück zum Wagen, da war sie wieder da und fing an, die Leiter raufzulaufen. Wieder verscheuchte ich sie und trieb sie bis zu den Kabinen rüber. Dann ging ich wieder zum Wagen und stand eine Weile da und schaute, ob sie wiederkam. Einer von der Staatspolizei kam um die Biegung. Er sah mich da stehen, schaltete den Motor ab und rollte herein, ehe ich mich rühren konnte. Als er anhielt, war er zwischen mir und dem Wagen. Ich konnte nicht hupen.

»Machen wohl Feierabend?«

»Bin nur rausgekommen, den Wagen holen.«

»Ihr Wagen?«

»Gehört dem Chef.«

»Gut. Wollte nur kontrollieren.«

Er drehte sich um, dann sah er etwas. »Was sagen Sie dazu! Sehen Sie sich das an!«

»Was denn?«

»Verdammte Katze, klettert da die Leiter rauf.«

»Na –«

»Ich hab' Katzen gern. Immer was im Schilde.« Er zog sich die Handschuhe hoch, warf einen Blick in die Nacht hinaus, trat ein paarmal aufs Pedal und fuhr los. Sowie er verschwunden war, stürzte ich zur Hupe. Zu spät. Vom Eingang her kam ein Feuerschein, und alle Lichter im Haus gingen aus. Cora schrie mit einem furchtbaren Ton in der Stimme: »Frank! Frank! Es ist was passiert!«

Ich rannte in die Küche, aber da war es stockfinster, und ich hatte keine Streichhölzer in der Tasche und mußte mich weitertasten. Wir begegneten uns auf der Treppe, sie kam herunter, ich lief hinauf. Sie kreischte wieder.

»Sei doch still, um Himmels willen! Hast du's getan?«

»Ja, aber das Licht ging aus, und ich hab' ihn noch nicht untergetaucht.«

»Wir müssen ihn wieder zu sich bringen. Gerade war eine Patrouille da, der hat die Leiter gesehen.«

»Ruf den Arzt an!«

»Ruf du an, und ich zieh' ihn raus.«

Sie ging hinunter und ich hinauf. Ich ging ins Badezimmer und zur Wanne. Da lag er im Wasser, aber sein Kopf war über dem Rand. Ich versuchte, ihn herauszuheben. Es war eine verdammte Plackerei. Er war glatt von der Seife, und ich mußte ins Wasser steigen, um ihn überhaupt heben zu können. Die ganze Zeit hörte ich sie unten mit dem Telefonamt reden. Man verband sie nicht mit dem Arzt. Man verband sie mit der Polizei.

Ich bekam ihn endlich hoch und legte ihn über den Wannenrand, dann stieg ich selbst aus dem Wasser und zerrte ihn ins Schlafzimmer und legte ihn aufs Bett. Sie kam herauf, und wir fanden Streichhölzer und zündeten eine Kerze an. Dann fingen wir an, ihn zu bearbeiten. Ich wickelte nasse Handtücher um seinen Kopf, sie rieb ihm inzwischen die Handgelenke und Füße.

»Sie schicken den Rettungswagen.«

»Gut. Hat er gesehen, daß du es warst?«

»Ich weiß nicht.«

»Warst du hinter ihm?

»Ich glaube ja. Aber dann ging das Licht aus, und ich weiß nicht, was geschah. Was hast du mit dem Licht gemacht?«

»Nichts. Ein Kurzschluß.«

»Frank! Der kommt besser nicht mehr zu sich.«

»Er muß zu sich kommen. Wenn er stirbt, sitzen wir fest. Ich sag'
dir doch, der Polizist hat die Leiter gesehen. Wenn er stirbt, dann
wissen sie alles. Wenn er stirbt, sitzen wir fest.«

»Aber nimm an, er hat mich gesehen? Was wird er sagen, wenn
er zu sich kommt?«

»Vielleicht hat er dich nicht gesehen. Wir müssen ihm was
einreden, fertig. Du warst drin, und das Licht ging aus, und du hast
ihn ausrutschen und fallen gehört, und er gab keine Antwort mehr,
als du zu ihm sprachst. Dann hast du mich gerufen, fertig. Was
immer er auch sagt, du bleibst dabei. Wenn er irgendwas gesehen
hat, so war das eben Einbildung, fertig.«

»Warum kommt denn der Rettungswagen ewig nicht!«

»Wird schon kommen.«

Sowie der Rettungswagen da war, wurde er auf eine Tragbahre
gelegt und reingeschoben. Sie fuhr mit ihm. Ich kam mit dem
Wagen hinterher. Halbwegs nach Glendale schloß sich uns ein
Polizist an und fuhr voraus. Sie fuhren über hundert die Stunde,
und ich kam nicht mit. Als ich zum Krankenhaus kam, hoben sie
ihn gerade heraus, und der Polizist überwachte alles. Als er mich
sah, gab's ihm einen Ruck, und er starrte mich an. Es war derselbe
Polizist.

Sie schafften ihn hinein, legten ihn auf eine Rollbahre und fuhren
ihn in den Operationssaal. Cora und ich setzten uns draußen im
Vorzimmer hin. Bald darauf kam eine Krankenschwester und
setzte sich zu uns. Dann kam der Polizist und brachte einen
Wachtmeister mit. Sie guckten mich immerfort an. Cora erzählte
der Schwester, wie es sich abgespielt hatte. »Ich war drin, nämlich
im Badezimmer, um ein Handtuch zu holen, und dann ging's Licht
aus wie aus der Pistole geschossen. Lieber Gott, so ein furchtbarer
Knall! Ich hörte noch, wie er fiel. Er war schon aufgestanden und
wollte die Brause andrehen. Ich sagte was zu ihm, und er sagte gar
nichts, dunkel war's, und ich konnte überhaupt nichts sehen und
wußte gar nicht, was los war. Nämlich, ob er sich nicht vielleicht
elektrisiert hatte oder so irgendwas. Und dann hörte Frank mich
schreien und kam rein und zog ihn raus, und dann rief ich die
Rettungsstelle an, weiß Gott, was ich getan hätte, wenn die nicht so
schnell gekommen wären!«

»Sie kommen immer rasch, wenn man so spät anruft.«

»Ich hab' so Angst, daß er schwer verletzt ist!«

»Ich glaube nicht. Er wird gerade geröntgt. Nach dem Röntgen-bild weiß man's genau. Aber ich glaube nicht, daß er schwer verletzt ist.«

»Lieber Gott, hoffentlich nicht.«

Die Polizisten sagten die ganze Zeit kein Wort. Sie saßen nur da und guckten uns an.

Sie rollten ihn heraus, den Kopf ganz mit Verbänden umwickelt. Er wurde in einen Lift geschoben, Cora, ich, die Krankenschwester und die Polizisten alle mit, und sie fuhren ihn rauf und brachten ihn in ein Zimmer. Wir gingen alle mit hinein. Es waren nicht genug Stühle da, und während man ihn ins Bett legte, holte die Schwester noch ein paar. Wir setzten uns alle nieder. Irgend jemand sagte was, und die Schwester fuhr ihm über den Mund. Ein Arzt kam herein, sah sich ihn an und ging wieder hinaus. Wir saßen eine ganze Weile so da. Dann ging die Schwester zu ihm hin und schaute ihn an.

»Ich glaube, jetzt kommt er zu sich.«

Cora sah auf mich, und ich guckte rasch weg. Die Polizisten beugten sich vor, um zu hören, was er sagte. Er machte die Augen auf.

»Geht's Ihnen besser?«

Er sagte nichts, und von den anderen sagte auch keiner was. Ich hörte, wie mir das Herz in den Ohren dröhnte, so still war es. »Erkennen Sie Ihre Frau? Da ist sie ja. Schämen Sie sich nicht, im Bad auszurutschen, wie'n kleiner Junge, nur weil das Licht aus-geht? Ihre Frau ist sehr böse auf Sie. Wollen Sie nicht mit ihr reden?«

Er mühte sich ab, etwas zu sagen, brachte aber nichts heraus. Cora wischte seine Hand und streichelte sie. Er lag ein paar Minuten still da, mit geschlossenen Augen, dann fing sich sein Mund wieder zu bewegen an, und er blickte auf die Schwester.

»Da war doch alles dunkel.«

Als die Schwester sagte, jetzt müsse er Ruhe haben, führte ich Cora hinunter und setzte sie in den Wagen. Kaum waren wir losgefah-ren, da kam schon der Polizist auf seinem Motorrad hinter uns her.

»Er hat uns in Verdacht, Frank.«

»Es ist derselbe. Er wußte, es stimmte was nicht, so wie er mich draußen stehen und aufpassen sah. Er glaubt's immer noch.«

»Was sollen wir machen?«

»Ich weiß nicht. Hängt alles von der Leiter ab, ob er herauskriegt, wozu sie da war. Was hast du mit dem Totschläger gemacht?«

»Ich hab' ihn noch bei mir, in der Tasche, in meinem Kleid.«

»Um Himmels willen! Wenn sie dich dort verhaftet und durchsucht hätten, säßen wir jetzt fest.«

Ich gab ihr mein Messer, ließ sie den Bindfaden vom Beutel abschneiden und die Kugellager herausnehmen. Dann ließ ich sie nach hinten klettern, den Sitz aufheben und den Beutel darunterlegen. Jetzt würde er wie irgendein Fetzen aussehen, wie ihn jeder beim Werkzeug hat.

»Bleib gleich hinten und laß den Polizist nicht aus dem Auge. Ich werd' jetzt die Lager eins nach dem anderen ins Gebüsch feuern, und du paßt auf, ob er was merkt.«

Sie paßte auf, ich steuerte mit der linken Hand und legte die rechte einfach aufs Lenkrad. Dann ließ ich eins lossausen. Es schoß davon wie eine Murmel, aus'm Fenster und über die Straße.

»Hat er sich umgedreht?«

»Nein.«

Ich feuerte die anderen ab, alle zwei Minuten eins. Er merkte nichts.

Wir kamen beim Haus an, und es war noch dunkel. Ich hatte keine Zeit gehabt, nach den Sicherungen zu suchen, und schon gar nicht, sie auszuwechseln. Als ich bremste, fuhr der Polizist an mir vorbei und hielt vor mir an. »Will mir nur den Sicherungskasten ansehen.«

»Ja. Das wollte ich gerade auch.«

Wir gingen alle drei nach hinten, und er schaltete die Taschenlampe an. Gleich darauf grunzte er komisch und bückte sich. Da lag die Katze auf dem Rücken und streckte alle Viere in die Luft.

»Na, so ein Jammer! Die ist ja mausetot.«

Er schwenkte das Licht unter das Dach über dem Eingang und die Leiter entlang. »Ja, das muß es gewesen sein. Wissen Sie noch, wie wir sie anguckten? Von der Leiter ist sie auf Ihren Sicherungskasten gesprungen – und war mausetot.«

»Kann gar nicht anders gewesen sein! Sie waren kaum weg, da ist es passiert. Wie ein Pistolenschuß. Ich hatte nicht mal Zeit gehabt, den Wagen anzulassen.«

»Weiter unten haben Sie mich dann eingeholt.«

»Sie waren kaum weg.«

»Direkt von der Leiter auf den Sicherungskasten. Na ja, so geht's. Die armen Viecher kennen sich eben nicht aus mit der Elektrizität, wie? Will ihnen einfach nicht in den Kopf.«

»Bitter, immerhin.«

»Ganz recht, bittre Sache, was? Jetzt ist sie mausetot. So ein hübsches Kätzchen. Wissen Sie noch, wie sie aussah, da oben auf der Leiter? So ein nettes Kätzchen hab' ich schon lange nicht gesehen.«

»So hübsch gefleckt.«

»Und einfach mausetot. Na, ich muß weiter. Das erklärt die Sache ja wohl. Wollte nur kontrollieren.«

»In Ordnung.«

»Wiedersehen dann, Wiedersehen, Miß.«

»Wiedersehen.«

5

Wir ließen die Katze, den Sicherungskasten und alles andere einfach stehen und liegen. Wir krochen ins Bett, und sie brach zusammen. Sie weinte, dann bekam sie einen Schüttelfrost und zitterte am ganzen Leib, und ich brauchte zwei Stunden, bis ich sie endlich beruhigt hatte.

Dann lag sie eine Weile in meinen Armen, und wir fingen zu reden an.

»Nie wieder, Frank.«

»Allerdings, nie wieder.«

»Wir müssen verrückt gewesen sein. Einfach verrückt.«

»Nur unser blödes Glück, daß wir durchgerutscht sind.«

»Es war meine Schuld.«

»Meine auch.«

»Nein, es war meine Schuld. Ich war's, die sich das alles ausgedacht hat. Du wolltest gar nicht. Das nächste Mal hör ich auf dich, Frank. Du bist schlau. Du bist nicht so dumm wie ich.«

»Nur, daß nächstes Mal nicht stattfindet.«

»Stimmt. Nie wieder.«

»Sogar, wenn wir bis zum Schluß alles richtig gemacht hätten, wären sie draufgekommen. Sie kommen immer drauf. Sie kommen sowieso drauf aus Gewohnheit. Denk nur, wie rasch der

Polizist wußte, daß was nicht stimmte. Da friert mir das Blut in den Adern. Wie er mich da nur stehen sah, wußte er's. Wenn er so leicht draufkommt, was denkst du, wie lang' wir durchgehalten hätten, wenn der Grieche wirklich gestorben wäre?«

»Ich glaube, ich bin gar nicht wirklich ein Höllenweib, Frank.«

»Das sag' ich doch.«

»Sonst würde ich mich nicht so leicht fürchten. Ich hab' mich so gefürchtet, Frank.«

»Ich hab' mich selber auch nicht schlecht gefürchtet.«

»Weißt du, was ich wollte, wie's Licht ausging? Einfach dich, Frank. Da war ich überhaupt kein Höllenweib. Nur ein kleines Mädchen, das sich im Dunkeln fürchtet.«

»War ich denn nicht da?«

»Eben darum hatte ich dich so lieb. Wenn du nicht gewesen wärst, ich weiß nicht, was uns passiert wäre.«

»Nicht so übel, wie? Daß er einfach ausrutschte.«

»Und er hat's selbst geglaubt.«

»Wenn's nur halbwegs zu machen ist, werd' ich mit der Polizei immer fertig. Man muß nur seine Geschichte fertig haben, weiter nichts. Man muß nur alle Lücken ausfüllen und sich trotzdem so nah an die Wahrheit halten, wie's geht. Ich kenne sie. Ich hab' genug mit ihnen zu tun gehabt.«

»Du hast's in Ordnung gebracht. Du wirst immer alles für mich in Ordnung bringen, ja, Frank?«

»Du bist die einzige, an der mir was liegt.«

»Ich will auch gar kein Höllenweib sein.«

»Du bist mein Baby.«

»Ja, nur dein dummes Baby, Frank. Von jetzt ab höre ich auf dich, Frank. Du bestimmst, wie's gemacht wird, und ich mach' die Arbeit. Ich kann arbeiten, Frank. Und ich arbeite gut. Wir schaffen's schon.«

»Freilich schaffen wir's.«

»Sollen wir jetzt schlafen?«

»Glaubst du, daß du schlafen kannst?«

»Es ist das erstemal, daß wir zusammen schlafen, Frank.«

»Hast du's gern?«

»Es ist herrlich, einfach herrlich.«

»Gib mir einen Gutenachtkuß.«

»Wie schön, daß ich dir einen Gutenachtkuß geben kann.«

Am nächsten Morgen weckte uns das Telefon. Sie lief hinunter und hob ab, und als sie wiederkam, leuchteten ihre Augen. »Frank, rate mal!«

»Was?«

»Er hat einen Schädelbruch.«

»Schlimm?«

»Nein, aber sie behalten ihn drin. Eine Woche vielleicht wollen sie ihn drin behalten. Heute nacht können wir wieder zusammen schlafen.«

»Komm her.«

»Jetzt nicht. Wir müssen aufstehen. Wir müssen den Laden aufmachen.«

»Komm her, sonst kriegst du was.«

»Du Lump.«

Es war schon eine glückliche Woche. Nachmittags fuhr sie immer ins Krankenhaus, aber die übrige Zeit waren wir zusammen. Wir ließen ihn auch was verdienen. Wir hielten die Bude die ganze Zeit offen und kümmerten uns ums Geschäft und nahmen was ein. Freilich half es, daß an einem Tag eine ganze Sonntagsschule anrollte, hundert Kinder in drei Omnibussen, die einen ganzen Haufen Zeug verlangten, um es in den Wald mitzunehmen. Aber auch ohne das hätten wir eine Menge eingenommen. Die Kasse wußte nichts, womit sie uns hätte verpfeifen können, das kann man mir glauben.

Dann fuhren wir eines Tages beide hinein, statt nur sie allein, und als sie vom Krankenhaus zurückkam, bogen wir zum Strand ab. Man gab ihr einen gelben Badeanzug und eine rote Kappe, und als sie herauskam, erkannte ich sie erst gar nicht. Sie sah aus wie ein kleines Mädchen. Da sah ich zum erstenmal, wie jung sie eigentlich war. Wir spielten im Sand, dann gingen wir weit hinaus und ließen uns von den Wellen schaukeln. Ich liege gern mit dem Kopf gegen die Strömung, sie lieber mit den Füßen. So lagen wir auf dem Wasser einander gegenüber und gaben uns die Hände unterm Wasser. Ich sah in den Himmel hinauf. Das war alles, was man sehen konnte. Ich dachte an den lieben Gott.

»Frank!«

»Ja.«

»Morgen kommt er nach Hause. Du weißt, was das heißt!«

»Ich weiß.«

»Ich muß mit ihm schlafen, statt mit dir.«

»Würdest du auch, nur daß wir weg sind, wenn er kommt.«

»Ich hab' gehofft, du wirst das sagen.«

»Nur du und ich und die Landstraße, Cora.«

»Du und ich und die Landstraße.«

»Ganz einfach zwei Stromer.«

»Ganz einfach zwei Zigeuner, aber dafür sind wir beisammen.«

»Ja. Dafür sind wir beisammen.«

Am nächsten Morgen packten wir. Jedenfalls, sie packte. Ich hatte mir einen neuen Anzug gekauft, den zog ich an, und das war auch schon alles. Sie tat ihre Sachen in einen Hutkoffer. Als sie fertig war, gab sie ihn mir. »Leg ihn in den Wagen, ja?«

»Den Wagen?«

»Nehmen wir nicht den Wagen?«

»Nun, wenn du gleich die erste Nacht im Kittchen verbringen willst, dann schon. Einem Mann die Frau stehlen, das macht nichts. Aber ihm den Wagen wegnehmen, das ist Vergehen an fremdem Eigentum.«

»Ach.«

Wir zogen los. Bis zur nächsten Autobushaltestelle waren es drei Kilometer, die mußten wir laufen. Wann immer ein Wagen vorbeikam, standen wir da und streckten die Hand aus, aber keiner hielt. Einen Mann nimmt man mit, oder eine Frau für sich, wenn sie dumm genug ist, sich darauf einzulassen, aber Mann und Frau zusammen haben nicht viel Glück. Nachdem ungefähr zwanzig vorbeigekommen waren, blieb sie stehen. Wir waren vielleicht einen halben Kilometer gelaufen.

»Frank, ich kann es nicht.«

»Was ist los?«

»Es ist so weit.«

»Was ist?«

»Die Landstraße.«

»Du bist verrückt. Du bist einfach müde, weiter nichts. Hör zu. Du wartest hier, und ich such' jemand weiter unten auf der Straße, der uns in die Stadt fährt. Das hätten wir gleich tun sollen. Dann sind wir in Ordnung.«

»Nein, das ist es nicht. Ich bin nicht müde. Ich kann's einfach nicht. Überhaupt nicht.«

»Willst du denn nicht bei mir bleiben, Cora?«

»Das weißt du doch.«

»Zurück können wir nicht, verstehst du? Wir können nicht wieder von vorn anfangen, so wie's war. Das weißt du genau. Du mußt jetzt mitkommen.«

»Ich hab' dir doch gesagt, ich bin kein richtiger Landstreicher, Frank. Mir ist nicht nach Zigeunern zumute. Mir ist nach gar nichts zumute, ich schäm' mich nur, daß ich hier stehen muß und Wagen aufhalten.«

»Ich sag' dir doch, wir nehmen uns einen Wagen in die Stadt.«

»Na, und dann?«

»Dann sind wir da. Dann geht's los.«

»Tut's eben nicht. Dann bleiben wir eine Nacht im Hotel, und am nächsten Tag suchen wir uns Arbeit. Und wohnen in einem Loch.«

»Ist das kein Loch, wo du jetzt herkommst?«

»Ist doch was anderes.«

»Cora, du läßt dich doch nicht kleinkriegen?«

»Bin schon klein, Frank. Ich kann nicht weiter. Leb wohl.«

»Willst du mir mal 'ne Minute zuhören?«

»Leb wohl, Frank. Ich geh' zurück.«

Sie zerrte immerfort an ihrem Hutkoffer. Ich wollte ihn festhalten oder wenigstens für sie zurücktragen, aber sie erwischte ihn. Dann zog sie ab damit. Sie hatte so hübsch ausgesehen, als wir losgingen, mit einem netten blauen Kostüm und blauen Hut, aber jetzt sah sie ganz zerbeult aus, und ihre Schuhe waren staubig, und sie konnte gar nicht gerade gehen, vor lauter Weinen. Plötzlich merkte ich, daß ich auch weinte.

6

Mich nahm einer mit nach San Bernardino. Das ist an der Eisenbahn, und ich wollte per Güterzug nach Osten rauf. Aber dann tat ich's doch nicht. In einem Billardlokal lief mir ein Kerl über den Weg, der war der beste Dussel, den mir der liebe Gott je hatte unterkommen lassen, weil er nämlich einen Freund hatte, der konnte wirklich Billard spielen. Dem sein Pech war wieder, er spielte nicht ganz gut genug. Mit dem Gespann trieb ich mich zwei Wochen lang rum und nahm ihnen zweihundertfünfzig Dollars ab, alles was sie hatten, dann aber mußte ich aus der Stadt wie 'n geölter Blitz.

Ein Lastwagen nahm mich mit nach Mexicali, dann fing ich an, über meine zweihundertfünfzig Dollars nachzudenken, und daß wir mit dem Geld auf den Strand gehen konnten und heiße Würstchen verkaufen oder so was, bis wir Größeres riskieren konnten. So sprang ich ab und ließ mich zurück nach Glendale mitnehmen. Dort trieb ich mich auf dem Markt herum, wo sie immer ihr Zeug kauften, und hoffte, ich würde ihr über den Weg laufen. Ich rief sogar ein paarmal an, aber immer war der Grieche dran, und ich tat, als wär's die falsche Nummer.

Wenn ich nicht gerade auf dem Markt war, trieb ich mich in einem Billardlokal herum, ein paar Häuser weiter unten. Eines Tages war da einer, der übte Schüsse allein an einem Tisch. Es war klar, daß er Anfänger war, weil er die Queue so komisch hielt. Ich übte ein paar Schüsse am Nebentisch. Wenn zweihundertfünfzig Dollars für eine Wurstbude reichten, dachte ich mir, dann sind wir mit dreihundertfünfzig Dollars wirklich fein raus.

»Wie wär's mit 'nem Kügelchen in die Seite?«

»Ich hab' nicht viel Ahnung von dem Spiel.«

»Nichts dran. Einfach eine Kugel ins Seitenloch.«

»Auf alle Fälle, für mich spielen Sie zu gut.«

»Ich Pfuscher?«

»Also gut, wenn wir nur so spielen.«

Wir fingen an zu spielen, und ich ließ ihm drei oder vier, um ihn in Stimmung zu bringen. Dabei schüttelte ich den Kopf, als könnte ich's nicht verstehen.

»Ich spiel' wohl zu gut für Sie, wie? Das ist aber 'n Witz. Na, besser als das ist's immerhin, das schwör' ich Ihnen. Ich komm' nur nicht in Schwung. Setzen wir 'nen Dollar, damit's bißchen lustiger wird?«

»Na schön. Bei einem Dollar kann ich nicht viel verlieren.«

Wir setzten einen Dollar pro Spiel, und ich ließ ihn vier oder fünf gewinnen, vielleicht auch mehr. Ich schoß, als wär' ich ziemlich nervös, und zwischendurch wischte ich mir die Handfläche mit dem Taschentuch, als wär' ich verschwitzt.

»Na, mir scheint, ich hab' nicht viel Glück. Spielen wir um fünf Dollars, wie? Da kann ich mein Geld zurückgewinnen, und nachher trinken wir noch einen.«

»Na schön. Es ist ja nur ein Freundschaftsspiel, ich will Ihr Geld ja gar nicht. Gut, sagen wir fünf Dollar, und dann hören wir auf.«

Ich ließ ihn noch vier oder fünf gewinnen und führte mich auf, als hätte ich einen Herzklaps und weiß Gott was sonst noch. Ich war schon ganz blau im Gesicht.

»Hören Sie mal. Ich weiß schon, wenn ich mir zuviel vornehme und wenn nicht, aber spielen wir mal um fünfundzwanzig Dollars, dann kann ich's vielleicht gerade machen, und nachher gehen wir einen trinken.«

»Das ist mir 'n bißchen zu hoch.«

»Na hören Sie mal, schließlich spielen Sie doch mit meinem Geld, wie?«

»Also schön, soll mir recht sein. Sagen wir fünfundzwanzig.«

Jetzt fing ich richtig zu schießen an. Ich machte Schüsse, die Hoppe nicht geglückt wären. Ich feuerte sie rein von drei Stützen, ich machte Billardschüsse, und ich ließ ein paar englische los, daß die Kugel einfach um den Tisch rumschwamm, ich sagte sogar einen Springer an und gewann ihn. Und er machte nicht einen, den Tom, der blinde Klavierspieler ohne Augen, nicht auch hätte machen können. Er schoß daneben, er brachte alle Positionen durcheinander, er stieß ins Tuch, er steuerte eine Kugel ins falsche Loch, er sagte nicht mal einen Randschuß an. Aber als ich das Lokal verließ, hatte er meine zweihundertfünfzig Dollars und eine Uhr für drei Dollars, die ich mir gekauft hatte, um genau zu wissen, wann Cora vielleicht auf den Markt kam. Ach, spielen konnte ich schon. Mein Pech war wieder, ich spielte nicht ganz gut genug.

»He, Frank!«

Es war der Grieche. Er rannte über die Straße auf mich zu, ehe ich noch ganz aus der Tür war.

»Na, Frank, alter Galgenbruder, wo bist denn gewesen, hier komm, warum lauf du weg, wenn ich gerade Kopf zerschlag und dich dringend brauch?«

Wir schüttelten uns die Hände. Er hatte den Kopf noch verbunden und einen komischen Blick, aber er hatte einen neuen Anzug an und einen schwarzen Hut schief in der Stirn und eine lila Krawatte und braune Schuhe und die goldene Uhrkette quer über die Weste hängen und eine dicke Zigarre in der Hand.

»Nick! Wie geht's, alter Junge?«

»Mir? Geht gut, könnte nicht besser gehn, wenn grad' aus 'm Ei gepellt, aber du, warum rennst mir weg? Ich stinkend wütend auf dich, du alter Galgenbruder.«

»Na, du kennst mich doch, Nick. Ich halt' mich wo 'ne Weile auf, dann muß ich wieder auf die Walze.«

»Du suchst dir feinen Moment aus für Walze. Was arbeitest, wie? Ah was, du arbeitest nichts, alter Galgenbruder, ich kenn' dich. Komm mit jetzt, Koteletten kaufen, ich erzähl' dir alles.«

»Bist du alleine da?«

»Frag' nicht dämlich, wer soll zu Hause in Wirtschaft sein, wenn mir wegrennst, wie? Klar bin ich allein! Ich und Cora, wir können nicht ausgehen zusammen jetzt. Einer geht, andere bleibt zu Hause.«

»Na also, gehen wir rüber.«

Er brauchte eine volle Stunde, um die Kotelettes zu kaufen, so viel hatte er mir zu erzählen von seinem Schädelbruch, wie die Ärzte noch nie so einen Bruch gesehen hatten und wie schwer er's gehabt hat mit Hilfspersonal, wie er zwei Burschen aufgenommen hatte, nachdem ich weg war, einen, den er am nächsten Morgen schon hinausschmiß, und einen anderen, der nach drei Tagen ausriß und die Kasse ausräumte, und wie er mich um alles in der Welt wiederhaben wollte.

»Frank, ich sag' dir, morgen fahren wir Santa Barbara, Cora und ich. Was nützt schlechtes Leben, alter Junge, manchmal muß bißchen unterhalten, wie? Wir wollen uns Fiesta anschauen dort, und du komm mit. Wie gefällt dir, Frank? Du komm mit uns, wir reden, ob du kommst zurück arbeiten für mich. Du hast Lust Fiesta in Santa Barbara?«

»Soll ja ganz nett sein.«

»Da is' Mädels, da is' Musik, da is' Tanz in Straßen, das wirklich tadellos. Komm, Frank, was sagst?«

»Na, ich weiß nicht recht.«

»Cora wird Stinkwut kriegen, ich treff' dich und bring' dich nicht mit. Vielleicht sie bißchen hochnasig zu dir, aber sie weiß, du bist feiner Kerl, Frank. Komm, wir geh'n alle drei. Wir amüsieren großartig.«

»Na gut. Wenn sie auch dafür ist.«

In der Wirtsstube waren acht oder zehn Leute, als wir ankamen, und sie war hinten in der Küche und wusch Geschirr auf Deubel komm raus, damit sie genug Teller zum Servieren hatte.

»He! He, Cora, schau. Schau, wen ich mitgebracht.«

»Du lieber Himmel! Wo kommt der denn her?«

»Ich treff' ihn heute. Er kommt mit Santa Barbara.«

»Tag, Cora, wie geht's denn?«

»Dich kennt man ja kaum mehr.«

Sie wischte sich rasch die Hände ab, und wir gaben uns die Hand, aber ihre Hand war seifig. Dann ging sie nach vorn mit einem Tablett, und der Grieche und ich setzten uns. Sonst half er ihr immer servieren, aber er brannte danach, mir was zu zeigen, und so ließ er sie alles allein machen. Es war ein großes Album, da hatte er auf die erste Seite seine Einbürgerungsurkunde geklebt und auf die zweite seinen Trauschein, und dann seine Geschäftslizenz für den Bezirk Los Angeles, und dann ein Bild von sich in der griechischen Armee, und dann ein Bild von sich und Cora am Hochzeitstag, und dann alle Zeitungsausschnitte über seinen Unfall. Die Ausschnitte in den richtigen Zeitungen hatten genaugenommen mehr über die Katze drin als über ihn selbst, aber immerhin stand sein Name da, und daß er ins Glendale-Krankenhaus gebracht worden war und wieder auf die Beine kommen würde. Aber in der griechischen Zeitung von Los Angeles, da stand mehr über ihn drin als über die Katze, und die hatten auch sein Bild gebracht, in dem Frack, den er früher als Kellner getragen hatte, und seine ganze Lebensgeschichte. Und dann kamen die Röntgenbilder. Es war vielleicht ein halbes Dutzend, denn sie hatten jeden Tag eine neue Aufnahme gemacht, um zu sehen, wie die Sache stand. Die hatte er befestigt, indem er zwei Seiten zusammenklebte und dann ein Viereck in der Mitte rausschnitt, wo er das Röntgenbild hineinschob; das konnte man dann gegen das Licht halten und durchsehen. Nach den Röntgenbildern kamen die quittierten Rechnungen vom Krankenhaus, die quittierten Arztrechnungen und die quittierten Pflegerinnenrechnungen. Der Knuff auf die Nuß hatte ihn sage und schreibe dreihundertzweiundzwanzig Dollars gekostet.

»Is' schön, wie?«

»Großartig. Alles da, wie am Schnürchen.«

»Is' nicht fertig noch, natürlich. Das hier mach' ich noch rot und weiß und blau, ganz fein. Schau.«

Er zeigte mir zwei Seiten, wo er schon mit den Verzierungen angefangen hatte. Die Schnörkel hatte er mit Tinte nachgezogen und dann rot, weiß und blau koloriert. Über der Einbürgerungsurkunde waren zwei amerikanische Flaggen und ein Adler und über dem griechischen Militärbild und über seinem Trauschein zwei Turteltauben auf einem Zweig. Er wußte noch nicht recht, was er

auf die anderen Seiten tun würde, aber ich sagte, über die Zeitungsausschnitte sollte er eine Katze malen, der eine rot-weiß-blaue
Flamme aus dem Schwanz kommt, und das gefiel ihm auch sofort
sehr gut. Er begriff aber nicht recht, wie ich sagte, er sollte doch
einen Geier über die Geschäftslizenz malen, in jeder Hand ein
Auktionsfähnchen, auf dem stand ›Heute Ausverkauf‹. Hatte auch
keinen Sinn, es ihm lange zu erklären. Aber mir wurde endlich klar,
warum er sich so fein hergerichtet hatte und nicht mehr selber das
Essen auftrug wie früher und sich so wichtig machte. Dieser
Grieche hatte nun mal einen Schädelbruch gehabt, und so was
passierte einem solchen dämlichen Pinsel wie ihm nicht alle Tage.
Er war wie ein Italiener, der sich ’ne Drogerie aufmacht. Sowie er
das Schild mit dem roten Siegel kriegt, auf dem Pharmazie draufsteht, zieht sich so ’n Italiener einen grauen Anzug an mit schwarz-
geränderter Weste und kommt sich so wichtig vor, daß er nicht mal
Zeit hat, Pillen zu drehen, und ein Schokoladeeis mit Soda überhaupt nicht mehr anrühren will. Aus demselben Grund hatte sich
der Grieche so hergerichtet. Der hatte ganz was Großes erlebt.

Erst kurz vor dem Abendessen erwischte ich sie allein. Er ging
hinauf, um sich zu waschen, und wir blieben in der Küche zurück.

»Hast an mich gedacht, Cora?«

»Und ob. So rasch vergeß’ ich dich nicht.«

»Ich hab’ viel an dich gedacht. Wie geht’s dir denn?«

»Mir? Ganz gut.«

»Zweimal hab’ ich dich angerufen, aber er war am Telefon, und
ich hatte Angst, mit ihm zu reden. Ich hab’ inzwischen Geld
verdient.«

»Ah, das freut mich aber, daß du vorwärtskommst.«

»Ich hab’s verdient, aber wieder verloren. Ich dachte mir, wir
könnten damit was auf die Beine stellen, und dann hab’ ich’s
verloren.«

»Na so was! Ich sag’ immer, wo das Geld nur hingeht!«

»Denkst du wirklich an mich, Cora?«

»Natürlich.«

»Benimmst dich aber nicht so.«

»Mir scheint, ich benehm’ mich ganz richtig.«

»Keinen Kuß übrig für mich?«

»Abendessen ist gleich fertig. Wenn du dich noch waschen
willst, tu’s lieber jetzt.«

So ging's. So ging's den ganzen Abend. Der Grieche brachte seinen süßen Wein an und sang eine Menge Lieder, und wir hockten herum. Von ihr aus hätte ich irgendein Kerl sein können, der mal da gearbeitet hatte und von dem sie nicht mehr genau wußte, wie er hieß. Diese ganze Rückkehr war die größte Pleite, die je dagewesen war.

Als es Schlafenszeit war, ließ ich sie beide hinaufgehen, dann ging ich vors Haus und überlegte mir, ob ich dableiben sollte und versuchen, wieder was mit ihr anzufangen, oder abhauen und das Kreuz über sie machen. Ich marschierte ein ganzes Stück, ich weiß nicht, wie lange oder wie weit, dann hörte ich plötzlich einen Krach im Haus. Ich ging zurück, und als ich dicht rangekommen war, hörte ich ein bißchen, was sie sagten. Sie brüllte wie verrückt, ich müßte weg. Er murmelte irgendwas, wahrscheinlich, daß ich bleiben sollte und wieder zu arbeiten anfange. Er versuchte, sie zum Schweigen zu bringen, aber mir war klar, sie brüllte so laut, damit ich es hörte. Wäre ich in meinem Zimmer gewesen, wie sie annahm, so hätte ich es ganz genau gehört. Ich hörte immer noch genug dort, wo ich war.

Dann plötzlich war alles still. Ich schlich mich in die Küche, blieb stehen und horchte. Aber jetzt konnte ich gar nichts hören, weil ich so aufgeregt war und nur den Krach von meinem eigenen Herzen spürte, bum-bum, bum-bum, bum-bum, immer so. Mein Herz macht aber einen komischen Krach, dachte ich mir, und dann wußte ich plötzlich, daß in der Küche zwei Herzen klopften, darum hatte es so komisch geklungen.

Ich drehte das Licht an.

Da stand sie in einem roten Kimono, bleich wie Milch, hatte ein langes dünnes Messer in der Hand und starrte mich an. Ich streckte die Hand aus und nahm ihr das Messer weg. Dann fing sie an zu reden, ein Geflüster, wie von einer Schlangenzunge.

»Warum bist du bloß wiedergekommen?«

»Ich mußte eben, fertig.«

»Du mußtest gar nicht. Ich hätt' es durchgestanden. Ich war schon soweit und konnte dich vergessen. Jetzt mußt du wiederkommen! Verdammt, ausgerechnet mußt du wiederkommen.«

»Was heißt durchgestanden?«

»Wofür er das Album angelegt hat. *Um's seinen Kindern zu zeigen!* Jetzt will er eins. Sofort will er eins haben.«

»So, und warum bist du nicht mit mir gegangen?«

»Mit dir gehen, wozu? Um hinten in Lastautos zu übernachten? Wozu soll ich mit dir gehen? Sag' mir das.«

Ich konnte nichts sagen. Ich dachte an meine zweihundertfünfzig Dollars, aber was nützte es, ihr zu erzählen, daß ich gestern noch Geld hatte und heute schon keins, weil ich 'n kleines Kügelchen spielen mußte?

»Du bist einen Dreck wert. Das weiß ich. Du bist einfach einen Dreck wert. Warum gehst du dann nicht weg und läßt mich in Frieden, statt zurückzukommen? Warum läßt du mir keine Ruhe?«

»Hör mal. Schieb das mit dem Kind noch 'n bißchen hinaus. Schieb's noch ein bißchen hinaus, dann wird uns schon was einfallen. Viel bin ich nicht wert, Cora, aber ich lieb' dich, das schwör' ich dir.«

»Du schwörst es, und was machst du? Er fährt mit mir nach Santa Barbara, damit ich ihm nachgeben soll wegen dem Kind, und du – du fährst mit. Du wohnst im selben Hotel wie wir. Du kommst mit im Wagen. Du –«

Sie brach ab, und wir standen da und sahen uns an. Alle drei zusammen im Wagen, wir wußten, was das hieß. Langsam kamen wir uns näher, bis wir uns berührten.

»Großer Gott, Frank, haben wir denn gar keinen anderen Ausweg?«

»Na, und du? Wolltest du ihm nicht grad' ein Messer zwischen die Rippen schieben?«

»Nein, mir selber, Frank. Nicht ihm.«

»Cora, es steht bei uns in den Karten. Wir haben alles andere versucht.«

»Ich laß mir von dem kein fettiges Griechenkind machen, Frank. Von dem nicht. Der einzige, von dem ich ein Kind will, bist du. Wenn du nur zu was gut wärst. Schlau bist du ja, aber taugen tust du nichts.«

»Schön, also taug' ich nichts. Aber ich lieb' dich.«

»Und ich lieb' dich auch.«

»Schieb's hinaus. Nur die eine Nacht.«

»Also gut, Frank. Nur die eine Nacht.«

»Ja, der Weg, der Weg ist endlos,
der mich ins Traumland trägt,
wo die Nachtigallen schlagen
und der milde Mond mich hegt.

Ja, die Nacht, die Nacht ist dunkel,
bis mein Traum zur Wahrheit wird,
bis der Tag uns endlich leuchtet
und der Weg mich zu dir führt.«

»Die sind ganz schön in Stimmung, wie?«

»Bißchen zu sehr für meinen Geschmack.«

»Na, lassen Sie sie nur nicht ans Steuer, Miß. Dann wird schon nichts passieren.«

»Hoffen wir's. Ich laß mich nicht gern mit Besoffenen ein, aber was soll man machen? Hab' ihnen gleich gesagt, ich will nicht mit, aber dann wollten sie ohne mich los.«

»Die hätten sich das Genick gebrochen.«

»Genau. Deswegen bin ich ja selbst gefahren. Was hätte ich sonst machen sollen?«

»Ja, oft weiß man wirklich nicht, wie man's machen soll. Eins sechzig fürs Benzin. Öl in Ordnung?«

»Denke schon.«

»Danke, Miß. Gute Nacht!«

Sie stieg wieder ein und nahm das Steuer, der Grieche und ich sangen immer weiter, und wir fuhren los. Das war alles abgemacht. Ich sollte besoffen sein, denn unser erster Versuch hatte mich von der Idee kuriert, wir könnten einen fehlerlosen Mord zuwege bringen. Diesmal sollte es ein so lausiger Mord sein, daß es eigentlich gar keiner mehr war. Nur ein ganz gewöhnlicher Verkehrsunfall mit besoffenen Kerlen und einer Menge Pullen im Wagen, und so weiter. Sowie ich anfing zu saufen, mußte der Grieche natürlich mithalten, und jetzt war er, wo ich ihn haben wollte. Wir hielten an und tankten, damit wir einen Zeugen hatten, daß sie nüchtern war und nicht mithalten wollte, weil sie doch den Wagen fuhr und nicht betrunken sein durfte. Vorher hatten wir noch einen glücklichen Zufall gehabt. Ehe wir den Laden zumachten, so gegen neun, hatte ein Kerl angehalten und was zu essen verlangt. Der stand nachher auf der Straße, als wir abfuhren, und sah einfach alles. Wie ich den Wagen anlassen wollte und er mir zweimal abstarb. Wie Cora und ich einen Streit hatten, weil ich zu betrunken war, um zu fahren. Er sah, wie sie ausstieg und sagte, sie wollte nicht mit. Und er sah auch, wie ich versuchte, allein mit dem Griechen loszufahren. Und wie sie verlangte, wir sollten aussteigen und die Plätze tauschen, so daß ich hinten saß und der Grieche vorn. Dann sah er sie am Lenkrad sitzen und selber den Wagen in Schwung bringen. Jeff Parker hieß er und hatte eine Kaninchen-zucht in Encino. Cora hatte ihm seine Karte abverlangt, indem sie sagte, sie wollte den Kunden mal Kaninchenbraten servieren und sehen, was sie davon hielten. Wir wußten, wo wir ihn finden konnten, falls wir ihn mal brauchten.

Ich und der Grieche sangen ›Mutter Machree‹ und ›Laß doch die Sorgen Sorgen sein‹ und ›Unten am Mühlbach‹. Bald darauf kamen wir zu dem Wegweiser ›Zum Malibu-Strand‹ Da bog sie ein. Eigentlich hätte sie geradeaus fahren sollen. An der Küste entlang gehen zwei Hauptstraßen. Auf der einen, ungefähr zehn Meilen landeinwärts, waren wir. Die andere läuft dicht am Meer, die war links von uns. Bei Ventura treffen sie zusammen und gehen weiter am Meer lang bis nach Santa Barbara, San Francisco oder wo man hin will. Aber der Grund, aus dem wir einbogen, war der: Sie hatte noch nie den Malibu-Strand gesehen, wo die Filmstars wohnen, und wollte zur anderen Straße rüber ans Meer, damit sie ein paar Meilen zurückfahren konnte und sich den Strand ansehen, und dann umdrehen und geradeaus nach Santa Barbara rauffahren. Der wirkliche Grund war aber, daß diese Querverbindung so ungefähr die schlechteste Straße in der ganzen Provinz Los Angeles ist und sich niemand über einen Unfall wundern würde, nicht einmal ein Polizist. Da ist es dunkel, gibt so gut wie keinen Verkehr, keine Häuser oder sonst was, und für unsere Zwecke war's gerade richtig.

Der Grieche merkte eine ganze Weile nichts. Oben auf dem Hügel kamen wir an einer kleinen Ferienkolonie vorbei, die heißt Malibu-See. Im Klubhaus war gerade ein Tanzfest, und auf dem See waren Pärchen in Ruderbooten. Denen brüllte ich was zu. Der Grieche auch. Es kam zwar weiter nicht drauf an, war aber immerhin noch eine Spur auf unserem Weg, wenn sich einer die Mühe machen wollte.

Wir kamen jetzt zur ersten großen Steigung, einen Berg hinauf. Die war zwei Kilometer lang. Ich hatte ihr gesagt, wie sie sie nehmen sollte. Fast die ganze Zeit im zweiten Gang. Teilweise, weil da alle fünfzehn Meter eine scharfe Kurve ist und der Wagen in den Biegungen so rasch an Geschwindigkeit verliert, daß sie in den zweiten gehen muß, um überhaupt in Fahrt zu bleiben, aber teilweise auch, weil der Motor heißlaufen sollte. Alles sollte stimmen. Wir mußten einen Haufen Beweise anführen können.

Dann plötzlich, als er rausguckte und merkte, wie dunkel es war und in welcher gottverlassenen Berggegend wir uns befanden, ohne ein Licht oder ein Haus oder eine Tankstelle, da wurde der Grieche lebendig und fing an, Radau zu machen.

»Halt mal! Halt mal an! Dreh um. Sakra, wir haben uns verfahren.«

»Aber nein. Ich weiß, wo wir sind. Hier geht's nach dem Malibu-Strand. Hast du schon vergessen? Ich hab' dir doch gesagt, ich will dort hin.«

»Fahr langsam.«

»Ich fahr' ja langsam.«

»Du fahr ganz langsam. Vielleicht sonst brechen alle Genick.«

Wir kamen auf die Höhe. Jetzt ging es bergab. Sie schaltete den Motor aus. Wenn die Kühlung aussetzt, erhitzt er sich ein paar Minuten lang ganz rasch. Unten schaltete sie den Motor wieder ein. Ich schaute mir den Temperaturmesser an. Dreiundneunzig Grad Celsius. Vor uns lag wieder 'ne Steigung, und der Temperaturmesser stieg und stieg.

»Ja, ja.«

Das war unser Zeichen. Ein paar nichtssagende Worte, wie man sie zu jeder Zeit sagen kann, ohne daß einer was drauf gibt. Sie fuhr auf die Seite hinüber. Unter uns lag ein Abhang, der war so tief, daß man seinen Grund nicht sehen konnte. Vielleicht hundertfünfzig Meter.

»Ich laß ihn ein bißchen abkühlen.«

»Sakra, ja. Frank, schau das an. Schau Zeiger an!«

»Was zeigert er denn?«

»Sechsundneunzig. Fang gleich kochen an.«

»Ach, laß 'n kochen.«

Ich hob den Schraubenschlüssel. Ich hatte ihn zwischen den Füßen. Gerade in diesem Augenblick sah ich oben in der Kurve zwei Autolichter. Ich mußte warten. Eine Minute lang mußte ich warten, bis der Wagen vorüber war.

»Los, Nick, sing uns was.«

Er sah hinaus in die üble Gegend, aber nach Singen war ihm anscheinend nicht zumute. Dann machte er die Tür auf und stieg aus. Wir hörten ihn, da hinten, wie er sich übergab. Da war er auch noch, als der Wagen vorbeikam. Ich starrte auf die Nummer, um sie mir ins Gehirn zu brennen. Dann lachte ich laut auf. Sie drehte sich nach mir um.

»In Ordnung. Damit sie was haben, um sich dran zu erinnern. Beide Kerle noch am Leben, als sie vorbeikamen.«

»Hast dir die Nummer gemerkt?«

»2 R-58-Ol.«

»2 R-58-Ol. 2 R-58-Ol. Gut. Ich weiß sie jetzt auch.«

Er kam von hinten hervor und sah aus, als ginge es ihm besser. »Hast gehört?«

»Was?«

»Wenn lachst. Is' ein Echo. Is' ein feines Echo.«

Er schmetterte eine hohe Note hinaus. Gar kein Lied, nur eine hohe Note, wie auf einer Carusoplatte. Er brach rasch ab und horchte. Richtig, da kam sie zurück, glockenklar, und brach ab genau wie er. »Sakra, ja. Is' fein.«

Fünf Minuten stand er da, schmetterte hohe Noten raus und horchte, wie sie wiederkamen. Es war das erstemal, daß er hörte, wie seine Stimme klang. Er war glücklich wie ein Gorilla, der sich im Spiegel sieht. Sie sah mich an. Wir mußten uns beeilen. Ich fing an, so zu tun, als sei ich wütend. »Verdammt, du denkst wohl, wir haben nichts Besseres zu tun, als dir 'n ganzen Abend Jodeln zuhören? Los, rein. Fahren wir weiter.«

»Wird spät, Nick.«

»Na, gut, gut.«

Er stieg ein, hing aber den Kopf zum Fenster raus und schmetterte noch einen los. Ich zog die Füße an, und als er noch das Kinn auf dem Fenster hatte, ließ ich den Schraubenschlüssel sausen. Sein Kopf knackte, und ich spürte, wie es splitterte. Er knickte ein und rollte im Sitz zusammen wie eine Katze auf dem Sofa. Es schien wie ein Jahr, bis er endlich ruhig dalag. Und Cora – sie machte einen komischen Schlucker, der in einem Stöhnen endete. Denn jetzt kam das Echo seiner Stimme zurück. Erst die hohe Note genau wie er, dann schwoll es an und brach ab und wartete.

8

Wir sagten kein Wort. Sie wußte, was sie zu tun hatte. Sie kletterte in den Rücksitz, ich nach vorn. Ich sah mir den Schraubenschlüssel unter dem Schaltbrettlicht an. Ein paar Tropfen Blut waren dran. Ich machte eine Flasche auf und schüttete Wein darauf, bis das Blut weg war. Dann wischte ich den Schlüssel an einem trockenen Fleck seines Rockes ab und reichte ihn ihr nach hinten. Sie legte ihn unter den Sitz. Ich goß noch etwas Wein auf den Fleck, wo ich den Schlüssel abgewischt hatte, schlug die Flasche gegen die Tür und legte sie auf ihn drauf. Dann ließ ich den Wagen an. Die Weinflasche gurgelte, wo es aus dem Sprung aus ihr heraustropfte.

Ich fuhr ein kurzes Stück und ging dann in den zweiten. Ich konnte den Wagen nicht gut über den Abhang von hundertfünfzig Meter umkippen, an dem wir gehalten hatten. Wir mußten nachher selbst hinunter, und bei einem so tiefen Sturz hätten wir kaum lebend davonkommen können. Ich fuhr deshalb langsam im zweiten bis zu einer Stelle, wo die Schlucht sich hob und der Abhang nur fünfzehn Meter tief war. Dort fuhr ich an den Rand, setzte den Fuß auf die Bremse und gab Handgas. Sowie das rechte Vorderrad sich rührte, trat ich scharf auf die Bremse. Sie blieb stecken. So wollte ich's haben. Der Wagen sollte eingeschaltet sein, die Zündung an, und der abgestorbene Motor würde ihn so lange halten, bis wir mit dem fertig waren, was noch zu tun war.

Wir stiegen aus. Wir traten auf die Straße, und zwar nicht auf die Grasnarbe, so daß keine Fußabdrücke entstanden. Sie reichte mir einen großen Stein und einen Holzklotz, den ich mitgebracht hatte. Ich legte den Stein unter die Hinterachse. Er paßte gerade, weil ich mir schon den richtigen ausgesucht hatte. Dann schob ich den Klotz über den Stein und unter die Achse. Ich hob an mit aller Kraft. Der Wagen kippte, hing aber noch. Ich hob noch mal. Er kippte ein bißchen mehr über. Ich fing an zu schwitzen. Da standen wir mit einem toten Mann im Wagen, und was geschah, wenn wir das Ding nicht überkippen konnten?

Ich hob wieder an, diesmal half sie mit. Wir drückten beide. Wir drückten noch mal. Plötzlich lagen wir ausgestreckt auf dem Boden, und der Wagen überschlug sich und überschlug sich den Abhang hinunter und polterte so laut, daß man's einen Kilometer weit hören konnte.

Jetzt lag er still. Die Lichter waren noch an, aber er brannte nicht.

Das war die große Gefahr gewesen. Wenn der Wagen zu brennen angefangen hätte, mit der eingeschalteten Zündung, warum wären wir dann nicht mit verbrannt? Ich nahm den Stein und warf ihn die Schlucht hinunter. Mit dem Holzklotz rannte ich die Straße entlang und warf ihn dann hin, mitten auf die Fahrbahn. Der machte mir weiter keine Sorgen. Solche Holzstücke liegen überall auf der Landstraße herum, fallen von Lastautos herunter und zersplittern unter den Wagen, die drüberfahren, und meins war so eins. Ich hatte es einen ganzen Tag lang draußen liegenlassen, es waren Radspuren darauf, und die Kanten waren abgequetscht.

Dann lief ich zurück, hob Cora auf und rutschte rasch mit ihr im Arm den Abhang hinunter. Das war wegen der Fußspuren. Um meine machte ich mir keine Sorgen. Es würde nicht lange dauern, bis eine ganze Schar von Männern da runtertrampeln würde, aber ihre scharfkantigen Absätze mußten in die andere Richtung zeigen, falls jemand sich die Mühe machen sollte, nachzusehen.

Ich setzte sie nieder. Da hing der Wagen an zwei Rädern, ungefähr halbwegs die Schlucht hinunter. Er lag immer noch drin, aber jetzt auf dem Boden. Die Weinflasche war zwischen ihn und den Sitz gezwängt, und während wir sie anschauten, gurgelte sie plötzlich. Das Dach war ganz eingedrückt, und beide Kotflügel waren verbogen. Ich versuchte, ob die Türen aufgingen. Das war wichtig, weil ich drin sein sollte, mit Glas zerschnitten, während sie auf die Straße rauf mußte und um Hilfe rufen. Die Türen gingen richtig auf.

Ich fingerte an ihrer Bluse herum, um ihr die Knöpfe aufzusprengen, damit sie recht herumgeschmissen aussah. Sie blickte mich an, aber ihre Augen waren nicht mehr blau, sie waren schwarz. Ich spürte, wie rasch sie atmete. Dann hörte sie auf und lehnte sich dicht an mich.

»Reiß doch! Reiß es doch auf!«

Ich riß dran. Ich schob die Hand in die Bluse und riß sie runter. Jetzt klaffte sie weit offen von der Kehle zum Bauch.

»Das ist dir beim Rausklettern passiert, du hast dich in der Klinke verhakt.«

Meine Stimme klang merkwürdig, als käme sie aus einer blechernen Schallkiste.

»Und wie du zu dem kommst, weißt du nicht.«

Ich holte aus und schlug ihr aufs Auge, so hart ich nur konnte. Sie ging nieder. Sie lag da zu meinen Füßen, und ihre Augen leuchteten, und ihre Brüste zitterten mit den harten festen Spitzen, die sich mir entgegenstreckten. Da unten lag sie, und mir rasselte der Atem hinten in der Kehle, als wäre ich ein wildes Tier, und die Zunge schwoll mir im Mund, und das Blut zuckte drin.

»Ja! Ja, Frank, ja!

Bevor ich wußte, was ich tat, lag ich bei ihr, und wir starrten einander in die Augen und umklammerten uns und drängten uns noch dichter aneinander. Da hätte sich die Hölle vor mir auftun können, es wäre mir ganz gleich gewesen. Ich mußte sie haben, und wenn sie mich dafür hängten.

Und ich hatte sie.

9

Wir lagen ein paar Minuten still, nachher, als wären wir betäubt. Es war so ruhig, man konnte das Gurgeln im Wagen drin hören.

»Und jetzt, Frank?«

»Jetzt kommt das dicke Ende, Cora. Von jetzt ab mußt du dich zusammennehmen. Wirst du's schaffen?«

»Nach dem hier kann ich alles schaffen.«

»Sie werden dir auf'n Leib rücken, die Polizei, und versuchen, dich mürbe zu machen. Bist du drauf gefaßt?«

»Glaub' schon.«

»Vielleicht werden sie dir was nachweisen. Ich glaub' nicht, daß sie's können, gegen all' die Zeugen, die wir haben. Aber vielleicht tun sie's. Vielleicht weisen sie dir Totschlag nach und stecken dich für' n Jahr ins Kittchen. Vielleicht kommt's wirklich dazu. Kannst du das schaffen?«

»Und du wartest, bis ich rauskomme!«

»Ich bin da.«

»Dann kann ich's schaffen.«

»Um mich kümmere dich nicht. Ich bin besoffen. Die haben ihre Untersuchungen, damit stellen sie das fest. Ich quatsch ihnen erst Mist vor. Um sie durcheinanderzubringen, damit sie mir dann glauben, wenn ich wieder nüchtern bin und es richtig erkläre.«

»Das merk' ich mir schon.«

»Und auf mich bist du wütend. Weil ich besoffen war. Weil ich an allem schuld bin.«

»Ja. Ich weiß.«

»Dann kann's losgehen.«

»Frank?«

»Ja?«

»Nur eins. Wir müssen uns liebhaben. Wenn wir uns liebhaben, ist alles andere egal.«

»Na, tun wir's nicht?«

»Ich sag es als erste. Ich liebe dich, Frank.«

»Ich liebe dich, Cora.«

»Küß mich.«

Ich küßte sie und drückte sie an mich, dann sah ich einen Lichtschimmer oben auf dem Berg über dem Abhang.

»Jetzt rauf auf die Straße. Du mußt's schaffen.«

»Ich schaff' es auch.«

»Ruf einfach um Hilfe. Du weißt noch nicht, daß er tot ist.«

»Ich weiß.«

»Du bist hingefallen, nach dem Rausklettern. So kommt der Sand aufs Kleid.«

»Ja. Wiedersehen.«

»Wiedersehen.«

Sie machte sich auf zur Straße und ich hinunter zum Wagen. Plötzlich merkte ich, mein Hut war weg. Ich hatte doch im Wagen drin zu sein, und zwar mit Hut. Ich tastete wie wild danach. Der Wagen kam immer dichter heran. Jetzt war er nur noch zwei Schritte weit weg, und ich hatte den Hut noch nicht und keinen Kratzer im Gesicht. Ich gab's auf und wollte in den Wagen. Da stolperte ich und fiel. Mein Fuß hatte sich im Hut verfangen. Ich griff danach und sprang hinein. Sowie ich mit vollem Gewicht auf den Boden fiel, gab er nach, und ich spürte, wie der Wagen über mir umkippte. Nachher spürte ich eine ganze Weile nichts mehr.

Dann lag ich auf der Erde, und um mich herum war ein Haufen Gerede und Geschrei. Mein linker Arm war ein einziger schneidender Schmerz, so daß ich bei jeder Bewegung hätte aufheulen können, und mein Rücken genauso. Im Kopf hatte ich einen Blasebalg, der sich aufblies und wieder zusammenfiel. Immer wenn er zusammenfiel, sackte der Boden unter mir ab, und was ich getrunken hatte, kam mir hoch. Ich war wieder bei mir, und auch wieder nicht, aber ich hatte genug Verstand, um mich herumzuwälzen und um mich zu schlagen. Auch auf meinen Kleidern war Sand, das mußte seinen Grund haben.

Dann kreischte mir etwas in die Ohren, und ich war in einer Ambulanz. Ein Staatspolizist saß zu meinen Füßen, und an meinem Arm arbeitete ein Arzt rum. Sowie ich das sah, wurde mir wieder schwarz vor den Augen. Der Arm triefte nämlich von Blut, und zwischen dem Handgelenk und dem Ellbogen war er verbogen wie ein geknickter Zweig. Als ich wieder zu mir kam, arbeitete der Arzt immer noch dran rum, und mir fiel mein Rücken ein. Ich drehte meinen Fuß hin und her, um zu sehen, ob ich gelähmt war. Der Fuß bewegte sich.

Das Kreischen machte mich immer wacher, und ich schaute mich um und sah den Griechen. Er lag auf der anderen Pritsche.

»Hö, Nick.«

Keiner sagte was. Ich sah mich noch ein bißchen um, aber Cora entdeckte ich nirgends.

Nach einer Weile hielten sie und holten den Griechen heraus. Ich wartete, daß sie mich auch rausholen würden, aber es geschah nichts. Da wußte ich, er war wirklich tot, und man brauchte ihnen diesmal keinen Blödsinn aufzubinden mit langen Geschichten über Katzen. Hätten sie uns beide herausgeholt, dann wär's ein Krankenhaus gewesen. Weil sie ihn aber allein raus holten, mußte es das Leichenschauhaus sein.

Wir fuhren dann weiter, und als sie wieder hielten, hoben sie mich heraus. Sie trugen mich hinein und stellten die Tragbahre auf einen Rollwagen und rollten mich in ein weißes Zimmer. Dann machten sie sich dran, meinen Arm einzurenken. Sie schoben eine Maschine heran, um mir Gas zu geben, aber dann hatten sie einen Streit. Inzwischen war noch ein Doktor dazugekommen, der sagte, er sei der Gefängnisarzt. Die Krankenhausärzte wurden ziemlich wütend. Ich wußte, warum. Nämlich wegen dieser Proben, ob man betrunken war. Wenn sie mir erst Gas gaben, dann verdarb das die Atemprobe, und die war die wichtigste. Der Gefängnisdoktor behielt recht. Er ließ mich durch eine Glasröhre in irgendein Zeug reinblasen, das sah aus wie Wasser, wurde aber gelb, wenn ich reinblies. Dann nahm er mir etwas Blut ab und ein paar andere Proben, die goß er durch einen Trichter in Flaschen ab.

Dann gaben sie mir das Gas.

Als ich zu mir kam, lag ich in einem Zimmer im Bett, den Kopf ganz mit Verbänden umwickelt, den Arm auch verbunden und außerdem in einer Schlinge und den ganzen Rücken mit Pflasterstreifen verklebt, so daß ich mich kaum rühren konnte. Einer von der Staatspolizei saß da und las die Morgenzeitung. Mein Kopf und mein Arm taten zum Zerspringen weh, und durch meinen Arm schossen die Schmerzen nur so. Nach einer Weile kam eine Schwester herein und gab mir eine Pille, da schlief ich ein.

Als ich aufwachte, war's gegen Mittag, und ich bekam was zu essen. Dann kamen noch zwei Polizisten, und ich wurde wieder auf eine Tragbahre gelegt und hinuntergerollt und in einen neuen Krankenwagen geschoben.

»Wo geht's hin?«

»Gerichtsuntersuchung.«

»Gerichtsuntersuchung? Das machen sie, wenn einer tot ist, wie?«

»Richtig.«

»Dachte mir schon, die sind hin.«

»Nur einer.«

»Wer?«

»Der Mann.«

»So. War die Frau schwer verletzt?«

»Nicht schwer.«

»Schaut übel aus für mich, was?«

»Aufpassen, Junge. Uns kann's recht sein, wenn du reden willst, aber was du jetzt sagst, kann ins Auge gehe, wenn du vor Gericht kommst.«

»Stimmt. Besten Dank.«

Wir hielten endlich vor einem Leichenbestatter in Hollywood, da trugen sie mich hinein. Cora war auch da, ziemlich zerbeult. Die Polizeiaufseherin hatte ihr eine Bluse geborgt, die bauschte sich ihr um den Bauch, als wäre sie mit Stroh ausgestopft. Ihr Kostüm und ihre Schuhe waren staubig, und das Auge war geschwollen, wo ich draufgeschlagen hatte. Die Polizeiaufseherin war mit ihr da. Der Untersuchungsrichter saß hinter einem Tisch, mit einem Kerl von einem Sekretär hinter sich. Auf der einen Seite war ein halbes Dutzend Kerle, die sich ziemlich wütend aufführten, bewacht von ein paar Polizisten. Das waren die Geschworenen. Dann war noch ein Haufen anderer Leute da, die von den Polizisten herumgeschubst wurden an irgendeinen Ort, wo sie stehen sollten. Der Leichenbestatter ging auf Zehenspitzen herum, und ab und zu schob er jemandem einen Stuhl unter. Er brachte auch zwei für Cora und die Aufseherin. Auf der anderen Seite lag etwas auf dem Tisch, unter einem Bettlaken.

Sowie sie mich da aufgebahrt hatten, wo sie mich haben wollten, klopfte der Untersuchungsrichter mit dem Bleistift auf den Tisch, und sie fingen an. Da war erst einmal die gesetzliche Identifizierung. Sie fing zu weinen an, als sie das Laken aufhoben, und mir gefiel's auch nicht besonders. Nachdem sie hingeschaut hatte und ich hingeschaut hatte und die Geschworenen hingeschaut hatten, ließen sie das Laken wieder fallen.

»Kennen Sie diesen Mann?«

»Das war mein Mann.«

»Name?«

»Nick Papadakis.«

Als nächstes kamen die Zeugen. Der Wachtmeister sagte aus, wie er angerufen worden war und mit zwei Polizisten hinfuhr, nachdem er wegen eines Rettungswagens telefoniert hatte, und wie er Cora selbst im Wagen hingefahren hatte und mich und den Griechen im Rettungswagen und wie der Grieche auf dem Weg ins Krankenhaus gestorben war und bei der Leichenhalle abgeladen wurde. Dann kam ein Bauerntölpel namens Wright, der sagte, er sei um die Kurve gebogen, da habe er eine Frau kreischen gehört, und einen Krach, dann habe er den Wagen sich den Hang hinunterstürzen gesehen, und die Lichter seien angewesen. Er sah Cora auf der Straße um Hilfe winken und ging mit ihr zum Wagen hinunter und versuchte, mich und den Griechen rauszuziehen. Er konnte es aber nicht, weil der Wagen auf uns lag, und da schickte er seinen Bruder, der mit ihm im Wagen saß, Hilfe holen. Nach einer Weile kamen noch mehr Leute und die Polizisten, und sowie die Polizisten die Sache in die Hand nahmen, wälzten sie den Wagen von uns ab und legten uns in den Rettungswagen. Dann erzählte Wrights Bruder dieselbe Sache noch mal, nur auch noch, wie er die Polizisten holte.

Dann sagte der Gefängnisarzt aus, ich sei betrunken gewesen, und die Magenuntersuchung habe ergeben, daß der Grieche auch betrunken war, aber Cora nicht. Dann sagte er, an welchem Knochenbruch der Grieche gestorben war. Dann drehte sich der Richter zu mir und fragte, ob ich aussagen wollte.

»Ja, Herr Richter, ich nehme an.«

»Ich warne Sie, daß jede Ihrer Aussagen gegen Sie verwendet werden kann und daß Sie nicht gezwungen sind, auszusagen, außer wenn Sie es selbst wünschen.«

»Ich hab' nichts zu verschweigen.«

»Also gut. Was wissen Sie über die Sache?«

»Ich weiß nur, daß ich immer so lang fuhr. Dann gab der Wagen nach unter mir, und irgendwas fiel mir auf den Kopf, und das nächste ist, ich wache im Krankenhaus auf.«

»Sie fuhren?«

»Ja, Herr Richter.«

»Sie wollen sagen, daß Sie am Steuer saßen?«

»Ja, Herr Richter, ich saß am Steuer.«

Das war nur so ein Haufen Quatsch, den ich später wieder zurücknehmen wollte, wenn wir an einem Ort waren, wo es wirklich drauf ankam, nicht wie hier bei der Untersuchung. Ich dachte mir, wenn ich erst irgendwelchen Quatsch erzähle und mir's dann überlege und was anderes sage, dann wird's das zweitemal so klingen, als wäre es wahr. Während, wenn ich von Anfang an die Geschichte gleich fertig habe, dann klingt sie auch so, nämlich fertig gemacht. Diesmal würde ich alles anders anfassen als das erstemal. Diesmal wollte ich von Anfang an verdächtig wirken.

Aber wenn ich den Wagen gar nicht gefahren hatte, dann würde es nichts ausmachen, wie verdächtig ich aussah, da konnten sie mir nichts tun. Wovor ich Angst hatte, das war die Idee von dem fehlerlosen Mord, der uns das letztemal danebengegangen war. Eine winzige Kleinigkeit, und wir saßen fest. Jetzt aber, wenn ich verdächtig aussah, konnte noch alles mögliche herauskommen und doch die Sache nicht schlimmer machen. Je verdächtiger ich aussah, weil ich besoffen war, um so weniger würde die ganze Sache nach Mord aussehen.

Die Polizisten guckten sich an, und der Richter studierte mich, als hielte er mich für verrückt. Sie hatten ja genau gehört, wie man mich unter dem Rücksitz 'rausgezogen hatte.

»Sind Sie sicher? Daß Sie fuhren?«

»Ganz sicher.«

»Hatten Sie was getrunken?«

»Nein, Herr Richter.«

»Sie haben doch das Ergebnis der Untersuchungen gehört.«

»Ich hab' keine Ahnung von diesen Untersuchungen. Ich weiß nur, ich hatte keinen Alkohol nicht getrunken.«

Er wandte sich an Cora. Sie sagte, sie würde sagen, was sie wußte.

»Wer fuhr den Wagen?«

»Ich.«

»Wo saß dieser Mann?«

»Auf dem Rücksitz.«

»Hatte er was getrunken?«

Sie sah weg, schluckte und weinte ein bißchen.

»Muß ich darauf antworten?«

»Sie brauchen keine Frage zu beantworten, wenn Sie nicht wollen.«

»Ich möchte darauf lieber nicht antworten.«

»Also gut. Erzählen Sie mit Ihren Worten, was passierte.«

»Ich fuhr ganz wie immer. Dann kam eine lang Steigung, und der Wagen wurde heiß. Mein Mann sagte, ich sollte stehenbleiben und ihn abkühlen lassen.«

»Wie heiß?«

»Über neunzig.«

»Weiter.«

»Sowie wir abwärts fuhren, schaltete ich den Motor aus, und als wir unten ankamen, war er immer noch heiß, da hielten wir an, ehe wir weiterfuhren. Dann ließ ich ihn wieder an. Ich weiß nicht, was dann passiert ist. Ich ging gleich hinauf und hatte nicht genug Zug und schaltete in den zweiten um, ganz rasch, und die Männer redeten die ganze Zeit, vielleicht war's auch, weil ich so rasch umschaltete, aber da sackte die eine Seite vom Wagen ab. Ich schrie, sie sollten abspringen, aber da war's zu spät. Der Wagen überschlug sich immer wieder und wieder, ich weiß nur, daß ich versuchte, rauszuspringen, und dann war ich draußen, und dann war ich oben auf der Straße.«

Der Richter wandte sich wieder zu mir. »Was wollten Sie denn, wollten Sie die Frau decken?«

»Als würde die mich decken!«

Die Geschworenen gingen hinaus und kamen wieder herein und gaben ihr Urteil ab, daß der genannte Nick Papadakis auf der Malibusee-Straße durch einen Autounfall ums Leben gekommen war, der entweder ganz oder teilweise von mir und Cora verschuldet war, und daß sie empfahlen, daß wir uns beide vor dem Schwurgericht für die Tat verantworten sollten.

In dieser Nacht saß wieder ein Polizist neben mir im Krankenhaus, der sagte mir am nächsten Morgen, Mr. Sackett würde rüberkommen, um mich zu sprechen, und ich sollte mich fertig machen. Ich konnte mich noch kaum bewegen, ließ mich aber vom Spitalfriseur rasieren und so ordentlich herrichten, wie er konnte. Ich wußte, wer Sackett war. Er war der Bezirksstaatsanwalt. Gegen halb elf kam er an, und der Polizist ging raus, und er und ich waren allein. Er war ein großer glatzköpfiger Mensch mit einer jovialen, draufgängerischen Art.

»Na, da wären wir ja. Wie geht's denn?«

»Mir geht's gut, Herr Staatsanwalt. Hat mich zwar ein bißchen mitgenommen, aber es wird schon wieder.«

»So wie der Kerl, der aus dem Flugzeug fiel und sagte: ›Ganz 'ne schicke Fahrt, aber die Ankunft war 'n bißchen plötzlich.‹«

»Ja, so ungefähr.«

»Na also, Chambers. Sie brauchen sich nicht mit mir zu unterhalten, wenn Sie nicht wollen, aber ich bin zu Ihnen gekommen, erstens, um Sie mir mal anzusehen, und zweitens, weil meiner Erfahrung nach eine ungezwungene Aussprache nachher viel Mühe spart und manchmal sogar den Weg ebnet zu einer Einstellung des Verfahrens, wenn richtig plädiert wird, und auf jeden Fall, wie man sagt, wenn's vorüber ist, verstehen wir einander.«

»Aber freilich, Herr Staatsanwalt. Was wollen Sie denn wissen?«

Ich brachte es so heraus, daß es ziemlich windig klang, und er saß da und guckte mich von oben bis unten an. »Na, wollen wir mal am Anfang anfangen?«

»Über den Ausflug?«

»Gewiß. Ich will alles darüber wissen.«

Er stand auf und ging im Zimmer herum. Die Tür war dicht an meinem Bett, und ich stieß sie auf. Der Polizist stand auf halbem Weg unten im Korridor und streichelte eine Krankenschwester am Kinn. Sackett platzte heraus: »Nein, ein Diktaphon gibt's hier nicht. Die werden sowieso nie verwendet, nur im Film.«

Ich setzte ein Schafsgesicht auf. Ich hatte ihn, so wie ich ihn wollte. Als hätte ich ihm einen blöden Streich gespielt und er mich übertrumpft.

»Na schön, Herr Staatsanwalt. Das war wohl bißchen blöd von mir. Also gut, ich fang' am Anfang an und erzähl' alles. Ich hab' mich da auf was eingelassen, aber mit Lügen werde ich auch nicht weiterkommen.«

»Das ist die richtige Einstellung, Chambers.«

Ich erzählte ihm, wie ich den Griechen sitzengelassen hatte und dann eines Tages auf der Straße in ihn hineingelaufen war und er mich zurückhaben wollte und einlud, mit ihnen auf diesen Ausflug nach Santa Barbara zu fahren, um die Sache zu besprechen. Ich erzählte ihm, wie wir uns mit Wein besoffen und losfuhren, ich am Steuer. Er unterbrach mich.

»Sie haben also den Wagen gefahren?«

»Herr Staatsanwalt, das sagen Sie mir?«

»Was meinen Sie damit, Chambers?«

»Daß ich genau gehört hab', was sie gesagt hat, bei der Voruntersuchung. Und was die Polizisten sagten. Ich weiß, wo die mich gefunden haben. Aber wenn ich's so erzähle, wie ich mich dran erinnere, dann muß ich sagen, ich bin gefahren. Ich hab dem Untersuchungsrichter keine Lüge erzählt, Herr Staatsanwalt. *Mir kommt immer noch so vor, als bin ich gefahren.*«

»Sie haben ihn mit dem Trinken angelogen.«

»Das ist wahr. Ich war voll Suff und Äther und diesem Narkotikum, was sie einem eingeben, und ich hab' ihn angelogen. Aber jetzt bin ich wieder bei Sinnen, und so dumm bin ich nicht, daß ich nicht weiß, nur die Wahrheit kann mich da rausreißen, wenn irgendwas. Natürlich war ich besoffen. Stockhagelvoll. Und ich hab' mir nur immer gedacht, die dürfen nur ja nicht draufkommen, daß ich besoffen war, weil ich doch den Wagen fuhr, und wenn sie draufkommen, daß ich besoffen war, sitz' ich fest.«

»So würden Sie es auch den Geschworenen schildern?«

»Ich könnte nicht anders, Herr Staatsanwalt. Aber was ich nicht verstehen kann, wie ist sie denn ans Steuer gekommen? Ich bin doch losgefahren! Das weiß ich. Ich erinnere mich doch, daß da ein Kerl stand und mich auslachte. Wieso ist sie dann am Steuer gesessen, als der Wagen abrutschte?«

»Sie sind vielleicht einen Meter weit gefahren.«

»Sie meinen einen Kilometer?«

»Ich meine einen Meter. Dann nahm sie Ihnen das Steuer aus der Hand.«

»Himmel, muß ich besoffen gewesen sein!«

»Na, das ist so 'ne Sache, die einem die Geschworenen glauben könnten. Hört sich genauso verdreht an wie zumeist nur die Wahrheit. Ja, die werden's vielleicht sogar glauben.«

»Er saß da und guckte seine Nägel an, und ich hatte Mühe, mir ein Grinsen zu verkneifen. Ich war froh, als er anfing, noch mehr Fragen zu stellen, weil ich da an was anderes denken mußte als bloß daran, wie leicht ich ihn angeschwindelt hatte.

»Wann sind Sie denn bei Papadakis eingetreten, Chambers?«

»Letzten Winter.«

»Wie lange waren Sie bei ihm?«

»Bis vor einem Monat. Kann auch sechs Wochen sein.«

»Sie haben also sechs Monate bei ihm gearbeitet?«

»Ungefähr.«

»Was haben Sie vorher getan?«

»Mich so 'rumgetrieben.«

»Autos angehalten? Auf Güterzüge aufgesprungen? Sich Ihr Essen erbettelt, wo Sie konnten?«

»Ja, Herr Staatsanwalt.«

Er schnallte eine Mappe auf, legte ein Bündel Akten auf den Tisch und blätterte es durch.

»Waren Sie mal in Frisco?«

»Bin dort geboren.«

»Kansas City? New York? New Orleans? Chicago?«

»Kenn' ich alle.«

»Je im Gefängnis gesessen?«

»Ja, Herr Staatsanwalt. Wenn man sich so rumtreibt, hat man mal 'n Anstand mit der Polizei. Ja, Herr Staatsanwalt, im Gefängnis war ich auch.«

»Waren Sie mal in Tucson eingesperrt?«

»Ja, Herr Staatsanwalt. Ich glaube, da hatte ich zehn Tage abzusitzen. Wegen unbefugten Betretens von Eisenbahngelände.«

»Salt Lake City? San Diego? Wichita?«

»Ja, Herr Staatsanwalt. Überall.«

»Oakland?«

»Da haben sie mir drei Monate aufgebrummt, Herr Staatsanwalt. Hatte einen Streit mit 'nem Bahndetektiv.«

»Den haben Sie wohl hübsch zugerichtet, wie?«

»Na ja, wie man so sagt, der war hübsch zugerichtet, aber da hätten Sie erst mal mich sehen sollen! Ich war auch ganz hübsch zugerichtet.«

»Los Angeles?«

»Einmal. Aber das waren nur drei Tage.«

»Chambers, wieso sind Sie denn überhaupt bei Papadakis eingetreten?

»Das war so 'n Zufall. Ich war pleite, und er brauchte wen. Ich ging rein, um was zu essen, er bot mir die Stelle an, und ich nahm sie.«

»Chambers, kommt Ihnen das nicht komisch vor?«

»Ich versteh' nicht, was Sie meinen, Herr Staatsanwalt.«

»Sie stromern jahrelang rum, rühren keine Arbeit an, versuchen's auch nicht mal, soweit ich sehen kann, und dann plötzlich kleben Sie fest, nehmen eine Stellung an und schmeißen sie nicht wieder hin.«

»Besonders gefallen hat's mir da nicht, das geb' ich zu.«

»Aber geblieben sind Sie doch.«

»Nick, der war so 'n netter Kerl, wie ich sonst keinen kannte. Ich wollte ihm immer sagen, daß ich genug hatte, aber ich brachte es einfach nicht übers Herz, der hatte doch so viel Ärger mit dem Personal gehabt. Dann, wie er den Unfall hatte und nicht da war, riß ich aus. Ich riß einfach aus. Wahrscheinlich hätte ich mich besser zu ihm benehmen sollen, aber mir kribbelt's immer in den Fußsohlen, Herr Staatsanwalt. Wenn die sagen, los, dann muß ich losrennen. Ich hab' mich eben ganz still aus dem Staub gemacht.«

»Und dann, am Tag nach Ihrer Rückkehr, kommt er ums Leben?«

»Jetzt machen Sie mir's aber schwer, Herr Staatsanwalt. Nämlich, wenn ich's auch vielleicht den Geschworenen nicht sage, Ihnen muß ich's doch gestehen, ich glaube, ich hatte 'n Haufen Schuld dran. Wär' ich nicht gewesen und hätte ihn zum Saufen verleitet an dem Nachmittag, da wär' er vielleicht noch am Leben. Verstehn Sie mich recht, es hatte vielleicht gar nichts damit zu tun. Ich weiß nicht. Aber immerhin, ohne die zwei Besoffenen im Wagen wär' sie vielleicht besser gefahren, wie? Na ja, so leg' ich's mir zurecht.«

Ich sah ihn an, um rauszukriegen, was er davon hielt. Er guckte mich nicht mal an. Plötzlich sprang er auf und packte mich an der Schulter. »Raus damit, Chambers. Weshalb sind Sie sechs Monate bei Papadakis kleben geblieben?«

»Versteh' nicht, was Sie meinen, Herr Staatsanwalt.«

»Sie verstehen ganz genau. Ich hab' sie mir angeschaut, Chambers, und ich kann's mir denken. Gestern war sie bei mir im Büro, mit 'm blauen Auge und auch sonst übel zugerichtet, aber trotzdem sah sie noch ganz prächtig aus. Für so was hat schon manch einer das Stromern aufgegeben, ob ihm die Füße kribbeln oder nicht.«

»Gekribbelt haben die aber doch wieder. Nein, Herr Staatsanwalt, da irren Sie sich.«

»Na, aber sehr lange hat's ja nicht gedauert. Nein, das klingt alles zu gut, um wahr zu sein, Chambers. Gestern war der Autounfall noch ein eindeutiger Fall von Totschlag, und heute soll er sich einfach in blauen Dunst auflösen? Wo immer ich ihn anfasse, springt ein Zeuge auf und erzählt mir irgendwas, und wenn ich mir alle die Aussagen zusammenstelle, rutscht mir der ganze Fall zwischen den Fingern durch. Also los, Chambers. Sie haben mit der Frau zusammen den Griechen umgebracht. Je früher Sie's zugeben, desto besser für Sie.«

Na, mir war das Grinsen vergangen, darauf kann man sich verlassen. Die Lippen wurden mir schlapp, ich wollte was sagen, aber ich brachte kein Wort raus.

»Warum reden Sie denn nicht?«

»Sie wollen mir was unterschieben. Sie wollen mir was ganz Schreckliches unterschieben. Ich weiß nicht, was ich sagen soll, Herr Staatsanwalt.«

»Vor ein paar Minuten, als Sie mir einreden wollten, nur die Wahrheit könnte Sie rausreißen, da waren Sie noch nicht auf den Mund gefallen! Na, warum reden Sie denn jetzt nicht?«

»Sie haben mich total durcheinandergebracht.«

»Schön, nehmen wir mal eins nach dem anderen. Das wird Sie nicht so durcheinanderbringen. Erstens einmal, Sie haben mit der Frau geschlafen, stimmt's?«

»Keine Spur.«

»Und in der Woche, als Papadakis im Krankenhaus war? Wo haben Sie denn da geschlafen?«

»In meinem Zimmer.«

»Und sie in ihrem? Hören Sie mal, ich hab' sie mir doch angeschaut! Ich sage Ihnen, ich wäre in das Zimmer reingegangen, und wenn ich die Tür hätte aufbrechen müssen und mich wegen Schändung aufhängen lassen. Hätten Sie auch getan. *Haben* Sie auch getan.«

»Ist mir nicht im Traum eingefallen.«

»Und was ist mit euren vielen kleinen Ausflügen zum Hasselman-Markt in Glendale? Was haben Sie da mit ihr auf dem Rückweg getrieben?«

»Nick hat mich selbst geschickt.«

»Ich hab' Sie nicht gefragt, wer Sie hingeschickt hat. Ich habe Sie gefragt, was Sie da getrieben haben?«

Ich war so niedergeschmettert, daß ich rasch irgendwas dagegen tun mußte. Mir fiel nichts Besseres ein, als wütend zu werden. »Na schön, nehmen Sie mal an, wir hätten was getrieben. Wir haben zwar nicht, aber Sie sagen, wir haben, also bleiben wir mal dabei. Na, wenn das so leicht war, wozu hätten wir ihn umbringen sollen? Lieber Himmel, Herr Staatsanwalt, ich hab' schon von Leuten gehört, die 'n Mord begehen, damit sie das kriegen, wovon Sie sagen, ich hätte es gehabt – weil sie's nämlich sonst nicht gekriegt hätten. Aber ich hab' noch nie gehört, daß einer einen Mord begeht für etwas, das er schon hat.«

»Nein? Na, dann werde ich Ihnen sagen, weshalb Sie ihn umgebracht haben. Erstens einmal war da der Besitz draußen, für den Papadakis vierzehntausend Dollar bar bezahlt hatte. Und zweitens war da 'n kleines Weihnachtsgeschenk, mit dem wärt ihr beide ganz gern aufs Schiffchen gestiegen und hättet euch die wilden Wellen im Ozean näher besehen. *Papadakis' kleine Unfallversicherung für zehntausend Dollar!*«

Ich konnte gerade noch sein Gesicht sehen, aber rundherum war alles schon schwarz, und ich hatte Mühe, in meinem Bett nicht vornüberzufallen. Als ich zu mir kam, hielt er mir ein Glas Wasser an den Mund. »Trinken Sie mal. Wird Ihnen gleich besser werden.«

Ich trank. Ich mußte einfach.

»Chambers, Sie werden ja vielleicht nicht so bald wieder Gelegenheit dazu haben, aber wenn Sie je wieder einen Mord begehen sollten, dann lassen Sie sich um Himmels willen nicht mit Versicherungsgesellschaften ein. Die stecken fünfmal soviel rein, wie das Bezirksgericht von Los Angeles mich für einen Fall ausgeben läßt. Die können sich fünfmal so gute Detektive leisten wie ich. Die können das ganze Alphabet vorwärts und rückwärtes und sind jetzt hinter Ihnen her, während wir hier sitzen. Denen geht es um ihr Geld. Da habt ihr beide euren größten Fehler gemacht.«

»Herr Staatsanwalt, der liebe Gott soll mich strafen, von einer Unfallversicherung hör' ich in diesem Augenblick zum erstenmal.«

»Sie sind ja weiß wie ein Handtuch.«

»Wären Sie auch an meiner Stelle.«

»Na, und wie wär's, wenn Sie mich gleich auf Ihre Seite kriegten, von Anfang an? Legen sie ein volles Geständnis ab, bekennen Sie sich schuldig, und ich schlage bei Gericht das Bestmögliche für Sie heraus. Ersuche um mildernde Umstände für Sie beide.«

»Kommt nicht in Frage.«

»Und was ist mit dem, was sie mir eben vorgequasselt haben? Nur die Wahrheit kann Sie rausreißen, und wie Sie den Geschworenen alles erklären würden? Glauben Sie, daß Sie jetzt noch mit

Lügen durchkommen werden? Glauben Sie vielleicht, ich werde noch dafür einstehen?«

»Was weiß ich, wofür Sie einstehen. Kümmert mich einen Dreck. Stehen Sie für sich selber ein und ich für mich. Ich hab's nicht getan, und das ist alles, wofür ich einstehe. Verstanden?«

»Einen Dreck, sagen Sie? Wollen Sie vielleicht mit mir frech werden, wie? Na schön, Sie werden ja sehen. Sie werden schon erfahren, was die Geschworenen wirklich zu hören kriegen. Erst einmal haben Sie mit ihr geschlafen, nicht wahr? Dann hatte Papadakis 'nen kleinen Unfall, und ihr beide habt's euch mal gemütlich gemacht. Nachts zusammen im Bett, am Tag runter zum Strand, Händchen halten und einander verliebt angucken. Dann hattet ihr beide 'ne wunderbare Idee. Da er schon mal einen Unfall hatte, laßt ihr ihn eine Versicherung abschließen, dann bringt ihr ihn um die Ecke. Sie machen sich aus dem Staub, damit sie ihn inzwischen rumkriegen kann. Sie hält sich dazu, und bald hat sie ihn auch soweit. Er schließt eine Versicherung ab, eine richtige, ordentliche gegen Unfall und Krankheit und so weiter, für 46,72 Dollar. Dann seid ihr soweit. Zwei Tage später läuft Frank Chambers ganz zufällig Nick Papadakis übern Weg, und Nick überredet ihn, wieder bei ihm zu arbeiten. Und, ob ihr's glaubt oder nicht, er und seine Frau haben schon besprochen, sie wollen nach Santa Barbara fahren, haben Hotelzimmer bestellt und so weiter. Da bleibt freilich nichts anderes übrig, als daß Frank Chambers mitfährt, weil er doch ein alter Freund ist. Also fahren Sie mit. Den Griechen machen Sie ein bißchen besoffen und sich selber auch. In den Wagen nehmt ihr noch ein paar Weinflaschen mit, damit die Polizisten was aufzuschreiben haben. Dann müßt ihr natürlich über die Malibusee-Straße fahren, damit sie sich den Malibu-Strand ansehen kann. War das nicht 'ne gute Idee? Elf Uhr nachts, und sie wollte da runterfahren, um sich ein paar Häuser und die Wellen davor anzusehen! Aber ihr kamt gar nicht bis hin. Ihr bliebt stehen. Und während ihr stehenbliebt, da schlugen sie dem Griechen eine Weinflasche über den Schädel. Grad' das Richtige, um damit einem Mann den Schädel einzuschlagen, das wissen Sie selbst am besten, denn Sie haben's ja schon einmal probiert, bei dem Bahndetektiv in Oakland. Sie schlugen ihm den Schädel ein, und sie ließ den Wagen an. Und während sie aufs Trittbrett rauskletterte, beugten Sie sich von hinten vor und hielten das Steuer und gaben Handgas. Und sowie sie auf'm Trittbrett draußen stand, nahm sie das Steuer und gab Handgas, damit Sie rausklettern konnten. Aber Sie waren ja 'n bißchen betrunken, nicht wahr? Sie brauchten zu lange, und sie beeilte sich ein bißchen zu sehr, den Wagen über den Abhang zu rollen. Also konnte sie eben noch abspringen, aber für Sie war's zu spät. Sie denken vielleicht, die Geschworenen werden das nicht glauben? Ich selbst glaube es aber, weil ich es Wort für Wort beweisen kann, angefangen vom Ausflug an den Strand bis zum Handgas, und wenn ich das tue, dann gibt es keine mildernden Umstände mehr, mein Junge. Dann gibt's nur noch den Strick, an dem Sie baumeln, und wenn man Sie runterschneidet, werden Sie da draußen begraben, neben all den anderen, die so gottverlassen dumm waren, sich auf so was einzulassen, statt achtzugeben und sich nicht das Genick zu brechen.«

»So war es nicht. Nicht soweit ich weiß.«

»Was wollen Sie mir denn einreden? Daß sie's allein getan hat?«

»Ich will Ihnen nicht einreden, daß irgend jemand es getan hat. Lassen Sie mich in Frieden. So war es nicht.«

»Woher wissen Sie denn das? Ich dachte, Sie wären stockhagelvoll gewesen?«

»Es war aber nicht so. Nicht soweit ich weiß.«

»Sie meinen also, sie hat's getan?«

»So 'n gottverdammten Quatsch meine ich überhaupt nicht. Ich meine, was ich sage, und das ist alles.«

»Hören Sie mal, Chambers. In dem Wagen waren drei Leute, Sie, die Frau und der Grieche. Daß es der Grieche nicht war, ist klar. Wenn Sie's auch nicht waren, bleibt nur die Frau übrig, nicht wahr?«

»Zum Kuckuck noch mal, wer sagt denn, daß es überhaupt jemand gewesen sein muß.«

»Ich sag' es. Jetzt kommen wir vom Fleck, Chambers. Vielleicht haben Sie's nämlich wirklich nicht getan. Sie behaupten, daß Sie die Wahrheit sagen, und vielleicht tun Sie's wirklich. Aber wenn Sie die Wahrheit sagen und wenn Sie an der Frau nicht mehr Interesse haben als an der Frau Ihres Freundes, dann müssen Sie in der Sache was unternehmen. Dann müssen Sie Klage gegen sie erheben.«

»Was heißt das, Klage?«

»Wenn sie den Griechen umgebracht hat, dann hat sie dasselbe mit Ihnen versucht, nicht wahr? Das können Sie ihr nicht so durchgehen lassen. Käme einem sonst eigentlich etwas komisch vor! Sie wären ja ein Idiot, ihr das einfach durchgehen zu lassen. Sie bringt den Mann wegen der Versicherung um und Sie gleich mit? Da müssen Sie doch was unternehmen, wie?«

»Vielleicht, wenn sie's war. Aber ich weiß ja nicht, ob sie's war.«

»Wenn ich's Ihnen beweise, werden Sie doch die Klage unterschreiben, nicht wahr?«

»Natürlich. *Wenn* Sie's beweisen können.«

»Also schön, ich beweise es Ihnen. Als der Wagen hielt, stiegen Sie aus, nicht wahr?«

»Nein.«

»Was? Ich dachte, Sie waren so stockhagelvoll, daß Sie sich an nichts erinnern können? Das ist schon das zweitemal, daß Sie sich an was erinnern. Da kann ich mich nur wundern.«

»Soviel ich weiß, nein.«

»Aber es war doch so. Hören Sie mal, was der Mann aussagt: ›Mir fiel nichts Besonderes an dem Wagen auf, außer, daß eine Frau am Steuer saß und ein Mann drin lachte, als wir vorüberfuhren, und ein anderer Mann draußen hinterm Wagen stand und sich übergab.‹ Sie sind also ein paar Minuten lang draußen hinter dem Wagen und übergeben sich. Inzwischen haut sie dem Papadakis die Flasche an den Kopf. Und als Sie wiederkommen, fällt Ihnen nichts auf, weil Sie stockhagelvoll sind und Papadakis sowieso schlappgemacht hat und sonst nichts weiter zum Auffallen ist. Sie setzen sich hinten hinein und machen schlapp, da geht sie in den zweiten Gang, gibt Handgas, und sowie sie aufs Trittbrett rausgestiegen ist, schießt der Wagen vornüber.«

»Das beweist's noch nicht.«

»Und ob. Der Zeuge Wright sagt, der Wagen überstürzte sich immer weiter, den Hang hinunter, als er um die Kurve kam, *aber die Frau war oben auf der Straße und winkte um Hilfe.*«

»Vielleicht war sie abgesprungen?«

»Komisch, daß sie beim Abspringen ihre Handtasche mitgenommen hat, wie? Chambers, kann eine Frau mit einer Handtasche in der Hand einen Wagen lenken? Und wenn sie abspringt, hat sie Zeit, die Tasche mitzunehmen? Chambers, das ist nicht zu machen. Man kann unmöglich aus einem geschlossenen Wagen abspringen, der den Abhang hinunterrutscht. Sie war nicht im Wagen, als er überkippte. Das beweist es doch, nicht wahr?«

»Ich weiß es nicht.«

»Was heißt das, Sie wissen nicht? Wollen Sie die Klage unterschreiben oder nicht?«

»Nein.«

»Hören Sie, Chambers, es war kein Zufall, daß der Wagen sich um eine Sekunde zu früh überschlug. Es ging um Sie oder die Frau, und der Frau war klar, wer da draufzahlen würde.«

»Lassen Sie mich in Frieden. Ich weiß nicht, wovon Sie reden.«

»Mein Junge, es handelt sich immer noch darum: Sie oder die Frau. Wenn Sie mit alldem nichts zu tun hatten, unterschreiben Sie doch das Zeug. Wenn Sie's nämlich nicht tun, weiß ich warum. Und die Geschworenen wissen es dann auch. Und der Richter ebenfalls. Und der Kerl, der Ihnen die Falle stellt.«

Er sah mich eine Minute lang an, dann ging er hinaus und kam mit einem anderen Kerl wieder. Der Kerl setzte sich und füllte ein Schriftstück mit einer Füllfeder aus. Sackett brachte mir's herüber. »An dieser Stelle, Chambers.«

Ich unterschrieb. Meine Hand war so verschwitzt, daß der Kerl das Papier mit dem Löschblatt trocknen mußte.

10

Nachdem er fort war, kam der Polizist wieder und murmelte was von Schwarzer Peter. Wir spielten ein paar Spiele, aber ich konnte mich nicht darauf konzentrieren. Ich behauptete, das Teilen mit einer Hand machte mich nervös, und hörte auf.

»Der hat dich scharf angefaßt, wie?«

»Bißchen.«

»Zäher Bursche. Faßt sie alle scharf an. Sieht aus wie'n Prediger, voll Liebe für die Menschlichkeit, aber dabei ein Herz wie Stein.«

»Stein stimmt.«

»Gibt nur einen in der Stadt, der's mit ihm aufnimmt.«

»Wirklich?«

»Katz heißt er. Noch nicht von dem gehört, wie?«

»Natürlich hab' ich von dem gehört.«

»Freund von mir.«

»So 'nen Freund müßte man haben.«

»Paß mal auf. Du hast ja noch keinen Anwalt. Ohne Anklage darfst du dir ja noch keinen bestellen. Achtundvierzig Stunden können sie dich *incommunicado* behalten, so heißt das. Aber wenn er hier von sich aus auftaucht, muß ich ihn reinlassen, verstehste? Wenn ich mit ihm rede, vielleicht taucht er von sich aus auf.«

»Du meinst, du kriegst Prozente?«

»Ich meine nur, er ist 'n Freund von mir. Schließlich, wenn er mir nichts abgeben würde, wär' er ja kein Freund, was? Erstklassiger Bursche. Der einzige hier in der Stadt, der Sakkett das Fell über die Ohren zieht.«

»Na denn los, Junge. Je früher, desto besser.«

»Bin gleich wieder da.«

Er ging eine Weile raus, und als er zurückkam, gab er mir einen Wink. Tatsächlich, bald darauf klopfte es an der Tür, und Katz kam rein. Ein kleiner Kerl, vielleicht vierzig Jahre alt, mit einem ledernen Gesicht und schwarzem Schnurrbart. Als erstes, sowie er reinkam, zog er einen Beutel Bull-Durham-Tabak und ein Päckchen braunes Papier aus der Tasche und rollte sich eine Zigarette. Er zündete sie an, das Ding glimmte an der einen Seite halb rauf, und dann kümmerte er sich nicht mehr darum. Es hing ihm einfach aus dem Mundwinkel, und mir wurde niemals klar, ob es brannte oder nicht oder ob er selbst wach war oder schlief. Er saß da, die Augen halb zu, ein Bein über die Armlehne gehängt, den Hut auf dem Hinterkopf. Das war alles. Und wenn einer denkt, daß das kein angenehmer Anblick war für einen Menschen in meiner Lage, so irrt er sich gewaltig. Vielleicht schlief der Kerl, aber selbst im Schlaf sah er aus, als könnte er's mit jedem wachen Kerl aufnehmen, und mir stieg ein Klumpen die Kehle hoch. Als hätte sich ein himmlischer Wagen zu mir herabgesenkt, und ich brauchte nur einzusteigen.

Der Polizist sah ihm zu, wie er die Zigarette rollte, als machte er die große Welle am Trapez. Er wollte um keinen Preis aus dem Zimmer gehen, mußte aber. Sowie er draußen war, winkte mir Katz, ich sollte anfangen. Ich erzählte ihm von unserem Unfall, und wie Sackett versuchte, uns einzureden, wir hätten den Griechen wegen der Versicherung umgebracht, und wie er mich dazu gekriegt hatte, die Klage zu unterschreiben, in der stand, sie hätte mich auch umbringen wollen. Er hörte zu, und als ich abgeschnurrt war, saß er noch ein Weilchen da und sagte gar nichts. Dann stand er auf.

»Der hat Sie schön festgenagelt.«

»Ich hätte es nicht unterschreiben sollen. Ich glaube ja gar nicht, daß sie je so einen gottverdammten Unsinn gemacht hat. Aber der hat ja nicht lockergelassen. Und jetzt weiß ich verdammt noch mal überhaupt nicht mehr, woran ich bin.«

»Na, auf jeden Fall hätten Sie nicht unterschreiben sollen.«

»Mr. Katz, tun Sie mir einen Gefallen. Gehen Sie zu ihr und sagen Sie ihr –«

»Ich gehe zu ihr. Und ich werd' ihr sagen, was ich für richtig halte. Im übrigen ist das jetzt meine Sache, und wenn ich sage, es ist meine Sache, so heißt das, es ist meine Sache. Verstanden?«

»Ja, Mr. Katz. Verstanden.«

»Ich komme mit Ihnen zur Anklage-Erhebung. Oder jemand anders, den ich mir aussuche. Sackett hat aus Ihnen einen Kläger gemacht, also kann ich wahrscheinlich nicht euch beide vertreten, aber ich übernehme den Fall. Merken Sie sich: Was immer ich tue, der Fall ist in meiner Hand.«

»Was immer Sie tun, Mr. Katz.«

»Auf Wiedersehn.«

Abends legten sie mich wieder auf eine Tragbahre und schafften mich rüber in den Gerichtssaal zur Anklage-Erhebung. Es war ein Magistratsgericht, kein Strafgericht. Da gab es keine Geschworenenbank, keinen Zeugenstand oder irgendwas dergleichen. Der Magistratsrichter saß auf einem Podium, neben ihm ein paar Polizisten, vor ihm stand ein langes Pult, das lief quer durchs Zimmer, und wer immer was zu sagen hatte, schob das Kinn übers Pult und sagte es. Es war ein Haufen Menschen da, und sowie sie mich reintrugen, stürzten sich die Fotografen mit ihren Blitzlichtern auf mich, und aus dem Krach war schon klar, daß was Wichtiges los war. Von meiner Tragbahre aus konnte ich ja nicht viel sehen, aber ich hatte einen Schimmer von Cora, die auf der Vorderbank neben Katz saß, und von Sackett, der sich auf der Seite mit ein paar Kerlen mit Aktentaschen unterhielt, und von ein paar Polizisten und Zeugen, die schon bei der Untersuchung dabeigewesen waren. Sie legten mich gleich vor das Pult auf zwei Tische, die sie aneinandergerückt hatten, und kaum hatten sie die Decke über mich gelegt, da war schon der vorhergehende Gerichtsfall fertig, irgendwas mit einer Chinesin, und ein Polizist klopfte und verlangte Ruhe. Zugleich beugte sich ein junger Kerl über mich und sagte, er heiße White, und Katz hätte ihn gebeten, mich zu vertreten. Ich nickte, aber er flüsterte immer weiter, daß Mr. Katz ihn geschickt hatte, und der Polizist wurde ärgerlich und klopfte laut um Ruhe.

»Cora Papadakis.«

Sie stand auf, und Katz führte sie zum Pult. Sie streifte mich beinahe, als sie vorüberkam. Das war komisch, sie wieder zu riechen – den Geruch, der mich immer so wild gemacht hatte und jetzt gerade in diesem Moment. Sie sah ein bißchen besser aus als gestern. Sie hatte eine andere Bluse an, die ihr paßte, ihr Kostüm war gereinigt und gebügelt, die Schuhe geputzt, und ihr Auge war zwar blau, aber nicht mehr geschwollen. Alle anderen Leute gingen hinter ihr her und stellten sich in einer Reihe auf, der Polizist ließ sie alle die rechte Hand aufheben und murmelte etwas über die Wahrheit, die volle Wahrheit und nichts als die Wahrheit. Mittendrin unterbrach er sich, um zu sehen, ob ich meine Hand aufgehoben hatte. Hatte ich aber nicht. Also streckte ich sie raus, und er fing von vorn an zu murmeln. Wir murmelten es ihm alles nach.

Der Magistratsrichter nahm die Brille ab und sagte zu Cora, daß sie des Mordes an Nick Papadakis angeklagt sei und des versuchten Totschlags an Frank Chambers, daß sie eine Aussage machen könne, wenn sie wolle, aber jede Aussage als Beweismaterial gegen sie verwendet werden könne, daß sie sich von einem Anwalt vertreten lassen könne, daß sie acht Tage zu ihrer Verteidigung Zeit habe und daß das Gericht zu jeder Zeit während dieser acht Tage bereit sei, ihre Verteidigung zu hören. Es war ein langer Vortrag, und viele fingen an zu husten, ehe er fertig war.

Dann legte Sackett los und sagte, was er alles beweisen würde. Es war ungefähr das, was er mir am Morgen erzählt hatte, nur brachte er es mächtig feierlich heraus. Sowie er fertig war, führte er seine Zeugen vor. Da war erstens der Arzt vom Rettungswagen, der sagte, wann und wo der Grieche gestorben war. Dann kam der Gefängnisarzt, der die Autopsie gemacht hatte, und dann der Sekretär des Untersuchungsrichters, der das Protokoll der Untersuchungsverhandlung identifizierte und beim Magistratsrichter abgab, und dann kamen noch zwei Kerle, was die sagten, weiß ich nicht mehr. Als sie fertig waren, hatten sie alle miteinander nicht mehr bewiesen, als daß der Grieche tot war. Das wußte ich sowieso, also gab ich nicht weiter acht. Katz fragte keinen von ihnen was. Der Richter sah ihn jedesmal an, aber er winkte ab, und der Kerl trat beiseite.

Nachdem der Grieche endlich so mausetot war, wie sie ihn haben wollten, gab sich Sackett einen Ruck und rückte raus mit dem Zeug, das einen Wert hatte. Er rief einen Kerl auf, der die Pacific States Unfallversicherungs-Vereinigung von Amerika vertrat, und der sagte, daß der Grieche erst vor fünf Tagen eine Police erworben hatte. Er gab an, wie hoch sie war, daß der Grieche zweiundfünfzig Wochen lang fünfundzwanzig Dollar die Woche kriegen sollte, falls er krank war, und genausoviel, falls er durch einen Unfall arbeitsunfähig werden sollte, und daß er fünftausend Dollar kriegen sollte, falls er ein Bein oder einen Arm verlor, und zehntausend, falls er zwei verlor, und daß seine Witwe zehntausend kriegen sollte, falls er bei einem Unfall umkam, und zwanzigtausend, falls der Unfall auf der Eisenbahn passierte. Als er soweit gekommen war, fing es an, wie Reklame zu klingen, und der Richter hob die Hand.

»Ich bin schon versichert.«

Alle lachten über den Witz. Sogar ich lachte. Man möchte nicht glauben, wie komisch es klang.

Sackett stellte noch ein paar Fragen, dann wandte sich der Richter an Katz. Katz dachte kurz nach, dann redete er mit dem Versicherungsmenschen, aber langsam, als wollte er jedes Wort genau abwägen.

»Sie vertreten gewisse Interessen in diesem Prozeß?«

»Sozusagen, Mr. Katz.«

»Sie wollen sich der Auszahlung dieser Entschädigung entziehen, auf Grund der Tatsache, daß ein Verbrechen begangen worden ist, stimmt das?«

»Das stimmt.«

»Glauben Sie wirklich, daß ein Verbrechen begangen wurde, daß diese Frau ihren Gatten getötet hat, um diese Entschädigung einzuheben, und daß sie diesen Mann hier entweder zu töten versucht oder ihn vorsätzlich in eine Lebensgefahr gebracht hat, die seinen Tod hätte hervorrufen können, und alles das in der Absicht, sich diese Entschädigung zu verschaffen?«

Der Kerl lächelte ein bißchen, dachte eine Minute nach, als wollte er ebenso höflich sein und jedes Wort genau abwägen. »In Beantwortung dieser Frage, Mr. Katz, möchte ich bemerken, daß ich Tausende von solchen Fällen behandelt habe, schwindlerische Fälle, wie sie mir täglich auf den Schreibtisch gelegt werden, und ich glaube, daß ich in dieser Art von Nachforschung ungewöhnlich viel Erfahrung habe. Ich darf sagen, daß mir in meiner jahrelangen Tätigkeit für diese und andere Gesellschaften niemals ein offenkundigerer Fall untergekommen ist. Ich glaube nicht nur, daß ein Verbrechen begangen wurde, Mr. Katz. Ich weiß es praktisch.«

»Das ist alles. Hohes Gericht, ich plädiere für meine Mandantin auf schuldig in beiden Anklagepunkten.«

Hätte er eine Bombe in den Gerichtssaal geworfen, so wäre der Aufruhr nicht größer gewesen. Reporter stürzten hinaus, Fotografen stürzten ans Pult, um Aufnahmen zu machen. Sie rannten ineinander hinein, und der Richter wurde wütend und trommelte um Ruhe. Sackett sah aus wie erschossen, und im ganzen Saal war so ein Rauschen, als habe einem jemand plötzlich eine Seemuschel ans Ohr gedrückt. Ich versuchte immerfort, Coras Gesicht zu sehen. Aber mehr als ihren Mundwinkel sah ich nicht. Der zuckte immerfort, als steche jemand alle Sekunde mit einer Nadel hinein.

Ehe ich mich versah, hatten die Träger mich aufgehoben und folgten dem jungen Kerl, dem White, zum Gerichtssaal hinaus. Dann rasten sie mit mir durch zwei Korridore in ein Zimmer, in dem waren drei oder vier Polizisten. White sagte irgendwas von Katz, da machten sich die Polizisten aus dem Staub. Sie legten mich auf den Schreibtisch, dann gingen die Träger hinaus.

White marschierte auf und ab, dann ging die Tür auf, und eine Aufseherin kam herein mit Cora. Dann gingen White und die Aufseherin hinaus, die Tür fiel zu, und wir waren allein. Ich dachte nach, was ich sagen sollte, mir fiel aber nichts ein. Sie ging auf und ab und schaute mich nicht an. Ihr Mund zuckte immer noch. Ich schluckte immerfort, und nach einer Weile fiel mir was ein.

»Die haben uns reingelegt, Cora.«

Sie sagte nichts. Sie ging immer nur auf und ab.

»Dieser Katz, der ist einfach ein Polizeispitzel. Den hat mir ein Polizist geschickt. Ich dachte, der wird's schaffen. Aber die haben uns reingelegt.«

»Ach, uns hat keiner reingelegt.«

»Doch haben sie uns reingelegt. Ich hätte es wissen müssen, als der Polizist ihn mir unbedingt aufschwätzen wollte. Wußte es aber nicht. Dachte, der ist in Ordnung.«

»Mich haben sie reingelegt, nicht dich.«

»Mich auch. Mich hat er auch zum Narren gehalten.«

»Ich versteh' jetzt alles. Ich versteh', warum ich den Wagen fahren mußte. Ich versteh' auch, warum ich's damals tun mußte, nicht du. Ich hab' mich in dich verknallt, weil du schlau warst. Und jetzt merk' ich erst, wie schlau. Komisch, nicht? Man verknallt sich in einen Kerl, weil er schlau ist, und dann merkt man erst, daß er's wirklich ist.«

»Was willst du damit sagen, Cora?«

»Reingelegt! Mich vielleicht. Du und der Anwalt. Ihr habt euch das fein zurechtgelegt. Als hätte ich versucht, dich mit umzubringen. Damit es so aussieht, als hättest du nichts damit zu tun. Dann muß ich auf schuldig plädieren vor Gericht. Und du bist aus der ganzen Sache raus. Na schön. Vielleicht bin ich blöd. Aber so blöd bin ich wieder nicht. Hören Sie mal, Mr. Frank Chambers, wenn ich mit Ihnen fertig bin, werden Sie ja sehen, wie schlau Sie waren. Manchmal kann man auch zu schlau sein.«

Ich versuchte mit ihr zu reden, aber es nützte nichts. Als sie so weit war, daß ihr die Lippen unterm Lippenstift weiß wurden, ging die Tür auf, und Katz kam rein. Ich wollte mich auf ihn stürzen, aber sie hatten mich so fest angeschnallt, daß ich mich nicht rühren konnte.

»Mach, daß du rauskommst, du verdammter Spitzel. Du wolltest die Sache in die Hand nehmen. Das glaub' ich. Aber jetzt weiß ich, was du bist, verstanden? Raus mit dir.«

»Aber was ist denn los, Chambers?«

Man hätte denken können, er ist ein Sonntagsprediger und redet auf ein heulendes Kind ein, dem sie seinen Kaugummi weggenommen haben.

»Was ist denn los? Ich *habe* den Fall übernommen. Das habe ich Ihnen doch gesagt.«

»Stimmt. Aber gnade dir Gott, wenn du mir unter die Hände kommst.«

Er sah sie an, als könnte er die ganze Sache überhaupt nicht verstehen, und sie könnte ihm dabei helfen. Sie kam auf ihn zu.

»Dieser Mensch da, dieser Mensch und Sie, ihr habt euch gegen mich verschworen, damit ich reinfalle und er freikommt. Na, er hat ebensoviel damit zu tun wie ich, und damit kommt er nicht durch. Ich werde auspacken. Alles werde ich sagen, und zwar jetzt sofort.«

Er sah sie an und schüttelte den Kopf, mit dem falschesten Gesichtsausdruck, den ich je bei einem Menschen gesehen habe. »Aber meine Liebe! Das würde ich nicht tun. Lassen Sie das ruhig meine Sorge sein.–«

»Es war lange genug Ihre Sorge. Jetzt ist es meine Sorge.«

Er stand auf, zuckte die Achseln und ging hinaus. Kaum war er weg, da kam ein Kerl mit riesigen Füßen und einem roten Hals rein, der trug eine kleine Schreibmaschine, stellte sie auf einen Stuhl mit zwei Büchern als Unterlage, schlurfte ran und sah Cora an.

»Mr. Katz sagt, Sie wollen eine Aussage machen?«

Er hatte eine dünne Piepsstimme und grinste beim Reden.

»Ja, das stimmt. Eine Aussage.«

Sie fing abgehackt zu reden an, immer zwei oder drei Worte auf einmal, und alles, was sie sagte, ratterte er ebenso rasch auf der Maschine runter. Sie erzählte einfach alles. Ganz von Anfang an, wie sie mir zuerst begegnete und wie wir dann miteinander gingen und wie wir schon mal den Griechen um die Ecke bringen wollten, aber Pech hatten. Ein oder zweimal steckte ein Polizist den Kopf zur Tür herein, aber der Kerl an der Schreibmaschine hob die Hand.

»Paar Minuten noch, Herr Wachtmeister.«

»In Ordnung.«

Schließlich sagte sie noch, sie habe nichts von der Versicherung gewußt, und daß wir es nicht deshalb getan hätten, sondern nur, um ihn loszuwerden.

»Das ist alles.«

Er sammelte die Bogen ein, und sie unterschrieb.

»Nur noch Ihre Anfangsbuchstaben unten auf jede Seite.«

Sie schrieb sie hin. Er holte eine notarielle Stempelmarke raus, ließ sie die rechte Hand hochhalten und die Marke aufkleben und ihren Namen drüberschreiben. Dann steckte er die Papiere in die Tasche, klappte die Schreibmaschine zu und ging rasch raus.

Sie ging zur Tür und rief nach der Aufseherin.

»Ich bin jetzt fertig.« Die Aufseherin kam rein und führte sie raus. Die Kerle von der Tragbahre kamen rein und trugen mich raus. Sie rasten los, aber auf dem Weg gerieten wir in einen Haufen Leute, die sie anstarrten, wie sie mit der Aufseherin vor der Lifttür stand und darauf wartete, nach oben ins Gefängnis zu fahren. Das ist nämlich im Oberstock vom Gerichtsgebäude. Die Träger drängelten sich durch, da wurde meine Decke runtergezerrt und schleifte am Boden nach. Sie hob sie auf und breitete sie über mich, dann drehte sie sich rasch weg.

Sie schafften mich zurück ins Krankenhaus, aber statt des Polizisten paßte der Kerl auf mich auf, der das Geständnis aufgenommen hatte. Er legte sich aufs andere Bett. Ich versuchte zu schlafen, und nach einer Weile schlief ich auch ein. Ich träumte, sie schaute mich an, und ich versuchte immerfort, ihr was zu sagen, es gelang mir aber nicht. Dann tauchte sie unter, und ich wachte auf, und dieses Knacken war in meinen Ohren, dieses gräßliche Knacken, mit dem der Schädel des Griechen gesplittert war, als ich draufschlug. Dann schlief ich wieder ein und träumte, daß ich fiel und fiel. Dann wachte ich wieder auf, die Hände am Hals und dasselbe Knacken in den Ohren. Einmal wachte ich auf und brüllte. Der Kerl lehnte sich auf den Ellbogen zu mir herüber.

»He!«

»He!«

»Was 'n los?«

»Gar nichts. Bloß 'n Traum.«

»Ach so.«

Er ließ mich keinen Augenblick allein. Am Morgen ließ er sich ein Waschbecken bringen, zog ein Rasiermesser aus der Tasche und rasierte sich. Dann wusch er sich. Sie brachten das Frühstück, und er aß seines am Tisch. Wir redeten kein Wort.

Dann brachte man mir eine Zeitung, da stand alles drin, mit einem großen Bild von Cora auf dem Titelblatt und drunter einem kleineren von mir auf der Tragbahre. Die Flaschenmörderin, so nannten sie sie. Es stand da, daß sie sich bei der Anklageerhebung schuldig bekannt hatte und daß heute das Urteil verkündet würde. Auf einer Innenseite war ein Bericht, da stand, der Fall würde wohl einen Rekord aufstellen für rasche Erledigung, und noch ein Bericht über einen Pfarrer, der hatte gesagt, wenn alle Fälle so rasch durchgepeitscht würden, dann könnte das mehr Verbrechen verhüten als hundert neue Gesetze. Ich suchte die ganze Zeitung durch nach einem Bericht über das Geständnis. Stand aber nirgends drin.

Gegen zwölf kam ein junger Doktor rein, machte sich mit Alkohol über meinen Rücken her und löste ein paar von den Pflasterstreifen ab. Das heißt, er hätte sie ablösen sollen, aber in Wirklichkeit schälte er sie einfach runter, und das tat verflucht weh.

Nachdem er einen Teil entfernt hatte, kam ich drauf, daß ich mich bewegen konnte. Die anderen ließ er dran, dann brachte mir eine Schwester meine Kleider. Ich zog sie an. Die Kerle von der Tragbahre kamen rein und halfen mir bis zum Lift und dann raus aus dem Krankenhaus. Draußen wartete ein Wagen mit Chauffeur. Der Kerl, der die Nacht bei mir verbracht hatte, setzte mich rein, und wir fuhren zwei Straßen weiter. Dann half er mir raus, und wir gingen in ein Bürohaus und hinauf in ein Büro. Da stand Katz, streckte mir die Hand entgegen und grinste übers ganze Gesicht.

»Alles vorbei.«

»Großartig. Wann wird sie aufgehängt?«

»Gar nicht aufgehängt wird sie. Sie ist raus. Frei. So frei wie ein Vogel. Dauert nicht mehr lange, dann kommt sie her, sowie im Gericht alles erledigt ist. Kommen Sie rein. Ich erzähl' Ihnen alles.«

Er zog mich in ein Privatbüro und machte die Tür zu. Sowie er sich eine Zigarette gerollt hatte und sie halb raufgeglommen war und ihm richtig im Mundwinkel saß, fing er an zu reden. Ich kannte ihn nicht wieder. War nicht zu verstehen, wie ein Mensch, der tags zuvor noch so verschlafen ausgesehen hatte, jetzt so aufgeregt sein konnte.

»Chambers, das ist der größte Fall, den ich je gehabt habe. Ich steig' ein und steig' aus, das Ganze dauert keine vierundzwanzig Stunden, und trotzdem ist mir noch nie so was untergekommen, das sag' ich Ihnen. Na, manche Boxkämpfe dauern auch nur zwei Runden, wie? Kommt nicht drauf an, wie lange so was dauert. Kommt drauf an, was Sie machen, während Sie im Ring sind. War aber im Grund gar kein Boxkampf. Eher eine Kartenpartie zu vieren, wo jeder ein erstklassiges Blatt in der Hand hat. Das soll mal einer nachmachen! Sie glauben vielleicht, der wahre Kartenspieler zeigt sich am schlechten Blatt? Einen Dreck! Schlechte Blätter krieg' ich jeden Tag. Aber so ein Spiel, wo alle gute Blätter haben, *wo jedes Blatt gewinnt, wenn es richtig ausgespielt wird*, da gebt mal acht auf mich. Na, Chambers, da haben Sie mir allerdings einen großen Gefallen getan, daß Sie mich da herangezogen haben. So was läuft mir nicht wieder über den Weg.«

»Sie haben mir überhaupt noch nichts erzählt.«

»Ich erzähl's Ihnen schon, nur keine Angst. Aber Sie werden's nicht begreifen. Erst muß ich die Karten vor Ihnen hinlegen, sonst verstehen Sie gar nicht, wie ich sie ausgespielt habe. Also erst mal waren da Sie und die Frau. Jeder von euch ein ausgezeichnetes Blatt in der Hand. Denn das war ein fehlerloser Mord, Chambers. Vielleicht wissen Sie gar nicht, wie gut der war. Das ganze Zeug, mit dem Sackett Sie einschüchtern wollte, daß sie nicht im Wagen war, als er sich überschlug, und daß sie die Handtasche bei sich hatte und so weiter, das war keinen Pfifferling wert. Ein Wagen kann doch anrucken, ehe er überkippt, wie? Und eine Frau kann doch nach der Handtasche langen, ehe sie abspringt, was? Das beweist noch kein Verbrechen. Beweist nur, daß sie eine Frau ist.«

»Wie haben Sie denn das alles rausgefunden?«

»Von Sackett selber. Ich traf ihn gestern zum Abendessen, und er fing an, mich hochzunehmen. Er bedauerte mich, der Dummkopf; Sackett und ich sind Feinde, aber die intimsten Feinde, die man sich denken kann. Er wäre imstande, seine Seele dem Teufel zu verkaufen, nur um mir eins auszuwischen, und ich genauso. Wir gingen sogar eine Wette ein. Hundert Dollars haben wir gewettet. Er machte sich lustig über mich, weil er einen wasserdichten Fall vor sich hätte. Er brauchte nur die Karten auszuspielen, sagte er, und den Rest dem Henker überlassen.«

Fein war das, wie die zwei Kerle um hundert Dollars wetteten, was der Henker mit mir und Cora machen würde! Aber trotzdem wollte ich alles rauskriegen.

»Aber was ist dann mit dem erstklassigen Blatt, das wir hatten?«

»Dazu komm' ich jetzt. Sie hatten ein ausgezeichnetes Blatt, aber Sackett weiß doch, daß kein Mann und keine Frau auf der Welt was damit anfangen können, wenn der Staatsanwalt sein eigenes Blatt richtig ausspielt. Er weiß, daß er nur einen von euch gegen den anderen auszuspielen braucht, damit er die Sache in der Tasche hat. Das ist das erste. Zweitens, er braucht den Fall gar nicht erst aufzubauen. Das besorgt schon die Versicherungsgesellschaft für ihn, er selbst braucht keinen Finger zu rühren. Das gefiel ja Sackett gerade so wunderbar. Er brauchte nur die Karten auszuspielen – und schon fiel ihm alles in den Schoß. Was tut er also? Er nimmt das ganze Zeug, das die Versicherungsgesellschaft für ihn herausgefunden hat, und jagt Ihnen damit eine irre Angst ein und kriegt Sie so weit, daß Sie eine Anklage gegen sie unterschreiben. Er nimmt Ihnen Ihren Trumpf weg, nämlich wie schwer verletzt Sie waren, und läßt Sie damit Ihr eigenes As ausstechen. Wenn Sie so schwer verletzt waren, mußte es doch ein Unfall sein. Trotzdem benützt Sackett gerade das, um sich von Ihnen eine Klage gegen sie unterschreiben zu lassen. Und Sie unterschreiben wieder, weil Sie Angst haben, daß er sonst verdammt genau weiß, Sie haben's getan.«

»Ich hab' einfach Schiß gekriegt.«

»Mit Schiß muß man rechnen bei einem Mord, und keiner rechnet genauer damit als Sackett. Na gut. Jetzt hat er sie festgenagelt. Er wird Sie zwingen, gegen die Frau auszusagen, und er weiß, sobald Sie das tun, wird keine Macht der Welt verhindern können, daß die Frau Ihnen in den Rücken fällt. Bei dem Abendessen mit mir sitzt er also auf 'm hohen Roß. Er zieht mich auf. Er bedauert mich. Er wettet mit mir um hundert Dollar. Aber ich sitz' die ganze Zeit da und weiß, mit dem Blatt in meiner Hand kann ich ihn schlagen, wenn ich die Karten nur richtig ausspiele. Na schön, Chambers, Sie schauen mir ins Blatt. Was sehen Sie da?«

»Nicht viel.«

»Also, was?«

»Gar nichts, offen gestanden.«

»Sackett auch nicht. Jetzt geben Sie acht. Nachdem ich gestern bei Ihnen war, ging ich zu ihr und ließ mir von ihr eine Vollmacht geben, das Banksafe von Papadakis aufzumachen. Ich fand drin, was ich erwartet hatte. Es waren noch ein paar andere Policen im Safe, und ich ging zu dem Vertreter, der sie ausgestellt hatte, und entdeckte folgendes:

Die Unfallversicherung hatte nichts mit dem Unfall zu tun, den Papadakis vor ein paar Wochen hatte. Der Vertreter hatte auf seinem Vormerkkalender festgestellt, daß Papadakis' Automobilversicherung beinahe abgelaufen war, und war hingefahren, um ihn deswegen zu sprechen. Die Frau war nicht dabei. Die beiden erledigten ohne Umstände die Autoversicherung gegen Feuer, Diebstahl, Zusammenstoß, öffentliche Haftung, den üblichen Kram. Dann machte der Vertreter Papadakis darauf aufmerksam, daß er gegen alles geschützt war, außer gegen eigene Verletzungen, und fragte ihn, ob er nicht eine Unfallversicherung eingehen wollte. Papadakis interessierte sich sofort dafür. Vielleicht war der erste Unfall schuld daran, aber wenn, so wußte das der Vertreter nicht. Er unterschrieb die ganze Geschichte, gab dem Vertreter einen Scheck, und am nächsten Tag wurden ihm die Policen mit der Post zugeschickt. Sie verstehen, so ein Vertreter arbeitet für eine Menge Gesellschaften, und die Policen waren nicht alle von derselben Gesellschaft ausgestellt. Das ist Punkt Nummer eins, den Sackett vergessen hatte. Aber die Hauptsache ist, daß Papadakis nicht nur die neue Versicherung hatte. Er hatte auch noch die alten Policen, *und die galten noch eine Woche.*

Also gut, und jetzt geben Sie mal acht, wie alles zusammenhängt. Die Unfallversicherung der Pacific States haftet für eine Police auf zehntausend Dollars für privaten Unfall. Die Garantie von Kalifornien haftet für einen neuen Pfandbrief für Öffentliche Haftung auf zehntausend Dollars, und die Rocky Mountain Treuhand haftet für einen alten Pfandbrief für Öffentliche Haftung auf zehntausend Dollars. Das ist meine erste Karte. Sackett ließ eine Versicherungsgesellschaft wegen zehntausend Dollars für sich arbeiten. Ich konnte zwei Versicherungsgesellschaften auf zwanzigtausend Dollars für mich arbeiten lassen, wann immer ich wollte. Ist Ihnen das klar?«

»Nein.«

»Schauen Sie. Sackett hatte Ihnen Ihren Trumpf gestohlen, nicht wahr? Na, und ich nahm ihm denselben Trumpf wieder ab. Sie waren doch verletzt, wie? Schwer verletzt. Also, wenn Sackett die Frau wegen Mord verurteilt und Sie ihr einen Prozeß anhängen wegen Körperverletzungen, die durch diesen Mord verursacht wurden, dann sprechen Ihnen die Geschworenen zu, was immer Sie wollen. Und die beiden Rückversicherungsgesellschaften haften dafür, daß diesem Entscheid bis zum letzten Cent in ihren beiden Policen nachgekommen wird.«

»Jetzt wird's mir klar.«

»Hübsch, Chambers, hübsch, wie? Ich hab' die Karte in meiner Manschette entdeckt, aber Sie haben sie nicht entdeckt und Sackett auch nicht und die Pacific States Unfallversicherung auch nicht, weil die so viel damit zu tun hatten, Sacketts Spiel zu spielen, und so sicher waren, er würde es gewinnen, daß sie nicht mal auf den Gedanken kamen.«

Er ging ein paarmal ums Zimmer herum und bewunderte sich jedesmal, wenn er an einem kleinen Spiegel in der Ecke vorbeikam. Dann redete er weiter.

»Na gut, da hatte ich meine Karte, aber als nächstes mußte ich mir überlegen, wie spiele ich sie aus? Ich mußte sie rasch ausspielen, weil Sackett seine schon auf den Tisch geworfen hatte und das Geständnis jeden Moment zu erwarten war. Vielleicht schon bei der Klageerhebung, sowie sie hörte, wie Sie gegen sie aussagten. Ich mußte rasch vorgehen. Was tat ich also? Ich wartete, bis der

Mann von der Pacific States Unfallversicherung ausgesagt hatte, und ließ ihn öffentlich erklären, daß er wirklich glaube, es sei ein Verbrechen begangen worden. Das für den Fall, daß ich später vielleicht eine Klage auf falschen Arrest gegen ihn einbringen wollte. Und dann, bums, ließ ich die Frau schuldig plädieren. Damit war die Anklageerhebung beendet und Sackett für eine Nacht ausgeschaltet. Dann schickte ich sie rasch in ein Verteidigerzimmer, bat mir eine halbe Stunde aus, ehe man sie über Nacht wieder einlochte, und ließ Sie zu ihr bringen. Mehr als fünf Minuten mit Ihnen brauchte sie nicht. Als ich reinkam, war sie bereit, alles zu verraten. Dann schickte ich Kennedy rein.«

»Den Detektiv, der gestern nacht bei mir war?«

»Der war früher mal ein Detektiv, ist aber keiner mehr. Der ist jetzt mein Privatspitzel. Sie dachte, daß sie mit einem Detektiv redete, aber in Wirklichkeit redete sie mit einem Strohmann. Aber es hatte seine Wirkung. Als sie's mal von der Seele hatte, hielt sie still bis heute, und das war lange genug. Das nächste waren Sie. Was Sie wollten, war türmen. Gegen Sie lag keine Klage vor, also waren Sie nicht mehr unter Arrest, selbst wenn Sie's noch glaubten. Ich wußte, sowie Sie das mal rausfinden, wird Sie kein Heftpflaster, kein zerschundener Rücken, kein Krankenpfleger oder sonst was aufhalten. Drum schickte ich Kennedy zu Ihnen, sowie er mit ihr fertig war, um Sie im Auge zu behalten. Das nächste war eine kleine Mitternachtskonferenz zwischen der Pacific States Unfall, der Garantie von Kalifornien und der Rocky Mountain Treuhand. Und als ich denen mal die Sache unterbreitet hatte, war das Geschäft rasch gemacht.«

»Was meinen Sie, Geschäft?«

»Erst las ich ihnen das Gesetz vor. Ich las ihnen die Mitfahrerklausel vor, Abschnitt einhunderteinundvierzig, drei und vier, Kalifornisches Verkehrsgesetz. Da steht, wenn ein Mitfahrer in einem Automobil verletzt wird, hat er kein Recht auf Entschädigung, *es sei denn*, daß sein Unfall auf Betrunkenheit oder absichtliches Vergehen von seiten des Fahrers zurückzuführen ist. Dann kann er nämlich Entschädigung verlangen. Sie waren Mitfahrer, verstehen Sie? Und ich hatte doch die Frau auf Mord und Mordanschlag schuldig plädieren lassen. Ausreichend absichtliches Vergehen, wie? Und die konnten doch nicht sicher sein, wissen Sie. Vielleicht hatte sie's wirklich allein getan! Also rückten die beiden Gesellschaften mit den Rückversicherungspolicen, denen es von

Ihnen her an den Kragen ging, rückten die mit je fünftausend Dollars raus, um die Pacific States Unfallversicherungspolice zu decken. Und die Pacific States Unfall willigte ein, zu zahlen und die Klappe zu halten. Und in einer halben Stunde war die Sache vorbei.«

Er war still und grinste sich wieder im Spiegel zu.

»Und dann?«

»Ich denk' immer noch dran. Ich seh' das Gesicht von Sackett vor mir, wie der Bursche von der Pacific States Unfall aufsteht und erklärt, seine Nachforschungen haben ihn davon überzeugt, daß kein Verbrechen vorliegt, und die Gesellschaft wird die Unfallversicherung voll bezahlen. Chambers, können Sie sich vorstellen, wie wohl das tut? Einen Kerl zu täuschen, daß er aus der Deckung geht, und ihm dann eins versetzen, direkt aufs Kinn? So wohl tut nichts in der Welt!«

»Mir ist das immer noch nicht klar. Wozu hat denn dieser Kerl noch mal ausgesagt?«

»Sie stand vor dem Urteil. Und wenn jemand auf schuldig plädiert, dann will das Gericht meistens noch eine Aussage hören, um zu wissen, um was es sich bei dem Fall eigentlich dreht. Wegen der Höhe des Strafmaßes. Und Sackett hatte Blut geleckt. Der wollte ein Todesurteil. Ach, das ist ein blutdürstiger Kerl, dieser Sackett! Darum regt es mich doch so an, gegen ihn zu arbeiten. Es geht um einen hohen Einsatz, wenn man gegen Sackett spielt. Also stellt er den Versicherungsmenschen wieder in den Zeugenstand. Aber nach unserer kleinen Mitternachtssitzung, da war der nicht mehr *sein* Scheißkerl, sondern *mein* Scheißkerl, nur daß Sackett das noch nicht wußte. Hat der sich aufgeführt, als es herauskam! Aber da war es zu spät. Wenn eine Versicherungsgesellschaft nicht glaubt, daß Cora schuldig ist, dann glauben es die Geschworenen niemals im Leben, ist doch klar! Da war nicht die geringste Möglichkeit, sie noch zu verurteilen. Und dann kam ich und machte Sackett zur Schnecke. Ich stand auf und hielt dem Gericht eine Rede. Ich ließ mir Zeit. Ich sagte, meine Mandantin hätte von Anfang an ihre Unschuld beteuert. Aber ich hätte ihr nicht geglaubt. Ich sagte, die Beweise gegen sie seien mir überwältigend erschienen und schwerwiegend genug, um sie vor jedem Gericht zu verurteilen. Darum hätte ich geglaubt, in ihrem eigenen Interesse zu handeln, wenn ich sie schuldig plädieren und an die Nachsicht des Gerichts appellieren ließe. Aber! Chambers, stellen

Sie sich mal vor, wie ich dieses *aber* unter der Zunge rausrollen lasse! Aber, im Licht der Aussage, die wir eben gehört hätten, bliebe mir nichts anderes übrig, als ihr Schuldbekenntnis zurückzuziehen und dem Fall seinen Lauf zu lassen. Sackett konnte nichts dagegen tun, weil die acht Tage für ihre Verteidigung noch nicht abgelaufen waren. Er wußte, er war verloren. Er erklärte sich einverstanden mit einem Schuldbekenntnis auf Totschlag. Das Gericht vernahm die übrigen Zeugen selbst, gab ihr sechs Monate Bewährungsfrist und entschuldigte sich sogar noch ein bißchen dafür. Die Anklage wegen Überfalls schlugen wir nieder. Die war schließlich der Schlüssel zu der ganzen Sache, und wir hätten sie beinahe vergessen.«

Jemand klopfte an die Tür. Kennedy führte Cora herein, legte ein paar Papiere vor Katz auf den Tisch und ging wieder hinaus. »Da haben Sie, Chambers. Unterschreiben Sie hier, bitte. Da ist Ihr Verzicht auf Entschädigung für Verletzungen, die Sie dabei erlitten haben. Das kriegen die dafür, daß sie so nett waren.«

Ich unterschrieb.

»Kann ich dich nach Hause bringen, Cora?«

»Ich denke schon.«

»Einen Moment, einen Moment, ihr beiden. Nicht so eilig. Da ist noch eine Kleinigkeit. Die zehntausend Dollars, die ihr dafür einkassiert, daß ihr den Griechen ins Jenseits befördert habt.«

Sie schaute mich an, und ich schaute sie an. Er saß und schaute auf den Scheck. »Ja, seht mal, es wäre doch kein so erstklassiges Blatt, wenn nicht auch für Katz ein bißchen Geld drinsteckte. Na ja. Also gut. Ich will kein Schwein sein. Gewöhnlich behalte ich mir ja das Ganze, aber diesmal halbieren wir eben. Frau Papadakis, schreiben Sie Ihren Scheck auf fünftausend Dollars aus, und ich übertrage diesen hier auf Sie, dann geh' ich zur Bank rüber und regle die Hinterlegung. Hier haben Sie einen Blankoscheck.«

Sie setzte sich nieder und griff nach der Feder und fing zu schreiben an und hörte wieder auf, als sei ihr nicht ganz klar, um was es da ging. Plötzlich ging er zu ihr hinüber, nahm den Blankoscheck und riß ihn mittendurch.

»Ach was, zum Teufel noch mal. So was passiert einmal im Leben, wie? Da. Behaltet das Ganze. Was liegt mir an den fünf Lappen? Ich hab' mehr als zehn Lappen. Das hier wollte ich haben!«

Er machte seine Brieftasche auf, zog einen Zettel heraus und zeigte ihn uns. Das war Sacketts Scheck auf hundert Dollars. »Und wenn ihr glaubt, den lös' ich mir ein, so irrt ihr euch. Einen Dreck lös' ich ihn ein. Den laß ich mir einrahmen. Da oben hänge ich ihn mir hin, gerade über meinen Schreibtisch.«

12

Wir gingen weg und nahmen uns ein Taxi, weil ich so zusammengeflickt war, und fuhren erst mal zur Bank, um den Scheck einzuzahlen, dann in ein Blumengeschäft, um zwei große Blumensträuße zu kaufen, und dann fuhren wir zum Leichenbegräbnis des Griechen. Kam einem komisch vor, daß der erst zwei Tage tot war und gerade eben begraben wurde. Das Leichenbegängnis war in einer kleinen griechischen Kirche, und es war eine große Menge Menschen da, darunter Griechen, die ich manchmal hatte zur Wirtschaft rauskommen sehen. Als wir reinkamen, machten sie alle eisige Gesichter und wiesen ihr einen Sitz in der dritten Reihe an. Ich sah, wie sie uns anglotzten, und überlegte mir, was ich machen würde, wenn sie nachher über uns herfallen sollten. Waren ja schließlich seine Freunde, nicht unsere. Aber bald darauf sah ich, wie eine Abendzeitung herumgereicht wurde. Da stand in großen Überschriften, daß sie unschuldig war, und ein Kirchendiener warf einen Blick darauf und rannte rüber, um uns auf die Vorderbank zu setzen. Der Kerl, der die Predigt hielt, fing mit ein paar dreckigen Bemerkungen an darüber, wie der Grieche ums Leben gekommen war, aber ein anderer Kerl machte sich an ihn ran und flüsterte ihm was zu und zeigte auf die Zeitung, die inzwischen in den vorderen Reihen aufgetaucht war. Da drehte der sich um und sagte die ganze Sache noch einmal von vorn und ließ die dreckigen Bemerkungen weg und flocht etwas ein über die trauernde Witwe und Freunde, und alle nickten mit dem Kopf, daß es stimmte. Als wir auf den Friedhof rausgingen, wo das Grab war, gaben ihr zwei von denen den Arm und halfen ihr raus, und zwei andere halfen mir. Ich fing zu heulen an, als sie ihn runterließen. Bei Chorgesang hab' ich mir nie helfen können, schon gar nicht, wenn sich's um einen handelt, den ich so gut leiden konnte wie den Griechen. Am Schluß sangen sie dann ein Lied, das ich ihn hundertmal hatte singen hören, und das war mein Ende. Kaum, daß ich noch imstande war, unsere Blumen auf die richtige Art hinzulegen.

Der Taxifahrer trieb einen Burschen auf, der uns für fünfzehn Dollars die Woche einen Fordwagen lieh, den nahmen wir und fuhren hinaus. Sie fuhr. Als wir aus der Stadt waren, kamen wir an einem Bauplatz vorbei, und den ganzen Weg hinaus redeten wir nur davon, wie wenig Häuser in der letzten Zeit gebaut wurden, daß sie aber den ganzen Grund hier vollbauen wollten, sowie die Zeiten besser würden. Als wir bei der Wirtschaft ankamen, ließ sie mich aussteigen und fuhr den Wagen in die Garage, dann gingen wir hinein. Es war noch genauso, wie wir's zurückgelassen hatten, die Gläser, aus denen wir den Wein getrunken hatten, noch im Abwaschbecken, und dem Griechen seine Gitarre, die er nicht weggeräumt hatte, weil er so betrunken war. Sie legte die Gitarre in den Kasten und wusch die Gläser ab und ging hinauf. Einen Augenblick später ging ich ihr nach.

Sie saß im Schlafzimmer am Fenster und starrte auf die Straße hinaus.

»Na?«

Sie sagte nichts. Ich stand auf und wollte zur Tür.

»Ich habe ja nicht gesagt, daß du gehen sollst.«

Ich setzte mich wieder. Es dauerte eine lange Zeit, ehe sie sich zusammenriß.

»Du hast mich verraten, Frank.«

»Nein, wirklich nicht. Er hatte mich im Sack, Cora. Ich mußte den Zettel unterschreiben. Hätte ich's nicht getan, dann wäre er auf alles draufgekommen. Ich hab' dich nicht verraten. Ich mußte nur eine Weile mit ihm mitmachen, bis ich wußte, woran ich war.«

»Du hast mich verraten. Ich hab's dir an den Augen abgelesen.«

»Na gut, Cora, wenn du willst. Ich habe einfach Schiß gekriegt, weiter nichts. Ich wollte es nicht tun. Ich hab' versucht, es nicht zu tun. Aber der hat mich kleingekriegt. Da bin ich zusammengeklappt, weiter nichts.«

»Ich weiß.«

»Ich hab's verdammt bereut.«

»Und ich hab' dich auch verraten, Frank.«

»Sie haben dich gezwungen, Cora. Du wolltest gar nicht. Du bist in die Falle gegangen.«

»Ich wollte es tun. Da hab' ich dich gehaßt.«

»Schon gut. Wegen etwas, das ich gar nicht wirklich getan hatte. Du weißt, wie's war. Jetzt wenigstens.«

»Nein. Ich hab' dich gehaßt wegen etwas, das du wirklich getan hast.«

»Ich hab' dich nicht gehaßt, Cora. Nur mich selbst.«

»Jetzt haß' ich dich auch nicht. Nur diesen Sackett. Und Katz. Warum haben die uns nicht in Frieden gelassen? Damit wir's unter uns ausmachen konnten. Das hätte mir nichts ausgemacht. Hätte mir gar nichts ausgemacht, auch wenn sie uns – du weißt schon. Dann hätten wir unsre Liebe gehabt. Das einzige, was wir immer hatten. Aber sowie sie mit den Gemeinheiten anfingen, da hast du mich verraten.«

»Und du mich auch, vergiß das nicht.«

»Das ist eben so schrecklich. Ich dich auch. Wir haben uns gegenseitig verraten.«

»Na, das gleicht sich dann wieder aus, nicht?«

»Ja, das gleicht sich aus, aber wie stehen wir jetzt da? Wir waren auf einem Berg oben. Ganz hoch oben, Frank. Alles hatten wir, da draußen, in der Nacht. Ich hab' gar nicht gewußt, daß man so was spüren kann. Mit Küssen haben wir's zugesiegelt, damit es immer da war, was auch kommen würde. Wir hatten mehr als irgendwelche zwei Menschen auf der Welt. Und dann fielen wir runter. Erst du und dann ich. Ja, es gleicht sich aus. Jetzt sind wir zusammen unten. Aber der schöne Berg ist weg.«

»Also, zum Teufel noch mal! Wir sind doch zusammen oder nicht?«

»Das schon. Aber ich hab' schrecklich viel drüber nachgedacht, Frank. Gestern nacht. Über dich und mich und den Film, warum ich's da zu nichts brachte, und die Garküche und die Landstraße, und warum dir die so gefällt. Wir sind zwei Dreckfinken, Frank. In der Nacht neulich hat uns der liebe Gott auf die Stirn geküßt. Er hat uns alles gegeben, was zwei Menschen sich je erhoffen können. Wir hatten all die Liebe, und dann brechen wir drunter zusammen. Wie 'n großer Flugzeugmotor, der einen in den Himmel trägt bis hinauf auf den höchsten Berg. Aber wenn du den in einen Ford steckst, da reißt er ihn in Fetzen. Und oben sitzt der liebe Gott und lacht uns aus.«

»Einen Dreck lacht er uns aus. Lachen wir ihn nicht aus, wie? Er hängt uns 'n rotes Licht vor die Nase, und wir fahren einfach weiter. Und was geschieht? Brechen wir uns das Genick? Einen Dreck! Wir sausen glatt durch und kriegen noch zehntausend Dollars dafür. Der liebe Gott soll uns auf die Stirn geküßt haben?

Na, da ist der Teufel mit uns ins Bett gegangen, und mit dem schläft's sich nicht so schlecht, mein Kind, glaub mir.«

»Red nicht so, Frank.«

»Haben wir die zehn Lappen gekriegt oder nicht?«

»Ich will nicht an die zehn Lappen denken. Es ist 'ne Menge Geld, aber den Berg kauft's uns nicht.«

»Zum Teufel mit dem Berg, wir haben den Berg und zehntausend Päckchen, um sie noch obendrauf zu stapeln. Wenn du hoch hinauswillst, dann steig mal da rauf und sieh dich in der Gegend um.«

»Du Lump. Ich wollte, du könntest dich selber sehen, wie du drauflosschreist mit dem Verband um den Kopf.«

»Vergiß nicht, wir haben was zu feiern. Wir haben uns noch nie richtig miteinander besoffen.«

»Die Art besaufen hab' ich nicht gemeint.«

»Besaufen ist besaufen. Wo ist der Schnaps, den ich vorm Abfahren getrunken hab'?«

Ich ging in mein Zimmer und holte den Schnaps. Es war ein Doppelliter Whisky, dreiviertel voll. Ich ging runter, holte zwei Gläser, Eiswürfel und White Rock und kam wieder zurück nach oben. Sie hatte den Hut abgenommen und das Haar aufgemacht. Ich mischte zwei Gläser voll. In jedem waren etwas White Rock drin und zwei Eiswürfel, aber der Rest kam aus der Flasche.

»Trink mal. Wird dir gleich besser werden. Genauso sagte Sackett, als er mir das Fell über die Ohren zog, diese Laus!«

»Na, das ist aber ganz schön stark.«

»Will ich meinen. Hör mal, du hast aber zu viel an.«

Ich schob sie zum Bett rüber. Sie hielt ihr Glas fest und vergoß die Hälfte. »Laß es sausen! Ist noch 'ne Menge davon da.«

Ich fing an, ihre Bluse runterzustreifen. »Reiß doch, Frank. Reiß sie doch runter, wie damals nachts.«

Ich riß ihr alle Kleider vom Leib. Sie drehte und wand sich, langsam, so daß sie unter ihr wegschlüpften. Dann machte sie die Augen zu und legte sich auf das Kissen zurück. Die Locken ringelten sich ihr über die Schultern wie Schlangen. Ihre Augen waren ganz schwarz und ihre Brüste nicht fest und spitz, sondern weich und breit wie zwei große rosa Kleckse. Sie sah aus wie die Urgroßmutter sämtlicher Huren auf der Welt. Der Teufel kam auf seine Rechnung in dieser Nacht.

13

So trieben wir's sechs Monate. Wir trieben's so und nicht anders, immer auf die gleiche Art. Wir stritten, und ich griff nach der Flasche. Den Streit hatten wir darüber, ob wir weg sollten. Wir konnten Kalifornien nicht verlassen, solange die Bewährungsfrist nicht abgelaufen war, aber nachher wollte ich, daß wir uns beide aus dem Staub machten. Ich sagte ihr nicht, warum, aber ich wollte sie Sackett aus dem Wege halten. Ich hatte Angst, sie würde mal, wenn sie eine Wut auf mich hatte, den Kopf verlieren und alles ausquatschen, so wie damals nach der Klageerhebung. Ich konnte mich nicht einen Augenblick lang auf sie verlassen. Erst war sie auch wild darauf, wegzugehen, besonders, wenn ich von Hawaii und der Südsee erzählte, aber dann fing auf einmal das Geld an, ins Haus zu rollen. Als wir eine Woche nach dem Begräbnis wieder aufmachten, drängten sich die Leute rein, um zu sehen, wie sie aussah, und dann kamen sie wieder, weil's ihnen gefiel. Und sie wurde ganz aufgeregt darüber, daß wir hier endlich eine Möglichkeit hatten, zu mehr Geld zu kommen.

»Frank, diese ganzen Gastwirtschaften an der Autostraße sind keinen Sechser wert. Die gehören lauter Leuten, die früher irgendwo in Kansas oder so mal 'ne Farm hatten und soviel wie ein Schwein davon verstehen, wie man Leute bewirtet. Glaub mir, wenn da jemand wie ich kommt, der sein Geschäft versteht und es ihnen gemütlich macht, dann kommen alle nur zu uns und bringen noch ihre Freunde mit.«

»Die können bleiben, wo sie sind! Wir verkaufen die Wirtschaft sowieso.«

»Wir könnten sie leichter verkaufen, wenn sie Geld einbringt.«

»Sie bringt ja Geld ein.«

»Ich meine viel Geld. Hör mal zu, Frank. Ich glaube, die Leute wären froh, wenn sie draußen unter den Bäumen sitzen könnten. Überleg dir das. Dieses schöne Wetter in Kalifornien, und was macht man damit? Man zerrt die Leute in eine Drecksbude, die schon fertig geliefert wird von der Acme-Gastwirtschaft-Einrichtungsgesellschaft und so stinkt, daß sich einem der Magen umdreht, und gibt ihnen elendes Zeug zu essen, genau das gleiche von Fresno bis runter zur Grenze, und macht's ihnen überhaupt nie ein bißchen gemütlich.«

»Jetzt paß mal auf. Wir verkaufen doch die Wirtschaft, wie? Na, dann kriegen wir sie um so leichter los, je weniger wir zu verkaufen haben. Natürlich möchten die Leute gern unter den Bäumen sitzen. Das weiß jeder Mensch außer einem kalifornischen Drecksbudenwirt. Aber wenn wir sie unter Bäume setzen, müssen wir uns Tische anschaffen und einen Haufen Drähte ziehen für Lampen und so weiter, und der nächste Kerl, der daherkommt, will's dann vielleicht gar nicht mal so haben.« -

»Wir müssen auf jeden Fall sechs Monate dableiben, ob wir wollen oder nicht.«

»Dann suchen wir uns in den sechs Monaten einen Käufer.«

»Ich möcht's wenigstens versuchen.«

»Na schön, versuch's.«

»Ich könnte ja ein paar von den Tischen aus dem Haus nehmen.«

»Ich hab' gesagt, versuch's, nicht wahr? Also komm, trinken wir einen.«

Den größten Krach hatten wir wegen der Bierlizenz, und dann kam ich darauf, was sie eigentlich wollte. Sie stellte die Tische draußen unter die Bäume, auf ein kleines Podium, das sie sich hatte zimmern lassen, mit einer gestreiften Markise darüber und Lampions am Abend, und das fand viel Anklang. Sie hatte recht damit. Die Leute waren froh, daß sie ein halbes Stündchen unter den Bäumen sitzen konnten und ein bißchen Radiomusik hören, ehe sie wieder einstiegen und weiterfuhren. Und dann fiel ihr die Sache mit dem Bier ein. Sie wollte alles lassen, wie's war, aber Bier ausschenken und das Ganze in einen Biergarten umtaufen.

»Ich will aber keinen Biergarten, sag' ich dir. Ich will nichts als einen Kerl, der uns den ganzen Kram abkauft und das Geld auf den Tisch legt.«

»Ist aber schade drum.«

»Finde ich gar nicht. Ich nicht.«

»Aber bedenk doch, Frank. Die Lizenz kostet nur zwölf Dollars fürs halbe Jahr. Lieber Gott, können wir uns nicht zwölf Dollars leisten?«

»Wir holen uns die Lizenz, und dann sind wir im Biergeschäft. Im Benzingeschäft sind wir schon und im Würstchengeschäft, und jetzt müssen wir auch noch ins Biergeschäft gehen. Gottverdammt, ich will aber raus aus der Sache, nicht tiefer rein.«

»Die haben alle eine.«

»Von mir aus können sie sie behalten.«

»Wir brauchen nur Leitungen zu legen, dann können wir Faßbier ausschenken. Das ist besser als Flaschenbier, und man verdient mehr Geld damit. Neulich hab' ich so reizende Gläser gesehen. Hübsche große. Aus denen die Leute gern ihr Bier trinken.«

»Jetzt müssen wir also Leitungen und Gläser besorgen, wie? Ich sag' dir, ich *will* keinen Biergarten!«

»Frank, willst du's nie zu was bringen?«

»Jetzt paß mal scharf auf. Ich will weg hier aus dieser Gegend. Ich will anderswohin, wo nicht jedesmal, wenn ich mich umdrehe, der Geist von einem gottverdammten Griechen auf mich losspringt und ich nicht sein Echo im Traum hören muß und jedesmal auffahren, wenn am Radio einer Gitarre spielt. Ich muß hier weg, verstehst du? Ich muß weg von hier, sonst werd' ich verrückt.«

»Du lügst mich an.«

»Ganz und gar nicht. Ich lüge nicht. Mir war noch nie im Leben was so ernst.«

»Dir erscheint kein Geist von einem Griechen, daran liegt's nicht. Jemand andrem vielleicht, aber nicht dem Mr. Frank Chambers. Nein, du willst nur weg, weil du 'n Strolch bist, sonst gar nichts. Du warst einer, wie du hier ankamst, und du bist immer noch einer. Wenn wir weggehen und unser Geld zu Ende ist, was dann?«

»Schert mich nicht! Wir gehen doch, nicht wahr?«

»Da hast du's. Es schert dich nicht. Wir könnten dableiben.«

»Ich hab's doch gewußt! Im Grunde willst du nichts anderes. Die ganze Zeit wolltest du nichts andres. Als daß wir dableiben.«

»Und warum nicht? Wir haben's gut. Warum sollen wir nicht dableiben! Hör zu, Frank. Seit du mich kennst, versuchst du, einen Strolch aus mir zu machen, aber das wirst du nicht schaffen. Ich hab' dir gesagt, ich bin kein Strolch. Ich will's zu was bringen. Wir bleiben da. Wir gehen nicht weg. Wir holen uns die Bierlizenz. Wir machen was aus uns.«

Es war spätnachts, und wir waren oben, halb ausgezogen. Sie ging im Zimmer herum wie damals nach der Klageerhebung und redete auf dieselbe komische, abgehackte Art.

»Natürlich bleiben wir da. Wir machen genau, was du sagst, Cora. Komm, trink einen.«

»Ich will nicht trinken.«

»Natürlich willst du trinken. Wir müssen uns doch 'n bißchen darüber freuen, daß wir das Geld gekriegt haben, wie?«

»Wir haben uns schon darüber gefreut.«

»Und wir werden noch mehr Geld verdienen, nicht? Auf den Biergarten! Trinken wir jeder einen auf den Biergarten, damit's Glück bringt.«

»Du Lump! Na gut, damit's Glück bringt.«

So ging's zwei- bis dreimal die Woche. Und worauf ich mich verlassen konnte, sowie ich den Kater los wurde, das waren diese Träume. Ich fiel und fiel, und das Knacken lag mir in den Ohren.

Sowie die Bewährungsfrist abgelaufen war, bekam sie ein Telegramm, daß ihre Mutter krank war. Sie packte rasch zusammen, ich setzte sie in den Zug, und als ich zum Parkplatz zurückkam, war mir komisch zumute, als wäre ich aus Gas und brauchte nur davonzufliegen. Ich war frei. Eine Woche lang wenigstens brauchte ich mich nicht herumzustreiten oder gegen meine Träume anzukämpfen oder eine Frau mühsam in gute Laune versetzen mit einer Flasche Schnaps.

Auf dem Parkplatz versuchte ein Mädchen ihren Wagen anzulassen. Er rührte sich nicht. Sie trat auf jeden denkbaren Hebel, aber das Ding war einfach abgestorben.

»Was ist denn los? Geht er nicht?«

»Sie haben die Zündung angelassen, wie sie ihn geparkt haben. Jetzt ist die Batterie leer.«

»Dann sind die schuld dran. Die müssen sie Ihnen auffüllen.«

»Ja, aber ich muß nach Hause.«

»Ich fahr' Sie heim.«

»Sind Sie aber nett!«

»Ich bin der netteste Mensch auf der Welt.«

»Sie wissen ja gar nicht, wo ich wohne.«

»Ist mir auch egal.«

»Es ist aber ziemlich weit. Auf dem Land draußen.«

»Je weiter, desto besser. Wo immer, es liegt auf meinem Weg.«

»Sie machen's einem anständigen Mädchen aber schwer, nein zu sagen.«

»Na, wenn's so schwer ist, dann sagen Sie's einfach nicht.«

Sie war ein blondes Ding, vielleicht ein bißchen älter als ich, aber sonst gar nicht übel. Was mich für sie einnahm, war, daß sie so zutraulich war und nicht mehr Angst davor hatte, ich könnte ihr was antun, als wenn sie ein Kind gewesen wäre oder sonstwas. Sie wußte, was sie wollte, das war klar. Und was den Ausschlag gab: ich fand raus, daß sie keine Ahnung hatte, wer ich war. Wir sagten uns unsere Namen unterwegs, und meiner sagte ihr gar nichts. Gott, o Gott, was das für eine Erleichterung war! Ein Mensch auf der Welt, der mich nicht auf einen Augenblick an den Tisch zog und bat, ich möchte ihm doch die genauen Umstände von dem Fall erklären, wo angeblich der Grieche ermordet worden war. Ich sah sie an, und mir war genauso zumute wie vorhin, als ich vom Zug kam, so als wäre ich aus Gas und könnte hinter dem Steuerrad davonfliegen.

»Also Magde Allen heißen Sie, wie?«

»Na ja, eigentlich Kramer, aber ich habe meinen alten Namen wieder angenommen, nachdem mein Mann gestorben war.«

»Also paß mal auf, Magde Allen oder Kramer oder wie du heißt, ich will dir mal einen kleinen Vorschlag machen.«

»Ja?«

»Wie wäre das, wenn wir das Ding hier rumdrehen, mit der Nase nach Süden, und du mal mit mir 'ne Woche auf eine Reise gehst?«

»Ach, das könnte ich nicht!«

»Warum denn nicht?«

»Könnte ich einfach nicht, fertig.«

»Gefall ich dir nicht?«

»Doch, du gefällst mir schon.«

»Na, und du gefällst mir. Was hält uns denn fest?«

Sie wollte was sagen, sagte es aber nicht und fing an zu lachen. »Also, ehrlich gestanden, ich würde schon gerne. Wenn's auch was ist , was ich eigentlich nicht sollte, das macht mir überhaupt nichts. Aber ich kann nicht. Wegen der Katzen.«

»Katzen?«

»Wir haben 'ne Menge Katzen. Und ich bin diejenige, die sich um sie kümmert. Darum muß ich auch nach Hause.«

»Gibt's denn keine Tierheime? Wir rufen so eins an, und die kommen rüber und holen sie ab.«

Das kam ihr komisch vor. »Ich möchte so 'n Tierheim sehen, wenn die ankommen. Das sind nicht solche.«

»Katzen sind Katzen – oder nicht?«

»Nicht unbedingt. Manche sind groß, und manche sind klein. Meine sind groß. Ich glaube nicht, daß ein Tierheim was mit unserem Löwen anfangen könnte. Oder mit den Tigern. Oder dem Puma. Oder den drei Jaguaren. Die sind die Schlimmsten. Ein Jaguar ist 'ne schreckliche Katze.«

»Heiliger Strohsack. Was machst du denn mit den Dingern?«

»Ach, die spielen im Film mit. Oder wir verkaufen die Jungen. Manche Leute haben ihren eigenen Zoo. Oder nur so, zum Anschauen. Zieht das Geschäft an.«

»Mein Geschäft würden die nicht anziehen.«

»Wir haben ein Restaurant. Die Leute gucken sie gern an.«

»Restaurant? Hö, das hab' ich auch. Das ganze verdammte Land scheint davon zu leben, daß einer dem anderen heiße Würstchen verkauft.«

»Na ja, auf jeden Fall kann ich meine Katzen nicht allein lassen. Die müssen ja was zu fressen kriegen.«

»Warum nicht, zum Teufel? Wir rufen den Zirkus Goebel an und sagen denen, sie sollen sie abholen. Während wir weg sind, nimmt der die ganze Gesellschaft in Kost und Quartier für hundert Dollars.«

»Ist dir das hundert Dollars wert, mit mir eine Reise zu machen?«

»Das ist mir genau hundert Dollars wert.«

»O Gott! Da kann ich nicht nein sagen. Da ruf' ich doch lieber Goebel an.«

Ich setzte sie bei sich zu Hause ab, suchte mir einen Telefonautomaten, rief Goebel an, fuhr zurück und machte die Wirtschaft zu. Dann fuhr ich wieder zu ihr. Es war fast dunkel. Goebel hatte einen Lastwagen rübergeschickt, dem begegnete ich auf dem Rückweg, voll von Geflecktem und Gestreiftem. Hundert Meter weiter unten parkte ich, und eine Minute später tauchte sie auf mit einer kleinen Reisetasche, ich half ihr rein, und wir fuhren los.

»Gefällt's dir?«

»Prima.«

Wir fuhren runter nach Caliente und am nächsten Tag dieselbe Richtung weiter nach Ensenada, einer kleinen mexikanischen Stadt ungefähr hundert Kilometer weiter unten an der Küste. Wir stiegen in einem kleinen Hotel ab und verbrachten da drei oder vier Tage. Es war richtig hübsch. Ensenada ist ganz mexikanisch, und man kommt sich vor, als wären die Vereinigten Staaten Millionen Kilometer weit weg. Unser Zimmer hatte einen kleinen Balkon vorne raus, da lagen wir am Nachmittag, blickten aufs Meer und ließen die Zeit verstreichen.

»Katzen, wie? Was machst du mit denen? Dressierst du sie?«

»Nicht solche, die wir haben. Die taugen nichts. Außer den Tigern sind alle Einzelgänger. Aber ich richte sie ab.«

»Macht dir das Spaß?«

»Nicht sehr, bei den ganz großen. Aber Pumas hab' ich gern. Mit denen möchte ich mal eine Nummer zusammenstellen. Aber ich brauchte eine Menge dazu. Dschungelpumas. Nicht diese Einzelgänger, die man im Zoo sieht.«

»Was is 'n Einzelgänger?«

»Der bringt dich um.«

»Wollen sie das nicht alle?«

»Sie wollen's vielleicht, aber der Einzelgänger tut's auf jeden Fall. Wenn's ein Mensch wäre, würde man sagen, ein Verrrückter. Das kommt davon, weil sie in der Gefangenschaft geboren werden. Die Wildkatzen, die man so sieht, sehen wie Wildkatzen aus, aber in Wirklichkeit sind sie Katzen-Geisteskranke.«

»Woher weißt du, welches 'ne Dschungelkatze ist?«

»Ich fang' sie im Dschungel.«

»Was, doch nicht lebend?«

»Natürlich. Tot nützen sie mir nichts.«

»Heiliger Strohsack. Wie machst du denn das?«

»Na, erst setz' ich mich auf ein Schiff und fahre runter nach Nicaragua. Die wirklich feinen Pumas kommen aus Nicaragua. Im Vergleich mit denen sind diese ganzen kalifornischen und mexikanischen Dinger einfach Strohbesen. Dann nehm' ich mir ein paar Indianerjungen und geh' in die Berge. Dann fang' ich meine Pumas. Dann bring' ich sie zurück. Aber diesmal bleibe ich noch ein bißchen unten mit denen und dressiere sie mir. Ziegenfleisch ist dort billiger als hier das Pferdefleisch.«

»Das klingt ja, als wärst du drauf und dran.«

»Bin ich auch.«

Sie spritzte sich ein bißchen Wein in den Mund und warf mir einen langen Blick zu. Man füllt den Wein dort in Flaschen mit langen schmalen Schnauzen, dann spritzt man sich ihn aus der Schnauze in den Mund. Damit es kühler ist. Das tat sie zwei- oder dreimal, und jedesmal guckte sie mich an.

»Bin ich. Wenn du's auch bist!«

»Du bist ja verrückt! Denkst du wirklich, ich komm' mit, dir diese gottverfluchten Dinger fangen?«

»Frank, ich hab' mir eine ganze Menge Geld mitgenommen. Soll der Goebel diese Tollhausbiester behalten für das Geld, was die Woche Quartier gekostet hätte, verkaufen wir deinen Wagen, was immer wir dafür kriegen, und gehen wir auf die Katzenjagd.«

»Na, denn los.«

»Willst du wirklich?«

»Wann fahren wir los?«

»Morgen früh geht hier ein Frachter ab, der hält in Balboa. Von dort telegrafieren wir an Goebel. Den Wagen lassen wir im Hotel, die sollen ihn verkaufen und uns schicken, was sie dafür gekriegt haben. Das muß man den Mexikanern lassen, sie sind langsam, aber ehrlich.«

»In Ordnung.«

»Bin ich aber froh!«

»Ich auch. Die heißen Würstchen und das Bier und der Apfelkuchen mit Käse hängen mir so zum Hals raus, ich könnte sie alle in den Fluß schmeißen.«

»Es wird dir gefallen, Frank. Oben in den Bergen, wo's kühl ist, mieten wir uns ein Häuschen, und wenn ich meine Nummer fertig hab', dann fahren wir in der Welt herum damit. Gehen, wohin wir wollen, tun, was wir wollen, und haben immer genug Geld im Sack. Hast du was von einem Zigeuner in dir?«

»Zigeuner? Ich bin mit Ohrringen zur Welt gekommen.«

Ich schlief nicht so sehr gut diese Nacht. Als es Tag wurde, machte ich die Augen auf, hellwach. Da war mir plötzlich klar, daß Nicaragua auch nicht weit genug weg war.

14

Als sie aus dem Zug stieg, hatte sie ein schwarzes Kleid an, in dem sah sie größer aus, und einen schwarzen Hut, und schwarze Strümpfe und Schuhe. Während der Kerl den Koffer in den Wagen lud, benahm sie sich fremd. Wir fuhren los, und ein paar Kilometer lang hatte keiner von uns viel zu sagen.

»Warum hast du mich nicht verständigt, daß sie gestorben ist?«

»Wollte dich nicht damit belasten. Außerdem hatte ich eine Menge zu tun.«

»Mir tut's jetzt sehr leid, Cora.«

»Was denn?«

»Ich hab' einen Ausflug gemacht, während du weg warst. Hinauf nach Frisco.«

»Warum tut's dir jetzt leid?«

»Ich weiß nicht. Du da hinten in Iowa, die Mutter im Sterben, und ich unterhalt' mich oben in Frisco.«

»Ich weiß nicht, warum dir das leid tun soll. Ich bin froh, daß du hingefahren bist. Wenn's mir eingefallen wäre, hätte ich dir vorher noch zugeredet.«

»Wir haben Kundschaft eingebüßt. Ich habe zugemacht.«

»Na, ist schon gut. Das holen wir wieder auf.«

»Ich war ein bißchen unruhig, als du mal weg warst.«

»Aber um Himmels willen, es macht mir doch nichts.«

»Dir ist's wohl nicht besonders gegangen, wie?«

»Sehr angenehm war's nicht. Immerhin, es ist vorbei.«

»Ich geb' dir gleich was zu trinken, wenn wir zu Hause sind. Ich hab' dir was besonderes Gutes von dort mitgebracht.«

»Ich will nichts.«

»Wird dich aber auf die Beine bringen.«

»Ich trink' nichts mehr.«

»Nein?«

»Ich erzähl' dir's schon. Eine lange Geschichte.«

»Klingt ja, als wäre dort eine Menge passiert.«

»Nein, nichts ist passiert. Nur das Begräbnis. Aber ich hab' dir eine Menge zu erzählen. Ich glaube, von jetzt an wird's uns besser gehen.«

»Na, lieber Gott, was ist es denn?«

»Nicht jetzt. Hast du deine Familie besucht?«

»Wozu?«

»Na ja, jedenfalls hast du dich gut unterhalten?«

»Mittel. So gut ich konnte, allein.«

»War sicher sehr nett. Aber es freut mich, daß du's gesagt hast.«

Als wir heimkamen, stand ein Wagen vor dem Haus, und ein Kerl saß drin. Er hatte ein komisches Grinsen im Gesicht und kletterte raus. Es war Kennedy, der Kerl aus dem Büro von Katz.

»Sie kennen mich noch?«

»Natürlich kenn' ich Sie noch. Kommen Sie rein.«

»Das ist finster, Frank.«

»Finster? Warum glaubst du?«

»Ich weiß nicht, aber ich spür's.«

»Laß mich lieber mit ihm reden.«

Ich ging zurück zu ihm, sie brachte uns Bier und ließ uns allein, und wir kamen rasch zur Sache.

»Sind Sie noch bei Katz?«

»Nein, ich bin weg von ihm. Wir hatten eine kleine Auseinandersetzung, da ging ich meiner Wege.«

»Was machen Sie jetzt?«

»Überhaupt nichts. Tatsache ist, ich wollte Sie eben deshalb aufsuchen. Ich war schon zweimal hier, aber es war niemand da. Diesmal hieß es, Sie sind zurück, also hab' ich gewartet.«

»Wenn ich irgendwas für Sie tun kann, brauchen Sie's nur zu sagen.«

»Ich hab' mir gedacht, vielleicht können Sie mir mit einem bißchen Geld aushelfen.«

»Soviel Sie wollen. Ich hab' natürlich nicht sehr viel bei mir, aber wenn Ihnen mit fünfzig oder sechzig Dollar gedient ist, die kann ich Ihnen gerne geben.«

»Ich hatte auf etwas mehr gehofft.«

Er hatte immer noch das Grinsen im Gesicht, und mir schien es an der Zeit, mit der Spiegelfechterei aufzuhören und herauszukriegen, was er eigentlich wollte.

»Raus damit, Kennedy. Was wollen Sie?«

»Ich sag' es Ihnen, wie's ist. Ich bin weg von Katz. Der Schriftsatz, den ich damals für Mrs. Papadakis gemacht habe, der war noch in den Akten, verstehen Sie. Und weil ich doch ein Freund von Ihnen bin und so weiter, da wußte ich, Sie würden das nicht gerne rumliegen lassen. Drum hab' ich's mitgenommen. Ich dachte mir, vielleicht hätten Sie's gern zurück.«

»Sie meinen den blauen Sums, den sie ihr Geständnis nannte?«

»Ja, den. Ich weiß schon, daß nichts weiter dran ist, aber ich hab' mir gedacht, Sie hätten ihn vielleicht gern wieder.«

»Wieviel wollen Sie dafür?«

»Na, wieviel wollen Sie zahlen?«

»Ach, ich weiß nicht. Ist nichts weiter dran, wie Sie sagen, aber hundert würde ich Ihnen geben. Ja. Die würde ich zahlen.«

»Ich hab' mir gedacht, es ist mehr wert.«

»So?«

»Ich hab' mir fünfundzwanzig Lappen vorgestellt.«

»Sind Sie verrückt?«

»Nein, ich bin nicht verrückt. Sie haben zehn Lappen von Katz gekriegt. Die Wirtschaft hier hat Geld eingebracht, ich hab' mir ausgerechnet, ungefähr fünf Lappen. Auf den ganzen Besitz hier kriegen Sie von der Bank zehn Lappen. Papadakis hat vierzehn dafür bezahlt, also können Sie bestimmt zehn kriegen. Na, das macht fünfundzwanzig.«

»Sie wollen mir das letzte Hemd ausziehen, nur dafür?«

»Das ist es wert.«

Ich rührte mich nicht, aber da war wohl ein Zucken oder was in meinem Auge, denn er zog eine Knarre aus der Tasche und zielte auf mich.

»Fangen Sie nur nichts mit mir an, Chambers. Erstens hab' ich nichts bei mir. Zweitens, sowie Sie mit mir was anfangen, haben Sie eine weg.«

»Ich fang' gar nichts an.«

»Na, sehen Sie sich nur vor.«

Er hielt den Revolver auf mich gerichtet, und ich sah ihn immerfort an. »Schätze, Sie haben mich in der Klemme.«

»Nicht zum Schätzen. Feststehende Tatsache.«

»Aber Sie verlangen zuviel.«

»Reden Sie nur weiter, Chambers.«

»Von Katz haben wir zehn gekriegt, das stimmt. Die haben wir auch noch. Fünf haben wir in der Wirtschaft verdient, aber einen Lappen haben wir in den letzten vierzehn Tagen ausgegeben. Sie mußte auf 'ne Reise, ihre Mutter beerdigen, und ich bin weggefahren. Deswegen hatten wir zugemacht.«

»Na, nur immer weiter.«

»Und zehn kriegen wir nie auf den Besitz. So wie die Dinge liegen, kriegen wir nicht mal fünf. Vielleicht vier.«

»Nur weiter.«

»Na gut, zehn, vier und noch mal vier. Macht achtzehn.«

Er grinste ein Weilchen den Revolverlauf entlang, dann stand er auf. »Na gut. Achtzehn. Ich ruf' Sie morgen an, mich erkundigen, ob Sie's haben. Wenn Sie's haben, sag' ich Ihnen, was Sie tun sollen. Wenn Sie's nicht haben, geht das Ding an Sackett.«

»Fällt mir schwer, aber Sie haben mich in der Klemme.«

»Also morgen um zwölf ruf' ich Sie an. Da haben Sie genug Zeit, um zur Bank zu gehen und zurückzukommen.«

»Abgemacht.«

Er ging rückwärts zur Tür hinaus und zielte immer noch auf mich. Es war spät am Nachmittag, fing gerade an, dunkel zu werden. Während er zurückging, lehnte ich mich gegen die Wand, als wäre ich ganz gebrochen. Sowie er halb zur Tür draußen war, knipste ich den Strom im Schild an, und es blitzte ihm in die Augen.

Er taumelte, und ich nichts wie hin. Er fiel nieder und ich auf ihn drauf. Ich drehte ihm den Revolver aus der Hand, warf das Ding in die Wirtsstube und boxte ihn noch einmal. Dann zerrte ich ihn rein und schmiß die Tür zu. Sie stand da. Sie war die ganze Zeit hinter der Tür gewesen und hatte gehorcht.

»Nimm die Knarre.«

Sie hob sie auf und stand da. Ich stellte ihn auf seine Füße, warf ihn auf einen Tisch und streckte ihn lang. Dann verprügelte ich ihn. Wenn er absackte, holte ich ein Glas Wasser und goß es über ihn. Sowie er zu sich kam, prügelte ich ihn wieder. Erst als seine Fresse aussah wie rohes Rindfleisch und er heulte wie ein kleines Kind, hörte ich auf.

»Stell das Geheule ab, Kennedy. Geh und ruf deine Freunde an.«

»Ich hab' keine Freunde, Chambers. Ich bin der einzige, der davon weiß –«

Ich ging wieder auf ihn los, und wir fingen von vorn an. Er sagte immerfort, daß er keine Freunde hätte, also nahm ich seinen Arm in den Hammergriff und drückte. »Na gut, Kennedy. Wenn du keine Freunde hast, dann knack ich ihn dir.«

Er hielt es länger aus, als ich dachte. Er hielt so lange aus, bis ich den Arm mit meinem ganzen Gewicht bearbeitete und nicht sicher war, ob ich ihn wirklich brechen konnte. Mein linker Arm war noch schwach, wo er gebrochen gewesen war. Wer je versucht hat, das zweite Gelenk bei einem zähen Truthahn zu brechen, der kann sich vorstellen, wie schwer es ist, einem Kerl den Arm im Hammergriff zu brechen. Aber plötzlich sagte er, jetzt würde er anrufen. Ich ließ ihn los und sagte ihm, was er reden sollte. Dann stellte ich ihn ans Telefon in der Küche und zog den zweiten Apparat von der Wirtsstube an der Schnur durch die Flügeltür herein, so daß ich ihn beobachten konnte und zugleich zuhören, was er und die anderen sagten. Sie kam mit uns rein, den Revolver in der Hand.

»Sowie ich dir das Zeichen gebe, kriegt er's.« Sie lehnte sich zurück, und um ihren Mund zuckte ein schreckliches Lächeln. Ich glaube, das Lächeln jagte Kennedy mehr Angst ein als alles andere.

»Dann kriegt er's.«

Er rief an, und ein Kerl antwortete.

»Bist du's, Willie?«

»Pat?«

»Ich bin's. Hör zu. Es ist alles abgemacht. Wie bald kannst du damit hier draußen sein?«

»Morgen. Wie wir's besprochen haben.«

»Kannst du nicht heute abend noch?«

»Wie soll ich ans Banksafe ran, wenn die Bank zu ist?«

»Na gut, dann mach, was ich dir sage. Hol es dir gleich morgen früh und komm damit raus. Ich bin hier draußen in seinem Haus.«

»Seinem *Haus*?«

»Hör zu, Willie, paß auf. Er weiß, wir haben ihn, verstehste? Aber er hat Angst, wenn sie rauskriegt, daß er so einen Haufen bezahlen muß, dann läßt sie ihn nicht, verstehste? Wenn er ausgeht, dann weiß sie, was gespielt wird, und vielleicht will sie mit. Deshalb machen wir alles hier ab. Ich bin einfach einer, der in ihrem Autohof übernachtet, und weiter weiß sie nichts. Wenn du morgen kommst, bist du ein Freund von mir, und dann machen wir alles ab.«

»Wie kommt er zu dem Geld, wenn er nicht ausgeht?«

»Das ist schon geregelt.«

»Wozu übernachtest du dann dort, verdammt noch mal?«

»Dafür hab ich einen Grund, Willie. Weil's nämlich vielleicht eine Ausrede ist, was er von ihr sagt, oder vielleicht auch nicht. Aber wenn ich da bin, kann keiner von beiden ausreißen, verstehst du mich?«

»Kann er hören, was du sagst?«

Er sah mich an, und ich nickte mit dem Kopf das Ja. »Er steht neben mir in der Telefonzelle. Er soll nur hören, daß es uns ernst ist. Ist ja Absicht, daß er mithört, verstehst du, Willie?«

»Komische Art, so was zu machen, Pat.«

»Hör mal zu, Willie. Du weißt nicht, ich weiß nicht, keiner von uns weiß, ob er meint, was er sagt, oder nicht. Aber vielleicht tut er's, und ich laß ihn machen. Verdammt noch mal, wenn ein Kerl blechen will, muß man ihn ein bißchen machen lassen, wie? Na also. Tu nur, was ich dir sage. Bring's morgen früh heraus, sobald du kannst, verstehst du? Weil ich nicht will, daß sie anfängt, sich darüber zu wundern, daß ich den ganzen Tag hier herumhocke.«

»In Ordnung.«

Er hängte auf. Ich ging rüber und haute ihm eine rein. »Nur damit du das Richtige sagst, wenn er zurückruft. Verstanden, Kennedy?«

»Verstanden.«

Ich wartete ein paar Minuten, und dann rief es an. Ich nahm das Gespräch ab, und als Kennedy dann an den Apparat ging, erzählte er Willie noch mehr von der Sorte. Diesmal, sagte er, sei er allein. Willie gefiel das alles nicht, aber er mußte sich zufriedengeben. Dann führte ich ihn raus zur Kabine Nr. 1. Sie kam mit, und ich nahm den Revolver an mich. Sowie ich Kennedy drin hatte, ging ich mit ihr aus der Tür und gab ihr einen Kuß.

»Damit du imstande bist, aufs Gas zu treten, wenn's brenzlig wird. Jetzt hör zu. Ich laß ihn keine Minute allein. Ich bleib' die ganze Nacht hier bei ihm. Die werden noch ein paarmal anrufen, und wir holen ihn rein zum Telefon. Mach jetzt lieber die Wirtschaft auf. Den Biergarten. Bring niemand ins Haus. Damit alles in Ordnung ist, normales Geschäft, falls seine Freunde hier rumspionieren wollen.«

»Gemacht. Und, Frank?«

»Ja?«

»Nächstens, wenn ich besonders schlau sein will, klebst du mir dann eine? Wir hätten abhauen sollen. Jetzt weiß ich's.«

»Einen Dreck hätten wir. Nicht, bis wir das Ding haben!«

Da gab sie mir einen Kuß. »Ich glaub', ich mag dich sehr gern, Frank.«

»Wir kriegen's schon, nur keine Angst.«

»Hab' gar keine.«

Ich blieb die ganze Nacht draußen bei ihm. Ich gab ihm nichts zu essen, und ich gab ihm keine Ruhe. Drei- oder viermal mußte er mit Willie reden, und einmal wollte Willie mit mir reden. Soweit ich sehen konnte, ging die Sache glatt. Zwischendurch verprügelte ich ihn. Harte Arbeit, aber mir lag daran, daß er den Schriftsatz haben wollte, dringend. Während er sich das Blut vom Gesicht wischte, in ein Handtuch, konnte man draußen im Biergarten das Radio hören und die Leute, wie sie redeten und lachten.

Gegen zehn am nächsten Morgen kam sie raus zur Kabine. »Ich glaube, das sind sie. Drei Kerle.«

»Bring sie raus.«

Sie hob den Revolver auf, steckte ihn in den Gürtel, so daß man ihn von vorn nicht sehen konnte, und ging. Eine Minute später hörte ich was fallen. Das war einer von seinen Gorillas. Sie ließ sie vor sich hertanzen, mit dem Gesicht zu ihr und die Hände hoch, und einer fiel hin, wie er mit dem Absatz gegen die Betonauffahrt stieß. Ich machte die Tür auf. »Hier geht's rein, meine Herrschaften.«

Sie kamen rein, immer noch die Hände hoch, und sie kam hinter ihnen her und gab mir den Revolver. »Die hatten alle welche bei sich, aber ich hab' sie ihnen in der Wirtsstube abgenommen.«

»Hol sie lieber her. Vielleicht haben die auch noch Freunde.«

Sie ging und kam nach einer Minute mit den Revolvern zurück. Sie nahm die Magazine heraus und legte sie aufs Bett, neben mich. Dann durchsuchte sie ihnen alle Taschen. Dauerte nicht lange, da hatte sie es. Und das Komische war, in einem anderen Umschlag hatten sie noch Fotokopien davon, sechs Abzüge und ein Negativ. Die wollten uns immer weiter erpressen, und dabei waren sie dumm genug, sich die Fotokopien einzustecken, wie sie hier auftauchten. Ich trug den ganzen Kram vors Haus, mit dem Original, knüllte ihn auf dem Boden zusammen und hielt ein Streichholz dran. Sowie er verbrannt war, stampfte ich die Asche in den Boden und ging zurück.

»Schön, das wäre alles, Jungens. Ich begleite euch raus. Die Artillerie behalten wir da.«

Nachdem ich sie zu ihrem Wagen geführt hatte und sie abgefahren waren und ich wieder ins Haus zurückkam, fand ich sie nicht mehr. Ich ging nach hinten, da war sie auch nicht. Ich ging rauf. Sie war in unserem Zimmer. »So, also das hätten wir, wie? Das wäre doch das letzte, Fotokopien und so weiter. Hat mich auch aufgeregt.«

Sie sagte nichts, und ihre Augen sahen komisch aus. »Was ist denn los, Cora?«

»Das war also das Letzte, wie? Fotokopien und so weiter? Für mich war's aber nicht das Letzte. Ich hab' eine Million Fotokopien davon, genauso wie die. Eine Million. Regt mich das vielleicht auf?«

Sie brach in ein Lachen aus und warf sich aufs Bett.

»Na gut. Wenn du so'n Dussel bist, den Kopf in die Schlinge zu stecken, nur um mich reinzulegen, dann hast du eine Million davon. Natürlich hast du die dann. Eine ganze Million.«

»O nein, das ist ja eben das Schöne dran. Ich brauch' den Kopf gar nicht in die Schlinge zu stecken. Hat Herr Katz dir das nicht gesagt? Wenn's einmal als Totschlag erklärt worden ist, dann können sie mir nichts mehr machen. Steht in der Verfassung oder so was. O nein, Mr. Frank Chambers. Mich kostet es gar nichts, dich baumeln zu lassen. Und das wirst du auch. Baumeln. Baumeln. Baumeln.«

»Was hast du denn jetzt wieder?«

»Ahnst du wohl nicht? Deine Freundin war da, gestern abend. Die wußte nichts von mir und hat hier übernachtet.«

»Was für eine Freundin?«

»Die, mit der du nach Mexiko gefahren bist. Hat mir alles erzählt. Jetzt sind wir gute Freunde. Es war ihr lieber so. Als sie rauskriegte, wer ich war, dachte sie, vielleicht bring ich sie um.«

»Ich war seit einem Jahr nicht in Mexiko.«

»Doch, warst du.«

Sie ging raus, und ich hörte sie in mein Zimmer gehen. Als sie wiederkam, hatte sie ein Kätzchen auf dem Arm, aber das Kätzchen war größer als eine ausgewachsene Katze. Es war grau, mit Flecken darauf. Sie legte es vor mich auf den Tisch, und es fing zu miauen an. »Der Puma hat Junge gekriegt, nachdem du weg warst, und sie hat dir eins mitgebracht, zur Erinnerung.«

Sie lehnte sich gegen die Wand und fing zu lachen an, ein wildes, verrücktes Lachen. »Und die Katze ist wieder da! Tritt auf den Sicherungskasten und ist hin, und jetzt ist sie wieder da. Haha, haha, hahaa! Ist das komisch, wie Katzen dir Unglück bringen!«

15

Dann brach sie zusammen und heulte, und sowie sie sich beruhigt hatte, ging sie runter. Ich nichts wie ihr nach. Sie riß die Klappdeckel von einem großen Pappkarton ab.

»Ich mach' nur ein Nest für unser kleines Schoßtier, mein Süßer.«

»Nett von dir.«

»Was dachtest du denn, was ich tue?«

»Nichts.«

»Nur keine Angst. Wenn's soweit ist, Mr. Sackett anzurufen, verständige ich dich. Reg dich nur nicht auf. Du wirst deine Kräfte noch brauchen.«

Sie polsterte den Karton aus und legte noch ein paar Wollfetzen darüber. Dann trug sie ihn nach oben und legte den Puma rein. Er miaute noch ein bißchen und schlief dann ein. Ich ging runter, um mir eine Cola zu mischen. Ich hatte kaum das Ammonium reingespritzt, da war sie schon an der Tür.

»Ich gieß' mir nur was ein, um meine Kräfte zu bewahren, mein Süßes.«

»Nett von dir.«

»Was dachtest du denn, was ich tue?«

»Nichts.«

»Nur keine Angst. Wenn's an der Zeit ist, abzuhauen, wirst du verständigt. Reg dich nur nicht auf. Du wirst deine Kräfte noch brauchen.«

Sie warf mir einen komischen Blick zu und ging rauf. So ging es den ganzen Tag, ich lief ihr überall nach aus Angst, sie würde Sackett anrufen, und sie lief mir überall nach aus Angst, ich würde abhauen. Wir machten überhaupt nicht auf. Zwischen dem Herumgerenne saßen wir oben im Zimmer. Wir sahen uns nicht an. Wir sahen den Puma an. Er miaute, dann ging sie runter und holte ihm Milch. Ich kam mit. Sowie er die Milch getrunken hatte, schlief er ein. Er war zu jung, man konnte noch nicht mit ihm spielen. Die ganze Zeit miaute er oder schlief.

Nachts lagen wir nebeneinander und sagten kein Wort. Ich muß wohl geschlafen haben, denn ich hatte meine gewissen Träume. Dann wachte ich plötzlich auf, und ehe ich noch richtig wach war, rannte ich schon runter. Was mich aufgeweckt hatte, war das Geräusch von der Wählscheibe. Sie stand am Apparat in der Wirtsstube, fertig angezogen, mit Hut, einen gepackten Hutkoffer auf dem Boden neben sich. Ich riß ihr den Hörer aus der Hand und warf ihn auf die Gabel. Ich packte sie bei den Schultern, stieß sie durch die Schwingtür und schob sie treppauf. »Hinauf mit dir, hinauf, oder ich –«

»Oder du tust was?«

Das Telefon klingelte, und ich lief hin.

»Taxistelle.«

»Ach ja. Stimmt. Ich hatte Sie angerufen, Taxistelle, aber ich habe mir's überlegt. Ich brauch' Sie doch nicht.«

»Gut.«

Als ich raufkam, zog sie sich gerade aus. Als wir wieder im Bett waren, lagen wir eine lange Zeit still da und sagten kein Wort. Dann fing sie an.

»Oder du tust was?«

»Wozu willst du das wissen? Kleb' dir eine, vielleicht. Vielleicht was andres.«

»Lieber was andres, nicht wahr?«

»Was willst du jetzt wieder?«

»Frank, ich weiß, was du die ganze Zeit gemacht hast. Du bist dagelegen und hast dir überlegt, wie du mich am besten umbringst.«

»Ich hab' geschlafen.«

»Lüg mich nicht an, Frank. Ich will dich nämlich auch nicht anlügen, und ich muß dir was sagen.«

Darüber mußte ich lange nachdenken. Denn gerade das hatte ich die ganze Zeit getan. Neben ihr gelegen und mir den Kopf zerbrochen, wie ich sie umbringen könnte.

»Also gut, ja. Es ist wahr.«

»Ich hab's gewußt.«

»Hast du dich besser benommen? Wolltest du mich nicht dem Sackett ausliefern? Ist das nicht dasselbe?«

»Ja.«

»Dann sind wir quitt. Wieder einmal quitt. Dort, wo wir angefangen haben.«

»Nicht ganz.«

»Doch sind wir's.« Jetzt klappte ich selbst ein bißchen zusammen und legte meinen Kopf an ihre Schulter. »Dort, wo wir waren. Wir können uns einreden, was wir wollen, uns über das Geld freuen und johlen, wie fein es ist, mit dem Teufel ins Bett zu gehen, aber trotzdem sind wir doch wieder, wo wir waren. Ich wollte mit der Frau durchgehen, Cora. Wir wollten nach Nicaragua, Katzen fangen. Aber dann bin ich nicht gegangen, weil ich wußte, ich muß zurück. Wir sind aneinandergefesselt, Cora, mit Ketten. Wir dachten, wir sind auf einem Berg. Aber so war's gar nicht. Der Berg ist auf uns, und dort ist er auch geblieben seit dieser Nacht.«

»Ist das der einzige Grund, warum du zurückgekommen bist?«

»Nein. Es ist wegen dir und mir. Sonst jemand ist da nicht. Ich lieb' dich, Cora. Aber Liebe, wenn da mal Angst dazukommt, ist keine Liebe mehr. Dann ist es Haß.«

»Du haßt mich also?«

»Ich weiß nicht. Aber jetzt sagen wir uns einmal die Wahrheit zur Abwechslung. Das hier ist ein Teil davon. Das mußt du wissen. Und was ich mir eben beim Liegen gedacht hab', das ist der Grund. Jetzt weißt du's.«

»Ich hab' dir gesagt, ich muß dir was sagen, Frank.«

»So?«

»Ich krieg' ein Kind.«

»*Was?*«

»Ich hab' den Verdacht gehabt, ehe ich wegfuhr, und gleich nachdem meine Mutter gestorben war, wußte ich's.«

»Gottverdammich! Gottverdammich noch mal! Komm her. Gib mir einen Kuß.«

»Nein. Bitte. Ich muß es dir erst noch sagen.«

»Hast du mir's denn noch nicht gesagt?«

»Nicht, was ich wollte. Jetzt hör mal zu, Frank. Die ganze Zeit, als ich drauf wartete, daß das Begräbnis zu Ende war, da dachte ich drüber nach. Was es für uns bedeutet. Weil wir doch ein Leben genommen haben, nicht? Und jetzt geben wir eins zurück.«

»Das stimmt.«

»Es war alles noch ein bißchen durcheinander, wie ich's mir überlegte. Aber jetzt, wo das mit der Frau passiert ist, da ist es nicht mehr durcheinander. Ich konnte den Sackett nicht anrufen, Frank. Ich konnte es nicht tun, weil ich nicht dieses Kind haben kann, damit es eines Tages rausfindet, ich hab' seinen Vater wegen Mord aufhängen lassen.«

»Du wolltest doch zu Sackett gehen.«

»Nein, ich wollte gar nicht. Ich wollte nur weg.«

»War das der einzige Grund, warum du nicht zu Sackett gehen wolltest?«

Es dauerte lange, ehe sie antwortete. »Nein. Ich hab' dich lieb, Frank. Ich glaube, das weißt du. Aber vielleicht, wenn das nicht gewesen wäre, so wäre ich doch zu ihm gegangen. Gerade weil ich dich liebe.«

»Sie hat mir nichts bedeutet, Cora. Ich hab' dir doch gesagt, warum ich's tat. Ich wollte durchbrennen.«

»Das weiß ich. Ich hab's die ganze Zeit gewußt. Ich weiß, warum du mich von hier weglotsen wolltest. Und was ich gesagt habe, daß du ein Strolch bist, das hab' ich gar nicht geglaubt. Oder ich hab's geglaubt. Aber du wolltest nicht deshalb weg. Daß du ein Strolch bist, deswegen lieb' ich dich. Und ich hab' sie gehaßt, weil sie dir eins auswischen wollte, nur weil du ihr etwas nicht erzählt hast, was sie nichts angeht. Trotzdem wollte ich dich deshalb zugrunde richten.«

»Na und?«

»Ich versuch's zu erklären, Frank. Ich will's dir so erklären. Ich wollte dich zugrunde richten, und trotzdem konnte ich nicht zu Sackett gehen. Nicht, weil du mich nicht aus den Augen gelassen hast. Ich hätte aus dem Hause rennen können und davon, zu ihm.

Es war deshalb, na, wie ich schon sagte. Na, und jetzt, jetzt bin ich den Teufel los, Frank. Ich weiß, ich werde Sackett niemals anrufen, weil die Gelegenheit da war, und ich hatte meinen Grund und hab's doch nicht getan. Also ist der Teufel raus aus mir. Aber bist du ihn los?«

»Wenn du ihn los bist, was soll ich dann noch mit ihm zu tun haben?«

»Sicher können wir nicht sein. Wir können nie sicher sein, solange du nicht auch deine Gelegenheit gehabt hast. Genau wie ich.«

»Ich sag' dir, er ist weg.«

»Während du dir überlegt hast, wie du mich umbringen sollst, Frank, da hab' ich an das gleiche gedacht. Auf welche Art du mich umbringen könntest. Beim Schwimmen. Wir gehen weit raus, so wie damals, und wenn du nicht willst, daß ich zurückkomme, dann brauchst du mich nur nicht zu lassen. Das wird nie einer erfahren. So was passiert eben am Strand. Morgen früh gehen wir.«

»Was wir morgen früh tun, ist heiraten.«

»Wir können heiraten, wenn du willst, aber ehe wir wiederkommen, gehen wir schwimmen.«

»Zum Kuckuck mit dem Schwimmen. Gib mir schon den Kuß.«

»Morgen nacht, wenn ich zurückkomme, dann geben wir uns Küsse. Wirklich schöne, Frank. Keine betrunkenen. Küsse aus dem Leben, nicht aus dem Tod.«

»Gemacht.«

Wir heirateten im Rathaus, dann gingen wir an den Strand. Sie sah so hübsch aus, daß ich nur im Sand mit ihr spielen wollte, aber sie hatte dieses kleine Lächeln im Gesicht, und nach einer Weile stand sie auf und ging zur Brandung hinunter.

»Ich gehe rein.«

Sie schwamm voraus und ich hinter ihr her. Sie schwamm immer weiter, viel weiter als früher. Dann hielt sie an, und ich holte sie ein. Sie kam mit einem Schwung zu mir und nahm meine Hand, und wir sahen uns an. Da wußte sie, daß der Teufel weg war, daß ich sie liebte.

»Weißt du auch, warum ich gern mit den Füßen zur Strömung liege?«

»Nein.«

»Damit es sie hebt.«

Eine große Welle zog uns hoch, und sie legte die Hand unter die Brüste, um zu zeigen, wie es sie hob. »Ich hab's so gern. Sind sie groß, Frank?«

»Sag' ich dir heut' abend.«

»Ich hab' das Gefühl, sie sind groß. Das hab' ich dir gar nicht gesagt. Es ist nicht nur, daß man weiß, man macht ein neues Leben. Auch, was es einem selber tut. Meine Brüste spür' ich größer, und ich will, daß du sie küßt. Dann wird bald auch mein Bauch groß, darauf freu ich mich, jeder soll es sehen. Das ist Leben, ich kann's spüren in mir. Ein neues Leben für uns beide, Frank.«

Wir kehrten um, und unterwegs schwamm ich ein Stück unter Wasser. Drei Meter tief. Ich wußte, es waren drei Meter, am Druck. Die meisten Tümpel sind hier drei Meter tief, und das war es gerade. Ich klappte die Beine zusammen und schoß noch tiefer. Es preßte mir gegen die Ohren, daß ich dachte, jetzt platzen sie. Aber ich brauchte noch nicht aufzutauchen. Der Druck auf die Lungen treibt den Sauerstoff ins Blut, und ein paar Sekunden lang braucht man keinen Atem. Ich sah ins grüne Wasser. Und mit dem Läuten in meinen Ohren und der Last auf meinem Rücken und meiner Brust schien mir, als sei die ganze Teufelei und Gemeinheit und Rastlosigkeit und das ganze unberechenbare Zeug in meinem Leben aus mir rausgepreßt und weggespült, und als wäre ich soweit, sauber wieder von vorn anzufangen mit ihr und das zu haben, was sie sagte. Ein neues Leben.

Als ich auftauchte, hustete sie gerade. »Nur so 'n bißchen Übelkeit, wie man sie kriegt.«

»Ist es wieder gut?«

»Ich denke schon. Es kommt über einen und geht wieder weg.«

»Hast du Wasser geschluckt?«

»Nein.«

Wir schwammen noch ein bißchen, dann hörte sie auf. »Frank, mir ist inwendig so komisch.«

»Hier, halt' dich an mich an.«

»Ach, Frank! Vielleicht hab' ich mich vorhin überanstrengt. Wie ich den Kopf über Wasser halten wollte. Damit ich kein Salzwasser schlucke.«

»Reg dich nicht auf.«

»Wäre das nicht schrecklich? Ich hab' von Frauen gehört, die eine Fehlgeburt haben. Weil sie sich überanstrengen.«

»Reg dich nicht auf. Leg dich gerade aufs Wasser. Versuch nicht zu schwimmen. Ich schlepp' dich ab.«

»Willst du nicht lieber einen Wächter rufen?«

»Jesus, nur das nicht. Der Esel würde dir nur die Beine rauf und runter zerren. Lieg jetzt still. Ich bring' dich rascher zurück als der.«

Sie lag da, und ich zog sie an der Achselspange vom Schwimmanzug. Ich fing an, müde zu werden. Ich hätte sie auch einen Kilometer weit abschleppen können, aber ich dachte immer nur daran, ich mußte sie ins Krankenhaus schaffen, darum beeilte ich mich. Wenn man sich im Wasser beeilt, ist man verloren. Nach einer Weile, immerhin hatte ich Boden unter den Füßen, da nahm ich sie in die Arme und trug sie rasch durch die Brandung. »Rühr dich nicht. Laß mich nur machen.«

»Ich laß schon.«

Ich lief mit ihr zu der Stelle rauf, wo unsere Wolljacken waren, und setzte sie ab. Ich nahm den Wagenschlüssel aus meiner Jacke, dann wickelte ich beide um sie und trug sie zum Wagen. Er stand oben am Straßenrand, und ich mußte die hohe Böschung über dem Strand bis zur Straße hinaufklettern. Meine Beine waren so müde, ich konnte mich kaum halten, aber ich hielt sie fest. Ich setzte sie in den Wagen, ließ an und stob die Straße hinunter.

Wir waren ungefähr drei Kilometer nördlich von Santa Monica schwimmen gegangen, und im Ort war ein Krankenhaus. Ich mußte einen großen Lastwagen überholen. Er hatte hinten ein Schild: »Hupen und vorfahren!« Ich schlug auf die Hupe, und er fuhr weiter in die Mitte. Links konnte ich nicht vorfahren, weil mir eine ganze Kette von Wagen entgegenkam. Ich schwang nach rechts und trat aufs Gas. Sie kreischte. Die Überführungsmauer sah ich überhaupt nicht. Dann war ein Krach, und alles wurde schwarz.

Als ich zu mir kam, war ich neben dem Steuer eingekeilt mit dem Rücken gegen den Kühler, aber ich fing zu stöhnen an, weil ich so was Gräßliches hörte. Es war wie Regen auf einem Blechdach, aber das war es gar nicht. Es war ihr Blut, das auf die Haube tropfte, da wo sie durch die Windschutzscheibe durchgebrochen war. Hupen dröhnten, und Leute sprangen aus dem Wagen und rannten zu ihr. Ich richtete sie auf und wollte das Blut stillen, und dazwischen redete ich auf sie ein und weinte und küßte sie. Die Küsse spürte sie nicht. Sie war tot.

Jetzt hatten sie mich. Katz nahm sich diesmal alles, die zehntausend Dollar, die er rausgekriegt hatte, das Geld, das wir verdient hatten, und eine Hypothek auf die Wirtschaft. Er tat für mich, was er konnte, aber es war von Anfang an aussichtslos. Sackett sagte, ich sei ein toller Hund, den man aus dem Weg räumen muß, damit man wieder seines Lebens sicher ist. Er hatte sich alles zurechtgelegt. Wir hatten den Griechen umgebracht, um das Geld zu kriegen, dann hatte ich sie geheiratet und umgebracht, damit ich alles selber haben konnte. Daß sie von der mexikanischen Reise erfahren hatte, beschleunigte die Sache nur, das war alles. Er hatte den Befund von der Autopsie, der zeigte, daß sie ein Kind erwartete, und er sagte, das trug dazu bei. Er rief Madge als Zeugin auf, und sie erzählte von der Reise nach Mexiko. Sie wollte nicht, aber sie mußte. Er brachte sogar den Puma vor Gericht. Der war gewachsen, aber man hatte ihn nicht ordentlich gepflegt, und er sah krank und räudig aus und jaulte und versuchte, ihn zu beißen. Es war ein abscheulicher Anblick und machte die Sache nicht besser für mich, das kann man mir glauben. Aber was mir den eigentlichen Rest gab, das war der kleine Brief, den sie geschrieben hatte, ehe sie das Taxi anrief, und dann in die Geschäftskasse gelegt hatte, damit ich ihn am Morgen finden sollte, und den sie drin vergessen hatte. Ich hatte ihn nicht gesehen, weil wir nicht aufgemacht hatten, ehe wir schwimmen gingen, und ich in die Geschäftskasse nicht hineingeschaut hatte. Es war der süßeste kleine Brief, den man sich denken kann, aber es stand darin, daß wir den Griechen umgebracht hatten, und das war das Ende. Sie stritten sich dann drei Tage lang wegen des Briefes, und Katz bekämpfte sie mit sämtlichen Gesetzbüchern von Los Angeles, aber der Richter ließ ihn als Beweismaterial zu, und das brachte alles darüber heraus, daß wir den Griechen umgebracht hatten. Sackett sagte, das erklärte meinen Beweggrund. Das und einfach, daß ich ein toller Hund sei. Katz ließ mich gar nicht erst aussagen. Was hätte ich auch sagen sollen? Daß ich's nicht getan hatte, weil wir gerade erst mit allen Schwierigkeiten fertig geworden waren, die wir davon hatten, daß wir den Griechen umgebracht hatten? Das wäre was gewesen! Die Geschworenen waren fünf Minuten draußen. Der Richter sagte, er würde ganz genau so viel Nachsicht mit mir haben wie mit jedem anderen tollen Hund.

Und jetzt bin ich also in der Todeszelle und schreib' das hier fertig, damit Pfarrer McConnel es sich durchlesen kann und mir zeigen, wo's vielleicht ein bißchen geändert werden muß, Interpunktion und so weiter. Wenn ich Aufschub kriege, dann behält er sich's und wartet, was passiert. Wenn sie mir die Strafmilderung geben, dann soll er's verbrennen, und sie werden nie erfahren, ob da überhaupt ein Mord war oder nicht, aus dem, was ich ihnen erzähle. Aber wenn sie mich kriegen, dann soll er's nehmen und sehen, ob er wen findet, der es druckt. Ich krieg' sowieso keinen Aufschub und keine Strafmilderung, das weiß ich. Ich hab' mir nie was vorgemacht. Aber hier, an diesem Ort, hofft man immer noch, auf jeden Fall, weil man nicht anders kann. Ich hab' nie was gestanden, das muß ich sagen. Mir hat mal einer gesagt, sie können dich nie aufhängen, wenn du nicht gestehst. Ich weiß nicht. Wenn Pfarrer McConnel mich nicht anschwindelt, dann werden sie nie was von mir erfahren. Vielleicht krieg' ich doch einen Aufschub.

Bei mir fängt es an, sich zu drehen, und ich denke über Cora nach. Ob sie weiß, ich hab's nicht getan? Nach dem, was wir im Wasser geredet hatten, würde man denken, sie weiß es. Aber das ist das Schreckliche daran, wenn man so mit Mord herumspielt. Vielleicht ist es ihr gerade durch den Kopf geschossen, als der Wagen aufschlug, daß ich's doch getan hatte. Darum hoffe ich so, daß ich noch ein zweites Leben habe nach diesem. Pfarrer McConnel sagt ja, und da will ich sie sehen. Ich will, daß sie weiß, es war alles, wie wir uns gesagt haben, und daß ich's nicht getan habe. Was war nur an ihr dran, daß ich so hänge an ihr? Ich weiß nicht. Sie wollte etwas, und sie versuchte es immer zu kriegen. Sie versuchte es nur auf die falsche Art, aber sie versuchte. Ich weiß nicht, warum sie so hing an mir, denn sie kannte mich doch. Sie hat es mir oft genug ins Gesicht gesagt, daß ich nichts tauge. Ich wollte niemals wirklich was, außer sie. Aber das ist eine Menge. Ich glaube, nicht mal das hat eine Frau oft im Leben.

Auf Nummer sieben sitzt einer, der hat seinen Bruder umgebracht und sagt, er war's gar nicht, sondern sein Unterbewußtsein. Ich hab' ihn gefragt, was das heißt, da sagt er, man hat zwei Ichs, eines, das man kennt, und ein anderes, das man nicht kennt, weil's unterbewußt ist. Das hat mich erschüttert. Hab' ich's wirklich getan, ohne es zu wissen? Allmächtiger Gott, das kann ich nicht glauben! Ich hab's nicht getan! Ich hab' sie so geliebt, gerade damals, daß ich für sie hätte sterben können, das muß man mir glauben. Zum Teufel mit dem Unterbewußtsein! Ich glaub's einfach nicht. Das ist nur so ein Geschwätz, das der Kerl sich ausgedacht hat, um den Richter an der Nase rumzuführen. Man weiß, was man tut, und man tut's. Ich hab's nicht getan. Ich hab's nicht getan, das weiß ich! Und das sag' ich ihr auch, wenn ich sie wiedersehe.

Bei mir dreht sich oben schon alles. Ich glaube, die tun einem irgendein Zeug ins Essen, damit man nicht daran denkt. Ich versuche, nicht zu denken. Wann immer ich kann, bin ich da draußen mit Cora, der Himmel über uns und das Wasser um uns, und wir reden darüber, wie glücklich wir sein werden und wie es für immer und ewig dauern wird. Ich glaube, ich bin übern Berg, wenn ich da bei ihr bin. Dann kommt's mir auch wahr vor, all das über ein zweites Leben, nicht bei all dem Zeug, was der Pfarrer McConnel sich so vorstellt. Wenn ich bei ihr bin, dann glaub' ich daran. Wenn ich anfange, es mir vorzustellen, dann wird alles schwummrig.

Kein Aufschub.

Da kommen sie. Pfarrer McConnel sagt, Gebete helfen. Wenn Sie bis hierher gelesen haben, dann sagen Sie doch eins für mich und für Cora, und bitten Sie, daß wir zusammen sind, wo immer es auch sein mag.

JONATHAN VALIN

Bis auf
die Knochen

1

Es war Anfang Juli um die Mittagszeit. Von meinem Schreibtisch aus beobachtete ich eine Wespe, die vor dem Fenster meines Büros durch die warme Sommerluft schaukelte. Zusammen mit einem guten Dutzend Artgenossen hatte sie an den Sims im sechsten Stock des Riorley Buildings, direkt unter meinem Büro, ein Nest gebaut, und nun summten die neuen Nachbarn träge durch die Mittagshitze dieses wolkenlosen Sommertages.

Ich war erst Donnerstag vormittag nach Cincinnati zurückgekommen, nachdem ich die beiden vorigen Tage in Chicago hauptsächlich damit verbracht hatte, einen Gauner namens Aaron Mull dingfest zu machen. Eine recht interessante Persönlichkeit, dieser Mull – eine Art Hinterwäldler-Spekulant, der zwei Grundstücksmakler um eine nicht unerhebliche Summe Bargeld erleichtert hatte. Er hatte sich dabei eines recht guten Tricks bedient, auf den jedoch nur die Übergierigen oder die Unbedarften hereinfallen konnten; und dies dürfte wohl auch der Grund gewesen sein, weshalb die beiden Makler so fürchterlich wütend aussahen, als sie am ersten des Monats in meinem Büro auftauchten. Leo Meyer, der größere und auch bedrohlicher wirkende der beiden, weihte mich mit heiserer und merklich beleidigt klingender Stimme in die Sache ein, während sein Partner Larry Cox nur verzweifelt seine Hände rang. Sie waren nicht auf die schnelle und einfache Tour zu Reichtum gelangt und deshalb bereits seit längerem mit den Praktiken des Großkapitals vertraut. Sie hatten sich langsam und mühselig emporgearbeitet, wie es Meyer nannte; sie hatten nicht ›den einfachen Weg eingeschlagen‹ und statt dessen um jeden Penny ›gekämpft‹, den sie nun ihr eigen nannten. Und nun, dachte ich mir im stillen, ohne dies freilich Meyer gegenüber zu äußern, nun war es also diesem kleinen Gauner Aaron Mull zugefallen, eine Vergangenheit wieder heraufzubeschwören, die inzwischen zumindest für ein Jahrzehnt unter dem losen Erdreich aller möglichen Annehmlichkeiten, die das Leben so zu bieten hat, begraben gelegen war – schöne Häuser, dicke Wagen, elegante Kleider, maßgeschneiderte Anzüge, all die Brooks Brothers-Hemden und Krawatten, die Bally-Schuhe, und das alles schien Meyer nun nur noch ein verblassender Fetzen eines Traumes von irdischer Glückseligkeit.

Ich übernahm den Fall. Zum Teufel, warum auch nicht? Möge Meyers Selbstgerechtigkeit auch genauso falsch und verlogen gewesen sein wie Mulls Trick, und seine üblichen Geschäftspraktiken keineswegs so solide, wie er sich nun selbst einzureden versuchte; Geld bleibt ausschließlich Geld, ganz gleich, durch wessen Hände es gegangen ist. Und sobald man es einmal selbst in der Hand hat, dann ist es wie ein Waisenkind, ein neuer Familienzweig, der nur darauf wartet, dem Familienstammbaum aufgepfropft zu werden, um dort weiter seine Blätter zu treiben.

Ich konnte also Mulls habhaft werden. Er hatte denselben Trick eben an einem Grundstücksmakler in Chicago ausprobiert. Ich hatte ihn der Polizei übergeben. Das ging allerdings nicht ganz reibungslos vor sich, da Aaron Mull ein Gauner war, der durchaus etwas von seinem Geschäft verstand, und wie die meisten Menschen mit Köpfchen über einen gesunden Selbsterhaltungstrieb verfügte. Als ich ihn dann auf dem Parkplatz eines Supermarktes stellte, stritt er einfach ab, Aaron Mull zu sein. Und für einen Augenblick lang in der Hitze, die in Schlieren zwischen den auf der riesigen Asphaltfläche geparkten Wagen aufstieg, glaubte ich ihm auch. Vielleicht war es einfach nur die Hitze gewesen oder aber auch nur ein weiterer Beweis für sein enormes Talent als Gauner; jedenfalls sah er in seinem kurzärmeligen, karierten Hemd, seinen Levi's und seinen Hush Puppies, mit seinem struppigen braunen Haar, seinem sonnengebräunten Gesicht und seinem naturburschenhaften Grinsen alles andere wie ein Aaron Mull aus. Er trat einfach zurück, ein Lächeln auf dem Gesicht, wie man es von jemandem gewohnt ist, den man fälschlicherweise angesprochen hat. Und dann stürzte ich mich auf ihn.

Mull konnte sich mir jedoch entwinden, und dann begann eine richtige kleine Verfolgungsjagd zwischen den geparkten Autos und den überall umherstehenden Einkaufswagen. Zu guter Letzt mußte ich ihm dann noch eine überziehen – und zwar mit dem Kolben meiner Pistole. Eigentlich war das nicht sonderlich fair, und diese Meinung vertrat auch Mull, als ich ihm Handschellen anlegte und die Polizei verständigte.

Es war etwa Mitternacht, als die Polizei mit mir fertig war. Nach der Hitze des Tages war die Nacht angenehm kühl. Statt nun darauf zu warten, daß die Luft sich wieder erwärmte und ich schweißdurchnäßt nach Cincinnati zurückzufahren hatte, ging ich schnurstracks zum Parkplatz des Polizeireviers, wo ich meinen Pinto geparkt hatte, und fuhr los. Außerhalb von Indianapolis hielt ich einmal für eine Tasse Kaffee und ein Sandwich kurz an. Die Bedienung hantierte übernächtigt hinter dem Tresen herum, ein paar Lastenwagenfahrer in Jeans und karierten Wollhemden unterhielten sich an einem der Tische, und ich beobachtete über meinem Kaffee den Sonnenaufgang draußen. Ich fühlte mich wohl. Schließlich hatte ich gute Arbeit geleistet. Und mit dem Geld, das ich eben verdient hatte, hätte ich auf der Highway 65 einfach endlos weiterfahren können – durch ganz Kentucky, Tennessee und Mississippi bis hinunter zum Golf. Das gab mir ein wunderbares Gefühl der Freiheit, das allerdings nur so lange anhielt, bis mir im nächsten Moment auch schon der Gedanke kam, wie heiß es dort unten sein würde und wie wenig Lust ich eigentlich hatte, in dieser brüllenden Julihitze im Auto zu sitzen. Aber trotz seiner kurzen Dauer war dies doch ein Gefühl, in dem nur die wenigsten Leute jemals schwelgen können. Vielleicht die paar Fahrer an dem Tisch neben mir; vielleicht auch die beiden Grundstücksmaler, die ich zu Hause in Cincinnati gleich anrufen würde, um ihnen den erfolgreichen Abschluß des Falles mitzuteilen. Man muß schon zu den ganz besonders Reichen oder zu besagten Armen im Geiste gehören, um sich der Illusion hingeben zu können, das Leben sei eine Sache freier Entscheidungen. Das ist im wesentlichen eben nur eine Illusion, wie Mull feststellen mußte. Aber solange man sie hat, ist das ein Gefühl, das durch nichts zu überbieten ist. Ich würde sagen, daß es sogar die ein oder zwei Jahre im Knast wert war, die Mull angesichts der Tatsache, daß er noch nicht vorbestaft war, aufgebrummt bekommen würde, ganz zu schweigen natürlich von der mühseligen Plackerei, mit der ich mich Tag für Tag herumzuschlagen hatte.

Gegen sieben Uhr morgens kam ich dann nach Cincinnati und fuhr, immer noch bester Laune, schnurstracks zur Riorley Building. Und erst an besagtem Mittag, als ich, die Beine auf dem Tisch, vor mich hindöste und wie auf ein böses Omen auf die Wespen vor meinem Fenster starrte, ergriff allmählich die übliche Langeweile wieder Besitz von mir; meine Begeisterung hatte mich genauso verlassen wie einen kleinen Jungen, der eben noch voll in sein Spiel vertieft war. Das Ganze passierte in einem plötzlichen, raschen Abwärtstrudeln, das einen mit der Frage zurückläßt, ob es wirklich jemals wieder etwas in der Welt geben könnte, das einen in eben demselben Maß begeistern könnte.

Ich saß in der Raststätte und beobachtete, wie die Sonne purpurn über den Bäumen und den Skeletten der Hochspannungsleitungen aufging. In der Küche läutete das Telefon. Die Kellnerin war zu müde, um den Hörer abzunehmen; die Lastwagenfahrer schienen das Läuten gar nicht zu hören. Ein babygesichtiger Aaron Mull in einem Overall und einem kragenlosen Hemd kam aus der Küche und sagte: »Ich hebe nicht ab.« Also blieb das Ganze an mir hängen. Ich griff über die Theke, aber der Abstand zwischen den Hockern an der Bar und der Wand dahinter schien sich plötzlich vergrößert zu haben, und es war, als hätte ich eine unüberbrückbare Distanz zu überwinden. Das Telefon klingelte weiter und weiter, und ich bemühte mich verzweifelt, den Hörer abzunehmen. Schließlich öffnete ich die Augen und fand mich in meinem Büro wieder; vor mir, auf dem Schreibtisch, ertönte das hartnäckige Klingeln des Telefons.

Ich nahm den Hörer ab.

»Ich hätte gerne Mister... Harold... Stoner gesprochen«, meldete sich eine hohe, sonderbare Stimme. Der Anrufer war ein Mann und vermutlich schon etwas älter; aus seiner Art zu sprechen, aus den deutlichen Pausen zwischen den Worten schloß ich, daß es sich um jemanden handelte, der sich entweder selber sehr ernst nahm oder aber einfach nicht gewohnt war, sich übers Telefon zu unterhalten. Ich dachte dabei an meine Großmutter, die immer regelrecht in den Hörer zu brüllen pflegte, um auch ja sicherzugehen, daß man sie ›über so eine Entfernung‹ am anderen Ende der Leitung hörte.

Mit meiner freien Hand rieb ich mir die Augen und meldete mich: »Ja, Stoner am Apparat.«

»Harald Stoner?«

Ich nahm den Hörer von meinem Ohr und sah ihn interessiert an. »Ja, Harold Stoner persönlich.«

»Mein Name ist Cratz, Mr. Stoner. Hugo... Harold... Cratz. Wir sind Namenskollegen.«

»Wunderbar, und was kann ich für Sie tun, Mr. Cratz?«

»Es geht nicht um mich.« Seine Stimme nahm einen weinerlichen Klang an. »Es handelt sich um meine Kleine, Cindy Ann. Sie haben ihr etwas angetan.«

Und damit fing Hugo Cratz tatsächlich zu wimmern an – kleine, frauliche Schluchzer. Ich wand mich, etwas peinlich berührt, in meinem Sessel. Aber ich ließ ihn sich erst einmal ausweinen über seine Cindy Ann – Frau, Tochter, Enkelin oder wer es auch immer war, den er geliebt und nun verloren hatte. Und als er schließlich damit fertig war, sagte ich ihm, er solle lieber die Polizei verständigen, da ich das Gefühl hatte, daß Hugo Cratz noch keineswegs einen Privatdetektiv brauchte, sondern einfach nur eine mitfühlende Seele, die ihm ihr Ohr schenkte.

Aber da hatte ich mich offensichtlich in ihm getäuscht. »Verdammter Mist, ich war bereits bei der Polizei. Diese Idioten wollten mir einreden, sie wäre halt eben mal kurz verreist. Aber wie stellen die sich das vor? Wenn das wirklich so wäre, warum hat sie mir dann nichts davon gesagt. Und außerdem, warum benimmt sich dann Laurie – das ist ihre Freundin – so komisch?

Ja, fuhr Cratz fort, als ich nichts darauf erwiderte, »können Sie mir das vielleicht erklären?«

»Wie sollte ich?«

»Glauben Sie denn, Sie könnten das vielleicht herausfinden?«

»Ich kann's ja mal versuchen. Kommen Sie morgen in mein Büro. Sagen wir, so gegen halb zehn. Dann können Sie mir alles genauer erzählen.«

»Ich kann nicht in Ihr Büro kommen«, meinte nun Cratz. »Ich hatte letztes Jahr einen Herzinfarkt und bin ziemlich ans Haus gebunden. Ich gehe nur ab und zu im Park spazieren. Wenn Sie wollen, können Sie ja zu mir rauskommen. 2014 Cornell, erster Stock.«

Ich notierte mir die Adresse. Eigentlich hatte ich ja gerade genügend Geld gemacht, um auf Hugo Cratz' Angebot verzichten zu können – und vor allem auf die Scherereien, die das Ganze nach sich ziehen würde. Denn eines war mir inzwischen bereits klar. Hugo Cratz bedeutete Schwierigkeiten. Um das zu merken, bedurfte es keiner großen Spekulationen. »Wollen Sie nicht doch noch lieber ein paar Tage warten«, versuchte ich ihn deshalb zu vertrösten. »Vielleicht ist Cindy Ann ja tatsächlich verreist. Vielleicht ist sie in ein paar Tagen wieder zurück.«

»Sie ist mein ein und alles.« Cratz klang geknickt. »Außer meiner Kleinen habe ich doch sonst niemanden.«

Ich nahm meinen Bleistift und unterstrich die Hausnummer. Er wohnte in North Clifton, eine Vertrauen erweckende Adresse. »Also gut, Mr. Cratz. Das Ganze wird Sie zweihundert Dollar pro Tag zuzüglich Spesen kosten, einverstanden?«

»Ja, natürlich.« Die Antwort kam mir etwas zu schnell. »Ist in Ordnung.«

»Haben Sie denn überhaupt so viel Geld?«

»Na ja, ich hab's momentan nicht gerade rumliegen, aber ich kann's Ihnen schon beschaffen. Und was die Spesen betrifft – es kostet ja nur fünfundzwanzig Cents, um aus der Innenstadt hier raus zu kommen, und genausoviel wieder zurück. Dabei dürfte also nicht allzuviel zusammenkommen.«

»Und was ist, wenn das Ganze ein paar Tage in Anspruch nimmt, Mr. Cratz?«

Er schnaubte ungeduldig. »Wo Laurie doch gleich gegenüber wohnt! Meine Güte, das Ganze wird nicht mal eine halbe Stunde dauern, wenn Sie's einigermaßen geschickt anstellen. Und das wird mich dann ganze acht Dollar und dreiunddreißg Cents kosten – wenn man den Arbeitstag mit zwölf Stunden ansetzt«, beeilte er sich, noch hinzuzufügen.

Ich holte erst einmal tief Luft. »Sie gehen also davon aus, daß Sie mir dann, alles zusammengerechnet...«

»Acht Dollar und dreiundachtzig Cents schulden werden«, beendete Cratz den Satz für mich, um dann noch hinzuzufügen, »und ich werde das Geld in ein paar Tagen auftreiben.«

Ich lachte laut heraus.

»Glauben Sie mir etwa nicht?« hakte Cratz nach. »Verstehen Sie denn nicht, ich brauche Ihre Hilfe, und zwar ganz gleich, wieviel das Ganze kosten wird.«

Er brauchte meine Hilfe.

Was soll's? Schließlich kam ich auf dem Nachhauseweg dort sowieso vorbei und außerdem hatte ich eben, ohne mich groß anzustrengen, einen dicken Fisch an Land gezogen. Ich konnte es mir also durchaus erlauben, ein bißchen den Großzügigen zu spielen. Zudem brannte ein Teil von mir – ein recht unprofessioneller Teil zwar, aber insgesamt vielleicht das beste an mir – förmlich darauf, einen kurzen Blick auf den Mann hinter dieser seltsamen Stimme zu werfen.

»Na gut«, gab ich also schließlich klein bei. »Ich weiß zwar, daß ich einen Fehler mache, aber ich gehe auf Ihre Bedingungen ein, Mr. Cratz. Eine halbe Stunde Arbeit. Und dann werden wir ja sehen, was wir tun können, um Ihre Kleine wiederzufinden.«

2

North Clifton ist eine der ältesten Vorstädte Cincinnatis – eine Gegend mit alten Häusern inmitten schattiger Grünflächen. Dem Ganzen läßt sich ein gewisser Reiz durchaus nicht absprechen, aber zugleich ist dieses Wohnviertel auch durch eine etwas beängstigende Einförmigkeit gekennzeichnet, und hinter der melancholischen Ruhe des Alltags seiner vorwiegend älteren Bewohner läßt sich ein leichter Beigeschmack von Verfall und Morbidität nicht verleugnen. Mag da auch auf einer Rasenfläche vor einem der Häuser ein verlassenes Fahrrad in der Sonne blitzen, auf dem Gehsteig das Gelb eines Tretautos leuchten und von irgendwoher eine Kinderstimme durch die Sommerluft dringen, so konnte ich mich, als ich die Cornell hochfuhr, doch nicht des Gefühls erwehren, daß dies, ähnlich einer Bar oder einem Friedhof, kein Ort für junge Menschen war. Vielleicht war es Cindy Ann ähnlich gegangen.

Hugo Cratz wohnte in einem roten, dreistöckigen Haus mit einer Veranda und einem großen Ahorn im Vorgarten. Zwei alte Männer kamen auf mich zu, als ich den Wagen parkte. Der eine von den beiden war wohl früher einmal recht kräftig gebaut gewesen. Inzwischen war er jedoch leicht zusammengeschrumpft und bewegte sich nur mühsam voran, als bereitete ihm jeder Schritt leichte Schmerzen. Seine unbehaarte Brust, die unter seinem offenen, karierten Hemd hervortrat, war eingefallen. Er hatte scharfe Gesichtszüge – ein vorspringendes, stoppeliges Kinn, eine Hakennase und dazwischen, wie eine tiefe Kluft, der dünnlippige Mund. Sein kahler Schädel wurde nur von einem schmalen Kranz schütteren, weißen Haares eingefaßt. Der andere Mann wirkte trotz seiner Dicke voller Energie; er wies auf Gesicht und Armen eine gesunde Bräune auf. Das knappe, gelbe T-Shirt, das er anhatte, ließ seine Körperfülle noch deutlicher hervortraten. Sein breites Gesicht machte einen sympathischen Eindruck und wirkte wesentlich jünger als das seines Begleiters. Ich vermutete, daß Hugo Cratz der Gebrechliche von den beiden war, und sollte damit recht behalten.

»Hallo!« begrüßte er mich und winkte dabei mit seinem Arm, der so steif wirkte wie ein Stock. »Sie sind sicher Stoner. Schön, daß Sie doch noch gekommen sind.«

Mir fiel eine gewisse Freundlichkeit und Jovialität in Cratz' Stimme auf, die mir am Telefon entgangen war. Vermutlich hatte er sich wegen seines dicken Freundes ein wenig zusammengerissen.

Jedenfalls – und das mag vielleicht seltsam klingen – wurde Hugo dadurch für mich lebendiger. Er hatte also doch noch menschliche Züge an sich. Er schien dadurch fast wieder in altem Glanz vor mir zu erstehen – der Kraftprotz und Sportsmann von früher, dessen gnädige Herablassung Sportreporter und Zuschauer in gleicher Weise mit Freundlichkeit verwechseln. Er schien plötzlich wieder Geld in den Taschen seiner losen Khaki-Hose zu haben, sein Haar und seine Augen schienen an Farbe zu gewinnen, und sogar eine leichte Spur von Stolz und Selbstbewußtsein ließ sich plötzlich nicht mehr verleugnen. Ich kam zu der Überzeugung, daß man bei Hugo Cratz gut daran tat, ihn nicht zu sehr zu unterschätzen.

»Setzen wir uns doch auf die Veranda«, lud er mich ein, als ich auf die beiden zutrat. »Dort können wir uns ein wenig unterhalten.«

Cratz und ich nahmen auf zwei Gartenstühlen Platz, während der andere sich auf die oberste Stufe der Treppe setzte.

»George ist in Ordnung«, beruhigte mich Cratz und warf dabei einen kurzen Blick auf den dicken Mann, der seinerseits seinen Kopf hob und ernst nickte.

Mir fiel das Päckchen Lucy Strikes ins Auge, das George in seine hochgerollten Hemdsärmel gesteckt hatte.

Die Armut und Eintönigkeit des Lebens mancher Menschen verfehlt selten ihre Wirkung auf mich. Und während ich nun hier auf dieser Veranda saß, George leutselig unter mir auf die Treppe gekauert und Hugo Cratz in seinem Stuhl mir zugeneigt, wurde mir plötzlich bewußt, welch ein aufregendes und neuartiges Element ich eben in das Leben dieser beiden Alten gebracht hatte. Am liebsten hätte ich mich auf Zehenspitzen von der Veranda geschlichen, um mich in meinen Wagen zu setzen und auf schnellstem Wege nach Hause zu fahren. Statt dessen wand ich mich verlegen auf meinem Stuhl hin und her, nickte ab und zu und vermied vor allen Dingen, Hugo Cratz in seine wäßrigen, blauen Augen zu blicken, als er sich seinen Erinnerungen hingab, wobei er natürlich keineswegs vergaß, seine vergangenen Qualifikationen entsprechend herauszustreichen. Als er schließlich zum Kernpunkt dessen gelangte, worin er sich persönliches Versagen zuzuschreiben hatte – und dieser Kernpunkt war natürlich Cindy Ann, seine Tochter –, brach er tatsächlich in Tränen aus. Selbst sein Freund George wandte sich an diesem Punkt ab, obwohl er die Geschichte doch schon zumindest ein dutzendmal gehört haben mußte. Und ich –

ich starrte auf die im Sonnenlicht verlassen daliegende Straße und machte mir Vorwürfe, was für ein Narr ich doch war, für diesen Hugo Cratz den Detektiv zu spielen.

Cratz entschuldigte sich und ging ins Haus, um sich seine Nase zu putzen. Ich konnte ihn durch eines der Erkerfenster sehen. Am Fenster standen verschiedene Zimmerpflanzen – ein Frauenhaarfarn, Begonien und eine Buntnessel. Entweder hatte Cindy Ann über eine recht häusliche Ader verfügt, oder Hugo Cratz war nicht ganz der unbeholfene alte Mann, der er auf den ersten Blick schien.

»Sie müssen ihn entschuldigen«, sagte der fette George plötzlich in einer tiefen, unfreundlichen Stimme. »Er ist einfach nicht mehr der alte, seit ihn dieses kleine Luder verlassen hat.«

»Könnten Sie mir vielleicht ein bißchen was über sie erzählen, George?« fragte ich.

George warf einen kurzen Blick auf die Glastür des Hauses und atmete hörbar ein.

»Was wollen Sie eigentlich, Mister?« fuhr er mich heiser an. »Er hat kaum mehr Geld übrig, wenn es das ist, worauf Sie es abgesehen haben.« George nahm einen weiteren tiefen Atemzug, so daß sich sein Brustkasten hob. »Er hat keinen Pfennig mehr, und es hat Zeiten gegeben, wo er keineswegs mich gebraucht hätte, um das jemandem zu sagen.«

Ich lehnte mich in meinem Gartenstuhl zurück und gab mir alle Mühe, für den langsamen, begriffsstutzigen George wie ein richtiger Detektiv auszusehen. Je mehr ich mich allerdings anstrengte, desto mehr bekam ich das Gefühl, daß man mir mein mit der Post zugestelltes Diplom ansah, auf dem zu allem Überfluß auch noch ein paar Maschinengewehre aufgedruckt waren. Ob die wohl für die fehlende Kompetenz aufkommen würden? Aber es sollte nicht allzu lange dauern, bis es mir allmählich dämmerte, daß es nicht nur an George lag, daß ich mir wie ein Vollidiot vorkam. Irgend etwas an der Sache stimmte nicht. Worum es sich dabei auch handeln mochte, George hielt es für etwas Kriminelles, sozusagen eine bedauerliche Nebenerscheinung seines Alters. Und Cratz fand das Ganze einfach peinlich und außerdem natürlich schrecklich traurig.

Und dann überkam es mich plötzlich mit einer Gewißheit, die mich trotz der Julihitze für einen Moment erschauern ließ. Erst erschauderte ich und dann stieg mir die Schamröte ins Gesicht – für Hugo, für George und für mich. Aus den Rasenbüschen setzte plötzlich wie auf ein geheimes Zeichen das schrille Zirpen der Zikaden ein, und zugleich fielen mir die Wespen vor meinem Bürofenster ein. Das war es also, was sie dir erzählen wollten, Harry, dachte ich und lachte leise in mich hinein. Der Lärm der Zikaden schwoll an. Das Sonnenlicht brannte mit solcher Kraft auf den Rasen vor dem Haus herunter, daß es ihm wie auf einer verblichenen Fotografie jede Farbe zu entziehen schien. Ich blinzelte und ließ meine Augen über den Vorgarten wandern – auf der vergeblichen Suche nach einer Puppe, einem Dreirad oder etwas ähnlichem, das darauf hätte hinweisen können, daß es hier wirklich ein Kind gab. Irgendwo in der Ferne schlug eine Goldammer an. Das Zirpen der Zikaden erstarb wieder. Über den Rasen wanderte eine kleine Wolke, und in der nun eintretenden Stille fragte ich mich: *Was soll ich jetzt tun?*

Cindy Ann...? Wie auch immer ihr Nachname lauten mochte, sie hieß mit Sicherheit nicht *Cratz*. Sie war nicht seine Tochter; auch nicht seine Enkelin und ebensowenig seine Frau. Sie war nicht im entferntesten mit ihm verwandt. Sie war einfach irgendein junges Ding, vielleicht aus den Armenvierteln der Lower Vine, und Hugo war ihr wahrscheinlich gerade als das geeignete Sprungbrett erschienen, um dem Elend ihrer Wellblechhütten zu entrinnen. Vermutlich hatte sie den alten Mann um ein paar Dollars erleichtert und dann das Weite gesucht. Und Hugo, Hugo Cratz, der Mann, für den ich arbeitete und der dieses kleine Luder in der blinden, alles vergessenden und doch so impotenten Inbrunst, wie sie die bloße Tatsache der Jugend oft in alten Menschen hervorruft, geliebt hatte – dieser Hugo Cratz war einfach nur ein sehr sentimentaler und einsamer alter Mann; nur war seine Liebe zur Jugend vielleicht nicht ganz so gut gemeint und unschuldig, wie er sich vielleicht selbst gern einzureden versuchte.

»Gar nicht so schlecht hier, was?« fing Hugo an, nachdem er sich wieder auf seinem Stuhl niedergelassen hatte. In seiner Unbeholfenheit und mit seinen verweinten Augen wirkte er wie ein zerzaustes, verschrumpeltes kleines Kind. »Mein Sohn oben in Dyton hat wirklich eine tolle Wohnung. Dagegen ist das hier nichts. Ein guter Junge, Ralph. Er wird mir das Geld schicken. Das heißt, wenn es ein bißchen mehr kosten sollte, sie zu finden.« Cratz ließ seinen Blick über den Rasen schweifen, um dann neuerlich auf seine Wohnung zurückzukommen. »Ja, mir gefällt es wirklich ganz gut hier. Schwartz hat das Haus vor sieben, acht Jahren für seine

Kinder gekauft, als Carroll gerade gestorben war. Er hat das ganz geschickt gemacht. Das Erdgeschoß hat er in acht mickrige Apartments unterteilt, und dann ist er so mit der Miete raufgegangen, daß ich den Hausmeisterposten annehmen mußte, um noch weiter hier wohnen zu können. Für mich allein war das eine ganz schöne Menge Arbeit. Mit Cindy Ann zusammen war es aber natürlich nur ein Klacks. Sie kümmerte sich um den Rasen, und ich brachte den Müll weg und erledigte, was so an Reparaturen anfiel.« In Hugos Augen begannen sich neuerlich Tränen zu sammeln; um seinen zusammengekniffenen, faltigen Mund machte sich ein Zittern bemerkbar. »Es war wirklich schön mit ihr«, sprach er schließlich weiter.

»Aber sie ist doch nicht mit Ihnen verwandt, Mr. Cratz?« Ich versuchte das so vorsichtig wie möglich vorzubringen. »Sie ist doch keine Blutsverwandte von Ihnen?«

Cratz senkte seinen Kopf, und aus den Augenwinkeln sah ich, wie sich George verlegen auf seinem Platz auf der obersten Treppenstufe umherwand.

»Und wenn schon?« Cratz' Stimme nahm einen trotzigen Ton an. »Muß man denn gleich mit jemandem verwandt sein, um sich seinetwegen Sorgen zu machen?«

»Und was ist, wenn sie vielleicht gar nicht will, daß man sich um sie Sorgen macht?«

»Was sagen Sie da?« Cratz brachte die Worte nur langsam hervor. Die Wut trocknete die Tränen in seinen Augen und verlieh seinem Gesicht mit einem Schlag einen energischen, fast raubtierhaften Ausdruck.

»Ich will damit nur sagen, was Ihnen vielleicht auch die Polizei schon zu verstehen gegeben hat. Wenn Cindy Ann Sie aus freien Stücken verlassen hat, so ist da absolut nichts, was Sie dagegen unternehmen könnten. Selbst wenn Sie das noch so gerne möchten, Mr. Cratz, Sie können nicht einfach jemanden anstellen, damit er sie zu Ihnen zurückbringt.«

Cratz' Kehle entfuhr ein schrilles, kleines Geräusch, eine Art unterdrückter Schrei. Dann packte er mich wütend am Arm und zog mich von meinem Stuhl hoch und auf die Eingangstür zu. »Los, kommen Sie rein hier. Und du...« damit warf er George einen funkelnden Blick zu, »du scherst dich lieber nach Hause. Verdammter Schwätzer!«

George wollte gerade ansetzen, um etwas zu seiner Verteidigung vorzubringen, aber Hugo schnitt ihm mit einer energischen Geste das Wort ab. »Laß gut sein, George. Schließlich war es ja meine Schuld, dich mit dem Kerl hier allein zu lassen. Das hätte ich mir ja eigentlich denken können.« Er zerrte an meinem Ärmel. »Und Sie halten jetzt erst auch einmal den Mund, ja? Schließlich ist es mein Geld, das wir hier gemütlich verplaudern. Zweieinhalb Dollar hat mich das Ganze inzwischen schon gekostet.«

Er bugsierte mich durch die Tür in einen dunklen, modrigen Vorraum. Auf der rechten Seite schlängelte sich eine Treppe zum ersten Stock hoch, auf der linken führte ein schmaler Gang ins Hintere des Hauses. Diesen Gang ging Cratz nun entlang und blieb vor der ersten Tür auf der rechten Seite stehen. Er fummelte in seiner Hosentasche nach dem Schlüssel herum.

»Ich schließe immer ab«, erklärte er mir. »Vor zwei Jahren sind im zweiten Stock ein paar Nigger eingezogen. Und von da an wurde immer wieder mal in eine der Wohnungen eingebrochen.« Cratz kicherte trocken. »Sollen die nur mal versuchen, hier einzubrechen. Ja, das sollten die mal. Nach Ihnen, bitte.« Er öffnete die Tür und trat ein wenig beiseite, um mir Platz zu machen.

Der Türrahmen war so niedrig, daß ich mich beim Eintreten leicht bücken mußte.

»Sie sind ein ganz schöner Brocken, was?« sagte Cratz mit einem Kennerblick. »Wie groß sind Sie denn? Eins neunzig etwa, hm? Und knapp hundert Kilo?«

»Fünfundneunzig«, berichtigte ich ihn und blickte mich in dem düsteren kleinen Zimmer um. Cratz' Wohnung schien nicht viel größer als ein Abstellraum, und wie in einem Abstellraum standen dort auch alte, abgenutzte Möbel herum.

»Haben Sie früher mal Football gespielt?« fragte er mich.

»Ein bißchen auf dem College.«

»Als was? Hintermann vielleicht?«

»Erraten.«

Cratz kicherte. »Entschuldigen Sie die Unordnung. Nehmen Sie doch irgendwo Platz.«

Zu meiner Linken brabbelte ein Fernsehapparat auf einem fleckigen Metallwägelchen vor sich hin. Im Erker stand ein großer Tisch aus rissigem, dunklem Holz. Davor befand sich ein Stuhl mit einem abgenutzten, gelben Überzug, und an der rechten Seitenwand fiel mein Blick auf eine erbsgrüne Bettcouch. Das Bett war nicht gemacht, und die Laken waren zerknittert und schmutzig. An der

Wand hinter dem Bett war ein Steinsims, auf dem eine Unmenge Fotos von einem jungen Mann in Uniform standen. Anschließend kam eine kleine Nische von der Größe eines Kleiderschranks, in der eine längliche Spüle und ein winziger Kühlschrank untergebracht waren, der ein konstantes, trübseliges Summen von sich gab. Die Wohnung war so klein, daß man sich zwischen der Bettcouch und dem Tisch kaum umdrehen konnte. Die Wände zierte eine verblichene, fleckige Streifentapete, die sich an der Decke an mehreren Stellen bereits zu lösen begann. Und überall roch es nach kaltem Essen, alten Kleidern und ungewaschenem Körper.

»Nicht gerade großartig, was?« entschuldigte sich Cratz, als er sich auf dem ungemachten Bett niederließ. »Als ich vorhin sagte, ich fände es ganz nett hier, dann dürfen Sie das nicht allzu ernst nehmen; das habe ich vor allem wegen George getan.« Er ließ seine wäßrigen Augen niedergeschlagen über den Raum gleiten. »Nach siebzig und ein paar Jahren ist das wirklich nichts, was man stolz vorzeigen könnte.«

»Übrigens, was George betrifft«, fing ich nun an; ich saß etwas steif auf der Kante des gelben Stuhles. »Er hat kein Wort von Cindy Ann erwähnt.«

»Woher haben Sie es dann gewußt?«

»Ich habe einfach nur geraten. So wie Sie sich verhalten haben, war das ja auch nicht allzu schwer rauszukriegen.«

Cratz starrte durch das große Fenster auf die sonnenbeschienene Rasenfläche draußen. »Ich muß die Birne an der Decke auswechseln. Aber seit ich den Herzinfarkt hatte, traue ich mich nicht mehr so richtig auf eine Leiter. Irgend etwas mit meinem Gleichgewichtsgefühl ist nicht mehr in Ordnung. Ich kann Ihnen sagen, und dabei war ich mal wendig wie eine Katze.« Hugo fuhr mit der Fußspitze über den verblichenen Teppich und sah zu mir herüber. »Es ist einfach eine Schande – so alt und so verdammt hilflos zu sein. Ich weiß das sehr wohl. Und ich weiß auch, daß Sie das die ganze Zeit denken. Man kommt in ein bestimmtes Alter, und mit einem Mal denken die Leute, die jüngeren, man hätte ausgelebt. Nicht einmal ein bißchen Appetit wird einem noch zugestanden. Iß schön dein Essen und vergiß nicht, dabei zu lächeln. Ab einem gewissen Punkt hat es plötzlich nur noch abwärts zu gehen. Wenn es nach den Leuten ginge, täte man am besten nichts anderes mehr, als sich auf das große Ende vorzubereiten – und zwar gefälligst so, daß man sich nach Möglichkeit alle Annehmlichkeiten versagt, die das

Leben so zu bieten hat. Verrückt! Als ob das die beste Methode wäre, sich in das Unvermeidliche zu fügen. Das können Sie mir glauben, ich bin noch keineswegs bereit für den Tod. Jede Nacht wache ich bei dem Gedanken daran schweißgebadet auf und stopfe mir das verdammte Laken in den Mund, um nicht laut loszubrüllen.« Cratz fuhr mit der Hand über das zerknitterte Leintuch. »Aber wenn dann sie da war«, er klopfte leicht auf die Matratze, »ging es mir gleich ein bißchen besser. Wissen Sie, wo der Mt. Storm Park ist?«

Ich nickte.

»Es ist nicht sonderlich weit von hier, und bevor ich den Herzinfarkt hatte, war das überhaupt keine Entfernung für mich. Einfach den Mount Olive runter und zur Park Road rüber. Es gab, glaube ich, keinen einzigen Nachmittag, an dem ich nicht mit George dort hin ging. Einfach, um irgend etwas zu tun. Und dort habe ich Cindy Ann kennengelernt. Sie lag auf dem Rasen und sonnte sich. Mann o Mann«, Cratz lächelte in sich hinein, »sie war vielleicht ein Anblick. Und außerdem war sie wirklich nett zu mir. Sie dachte nicht das Übliche, was sie vielleicht doch besser hätte denken sollen. Daß ich einfach auch nur einer von den alten Knackern war, die sie von Kopf bis Fuß mit den Augen abtatschten. Und das habe ich ja auch getan. Aber ihr kam so etwas gar nicht in den Sinn, dazu war sie einfach viel zu nett. Wir fingen ein Gespräch an, und sie lud mich ein, mich ein bißchen zu ihr zu setzen. George habe ich darauf heimgeschickt. Und so habe ich dann den Großteil dieses Nachmittags verbracht. Ich saß neben ihr auf diesem riesigen, gelben Badetuch und erzählte ihr mein Leben.

Es passiert nicht oft, daß man einen jungen Menschen trifft, zu dem man sich einfach so setzen und mit dem man sich auch unterhalten kann. Die meisten scheren sich einen Dreck um die Vergangenheit. Aber Cindy Ann war anders. Und sie hat mir auch nicht etwa irgend etwas vorgemacht. Ich kann Ihnen sagen, in dem Alter merkt man so etwas schneller, als einem oft selbst lieb ist. Aber ihr lag wirklich etwas an mir. Vielleicht war es das, daß sie aus zerrütteten Verhältnissen stammte und einfach so weit von zu Hause und ihren Freunden weg war; vielleicht brauchte sie deswegen jemanden, der ihr nicht gleichgültig war. Ich ging nun also jeden Tag in den Park. Sie wartete dort auf mich. Und es dauerte nicht lange, bis dieses Treffen das einzige war, worauf ich mich wirklich freuen konnte. Ich saß mit Cindy Ann im Park und erzählte ihr von früher – von der Army, vom Football und von meinem Sohn.

Und vor einem Jahr kam ich dann eines Tages in den Park, und sie war nicht mehr da. Ich kann Ihnen sagen, ich fühlte mich sterbenselend. Ich hatte keine Ahnung, was mit ihr war. Ob ihr etwas zugestoßen war, ob sie krank geworden war oder noch schlimmeres. Ich lieh mir Georges Wagen und fuhr den ganzen Nachmittag in Clifton herum, ob ich sie vielleicht nicht doch irgendwo sehen würde. Als ich nach Hause kam, fühlte ich mich wirklich wie ein alter Mann, und ich will verdammt sein, wenn sie da nicht tatsächlich auf der Treppe zur Veranda saß und auf mich wartete! Ich glaube, das war der schönste Anblick meines Lebens – dieses Mädchen, wie es da auf der Treppe saß, neben sich eine kleine Tasche mit ihren Kleidern und sonstigen Habseligkeiten.

Ich weiß bis heute noch nicht, warum sie zu mir gekommen ist. Ich dachte damals eben, daß sie eine Bleibe brauchte, und deshalb bot ich ihr an, daß sie auf der Couch schlafen könnte. Und sie war damit einverstanden.

Und dann haben wir ein ganzes Jahr lang zusammengelebt; das war vielleicht ein Jahr.« Auf seinem Gesicht breitete sich ein verklärtes Lächeln aus. »Und ich habe ihr gleich zu Anfang gesagt, sie sollte mir auf jeden Fall sagen, wenn sie weggehen wollte, damit ich nicht wieder so einen Nachmittag zu durchleben hätte wie damals, als sie nicht in den Park gekommen war. Und das hat sie mir dann auch ganz fest versprochen. Deswegen bin ich doch jetzt auch so beunruhigt; ich bin ganz sicher, daß ihr etwas zugestoßen ist. Sie hat sich mit keinem Wort von mir verabschiedet, und so etwas hätte Cindy Ann nie getan. Sie war sehr gut zu mir. Sie sorgte für mich, hat für mich dieses Drecksloch in Schuß gehalten.«

Cratz begann zu weinen; die Tränen rollten ihm über die Backen und tropften schwer auf den Teppich. »In meinem Alter sollte man sich wohl nicht mehr verlieben«, schluchzte er los. »Man sollte sich wohl bei allem möglichst raushalten. Warum auch? Es ist ja sowieso bald alles vorbei. Man steht ja schon mit einem Bein im Grab. Na ja, das ist eben vielleicht mein Fehler.« Er schluckte und putzte sich seine rote Nase. »Sie sehen ja selbst, ich hab' sie zu nichts gezwungen oder überredet. Sie kam aus völlig freien Stücken zu mir. Und ich – ich habe einfach nicht genügend –, es ist einfach nicht fair, daß sie sie mir weggenommen haben. Ja, das ist einfach eine Gemeinheit.«

»Wen meinen Sie mit ›sie‹, Mr. Cratz?«

»*Sie!*« Seine Stimme nahm einen haßerfüllten Ton an, und er deutete mit einer wütenden Geste auf die Fenster. »Sie! Sie! Diese verdammten, herzlosen Scheißkerle, die sich ihre Freunde nannten. Von denen rede ich!«

3

Ich wußte genau, was sie sagen würde. Ich wußte das, weil ich wußte, daß Hugo ein müder, alter Mann am Ende seines Weges war. Vielleicht wollte ich es sie auch nur sagen hören, um mir selbst keine Vorwürfe machen zu brauchen, nicht alles für den guten, alten Hugo versucht zu haben. Wenn Laurie B. Jellicoe vielleicht in der Lorraine oder Newman Street gewohnt hätte, und nicht zwei Häuser die Straße runter auf der anderen Seite der Cornell, ich hätte das Ganze einfach als einen Schlag ins Wasser abgetan. So etwas kommt immer einmal vor. Es gibt genügend Männer wie Hugo Cratz, nur bekommen wir sie normalerweise nicht zu Gesicht, wenn sie nicht gerade an einer windigen Straßenecke neben einem rostigen Teerfaß Zeitungen verkaufen. Wenn es vielleicht nicht so drückend heiß gewesen wäre, daß ich mir mein Jackett über den Arm geworfen hatte, ich hätte mir die Sache mit Hugo Cratz möglicherweise etwas näher durch den Kopf gehen lassen. Vielleicht hätte ich eher den scheinheiligen alten Heuchler in ihm gesehen, den Mythos einer Cindy Ann X. am Leben zu erhalten, einer Cindy Ann, die offensichtlich gefallen war und sich treiben ließ, wenn mich der Eindruck nicht ganz täuschte, den sie auf einem abgegriffenen Foto machte, das mir Cratz gezeigt hatte, bevor ich mich auf die Suche nach ihr machte. Eine sechzehnjährige Blondine mit vorspringenden Zähnen, noch ein halbes Kind mit einem bläßlichen, schmalen Gesicht, dem ein gewisser gieriger Ausdruck nicht abzusprechen war. Vermutlich saß sie gerade fünf Staaten weiter auf dem Sozius eines Motorrads und klammerte sich an den Gürtel ihres Entführers, als wäre er das Leben selbst. Ja, so war es vermutlich gewesen. Sie hatte ihren PS-Ritter irgendwo im Reflections oder im Dome kennengelernt, Gefallen an ihm gefunden und dann bye, bye Hugo Cratz.

Als ich an jenem Nachmittag nun jedoch im Schatten der Bäume auf das zweistöckige Apartmenthaus zuging, auf das Hugo Cratz mit zitternder Hand gedeutet hatte, als wiese er mir den Weg zum Altar des Baal, ging mir nur eines durch den Kopf, und das war die Wohnung des alten Mannes und diese Altmännergerüche, die seinen unaufhaltsamen, fortgeschrittenen Verfall bezeugten. Es gab Nächte, in denen es in meiner Wohnung nach demselben Tod roch, den Hugo mit aller Macht aus seinem Leben zu lügen versuchte. Aber nachdem ich mir seine Geschichte angehört und gesehen hatte, wie er lebte, brachte ich es einfach nicht übers Herz, ihm zu sagen, daß das Ganze hoffnungslos war.

Also trottete ich über die Straße und auf den Eingang von 130 g zu. In der Eingangshalle mit den Messingbriefkästen fuhr ich mit dem Finger über die Namensschilder, bis ich zu *Jellicoe* kam. Nummer vier. Ich stieg zum zweiten Stock hoch, und ich weiß nicht, ob es schiere Gewohnheit war oder einfach der auffällige Kontrast zu Cratz' Unterkunft, jedenfalls bemerkte ich den leichten Geruch von Putzmitteln auf den frisch gebohnerten Fußböden, den matten Glanz des Holzes des Treppengeländers und den gerahmten Druck eines Segelschiffs, der in der Eingangshalle hing. Es war ein ebenso hübsches wie teures kleines Apartmenthaus, und Laurie B. Jellicoe schien, als sie die Tür öffnete, eine nette, intelligente junge Frau zu sein.

»Ja, bitte?« empfing sie mich mit einer hauchigen Kleinmädchenstimme. »Kann ich Ihnen helfen?«

Ich unterzog sie einer eingehenden Prüfung und stutzte. Groß, ungefähr fünfundzwanzig, geschmackvoll gekleidet und mit einem sympathischen Farrah-Fawcett-Gesicht, eingerahmt von einer gewaltigen Mähne aschblonden Haares, sah Laurie Jellicoe so ungefähr wie der letzte Mensch aus, den ich mir mit jemandem wie Cindy Ann befreundet vorstellen konnte.

»Also, was ist?« Sie wurde allmählich ungeduldig.

»Tja...« Ich geriet ins Stocken. »Sie sind wirklich eine attraktive Frau.«

Sie nickte kaum merklich.

»Das ist vermutlich nichts Neues.«

»Allerdings. Also was wollen Sie eigentlich?« Ihre Stimme nahm einen leicht aggressiven Ton an. »Wenn Sie irgend etwas verkaufen...«

»Nein, nein, ich verkaufe nichts. Ich arbeite für Hugo Cratz; ich bin Privatdetektiv.«

Laurie Jellicoes Augen weiteten sich und ihr Arm glitt den

Türrahmen herab wie eine Schlange einen Baum. »Ist das noch zu fassen?« Sie platzte förmlich heraus vor Lachen. »Er läßt einen Privatdetektiv für sich arbeiten?«

Ich errötete leicht.

»Hey, Lance«, rief Laurie über ihre Schulter ins Wohnzimmer zurück. »Der alte Cratz hat sich einen Privatdetektiv genommen. Was sagst du dazu?«

Darauf folgte ein fürchterliches Quietschen, als wendete ein Panzer, und dann wurden in regelmäßigen Abständen die Fußbodenbretter erschüttert. Die Tür flog auf, und Lances Silhouette verdunkelte den Eingang. In der vollen Pracht seiner zwei Meter stand er im Türrahmen. T-Shirt, Blue jeans und Cowboy-Stiefel, deren Spitzen sich nach oben kringelten wie die Zehen einer Hexe, und dazu ein Gesicht wie eine Woche Sonnenschein. Laurie Jellicoe tätschelte ihm beruhigend den Rücken und sagte mit einem belustigten Ton in der Stimme: »Immer mit der Ruhe, Liebling.«

Lance war ein blonder Riese, mit seiner langen Nase und dem mächtigen, eckigen Kinn der typische Texas-Boy. Männer seiner Größenordnung gibt es nicht allzu viele, und während ich vor der Tür in seinem Schatten stand, fiel mir auch wieder ein, daß ich ihn schon einmal gesehen hatte. Das war auf der University Plaza gewesen, und er war damals auf den Nautilus Health Club zugeschlendert. Ich hatte mir bei Walgreens gerade Zigaretten geholt, und bekam deshalb mit, wie der gute Lance beinahe den halben Laden leerte. Verkäuferinnen und Kundinnen drängten sich an das Fenster zur Straßenseite, um ihn vorbeigehen zu sehen. »Das ist vielleicht ein Kerl!« flüsterte eine Verkäuferin einer Kollegin zu, die einen leisen, zustimmenden Pfiff hervorstieß.

Und Lance war in der Tat ein Brocken von einem Mann, mit dem man sich am besten nicht anlegte – vor allem, wenn man auch sein dummes, ausdrucksloses Netter-Junge-Gesicht sah, das um die Augen einen recht brutalen und berechnenden Ausdruck hatte.

»Sie sagen, Sie arbeiten für diesen abgeschlafften, alten Scheißbollen?« dröhnte er mich in seinem Südstaaten-Bariton an. »Wer verdient auf diese Weise schon sein Geld? Jedenfalls sicher niemand, mit dem ich was zu tun haben möchte.«

»Warum fragen Sie eigentlich, wenn Sie die Antwort sowieso schon wissen?«

Lance holte einmal tief Atem, und ich schwöre, daß ich hören konnte, wie sich sein T-Shirt dehnte.

»Geh schon mal nach drinnen, Schatz«, schaltete sich Laurie wieder ein. »Überlaß das ruhig mir.«

Lance warf mir einen verdammt grimmigen Blick zu und tippte mit einem Finger von der Größe einer Zwei-Dollar-Zigarre auf meine Brust. »Bis dann also«, verabschiedete er sich kurz. Er schaffte es jedoch, in diese drei Worte ein solches Maß an Bedrohlichkeit zu packen, daß ich es lieber bleiben ließ, ihn noch einmal dumm anzureden. Er tätschelte Laurie den Rücken und rumpelte wieder ins Wohnzimmer zurück.

Laurie beobachtete erst seinen Rückzug und wandte sich dann wieder mir zu. »Hören Sie zu«, sagte sie wieder in ihrer Kleinmädchenstimme. »Sie haben gar keine Ahnung, was Ihnen da eben um Haaresbreite entgangen ist.«

»Oh, ich glaube, da unterschätzen Sie meine Vorstellungskraft ein bißchen zu sehr.«

»Nein, das tue ich keineswegs.« Sie taxierte mich mit einem abschätzenden Blick und lächelte kühl. »Er hätte Sie zerquetscht wie eine Ameise.«

Mir war es bis dahin nicht aufgefallen. Die Kleidung, das kleinmädchenhafte Aussehen und die leicht furchtsame, hauchige Stimme hatten mich gar nicht merken lassen, daß auch Laurie nicht gerade von schlechten Eltern war. Kräftig gebaut, mit großen Brüsten, langen, gut geformten Beinen und einem herrlich gerundeten Hintern, der sich unter ihrer maßgeschneiderten Hose deutlich abzeichnete, paßte sie recht gut zu Lance. Ich fand einfach, daß sie ihm wirklich in nichts nachstand. Pause. Sie bemerkte den gewissen Blick in meinen Augen – Mädchen von ihrer Statur entgehen solche Blicke nie – und schüttelte nur den Kopf. Nein.

»Schlagen Sie sich das am besten auf schnellstem Weg wieder aus dem Kopf«, sagte sie mit einem leichten Lächeln.

»Haben Sie schon mal gehört, daß ein Mann bloß wegen einer kleinen Träumerei umgebracht worden ist?«

»Da kennen Sie Lance nicht.« Sie warf einen kurzen Blick in das Wohnzimmer zurück. »An einem anderen Ort, in einem anderen Leben wäre das vielleicht etwas anderes.«

»Na ja, zumindest werde ich das als ein Kompliment auffassen.«

»Was sollen Sie eigentlich für Cratz rausfinden?« kam Laurie nun wieder zur Sache und lehnte sich gegen die Tür. »Wo wir Cindy Ann verstaut haben?«

Ich nickte. »Ja, genau.«

Für einen Augenblick lang sagte sie nichts. Sie starrte mich nur mit einem mitleidigen Blick in ihren blauen Augen an. »Sehen Sie, Mr....«, fing sie schließlich an.

»Stoner. Sagen Sie ruhig Harry.«

»Sehen Sie, Harry«, setzte sie also neuerlich an. »Während der letzten paar Tage war schon zweimal die Polizei hier. Außerdem ruft uns Cratz seit Montag buchstäblich jede Stunde an. Vielleicht wundert es Sie dann nicht allzusehr, daß uns das Ganze allmählich ein bißchen zum Hals heraushängt. Ich kann Ihnen sagen, daß ich mir inzwischen wirklich wünsche, ich hätte dieses Mädchen nie kennengelernt.«

»Waren Sie beide befreundet?«

Laurie Jellicoe zuckte die Achseln. »Ja, ich würde schon sagen. Wir gingen gemeinsam in den Waschsalon und zum Einkaufen. Wenn Sie mich fragen, sie hatte es, glaube ich, auf Lance abgesehen.« Laurie fuhr sich mit ihrer gebräunten Hand durch das blonde Haar. »Wissen Sie, sie tat mir leid. Sie kam aus zerrütteten Verhältnissen. Und dann das Leben, das sie führte. Sie war eine von diesen kleinen Ausreißerinnen, von denen man weiß, daß sie früher oder später bis über den Hals in der Klemme stecken. Sie sah wie ein potentielles Opfer aus; wissen Sie, was ich meine? Sie war so bleich, daß ihre Augen das einzige Farbige in ihrem Gesicht waren. Und dürr war sie, und natürlich auch fürchterlich schüchtern und naiv. Eigentlich konnte sie ja noch von Glück reden, daß sie an Cratz geraten war. Der hat sie zumindest nicht körperlich mißbraucht, was natürlich nicht heißen soll, daß er das nicht getan hätte, wenn er dazu in der Lage gewesen wäre.« Laurie schnitt eine Grimasse. »Ich finde ihn einfach unangenehm, wissen Sie. Er ist so schmutzig und unappetitlich. Kein Wunder, daß sie keine Lust mehr hatte, bei ihm zu bleiben. Vor allem nach seinem Herzinfarkt. Immer seinen Saustall aufräumen. Sogar füttern mußte sie ihn. Schon allein bei dem Gedanken daran wird mir ganz schwunkelig.« Bei dem letzten Wort erschauderte sie merklich.

»Schwunkelig?« fragte ich.

»Ach, das ist ein Wort, das meine Großmutter immer sagte.« Laurie lächelte gequält. »Wissen Sie, aber eigentlich habe ich das alles schon der Polizei erzählt. Wollen Sie wirklich, daß ich das Ganze noch einmal durchgehe?«

»Ja, bitte.«

»Also gut. Letzten Sonntag kam Cindy Ann auf einen Sprung zu

mir rüber. Sie erzählte mir, daß sie irgendeinen Typen kennengelernt hatte – wen, weiß ich nicht. Irgend so ein Motorradtyp aus
Norwood, der bei General Motors am Fließband arbeitet. Sie hatte
ihn bei irgendeiner Tanzveranstaltung kennengelernt und sich
wohl Hals über Kopf in den Burschen verliebt. Und nun wußte sie
natürlich nicht, was sie mit dem alten Cratz machen sollte. Ich
konnte sowieso nie verstehen, weshalb sie sich überhaupt so viel
aus ihm machte. Jedenfalls mußte er auch eine anständige Seite
gehabt haben, daß sie ihn nicht so einfach im Stich lassen wollte. Sie
kam zu mir rüber, um mit mir über die Sache zu reden. Von Frau zu
Frau, verstehen Sie? Sie war ein bemitleidenswertes, armes, kleines
Ding, und sie sah zu mir immer wie – na ja – zu einer Art Autorität
auf. Wegen Lance und überhaupt. Na ja, wir unterhielten uns
eben, und sie meinte, sie hätte Angst, Cratz könnte durchdrehen,
wenn er herausbekam, daß sie mit einem jungen Burschen durch-
gebrannt war. Der Alte war nämlich ganz schön eifersüchtig,
müssen Sie wissen. Und deshalb habe ich ihr auch vorgeschlagen,
sie sollte ihm erzählen, sie würde nach Hause fahren, um ihre
Familie wieder einmal zu besuchen, und die Nacht vor der Abreise
noch bei uns übernachten. Wissen Sie, Lance hat nämlich einen
Wagen, und sie sollte Cratz erzählen, daß er sie so gegen Mitternacht zum Bus bringen würde. Das war an sich nichts Außerge-
wöhnliches. Sie war schon öfter über Nacht bei uns geblieben; wir
redeten ein wenig und hörten Musik. Na ja, sie erzählte also Cratz
von ihrem Vorhaben und kam Sonntag nacht zu uns rüber. Gegen
elf Uhr tauchte dann so ein junger Typ auf einem schweren
Motorrad auf, und mit dem ist Cindy Ann dann weggefahren.
Bevor sie fuhr, sagte sie mir noch, ich sollte Cratz, wenn er nach ihr
fragte, sagen, daß sie sich mit ihm in Verbindung setzen würde,
sobald sie dazu in der Lage sei. Und sie weinte auch ein bißchen.
Wir umarmten und küßten uns zum Abschied. Ja, und das war's
dann.«

»Sie haben sie seitdem also nicht mehr gesehen?«

Laurie nickte. »Cratz glaubt, daß wir sie verschwinden haben
lassen. Ich schätze, daß das vor allem darauf zurückzuführen ist,
daß ich ihr dieses Lügenmärchen eingeredet hatte, sie würde ihre
Eltern besuchen. Jedenfalls hat er sich irgendwie ihre Nummer in
Sioux Falls besorgt, und die hatten natürlich kein Sterbenswörtchen von ihr gehört. Abgesehen davon interessierten sie sich auch
nicht sonderlich dafür, wie es Cindy Ann so ging und was sie

gerade machen könnte. Eine saubere Familie, kann ich da nur sagen. Na ja, und er hat nun natürlich gleich die Polizei verständigt und auch gleich erzählt, daß wir sie entführt hätten! Also das war wirklich die Höhe! Am Montag morgen stand dann jedenfalls ein kleiner, fetter Mann vor der Tür und fing an, alle möglichen Fragen über Cindy Ann zu stellen. Als wir schließlich merkten, was eigentlich anlag, haben wir ihm dann eben die ganze Geschichte erzählt, wie es sich zugetragen hat. Aber Cratz wollte sich damit einfach nicht zufriedengeben. Er ist ein kranker, alter Mann – nicht ganz richtig im Kopf. Bei dem Herzinfarkt muß wohl sein Gehirn leicht in Mitleidenschaft gezogen worden sein. Jedenfalls hat er am Dienstag neuerlich die Polizei angerufen. Und seitdem läßt er weder der Polizei noch uns Ruhe. Allmählich nimmt das Ganze wirklich Ausmaße an. Lance und ich sind Montag und Dienstag zu spät zur Arbeit gekommen, und die Polizeiautos, die jetzt ständig vor unserem Haus rumstehen, sind natürlich für unseren Ruf auch nicht gerade förderlich. Und jetzt kommen auch noch Sie daher!«

»Laurie!« Aus dem Wohnzimmer ertönte Lances Stimme.

»Hören Sie bitte«, sagte Laurie hastig, »ich muß jetzt gehen, bevor es noch Schwierigkeiten gibt. Und seien Sie doch bitte so gut und erzählen Cratz die Wahrheit, ja? Sehen Sie zu, daß er uns glaubt. Bitte. Ich muß jetzt gehen.«

Sie wandte sich rasch von mir ab und schloß die Wohnungstür.

Als ich mit Laurie Jellicoe fertig war, ging es bereits auf sechs Uhr. Außer Lance hatte mich an dem Ganzen nichts sonderlich überrascht. Sie hatte mir genau das erzählt, was ich erwartet hatte, und ließ mich nun mit der unangenehmen Aufgabe zurück, Hugo Cratz davon zu überzeugen, daß Cindy Ann eben mit einem anderen Mann abgehauen war.

Und das alles für lausige achteinhalb Dollar, dachte ich bei mir, während ich unter den Bäumen wieder zurückging und an der Straßenecke wartete, bis eine weißhaarige, alte Frau ihren Dodge in die enge Garageneinfahrt manövriert hatte. Aber schließlich war mir ja von Anfang an klar gewesen, worauf ich mich da einließ, als ich nachmittags nach Clifton rausgefahren war. Dank Meyer und Cox hatte ich auf die schnelle ein recht hübsches Sümmchen eingestrichen, und darauf bedurfte es natürlich eines Hugo Cratz, um das Pendel wieder ein bißchen ins Lot zu bringen. Mehr nicht. Einfach ein Fall, den ich schlechtweg nicht ablehnen kann, ohne ein schlechtes Gewissen zu bekommen. Das passiert so ungefähr jedes halbe Jahr, entweder nach einem besonders unangenehmen oder nach einem besonders einfachen Fall. Na ja, und ich übe mich dann eben ein bißchen in tätiger Nächstenliebe. Zu diesem Zeitpunkt sollte ich allerdings noch nicht ahnen, daß ich mir für Hugo Cratz schon fast die Anwärterschaft auf einen festen Platz im Himmel sichern würde.

Er erwartete mich bereits auf der Veranda, hohlwangig, die Augen gerötet und begierig zu erfahren, was mir Laurie Jellicoe erzählt hatte. Ich dachte schon, er erwartete von mir, daß ich sie in die Ecke getrieben und die Wahrheit aus ihr herausgeprügelt hätte. Gar keine so schlechte Idee – vor allem mit Lance im Hintergrund. Seltsamerweise schien Cratz jedoch keineswegs überrascht, als ich im Wort für Wort berichtete, was Laurie erzählt hatte. Er schüttelte nur den Kopf und sagte: »Und das glauben Sie auch noch?«

Ich biß in den sauren Apfel und antwortete: »Ja.«

Hugo lehnte sich in seinem Stuhl zurück und dachte einen Augenblick lang nach. »Was würden Sie davon halten, wenn ich Ihnen sage, daß ich Lauries Haus beobachtet habe – und zwar von dem Zeitpunkt an, als Cindy Ann hier weggegangen ist, bis Tagesanbruch am Montag morgen. Und ich habe während der ganzen Zeit niemanden auf einem Motorrad vorbeikommen gesehen.«

»Heißt das, daß das tatsächlich so war?«

»Allerdings.«

Ich stieß einen Seufzer aus. »Dann muß ich Ihnen allerdings sagen, daß ich Ihnen unmöglich glauben kann, Hugo. Welchen Grund sollte Laurie Jellicoe haben, Cindy Ann zu entführen?«

»Sie haben sie mißbraucht«, stieß er hervor. »Für ihre verdammten Sexorgien. Jetzt wissen Sie's.«

»Jetzt bleiben Sie mal auf dem Teppich, Hugo.«

»Sie glauben mir also nicht?« Seine Stimme hatte sich wieder beruhigt. »Na bitte, dann warten Sie eben einen Moment.«

Er ging ins Haus und kam etwa zwei Minuten später mit einer braunen Schuhschachtel unter dem Arm wieder heraus. »Haben Sie sich diese Laurie auch gut angesehen, als Sie bei ihr drüben waren?«

Ich nickte.

»Sieht nicht schlecht aus, was?« Hugo lächelte, und dabei kamen seine wenigen schlechten Zähne zum Vorschein. »Weshalb glauben Sie wohl, daß ich Sie da rüber geschickt habe? Glauben Sie vielleicht, ich hätte erwartet, Sie kämen an diesem Bäumchen vorbei, das sie sich im Wohnzimmer hält?«

»Meinen Sie Lance?« fragte ich. Dieses plötzliche Getue schmeckte mir überhaupt nicht. Ein hintertriebener und gerissener Hugo Cratz war eine ganz andere Sache als der vergrämte, sentimentale alte Mann, auf den ich mich dummerweise eingelassen hatte. Mir war schon bei unserem ersten Gespräch am Telefon klar gewesen, daß man ihm nicht trauen konnte; damals erschien mir sein Verhalten allerdings einfach als ein plumper, leicht durchschaubarer Trick, dessentwegen ich mir keine weiteren Gedanken zu machen brauchen glaubte. Aber diese neue Seite an ihm beunruhigte mich. Für einen äußerst unangenehmen Augenblick lang hatte ich das Gefühl, Hugo Cratz hätte bereits von Anfang an sein Spielchen mit mir gespielt.

»Sehen Sie sich das mal an.« Er reichte mir den Schuhkarton.

Ich nahm den Deckel ab und sah hinein. Das Licht der Dämmerung reichte immer noch aus, um das Gesicht des Mädchens auf den Fotos erkennen zu können. Es war Cindy Anns Gesicht. Ich sah sie mir gar nicht erst alle an. Zu sehr glich auf bedrückende Weise eines dem anderen. Sie waren mit einer Polaroid-Kamera aufgenommen, die meisten bei Zimmerbeleuchtung, einige auch mit Blitz, und auf diesen leuchteten Cindy Anns nackte, blaue Augen in einem dämonischen Rot auf. An ihrem Körper war nicht allzuviel dran. Sie war kaum mehr als Haut und Knochen; die Rippen traten ihr deutlich hervor, und ihre mädchenhaften, kleinen Brüste hingen ihr bereits schlaff von ihrem bleichen Brustkorb. Auf den meisten Schnappschüssen waren Hände zu sehen, die nach ihr griffen, sie betatschten. Grazile Hände mit rot lackierten Fingernägeln, und kräftige, behaarte Pranken. Sie hielten Zigaretten, Stecknadeln und auf einer Aufnahme auch eine Sicherheitsnadel. Und Cindy Anns Augen legten ausnahmslos einen glasigen und verschreckten Ausdruck an den Tag. Als merkte sie gar nicht, was um sie herum vorging, starrte sie voll in die Kamera; man hatte den Eindruck, als hätte sie für einen Studiofotografen posiert, der vor keiner Aufnahme vergaß, »Bitte recht freundlich!« zu sagen. Ich klappte die Schachtel wieder zu und schob sie Cratz zurück. Er lächelte immer noch sein mieses, falsches Lächeln.

»Wo haben Sie die denn her?« sagte ich heiser.

»Gefunden. Nachdem Sie weggegangen war.«

»Warum zum Teufel haben Sie mir das denn nicht gleich gezeigt?« Ich merkte, wie eine fürchterliche Wut in mir hochstieg. Der kleine Adrenalinstoß ließ mich die Zähne zusammenbeißen und mit der Faust auf die Lehne meines Gartenstuhls eindreschen. »Was ist denn das wieder für ein Spielchen?«

»Ich wußte nicht, ob ich Ihnen trauen kann«, entgegnete Cratz. »Ich wollte, daß Sie sich erst die beiden netten Vögel da drüben ansehen. Daß Sie sich ihre Lügengeschichten anhören. Daß Sie sie in dem Glauben lassen, Sie würden ihnen das alles glauben – diesen Mist, den sie auch der Polizei erzählt haben.«

»Haben Sie das hier«, ich deutete auf den Schuhkarton, »auch der Polizei gezeigt?«

Cratz runzelte die Stirn und blickte mich mit einem Ausdruck echter Enttäuschung an. »Ich *liebe* sie«, zischte er zwischen den Zähnen hervor. »Haben Sie das denn noch immer nicht kapiert, mein Junge? Glauben Sie wirklich, ich würde diese Bilder jemandem zeigen, dem ich nicht traue? Außerdem würden die beiden einfach behaupten, sie wüßten nichts von dem Ganzen. Diese Kameras kosten ja kaum mehr als zwanzig Dollars. Und ich habe auch noch einen anderen Grund dafür. Ich will nicht, daß diese miesen Typen davon wissen. Ich will nicht das geringste Risiko eingehen, bis Cindy Ann nicht wieder bei mir zurück ist. Wenn die spitz kriegen, daß ich diese Bilder habe, könnten sie ja vielleicht ein bißchen nervös werden und irgendeine Dummheit machen. Und darauf möchte ich es auf keinen Fall ankommen lassen.«

»So ist das also.« Ich konnte meine Verblüffung nicht verhehlen. »Sie haben mich also reingelegt, Hugo.«

»Ja, das habe ich; das kann man wohl sagen.«

Er lächelte scheu und fuhr sich mit der Zunge über die Lippen. »Sie haben gedacht, ich wäre ein wehleidiger, alter Jammerlappen, was? Genau das denkt übrigens George über mich. Er ist deswegen auch keineswegs gut auf Cindy Ann zu sprechen. Er glaubt, sie hätte mich zum Narren gehalten. Na ja, soll er denken, was ihm Spaß macht. Tatsache ist nur, daß ich weiß, was da vor sich geht. Bei diesen beiden schrägen Vögeln dort drüben geht es alles andere als mit rechten Dingen zu. Sie ist immer so elegant angezogen, und er macht ja auch nicht gerade einen schlechten Eindruck; es ist also kein Wunder, daß Cindy Ann auf die beiden hereingefallen ist. Ich kann ihr daraus keinen Vorwurf machen. Ich bin eben nicht mehr zwanzig, wenn ich auch noch nicht ganz weg vom Fenster bin. Sie können das ruhig vergessen, was ich Ihnen da so erzählt habe – von meinen Gefühlen für sie und so. Ich möchte nur, daß Sie sich im klaren darüber sind, daß ich kein Idiot bin. Ich war nicht umsonst gute zwanzig Jahre bei der Army. Für die Leute spiele ich natürlich Theater, heule ihnen ein bißchen was vor; genau das, was sie haben wollen. Aber es ist natürlich nicht nur Theater. Beileibe nicht. Ich brauche nur an diese Fotos zu denken, und es zerreißt mir das Herz. Aber ich wollte, daß Sie sich im klaren sind, daß Sie auf mich zählen können – nachdem ich Sie mir näher angesehen hatte und zu der Überzeugung gelangt war, daß Sie in Ordnung sind!

Ich will auf keinen Fall, daß sich die Polizei in den Fall einmischt.« Seine Stimme nahm einen eindringlichen Ton an. »Ich habe sie nur verständigt, um den beiden ein bißchen Angst zu machen. Sie sollen sich ruhig ein bißchen beobachtet fühlen. Diese beiden schrägen Vögel sollen mir nicht ungeschoren davonkommen. Ich will aber auf *keinen* Fall, daß jemals irgend jemand etwas davon erfährt, was sie meiner Kleinen angetan haben. Ist das ein Angebot?«

Ich könnte nicht sagen, daß ich mir das Ganze wirklich überlegt hätte. Mir war gerade nicht nach Denken. Das ist natürlich keine Art, wenn man einen so gefährlichen Beruf hat wie ich. Aber diese Fotos hatten etwas in mir angesprochen – etwas tief Verschüttetes; sie hatten den strengen Moralisten in mir wachgerufen, der irgendwo in mir verborgen ruht und sich mit seinem ironischen Gewäsch über meine Klienten lustig macht. Wie der Komiker, der nach links und rechts seine Hiebe austeilt, ist er von einer tiefen Sentimentalität geprägt; immer hat er irgendwelche Ausflüchte parat, wie gut doch all seine Sticheleien gemeint sind. Und ähnlich dem Komiker ist sein Gelächter genauso falsch wie seine Ausflüchte und Entschuldigungen. Letztlich ist da nur Wut, eine alles umspannende Wut, die sich auf alles stürzt, was nur den geringsten Makel der Unvollkommenheit an sich hat. Und dies ist auch der Grund, weshalb dieser Zug die meiste Zeit im verborgenen bleibt. Er ist ein wilder Zyniker von kindlicher Heftigkeit – alle Moralisten und Komiker sind das. In einer anderen Stadt, mit einer anderen Beschäftigung, die ihn sich nicht gelegentlich einmal austoben ließe, brächte er mich sicher des öfteren in nicht unerhebliche Schererereien. Aber wenn Cincinnati für irgend etwas gut ist, dann dafür, den Teufel in einem verkappten Puritaner wachzurufen. In dieser Stadt laufen zu viele Steine des Anstoßes herum – zu viele

von ihnen, mit zu viel Macht. Was billige, gefühlsduselige Sentimentalität angeht, machen Sie einem echten Cincinnati-Moralisten
nichts vor. Ich mag diese Stadt; sie ist gut für mein seelisches
Gleichgewicht.

Aber es liegt mir auch im Blut. Und während ich also auf dieser
Veranda saß und so tat, als wären Banalitäten wie eine behütete
Kindheit und eine glückliche Jugend ebenso real wie der Stuhl, auf
dem ich gerade saß, da war ich ganz der Cincinnati-Puritaner, wie
man ihn sich rachsüchtiger und entschlossener nicht vorstellen
kann. Die Jellicoes hatten es mir wirklich angetan; ich kochte
innerlich. Ob Cindy Ann sich ihrem kleinen Zirkus *freiwillig*
angeschlossen hatte, ob sie lieber wieder ausgestiegen wäre, das
alles interessierte mich in diesem Augenblick herzlich wenig.
Eigentlich konnte ich nur an eines denken: Die beiden sollten mir
nicht ungeschoren davonkommen. Und Hugo Cratz sollte seine
›Kleine‹ wieder zurückbekommen.

»Ja«, sagte ich zu Hugo Cratz. »Das ist ein Angebot.«

4

Wir blieben noch eine halbe Stunde auf der Veranda sitzen; um uns
herum wurde es allmählich dunkel, und von den Dächern der
Häuser gurrten die Tauben zu uns herab. Allmählich fing der
Detektiv in mir an, seine Fragen zu stellen, die Fragen eines
Schuljungen, gespickt mit unzähligen ›Wers‹, ›Warums‹ und
›Wozus‹.

Bei Einbruch der Nacht konnte ich mir dann ein ungefähres Bild
der Ereignisse machen, die zum Verschwinden Cindy Ann Evans
geführt hatten – ich hatte von Hugo erfahren, daß sie Evans mit
Nachnamen hieß. Er erzählte mir auch, daß es durchaus vorkam,
daß das Mädchen mit den Jellicoes zusammen war und auch bei
ihnen übernachtete. In diesem Punkt hatte Laurie Jellicoe also die
Wahrheit gesagt. Nur war Cindy Ann nie länger als eine Nacht
geblieben und hatte auch Hugo immer Bescheid gesagt, wann sie
wieder zu ihm zurückkommen würde. Und das hieß, daß mir
Laurie Jellicoe nicht die ganze Wahrheit gesagt hatte. Wie sich
herausstellen sollte, allerdings auch nicht Hugo Cratz.

Hugo hatte nämlich während seiner Nachtwache doch jemanden
aus dem Haus der Jellicoes gehen sehen. Der gelbe Kombi der

beiden war Sonntag abend gegen sechs Uhr weggefahren und am nächsten Morgen etwa um sieben Uhr wieder zurückgekommen. Ob sich freilich Cindy Ann darin befunden hatte, als er weggefahren oder wieder zurückgekommen war, konnte mir Hugo nicht sagen.

»Sie haben die verdammte Kiste hinter dem Haus abgestellt«, schimpfte er. »Wenn ich nur ein bißchen auf Draht gewesen wäre, wäre ich auf der Stelle rüber, als ich sie losfahren sah.«

»Machen Sie sich deswegen mal keine Vorwürfe«, beruhigte ich ihn. »Daß Sie nicht auf Draht gewesen wären, könnte man von Ihnen wirklich nicht behaupten.«

Er kicherte leise in sich hinein. »Wissen Sie, mit den beiden ist es schon eigenartig. Sie machen den Eindruck, als wären sie nicht allzuoft zu Hause. Das war das erste, was mich an den beiden ein wenig stutzig machte, und dann natürlich der eigenartige Eindruck, den Cindy Ann machte, wenn sie von ihnen nach Hause kam.« Er legte seine faltige Hand an den Mund und senkte seine Stimme, als wären wir zwei alte Männer, die auf einer Parkbank Geheimnisse austauschten. »Ich würde mich nicht wundern, wenn sie bei ihnen Marihuana geraucht hätte. Sie hatte manchmal so glasige Augen und redete etwas eigenartig. Außerdem hatte sie Einstiche an den Armen.«

Großartig, dachte ich bei mir. Nicht nur eine Prostituierte, sondern auch noch eine Süchtige. Wirklich nette Leute, diese Jellicoes.

»Sie sagen, die beiden hätten sich nicht allzuoft in ihrer Wohnung aufgehalten?«

»Allerdings.« Er nickte mit dem Kopf in Richtung auf das Haus, in dem sie wohnten. »Soweit ich das bis jetzt mitbekommen habe, sind sie vielleicht maximal drei Tage in der Woche zu Hause.«

»Und wissen Sie, wo sie sind, wenn sie nicht zu Hause sind?«

Er schüttelte den Kopf. »Ich habe Cindy Ann ab und zu mit ihnen telefonieren gehört. Und dabei sagte sie manchmal ›Frankfurt!‹ oder ›Lexington!‹, als wäre das wirklich eine angenehme Überraschung für sie gewesen. Ich vermute, daß ihr Revier Kentucky ist, und zwar der ganze Staat. Fast so wie Handelsreisende in...‚«

Er begann um den Mund zu zittern. Ich tätschelte ihn beruhigend am Arm.

»Vorerst wissen wir noch nicht, was sie dort verkaufen. Vielleicht sind es auch wirklich nur die Bilder.«

»Glauben Sie wirklich?«

Er schüttelte traurig den Kopf. »Und ich dachte schon, ich hätte alles durchgemacht. Ich habe den Krieg miterlebt. Und ich habe auch einiges an Verderbtheit gesehen. Aber das«, er klopfte auf den Schuhkarton, »das ist einfach nicht mehr menschlich. Wie kann man einem Kind so etwas antun?«

»Ja, wie konnten sie das tun?« Ich fühlte, wie mir nach diesem langen Tag allmählich die Müdigkeit durch die Knochen schlich. »Wissen Sie, Hugo, diese Frage zu stellen, habe ich längst aufgegeben. Daran beißt man sich nur die Zähne aus. Stellen Sie sich doch nur einmal ein ausreichendes Maß an Verbitterung gegen die Welt vor, aus dem heraus sie zu Drückern, Manipulierern wurden, welche die Entbehrungen und Frustrationen ihrer eigenen Kindheit nun auf dem Rücken anderer auszutragen versuchen. Vielleicht genügt das, um die Jellicoes wenigstens bis zu einem gewissen Grad zu verstehen.«

»Da könnten Sie recht haben«, antwortete er nachdenklich. »Nur reicht dafür meine Nächstenliebe nicht ganz aus.« Er blickte mich erwartungsvoll an. »Sie – Sie werden also jetzt wohl auf sie losgehen, nachdem Sie wissen, wie es um die Sache wirklich steht?«

»Na ja, erwarten Sie sich lieber erst mal nicht allzuviel. Dank Ihres netten, kleinen Tricks, Hugo, wissen die beiden inzwischen nämlich, wer ich bin, was bedeutet, daß ich, wenn ich sie das nächste Mal wieder sehe, in der Lage sein möchte, mehr als nur irgendwelche vagen Anschuldigungen vorzubringen.«

»Na ja, aber Sie könnten sie doch erst einmal eine Weile beschatten, oder nicht?« Hugo wirkte leicht ungeduldig, und in diesem Moment wurde mir plötzlich klar, daß Hugo nicht nur beabsichtigte, mich in seine Dienste zu nehmen, sondern auch über mein Vorgehen zu bestimmen gedachte.

»Wie ich die Sache sehe, wäre es recht langwierig und teuer, die beiden zu beschatten, wobei am Ende keineswegs sicher wäre, daß uns das auf Cindy Anns Spur führt. Aber wir haben ja auch ein bißchen Glück gehabt. Wir haben ja bereits einen recht handfesten Beweis in Händen. Versuchen wir also, das Beste aus diesen Bildern zu machen. Versuchen wir herauszufinden, woher sie kommen und für wen sie bestimmt waren.«

»Von wem sollen sie schon kommen?« Seine Stimme nahm einen wütenden Tonfall an. »Von den Jellicoes natürlich.«

»Das ist anzunehmen. Aber die beiden müssen keineswegs die einzigen sein, die in die Sache verwickelt sind. Und es ist meines Erachtens alles andere als ratsam, sich auf ein Spiel einzulassen, wenn man noch nicht einmal seinen Gegenspieler kennt.«

»Setzen Sie sie einfach unter Druck.« Wie um das Gesagte zu unterstreichen, würgte Hugo mit beiden Händen an Lances imaginären Hals.

»Überlassen Sie das lieber mal mir, Hugo«, winkte ich ihn mit aller mir zur Verfügung stehenden Überzeugungskraft ab. »Sie haben es sich einige Anstrengungen kosten lassen, mich in diesen Fall hineinzumanövrieren. Aber jetzt übertreiben Sie's mal nicht und versuchen nicht auch noch, mir vorzuschreiben, was ich zu tun habe. Das überlassen Sie doch lieber mir, ja?«

»Schon gut, schon gut. Tut mir leid.« Er ließ Lances Hals los und hob in einer entschuldigenden Geste seine Hände. »Es soll nicht wieder passieren.«

Klar, sagte ich mir, und heiß wird es morgen auch nicht werden. Ich stand auf. »Ich brauche jetzt dringend ein bißchen Schlaf.«

»Werden Sie morgen wieder rauskommen?«

Ich sagte ihm zu, gegen Abend da zu sein.

Der Sommervollmond, groß wie die blutrote Scheibe der untergehenden Sonne, hing über den Bäumen der Cornell Avenue.

»Das bedeutet gutes Wetter«, meinte Hugo.

Er trottete auf den Hauseingang zu.

»Aber ich weiß natürlich, daß sich der Mond diesmal getäuscht hat.« Seine Stimme nahm einen bitteren Ton an, und ich wußte, daß er gerade an seine ›Kleine‹ dachte und was der Mond ihr prophezeite.

»Lance und Laurie Jellicoe.«

Ich sprach ihre Namen laut aus, als ich zu meinem Wagen ging.

Welch ein angenehmer, fast poetischer Klang; sogar ihre Namen schienen darauf hinweisen zu wollen, was für ein nettes Paar die beiden doch abgaben, wie gut die beiden zusammenpaßten. Und dazu diese unübersehbare mittelständische Gediegenheit in ihrer gemütlichen, kleinen Wohnung mit dem Bild eines Segelschiffes an der Wand der Eingangshalle. Einfach zu anständig, für solch ein schmutziges Gewerbe. Das war allerdings wieder der alte Moralist, der sich im Kleid der Sentimentalität Gehör zu verschaffen versuchte. Welch besseren Deckmantel hätten sich Pornographen aussuchen können als den Anschein grundsolider, republikanischer Wohlanständigkeit und Gediegenheit? Und letzten Endes, welcher Kriminelle würde sich nicht gerne dem Mittelstand zugehörig fühlen, wenn er ihm nicht sowieso schon entstammt? Wäre das nicht die mögliche Definition eines Diebes?

Na ja, am nächsten Morgen würde ich mehr über ihre Machenschaften herausfinden. Ich würde mich mal in den Sex-Shops der Stadt umsehen, das halbe Dutzend Lädchen im Norden Cincinnatis. Vielleicht erkannte ein Angestellter Cindy Anns Gesicht, oder ich hatte noch mehr Glück und fand dieses Gesicht sogar in einem der Schaufenster ausgestellt. Und wenn dann meine Glückssträhne anhielt, konnte ich meine Spur über den Geschäftsinhaber zu den Jellicoes und zu Cindy Ann selbst zurückverfolgen. Andererseits, wenn die Fotos nicht für den Verkauf bestimmt waren, wenn niemand das Mädchen erkannte, dann konnte ich davon ausgehen, daß die Jellicoes diese Aufnahmen als Werbematerial benutzten, und zwar als Werbematerial für ein verdammt rauhes Geschäft. Und wenn dem tatsächlich so sein sollte, so standen die Aktien für Hugo und seine Kleine nicht gerade sonderlich gut.

Die Eros-Boutique war der vierte Laden, den ich an jenem heißen Freitag morgen aufsuchte. Das einzige, wodurch er sich von den drei vorigen unterschied, war der Umstand, daß das Schaufenster nicht grün, sondern rot gestrichen war. Er lag in der Vine Street neben einer Adventisten-Kirche. Na ja, Gegensätze ziehen sich bekanntlich an, obwohl ich mir nicht ganz so sicher war, was die Adventisten über diese alte Lebensweisheit dachten. Drei von ihnen standen nämlich im Eingang ihres Gotteshauses und schickten mit ihren Blicken zumindest das Fegefeuer über jeden einzelnen Kunden, der die Eros-Boutique betrat oder wieder verließ.

Ich tat mein Bestes, möglichst erlöst zu erscheinen, als ich an ihnen vorüberging. Dem Ausdruck ihrer Gesichter nach zu schließen, muß es mir wohl nicht gelungen sein, sie zu überzeugen. Der Weg in die Verderbnis muß gesäumt sein von solchen Gesichtern – ausgezehrt, erbarmungslos und voller Rauch.

In der Mitte des Schaufensters der Eros-Boutique war ein Quadrat ausgespart worden, das nicht mit roter Farbe bemalt war. Man konnte dadurch einen Blick auf eine Korkplatte werfen, auf die etwa zwei Dutzend zahme Aktaufnahmen von nicht sonderlich attraktiven Mädchen geheftet waren. Eine von ihnen war Cindy

Ann. Sie sah auf dieser Aufnahme etwas verführerischer aus als auf den Polaroids, die mir Hugo gezeigt hatte. Ihr Gesicht war sorgfältig geschminkt, und sie hatte sich in die Brust geworfen, soweit man bei ihr von so etwas wie Brust überhaupt sprechen konnte. Jedenfalls gab sie sich alle Mühe, wie ein professionelles Modell auszusehen. Während ich sie mir so betrachtete, merkte ich, wie mich eine Welle der Wut überkam. Ich mußte mich mit aller Macht daran erinnern, daß ich hier einen Job erledigte, bei dem ich es mit allen möglichen unvorhersehbaren Leuten zu tun bekommen würde, und daß ich Hugo und seiner Kleinen alles andere als einen Dienst erweisen würde, wenn ich mir mit meinen Wutanfällen meine moralische Integrität zu beweisen versuchte.

Ich brachte mein Gesicht ganz nahe an die Glasscheibe heran und sah mir das Mädchen noch einmal genau an, um auch ja sicherzugehen. Dann betrat ich den Laden.

Rechts von der Tür befand sich eine mächtige Glasvitrine. Dahinter lehnte ein sehr schwarzer Neger mit einer Goldkette um den Hals gegen eine schimmernde Registrierkasse und starrte auf sein Ebenbild, das sich in ihrem Chromglanz widerspiegelte.

»Was gibt's?« fragte er abwesend. Es schien ihn richtig Mühe zu kosten, sich von seinem Lieblingsanblick loszureißen. Aber er schaffte es schließlich doch, um nun mich mit einem abgestumpften, gelangweilten Blick zu beäugen.

»Diese Bilder im Schaufenster, verkaufen Sie die?«

»Sicher. Wir verkaufen alles, was Sie hier sehen, Chef. Welches wollen Sie denn?«

»Das links unten. Ein Schnappschuß von einem rothaarigen Mädchen.«

Er ging zum Schaufenster. Das Korkbrett, auf dem die Fotos befestigt waren, schwang auf und ließ einen Schwall hellen Tageslichts in den Raum fallen. Der Schwarze mußte heftig blinzeln, als hätte ihm von draußen plötzlich jemand aus einem Eimer eine gleißende Flüssigkeit mitten ins Gesicht geschüttet.

»Welche wollen Sie denn jetzt?« fragte er gereizt.

Ich beugte mich vor und deutete auf das Foto von Cindy Ann.

Er rupfte das Bild von der Korkplatte und brachte sie wieder in ihre alte Stellung. »Könnte nicht gerade sagen, daß die mich besonders antörnen würde.« Er betrachtete das Foto kurz und klatschte es dann auf die Glastheke vor sich. »Macht zwei Dollar.«

»Haben Sie noch mehr solche?« fragte ich, während ich meine Brieftasche hervorholte.

»Kann schon sein. Hinten haben wir eine ganze Schachtel davon.« Er grinste. »Ich werde Ihnen das hier aufheben, Chef, während Sie sich die anderen ansehen.«

»Ich hoffe, Sie verkaufen sie auch niemandem, solange ich weg bin.«

Der Schwarze glotzte mich verständnislos an.

Ich hatte das Hintere des Ladens mehr oder weniger für mich allein. Die Wände des Raums waren von oben bis unten mit Magazinen bepflastert. An der Rückwand führte ein durch einen Vorhang verschlossenes Portal zu den Peep-Shows. In der Mitte der Nische stand ein großer Behälter mit der Aufschrift ›Spezial‹. Ich durchwühlte die zerfledderten Hefte und Fotos, die sich in diesem Behälter befanden, und wurde schließlich mit zwei weiteren Aufnahmen von Cindy Ann findig. In beiden Fällen handelte es sich um harmlose Polaroids – recht unterschiedliches Material von dem, was Hugo in dem Schuhkarton entdeckt hatte. Das verblüffte mich.

Ich warf einen kurzen Blick zurück zum Ladentisch und kam zu der Überzeugung, daß es an der Zeit war, eine kleine Erkundigung einzuziehen. Ich überlegte mir die Sache noch einmal kurz und gelangte schließlich zu dem Schluß, daß in diesem Fall eine Zwanzig-Dollar-Note genau das Richtige sein würde.

Der Verkäufer war bereits wieder in seinen Anblick vertieft, als ich auf den Ladentisch zutrat. »Haben Sie was gefunden?« fragte er mich teilnahmslos.

Die einen überschlagen sich schier vor Freundlichkeit und kumpelhaften Anbiederungsversuchen, die anderen fassen einen mit Samthandschuhen an. Der Bursche hier gehörte zu den Vorsichtigen. Ich schloß jedoch, daß seine Zurückhaltung vor allem darauf zurückzuführen war, daß er schwarz und arm war. Und das rückte meine zwanzig Dollar in ein immer besseres Licht. Außerdem war seine abwesende Teilnahmslosigkeit sicher kein reines Zeichen der Überarbeitung. Ich schätzte, daß der Bursche ein recht teures Hobby hatte.

»Diese Bilder da«, fing ich in einem möglichst lässigen Ton an. »Von denen hätte ich gern noch ein paar mehr.«

»Tatsächlich?« Er ahmte meinen Tonfall nach. »Und wieviel ist Ihnen das wert?«

Ich zückte meinen Zwanzig-Dollar-Schein.

»Oh, oh. Die müssen Ihnen ja mächtig gefallen.« Seine Augen fingen leicht zu glitzern an. »Tja, wissen Sie; davon kriegen wir jeden Monat eine ganze Ladung rein.«

Ich wollte eben den Schein wieder in meiner Tasche verstauen, als er mich am Arm packte.

»Aber Sie haben's ja scheinbar eilig. Versuchen Sie's doch mal bei Gem Distributors in der Mohawk Street.«

Er zog mir den Zwanziger aus der Hand. »Die können Sie ruhig behalten«, fuhr er fort und deutete auf die drei Fotos. »Das ist Ihr Wechselgeld.«

Zu Fuß brauchte ich etwa eine halbe Stunde zur Mohawk Street. Eine halbe Stunde in der Mittagssonne durch den Teil der Stadt, wo die Geschäfte allmählich häßlichen Ziegelbauten, Lagerhäusern und Wohnblöcken Platz machen. Läden für gebrauchte Möbel, schummrige Bars mit Namen wie ›Liberty Bell‹, Zwei-Dollar-Hotels, Pfandleihen und leerstehende Kinos. Die meisten Großstädte schleppen ihren eigenen Tod mit sich herum und schlafen wie John Donne mit einem Fuß im Sarg. Und das Over-the-Rhine-Viertel, in dem sich auch die Mohawk Street befindet, ist Cincinnatis Elendsviertel.

Ich brauchte zehn Minuten, bis ich Gem Distributors fand; es befand sich in einem großen, alten Trambahndepot. Zumindest machte das Ganze den Eindruck, als hätte es früher diesem Zweck gedient. Die großen Toröffnungen in der weißen Steinfassade des Gebäudes waren verschlossen. Ich fand jedoch auf der Westseite einen Personeneingang, durch den ich eintrat. Auf einem Wägelchen neben der Tür saßen zwei Männer, die gerade Wein tranken. Der eine der beiden hatte langes, rotes Haar und das rundliche, dreiste Gesicht eines gemalten Amor, der eben seinen Liebespfeil abgeschossen hat. Der andere Mann war älter, mit einer gewaltigen Mähne weißen Haares, einem mächtigen Schnurrbart von derselben Farbe und lebhaften, grauen Augen. Sie waren beide ein wenig beschwipst, und ihren Gesichtern nach zu schließen, hatte ich sie eben mitten in einem Witz unterbrochen. Der ältere stand auf und klopfte sich den Staub von seinem Overall, während Amor in schallendes Gelächter ausbrach.

»Kümmern Sie sich nicht um ihn, Mister«, begütigte mich der ältere. Aber auch er konnte sich kaum ein Lachen verkneifen. Sein

Gesicht war ganz Ernsthaftigkeit, was den jüngeren zu noch heftigeren Lachsalven anstachelte. Er kugelte sich förmlich auf dem Wägelchen herum, auf dem sie eben noch gesessen hatten.

»Hör endlich auf damit, Terry«, versuchte ihn der ältere zu beruhigen. »Bitte kümmern Sie sich nicht um ihn, Mister. Was kann ich für Sie tun?«

»Ich hätte gerne den Manager gesprochen.«

»Der steht bereits vor Ihnen.« Der Alte zupfte seinen Overall zurecht und streckte mir seine Rechte entgegen. »Pete O'Brien«, stellte er sich vor.

»Harry Stoner.«

Pete O'Brien sah eigentlich nicht so aus, wie man sich die Leute in der Pornobranche vorstellt. Außerdem machte er keinen besonders erfolgreichen und geschäftstüchtigen Eindruck. Das Lager war so gut wie leer. Dem Staub auf dem Boden nach zu schließen, war hier in letzter Zeit wohl nicht gerade viel los gewesen. Ich fing schon an zu denken, der Schwarze hätte mich angeschmiert.

»Sie beliefern die ganze Stadt, Pete?«

»Aber klar. Wollen Sie irgend etwas Bestimmtes?«

»Eigentlich nicht. Ich möchte mich nur nach ein paar Waren umsehen, die durch Ihre Hände gegangen sind.«

Er warf mir einen prüfenden Blick zu. »Sind Sie von der Versicherung, Mr. Stoner?«

Ich schüttelte den Kopf. »Nein, Detektiv.«

»Von der Polizei?« mischte sich nun Terry belustigt ein. Das Grinsen war aus seinem Gesicht gewichen und machte nun einer Art amüsiertem Interesse Platz, das zweierlei Reaktionen nach sich ziehen konnte – entweder einen aggressiven Ausbruch oder ein Zurückfallen in ausgelassenes Gelächter.

O'Brien, der diese Stimmung an seinem Freund Terry wohl bereits kannte, warf ihm über die Schulter einen Blick zu und sagte nur kurz: »Los, mach dich wieder an die Arbeit, Terry, und zwar sofort.«

Der Junge erhob sich und nahm einen Schluck Wein aus der Flasche. »Zum Teufel noch mal«, sagte er ruhig und wischte sich mit dem Hemdsärmel den Mund ab. »Er ist 'n Bulle, Pete.«

O'Brien hatte sich inzwischen wieder mir zugewandt. »Nach was suchen Sie denn genau?«

»Nach einem Mädchen.« Ich gab ihm eines der Bilder aus der Eros-Boutique. »Nach diesem Mädchen hier.«

O'Brien stieß einen leichten Pfiff aus, als er auf das Foto sah.

Terry rappelte sich auf und blickte über seine Schulter. Beim Anblick Cindy Anns wurde sein Gesicht so rot wie sein Haar und nahm einen lüsternen Ausdruck an.

»Scheiße!« murmelte er leise. »Sieh dir das mal an!«

Ich riß O'Brien das Bild aus der Hand. Ruckartig fuhr der Kopf des jungen Burschen hoch; er warf mir einen scheelen Blick zu. Ich hatte an diesem Morgen bereits genügend von diesen Blicken gesehen.

»Laß dieses dämliche Grinsen«, fuhr ich ihn an, bevor ich noch merkte, wie blöd das Klang.

Der Alte lachte. »Ich würde seinen Rat lieber befolgen, Terry.«

»Der kann mich mal.« Terry wankte leicht, die Flasche in seiner Rechten. Aber ich wußte natürlich, daß das alles nur Getue war. Ich war ein gutes Stückchen kräftiger gebaut als er, und außerdem hatte er wie alle Raufburschen einen sicheren Instinkt dafür, wie seine Chancen standen. »Ich mag Sie nicht«, zischte er mich gehässig an.

»Na, besser jetzt, wo ich das weiß?«

Der Alte lachte von neuem. »Jetzt verzieh dich mal lieber, Terry. Sonst merkt er noch, daß du nur bluffst.«

Terry brummelte irgend etwas Unverständliches und sog noch einmal heftig an der Weinflasche. Sein Mund wirkte wie blutüberströmt, als er die Flasche ruckartig wieder absetzte. Darauf trollte er sich zu dem Wägelchen zurück, auf das er sich geräuschvoll niederließ, und starrte mich, vor sich hinmurmelnd und trinkend, weiter an.

»Nehmen Sie's ihm nicht zu übel«, redete Pete O'Brien auf mich ein. »So sind die jungen Burschen eben. Der hier macht zwar gleich bei der erstbesten Gelegenheit prompt in die Hosen, aber wehe, Sie kehren ihm den Rücken zu.«

»Na ja, ich werd's mir merken.«

»Ja, würde ich Ihnen auch raten. Aber jetzt zu dem Bild. Ich weiß nicht, wie Sie auf die Idee kommen, dieses Mädchen wäre hier gewesen, aber jedenfalls kann ich Ihnen sagen, daß ich sie hier nicht gesehen habe. Das heißt, das ist überhaupt das erste Mal, daß ich sie zu Gesicht bekommen habe. Und verdammt noch mal, für dieses Geschäft sieht die mir auch noch verflucht jung aus.«

»Sie ist sechzehn«, klärte ich ihn auf. »Ich habe auch nicht erwartet, daß Sie sie kennen würden. Mich interessiert vor allem das Foto. Es stammt aus diesem Lager.«

»Durchaus möglich«, nickte O'Brien. »Wir führen ja alle möglichen Sachen. Sie wollen demnach also wissen, woher dieses Foto stammt?«

»Genau.«

Er ging zu einem Tisch neben der Tür, auf dem ein alter Ordner lag. »Um Ihnen die Wahrheit zu sagen, Mr. Stoner. Ich bin hier nur für das Lager zuständig. Der Mann, an den Sie sich wenden sollten, ist Morris Rich. Ihm gehört der Laden, und er ist auch derjenige, der Ihnen sagen könnte, wer was wohin liefert. Das heißt, wenn er das will. Und das wage ich zu bezweifeln. Weshalb suchen Sie denn überhaupt nach diesem Mädchen?«

»Sie ist von zu Hause ausgerissen, und ihr Vater möchte sie wieder zurückhaben.«

O'Brien gab einen Seufzer von sich. »Eigentlich sollte ich das ja nicht, aber ich lasse Sie mal die Ein- und Ausgänge ansehen; ich weiß ja nicht, ob Ihnen das weiterhilft. Aber mehr kann ich da leider auch nicht für Sie tun.«

Ich bedankte mich und ging rasch den verstaubten Ordner durch. Da waren monatliche Lieferungen an den Buchladen in der Eighth Street, kommend aus Atlanta, eingetragen. Dort befindet sich sozusagen die Porno-Großindustrie. Aber die Schnappschüsse in meiner Hosentasche waren alles andere als professionelle Produkte. Typischer Amateurkram, wie man ihn häufig in den Kleinanzeigen einschlägiger Magazine annonciert findet. Zehn Fotos für zehn Dollar, und dazu vielleicht noch ein heißer Brief als Zugabe. Ich fand jedoch keine Belege für Lieferungen an die Eros-Boutique, und das bedeutete, daß entweder der schwarze Verkäufer gelogen hatte oder daß er einfach gar nicht wußte, woher die Fotos im Laden kamen. Ich vermutete, daß letzteres der Fall war. Wie Pete O'Brien war er einfach nur eine bezahlte Kraft, die in dem Glauben gelassen wurde, die ganze Ware wäre von Gem Distributors geliefert worden.

Wenn ich also irgendwie weiterkommen wollte, mußte ich mit jemandem weiter oben sprechen – entweder mit Rich oder mit dem Inhaber des Porno-Shops. Das heißt freilich, *wenn* sie, wie Pete O'Brien bereits gesagt hatte, bereit waren, mit mir zu reden.

5

Wie sich herausstellen sollte, blieb es mir jedoch erspart, diesbezüglich eine Entscheidung zu fällen, da nämlich Pete O'Brien gesprächig wurde, als ich in dem Aktenordner nichts finden konnte. Ähnlich Hugo Cratz war er ein alter Mann, der durchaus noch über Herz verfügte, und er bedauerte Cindy Ann immerhin so sehr, daß er beiläufig erwähnte, wem die Eros-Boutique gehörte. Eben jenem Morris Rich, der auch Gem Distributors sein eigen nannte. Richs Büro befand sich im Dixie Terminal Building in der Fifth Street. Als ich ging, gab mir O'Brien neben der genauen Adresse auch noch einen guten Rat mit auf den Weg.

»Morris hält große Stücke auf seine Familie. Je mehr Sie über seine Kinder reden, desto eher können Sie ihn um den Finger wickeln. Reden Sie einfach dauernd über seine Söhne. Möglicherweise geht dann alles wie von selbst.«

Der Raumausstattung von Richs geschmackvollem Büro nach zu schließen, mußte O'Brien tatsächlich recht haben. Die Rich-Jungen blickten einem von jeder Wand und von jedem freien Eckchen auf einem der Tische und Schränke des Büros entgegen. Und sollte selbst das noch nicht genügen, so erinnerte einen Rich selbst noch permanent an seine überschwengliche Vaterliebe, indem er immer wieder auf einen der zahlreichen Bilderrahmen auf seinem Schreibtisch tippte. Ich hatte das unangenehme Gefühl, als befänden wir uns mitten im Kreis seiner gesamten Familie. Es sollte übrigens auch nicht allzulange dauern, bis ich merkte, daß dieses Gefühl auch Rich selbst hatte. Ab und zu schien seine nasale Stimme einen weicheren Tonfall anzunehmen, worauf er vertraulich auf einen der Jungen auf den Fotografien einzureden begann, als stände der Betreffende wirklich neben seinem Schreibtisch und bäte seinen Vater um mehr Taschengeld oder die Schlüssel für den Seville.

Morris Rich war ein ebenso sentimentaler wie verschlagener Mann um die Fünfzig. Man konnte ihm förmlich ansehen, daß er dem Roten Kreuz jedes Weihnachten eine stattliche Summe als Spende zukommen ließ. Nie ein rauhes Wort mit seinen Kindern, die vielleicht in späteren Jahren einmal für diese Großzügigkeit würden büßen müssen, wenn jemand so die Nase voll von ihnen bekam und ihnen klipp und klar sagte, zu was für egoistischen, hartherzigen Scheißkerlen sie sich entwicklelt hätten. Aber vor allen Dingen war Morris Rich ein Dieb. Ich wußte das vom ersten

Augenblick an, da ich ihn hinter dieser Foto-Phalanx von Familienangehörigen an seinem nierenförmigen Schreibtisch sitzen sah. Manche Männer tragen ihr Gewissen auf ihren Hemdsärmeln; Morris Rich hatte das seine wie eine Armee um sich gruppiert.

Er war untersetzt, mit einem glatten, unbehaarten Schädel von der Größe eines Fußballs und den ausgehungerten, leuchtenden Augen und dem kleinen, aufgeworfenen Mund einer Ratte. Er war mir weder sympathisch noch brachte ich ihm das geringste Vertrauen entgegen. Nachdem ich ihm ein paar Minuten zugehört hatte, wie er über seine Söhne sprach, merkte ich außerdem, daß er mir einen kalten Dreck erzählen würde, woher die drei Fotos, die ich ihm gezeigt hatte, kamen. Es sei denn, ich machte die Suche nach Cindy Ann zu einer Familienangelegenheit.

»Wissen Sie, Mr. Stoner, wir beziehen unsere Ware aus allen Teilen der Welt.« Dabei formte er mit seinen kurzen, dicken Armen eine Erdkugel und drückte sie liebevoll gegen seine Brust. »Ich könnte Ihnen wirklich unmöglich sagen, woher dieser oder jener Gegenstand aus einer Lieferung genau kommt. Sie müssen wissen, daß wir von Gem Distributors die Ware nur weiterleiten. Wir verpacken selbst keine Sendungen. Wir haben keinen Einfluß darauf, was die einzelnen Lieferungen nun genau enthalten. Natürlich gehen manchmal auch Beschwerden ein, wenn ein Kunde nicht das bekommt, was er bestellt hat.« Er kicherte wohlmeinend und ließ seine Hände auf die Schreibtischplatte fallen.

»Tja, das ist natürlich schade«, antwortete ich. »Die Familie des Mädchens wird natürlich untröstlich sein.«

Er schüttelte traurig den Kopf. »Kinder zu haben, kann manchmal wirklich eine schwere Last bedeuten. Ich weiß das, glauben Sie mir. Cory, mein Jüngster, wird gerade achtzehn. Ich gebe ihm einen Wagen, und er fährt ihn zu Schrott. Ich warne ihn, er soll von den Mädchen besser die Finger lassen, und prompt kommt er daher und hat eine angepufft. Elfhundert Dollar hat mich das gekostet, sie in eine Klinik in New York bringen zu lassen. Und er treibt sich immer noch mit ihr rum. Was soll man da noch sagen?«

»Tja, das ist so eine Sache.« Ich versuchte, meiner Stimme einen möglichst mitfühlenden und sympathischen Klang zu geben. »Aber zum Teufel noch mal, wie soll ich das Ganze nur den Eltern des Mädchens beibringen. Schließlich wirft es ja nicht gerade das beste Licht auf die Familie eines Politikers, wenn seine Tochter dermaßen entgleist. Ich kann mir nicht recht vorstellen, was er jetzt unternehmen wird. Vielmehr macht er einen Mordswirbel um die Sache; könnte ich mir jedenfalls denken.«

Das hatte gezogen. Genau so, wie ich es mir gewünscht hatte. Seine leuchtenden Knopfaugen wanderten über die Fotos vor ihm und seine Stimme klang ebenso zugeschnürt wie sein kleiner Hund, als er sagte: »Ein Mann von der Regierung...«

Eigentlich macht man so etwas nicht – Erpressung. Aber schließlich mußte man ja auch die richtigen Hebel ansetzen. Und was Morris Rich betraf, so braucht man nur etwas andeuten, was Unheil über seine Familie – und vor allem seine Jungen – heraufbeschwören konnte.

»Wenn es nur das wäre«, stichelte ich weiter. »Der Mann hat eine Menge Freunde. Wenn ich Ihnen seinen Namen nennen würde, Sie würden das sofort verstehen. Er wird mir ganz schön aufs Dach steigen, wenn er erfährt, daß ich nichts herausgefunden habe.« Ich schüttelte den Kopf. »Aber das kann mir ja schließlich egal bleiben. Ich habe alles versucht. Ich werde ihm die Bilder zeigen und ihm sagen, daß Sie mir auch nicht weiterhelfen konnten. Geschäft ist schließlich Geschäft, oder nicht?«

Morris Rich nickte zwar mit dem Kopf, aber seine Augen wandten sich keinen Augenblick von meinem Gesicht ab.

»Es ist mir furchtbar unangenehm, Ihre Zeit noch mehr zu beanspruchen«, redete ich weiter. »Aber ich lasse mir lieber eine schriftliche Aussage geben – nur für den Fall, daß das Ganze vor Gericht geht. Aber wenn Sie mich fragen, würde ich ihm sowieso empfehlen, FBI einzuschalten. Die haben ja in dieser Hinsicht wesentlich mehr Befugnisse. Denen sind die Hände nicht so gebunden. Sie wissen ja selbst, wie das ist – Hausdurchsuchungen, Telefone abhören. Ich würde das an seiner Stelle auf jeden Fall machen. Würde es Ihnen was ausmachen, für einen Augenblick Ihre Sekretärin kommen zu lassen, damit sie Ihre Aussage aufnimmt. Und dann können wir sie uns noch beglaubigen lassen.«

Morris Rich lehnte sich in seinem Eames-Sessel zurück und legte einen Finger an seine Nase. »Sie sind doch nicht wirklich der Mann, für den Sie sich ausgeben. Habe ich da recht?«

Ich machte eine begütigende Geste mit den Händen. »Ich meine, was soll's, Mr. Rich. Ich versuche eben nur, mir auf ehrliche Weise ein paar Dollar zu verdienen.«

»Mhm«, wußte er darauf nur zu erwidern.

Er streckte seine Hand vor. »Vielleicht sollte ich mir die Fotos noch einmal genauer ansehen.«

»Sicher«, antwortete ich höflich. »Manchmal lohnt es sich durchaus, einen zweiten Blick zu riskieren. Mit Menschen ist es ja dasselbe. Manchmal täuscht der erste Eindruck ganz gewaltig.«

Ich reichte ihm die Bilder, und er sah sie sich noch einmal an.

»Mein Gott, wie konnte ich nur!« stieß er schließlich hervor und schlug sich mit der Hand auf die Stirn. »Natürlich weiß ich, woher diese Aufnahmen stammen. Hören Sie«, er warf einen Blick auf seine Uhr, »es ist schon fast halb zwei. Ich wollte sowieso gerade Mittag machen. Was halten Sie davon, wenn wir ins Lager fahren und uns die Lieferscheine ansehen, um auch ganz sicherzugehen?«

»Nicht mehr nötig, Mr. Rich; die habe ich bereits gesehen.«

Sein Gesicht nahm einen gequälten Ausdruck an. »Eigentlich gehen Sie doch unsere Bücher nichts an, Mr. Stoner. Wie stellen Sie sich das eigentlich vor. Was hat sich Pete wohl wieder dabei gedacht, Sie Ihnen so einfach zu zeigen?«

»Na ja, ich denke, daß ihn wohl die Bilder ein bißchen mitgenommen haben.«

»Tja.« Rich tippte nervös auf die Bilderrahmen auf seinem Schreibtisch, während ich mit der Fußspitze Muster in den Teppich zeichnete. Und diesen Beschäftigungen hätten wir uns wohl noch eine ganze Weile hingegeben – ich meinen Teppichmustern und Rich den Melodien, die er auf seinem Bilderrahmen-Xylophon klopfte; aber ich erhob mich schließlich mit einem leichten Stöhnen, und was ich ihm nun sagte, war nichts als die reine Wahrheit, obwohl er das natürlich nie hätte ahnen können.

»Ich habe allmählich genug von diesem Spielchen, Mr. Rich. Wenn Sie irgend etwas über den Verbleib dieses Mädchens wissen, dann täten Sie gut daran, mir das jetzt auf der Stelle zu sagen, da es sonst sehr leicht passieren könnte, daß uns die ganze Sache aus dem Griff gerät.«

»Soll das eine Drohung sein?« fuhr er mich erschrocken an. »Wenn Sie meinen, Sie könnten mir drohen, dann hetze ich Ihnen meine Anwälte auf den Hals, daß Ihnen Hören und Sehen vergeht.«

»Wir beide wissen ganz gut, daß wir in dieser Sache besser das Gericht aus dem Spiel lassen, Mr. Rich. Sie sind doch sicherlich nicht daran interessiert, daß die Polizei in Ihrem Lager oder in Ihrem Sex-Shop rumschnüffelt, oder habe ich da etwa nicht recht?«

»In welchem Sex-Shop? Ich weiß nichts von einem Sex-Shop.«

Ich schenkte ihm einen mitleidigen Blick. »Na gut, Mr. Rich. Ich denke, Sie müssen das am besten selbst wissen. Mir wird schließlich niemand auf die Finger sehen.«

Ich hatte der Phalanx lächelnder Rich-Söhne den Rücken gekehrt und wollte eben die Tür öffnen, als er mich zurückrief.

6

Das weiße Holzhaus stand in der River Road, die durch die Flußniederung führt, über die der Ohio alljährlich im Frühjahr seine Wasser ergießt. Von der Stelle an der Ufermauer, wo ich den Wagen abgestellt hatte, konnte man richtig den Fäulnisgeruch riechen – diesen Gestank nach Moder und Verfall, wie er für ruhende Seitenarme charakteristisch ist. Er erinnerte mich an den Krieg und an die Dschungelhitze, an die Leichen, die sich in der Feuchte des tropischen Regenwaldes wie Wasserleichen aufblähten.

Vor dem Haus war ein klappriger, alter Falcon geparkt, und in dem verdorrten Vorgarten lag ein ausgedienter Reifen. Genau, wie man sich die Stätte des Wirkens eines Porno-Produzenten in seinen wildesten Träumen ausmalen würde. Noch spannender wurde das Ganze durch den Umstand, daß mich Morris Rich eine Stunde zuvor noch dringlichst davon zu überzeugen versucht hatte, von seinem Bewohner besser die Finger zu lassen.

»Er heißt Jones. Abel Jones«, hatte er mich gewarnt. »Aber Sie können mir glauben, er sollte viel eher Kain heißen. Dieser Mann ist wirklich eine harte Nuß, Mr. Stoner. Ich bekomme ab und zu Schnappschüsse von ihm. Polaroids. Er ist der einzige, der mich mit Polaroids beliefert. Das ist auch der Grund, weshalb ich sofort Bescheid wußte, als Sie mir die Aufnahmen zeigten. Ich habe sie vor etwa einem Monat gekauft. Er hat immer verschiedene Mädchen, und ich kann Ihnen sagen, manchmal kann ich die Bilder gar nicht ausstellen.«

Rich lachte tonlos. »Das ist absolut kein familiärer Typ, Mr. Stoner; nicht so wie ich. Der schert sich einen Dreck um andere Menschen. Ich würde Ihnen wirklich raten, sich mit dem Kerl auf nichts einzulassen.«

Morris Rich wollte keine Scherereien, weder von der Polizei noch vom FBI noch von irgend jemandem sonst, der Unheil über seine Familie und sein Geschäft hätte bringen können. Dennoch hatte seine Warnung ihre Wirkung nicht ganz verfehlt. Ich hatte mir die Sache gründlich überlegt, bevor ich aus meinem Pinto stieg und auf das alleinstehende Holzhaus zuging. Der nächste Zufluchtsort lag gut zweihundert Meter östlich, und das bedeutete, daß der heiße, feuchte Wind, der vom Ohio heraufwehte, so ziemlich jedes Geräusch außer der Detonation einer kleineren Bombe verschlukken würde. Im Vorgarten roch es tatsächlich nach Dschungelkrieg, obwohl der einzige Baum in Sichtweite eine abgestorbene Ulme mit weiß gekaltem Stamm war.

Ich versuchte, diese unangenehmen Erinnerungen von mir abzuschütteln, während ich auf die Eingangstür zuging. Da es offensichtlich keine Glocke gab, pochte ich mit der Faust gegen die Tür. Einige Augenblicke später öffnete eine junge Frau in einem langen, roten Kleid.

»Sind Sie vom Gaswerk?« begrüßte sie mich feindselig.

Ihr langes, schwarzes Haar war zu einem Zopf geflochten, und ihre schwarzen Augen hatten den matten Schimmer eines Ölgemäldes. Ihr rundes, indianisches Gesicht hätte durchaus als hübsch gelten können, wäre da nicht ein gelbliches Muttermal gewesen, das wie Kapitän Ahabs weiß schimmernde Narbe über ihre linke Wange lief.

Ich klärte sie auf, daß ich nicht von den Gaswerken kam.

»Aber eigentlich hätten die uns schon längst jemanden hier rausschicken sollen.« Ihre Stimme hatte inzwischen einen überdrüssigen Ton angenommen. »Schließlich haben wir diese verdammte Rechnung schon vor einer Woche bezahlt.«

Sie lächelte mich entschuldigend an; zugleich warf sie mir einen prüfenden Blick zu und sagte schließlich: »Sie sind von der Polizei, nicht?«

Manche Leute haben diese Gabe, freilich nicht, ohne daß sie dafür den entsprechenden Preis bezahlt hätten. Und dieses Mädchen sah zu jung aus, um ihn bereits voll bezahlt haben zu können. Also schloß ich daraus, daß in diesem Haus wohl des öfteren Leute von der Polizei und von den Gaswerken aus- und eingingen.

»Ich bin Privatdetektiv«, stellte ich mich vor. »Ich würde gerne mit Abel Jones sprechen.«

»Der ist gerade nicht da.«

»Dann werde ich auf ihn warten.«

Sie schüttelte kaum merklich ihren Kopf, als amüsierte sie das ebene Gesagte. »Nein, das werden Sie nicht. Ich kann mir nicht vorstellen, daß er Lust haben wird, Sie zu sehen.«

»Woher wollen Sie das so genau wissen?«

»Weil *ich* keine Lust habe, Sie zu sehen«, konterte sie trocken. »Also los, ziehen Sie schon Leine!«

Sie wollte schon von der Tür zurücktreten, als von oben eine heisere Männerstimme ertönte: »Wer ist es denn?«

Sie warf mir über die Schulter einen kurzen, belustigten Blick zu – halb warnend, halb tadelnd. Und irgenwie machte sie mir das sympathisch, wenn ich auch verdammt sein will, wenn ich wüßte, weshalb.

Abel Jones kam die Treppe heruntergepoltert. Ich bekam ihn erst nur Stück für Stück zu Gesicht. Zuerst seine bloßen Füße, dann einen Meter schwarze Gabardine-Hosen, dann einen weiteren Meter rosaroten Bauch und unbehaarte Brust, und schließlich sein Gesicht mit einem Eintages-Bart. Er war etwa vierzig und hatte die unangenehmen, scharfen Gesichtszüge eines typischen Appalachen-Rednecks – schmale Lippen, eine Nase, die man als Brieföffner hätte verwenden können, schwarze Augen und hagere, eingefallene Wangen.

Er fuhr sich mit der Hand durch sein dunkles, ungekämmtes Haar und fauchte mich mit einer besoffenen, feindseligen Stimme an: »Was ist los? Was wollen Sie?«

»Ich hätte gerne mit Ihnen gesprochen, Mr. Jones.«

Er lachte leicht, als ich ›Mister‹ sagte.

»So?« fragte er amüsiert. »Worüber denn?«

»Diese Veranda ist kein guter Ort, um sich zu unterhalten.«

»Das hier ist mein Haus!« brüllte er los, als hätte ich eben versucht, es in Brand zu stecken. »Wagen Sie's bloß nicht, über mein Haus herzuziehen.«

Darauf taxierte er mich ähnlich dem Mädchen kurz ab. »Na gut, dann kommen Sie eben rein.«

Er stieß die Tür auf, und ich trat ins Innere des Hauses.

»Ihr Schnüffler seid doch alle gleich«, brummte er weiter. »Kommt einfach an und bildet euch ein, ihr könntet überall eure Nase reinstecken.«

Ich folgte ihm durch einen Torbogen in ein Wohnzimmer, das durchaus von Hugo Cratz eingerichtet worden sein könnte. Nichts als Rüschen, Plastik und verblichene Streifenmuster, und das

Ganze wie eine Schießbude mit Spielzeugtieren und allem möglichem Plastikkitsch behängt. Dieselben schalen Gerüche, nur noch mit einem Zusatz von kaltem Rauch und Whisky.

Jones ließ sich auf einer abgewetzten Vinylcouch nieder. »Bring uns was zum trinken, Coral«, wandte er sich an das Mädchen. Der Tonfall, in dem er das gesagt hatte, ließ mich fast darauf schließen, daß er insgeheim gehofft hatte, ich würde ablehnen.

Coral zwinkerte mir zu und schlenderte aus dem Raum. Sie war völlig nackt unter ihrem Kleid und bewegte sich mit einer einstudiert wirkenden Sinnlichkeit.

»Wie ich sehe, verkaufen Sie Bilder«, kam ich zur Sache; ich hatte mich ihm gegenüber auf einem harten, roten Plastikstuhl niedergelassen.

»Wer hat Ihnen das denn erzählt?«

»Das ist jetzt nicht weiter wichtig.«

Ich holte eines der Fotos von Cindy Ann aus meiner Tasche und streckte es ihm entgegen.

Jones klatschte den Schnappschuß mit der Bildseite nach unten auf sein Knie. Dann bog er langsam seine Längskante hoch. Er erinnerte mich dabei an einen Spieler, der sich eine verdeckte Karte ansieht. Ich konnte mich des Gefühls nicht ganz erwehren, daß das keineswegs nötig gewesen wäre, wenn nicht sehr wohl die Möglichkeit bestanden hätte, daß ihm das, was er da unter Umständen zu sehen bekommen würde, keineswegs schmecken konnte.

»Und was weiter?« Er gab mir das Foto wieder zurück.

»Ich möchte das Mädchen.«

»Hören Sie, Mister. Sie können wollen, was Sie wollen. Aber bitte nicht von mir, ja?«

Coral kam mit einer Flasche Old Grandad und drei Gläsern wieder zurück. Sie schenkte die Gläser voll und reichte eines mir und eines Jones.

»Cheers«, sagte sie und hob ihr eigenes Glas.

Jones kippte den Bourbon hinunter. Seit ich ihm den Schnappschuß von Cindy Ann gezeigt hatte, ließ er mich keinen Moment aus seinen gefährlichen, kleinen Vogelaugen. Aber das hatte nicht allzuviel zu bedeuten. Typen wie dieser Jones verfügen nur über einen Gesichtsausdruck, und den setzen sie dann, wie ein kleiner Junge zu Weihnachten, bei jeder Gelegenheit ein und wundern sich, wenn er ab und zu seine Wirkung verfehlt. Ich konzentrierte mich statt dessen auf das Mädchen und versuchte aus ihrem

Gesicht Aufschlüsse über seine Stimmung zu gewinnen. Wenn ich mich nicht gründlich täuschte, dann standen mir ganz gehörige Scherereien bevor, da nämlich Corals Blick so ungefähr auf jeden Gegenstand im Raum fiel, nur nicht auf mich. Es war, als versuchte sie sich bereits ein Bild davon zu machen, was für ein Chaos sie wieder in Ordnung zu bringen haben würde, wenn Abel sich abreagiert hätte. Dem Ausdruck des Abscheus auf ihrem Gesicht nach zu schließen, würde es wohl eine Menge Arbeit geben.

»Sie haben ja Ihren Drink noch gar nicht angerührt, *Mister*«, erinnerte mich Jones.

Coral entfuhr ein Seufzer. »Das ist doch kein Grund, sich aufzuregen.«

»Halt die Klappe!« fuhr sie Jones an.

»Nein, Abel, das werde ich nicht. Das hier ist mein Haus, und ich habe keine Lust, jede Woche die Einrichtung zu erneuern. Lassen Sie mich das Foto doch auch mal sehen.«

Jones stand auf und ging auf Coral zu, die in dem Bogendurchgang zum Vorraum stand. »Jetzt mach, daß du hier rauskommst«, fauchte er sie an. »Aber auf der Stelle.«

Das war mein Stichwort. Ich stand auf. »Jetzt bleiben Sie aber mal auf dem Teppich, Abel.«

Er wirbelte zu mir herum.

Er ballte seine Fäuste und wollte eben auf mich losstürmen, als Coral zu kreischen anfing. Und sie kreischte wirklich; der Schrei hätte einem Horrorfilm alle Ehre gemacht und verfehlte seine Wirkung auch auf Abel Jones nicht. Er hielt mitten im Sprung ein.

Er senkte seine Fäuste und wandte sich wieder Coral zu. »Verdammt noch mal, Coral, was soll denn das?« Seine Stimme klang sogar leicht belustigt, soweit man sich jedenfalls Abel Jones in solch einer Stimmung vorstellen konnte. »Du hast mich ganz schön erschreckt, verdammt noch mal.«

»Na wunderbar«, kicherte sie.

Er schüttelte langsam seinen Kopf und blickte sich zu mir um.

»So wird einem der ganze Spaß verdorben, nicht?« tröstete ich ihn.

Jones schüttelte neuerlich den Kopf, ging zur Couch zurück und ließ sich schwer darauf niederplumpsen.

»Das ist das erste Mal seit Wochen, daß du keinen Blödsinn machst«, rügte ihn Coral und wandte sich dann an mich. »Jetzt zeigen Sie mir doch bitte das Bild.«

Sie legte ihre Hand an die Augen und starrte das Ufer hinauf, wo sich die steilen, grünen Hügel an die River Road herandrängten. Die Sonne versank gerade dahinter, und der Fluß in unseren Rücken erglänzte bis hinüber zum Kentucky-Ufer wie pures Gold. »Muß schon auf fünf gehen«, sagte sie und warf mir einen schüchternen Blick zu.

»Was gibt's, Coral?« fragte ich sie. »Was wollen Sie mir noch erzählen?«

»Ich werde nicht mehr lange hierbleiben«, fing sie an. »Nur meine Sachen packen und weg. Das Haus soll haben, wer will.« Sie blickte zur Veranda zurück. »Ich hab's geerbt; es ist das einzige, was mich noch hier hält.«

»Vielleicht wird Jones mit Ihnen kommen.«

Sie lächelte traurig. »Nein, das glaube ich nicht. Aber es ist nett von Ihnen, daß sie das gesagt haben. Wahrscheinlich wird er hier bleiben. Ohne seinen Schnaps und seine Kumpel würde er umkommen vor Langeweile.« Coral atmete tief aus. »Ich glaube, ich bin einfach nur rausgekommen, um Ihnen das alles zu erzählen. So 'ne Art Abschied vielleicht. Ihm könnte ich das ja unmöglich sagen, deshalb sind Sie jetzt«, sie lächelte leicht, »sozusagen sein Stellvertreter.«

Ich nickte. »Freut mich, daß ich Ihnen den kleinen Dienst tun konnte.«

Sie richtete sich auf und zupfte an ihrem Kleid. Dann wurde ihr dunkles Gesicht rot, und sie blickte verlegen zu Boden. Ich hatte das Gefühl, daß ihr, nachdem sie sich so von Abel verabschiedet hatte, plötzlich eingefallen war, daß sie eine attraktive Frau war und ich ein Mann. Und das beunruhigte sie, als hätte sie hinter Jones' Rücken etwas Böses getan.

»Er weiß wirklich nichts über dieses Mädchen«, wechselte sie nun das Thema. »Sie sagen ihm nie Namen.«

»Weshalb wollen Sie die Bilder überhaupt loswerden?«

»Keine Ahnung. Er kriegt sie einfach. Und manchmal wirft er sie einfach weg und manchmal verkauft er sie.«

»Was für 'ne Art von Geschäft betreiben die denn eigentlich?«

»Ein recht rauhes. So viel kann ich Ihnen zumindest sagen. Und eines ist ganz sicher. Es lohnt sich keineswegs, in diesem Fall auf der falschen Seite zu stehen.«

»Laurie Jellicoe?« Ich ließ versuchsweise diesen so süß in meinen Ohren klingenden Namen fallen.

Ihre Augen hefteten sich schlagartig auf mein Gesicht. »Wenn Sie den Namen wirklich kennen, warum sind Sie dann hier rausgekommen?«

»Weil dieser Name der einzige Anhaltspunkt ist, den ich habe. Ich möchte einfach nur herausfinden, was die mit diesem Mädchen anstellen. Ob sie nur Pornofotos mit ihr machen oder Schlimmeres?«

»Jetzt hören Sie mir mal gut zu, Mister.« Ihr Gesicht nahm bei diesen Worten einen sehr ernsten Ausdruck an. »Warum sagen Sie demjenigen, der nach diesem Mädchen sucht, nicht am besten, er soll die ganze Sache so schnell wie möglich vergessen? Sie würden sich eine Menge Scherereien ersparen. Diese beiden lassen nicht so schnell locker. Ich weiß das. Ich habe selbst mitgekriegt, wie die rangehen. Mit Leuten, die ihnen nicht passen, die ihnen im Weg sind, machen die kurzen Prozeß. Dieses Mädchen, das mit ihnen abgehauen ist, muß schon gewußt haben, was sie tat. Weshalb lassen Sie das Ganze also nicht einfach auf sich beruhen?«

»Das ist nicht meine Sache«, erwiderte ich.

»Na gut, dann ersparen Sie dem alten Herrn der Kleinen eben eine Menge Scherereien«, beharrrte sie. »Sonst werden Sie es beide noch bereuen. Und jetzt verschwinden Sie hier, bevor er doch rauskommt und nochmal mit dem Theater anfängt.«

»Na ja, dann jedenfalls viel Glück«, verabschiedete ich mich.

Ich ging die Straße entlang und blickte mich noch einmal um, als ich zum Wagen kam. Aber sie war bereits ins Haus gegangen. In einem hatte sie auf jeden Fall recht. So, wie Abel Jones aussah, täte ein neugieriger, alter Mann wie Hugo mit Sicherheit gut daran, sich da nicht groß einzumischen. Er täte gut daran für sich selbst, für mich und möglicherweise auch für Cindy Ann.

7

Ich ging an jenem Abend mit Hugo Cratz Essen. Wir fuhren die Cornell runter zur Ludlow Street und dann drei Blocks nach Süden zu dem unscheinbaren, weißgrauen Würfel der Busy Bee.

Er hatte sich für das Essen hergerichtet. Er hatte sich ein frisches, kariertes Hemd und eine rote Strickjacke angezogen und ein wenig an den Stoppeln auf seinem Kinn herumgeschabt. Als wir vom Parkplatz auf die Straße hinausgingen, bemerkte ich eine gewisse

Leichtigkeit, einen gewissen militärischen Elan in seinem Schritt. Das Ganze machte ihm offensichtlich Spaß, und das sollte mir nur recht sein. Ein bißchen Schulterklopfen und ein paar Bierchen, und wir würden uns vielleicht beide geneigt sehen, einen Kompromiß zu schließen.

Im Restaurant war einiges los, so daß ich mit Hugo zur Bar im ersten Stock hochging, von der aus man, wie von einer Terrasse, auf den Speiseraum hinünterblicken konnte. Dort stellte ich Hugo Hank Greenberg, dem Barkeeper, vor.

Wir bestellten zwei Bier, worauf ich nach einem kurzen Blick auf Hugo zu der Überzeugung gelangte, wir täten besser daran, uns zum Reden ein wenig hinzusetzen. »Wir sind dort drüben in der Ecke«, gab ich Hank zu verstehen und deutete auf einen frischen Tisch links von der Bar.

»In Ordnung.«

Wir standen schon vor dem Tisch. Wir hatten es fast geschafft – Hugo war etwas wacklig auf den Beinen, aber ich hatte ihn sanft vor mir herschiebend sicher durchs Gedränge manövriert, als ein stämmiger, breiter Mann mit fahler Gesichtsfarbe – auf seine Hemdbrust war der Name ›Mike‹ gedruckt, und seinen linken Unterarm zierte die Tätowierung eines Ankers – versehentlich mit Hugo zusammenstieß, so daß dieser gegen mich zurücktaumelte. Ich erwischte Hugo an den Armen und richtete ihn wieder auf. Big Mike plumpste mit angetrunkener Schwerfälligkeit auf unseren Platz und machte sich mit einem wohlgefälligen Stöhnen über die Biere her, die Hank dort gerade für uns abgestellt hatte.

»Hey!« brüllte ich ihn über Hugos zerzausten Kopf hinweg an. »Das ist unser Bier.«

»Er ist betrunken, Mister«, meldete sich ein hagerer Mann mit dem Namen ›Al‹ auf seiner Hemdbrust von der Theke her zu Wort. »Lassen Sie ihn lieber in Ruhe. Wenn er so zu ist, wie jetzt gerade, sieht er beim geringsten Anlaß gleich rot.«

»Das ist schließlich unser Bier«, beharrte ich auf meinem Recht.

Al zuckte nur mit den Achseln. »Sie können's ja probieren, wenn Sie unbedingt meinen.«

Hugo schüttelte sich leicht, so daß ich ihn herumdrehte, um ihn mir besser ansehen zu können. Aus seiner Nase tropfte etwas Blut.

»Es ist nichts. Dieser Kerl hat mich nur mit seinem Ellbogen erwischt. Hören Sie mal, Mister«, wandte er sich darauf Mike zu. »Passen Sie nächstes Mal gefälligst ein bißchen besser auf.«

Mike blickte böse zu uns auf. Er erinnerte mich an einen großen, gefährlichen Schäferhund, der von seinem Freßnapf aufsah. »Schert euch zum Teufel«, grunzte er.

Der Moralist in mir bekam an diesem Tag reichlich zu tun. Aber ich schaffte es, ihn im Zaum zu halten. Schließlich hatte er Wichtigeres zu tun, als sich groß über diesen besoffenen Rüpel aufzuregen.

»Lassen Sie ihn, Hugo«, beruhigte ich den Alten. »Ich wasche Ihnen lieber mal das Blut ab.«

Hugo kam jedoch ganz gut allein zurecht, und als er wieder aus der Toilette kam und wir zum Speiseraum hinuntergingen, hob Big Mike sein Glas gegen uns. »Mieser Scheißkerl«, zischte Hugo zwischen den Zähnen hervor und warf mir einen vernichtenden Blick zu.

Jo Riley, die Empfangsdame der Busy Bee, besorgte uns einen relativ ruhigen Tisch in einer Ecke des Hauptraums.

Wenn sie arbeitet, trägt Jo blaßrosa Lippenstift und türmt ihr pechschwarzes Haar zu einem gewaltigen Bienenstock auf. Außerdem hat sie an einer Silberkette immer eine Brille um ihren Hals hängen. Sie hat eine Vorliebe für hochgeschlossene, lange Kleider in unauffälligen Farben, und zwar aus demselben Grund, weshalb sie ihr Haar so unvorteilhaft trägt und ständig diese fürchterlichen Schmetterlings-Glitzerbrillen mit sich herumschleppt. In einem Beruf wie dem ihren und in einem Lokal wie der Busy Bee würde es Jo gerade noch fehlen, wenn ständig ein paar angetrunkene Kerle versuchen würden, sie anzuquatschen. Und eines können Sie mir glauben. Wenn sie ihr Haar offen trägt, ihr Rock etwas kürzer ist und diese Brille in ihrem Etui verstaut ist, wo sie auch hingehört, dann ist man wirklich mehr als versucht, Jo anzuquatschen. Ich hatte das vor drei Jahren am eigenen Leib verspürt, und seit dieser Zeit hing zwischen uns noch immer ganz leicht etwas in der Luft. Wir hatten Glück gehabt. Wir hatten schöne Tage miteinander verbracht und uns wieder getrennt. Zum Glück hatte es am Ende keine große Szene gegeben, kein großes Gerede um das, was zwischen uns geschehen war, wodurch letztlich sowieso nur all die guten Erinnerungen wie ein Traum verpufft wären, um nur noch die unangenehmen zurückzulassen. Wir hatten uns einfach auseinandergelebt, waren auseinander getrieben – jeder zu einem anderen Partner, in ein anderes Bett. Wir waren beide vernünftig genug, das Schicksal nicht herauszufordern und es ein zweites Mal miteinander zu versuchen; und ich glaube, daß wir beide wußten, daß wir dieses Mal nicht so ungeschoren davonkommen würden; diesmal würde es zu einer Szene kommen. Und das Vermächtnis dieser glücklichen Vergangenheit wollte wohl keiner von uns aufs Spiel setzen. Also lächelten wir uns in der Regel freundlich an, erröteten leicht und redeten irgendwelchen Unsinn, während ganz tief drinnen die Sprache der Vergangenheit etwas anderes sagte.

»Das ist Hugo Cratz«, stellte ich ihn Jo vor. »Ein Klient.«

»Tatsächlich?« Sie lächelte Hugo freundlich an. Sie war wirklich eine Perle, sie verstand ihr Metier. Sie hatte mit atemberaubender Sicherheit genau den richtigen Ton getroffen. Nicht zu unnahbar und nicht herablassend. Einfach ein Zeichen freundlichen Interesses. »Was darf ich Ihnen bringen?« wandte sie sich liebenswürdig an Hugo.

Das saß. Hugo wandte sich hin und her, lächelte, errötete und brachte schließlich hervor: »Ein Bier vielleicht?« Und er klang dabei, als ginge er gerade in die achte Klasse und fragte seine hübsche Klassenlehrerin, ob sie schon verheiratet sei.

»Finde ich auch«, gab ihm Jo recht. »Zwei Budweiser also, oder Harry?«

Ich nickte und lächelte sie an. Jo war schon eine Marke.

Wir bestellten noch zwei Krabbensalate mit dem Busy-Bee-Spezialdressing, worauf Jo uns verließ, um die Bestellung aufzugeben. Hugo warf ihr einen verstohlenen Blick nach und fragte mich: »Sind Sie beide befreundet? Sie ist wirklich eine großartige Frau.«

»Ihnen entgeht wohl gar nichts, was?«

»Nein, allerdings nicht«, kicherte er. »Ich habe ja auch keinen Grund dafür gesehen, weshalb wir uns nicht bei mir zu Hause hätten unterhalten können. Aber dann dachte ich mir schon, daß Sie mich hierher gebracht haben, um mir etwas zu erzählen, was Sie mir eben bei mir nicht hätten sagen können.«

Ich schüttelte den Kopf. »Jetzt trinken Sie aber lieber mal Ihr Bier, Hugo, und machen sich nicht zu viele Gedanken, ja?«

»Ist ja gut.«

Wir aßen und tranken, durchsetzt von Hugos Geschichten aus der Zeit beim Militär und meinen Erlebnissen als MP, und im großen und ganzen amüsierten wir uns dabei prächtig. Als sich nach dem Essen die Bee allmählich zu leeren begann, setzte Jo sich zu uns an den Tisch. Ich glaube, daß Hugo diesen Abend wirklich genoß. Ich glaube auch, daß er zwischen Jo und dem Bier und mir hin und wieder sogar aufhörte, an Cindy Ann und an den Tod zu denken, der sich unausweichlich in seiner schäbigen Wohnung eingenistet hatte. Wenn auch nicht für immer, so waren diese tristen Gedanken zumindest momenteweise aus seinem Kopf verscheucht. Soweit man davon bei ihm überhaupt noch sprechen konnte, sah er sogar richtig gut aus. Frisch und munter und voller Leben. Und er redete – redete Stunden in einem aufgeweckten, heiteren Tonfall, und nicht über die Gegenwart, sondern über die Vergangenheit.

Gegen elf Uhr, Jo kümmerte sich um die letzten Gäste, und der Pianist klimperte eine heitere Fassung des ›St. Louis Blues‹, beugte sich Hugo über den Tisch und sagte: »Ich glaube, es wird allmählich Zeit.«

Ich wußte, was er meinte.

»Vorher nur noch eines«, fuhr er fort. »Ganz gleich, was Sie mir jetzt sagen wollen, ich möchte, daß Sie wissen, daß ich mich heute abend wirklich wohlgefühlt habe. Und dafür möchte ich Ihnen danken.«

»Ganz meinerseits, kann ich da nur sagen, Hugo.«

Sein schmaler Mund fing leicht zu zittern an, und er seufzte.

»Wenn Sie sie zurückhaben wollen, Hugo…« Ich wußte nicht recht, wie ich mich ausdrücken sollte, oder vielleicht brachte ich es in dem Moment auch einfach nicht übers Herz, ihn so zu verletzen. »Wenn Sie kein Risiko eingehen wollen – wenn Sie – ja, ich würde Ihnen raten, besser das zu tun, was ich Ihnen jetzt sage, Hugo.«

»Worauf wollen Sie hinaus, Harry?«

»Nehmen wir mal an, die Jellicoes halten Cindy Ann irgendwo versteckt. Vielleicht brauchen sie sie für irgendwelche Filme. Vielleicht verleihen sie sie auch. Was sie genau mit ihr anstellen, weiß ich im Augenblick noch nicht. Und das muß ich als erstes herausfinden.«

»Und wie wollen Sie das anstellen?«

»Ich habe heute herausbekommen, daß sie die Jellicoes möglicherweise in Newport für sich arbeiten lassen. Ich habe auf der anderen Seite des Flusses ein paar Freunde; vor allem ein Mann kennt so ungefähr jeden zwielichtigen Charakter, der sich so in Kentucky rumtreibt. Falls die Jellicoes dort irgendein privates Unternehmen in Sachen Porno haben oder einen kleinen Mädchenverleih betreiben, dann wird dieser Freund auf jeden Fall etwas darüber in Erfahrung bringen.«

»Na ja«, meinte Hugo. »Wenn ich Sie richtig verstehe, handelt es sich dabei aber wohl um keinen Freund im üblichen Sinn des Wortes.«

Ich lachte. »Nein, natürlich nicht. Einfach ein Kontakt, den ich über die Jahre hinweg pflege. Durch meine Arbeit mit dem D. A. und Pinkerton und wie die Leute alle heißen.«

»Gut. Und was dann?«

»Sie haben Cindy Ann. Damit haben sie natürlich, was uns betrifft, den absoluten Trumpf in der Hand.«

»Das kann man wohl sagen«, brummte Hugo geknickt vor sich hin.

Ich schüttelte den Kopf. »Aber so schlecht steht es auch wieder nicht um uns. Immerhin haben wir den Schuhkarton. Das ist der Jocker. Demnach, was ich heute so in Erfahrung gebracht habe, wollen die Jellicoes nicht, daß Fotos wie die, die sie haben, in Umlauf kommen. Fragen Sie mich aber bloß nicht nach dem Grund; den weiß ich nämlich noch nicht. Aber wenn ich sie davon überzeugen kann, daß Ihre Bilder von Wert für sie sind, können wir uns ja vielleicht auf ein kleines Tauschgeschäft einigen – mein Wissen und Ihr Wissen gegen Cindy Ann.«

Hugo schlürfte nachdenklich an seinem Bier. »Als ich bei der Army war, hatten sie fast jeden Tag so 'ne kleine Übung für uns auf Lager. Auf einer kleinen Anhöhe stellten sie ein Maschinengewehr auf und beschossen damit – mit richtiger Munition wohlgemerkt – einen Übungsplatz mit Felsen und Holzbalken und außerdem mit einer Menge Schlamm und Wasserpfützen. Und wir sollten nun über dieses Gelände robben, während dieses Maschinengewehr wie wild über unsere Köpfe hinwegballerte. Man brauchte wirklich ein verdammt gutes Gefühl dafür, wann man aufstand und wann man sich wieder duckte. Ein bißchen zu hoch, und es hätte einem die Schädeldecke zersiebt. Zuviel Bodendeckung, und man kam einfach nicht vorwärts, und der Rest der Meute ließ einen hinter sich. Scheint mir fast so, als hätte Ihr Vorschlag ein bißchen Ähnlichkeit mit dieser Übung. Sie versuchen, die Jellicoes davon zu überzeugen, daß diese Fotos einen gewissen Wert haben könnten. Dabei darf man natürlich nicht außer acht lassen, daß für verschiedene Leute verschiedene Dinge von Wert sein können. Übertreiben Sie nun den Wert der Fotos ein bißchen zu sehr, so ist sehr leicht möglich, daß dieser Baum von Laurie plötzlich über Ihnen zusammenstürzt und Sie unter sich begräbt, was übrigens gar keine so nette Vorstellung ist. Schaffen Sie es aber andrerseits nicht, den Wert der Bilder genügend ins rechte Licht zu rücken, dann lassen Sie sie mit einem Achselzucken abblitzen.«

Ich lächelte ihn an. »Sie hätten Detektiv werden sollen, Hugo.«

»Ich glaube, ich hätte dabei gar keine so schlechte Figur gemacht.«

»Ja, das glaube ich auch.«

»Und wie wollen Sie mich dann also in Ihren Plan einbauen, Harry?«

Ich nahm einen Schluck Bier und sagte: »Überhaupt nicht.«

Erst erwiderte er nichts. Er starrte nur ins Leere, um das eben Gesagte erst einmal zu verdauen. Schließlich wandte er sich mir auf seinem Sitz voll zu und sah mir in die Augen. »Ich möchte, daß Sie mir die Wahrheit sagen. Wollen Sie mich vom Hals haben, weil Sie denken, ich könnte Ihnen im Weg sein? Oder wollen Sie mich loshaben, weil Sie sich Sorgen machen, mir könnte bei dem Ganzen etwas zustoßen? Welcher von diesen beiden Gründen trifft also zu?«

»Ich arbeite allein, Hugo. Dafür werde ich auch bezahlt. Damit will ich keineswegs sagen, daß Sie mir in irgendeiner Weise unterlegen wären oder nicht zur Genüge auf sich selbst aufpassen könnten. Aber wenn der Einsatz so hoch ist wie in diesem Fall, dann erledige ich die Sache entweder allein oder gar nicht. Und mit allein meine ich auch allein. Ich würde sagen, am besten fahren Sie nach Dayton und besuchen Ihren Sohn.«

»Für wie lange?«

»Bis ich Sie hier wieder brauche.«

Hugo nahm einen tiefen Atemzug. »Na gut, Harry. Ich werde morgen fahren.«

»Wunderbar. Und vor allem keine Tricks, ja? Haben wir uns da richtig verstanden, Hugo?«

»Was soll das nun wieder heißen, Harry. Wie kommen Sie denn auf so eine Idee?«

Wir bestellten noch einmal zwei Bier. Hugo schien so verdammt aufgekratzt, daß ich mich schon zu wundern begann, wie ernst er das eben Gesagte wohl genommen hatte. Gegen zwölf sagte er dann plötzlich: »Es ist schon verdammt spät.« Ich stand also auf und ging zum Zahlen an die Theke. Ich stand gerade an der Kasse, als mich von hinten jemand so hart anrempelte, daß ich eine ganze Reihe Biergläser umwarf.

Ich drehte mich um, worauf sich mir der Anblick von Big Mikes Hinterkopf bot. Kein übler Brocken, dieser Mike. Etwa meine Größe, aber gute fünfzig Pfund schwerer und mindestens um ein Fünftel betrunkener als ich. Vielleicht waren es Terry und Morris Rich; vielleicht waren es Abel Jones und die Jellicoes; vielleicht war es Cindy Ann; oder vielleicht war es auch das Bier und unsere Unterhaltung, und der Argwohn, daß bei Hugo alles, was ich gesagt hatte, beim einen Ohr hinein und beim anderen wieder hinausgegangen war. Jedenfalls hatte sich dieser wütende kleine Mann in mir an diesem Tag bereits genug gefallen lassen müssen. »Jetzt laß mal mich ran«, drängte er sich deshalb vor, und ich war einfach schon zu müde und ausgepufft, um noch ›nein‹ sagen zu können.

Ich tippte Mike auf die Schulter, worauf er sich langsam zu mir umdrehte. Er war bereits ganz schön zu. Aber er war einer dieser fiesen und falschen Säufertypen. Sein aufgedunsenes Ferkelgesicht war verschwitzt und rot angelaufen; nur seine Augen waren noch nicht vom Alkohol in Mitleidenschaft gezogen worden. Und diese Augen gierten nur so nach ein wenig Rambozambo.

»Hey, Mike«, sprach ich ihn an und klopfte ihm auf den Arm. »Du hast wohl heute abend noch immer nicht genügend alte Männer über den Haufen gerannt, was?«

»Was willst du, du...?« Seine Stimme war ebenso laut wie schwerfällig.

»Verdammt noch mal, ich möchte die zwei Dollar wieder, die du mir noch schuldest. Schließlich hast du mir vorhin zwei Gläser weggesoffen.«

Mikes blutunterlaufene Augen verengten sich zu zwei schmalen Schlitzen. »Jetzt kann ich mich wieder an dich erinnern. Du bist doch dieses Kerlchen, das vorhin mit diesem alten Knacker rumgezogen ist.«

»Ganz richtig«, sagte ich mit einer Stimme so süß wie Honig. »Was ist also mit meinen zwei Dollar?«

»Zieh bloß Leine, oder...«

»Geben Sie dem Herrn die zwei Dollar«, schaltete sich nun Hank von seinem Platz hinter der Theke ein. »Schließlich haben Sie ja auch das Bier getrunken. Ich hab's selbst gesehen.«

»Was wollen Sie eigentlich?« dröhnte nun Mike los. »Kann man in dieser gottverdammten Bar nicht mal einen heben, ohne daß einem irgend so ein Arschloch dauernd was ins Ohr flüstert?«

»Nehmen Sie sich bloß zusammen«, stauchte ihn Hank zurecht.

Und das war es dann. Genau darauf hatte Big Mike gewartet. Er erstarrte wie ein Wachhund, bevor er sich auf jemanden stürzte, und glotzte Hank haßerfüllt an. »Was hast du da eben gesagt, du Scheißer?«

»Er meinte, du solltest ihn nicht so nennen«, mischte ich mich nun wieder ein.

Big Mike wirbelte mit unglaublicher Schnelligkeit herum und schoß seine Rechte gegen meinen Kopf vor. In so einem Fall gibt es nur zwei Möglichkeiten: Entweder man rührt sich oder man liegt auf der Schnauze. So einfach ist das. Ich entschied mich jedenfalls blitzschnell für ersteres und duckte mich, so daß ich unter Mikes rechter Schulter zu stehen kam. Er war ein wenig aus dem Gleichgewicht geraten, würde sich aber im nächsten Moment wieder fangen. Ich dachte jedoch nicht daran, so lange zu warten, sondern trieb ihm meine Rechte mit voller Wucht in den Solarplexus.

Mike ächzte schwer und kippte hintüber auf den Boden.

Ich wollte mich gerade auf ihn stürzen, als mir Hank seinen Arm um den Bauch legte.

»Immer mit der Ruhe, Harry«, versuchte er mich zu beruhigen. »Der Kerl hat schon lange genug.«

»Ich möchte meine zwei Dollar wieder«, stieß ich zwischen den Zähnen hervor.

»Hier, nehmen Sie das«, kam einer von Mikes Freunden auf mich zu und streckte mir zwei Dollarscheine entgegen.

»Ich möchte sie aber von *ihm*!« Ich versetzte Big Mike einen Arschtritt.

»Harry«, versuchte mich Hank zu bremsen.

Big Mike stöhnte.

»Lassen Sie mich sie Ihnen geben«, flehte der Typ, auf dessen Hemdbrust Al stand. Er beugte sich über Mike und zog ihm seine Brieftasche aus der Hosentasche. »Da«, sagte er und warf sie mir zu.

Ich nahm mir zwei Dollarscheine heraus und warf die Brieftasche auf den Boden.

»Und tauchen Sie mir hier nie wieder mit diesem Arschloch auf«, wandte ich mich an Al. »Haben Sie mich verstanden?«

»Gute Nacht, Harry«, turtelte Jo.

Ich ging zum Restaurant hinunter, packte Hugo am Arm und trat mit ihm rasch in die warme Nachtluft hinaus.

»Junge, Junge«, Hugos Stimme nahm einen bewundernden Ton an. »Sieht ja ganz so aus, als hätte ich mir da genau den richtigen Mann ausgesucht.«

8

Der Morgen danach ist normalerweise fürchterlich. Entweder mein Blutzuckerspiegel ist zu niedrig, oder mein Herz schlägt nicht mit dem genügenden Elan, oder die Traumrhythmen der Nacht erschallen noch immer in meinen Ohren. Wenn ich zum erstenmal die Augen aufgeschlagen habe, tappe ich erst wie ein Schlafwandler eine halbe Stunde lang durch meine Wohnung, um den ungehemmt über mich hereinbrechenden Erinnerungsstrom von mir abzuwenden. Aber unweigerlich drängen sich all die verstümmelten und toten Gesichter um mich – all die Freunde, die gewaltsam von mir gerissen wurden. Und an jenem Samstag morgen sollte das kein bißchen anders sein. Der zähe Schwarze Roscoe Bohannon – seit drei Jahren tot – und die schöne Lauren Swift – seit einem Jahr nicht mehr unter den Lebenden – ein Feind und eine Freundin, sie waren um mich, als ich die Augen aufschlug. Nachtreisende, verloren im Tageslicht, hingen sie wie Staubteilchen im klaren Licht der Abendsonne in der Luft und ließen sich nicht eher verscheuchen, als ich mich aus dem Bett emporarbeitete und mich in die Dusche rettete.

Und dann die Vertrautheit der täglichen Gewohnheiten. Der Kaffee auf der Couch im Wohnzimmer. Der Klang des Zenith Globemaster, den ich ständig laufen lasse, um immer eine menschliche Stimme um mich zu haben. Der Druckerpressengeruch der Morgenzeitung. Meine halbe Stunde verstrich, und ich stellte fest, daß ich imstande war, einen Satz zu bilden, den ersten des Tages: *Setz dich mit Hugo Cratz in Verbindung.*

Ich ging zu dem kleinen Tisch unter dem Wohnzimmerfenster, auf dem das Telefon steht, und wählte Hugos Nummer. Während ich dem Piepen im Hörer lauschte, sickerten allmählich die ersten Erinnerungen an die vorige Nacht durch. Die bläuliche Verfärbung meines Mittelfingerknöchels brachte mir die Schlägerei mit Mike wieder ins Gedächtnis. Und dann fiel mir der bewundernde Ton in Hugos Stimme wieder ein, als wir zum Auto gegangen waren. Er hatte mir eine Spur zu zufrieden, zu selbständig und zu nonchalant geklungen. Er hatte bestimmt irgend etwas vor, dessen war ich mir ganz sicher. Wahrscheinlich heckte er irgendeinen Plan aus, wie er sich davor würde drücken können, abzureisen. Zuerst würde er dadurch einen Nachmittag gewinnen. Dann einen ganzen Tag. Und schließlich eine Woche. Und bevor ich mich noch recht versah, würde mich der gute, alte Hugo dazu gebracht haben, ihn bleiben zu lassen – damit er mich nur tüchtig antreiben und anfeuern konnte, wenn ich als strahlender Ritter für die Ehre Cindy Anns gegen Lance und Laurie in die Schlacht zog.

Aber dazu sollte es mir nicht kommen; selbst wenn ich ihn persönlich zum Bus bringen und wie eine besorgte Mutter anrufen würde, ob Hugolein auch wirklich gut angekommen wäre. Um die Wahrheit zu sagen, ich mochte das alte Schlitzohr einfach zu sehr, um mitansehen zu können, daß ihm etwas zustieß. Und wenn Coral recht hatte, war diese meine Angst keineswegs unbegründet.

Etwa nach dem zwanzigsten Läuten nahm er schließlich ab. Ich erinnerte ihn daran, daß er noch heute die Stadt verlassen würde, worauf er brav entgegnete: »Aber sicher, selbstverständlich, Harry. Wenn Sie meinen.«

Ich hatte schon halb erwartet, er wäre vielleicht wirklich abgereist, als ich dann gegen halb zwei vor seinem Haus vorfuhr. Aber er saß natürlich seelenruhig noch auf der Veranda. Mit der einen Hand beschattete er seine Augen, und in der anderen hielt er einen altmodischen Flechtkoffer. Ich hupte, worauf er die Treppe herunterkam, die Wagentür öffnete und sich neben mir auf den Beifahrersitz gleiten ließ.

»Was hat Sie denn so lange aufgehalten?« begrüßte er mich gut gelaunt.

Ich warf ihm von der Seite einen kurzen Blick zu. Sein Kinn war inzwischen wieder von grauen und weißen Stoppeln übersät, und seine Nase hackte darauf herunter, wenn er mit seinem Kiefer mahlte – eine Tätigkeit, der er mit mechanischer Regelmäßigkeit nachging, als kaute er an einem Pfriem oder redete mit sich selbst. Und diese feuchten, blauen Augen – sie sahen aus, als ruhten sie in klarer Sülze – sprühten nur so voller Leben und gespannter Erwartung.

»Worüber freuen Sie sich denn so?« fragte ich ihn, als ich den Rückwärtsgang einlegte und den Pinto aus der Parklücke auf die Cornell hinaus rangierte. »Haben Sie Ihren Sohn angerufen?«

»Ja.« Er nickte. »Heute morgen. Er versucht ja schon seit Jahren, mich dazu zu überreden, zu ihm zu ziehen. Er würde sogar ein Extrazimmer für mich anbauen, wenn ich bei ihm bleiben würde.«

»Mhm.« Ich fuhr in Richtung Ludlow und Expreßway. »Haben Sie auch den Busbahnhof angerufen, wie ich Ihnen gesagt habe?«

»Sicher. Der Bus geht um zwei Uhr fünfzehn und ist um halb fünf in Dayton. Ralph wird mich abholen.«

»Wunderbar. Und haben Sie auch daran gedacht, den Schlüssel für Ihre Wohnung und den Schuhkarton mitzubringen?«

»Das ist alles in meiner Tasche, Harry. Genau, wie Sie mir gesagt haben.«

Ich nagte an meiner Unterlippe herum.

»Sie sind ja ganz schön nervös, Harry«, bemerkte Hugo ruhig.

»Ich hab' nur Angst, irgend etwas zu vergessen«, erklärte ich ihm meine Hektik. Ich war gerade auf die I-75 eingebogen und fuhr nun südlich von Clifton durch die sonnigen Fabrikwohnanlagen am Stadtrand. »Außerdem möchte ich ganz sichergehen, Hugo, daß Sie nicht irgendeinen Grund haben, morgen plötzlich vor meiner Wohnungstür zu stehen.«

»Also, Harry.« Ich wußte nicht, ob das recht überzeugend klang.

Es war Punkt zwei Uhr, als wir an der Greyhound-Station ankamen. Während ich noch die Parkuhr fütterte, trottete Hugo bereits auf das Abfertigungsgebäude zu.

»Warten Sie!« brüllte ich ihm nach.

Er blieb vor dem Eingang stehen und tat so, als würde er den dort aufgehängten Fahrplan studieren.

»Sie sind aber wirklich verdammt nervös«, bemerkte Hugo ein zweites Mal, als wir aus dem hellen Sonnenlicht in das Dämmerlicht der Busstation traten.

Ganz gleich, wie laut es in so einer Busstation auch ist – und an einem Samstagnachmittag im Juli steigt dort der Geräuschpegel ganz gewiß um einiges an, – kann man doch immer noch seine eigenen Schritte hören. Mühelos scheinen sie alle anderen Geräusche zu übertönen – das Krachen der Lautsprecher, das Zischen der Luftdruckbremsen, das sanfte Seufzen der sich öffnenden Bustüren und das verstärkte Dröhnen der Dieselmotoren, wenn die Busse losfahren. Ich habe keine Ahnung, wie sie das schaffen, wie sie die Akustik und die Reflektionswinkel so genau berechnen können, daß einem das Klicken der Absätze mit solcher Deutlichkeit ins Ohr sticht. Zudem verstehe ich auch nicht, warum Busstationen immer so trostlos und deprimierend aussehen müssen. Oder warum die Menschen, die auf den harten, roten und blauen Plastikbänken herumsitzen, immer ohne Ausnahme so öde und gelangweilt aussehen müssen, wie die ausgemergelten Männer- und Frauengestalten in Walker Evans' Studien über die verelendete Landbevölkerung. Sogar die Angestellten und Kontrolleure machen einen elenden und trägen Eindruck. Und sich dazu in irgendeiner Weise zu äußern, scheint einfach jeder zu verdammt gelangweilt. Wenn es so etwas wie eine städtische Hölle gibt, dann kommt ihr so eine Busstation meiner Ansicht nach verflucht nahe.

Ich beschattete Hugo, als er sich seine Fahrkarte kaufte, und darauf gingen wir zusammen zu den Schließfächern im Keller hinunter. Hugo holte den Schuhkarton aus seinem Koffer. Ich nahm mir drei Fotos heraus und steckte sie mir in die Tasche. Dann schob ich den Karton in ein freies Fach und verschloß es.

»Also gut, Hugo. Gehen wir.«

Hugo wand sich leicht auf der Stelle und sagte: »Sie brauchen nicht extra hier zu warten, Harry. Den Weg zum Bus finde ich schon allein.«

Ich lächelte und schüttelte den Kopf. Ich hatte ja gewußt, daß es so kommen würde; ich hatte nur nicht gewußt, wie es genau vor sich gehen würde. Eigentlich war ich sogar ein bißchen enttäuscht, daß Hugo gedacht hatte, er könnte mich so einfach loswerden.

»Jetzt lassen Sie es aber mal gut sein; das schaffe ich schon allein«, versuchte er mich abzuwimmeln, als ich ihn am Ärmel seiner Jacke packte.

»Nein, nein, Hugo. Ich werde auf jeden Fall mitkommen.«

»Ich bin doch kein kleines Kind mehr, das man auf Schritt und Tritt beaufsichtigen muß.«

Ich packte ihn jedoch fest am Arm und griff mir seinen alten Koffer. »Los, gehen wir.«

»Also, alles was recht ist, Harry.«

Ich ließ mich auf keine lange Diskussion mehr ein und brachte ihn unter beständigem Schimpfen und Murren zum Bus. »Das können Sie doch nicht mit mir machen. Das ist ein freies Land. – Ich habe schließlich meine Rechte. – Verdammt noch mal, Harry, jetzt lassen Sie endlich meinen Arm los – es ist einfach eine Schande, wie in dieser Stadt die alten Leute behandelt werden...«

Als er jedoch merkte, daß er damit nicht weiterkam, wurde Hugo plötzlich nachdenklich. »Ich habe meinen Sohn gar nicht angerufen«, gestand er mit einem Mal. »Kein Mensch wird mich in Dayton vom Bus abholen.«

»Das ist natürlich bedauerlich, Hugo. Sie werden eben ein paar Blocks zu Fuß gehen müssen.«

»Ich leide immerhin noch unter den Folgen eines Herzinfarkts«, jammerte er los. »Sie wollen mich doch wohl nicht einfach mitten in die pralle Sonne stellen und dann losmarschieren lassen, bis ich umkippe?«

»O doch«, nickte ich. »Genau das werde ich tun.«

»Sie haben keinen Tropfen menschliches Blut in Ihren Adern, Harry.« Nun versuchte es Hugo auf die Mitleidstour. »Wenn ich in Dayton tot auf der Straße liege, dann werden Sie sich das ganz allein zuzuschreiben haben. Wollen Sie sich wirklich so eine Schuld aufladen?«

»Sie werden glänzend zurechtkommen, Hugo«, versicherte ich ihm mit einem Seufzer. »Ihren Sohn habe ich heute morgen angerufen, und er wird da sein und Sie vom Bus abholen.«

»Sie haben Ralph angerufen?« Seine Stimme klang unsicher.

Ich nickte. »Ja, heute morgen.«

Er schrumpfte zusammen wie ein alter Luftballon. »Verdammt«, stieß er nur noch hervor und schüttelte seinen weißbehaarten Kopf.

Bis dann der Bus kam, sprach Hugo kein einziges Wort mehr. Erst als sich die übrigen Passagiere bereits zu einer Schlange aufgereiht hatten, stand auch Hugo allmählich langsam auf. »Sie passen jetzt gut auf sich auf, ja, Harry?« Seine Stimme klang verzagt und kleinlaut. »Machen Sie mir bloß keine Dummheiten, ja?«

»Machen Sie sich deswegen mal keine Sorgen, Hugo. Ich werde schon auf mich aufpassen.«

»Aber Sie rufen mich doch ab und zu an? Schließlich möchte ich doch wenigstens wissen, wie die Dinge stehen.«

»Sicher werde ich das.«

»Und wegen des Geldes...« Er rieb sich verlegen das Kinn.

»Darüber können wir ja sprechen, wenn ich Cindy Ann zurückgebracht habe.«

Hugo klopfte auf seine Jacken- und Hosentaschen und seufzte. »Na gut.« Er streckte mir seine Hand entgegen. »Sieht ja so aus, als ob ich alles hätte.«

Ich schüttelte seine Hand und sagte. »Den Schlüssel.«

»Was?« Hugo warf mir einen unsicheren Blick zu.

»Den Schlüssel für Ihre Wohnung, Hugo. Den brauche ich doch.«

Hugo stieß einen leichten Pfiff aus und schimpfte. »Sie vergessen wohl gar nichts, was?« Er kramte in seiner Hosentasche herum. »Sie denken ja wirklich immer an alles, Mister Harry Stoner.«

»Na ja, jeder versucht eben nur sein Bestes.«

»Na, dann bleiben Sie mal dabei.« Er trat auf die Bustür zu. »Hören Sie?« Er stieg auf ein Trittbrett. »Und beeilen Sie sich ein bißchen, ja. Ein paar Wochen mit Ralph, und ich bin reif für ein Veteranenheim.« Die Bustür schloß sich mit einem satten Schmatzen und ersparte mir den Rest seiner guten Ratschläge.

9

Sobald der Bus mit Hugo losgefahren war, ging ich die Fifth Street hoch in ein Pancake-Cafe an der Elm, wo ich über einem Teller teigiger Waffeln in die Betrachtung der Welt versank. Von meinem Platz aus schien die Elm Street voller Mädchen in Sommerkleidern, und jede von ihnen sah aus, als wäre sie eben aus dem Bus aus Greenburg oder Sunman oder Milan gestiegen. Vielleicht auch aus dem aus Sioux Falls, wo auch immer das sein mochte. Sie hatten alle denselben Ausdruck im Gesicht – diesen verträumten, abwesenden Blick, den man bekommt, wenn das Auge nach innen gerichtet ist und sich ganz dem hingibt, was es dort sieht. Das war wie ein erotischer Tagtraum da draußen auf der sonnenbeschienenen Straße, der Traum eines Gierigen von einer leichten Beute, von einer Welt voller Cindy Anns. Ich nippte an meinem bitteren Kaffee, und als ich nun wieder aufsah, machten die Mädchen da draußen einen wesentlich weiseren Eindruck.

Nicht Sie sind das, meine Damen, sagte ich zu mir selbst. Das bin nur ich. Ich und diese paar Fotos, die mir einfach nicht aus dem Kopf wollen. Ich legte meine Hand auf meine Jackentasche und fühlte das kleine Rechteck der Bilder, das sich unter dem Stoff abzeichnete. Wenn dies hier nur eine verschlafene Handelsstadt gewesen wäre, hätte es sich Cindy Ann vielleicht erlauben können, einfach so in ihrer naiven Unbedarftheit anzukommen. Aber Städte entwickeln sich wie psychopathische Kinder. Sie werden erwachsen und damit zu Delinquenten. Und hierin bilden nicht einmal so altbackene und verschlafene Städte wie Cincinnati eine Ausnahme.

Ich zahlte und ging wieder zur Busstation zurück. Die Parkuhr lief gerade aus, als ich zum Wagen zurückkam. Aber das machte nichts. Ich hatte schließlich etwas zu erledigen. Ich mußte eine einflußreiche Persönlichkeit aufsuchen.

Von Ohio aus sieht Newport in Kentucky wie ein verträumtes, kleines Nest inmitten grüner Hügel aus. Doch dieser Eindruck aus der Ferne täuscht. Newport ist sozusagen das Las Vegas von Cincinnati – Heimstätte des Spiels, der Prostitution und jeglichen anderen Lasters, das die Stadtväter von Cincinnati aus ihrer Stadt gebannt haben. Newport ist ein offenes Geheimnis, ein schmutziger, kleiner Witz, über den jedoch niemand lacht, weil es in Newport einfach zu sehr nach Geld, Macht und Einfluß stinkt, um sich darüber lustig machen zu können. Es ist eine knallharte Grenzstadt mit einem blühenden Nachtleben und einer entsprechend toleranten Polizei. Und es gibt keinen Menschen in Cincinnati, der nicht über Newports Existenz froh wäre. Schließlich muß es doch einen Ort geben, wo die Geschäftsleute, die nach Cincinnati kommen, ein bißchen Dampf ablassen können. Und dafür ist Newport wie geschaffen. Unterbringung in einem guten Hotel in Cincinnati, Abendessen in der Stadt, danach in einer der Bars downtown ein paar Bierchen, und dann steht unserem Geschäftsfreund aus Elkhart, Louisville oder Dayton der Sinn nach aufregender Unterhaltung; er überquert den Ohio und findet sich in Newport wieder, wobei er sogar den Segen Cincinnatis hat, da das meiste Geld sowieso dorthin zurückfließt. Also, was soll's?

In Newport gibt es zwei oder drei Männer, die über dem sowieso schon wenigen an Gesetz stehen, durch das sich das Leben der Stadt geregelt sieht. Einer von ihnen ist ›Porky‹ Simlab, der Mann, den ich nun aufzusuchen gedachte. Es gibt da eine Geschichte über Porky, die vielleicht durchaus das Erzählen wert ist. Sie hat sich vor dreißig Jahren zugetragen, als es in Newport noch loser zuging, als dies selbst heute der Fall ist. Damals gehörte Porky und seiner Frau Blanche der Golden Deer in der Main Street – eine Bar und ein Striplokal mit einem ebenso rauchigen wie einträglichen Hinterzimmer. Nun sollen es eines Tages zwei recht ambitionierte Burschen von außerhalb auf Porkys Goldmine abgesehen haben; erst versuchten sie noch, den Handel mit finanziellen Mitteln zu bereinigen, nahmen aber schließlich, als sie damit nicht weiterkamen, bei etwas härteren Maßnahmen Zuflucht. Es heißt, Blanche Simlab sei eines schönen Nachmittags in ihren rosafarbenen

Cadillac gestiegen, um auch im nächsten Augenblick schon wieder durch die Windschutzscheibe herausgeschossen zu kommen – und zwar zusammen mit einer gewaltigen Feuergarbe, die sowohl sie wie den Wagen in Stücke riß. Am nächsten Tag hatte Porky den Golden Deer an die zwei ›Zugereisten‹ verkauft und sich einem anderen Erwerbszweig zugewandt. Er kaufte im Norden der Stadt ein Kino, mauserte sich zu einem Musterbürger und kandidierte zwei oder drei Jahre später für das Amt des Bürgermeisters. Er wurde mit überwältigender Mehrheit gewählt. Alle liebten den guten, alten Porky, immer noch der kugelrunde Junge vom Land mit dem dicken, gutmütigen Gesicht und der seltsamen Angewohnheit, anstatt mit seinen kleinen, braunen Augen mit dem Mund zu zwinkern. Sobald nun Porky in dieser Bruchbude, die sich ›City Hall‹ schimpft, in Amt und Ehren war, machte er diesen beiden zugereisten ›Geschäftsleuten‹ einen Gegenvorschlag. Nicht etwa, daß dabei der Preis nicht gestimmt hätte; von Geld war gar nicht die Rede. Es ging nur darum, daß der Golden Deer wieder seinem rechtmäßigen Besitzer zufallen sollte und die beiden Zugereisten sich wieder dahin scheren sollten, wo sie hergekommen waren. Von diesem Vorschlag hielten die beiden natürlich nicht allzuviel. In einer kalten Februarnacht des Jahres 1952 veranlaßte nun Porky im Golden Deer eine Razzia, wobei er ausdrücklich darauf bestand, daß die Polizisten, die sie durchführen sollten, dabei mit entsicherten Waffen vorzugehen hatten, falls sie auf Gegenwehr stoßen sollten. Dazu blieb den dort Versammelten allerdings nicht mehr viel Zeit. Die Bullen tauchten eine Stunde nach Lokalschluß im Hinterzimmer des Nightclubs auf und erschossen jeden Mann und jede Frau, die sich dort aufhielten. Und eine Woche darauf gehörte der Golden Deer wieder Porky Simlab.

Zehn Jahre nach dieser denkwürdigen Nacht der Golden-Deer-Razzia kaufte Porky ein weiteres Filmtheater – ein Premierenkino in Erlanger, das auf Disney-Filme spezialisiert war; solide Familienunterhaltung also. Zu diesem Zeitpunkt war Porky bereits in ganz Boone Country eine Legende. Er war einfach nicht mehr aus dem öffentlichen Leben wegzudenken, mit seinem rosa El Dorado mit zwei Stierhörnern als Kühlerfigur und mit den täglichen Versammlungen auf der Veranda seines bescheidenen Hauses in der Charles Street. Ich hatte Porky 1968 kennengelernt, als ich gerade für Pinkerton arbeitete und ihn unter die Lupe nehmen sollte. Er hatte mich damals zum Abendessen zu sich eingeladen, und danach saßen wir noch bei einer Flasche Bourbon zusammen und unterhielten uns. Im Verlauf dieses Gesprächs hatte Porky ganz beiläufig durchscheinen lassen, daß ich lieber die Finger von dieser unbedeutenden, alten Geschichte lassen sollte, über die ich eigentlich meine Nachforschungen hätte anstellen sollen. Und als sich dann die Sache dementsprechend auch im Sande verlief und nichts an den Tag kam, gab mir Porky zu verstehen, sein Haus stünde mir jederzeit offen, wenn ich seine Hilfe brauchte. Er hatte sich mächtig angetan gezeigt, das konnte man wirklich sagen.

Ich hatte es mir jedoch keineswegs zur Gewohnheit gemacht, nun ständig in der Charles Street aufzutauchen. Aber bei den wenigen Malen, da ich dies doch getan hatte, war Porky immerhin jedes Mal mit dem gewünschten Namen, beziehungsweise der gewünschten Adresse herausgerückt. Das eine muß ich ihm wirklich lassen, was Informationen betraf, ließ er sich mir gegenüber nicht im geringsten lumpen.

Es war halb vier, als ich meinen Wagen vor Porkys Haus in der Charles Street parkte. Er hielt gerade wieder eine von seinen berühmten Versammlungen ab. Zehn bis zwölf Männer saßen auf der Veranda herum, und ein weiteres halbes Dutzend war über den Rasen verteilt. Ich machte Red Bannion unter ihnen aus. Red ist ein untersetzter Mann mit kräftigen Armen und dem faltigen, müden Gesicht eines Kleinstadtpolizisten. Mit seiner schwarzen Hornbrille war er Porkys rechte Hand, Kammerdiener, Saufkumpan und Leibwächter in einer Person. Außerdem hatte er während der Golden-Deer-Zeiten als Porkys Polizeichef fungiert. Er winkte mir von der Veranda entgegen, als ich über den Rasen auf das Haus zuging.

»Sie haben sich hier ja schon eine Ewigkeit nicht mehr sehen lassen, Harry«, begrüßte er mich mit einem kräftigen Händedruck. »Der alte Porky wird sich sicher mächtig freuen, daß Sie sich mal wieder blicken lassen.«

Red führte mich am Arm die Treppe zur Veranda hinauf und brüllte: »Hey, Porky! Sieh mal, wer da kommt.«

»Harry!« dröhnte mir Porky aus seinem Schaukelstuhl entgegen. »Harry Stoner!« Porky startete einen halbherzigen Versuch, sich aus seinem Stuhl hochzuarbeiten, aber ich konnte ihn gerade noch rechtzeitig zurückwinken.

»Setzen Sie sich doch!« Dabei deutete er auf einen freien Stuhl neben sich.

Ich nahm Platz.

Er sah aus, als hätte er sich seit unserem letzten Treffen nicht im geringsten verändert, und das sagte ich ihm auch. Immer noch der alte, gut gelaunte Junge aus Berea mit dem breiten Gesicht.

»Nein, Harry«, jammerte er in einer heiseren, nach Whisky schmeckenden Stimme. »Ich habe mich ganz schön verändert. Die Jahre häufen sich, das kann ich Ihnen sagen.« Porky hatte die Angewohnheit, bei einzelnen Worten zu verweilen, wenn er sprach. Diesen rednerhaften Stil hatte er sich wohl während der Zeit angewöhnt, da er in der Politik tätig gewesen war, um ihn dann freilich auch nach seiner Pensionierung noch weiterhin beizubehalten, zumal er so gut zu seinem herrschaftlichen Lebensstil paßte. »Was verschafft mir die Ehre dieses Besuches, alter Junge?«

»Was Geschäftliches, Porky.«

»Dachte ich mir's doch«, seufzte er. »Wann kommt mich schon mal jemand besuchen, ohne daß es sich um was Geschäftliches dreht?«

Ich zuckte mit den Achseln. »Tja, was soll ich dazu sagen?«

»Ach, ist ja schon gut«, brummte er gutmütig. »Alles nur halb so schlimm. Eines Tages, mein Junge, da werden Sie aufwachen und feststellen, daß wir gar nicht so verschieden sind, wie Sie immer denken. Wissen Sie, Harry, unter der Haut sind wir alle Nigger. Nur ein paar von uns sind vielleicht ein bißchen fetter als der Rest...« Er brach in ein heiseres Lachen aus. »Okay« sagte er schließlich und klatschte sich mit beiden Händen auf die Knie. »Was kann ich für Sie tun, Harry?«

»Ich brauche ein paar Informationen.«

Porkys kleine, braune Augen wanderten rasch zu den Männern auf der Veranda und dann wieder zurück zu mir. »Red!« brüllte er los. »Bring doch die Herren mal nach hinten, ja? Zeig ihnen den Grill und das Schnapsversteck.«

Die Männer auf der Veranda kicherten und machten sich einer nach dem anderen aus dem Staub. Porky hob zum Abschied seine dicke Hand und zwinkerte mit dem Mund. »Ich komme gleich nach.«

Als der letzte von ihnen um die Ecke des Hauses verschwunden war, fiel Porkys Hand in seinen Schoß zurück, und er wandte sich wieder mir zu. »Also gut Harry. Was gibt's?«

Ich langte in meine Jackentasche und holte die drei Fotos von

Cindy Ann heraus. Porky sah sie sich eine Minute lang ausdruckslos an und zwinkerte dann mit seinem Mund. »Verdammt heiß,
was?« meinte er und fächelte mit den drei Schnappschüssen durch
die Luft. »Dürfte knapp vierzig Grad haben heute.« Er gab mir die
Bilder zurück und faltete seine Hände über dem Bauch. »Damit
habe ich ja eigentlich nichts zu tun«, kam er nun auf die Fotos zu
sprechen.

»Das weiß ich auch«, bestätigte ich ihm. »Aber das ist jemands
Tochter, Porky. Und dieser Jemand möchte sie auf jeden Fall
zurückhaben.«

»So, so.« Porky spitzte die Lippen und nahm mir noch einmal
eines der Fotos aus der Hand. »Und was wollen Sie jetzt genau
wissen?«

»Sie ist verschwunden. Und ich möchte gerne herausfinden, wie
und wo? Und falls sie auf eurer Seite des Flusses gearbeitet hat,
dann würde ich das auch gerne wissen.«

»Wie kommen Sie darauf, daß sie hier arbeiten könnte?«

»Ein Typ namens Abel Jones hat mir das erzählt.«

Porky zwinkerte zweimal.

»Kennen Sie ihn?«

»Den Namen habe ich schon mal gehört«, brummte Porky.

»Na ja, jedenfalls sind er und ein entzückendes, junges Pärchen
mit dem ebenso entzückenden Namen Jellicoe irgendwie in die
Sache verwickelt. Sie haben das Mädchen. Und die Bilder haben Sie
ja gesehen, Porky.«

Er sah sich das Foto noch einmal an. »Verdammte Scheiße. Sie ist
ja noch ein Kind.« Er schüttelte den Kopf. »Tz, tz. Die Zeiten
ändern sich, das kann man wohl wirklich sagen. Ich möchte nur
hoffen, daß sich niemand, den ich kenne, auf so was einläßt.« Er
steckte den Schnappschuß in sein Hemd und stierte gedankenversunken auf den Rasen. »Red!« brüllte er schließlich los.

Er kam um die Ecke geschossen, eine Hand gegen seine Brille gepreßt, die andere nervös in Höhe der Brusttasche seiner Jacke.

»Hat Willie Keeler immer noch dieses Kino in der Main Street?«

Red legte seine Hand an die Stirn und blinzelte zur Veranda
hoch. »Ja, ich glaube schon. Ich bin mir sogar ziemlich sicher.«

Porky war plötzlich mit einer Schnelligkeit auf den Beinen, die
für einen Mann seines Alters und seiner Statur fast unmöglich
schien. »Bringen Sie Harry zu ihm. Ich gehe inzwischen nach
hinten und kümmere mich um unsere Gäste.«

Porky tänzelte die Treppe hinunter auf den Rasen. »Wir beide bleiben in Verbindung, haben Sie gehört, Harry?« rief er mir noch zu. »Ich werde mich auf jeden Fall um die Sache kümmern und Ihnen Bescheid geben, wenn ich Näheres weiß.«

Red Bannion fuhr mich in Porkys rosarotem Cadillac. In Porkys Gegenwart machte Red immer einen recht brauchbaren Eindruck; er schien auf den leisesten Wink seines Brotgebers zu reagieren. Mit mir allein, im Wagen, war er nun jedoch schweigsam und unfreundlich, und sein wettergegerbtes Gesicht nahm fast auf der Stelle einen Ausdruck unverhohlener Langeweile an. Ich vermutete, daß er es nicht sonderlich mochte, für Porky irgendwelche Fahrten zu machen, und da der Anlaß dafür ich war, vermutete ich auch, daß er mich nicht sonderlich mögen würde. Red dürfte in jenem Sommer etwa sechzig Jahre alt gewesen sein, aber, nicht unähnlich Porky, verfügte auch er noch über ein recht beachtliches Maß an gesunder Energie. Ich hatte also nicht die geringste Lust, es mir mit ihm zu verscherzen.

Willie Keelers Kino lag in der North Main in einem Block, der sich hauptsächlich aus kleinen Geschäften zusammensetzte – Wäschereien, Schuhgeschäfte und Möbelläden. Auf der Anzeigetafel stand geschrieben, daß ein Streifen mit dem Titel *Jung und Rastlos* gespielt wurde und der ›Zutritt für Jugendliche strengstens verboten‹ war. Vor der Kasse hingen ein paar traurige Gestalten herum. Red scheuchte sie mit einem rauhen »Hey!« beiseite und marschierte durch die mächtige Glastür ins Innere. Er war ganz schön geladen. Und ich kam zu der Überzeugung, daß es für alle Beteiligten das Beste wäre, wenn ich die Sache so schnell wie möglich hinter mich brachte. Ich konnte mir sowieso nicht vorstellen, daß Keeler viel über die Bilder wissen würde. Für so etwas gibt es nur einen recht begrenzten Markt. Ich mußte einen zufriedenen Kunden finden, und dann konnte ich mit seiner Hilfe vielleicht die Spur zu Cindy Ann zurückverfolgen.

Im Foyer gab es einen Popcorn- und einen Getränke-Automaten, und rechts davon befand sich eine Tür mit der Aufschrift ›Büro‹. Red fand es nicht nötig, anzuklopfen. Er rauschte einfach durch die Tür, und ich folgte ihm.

Keeler war ein hagerer Mann mit silbergrauem Haar, Anfang fünfzig, dessen glattes, fahles Gesicht mich an eine Plastikfrucht erinnerte. Er saß hinter einem kleinen Schreibtisch, als wir in den

Raum polterten. Offensichtlich hatte er eben der Übertragung eines Baseballspiels zugehört. Neben seinem Schreibtisch stand nämlich ein kleiner Radioapparat, den er jedoch in dem Moment, da wir den Raum betreten hatten, abgeschaltet hatte. Er fuhr hoch, als hätten wir ihn eben in flagranti ertappt.

»Können Sie denn nicht klopfen?« schnappte er Red an. Seine Stimme klang dünn und näselnd. Nicht gerade die Art von Stimme, die sich besonders wohl dabei zu fühlen schien, einen Mann wie Red Bannion anzuknurren. Ich glaubte, aus Keelers Verhalten fast schließen zu können, daß Red vielleicht vor noch gar nicht so langer Zeit einmal frech geworden war, und Keeler sich das hatte gefallen lassen müssen.

Bannion sah ihn an – der typische Blick eines Polizisten, eher ein Abtaxieren als ein offenes Starren. Darauf verengten sich seine Augen zu zwei schmalen Schlitzen. »Porky hat uns geschickt.« Seine Stimme war ganz matter-of-fact.

»Und?« Keeler warf mir einen unsicheren Blick zu. »Sie sind doch nicht von der Polizei, oder? Und wenn es so wäre, Sie können bei mir nichts beanstanden. Ich habe alle Gebühren bezahlt. Sie brauchen nur Phil Tracewell vom C.I.D. anzurufen; der wird es Ihnen bestätigen.«

»Ich bin nicht von der Polizei. Ich bin Privatdetektiv und suche ein vermißtes Mädchen.« Ich holte die Fotos aus meiner Tasche hervor und zeigte sie ihm. »Dieses Mädchen da.«

Keeler griff sich eine Brille, die neben ihm auf dem Schreibtisch lag, und starrte angestrengt auf den Schnappschuß, als versuchte er angestrengt, auf einer Packung für Fertiggerichte die Gebrauchsanweisung zu entziffern. »Tut mir leid.« Er schüttelte seinen Kopf, nahm die Brille wieder ab und gab mir das Foto zurück. »Ich habe dieses Mädchen noch nie gesehen.«

»Haben Sie im Foyer auch Kurzstreifen laufen?« fragte ich ihn.

»Ja. Wir haben zwei Automaten.«

»Und wie oft wechseln Sie die Filme?«

»Alle zwei Wochen.«

»Na ja, ich wäre Ihnen jedenfalls dankbar, wenn Sie sich ein wenig nach diesem Gesicht umschauen könnten. Rufen Sie mich doch an, falls Sie das Mädchen zufällig einmal entdecken.«

Ich gab ihm meine Visitenkarte, und nachdem ich mir die Sache kurz überlegt hatte, sagte ich ihm auch, er solle das Foto behalten.

»Wir bekommen nicht allzuviel von diesem Kleinkinderkram,

wissen Sie. Das mögen die Bullen nicht.« Er warf Red Bannion einen giftigen Blick zu. »Oder habe ich da etwa nicht recht, Red?«

»Woher soll ich das wissen, was die Bullen mögen oder nicht?« grunzte der trocken zurück.

»Na ja, was soll's auch?« Keeler wandte sich wieder mir zu. »Ich werde meine Augen offenhalten, Stoner. Manchmal werden wir mit ›heimischen Produkten‹ beliefert, und falls die Kleine dabei auftauchen sollte, werde ich Sie selbstverständlich verständigen.«

Red Bannions Stimmung besserte sich auf dem Weg zurück zur Charles Street zunehmend.

»Ich kann diesen Mann nicht ausstehen«, gestand er mir mit einem Grinsen. »Dieses Geschäft schmeckt mir überhaupt nicht.«

Wir fuhren die Main Street hinunter und am Golden Deer vorbei. Red blickte fast zärtlich aus dem Wagenfenster, als wir an dem Club vorbeikamen. »Ich hoffe, es macht Ihnen nichts aus, daß ich diesen Weg genommen habe«, wandte er sich mir zu. »Manchmal brauche ich das einfach, um nicht zu vergessen, wer ich eigentlich bin.«

»Aber sicher, Red. Machen Sie sich meinetwegen nur keine Gedanken.«

»Mein lieber Mann«, redete er weiter. »Sie würden echt aus den Pantoffeln kippen, wenn Sie wüßten, wie sich in dieser Stadt hier alles verändert hat. Als Porky und ich nach dem Krieg hier anfingen, gab es nur einen einzigen Club auf der Seventh Street. Und jetzt sehen Sie sich das mal an.«

Er deutete mit einer ausladenden Geste auf die dicht aneinander gedrängten Night-Clubs – Kittycat, Silver Mule, Hideaway, Three-Ring Circus, Dew Drop Inn und wie sie alle heißen.

»Macht keinen guten Eindruck mehr, was? Ganz schön schmierig und heruntergekommen. Total kommerziell.« In seiner Stimme lag Verachtung. » Einfach kein Charakter, keine Atmosphäre mehr. Verdammt, Sie könnten die Kerle, denen diese Clubs gehören, einen neben dem anderen aufstellen, und es würde Ihnen schwerfallen, einen vom anderen zu unterscheiden. Lauter verdammte Italiener mit Geschäftsanzügen und Sonnenbrillen. Nicht wie in den alten Zeiten, als es noch Leute wie Porky, Texas Jim McElroy und Hymie Gould gab. Ja«, seufzte er, »das ist jetzt anders.«

Wenn ein alter Gangster wie Red Bannion sentimental wurde, dann hatte das etwas zu bedeuten. Und da er nicht gerade der Typ war, dem es leichtfiel, etwas auszuspucken, hatte er vor das Ganze

– was immer das auch sein mochte – ein kleines Vorwort gesetzt – ein kleiner Umweg, eine kleine Gedenkrede für die gute, alte Zeit. Es schien ganz so, als versuchte er, die Hemmungen, die er offensichtlich hatte, abzulegen, indem er sich daran erinnerte, wer er einmal gewesen war und wer er nun war. Ich vermutete, daß das, was er mir erzählen wollte, in irgendeinem Zusammenhang mit Willie Keeler stand. An der Tatsache, daß die beiden sich nicht riechen konnten, war ja auch kaum zu zweifeln gewesen. Ich hatte ihn sogar schon deswegen fragen wollen, als wir aus dem Kino gekommen waren, aber zum Glück hatte in meinem Kopf gerade noch rechtzeitig eine kleine Alarmglocke zu bimmeln begonnen, so daß ich meinen Mund im letzten Augenblick doch noch zuklappte. Eines der schwierigsten Dinge, die ich in meinem Leben zu lernen gehabt habe, ist wohl, meinen Freunden *nicht* die Fragen eines Detektivs zu stellen. Und manchmal fällt es einem verdammt schwer, sich daran zu halten, zumal man ja auch noch dafür bezahlt wird, neugierig zu sein. Wie sich herausstellen sollte, hatte ich gut daran getan, meine Klappe zu halten, denn das, was Red mir erzählen wollte, hatte nichts mit Keeler zu tun.

Er parkte den Cadillac vor Porkys Haus in der Charles Street und ließ sich mit einem Seufzer in den Sitz zurück. Er nahm seine Brille ab und massierte sich sorgfältig die Abdrücke, die sie auf seinem Nasenrücken hinterlassen hatte. »Diese Bilder, Harry«, fing er schließlich mit einer leicht gequälten Stimme an. »Wer will denn über die was wissen?«

»Ein alter Mann aus Clifton. Der Vater des Mädchens.«

Bannion nickte und rieb weiter seine Nase. Seine Augen waren geschlossen, und ich hatte für einen verrückten Augenblick lang das Gefühl, als bete er. Er nagte kurz mit den Zähnen auf seiner Unterlippe, dann schlug er die Augen wieder auf und setzte sich die Brille auf die Nase. Offenbar hatte er innerhalb dieses Bruchteiles einer Sekunde eine Art Entscheidung gefällt, was er mir erzählen würde. »Vielleicht kann ich Ihnen weiterhelfen, Harry.« Er lächelte mich an. »Wenn mich nicht alles täuscht, habe ich das Gesicht dieses Mädchens schon irgendwo mal gesehen. Aber wenn ich nur wüßte, wo das war. Kann ich vielleicht mal eines der Fotos sehen?«

Ich holte eines aus meiner Jackentasche und reichte es Red. Er klappte die Sonnenbrille herunter und hielt den Schnappschuß vor seine Augen. »Und ob ich die schon mal gesehen habe. Hier in

Newport, und das ist auch noch gar nicht so lange her. Allerdings war sie da anders zurechtgemacht.« Er fuhr mit einer Hand durch die Luft, als berührte er Cindy Anns Gesicht. »Ihr Haar war...« Seine Hand zeichnete üppige Locken ins Nichts. »Und ihre Augen waren auch anders geschminkt. Verdammte Scheiße, sie sieht ja auf diesem Bild kaum älter als sechzehn aus.«

»Genau so alt ist sie.«

»Meine Güte.« Red bog mit seinem Daumen an einer Ecke des Fotos herum. »So jung kann die doch unmöglich sein.«

Ich blickte ihn für einen Moment an und fragte: »Warum?«

Red errötete leicht. »Weiß auch nicht. Vielleicht war sie's ja auch gar nicht. Kann ja auch möglich sein. Aber das werden wir schon herausfinden. Beim Deer.«

»Ist sie auf den Strich gegangen, Red?« drang ich in ihn. »Ist es das, was Sie damit sagen wollen?«

Er sah zu Boden. »Ich weiß nicht genau, Harry. Aber wir können das ja auf jeden Fall mal überprüfen. Wollen Sie nicht heute abend noch mal vorbeischauen?«

»Heute abend geht's bei mir nicht.«

»Na gut, dann rufe ich Sie vielleicht morgen vormittag an. Vielleicht kann ich Ihnen dann Genaueres erzählen. Kann ich das hier behalten?« Er sah mich an und hielt das Foto hoch.

»Sicher.«

»Wohnen Sie immer noch in Clifton?«

»Ja, immer noch.«

»Na gut.« Er öffnete die Wagentür. Wir stiegen beide aus. Red reckte sich und fuhr sich mit den Händen über seine Jacke. »So etwas mag ich ganz und gar nicht.« Er lächelte bitter, als er das sagte. »Es ist noch nicht ganz ein Jahr her, daß ich zu diesem Thema mit dem guten, alten Willie ein Wörtchen zu reden hatte. Ich würde Ihnen in dieser Sache ganz gern helfen – jedenfalls, wenn Sie nichts dagegen haben.«

Er sah zu mir auf und lächelte dabei wie ein Chorknabe. Ein stämmiger, rundköpfiger, sechzigjähriger Chorknabe mit gelben Zähnen.

»Nein, dagegen habe ich nichts«, konnte ich ihm darauf nur versichern.

10

Die Sonne ging gerade unter, als ich auf der Hängebrücke den Ohio überquerte, aber die Luft war immer noch von der Hitze des Tages geschwängert. Die Dämmerung war schwül und heiß, und so würde es noch über Mitternacht hinaus bleiben. Daran waren nur diese verdammten Hügel schuld; sie speicherten die Wärme wie die Wände eines Ofens, und dazu kamen dann noch die Abgase aus den Industriegebieten und von den Wagen und Bussen. Mir war zwar noch nichts dergleichen zu Ohren gekommen, aber ich vermutete, daß die Luftverschmutzung an jenem Abend wieder einmal bedrohliche Ausmaße annehmen würde. Bleifarbener Dunst lag über dem Fluß. Ich war hundemüde und fühlte mich schmutzig und verschwitzt, als hätte ich den Nachmittag nicht damit verbracht, mich mit drei Gangstern der lokalen Szene zu unterhalten; viel eher kam ich mir vor, als hätte ich den ganzen Tag beim Heuaufladen geholfen.

Zeit, nach Hause zu fahren, sagte ich mir. Dort konnte ich dann in aller Ruhe den Schlachtplan für den nächsten Tag entwerfen. Unter anderem würde da auch ein kleines Treffen mit den Jellicoes an der Tagesordnung sein. Aber ein nettes, gemütliches; ohne irgendwelche rauhen Worte. Ein kleines Plauderstündchen mit Harry, dem Bestechlichen, der leichthin von alten Männern und vermißten jungen Mädchen sprechen würde – und von der Möglichkeit, daß da vielleicht irgendwelche Schwierigkeiten auftauchen könnten. Aber das nur so nebenbei kurz angedeutet. Vielleicht auch ein paar Fotos. Nicht daß die Sache nicht etwa mit ein paar Dollars und einem Mindestmaß an Unterstützung bereinigt werden könnte. Mehr als solch eine verschleierte Drohung konnte ich auch kaum riskieren. Nach allem, was Coral mir erzählt hatte, konnte selbst das bereits zu viel des Guten sein. Aber letztlich würde das früher oder später sowieso auf mich zukommen. Ich gelangte zu der Überzeugung, daß ich die Fotos brauchen würde, selbst wenn ich sie nicht Lance und Laurie unter die Nase rieb. Da mir mein Vorrat inzwischen ausgegangen war, bedeutete das einen neuerlichen Halt an der Busstation.

Ich bog vom Expreßway in die Front Street ein, vorbei am Riverfront Stadium. Am Fountain Square ging gerade die Straßenbeleuchtung an – dieser verblichene Grünton, der fast ein Weiß ist. An der Fifth bog ich nach Osten ab und kam schließlich über den

Goverment Square zum Busbahnhof, wo ich, wie es mir schien, Hugo Cratz vor einer ganzen Ewigkeit in den Greyhound nach Dayton gesetzt hatte.

Ich konnte von Glück reden, daß ich auf der Elm Street gleich einen Parkplatz fand. Es war nämlich Samstagabend, und um diese Zeit ziehen es die meisten Leute vor, in eine Bar oder ins Kino zu gehen, anstatt zu Hause vor dem Fernseher zu sitzen. In den Straßen wimmelte es nur so von Damen in pastellfarbenen Kleidern und Herren in leichten Sommeranzügen in Beige und Blau. Ich kam mir vor wie eine Kröte, die in einem verschwitzten Hemd und einem Sportjacket, das aussah, als wäre es von einem Lastwagenreifen gebügelt worden, durch die Menge hopste. Aber zum Teufel damit – ich war einfach zu kaputt, um mir deswegen groß Gedanken zu machen. Außer vielleicht wegen der Damen. Die gefielen mir nämlich schon ausnehmend gut. Mir gefiel die Art, in der sie sich unter ihren luftigen Kleidern bewegten. Mir gefiel der Anblick ihrer Schultern unter dem Nachthimmel. Und ihre Beine, wenn ihre Arme gegen die fliegenden Röcke streiften. Und ihre dunklen Augen, in denen sich das weiße Licht der Straßenlaternen oder das warme Gold der Schaufensterbeleuchtungen spiegelte. Herr im Himmel! Es ist schon eine ganz schön lange Zeit her, dachte ich bei mir.

Aber was ich jetzt wirklich brauchte, war der Busbahnhof. Ich brauchte das Gefühl, vom gleißenden Licht dieser unzähligen Leuchtkörper versengt zu werden, von diesem Licht, das aus so vielen unterschiedlichen Winkeln auf mich eindrang, daß ich mir nicht vorstellen konnte, daß selbst ein Riese in dieser Öde der Greyhound-Station einen Schatten hätte werfen können. Und vermutlich brauchte ich auch noch einmal den Anblick dieser glücklichen und zufriedenen Seelen, die hier auf den Bänken saßen und warteten. Ich brauchte es, noch einmal das Klicken meiner Absätze zu hören und das Krachen des Lautsprechers – als *wäre* es ein Lautsprecher und nicht nur ein Mann, der wie ein Lautsprecher klang. Und was ich vor allem brauchte, war dieser Teenager, der an mir vorbeistrich, als ich den Schuhkarton aus dem Schließfach holte, und, einen Arm lässig gegen die Wand gestützt, neugierig auf mich herabblickte.

»Hi«, begrüßte er mich mit einer zuckersüßen Stimme.

Ich schüttelte meinen Kopf. »Nichts für ungut, Bruce, bei mir bist du da an den Falschen geraten.«

»Oh, hätte ja sein können«, antwortete er erheitert und tänzelte weiter.

Ich fühlte mich wie Hugo Cratz, als ich mich wieder aufrichtete. Da fiel mir ein – wo, zum Teufel, steckte Hugo Cratz eigentlich? Ich nahm den Schuhkarton unter den Arm und machte mich auf die Suche nach einer Telefonzelle. Ich fand eine neben dem Ausgang zur Elm Street. Allerdings war es eine von diesen modernen Plexiglaskuppeln, unter die man wie unter eine Trockenhaube beim Friseur kriecht – keine Tür, kein Sitz, kein Licht. Wenn ich mit so einer Zelle vorliebnehmen muß, komme ich mir immer vor, als würde ich eine Weste ohne den dazugehörigen Anzug kaufen. Wenn es sich also nicht gerade um einen Notruf handelt, sind diese Dinger völlig unbrauchbar; man hat dort etwa so viel Privatsphäre wie in einer Gefängniszelle.

Ich trottete also wieder in die Nacht hinaus und versuchte, mich auf das Straßenpflaster zu konzentrieren, anstatt meine Aufmerksamkeit dem Lachen, dem leichten Duft nach Parfüm und den wunderbaren Damen mit ihren leuchtenden Augen zuzuwenden, von denen ich von allen Seiten umgeben schien. Du kannst die Sache doch auch so sehen, Harry, sagte ich mir; sie sehen doch auch so schon toll aus. Ja, und wenn man hinter dieses luftige Etwas von Kleid gelangt, sieht das alles noch besser aus. Braun, wo die Sonne sie berührt hat, und weiß und flaumig, wo ihr der Zutritt verwehrt war. Ich sah schon, das würde mich nicht weiterbringen. Ich fing an, an Jo Riley zu denken, wie sie aussah, wenn sie sich mit einem Knie auf meinem Bett niederließ und das andere Bein in einer anmutigen Linie nach hinten streckte. Ich stellte mir vor, wie ihr das Haar auf die Schultern fiel und wie ihre Brüste sich beim Atmen leise hoben und senkten. Dort, wo die Sonne sie gebräunt hatte, sahen sie aus, als setzte ihre sanfte Wölbung etwas tiefer an, als sie das in Wirklichkeit tat, und ihre rosa Brustwarzen schienen dadurch etwas zu weit nach oben versetzt, als säßen sie am oberen Rand der sanft geschwellten, milchweißen Rundung.

Wahrscheinlich würde sie so gegen zwölf Uhr frei haben. Und ich hatte noch nichts gegessen. Und, verdammt noch mal, schließlich schwitzt jeder, wenn es heiß ist.

Ich stieg also in meinen Pinto und fuhr in Richtung Norden los – zur Ludlow und zum grauen Betonkasten der Busy Bee.

Nachdem nun ein Teil meines Problems gelöst war, fiel mir auch wieder die andere Hälfte der Unterhaltung ein, die ich draußen im Busbahnhof vor ein paar Stunden an jenem Abend mit mir selbst geführt hatte. Denn es bestand kein Zweifel, daß da ein anderer Mensch neben mir lag und schlief. Klein und zierlich unter dem Laken, das immer wieder von neuem die wunderbare Topographie eines Frauenkörpers abbildete, wenn sie sich im Traum auf die Seite drehte und ein leichtes, zufriedenes Seufzen von sich gab – Jo. Jo mit dem pechschwarzen Haar und dem sanften, herzförmigen Gesicht mit seinem unverkennbaren südlichen Einschlag. Jo, mit all ihrer guten Laune, ihrem Lachen, ihrem Gefühl für Unabhängigkeit. Jo, die so süß wie Marzipan sein konnte und zugleich so hart und unnachgiebig wie – wie eben Jo. Aber an einem bestand nicht der geringste Zweifel: Ich bereute nichts. Als wir um zwei Uhr morgens die Treppe zu meiner Wohnung hochgetrollt waren, beschwipst und unsere Beschwipstheit leicht übertreibend und dabei kichernd und verstohlen, als versuchten wir, uns ohne Einladung bei einer festlichen Party einzuschleichen. Fröhlich aneinandergelehnt, als gingen wir noch aufs College. Und dazwischen plötzliche Ausbrüche von übermütigem Lachen – die wissenden Erwachsenen. Und dann der Augenblick, als wir plötzlich in der Wohnung standen und schweigend die vertraute Umgebung wiedererkannten und uns gegenseitig anblickten. Ein leichter Anflug von Angst und Unentschlossenheit, nun, als da nur noch Jo und Harry waren, niemand sonst. Und als plötzlich Jo und Harry zugleich voll bewußt wurde, daß das, was nun geschehen würde, der Anfang von etwas sein würde, das entweder in einem Gelöbnis oder in einem gebrochenen Versprechen resultieren würde. Zum Glück ist in diesem Fall der Körper mit seinen Bedürfnissen und Wünschen schneller und gewitzter als der Kopf, denn sonst wären da nicht Jo und Harry plötzlich nackt und voller Begierde füreinander gewesen – und voller Zärtlichkeit und leidenschaftlicher Umarmungen.

Nachdem wir uns geliebt hatten, setzte ich mich, die Arme hinter dem Kopf verschränkt, leicht auf und fragte mich, wie ich jemals hatte anders denken können, zwischen uns beiden würde es nicht gehen. Und dann, es war bereits spät, ein plötzlicher Windstoß trug etwas kühle Luft ins Zimmer, fiel mir der Grund wieder ein. Ich erinnerte mich an dieses letzte Fünkchen von Zurückhaltung, diese plötzliche Reserviertheit, die sie mit einem Schlag wieder in eine völlig Fremde verwandelte und mir das Gefühl gab, als wäre nie etwas zwischen uns gewesen. Ich erinnerte mich wieder an die Bewunderung, die ich für ihre Entschlossenheit und Unabhängigkeit gehegt hatte. Und dieses schuldbeladene Gefühl der Erleichterung, da diese Reserviertheit wie eine Zusicherung war, daß ab einem bestimmten Punkt Schluß sei, da immer ein Bereich in ihr bleiben würde, zu dem mir der Zutritt verwehrt blieb. Eine Pufferzone. Ein Burggraben. Mir vermittelte das ein großartiges Gefühl, bis ich eines Nachmittags entdecken sollte, daß die Burg, die hinter diesem Graben lag, nichts anderes als ihr Herz war.

Es war der Detektiv in mir gewesen, der mich dazu angestiftet hatte, in ihren Sachen herumzustöbern – Schmuck, Make-up-Utensilien, eine herzförmige Uhr an einer Goldkette, ein japanischer Fächer, Seidenunterwäsche, und ganz hinten in einer Schublade, unter all den Höschen versteckt, die Ecke einer Fotografie auf einem Pappkarton. Verstohlen betrachtete ich den Fund und zog ihn schließlich unter all der Unterwäsche hervor. Es war das Hochzeitsfoto einer blutjungen Jo und eines kurzgeschorenen Marinecorporals in Uniform und mit einem schwachen Lächeln im Gesicht. Sie überraschte mich mit dem Ding in der Hand.

Sie trat durch den Raum auf mich zu, nahm mir die Fotografie aus der Hand und verstaute sie wieder in ihrem alten Versteck unter der Unterwäsche.

»Warum hast du mir davon nichts erzählt?« fragte ich sie.

»Wahrscheinlich wollte ich nicht, daß du es weißt.«

»Das macht doch überhaupt nichts.«

»Vielleicht dir nicht.« Sie schloß die Schublade, und nach einer kurzen Pause. »Wir sind immer noch verheiratet!«

Und nun wußte ich es also, wonach ich geforscht hatte. Geduldig und ohne zu erröten klärte mich diese selbstbewußte, schwarzhaarige Frau mit der Glitzerbrille und dem hübschen, herzförmigen Gesicht über den wahren Sachverhalt auf. Ihr Mann hatte für den Geheimdienst gearbeitet, und sie hatte ihn fünf Jahre nicht mehr gesehen, was sie jedoch nicht daran hindern konnte, gelegentlich noch eine Träne an ihn zu vergießen.

Als sie damit fertig war, trabte ich ins Wohnzimmer zurück. Ich war wütend auf mich selbst und belegte mich mit einem Schwall von Schimpfwörtern, mit dem man ein ganzes Lexikon hätte füllen können. Nach ein paar Minuten kam sie mir dann nach. Sie kuschelte sich neben mich auf die Couch und sagte mit ihrer rauchigen Stimme: »So, jetzt weißt du es also. Ich glaube, ich kann sonst niemanden lieben. Jedenfalls für eine ganze Weile nicht; vielleicht auch für immer. Zumindest nicht, bis ich darüber hinweggekommen bin. Mit dir habe ich es schon fast geschafft, aber eben nur fast. Nur wenn ich dann manchmal denke, es wäre da, merke ich plötzlich, daß nicht du es bist, woran ich denke. Und das beunruhigt mich ganz schön.«

Ein paar Wochen später hatten wir beide uns dann Lebwohl gesagt. Wir waren, glaube ich, beide erleichtert gewesen, daß das Ganze nicht mehr weitergehen sollte, daß der Burggraben nicht überquert und die dahinterliegende Burg nicht im Sturm genommen werden mußte, zumal diese Belastung ja auch durchaus erfolglos verlaufen hätte können.

Aber in dieser heißen Julinacht, Jo nach drei Jahren Trennung wieder schlafend neben mir im Bett, fühlte ich mich plötzlich wesentlich tapferer. Vielleicht lag das an dem Schuhkarton mit den Fotos, der auf dem Tisch im Wohnzimmer lag. Oder der Gedanke an den rein körperlichen Akt, bar jeder Liebe und Zärtlichkeit, den sie darstellten. Oder die Erinnerung an die Jellicoes. Das sind nämlich genau die Leute, die nie irgendwelche Burggräben überquerten, dachte ich bei mir. Das sind die kranken Nebenerscheinungen eines selbstsüchtigen und unromantischen Zeitalters. Und man kann sich entweder auf ihre Seite schlagen und so tun, als ginge einen das alles nichts an. Oder man kann versuchen, die Frau, die neben einem liegt, zu lieben und dabei auch riskieren, verletzt zu werden.

Aber natürlich nicht so verletzt zu werden wie Cindy Ann. Sie war einfach brutal zu einem Stück Ware degradiert worden. Ich versuchte mir dieses sechzehnjährige Mädchen vorzustellen – mit einem superkurzen Rock und weißen Plastikstiefeln; wie sie sich mit einem Pfund Puder und Rouge im Gesicht im Golden Deer an irgendwelche Freier heranmachte. Es war sehr gut möglich. Vielleicht waren die Jellicoes nicht mehr an ihr interessiert. Oder sie diente nur als eine Art Köder. Oder Red Bannion hatte einfach schon schlechte Augen, zusammen mit einem sechzigjährigen schlechten Gewissen und dem verzweifelten Drang, wenigstens noch ein bißchen wiedergutzumachen. Die Moral eines alten Gauners läßt sich am besten mit der Vorstellung eines Baptisten von Nächstenliebe vergleichen – ein ebenso glühender wie vor der Größe der sich ihm stellenden Aufgabe hilfloser Eifer.

Ich berührte Jo an der Schulter, worauf sie sich sanft an mich kuschelte. Das war das Beste, und zwar mit Abstand. Und mit ihr und diesem Gedanken in meinem Arm schlief ich schließlich ein.

Am nächsten Morgen weckte mich um acht Uhr das Telefon; das war wesentlich früher, als ich eigentlich aufstehen wollte. Erst versuchte ich, es einfach zu überhören, aber dann murmelte Jo etwas, es würde sie ebenfalls aus dem Schlaf reißen. Also stolperte ich splitternackt aus dem Bett und ins Wohnzimmer.

Es muß in dieser verdammten Wohnung an die fünfunddreißig Grad gehabt haben, und außerdem war es einfach noch viel zu früh, um den Tag zu beginnen. Ich wünschte den Anrufer aus ganzem Herzen zum Teufel. Nach dem zehnten Läuten erreichte ich schließlich den Apparat und brüllte »Was?« in den Hörer.

»Ist da Harold... Stoner am Apparat?« meldete sich eine hohe, unsichere Stimme.

Ich setzte mich und lachte lauthals los, während ich mir den Schweiß von der Stirn wischte.

»Harry?«

»Ja, Hugo«, antwortete ich. »Ich bin's. Höchstpersönlich.«

»Prima. Ich dachte nämlich schon, ich hätte 'ne falsche Nummer gewählt. Ich habe nämlich meine Brille zu Hause vergessen, und diese Telefonbücher hier sind so verdammt klein gedruckt...«

»Wie spät ist es denn, Hugo?«

»Wieso? Acht Uhr, so ungefähr jedenfalls.«

»Acht Uhr früh?«

»Sicher.«

Ich atmete hörbar aus und sagte schließlich: »Wie sieht's aus in Dayton?«

»Zum Kotzen.« Hugos Stimme klang gedrückt. »Genau wie ich es mir vorgestellt habe. Diese verdammten, kleinen Fratzen von Ralph haben mich nicht eine Sekunde in Ruhe gelassen. Und letzte Nacht konnte ich nicht schlafen. Deshalb habe ich Sie angerufen, Harry.«

Vermutlich bekommt man die Rechnung für das, was man getan hat, immer auf irgendeine Weise serviert. Ralphs Kinder wecken Hugo auf. Hugo weckt mich auf. Aber wenigstens war er in Dayton, wo ihm nichts passieren konnte. »Na ja, Sie werden's schon überleben«, versuchte ich, ihn zu trösten.

»Verdammt noch mal, sicher werde ich's überleben. Aber Sie

haben gut reden, Harry. Ich bin ein kranker, alter Mann. Gestern abend hat mich der Jüngste so in den Rücken getreten, daß ich schon dachte, eine Niere hätte das Zeitliche gesegnet. Ich werd's überleben, ja, aber bestimmt nicht lange.« Seine Stimme nahm einen tragischen Unterton an. »So ist es, mein Herr; ich bin dem Tod geweiht. Sie sprechen mit einem dem Tod Geweihten, Harry Stoner. Und Sie sind derjenige, der ihn auf dem Gewissen hat.«

»Jetzt bleiben Sie aber mal auf dem Teppich, Hugo. Sie werden's schon schaffen.«

»Werde ich das?« Er holte Atem und kicherte. »Na ja, vielleicht. Aber dafür werden vielleicht ein paar andere daran glauben müssen. Wann gedenken Sie denn, mich wieder zurückkommen zu lassen?«

»Vielleicht in ein paar Tagen.« Ich dachte dabei an das, was mir Red Bannion gesagt hatte. »Hängt ganz davon ab, wie sich die Sache entwickelt.«

»Haben Sie schon mit den Jellicoes geredet?«

»Nein. Ich habe gestern den ganzen Tag herauszufinden versucht, was sie eigentlich genau mit Cindy Ann gemacht haben.«

»Und haben Sie's rausgekriegt?«

Ich zögerte erst, kam aber dann zu der Überzeugung, daß er die Wahrheit würde vertragen können. Andernfalls hätte er mir außerdem zu viele Schwierigkeiten gemacht. Und früher oder später würde er sie sowieso erfahren müssen. »Wahrscheinlich ging sie in Newport auf den Strich.«

»Mein Gott.« Hugos Stimme war kaum vernehmbar.

»Machen Sie sich keine Sorgen, Hugo. Wenn sie wirklich als Prostituierte arbeitet, dann habe ich ein paar Freunde, die sie ausfindig machen und uns zurückbringen können. Heute abend werde ich das genauer wissen.«

»Werden Sie mich dann anrufen?«

»Sicher.«

»Sie – sie mißbrauchen sie aber nicht, oder? Ich meine, so wie in diesen Fotos?«

»Ich glaube nicht.«

»Das wäre nämlich wirklich zu viel für mich, Harry. Ich glaube, das würde ich nicht überleben.«

Er fragte mich noch einmal, ob ich ihn auch ja anrufen würde, worauf ich es ihm ein zweites Mal versicherte. Er fing an, unruhig zu werden, aber ich sagte ihm, es würde schon alles gutgehen.

Darauf meinte er, er würde auf mich zählen, und legte schließlich auf.

Eine ganz andere Art von Müdigkeit hatte sich inzwischen meiner bemächtigt, als ich wieder ins Schlafzimmer zurücktrottete. Wenn Jo nicht so fest geschlafen hätte, ich hätte sicher versucht, meine Last etwas zu erleichtern, indem ich ihr über die Sache erzählt hätte. Der große Unterschied zwischen Detektiven in Büchern und Detektiven im wirklichen Leben ist der, daß Detektive in den Büchern ihre Klienten immer aus irgendwelchen Gefahren retten. Und das halte ich für fürchterlichen Mist – höchst gefährlichen Mist obendrein. In Wirklichkeit hätten wir es eben gerne so, während die bittere Wahrheit einfach so aussieht, daß kein Mensch irgendeinen anderen vor irgend etwas retten kann. Wie spannend und gut geschrieben diese Bücher auch sein mögen, diese Geschichten über nie alternde Jachtbewohner, die ihren Damen nicht nur das stattliche Vermögen, sondern auch noch das Seelenheil bewahren, tun der Welt keinen großen Nutzen. Man braucht nicht einmal so viel Lebenserfahrung, um zu wissen, wie fernab der Realität solche Phantasien führen können und wie unverantwortlich und letztlich auch entmenschlichend es sein kann, die Rolle solch eines edlen Retters zu spielen.

Nun ja, ich bin und war immer schon sentimental. Ich giere richtiggehend nach ein bißchen Romantik – vielleicht gerade deswegen, weil es mir so schwer fällt, an meinem eigenen Leben irgendwelche romantischen Züge zu entdecken, oder vielleicht auch, weil es einfacher ist, dieses Bedürfnis in den Abenteuern irgendwelcher Phantasiegestalten auszuleben. Jedenfalls kommt in meinem Beruf immer wieder der Punkt, an dem ich von der liebevoll gehegten Vorstellung lassen muß, Harry würde am Ende schon alles richtig hinkriegen. Einen Dreck kann Harry. Und Harry sollte auch verzweifelte, alte Männer nicht in dem Glauben lassen, er würde schon alles wieder zurechtbiegen. Harry sollte mit diesem Gedanken im Kopf keine Aufträge annehmen. Deshalb hatte dieser Harry jetzt auch ein flaues Gefühl im Magen. Auf was hatte er sich da nicht wieder eingelassen? Das Problem mit solchen karitativen Jobs ist ja außerdem gar nicht die Bezahlung, sondern es sind die Arbeitsbedingungen. Die sind einfach zu verdammt unrealistisch. Harry hätte selbst gern eine Brust gehabt, an der er sich hätte ausweinen können. Aber da war nur diese schöne, junge Frau in seinem Bett, die sich nicht unbedingt gewillt zeigen mußte, als

Taschentuch zu fungieren, zumal Harry sich auch keineswegs sicher war, ob er ihr zumuten konnte, sie mit all diesem Ballast zu überhäufen. Und ob das nun tatsächlich bloß ein Ballastabladen war oder nicht vielmehr ein verdeckter Anklammerungsversuch, auch dessen war sich Harry nicht gewiß. Und in diesem Gefühl der Ungewißheit schlief er auch schließlich wieder ein – sicher nur in einem, daß er nämlich schon bedauerte, Hugo Cratz nicht gesagt zu haben, was dieser vielleicht sowieso schon wußte. Selbst wenn es gelingen sollte, Cindy Ann mit heiler Haut den Klauen der Jellicoes zu entreißen, hieß das noch lange nicht, daß sie jemals wieder das Bedürfnis verspüren würde, in dieses stinkige Loch von Wohnung, das Hugo Cratz sein Zuhause nannte, zurückzukehren.

11

Als ich an jenem Morgen das zweite Mal aufwachte, läuteten die Glocken von St. Anne zur Zehn-Uhr-Messe. Ich drehte mich im Bett herum und strich Jo eine Strähne ihres schwarzen Haares aus dem Gesicht.

»Sonntag«, sagte ich und küßte sie leicht auf die Lippen.

Sie schlug die Augen auf und lächelte mich an. Durch das Fenster nach Süden fiel die Sonne ins Zimmer und warf den Raum in strahlendes Licht. In dem hellen Sonnenlicht sah ihr verschlafenes Gesicht fast bleich aus. »Sonntag«, murmelte auch sie und setzte sich im Bett auf.

Während Jo in dem kleinen Hasenstall – Robert Realty nennt so etwas ›Kochnische‹ – Kaffee machte, duschte und rasierte ich mich. Jo paßte ja noch einigermaßen in diese Zwangsjacke von Kochnische mit einem zweiflammigen Herd auf der einen, einem Mini-Kühlschrank auf der anderen Seite und einer Alu-Spüle dazwischen. Mich erinnerte das Ganze immer an den Kontrollstand eines Raumschiffes; man war dort von allen Seiten von Geräten umgeben, wobei bei meiner leicht überdurchschnittlichen Körpergröße noch hinzukam, daß ich mich regelrecht bücken und umherwinden mußte, wenn ich mich zum Beispiel vom Kühlschrank zum Herd drehen wollte. Kochen und Abwaschen stellte unter diesen Umständen wirklich ein Unterfangen dar, das alle meine Energie und Konzentration erforderte, weshalb ich es auch in der Regel vorzog, auswärts zu essen.

Es brachte etwas angenehm Häusliches mit sich, Jo in der Kochnische hantieren zu hören. Als ich mich abtrocknete und einen kritischen Blick auf mein mitgenommenes, unrasiertes Gesicht warf – das Gesicht einer leicht in Mitleidenschaft gezogenen römischen Statue, wie eine Feundin von mir in einer schwachen Stunde einmal meinte –, in diesem Augenblick konnte ich mich also nicht des Gedankens erwehren, daß den kleinen Bekundungen der Zufriedenheit und des Ärgers, die Jo in der Küche von sich gab, etwas Zerbrechliches anhaftete. Und aus der Art, in der meine eigene Hand zitterte, konnte ich auch auf den Grund dafür schließen. Das Herz kann man nicht täuschen; man kann es nicht einfach wie ein übermütiges Kind maßregeln. Es besteht auf seinem Recht, ungeachtet dessen, was der Kopf dazu sagt. Genauso wenig läßt es sich zur Eile antreiben. Und während nun der Vormittag seinen Lauf nahm und im klaren Licht der Sonne und in der Routine des Alltags jene nächtlichen Entschlüsse zunehmend an Realität und Wichtigkeit verloren, fiel es dem Herzen schwerer und schwerer, das zur Sprache zu bringen, was es eigentlich sagen wollte. Und wenn es doch gelegentlich noch zu einem Versuch ansetzte, so ging das nicht ohne ein heftiges Stottern und Erröten vor sich. Noch ein bißchen länger, und es würde vielleicht ganz verstummen. Und das war der Grund, weshalb meine Hände zitterten und Jo so zerbrechlich und traurig klang.

Als dann das Telefon läutete, empfand ich das fast als eine Erleichterung.

»Ich geh' schon ran«, rief ich zu Jo in die Küche.

Ich ging ins Schlafzimmer, wo ich einen Zweitanschluß hatte, und meldete mich mit »Stoner«.

»Harry, Red Bannion am Apparat. Ich habe da ein paar Neuigkeiten, die Sie vielleicht interessieren werden.«

Ich setzte mich auf das Bett und betupfte mir mit dem Laken das Gesicht. »Und die wären, Red?«

»Das Mädchen. Ich wußte doch, daß ich sie schon mal gesehen hatte. Ich hab' mich da nicht getäuscht. Bill Hallan, der im Deer an der Bar arbeitet, hat mir erzählt, daß er die Kleine schon mindestens fünfmal gesehen hat. Aber sie ist nicht einfach so' ne normale Nutte. Jedes Mal, wenn sie in den Deer kam, hatte sie einen anderen Typen dabei. Einmal kam sie sogar mit einem ganz speziellen Typen. Sagt Ihnen der Name Preston LaForge was, Harry?«

Mir fehlten erst einmal für einen Augenblick die Worte.

»Sie wollen mich wohl auf den Arm nehmen, was, Red?«

»Nein, nein, wo denken Sie hin, Harry. Bill Hallan sagt, das letzte Mal, als sie in den Deer kam, war sie mit LaForge zusammen.«

»Das kann ich nicht glauben«, sagte ich halb zu mir selbst.

»Das klingt allerdings komisch«, bestätigte mich nun auch Red. »Ziemlich unwahrscheinlich, daß sich ein Typ wie LaForge mit so einem Kind wie dieser Kleinen einläßt. Der mit seinen Beziehungen.«

Vermutlich wird man aus Personen des öffentlichen Lebens nie wirklich schlau. Soweit ich ihn kannte, schien Preston LaForge der typische All-American-Boy. Schon auf dem College ein Star, und dann der unaufhaltsame Aufstieg mit den Bengals. Zwar noch kaum dreißig, war er bereits ein ebenso reicher wie berühmter Mann, mit einer durch nichts zu erschütternden Karriere beim Fernsehen in Aussicht, sobald er einmal aus dem aktiven Sportleben ausscheiden würde. Sein pausbäckiges, rosa Jungengesicht war bereits von Rasierwasserreklamen und Fernseh-Werbespots für Bier zur Genüge bekannt. Außerdem hatte er während der Nachsaison zusammen mit Merlin Olson schon gelegentlich einige Spiele kommentiert. Mir war nicht ganz wohl bei dem Gedanken, daß ein Mann wie er auf unreifes Obst, und dazu noch angefaultes, stehen sollte. Und noch unwohler wurde mir bei dem Gedanken, daß Preston LaForge nicht über genügend Grips verfügen sollte, seine schlechten Angewohnheiten nicht in aller Öffentlichkeit zur Schau zu stellen.

Aber auf irgendeine verrückte Weise ergab das Ganze auch durchaus einen Sinn. Falls Cindy Ann wirklich für die Jellicoes arbeitete, war es keineswegs die unmöglichste Sache der Welt, daß sie schließlich in den starken Armen des guten alten Preston landete. Lance interessierte sich sicher für Football. Und ich hatte ihn ja selbst in den Nautilus-Club gehen sehen, wo sich viele Spieler der Bengals fit hielten. Es fiel nicht schwer, sich vorzustellen, daß er bei solch einer Gelegenheit einmal Preston kennengelernt hatte und mit ihm auf einen Drink in eine Bar losgezogen war. Dabei hatten die beiden vielleicht auch einen kurzen Zwischenstopp in der Wohnung der Jellicoes gemacht, um ein bißchen was zu rauchen, sich zu unterhalten und möglicherweise auch einen kurzen Blick ins Familienalbum zu werfen.

»Und dann wären da noch zwei Sachen«, fuhr Bannion fort. »Ich habe da einen Namen in Erfahrung gebracht – Escorts Unlimited. Anscheinend sind das die Leute, für die das Mädchen gearbeitet hat. Das Büro befindet sich in der Plum Street, aber ich möchte wetten, daß die gesamte Büroeinrichtung aus nichts anderem als einem Anrufbeantworter besteht.«

Ich notierte mir den Namen ›Escorts Unlimited‹ auf einen Block. »Und was weiter?«

Bannion gab ein leises Geräusch von sich – eine Art leichter Seufzer, der jedoch eher wie ein ›Äh‹ klang. »Sie ist seit einer Woche nicht mehr aufgetaucht, und zuvor kam sie dort ziemlich regelmäßig vorbei. Das hat jedenfalls Bill Hallan gesagt.«

Nun war ich an der Reihe, in Gedanken ein leicht betretenes ›Äh‹ von mir zu geben. »Das hört sich allerdings weniger gut an«, sagte ich schließlich.

»Mir hat das auch nicht gefallen. Es ist natürlich möglich, daß sie den Besitzer gewechselt hat. So etwas soll ja manchmal passieren. Oder sie könnte einfach abgehauen sein.«

»Mit sechzehn?«

»Was hat das schon zu besagen, Harry?« Bannions Stimme klang resigniert und müde. »Die geht eben mit sechzehn schon auf die Vierziger zu. Wahrscheinlich ist an ihr kaum mehr was Unverbrauchtes dran.«

Ich dachte an Hugo Cratz und nagte an meiner Unterlippe. »Na ja, jedenfalls vielen Dank, Red. Sie haben mir sehr geholfen.«

»Warten Sie noch einen Moment, Harry. Seien Sie bloß vorsichtig, mein Junge. Und vergessen Sie nicht, daß Ihnen das sechzig Jahre harter Arbeit sagen. Dieser LaForge hat sicher ein paar recht üble Freunde. Und diese Burschen von Escorts Unlimited dürften auch keine Schulkinder mehr sein. Sie legen sich mit denen an, Harry, und die räumen Sie mir nichts, dir nichts beiseite. Wenn Sie sich einen guten Rat geben lassen wollen, dann mischen Sie sich da am besten nicht ein. Das Mädchen können Sie sowieso vergessen. Am besten überlegen Sie sich nur noch, wie Sie das Ihrem alten Herrn unterjubeln. Für seinen Seelenfrieden wird es wohl besser sein, wenn er nicht erfährt, was aus ihr geworden ist.«

Ich sagte nichts.

»Wieviel zahlt Ihnen denn dieser Mann?« fragte Red schließlich. »Sicher nicht annähernd so viel, um das Risiko bei einer Sache wie dieser einigermaßen abzudecken.«

Ich lachte heiser. »Nichts«, antwortete ich. »Ich mache das Ganze umsonst.«

»Dann seien Sie kein Vollidiot, Harry, und lassen auf der Stelle die Finger von der Sache. Hören Sie mir mal gut zu. Ich kenne mich in so was aus. Mir kann man da nichts vormachen. Und ich sag Ihnen, es gibt nichts, wofür es sich lohnen würde, sich umbringen zu lassen.«

»Ja, nichts«, sagte ich dumpf.

»Jedenfalls nichts, das man für jemand anderen tut«, drang Bannion weiter in mich. »Für sein Leben nimmt man keine Bezahlung.«

Nachdem ich eingehängt hatte, dachte ich ein paar Minuten über die Dinge nach, für die ein Mann Bezahlung *nimmt*. Ein Mann wie Lance Jellicoe und ein Mann wie Preston LaForge. Aber aus irgendeinem Grund schaffte ich es einfach nicht, wirklichen Ärger in mir hochkommen zu lassen. Der wütende, kleine Mann in mir, der mir das alles aufgehalst hatte, blickte nun absichtlich beiseite. Die Hände hinter dem Rücken verschränkt und ein starres, dämliches Grinsen in seinem roten Gesicht, zeichnete er wie abwesend mit seiner Zehenspitze endlose Muster in den Sand.

»Cindy Ann«, sagte ich schließlich laut, und meine Stimme klang, als hätte ich eben geflucht.

»Harry?« rief Jo aus dem Wohnzimmer. »Hast du eben was gesagt?«

»Nein. Nichts.«

»Dann komm doch. Der Kaffee ist fertig.«

Ich warf mir meinen Bademantel über und ging ins Wohnzimmer, wo es sich Jo auf der Couch vor dem Zenith Globemaster gemütlich gemacht hatte. Sie trug nichts als die Tasse Kaffee in ihrer rechten Hand.

Ich ließ meine Augen ihren herrlichen Körper auf und ab wandern. Sie sah in diesem Moment so verdammt gut aus, so reif und unkompliziert und voller blühenden Lebens, daß ich fast in einen lauten Juchzer ausgebrochen wäre. Da sie halb auf der Couch lag, waren ihre Brüste leicht abgeflacht. Ein Bein hatte sie auf die Sitzfläche hochgezogen, das andere lässig am Boden ausgestreckt. Als sie meiner Blicke gewahr wurde, zog sie mit einem Lächeln auch das andere Bein hoch, beugte sich nach vorn und umfaßte mit ihren Armen ihre Knie, so daß ihr Kopf nun auf ihren Kniescheiben zu liegen kam.

Und so starrte sie mich nun nachdenklich an. Fast hätte sie wie ein kleines Mädchen aussehen können, wäre da nicht die kompakte, atemberaubende Rundung ihrer Brüste und die bloße Haut zwischen ihren Schenkeln gewesen.

»Soso«, sagte sie schließlich. »Sind wir beide also wieder zusammen.«

»Schön, daß es so ist.« Und ich meinte es auch.

»Man kann es dir richtig ansehen«, kicherte sie und veränderte leicht die Lage ihres Kopfes. »Mir geht es genauso, Harry. Irgendwie habe ich schon die ganze Zeit auf diesen Augenblick gewartet. Weißt du, manchmal dachte ich schon, ich sollte von mir aus damit anfangen.« Sie sah mit einem kecken Blick zu mir auf. »Ich glaube, diesmal könnte es hinhauen. Zumindest bin ich bereit, es zu probieren.«

»Jetzt auf der Stelle?« fragte ich mit einem Lächeln.

Sie stellte ihre Kaffeetasse neben sich ab, erhob sich von der Couch, schritt graziös auf mich zu und zog leicht am losen Ende meines Bademantelgürtels. »Auf der Stelle«, flüsterte sie mit einem schelmischen Lächeln.

Ich wollte nicht, daß der Tag seinen Anfang nahm.

Ich wollte an nichts anderes denken als an Jo. Jedenfalls ganz sicher nicht an Hugo Cratz, an Lance und Laurie Jellicoe, an Cindy Ann und an Preston LaForge.

Aber es war Jo, die mich mit einem sanften Kuß wieder mit der Realität konfrontierte. Ich spürte, wie sich auf der Matratze ihr Gewicht verlagerte, und im nächsten Moment war sie auch schon aus dem Bett.

»Hey!« rief ich ihr nach. »Wo willst du denn hin?«

Sie sah verschmitzt über ihre Schulter und sagte: »Ich komme ja wieder zurück. Ich muß nur noch ein paar Sachen erledigen, ein paar von meinen Habseligkeiten zusammenpacken – wie zum Beispiel eine Zahnbürste, einen Kamm und ein paar frische Sachen zum Anziehen. Sozusagen eine kleine Marschausrüstung für erwachsene Pfadfinderinnen.« Sie ging ins Bad, und wenige Augenblicke später hörte ich das leise Zischen der Dusche.

Ich ließ mich rücklings aufs Bett zurückfallen und brach in ein herzerbärmliches Geheul aus. Jo lachte.

»Großartig!« überschrie sie die Dusche.

Um halb zwei bekam ich von Jo einen Kuß, und darauf marschierte sie zur Wohnungstür. Sie hatte sich wieder wie üblich verkleidet – Glitzerbrille, Bienenstockfrisur, unauffälliges Kostüm.

»Mich kannst du nicht täuschen!« rief ich ihr aus dem Schlafzimmer nach.

»Unter dieser Trauermaske«, sie drehte sich an der Tür kurz mir zu, »verberg ich nur meine lüsternen Blicke. Ich bin bis sechs wieder zurück.«

»Vale!« verabschiedete ich sie und sank wieder in die Kissen zurück.

Ich verbrachte etwa fünf Minuten damit, einen Pack Karten zu mischen, fünf Minuten, um die Sonntagsausgabe der Zeitung zu überfliegen, fünf weitere Minuten, um am Fernseher von einem Kanal auf den anderen zu schalten, und fünf Minuten, um an die Decke zu starren. Und dann griff ich mir vom Nachttisch das Telefonbuch und suchte die Nummer von Escorts Unlimited.

Es war eine leicht merkwürdige Adresse für ein derartiges Unternehmen, mitten in der Gegend um die untere Plum Street, wo es hauptsächlich Kleidergroßhandel-Firmen gibt. Um es eben einfach mal zu probieren, rief ich bei Escorts Unlimited an. Am anderen Ende teilte mir eine angenehme Tonbandstimme mit, daß sich im Moment niemand im Büro befände und ich nach sechs Uhr unter einer anderen Nummer anrufen solle. Ich notierte mir diese Nummer und sah danach – einfach um es mal zu versuchen – im Telefonbuch die Nummer der Jellicoes nach. Sie standen allerdings nicht drin.

Kein sonderlicher Erfolg also. Aber schließlich war es ein heißer, verschlafener Sonntagnachmittag, und ich hatte nichts Besseres zu tun. Also machte ich – um es eben einfach noch einmal zu probieren – weiter und rief eine alte Freundin bei der Telefongesellschaft an. Und von ihr bekam ich dann auch prompt die Nummer der Jellicoes.

Sie war übrigens identisch mit der, auf die man mich bei Escorts Unlimited verwiesen hatte.

Die Jellicoes *waren* also – zumindest nach sechs Uhr – Escorts Unlimited. Und wenn mich nicht alles täuschte, trat Escorts Unlimited auch erst nach sechs Uhr in Aktion.

Ich kritzelte auf dem Notizblock herum und tat so, als hätten Red Bannions Worte meiner Entschlossenheit keinen Abbruch getan. Wir hatten da also ein noch sehr junges Mädchen, käuflich und wahrscheinlich leicht verrückt. Und mit Sicherheit gut und auf unterschiedlichste Weise benutzt, wie mir Red zu verstehen gegeben hatte. Und allem Anschein nach auch noch völlig zufrieden mit ihrer Lage. Dann hatten wir da zwei eher ungewöhnliche Zuhälter – ein nettes, sauberes Mittelstandspaar, ebenfalls käuflich und ebenso möglicherweise leicht verrückt. Sie mochten sehr wohl auf völlig legitime Weise Hostessen und Modelle vermitteln, wobei jedoch zumindest eines außer Zweifel stand: Ihre Kunden hatten wohl einen recht ausgefallenen Geschmack. Und schließlich hatten wir noch einen Football-Profi – einen Wide-Receiver, um genau zu sein. Einsneunzig groß, blaue Augen, blondes Haar, Engelsgesicht, mehr Geld und Prestige, als er sich wünschen konnte, und eine Vorliebe für kleine Mädchen, die sich von ihm auf alle möglichen Weisen drangsalieren ließen, wenn er mit ihnen Doktor spielte. Die typische amerikanische Gruppenzusammensetzung. Aber welche Familie wäre vollständig ohne ihren Alten. Und doch schien Hugo – trotz all seiner Tricks und trotz seiner Verwahrlosung und Unappetitlichkeit – da irgendwie nicht hineinzupassen. Mochte er auch auf den ersten Blick nicht gerade der Anziehendste sein, so war er, verglichen mit diesen mehr oder weniger respektabel wirkenden Gestalten, doch noch ein richtiggehender Tugendbold. Na ja, es sollte ja nicht das erste Mal im Leben sein, daß der äußere Schein trügte.

Aber nun zu Cindy Ann, die vorübergehend im nächtlichen Großstadtdschungel von Newport verschwunden war. Würde sie wieder auftauchen? Würde Hugo Cratz es noch erleben, daß seine ›Kleine‹ wieder zu ihm zurückkehrte? Wohl kaum. Vielleicht würde es ihm den Rest geben, wenn er die Wahrheit erfuhr; vielleicht würde sein Herz das nicht überstehen. Aber natürlich mußte das auch nicht so sein. Vielleicht würde er einfach losgehen und einen anderen Privatdetektiv dazu bringen, sich auf die Suche nach Cindy Ann zu machen. Jedenfalls würde er das, was von ihr noch übrig war, mit Sicherheit nicht auf eigene Faust zurückerobern können; dazu würde es schon eines echten Profis bedürfen.

Ich klatschte den Notizblock auf das Nachtkästchen und stand auf. Nach dem, was Red Bannion mir erzählt hatte, würde es kaum zu etwas führen, den Jellicoes die Fotos unter die Nase zu reiben. Darauf würden sie nicht hereinfallen. Schließlich brauchtes sie, solange Cindy Ann vermißt war, nur weiterhin an ihrer Geschichte festhalten, und kein Mensch konnte ihnen das Gegenteil beweisen.

Niemand würde beweisen können, daß die Fotos von ihnen stammten. Unternehmen wie das ihre sind in der Regel bestens abgesichert. Unmengen von Anwälten, Geschäftsfreunden und Zeugen, die schwören würden, daß die Jellicoes gegen SX-70-Filme allergisch sind, und wenn es wirklich kritisch werden sollte, waren da noch immer Galeerentrommler wie Abel Jones, die mich dazu bringen würden, den Film mitsamt der Kamera zu verspeisen, mir dann ein Stativ den Arsch hochschieben und mich zu guter Letzt auch noch als Modell vermitteln würden. Aber so ein netter Junge wie Preston LaForge mit diesen blauen, blauen Augen und diesem Allerweltsgesicht, immer noch ein paar Apfelkuchenkrümel an den Lippen – jemand wie er kam mir gerade recht. Denn er hatte einiges zu verlieren, wenn diese Bilder ihren Weg zur Polizei fanden. Und zum Glück stand Preston auch im Telefonbuch – fein säuberlich mit seiner Adresse im vornehmen Teil von Mt. Adams.

12

Die Vicarage ist eine große Wohnanlage, die an einen steilen Hügelabhang über dem Ohio gebaut ist. Von unten sieht das Ganze fast aus wie ein gigantisches Vogelhaus auf einer Reihe von Telegrafenmasten. Vom Eingang in der Celestial Road aus präsentiert die Vicarage sich dann jedoch in all dem Prunk und Glanz einer luxuriösen Wohnanlage. Da ist ein kleiner Vorhof, um den sich in einem weiten Halbkreis die einzelnen Gebäudeelemente gruppieren. Mit ihren steilen Spitzdächern aus Redwood-Holz erinnern die Wohnungen am ehesten an Chalets. Ich hatte so ein Ding sogar schon von innen gesehen, da ich nämlich früher einmal für die Überwachung eines großen Empfangs in einer der Wohnungen angeheuert worden war. Das Beste an dem Ganzen war allerdings der Blick von der Terrasse gewesen. Mit seinem Gewirr aus Rippengewölben hatte das Innere mich an eine Kirche erinnert – eine riesige, tote Fläche mit einer schwindelerregend hohen Decke, angefüllt mit gelangweilten reichen Leuten, schönen Möbeln und geschmacklosen Kunstgegenständen. Ich würde, glaube ich, meine Wohnung nicht aufgeben, um in so ein Ding zu ziehen, aber andererseits standen die Chancen auch nicht sonderlich hoch, daß man mich einladen würde, in der Vicarage einzuziehen. Und man bekam dort tatsächlich nur eine Wohnung, wenn man dafür eine

Einladung erhielt. Und es versteht sich wohl von selbst, daß dort nicht jeder eingeladen wurde. In der Vicarage wohnte zum Beispiel Johnny Bench, und Thomas Schippers hatte dort eine Wohnung gehabt, als er noch lebte. Und schließlich wohnte dort auch der gute Preston LaForge.

Ich parkte meinen Pinto auf einer Fläche, die ausdrücklich für Besucher reserviert war, und marschierte über den sonnenbeschienenen Vorplatz und durch einen angenehm duftenden Gang aus verwittertem Zedernholz auf die Tür von LaForges Wohnung zu. Die Holzwände des Ganges hatten mehrere Fensteröffnungen, durch die man auf die Hügel und zum Ohio hinunter sehen konnte. Ein großartiger Blick, der jedoch in mir nur den Gedanken hochkommen ließ, wie wenig erfreulich es sein würde, über einen der großen Balkone zu stürzen, die sich stufenförmig an den Hügelabhang schmiegten. Und genau das konnte mir nämlich blühen, wenn Preston LaForge das Bildchen, das ich ihm zeigen würde, nicht gefallen sollte. Ich befühlte die Pistole in meiner Tasche und hob meine Hand, um zu klopfen.

LaForge öffnete sofort. Offensichtlich hatte er jemanden erwartet, da sein breites Grinsen auf der Stelle erstarb, als er mich sah. Er mußte bereits über dreißig sein, sah aber mit seinem sinnlichen Gesicht und dem Blondschopf des typischen California Beach Boys kaum wie neunzehn aus. Der Raum hinter ihm schien ins Unendliche anzusteigen. Die hintere Wand war nichts weiter als ein riesiges Dreieck aus Glas, durch das ein gewaltiger Schwall hellen Sonnenlichts fiel, der das Innere mit dem cremefarbenen Teppichboden und der hauptsächlich aus Chrom, Glas und Messing bestehenden Einrichtung in ein wahres Lichtermeer verwandelte.

Ich beschattete meine Augen und sagte: »Müssen Sie da nicht dauernd mit einer Sonnenbrille rumlaufen?«

LaForge kicherte. Und damit meine ich nicht, er lachte. Ich meine wirklich, er kicherte. Das Kichern eines kleinen Jungen, das eigentlich – bei allem Anstand – nur hinter vorgehaltener Hand den Mund hätte verlassen dürfen. »Das ist echt witzig!« Er war noch ganz Begeisterung. »Also, das muß ich mir wirklich merken. Haben Sie was dagegen, wenn ich das selbst manchmal anbringe?«

»Tun Sie sich keinen Zwang an.«

»Übrigens, wer zum Teufel sind Sie überhaupt?« fragte er leutselig. »Wie wär's mit einem Drink?« Er kehrte mir einfach den

Rücken zu und ließ mich an der offenen Tür zurück. »Hier muß doch was zu trinken sein«, murmelte er vor sich hin, während er unter den Flaschen auf seinem Teewagen aus Glas und Chrom herumstöberte, der direkt unter einem Gemälde stand, das ganz nach einem echten Mondrian aussah. »Eine Sonnenbrille!« kicherte er wieder. »Das muß ich auf jeden Fall Oscar erzählen. Das ist der Typ, der mir hier die Inneneinrichtung gemacht hat.« LaForge wandte sich, eine Eiszange in der Hand, wieder mir zu. »Wissen Sie, die haben das extra im Mietvertrag vermerkt. Man muß sich doch tatsächlich einen Innenarchitekten kommen lassen, um die Wohnung einrichten zu lassen. Sonst kann man hier gar nicht einziehen. Ist Ihnen Bourbon recht?« sagte er und ließ die Eiswürfel mit einem Klingeln in einen großen Trinkpokal fallen.

»Aber sicher«, bedankte ich mich und trat nun ein.

»Eigentlich stehe ich ja mehr auf Scotch«, klärte er mich auf. »Aber letzte Nacht ist mir mein Vorrat ausgegangen. Aber wie es so schön heißt: Wenn ich zwischen einem Bourbon und nichts zu wählen hätte: ich würde den Bourbon nehmen.« Er nahm die beiden Gläser und kam auf mich zu. »Nehmen Sie doch Platz«, forderte er mich auf und reichte mir ein Glas.

Wir nahmen beide auf einem gewaltigen grauen Ledersofa Platz. LaForge streckte sich aus und verschüttete dabei etwas Bourbon auf der Sitzfläche.

»Verdammt. Oscar wird mir ganz schön die Hölle heiß machen, wenn er das sieht.« Er kicherte von neuem und unternahm einen halbherzigen Versuch, den verschütteten Whisky mit seinem Hemdsärmel abzuwischen. »Nimmt Leder eigentlich Flecken an?« fragte er mich.

»Keine Ahnung.«

LaForge hörte mit der Wischerei auf und blickte zu mir auf, als hätte er eben erst gemerkt, daß ich mich im Raum befand. »Sagen Sie«, fing er wieder freundlich an. »Wer zum Teufel sind Sie eigentlich? Oder habe ich Sie das schon mal gefragt?«

»Ja, haben Sie.«

»Oh«, sagte er abwesend. Er nippte an seinem Glas und starrte gedankenversunken auf den Boden. »Entschuldigen Sie, aber ich habe einfach kein gutes Namensgedächtnis. Wie war doch noch mal Ihr Name?«

»Stoner. Harry Stoner.«

»Ach ja.« LaForge lächelte und nickte verständnisvoll.

»Von welchem Blatt sind Sie denn, Harry?«

»Ich bin nicht von der Presse, Mr. LaForge.«

»Ach, lassen Sie doch diesen Blödsinn. Nennen Sie mich einfach Preston. Wie alle anderen auch.« Sein jungenhaftes Gesicht verdüsterte sich leicht. »Mein ganzes Leben lang hat man mich immer nur Preston gerufen«, fuhr er geistesabwesend fort. Was auch immer seine Aufmerksamkeit gestört hatte, es war ebenso schnell wieder verschwunden, wie es gekommen war. »Das ist doch besser als Johnny, hm? Warum haben diese Baseball-Spieler immer nur diese Namen auf ›ie‹? Johnny, Davey, Jackie, Bucky...«

»Dopey, Sleepy...«

LaForge kicherte wieder einmal. »Wissen Sie, Sie gefallen mir. Sie sind ein echt witziger Bursche. Und Sie schreiben auch wirklich nicht für eine Zeitung oder Zeitschrift? Na ja, aber schließlich müssen Sie das ja selbst am besten wissen, oder nicht?«

Er nahm einen Schluck Whisky. »Ja, was kann ich dann eigentlich für Sie tun?«

Ich starrte ihn eine Weile an. »Das ist doch kein Theater, oder, Preston?« gab ich meiner Verwunderung Ausdruck.

»Was?« Seinem Gesicht nach zu schließen, war er nahe daran, in einen neuerlichen Kicheranfall auszubrechen.

»Ich meine dieses unglaublich freundliche, kumpelhafte Getue. Das sind doch wirklich Sie, oder nicht?«

Er zuckte mit den Achseln. »Ich denke schon.«

»Na gut.« Ich konnte mir ein schwaches Lächeln nicht verkneifen. »Dann verstehe ich das alles einfach nicht.«

Er fing zu kichern an. »Was denn?«

»Ich meine, wie ist das alles passiert? Hat es bei Ihnen Daddy Ihrer Schwester besorgt, während Sie zugesehen haben? Oder hat Sie Ihre Lehrerin mit nassen Hosen in der Ecke stehen lassen? Und Sie sind von allen Mädchen ausgelacht worden?«

LaForge runzelte die Stirn. »Was reden Sie denn daher?« fragte er belustigt.

»Na ja – vielleicht verstehen Sie jetzt, was ich meine.« Dabei holte ich ein Foto von Cindy Ann aus der Tasche und reichte ihn ihm. Bei diesem Manöver verschüttete er neuerlich etwas Whisky.

»Verflucht«, schimpfte er los. »Macht Bourbon auf Wolle Flekken?« Er fuhr mit der Fußspitze über den Teppich und warf einen Blick auf das Foto. »Mein Gott«, entfuhr es ihm kaum hörbar, und nun ergoß sich der Rest seines Drinks über die Couch.

»Das machen Sie jetzt aber lieber sauber, Preston«, sagte ich. »Das wird ganz bestimmt einen Flecken hinterlassen.«

Er wischte linkisch über das Sitzpolster, ohne seine Augen von dem Schnappschuß abzuwenden. Ich konnte bereits ahnen, was nun passieren würde, und er tat mir richtig leid.

»Das arme Ding«, brachte Preston LaForge nur mühsam hervor; seine Lippen zitterten. »Das arme, arme Ding.«

Er nagte auf seiner Unterlippe herum und fing, immer noch mit einem abwesenden Blick auf das Foto starrend, zu weinen an. »Ich glaube, mir wird schlecht«, stöhnte er.

»Aber nicht auf den Teppich, Preston.«

Er legte das Foto beiseite, stand auf und rannte hektisch durch den kathedralenartigen Raum auf einen Gang zu, der neben der Eingangstüre lag. Er verschwand darin, und im nächsten Augenblick hörte ich auch schon, wie er sich übergab, gefolgt vom Geräusch der Klospülung. Mir war ein wenig traurig zumute; allerdings nicht Prestons wegen. Das hatte sich gelegt, sobald er zu weinen begonnen hatte. Wie alles, was zu süß ist, erregte auch Preston LaForge ein Gefühl des Übersättigtseins in mir. Nein, meine Trauer galt Hugo Cratz. Denn nun schien es ziemlich offensichtlich, daß seiner ›Kleinen‹ etwas ziemlich Schreckliches und Endgültiges zugestoßen war.

Nach wenigen Minuten kam LaForge wieder zurück. Er sah ganz schön mitgenommen aus. Sein Gesicht war ein elendes, blutleeres Weiß, und seine Hände baumelten aus den Hemdärmeln heraus, als wären sie wie Attrappen an die Manschetten genäht. »Das ist ja entsetzlich«, sagte er, kaum seiner Stimme mächtig. »Was soll ich denn jetzt tun?« Er blickte mich hilflos an.

»Wollen Sie mir nicht ein wenig von ihr erzählen, Preston?« fragte ich ihn.

Er plumpste in einen großen Ledersessel und verbarg sein Gesicht in seinen Händen. »Was sollte es da schon groß zu erzählen geben. Sie heißt Cindy Ann Evans. Sie ist sechzehn. Ich...« Er nahm seine Hände vom Gesicht und starrte mich abwesend an. »Das wissen Sie doch alles selbst. Weshalb wollen Sie denn eigentlich, daß ich Ihnen das erzähle?«

»Ich suche sie. Ihr Vater möchte sie zurückhaben.«

»Mein Gott.« LaForge schüttelte den Kopf und schluchzte. »Ich habe diese – Veranlagung. Ich weiß nicht, woher. Wirklich, ich weiß nicht, woher.« Er atmete tief ein und bekam sich allmählich wieder in die Hand. »Ich war schon bei verschiedenen Psychiatern. Auch momentan bin ich gerade in Behandlung. Es hat irgendwas mit meiner Mutter zu tun. Damit, wie sie mich – sie hat mich einfach zu sehr betütert. Sie hat mich immer richtig herausgeputzt, wissen Sie?« Er nahm neuerlich einen tiefen Atemzug. »Ich habe Cindy nur ein paar Mal gesehen. Und das schwöre ich Ihnen, bei allem, was mir heilig ist. Nur ein paar Mal. Ich wußte ja, daß ich so etwas nicht tun sollte, aber ich – konnte einfach nicht anders.« LaForge brach von neuem in Tränen aus.

»Was ist mit dem Mädchen passiert?« wollte ich wissen.

Er schüttelte seinen Kopf. »Keine Ahnung.« LaForge fuhr sich über die Augen. »Sie war wirklich süß; so ein nettes, kleines Ding. Sie hatten sie mit Drogen vollgepumpt. Ich glaube, die Hälfte der Zeit wußte sie gar nicht, was eigentlich los war. Und die übrige Zeit – da machte sie so den Eindruck, als ob ihr das Ganze auch nicht sonderlich viel ausmachte.«

»Wer sind ›sie‹?«

»Was?« fuhr er plötzlich erschreckt hoch.

»Die Leute, die sie unter Drogen gesetzt haben.«

»Ach so. Laurie und Lance. Die haben so ein kleines Vermittlungsunternehmen.«

Ich erhob mich von der Couch, trat vor das riesige Glasfenster und starrte gedankenverloren über die Hügel unter mir in die Ferne. Er hatte völlig frei von der Leber weg geredet – gerade so, als sei er dankbar für die Gelegenheit gewesen, endlich einmal sein Herz ausschütten zu können. Manche Männer sind so. Sie leiden an etwas, das die Franzosen *délire de confesser* nennen. Aber nun war der entscheidende Punkt für mich gekommen, und so bemitleidenswert Preston in seiner momentanen psychischen Situation auch sein mochte, so konnte ich ihm doch nicht die harte Wahrheit ersparen.

»Sie haben noch eine große Zukunft vor sich, Preston. Eine Menge Geld, Ansehen und eine Familie. Wäre doch wirklich bedauerlich, wenn das alles zu Nichts zerrinnnen würde, oder nicht?«

»Wieviel?« fragte er dumpf.

Ich drehe mich zu ihm um. Mit seinen Armen auf den Lehnen des Sessels, seinen auf den Boden herabbaumelnden Beinen und dem tränengeröteten Gesicht sah er aus wie ein Häufchen Elend. »Ich will kein Geld. Ich möchte Cindy Ann zurück. Und falls das nicht möglich sein sollte, möchte ich herausfinden, was mit ihr passiert ist.«

»Und sonst nichts? Nichts weiter?« Er wirkte leicht erstaunt.

»Nicht ganz. Ich habe es auch auf die Jellicoes abgesehen. Ich würde ihnen gern das Handwerk legen, und zwar für immer.«

»Und was soll ich nun dabei tun?«

»Sie werden jetzt Lance anrufen. Sie werden ihm erzählen, daß Sie Cindy Ann sehen möchten. Machen Sie mit ihm einen Termin aus.«

»Und was ist – ich meine, was ist, wenn sie gerade nicht da ist?«

»Sie werden sich einfach nicht so leicht abspeisen lassen, Preston.«

»Sie verstehen wohl nicht richtig«, versuchte mich LaForge aufzuklären. »Die Jellicoes – sie führen ein solides Unternehmen. Das ist ja auch der Grund, weshalb sie Leute wie mich als Kunden haben. Sie garantieren echte Sicherheit. Die Mädchen sind immer – sicher. Verstehen Sie? Sie haben kein festes Zuhause. Und man bekommt nie öfter als ein paar Mal dasselbe Mädchen zu Gesicht.«

»Das ist Ihr Problem, Preston.« Ich blieb unnachgiebig. »Mir ist es schnurzegal, wie Sie das Ganze anstellen. Aber Sie schaffen mir entweder Cindy Ann her, oder Sie finden heraus, wo sie sich gerade aufhält.«

LaForge wollte gerade wieder etwas einwenden, aber ich schnitt ihm das Wort im Mund ab. »Und Sie werden sich gefälligst ein bißchen anstrengen, Preston; denn sonst werde ich Sie mit diesem Bildchen da ruinieren, haben Sie mich verstanden? Dafür erwartet Sie das Gefängnis. Und Sie wissen ja wohl sehr gut, was sie mit so netten jungen Burschen, wie Sie einer sind, im Knast anstellen. Mein lieber Mann, Sie werden sich wundern. Also setzen Sie mal ein bißchen Dampf dahinter, Preston.« Ich nahm eine Visitenkarte aus meiner Brieftasche und warf sie auf den Tisch vor der Couch. »Rufen Sie mich heute abend unter dieser Nummer an, wenn Sie alles in die Wege geleitet haben. Und vergessen Sie dabei vor allem eines nicht. Ich habe noch fünfundzwanzig andere solche Bilder, und davon wird jedes einzelne die Polizei kriegen, wenn Sie irgendwelche Tricks probieren wollen. Und nicht nur die Bilder, sondern eine Menge netter Informationen über Sie, über Cindy Ann und über die Jellicoes. Der Untersuchungsrichter wird seine wahre Freude daran haben.«

Ich machte mich auf den Weg zur Tür. »Und wie es so schön

heißt, Preston; eines Tages werden Sie mir dafür noch dankbar sein.«

Ich hörte ihn noch blöde vor sich hinlachen, als ich ins Freie trat.

13

Preston LaForge tat mir leid. Er war ein unglücklicher kleiner Junge, der einer Welt ins Netz gegangen war, die für die Schwachen und Glücklosen keine Verwendung hatte. An jedem x-beliebigen anderen Tag hätte ich ihm wahrscheinlich meine Hilfe angeboten – ebenso, wie ich mich im Moment für Hugo Cratz einsetzte. Aber ich würde natürlich nie in der Lage sein, ihm in dem Maße zu trauen, wie ich das im Falle Hugos tat. Dafür war er einfach ein kleines bißchen zu verrückt.

Also kehrte ich der Vicarage erst einmal noch nicht sofort den Rücken. Ich stieg in den Pinto und wartete. Tief im Fahrersitz zusammengesunken, starrte ich in den Rückspiegel.

Und – wie sollte es auch anders sein – um halb sechs kam der gute Preston in Sicht.

In seiner Ralph Lauren-Westernausrüstung war er mir für einen einfachen Spaziergang etwas zu sorgfältig angezogen. Gestreiftes Cowboyhemd, Designer-Jeans, rotes Halstuch und Stiefel. Er sah aus, als wäre er eben dem Katalog eines Sportgeschäfts entsprungen. Sogar sein Gesicht hatte den entsprechenden entschlossenen Ausdruck angenommen – dieser typische Blick kriegslüsterner Wachsamkeit, wie ihn die Jäger zur Schau stellen, wenn sie ihr Gewehr schultern. Mir kam es ganz so vor, als begebe sich unser netter Beach Boy auf die Pirsch. Gerade so, als wollte er sich beweisen, daß er sehr wohl seinen Willen durchsetzen würde können, obwohl ich ihm auf die Hand geschlagen und ›Nein!‹ gesagt hatte. Für einen Mann wie ihn war das eine durchaus verständliche Reaktion.

Er ging über den Vorplatz auf einen Jaguar-Zweisitzer zu und warf einen kurzen Blick zum Himmel, bevor er einstieg. Es bewölkte sich zunehmend, und am Horizont türmten sich bereits schwere Gewitterwolken auf. Ich betete ein wenig um Regen, während ich den Pinto anließ und Preston folgte.

Durch das heraufziehende Gewitter hatte sich die Luft bereits leicht abgekühlt. Es lag etwas in der Luft, und die malerischen

Bungalows entlang der St. Martins sahen in dem grauen Vorgewitterlicht kahl und öde aus. LaForge fuhr an ihnen vorbei zur Paradrome. Sein Jaguar heulte leicht auf, als er an der Kreuzung Ida Street herunterschaltete und nach links abbog.

Der Großteil von Mt. Adams ist für meinen Geschmack immer etwas zu sehr dem neuesten modischen Trend angepaßt, zu teuer und zu charakterlos und chamäleonartig, um sich dort zu Hause fühlen zu können. Aber die Ida Street – in diesem Fall muß ich eine Ausnahme machen. Die Häuser in dem Abschnitt zwischen Art Museum und East Bottoms gehören für mich zu diesen seltenen Exemplaren großer Stadtarchitektur – Heime, welche die Planer ausschließlich zu ihrem eigenen Vergnügen zu haben scheinen. Jedes von ihnen ist in seiner Arbeit völlig einzig. Jedes von ihnen zeugt von untrügbar gutem Geschmack, Charakter und planerischem Einfühlungsvermögen.

LaForge hielt plötzlich abrupt vor einem meiner Lieblingshäuser – ein zauberhafter, weißer Stuckbau mit leicht spanischem Einfluß und zwei roten chinesischen Türen an der Vorderseite. Ich sah, wie er mit einem Schlüssel die rechte Tür öffnete und eine Person, die im Innern stand, verlegen angrinste.

Ich nahm mein Leitz-Fernglas aus dem Handschuhfach und nahm mir die Tür unter die Lupe. Das Namensschild unter dem Klingelknopf lautete auf den Namen ›Tracy Leach‹, woraus ich nun freilich nicht schließen konnte, ob der Bewohner ein Mann oder eine Frau war. Aus der Art, in der Preston sich gekleidet hatte, schloß ich jedoch, daß es sich um eine Frau handeln mußte. Und zumindest bestand an der Tatsache kein Zweifel, daß Preston mit Tracy Leach sehr eng befreundet war.

Der Umstand, daß Preston einen Freund aufgesucht hatte, um mit ihm oder ihr über die Sache zu reden, gefiel mir durchaus. Das bedeutete nämlich, daß Preston keineswegs so impulsiv war und handelte, wie es mir erst erschienen war. Und es zeigte auch, daß er sich der Ernsthaftigkeit seiner Lage durchaus bewußt war.

Ich kam zu dem Entschluß, daß es das Beste sein würde, ihn sich selbst zu überlassen. Wenn ich mich neuerlich einmischte, bestand nur die Möglichkeit, daß ich ihn so durcheinanderbrachte, daß er Hals über Kopf zu den Jellicoes oder zur Polizei rannte. Und darauf legte ich nun schon gar keinen Wert, solange ich Cindy Ann Evans nicht zurück hatte, oder zumindest so lange nicht, als ich nicht wußte, wo ihre Gebeine ruhten. Die ersten Regentropfen klatschten auf die Windschutzscheibe, als ich den Wagen startete, und es hörte den ganzen Weg zurück zu meiner Wohnung nicht zu nieseln auf.

Wieder zu Hause – vierter Stock, rechts, Apartment E1 –, zog ich mein Sporthemd aus, setzte mich auf die Couch und tat so, als läse ich den Sportteil des *Enquirer*. Allerdings lenkte mich der leichte Geruch nach Parfüm und Gesichtspuder, der mich unweigerlich an Jo erinnerte, etwas ab. Ich sah sie in meinem geistigen Auge vor mir, wie sie in dem Gang stand, der zum Schlafzimmer führte, oder neben dem Bogendurchgang zur Kochnische oder an der Eingangstür. Ich merkte, wie ich sie in Gedanken in der Wohnung herumschob, als wäre sie ein neues Möbelstück, für das ich einen passenden Platz im Raum suchte. Aber für die zweieinhalb lausigen Zimmer meiner Wohnung war sie einfach zu groß. Ich fing an zu überlegen, ob ich mir vielleicht ein Heim suchen sollte, das für uns beide Platz genug bot. Und die nächste halbe Stunde verbrachte ich dann mit einer Reihe recht häuslicher Überlegungen: Ich richtete die neue Wohnung ein, stellte mir Jo und mich in unserem Bett vor und gab den Kindern Namen. Und das alles sollte nur wieder ein weiteres Mal meine alte Theorie belegen, daß ein sechsunddreißigjähriger Junggeselle nichts anderes ist als ein sechsunddreißigjähriger Ehemann ohne Trauschein.

Zehn vor sechs ging es dann plötzlich los. Eine wahre Sintflut, von grellen Blitzen kurz hell erleuchtet und von heftigem Donnergrollen lautlich untermalt, ergoß sich über Cincinnati. Ich schloß sämtliche Fenster und starrte dann eine Weile auf die sturmgepeitschten Äste der Bäume im Vorgarten des Hauses hinaus. Ich dachte dabei an Jo, und ob sie wohl von dem Gewitterregen auf offener Straße überrascht worden war. Es würde eine elend lange, feuchte Nacht werden – eine richtige kleine Mittsommersintflut. Und der Gedanke, bei diesem Wetter nach Mt. Adams zurückfahren zu müssen, bereitete mir nicht die geringste Freude.

Viertel nach sechs fing ich langsam an, mir Jos wegen Gedanken zu machen, und weshalb Preston mit den Jellicoes und Cindy Ann so lange brauchte. Mein erstes Problem sollte sich fast auf der Stelle in Wohlgefallen auflösen, als Jo, das schwarze Haar an den Kopf geklatscht und ihr Kostüm klitschnaß, lachend und leicht zitternd in die Wohnung trat. »Mein Gott!« kicherte sie fröhlich. »Hätte sich das nicht ein paar Minuten länger Zeit lassen können!«

Ich sprang von meinem Sitz auf und schloß sie in meine Arme, um sie mit einem langen, feuchten Kuß zu begrüßen. Mit ihrer durchnäßten Haut war sie so glatt und schlüpfrig wie ein Stück Seife, aber zumindest war das mal etwas anderes. Sie ging ins Schlafzimmer, um sich abzutrocknen und frische Sachen anzuziehen, und ich setzte mich – ganz Feuer und Flamme – wieder auf die Couch. Eindringlich starrte ich das Telefon an, das auf dem Schreibtisch stand. Nun fehlte nur noch, daß es gehorsam zu läuten begann, und dann würde sich Preston melden und mir in seiner gut gelaunten, leutseligen Stimme mitteilen: »Ich habe Cindy Ann.« Und dann würden wir alle einen Kreis bilden und Ringelreihen tanzen.

Aber Preston sollte erst anrufen, nachdem Jo und ich unser Abendessen aus Rühreiern mit Schinken gegessen und uns selbst als Nachspeise vernascht hatten. Wir lagen Händchen haltend im Bett und lauschten gerade im Dunkeln wie verängstigte Kinder dem Prasseln des Regens gegen das Schlafzimmerfenster und den gewaltigen Donnerschlägen, als das Telefon läutete.

Ich hatte Jo während des Abendessens ein bißchen über Preston erzählt. Normalerweise rede ich eigentlich kaum über meine Arbeit, aber LaForge war eben doch etwas Besonderes für mich. Ich hatte ihr auch von Hugo erzählt, den sie ja bereits kennengelernt hatte. Sie fand ihn sympathisch und bedauerte ihn. Dieser alte Kerl verstand es wohl tatsächlich mit den Frauen. Jo fand ihn ›nett‹ und hätte ihn gern wiedergesehen. Über die Jellicoes hatte ich kein Wort fallengelassen; ich wollte unser Zusammensein nicht durch den Gedanken daran belasten, wie sie sich ihren Lebensunterhalt verdienten. Jo wußte, daß Hugos ›Kleine‹ in Schwierigkeiten steckte, daß LaForge irgendwie in die Sache verwickelt war und daß er ein verrückter Kerl war, der mir helfen würde, den Fall zu lösen.

Jedenfalls kicherte sie, als das Telefon klingelte, und sagte: »Das ist wohl jetzt er!«

Ich stellte mir den Apparat aufs Bett und meldete mich mit ›Stoner‹. Jo beugte sich ganz nahe heran, um etwas von dem Gespräch mitzubekommen.

Entweder waren die Leitungen naß geworden, oder Preston war betrunken. Jedenfalls klang seine Stimme lethargisch und zerknittert. »Ich habe alles getan, wie Sie gesagt haben, Mr. Stoner. Ich habe alles in die Wege geleitet. Ich war wirklich ein guter Junge.«

Jo und ich blickten uns gemeinsam an und zuckten mit den Achseln.

»Großartig, Preston; das ist ja wunderbar.«

»Wissen Sie«, redete er weiter, »irgendwie bin ich richtig froh darüber, daß es so gekommen ist. Die ganze Sache steht mir wirklich bis hierher. Danach werde ich mich wirklich bessern. Sie werden's sehen.«

Mir war leicht mulmig zumute, und Jo wandte sich nun ab und starrte zur Decke hoch. »Sie brauchen sich gar nicht zu bessern oder gut zu werden, Preston.« Ich versuchte, meine Stimme möglichst freundlich klingen zu lassen. »Vielleicht hätte sich das Ganze bereits, wenn Sie nur aufhören könnten, so über sich zu denken.«

Er kicherte übermütig. »Sie klingen ja wie Dr. Fegley.«

»Na ja, vielleicht weiß Dr. Fegley eben, wovon er redet.«

»Der weiß überhaupt nichts«, erwiderte Preston dumpf. »Niemand weiß etwas.«

Ich nahm einen tiefen Atemzug und wechselte das Thema. »Wann soll ich denn heute abend bei Ihnen vorbeikommen?«

»Was?« Er schien mich erst nicht zu verstehen. »Ach so. Gegen zehn Uhr, würde ich sagen. Um diese Zeit bringen sie normalerweise die Mädchen immer vorbei. Lance wird mich in einer Stunde oder so anrufen und mir Bescheid geben, ob alles in Ordnung geht. Mein lieber Mann, dem habe ich vielleicht die Hölle heiß gemacht, Mr. Stoner. Dem hab' ich's wirklich gezeigt. Der wird in Zukunft nicht mehr so mit mir umspringen; weder mit mir noch mit einem meiner Freunde.«

Mir schoß ein äußerst häßlicher Gedanke durch den Kopf. »Sie haben ihm doch nicht etwa gedroht, Preston? Sie haben ihm doch hoffentlich nicht gesagt, Sie würden zur Polizei gehen, oder etwas in der Art?«

»Ich habe getan, was ich tun mußte«, gab er zurück. »Ich hätte das schon längst tun sollen.«

Ich wollte ihn schon warnen, aber er redete bereits weiter. »Machen Sie sich Cindy Anns wegen keine Sorgen, Mr. Stoner. Er sagt, er wird ihr nichts zuleide tun, solange ich die Polizei nicht ins Spiel bringe. Und mir kann er auch nichts anhaben. Tray und ich wissen einfach zu viel. Aber eines sage ich Ihnen. Sobald Cindy Ann wieder bei ihrer Familie ist, *werde* ich zur Polizei gehen und denen alles erzählen, was ich über die Jellicoes weiß. Ich werde das. Das ist etwas, was ich schon seit Jahren tun will, wissen Sie. Aber ich bin eben leider kein besonders mutiger Mensch, Mr. Stoner. Das bin ich noch nie gewesen.« Er lachte bitter. »Na ja, von nun an werde ich wenigstens nicht mehr so tun müssen, als ob.«

Der Atem, der aus meinem Mund kam, fühlte sich kalt an. »Woher sind Sie sich so sicher, daß er mit Cindy Ann ankommen wird?«

»Ich habe Ihnen doch schon gesagt, Mr. Stoner. Das einzige, weswegen Lance sich Sorgen macht, ist die Polizei, und ich habe ihm mein Wort gegeben, daß sie nichts von der Sache weiß.«

»Das haben Sie gut gemacht«, lobte ich ihn. »Sie sind ja doch gar kein so übler Bursche, Preston.«

»Oh, danke. Dann also bis zehn Uhr heute abend.«

Als ich einhängte, lag Jo, ihre Schulter mir zugewandt, auf der Seite. Irgend etwas an der Krümmung ihrer Schulter sagte mir, daß sie in diesem Moment nicht berührt werden wollte – jedenfalls nicht von mir und nicht in diesem Augenblick. Und um die Wahrheit zu sagen – in diesem Moment konnte ich ihr das auch nicht einmal verdenken.

Der Rest des Abends verlief nicht gerade glänzend für uns beide. Das Gewitter dachte nicht im entferntesten daran, sich zu legen. Die Nachttischlampen zerstreuten die warme Geborgenheit des Dunkels. Wir saßen im Bett und lasen – sie Mary Ellmann, ich Dashiel Hammett. Gelegentlich plauderten wir kurz und machten uns auf besonders komische Stellen in unseren Büchern aufmerksam. Wir versuchten so zu tun, als wäre nichts geschehen.

Ich konnte nicht umhin zu denken, ich hätte ihr am besten kein Sterbenswörtchen über den Fall erzählen sollen. Ich hätte meine Klappe halten und Preston LaForge nie erwähnen sollen.

Gegen neun stand ich schließlich auf, zog mich an und trank im Wohnzimmer eine Tasse Kaffee. Jo kam mir nach und fragte, ob ich mich in dem Wetter nach draußen wagen wollte.

Ich nickte.

Sie blickte mich mitfühlend an und sagte: »Ich glaube, ich habe mir Preston LaForge schon halb als zu den Unsterblichen gehörig vorgestellt. Und nun herauszufinden, daß er so verflucht menschlich ist – das hat mich einfach ein wenig durcheinandergebracht, weißt du. Bitte, mach dir meinetwegen keine Gedanken, Harry. Du hast nur eines meiner Idole von seinem Sockel heruntergeholt; das ist alles.«

»Ich habe ihn doch auch bewundert, Jo«, fing ich vorsichtig an. »Aber ich habe ihn nicht von seinem hohen Podest heruntergeholt. Von dem ist er selbst heruntergestiegen. Du glaubst doch nicht etwa, daß ein Mann gleich so in die Hosen macht, nur weil man ihm ein paar schmutzige Fotos unter die Nase hält? Preston LaForges Abstieg hat schon begonnen, als er den Kinderschuhen entschlüpft ist. Und wenn er nicht schon Tausende Male zuvor solche guten Vorsätze gefaßt hat – um sie am nächsten Tag wieder zu vergessen –, dann will ich auf der Stelle das Radio fressen.«

»Vielleicht hast du recht«, gestand sie mir zu. »Weißt du, Detektive sind ja auch keine gewöhnlichen Sterblichen. Zumindest sind sie das für mich nie gewesen.«

Sie lächelte und fuhr fort: »Gib mir doch einfach ein paar Tage Zeit, um mich darauf einzustellen, ja?«

Jo setzte sich neben mich auf die Couch und starrte aus dem verregneten Fenster. »Es ist scheußlich draußen. Wirst du lange bleiben?«

»Ich weiß noch nicht«, antwortete ich. »Vielleicht ein, zwei Stunden.«

»Du bist doch immer noch wütend, oder?«

Damit hatte sie völlig recht, wenn ich auch so zu tun versuchte, als wäre ich es nicht. Aber der wirkliche Grund dafür war sowieso nicht sie. Ich machte mir Sorgen, was mich nun wohl in der Celestial Road erwarten würde. Es konnte gut sein, daß Lance Jellicoe dort vor dem Eingang auf mich wartete, wenn ich ankam. Andererseits war jedoch die Wahrscheinlichkeit dafür relativ gering, wenn Preston nicht gerade irgendeinen kapitalen Bock geschossen hatte und den Jellicoes die Sitte auf den Hals geschickt hatte. Zumindest hatte mich das gewisse Etwas in seiner Stimme, das mir ein bißchen zu sehr nach Mut der Verzweiflung klang, zur Genüge darauf vorbereitet, mich auf das Schlimmste gefaßt zu machen. Während Jo in der Kochnische herumhantierte, ging ich zu meinem Schreibtisch und holte mir aus der rechten Schublade meine 38er Police Special. Ich steckte sie in meine Manteltasche und griff mir einen Hut vom Kleiderständer.

»Warte noch!« rief mir Jo nach.

Sie rannte auf mich zu und küßte mich auf den Mund.

Ich lachte. »Bilderstürmers Abschied?«

»Paß gut auf dich auf, Harry. *Bitte*. Entthronte Idole sind mir völlig egal. Ich möchte nur, daß *du* heil wieder zurückkommst.«

Es war wirklich eine Nacht, was mich draußen erwartete.

Der Wind peitschte die Bäume, als ich ins Freie trat, und der Fußpfad, der zum Parkplatz hinter dem Haus führte, war über und über mit regennassen Blättern bedeckt. Noch bevor ich in meinen Pinto stieg, war ich bereits bis auf die Haut durchnäßt.

Ich brauchte zwanzig Minuten bis Mt. Adams und weitere fünf Minuten bis zur Celestial Road und der Vicarage.

Der Vorplatz war hell erleuchtet – ein Eindruck, der noch dadurch verstärkt wurde, daß das Licht sich in den tropfnassen Pflastersteinen tausendfach reflektierte. Es kam vor allem von den Rückfenstern der fünf oder sechs Wohnungen, die dem Fluß abgekehrt waren und auf den Hyde Park blickten. In manchen dieser gelb erleuchteten Fenster waren vereinzelte Gestalten zu sehen, aber der windgepeitschte Regen war wie Marmelade über die Glasscheiben verteilt, so daß man nicht unterscheiden konnte, ob es sich bei den einzelnen Personen um einen Mann oder eine Frau handelte – ganz zu schweigen davon, daß man ein Gesicht hätte erkennen können.

Ich öffnete die Wagentür und sprintete auf den angenehm duftenden Zedernholzgang zu, der zu LaForges Wohnung führte. Laut trommelte der Regen auf das Dach des Ganges, der durch eine Reihe von Laternen, die an einer der Seitenwände angebracht waren, hell erleuchtet war. Ich wischte mir den Regen aus dem Gesicht, schüttelte mir das Wasser von meinem Mantel und ging den Gang entlang. Und dann wurde mir mit einem Schlag klar, daß hier etwas ganz und gar nicht stimmte.

Auf der Westseite des Ganges gab es zwei Wohnungen; die hintere davon gehörte LaForge. Die Tür dazu stand weit offen und schlug im Wind. Ich fröstelte in meinem nassen Mantel, holte den Revolver aus der Tasche und schlich mich vorsichtig auf die Tür zu.

In LaForges Wohnung brannte kein Licht, aber als ich mich der Tür näherte, konnte ich eine singende Frauenstimme hören; sie kam von einer Platte. Ich duckte mich neben dem Türrahmen. Wenn dort drinnen jemand auf mich wartete, dann gab ich eine perfekte Zielscheibe ab, wenn ich durch die Tür trat. Zumindest für eine Sekunde würde ich mich wie ein dunkler Schatten gegen das Licht der Laternen im Gang hinter mir abheben. Ich stand noch einmal auf, den Rücken gegen die Wand gepreßt, und zertrümmerte mit dem Griff meines Revolvers die Scheibe der mir am nächsten liegenden Lampe. Das Glas gab ein helles Klirren von sich, als es auf den Boden fiel, und das letzte Drittel des Ganges wurde dunkel.

Ich duckte mich sofort wieder nach unten und drückte mich, einen Arm gegen meinen Oberkörper gepreßt, um eine möglichst geringe Angriffsfläche zu bieten, um den Türrahmen ins Innere, wo ich mich auf den cremefarbenen Teppich rollen ließ und auf den Boden preßte.

In der Wohnung war kein Geräusch zu hören, nur der Gesang von der Platte. Ich erkannte nun auch die Stimme; es war Barbara Streisand. In Sturzbächen rann das Regenwasser über das riesige, dreieckige Fenster am anderen Ende des Raums. Trotzdem filterte jedoch noch etwas diffuses Licht von den umliegenden Wohnungen ins Innere, so daß ich, nachdem sich meine Augen an die Dunkelheit gewöhnt hatten, in der Mitte des Raumes unter dem kathedralenartigen Deckengewölbe Preston LaForge liegen sehen konnte. Irgend etwas an der Art, wie sein Körper so ruhig dalag, ließ mir kalt den Rücken hinunterlaufen. Ich kroch etwa zwei Meter nach vorn und lauschte angestrengt, ob er irgendwelche Geräusche von sich gab, und sei es auch nur ein Atmen.

Aber nichts außer dem Prasseln des Regens. Und als sich nun mein Herzschlag allmählich wieder verlangsamte und das Adrenalin aus meinen Augen gewaschen wurde , wurde mir bewußt, daß da aller Wahrscheinlichkeit außer dem Prasseln des Regens kein anderes Geräusch mehr ertönen würde. Nicht mit diesem Körper, der mitten im Raum lag, und nicht mit der Eingangstür, die sperrangelweit offen stand. Wer auch immer vor mir hier gewesen sein mochte, der Betreffende hatte es verdammt eilig gehabt, wegzukommen. Und zwar entweder vor Ensetzen über das, was er da auf dem Boden liegend entdeckt hatte, oder aus Angst vor der Tat, die er oder sie da eben begangen hatte. Oberflächlich betrachtet, sah das Ganze nicht nach einem Mord aus, und wenn es doch einer war, so war der Täter ganz schön kopflos und offensichtlich ohne Überlegung vorgegangen. Profis lassen kaum die Tür offen und hinterlassen auf dem Teppichboden keine Schmutzspuren. In dem schwachen, grünlichen Licht konnte ich auf dem Fußboden Fußabdrücke erkennen.

Ich fühlte mich absolut nicht danach, aber ich mußte es tun. Und zwar schnell, wenn ich diese Wohnung, ohne entdeckt zu werden, wieder verlassen wollte. Und weiß Gott, mir war herzlich wenig daran gelegen, hier gesehen zu werden. Nicht mit einem Revolver in meiner Tasche, einer Leiche im Raum und einem Schnappschuß in irgendeiner Schublade, den man ohne weiteres in Zusammenhang mit mir würde bringen können. Ich steckte meine Pistole in die Tasche zurück und trat rasch ans Fenster, um Preston LaForge auf irgendwelche Lebenszeichen hin zu untersuchen. Das regengefilterte Licht fiel auf sein Gesicht und ließ es aussehen, als betrachtete man es durch das Glas eines Aquariums. Die eine Seite dieses Gesichts erweckte den gleichen jungenhaften Anschein wie noch wenige Stunden zuvor bei unserem ersten Treffen. Das blaue Auge stand friedlich offen. Die andere Seite hatte weder ein Auge noch irgendeine erkennbare Form, und ich ließ auch meinen Blick nicht lange darauf ruhen. Sein Babymund stand in einem verdutzten Grinsen offen, und sein Kinn war von Blut überströmt, das ihm über den Hals hinunterrann und auf dem Teppich eine glänzende Lache bildete.

Diesen Flecken würde er wohl nie mehr herausbekommen. Dieser arme Teufel.

Ich sah mir die Leiche genau an, wobei ich versuchte, mir alles möglichst genau einzuprägen. Neben LaForges Hand lag eine Kleinkaliber-Automatik. An seiner linken Schulter und über den ganzen Raum verteilt waren Fußspuren zu sehen. Das Stück, das gerade auf dem Plattenspieler spielte, hatte den Titel ›Until The Right Man Comes Along‹. Nirgendwo eine angezündete Zigarette in einem der Aschenbecher. Auf dem Glastisch vor der Couch stand ein Whiskyglas. Und noch etwas lag auf diesem Tisch. Etwas Weißes.

Ein fürchterlicher Donnerschlag ließ mich hochfahren, so daß ich um ein Haar in die Pfütze mit Preston LaForges Blut getreten wäre. Ich trat rasch auf den Tisch zu und holte ein feuchtes Taschentuch aus meiner Hosentasche. Damit nahm ich das Stück Papier von der gläsernen Tischplatte. Außer einem Namen und einer Telefonnummer stand nichts darauf. Tracy und darunter die Nummer 899–7010. Ich legte den Zettel wieder zurück und wiederholte mir im Kopf die Telefonnummer, während ich zur Tür ging.

Ich sagte mir, am besten erledigt man solche Angelegenheiten mit der gehörigen Portion Frechheit. Eigentlich eine lächerliche Redewendung, wenn man sich vor Augen hält, daß man ›solche Angelegenheiten‹ – wenn überhaupt – meistens nur einmal in seinem Leben zu erledigen hat. Aber immerhin verlieh sie mir so etwas wie einen Hauch von Zuversicht. Ich trat auf den Gang hinaus und schritt forsch über den Vorplatz auf meinen Pinto zu. Ich blickte nicht nach links und nach rechts. Wenn mich irgend jemand durch den Regen marschieren sehen sollte, so würde es mir verdammt wenig nützen, wenn ich ihn ebenfalls sah. Endlich im Wagen, fuhr ich los. Die Lichter schaltete ich jedoch erst ein, als ich bereits mindestens einen Block die Celestial Road hinuntergefahren war.

14

»So hätte es nicht kommen dürfen.«

Das war das erste, was ich mir sagte, als ich allmählich wieder das Gefühl bekam, sprechen zu können, ohne daß sich mir dabei die Kehle zuschnürte.

Ich saß in der Ida Street gegenüber von Tracy Leachs weißem Traumhaus in meinem Wagen und wartete. Und so saß ich nun bereits zehn Minuten; ich rauchte meine Chesterfields, nahm ab und zu einen Schluck aus einem Flachmann, den ich immer im Handschuhfach dabei habe, und gab mir alle Mühe, mich wieder zu beruhigen.

»So hätte es nicht kommen dürfen«, sagte ich noch einmal. »Es hätte niemandem etwas zustoßen dürfen.«

Einem Toten mit einem zerfetzten Gesicht war dadurch allerdings kaum mehr groß zu helfen. Mir schlug das Ganze mächtig auf den Magen, und Preston LaForge tat mir ehrlich leid, als ich so auf dem Fahrersitz meines Pinto saß und in den Regen hinausstarrte.

Und doch wußte ich, daß ich recht hatte. Es *hätte* nicht so kommen dürfen, Preston LaForge *hätte* nicht sterben dürfen, und dieses verdammte Mädchen *hätte* neben mir auf dem Beifahrersitz sitzen sollen. Aber das ist eben das Problem mit den Konjunktiven; sie sind dem unerbittlichen Fluß der Ereignisse, in dem es keine Soll und Abers gibt, immer um eine Nasenlänge voraus – oder hintennach.

»Ich hätte sie kriegen müssen!« sagte ich laut. Aber sie würde sich dadurch wohl auch schwerlich überzeugen lassen. Und es würde der miesen Philosophiererei nur noch mehr sein, das Ganze nun ihr oder Hugo in die Schuhe zu schieben. Sie trugen keine Schuld. Und ich war mir keineswegs sicher, wer das überhaupt tat.

Täglich bringen sich irgendwelche Menschen um. Selbst Menschen mit Lebensaussichten wie Preston LaForge. Und es war nicht völlig ausgeschlossen, daß dieser Tod weder mit mir noch mit dem Mädchen, noch mit den Jellicoes etwas zu tun hatte. Wie gesagt, es war nicht völlig ausgeschlossen, aber höchst unwahrscheinlich. Vielmehr sah es doch so aus, daß sein Plan, der sich ohne sonderliches Risiko hätte durchführen lassen sollen, aller Wahrscheinlichkeit nach einen tödlichen Ausgang genommen hatte. Und dazu war es noch mein Plan gewesen; ich hatte Preston LaForge gewissermaßen in die Sache hineingeritten und fühlte mich nun auch dementsprechend verantwortlich für den Ausgang der Sache.

Andrerseits war es natürlich auch nicht so, daß er da völlig ahnungslos hineingetreten war, und ich hatte ihm ja auch nicht den Lauf meiner Pistole in den Rücken gedrückt. Ich wußte zumindest eines ganz sicher; daß er sich die Risiken sehr wohl überlegt hatte. Und darüber hinaus hatte er sich auch noch den Rat einer zweiten Person geholt. Tracy Leach, Prestons ›Tray‹, war keineswegs die unschuldige und unbeteiligte Freundin, wie sie mir noch früher an jenem Nachmittag erschienen war. Denn nach dem zu schließen, was LaForge mir am Telefon erzählt hatte, wußte sie über die Machenschaften der Jellicoes nicht weniger Bescheid als Preston selbst. Und sie hätte demzufolge eigentlich auch in der Lage sein müssen, abzuschätzen, wieweit Lance und Laurie gehen würden. Offensichtlich hatte sie ja LaForge in seinem Vorhaben bestärkt, als er am Abend in seinem Cowboyanzug bei ihr vorgesprochen hatte. Und das wiederum bedeutete, daß irgend etwas, das weder sie noch Preston voraussehen konnte, immerhin so schiefgelaufen war, daß Preston Selbstmord beging oder die Jellicoes dazu getrieben wurden, ihn zu ermorden. Und dieses Etwas war es, das mich nun ein wenig ruhiger atmen ließ, da dies offensichtlich etwas war, das auch ich nicht hätte im voraus ahnen können. Worum es sich dabei auch immer handeln mochte, es stand in irgendeinem Zusammenhang mit einem sechzehnjährigen, rothaarigen Mädchen mit einem schmalen, habgierigen Gesicht und einem Marktwert, der jede oberflächliche Schätzung ganz enorm zu übersteigen schien. Was immer es auch war, es handelte sich dabei um etwas Unvorhergesehenes und höchst Fatales. Und nun, im Regen und in der Dunkelheit ringsum, schien mir Tracy Leach eine der wenigen Personen, die in dieser Hinsicht etwas einigermaßen Vernünftiges anzubieten haben würden.

Um halb elf stieg ich aus dem Wagen und flitzte durch den Regen auf die rote Eingangstür des Leach-Hauses zu. Im ersten Stock brannte Licht, aber niemand antwortete auf mein Klopfen. Ich versuchte mich an der Türklingel, klopfte noch einmal, und plötzlich wurde mir schlagartig bewußt, daß Tray nicht an die Tür kommen würde – ganz gleich, wie lange und wie heftig ich auf die Tür einhämmern mochte. Die Antwort darauf hatte mir auf bizarre Art und Weise Preston LaForge gegeben.

Er hätte sich kaum ihre Telefonnummer notieren müssen – nicht, wenn er einen Schlüssel für ihr Haus hatte. Und das bedeutete, daß Tracy Leach an diesem Abend ausgegangen war und daß die Nummer, die ich mir eingeprägt hatte, wohl den Leuten gehörte, die sie besuchen gegangen war.

Ich merkte, wie froh ich eigentlich darüber war, daß sie nicht zu Hause war. Froh deshalb, weil ich nicht gerade begierig darauf war, ihr die Nachricht von Prestons Tod zu überbringen. Froh, weil ich sie nicht für mich einspannen wollte – zumindest nicht in eben jener selben Nacht. Und froh schließlich auch deshalb, weil ich bei ihr genauso würde vorgehen müssen wie bei Preston, falls sie sich nicht bereit erklären würde, mir zu helfen. Es mußte ja schließlich nicht sein, daß Prestons Tod sie in Aktion würde treten lassen. Und dann würde ich ihr erzählen müssen, daß ich ein recht schmutziges und nicht minder gefährliches Geheimnis kannte, das ich an die große Glocke würde hängen müssen, wenn sie nicht auf meine Bedingungen einging.

Hugo hin, Hugo her; das war Cindy Ann einfach nicht wert. Jedenfalls nicht für mich, und nicht in dieser Nacht.

Jo sah mitgenommen aus, als ich die Tür zu meiner Wohnung aufschloß. Sie hatte vor dem Telefon auf dem Schreibtisch gesessen und sprang nun auf, als ich durch die Tür kam. Sie warf ihre Arme um mich.

»Du machst dich nur naß«, sagte ich sanft.

Sie rückte auf Armeslänge von mir ab und besah mich von oben bis unten. »Gott sei Dank, es ist dir nichts passiert. Es *ist* dir doch nichts passiert, oder?«

Ich nahm den Hut ab und hängte ihn an den Haken. »Nein, ich glaube nicht.« Sonderlich überzeugt kann das wohl kaum geklungen haben.

»Ich hab's etwa eine Stunde, nachdem du weg bist, am Radio gehört. Ein Nachbar hat ihn im Wohnzimmer gefunden. Ich konnte es einfach nicht glauben! LaForge!« Sie zog mich an sich. »Und dann kam dieser verflixte Anruf, und ich wußte einfach nicht, was...«

»Was für ein Anruf?«

Sie deutete auf einen gelben Notizblock auf dem Schreibtisch. »Ich habe alles aufgeschrieben. Er sagte, du solltest noch heute abend zurückrufen.«

Ich ging zum Schreibtisch und las, was sie notiert hatte. ›Lance Jellicoe hat angerufen‹, stand da. ›Um zehn Uhr dreißig. Er *muß* mit dir über heute nacht sprechen.‹

»Dieser Mann hatte vielleicht eine brutale Stimme«, sagte Jo nervös.

»Er ist ja auch ganz schön brutal«, entgegnete ich.

»Aber warum...«

Jo sah mich hilflos an. Sie war mehr als nur rücksichtsvoll. Sie war mir einfach nicht mehr *böse;* wie ein Kind schien sie unsere Auseinandersetzung von vorher einfach vergessen zu haben. Das rührte mich immerhin so sehr, daß ich ihr alles erzählen wollte, was sie von mir wissen wollte. Und ich versprach ihr auch, daß ich das tun würde, als ich den Hörer abnahm und die Nummer der Jellicoes wählte.

Etwa nach dem fünften Läuten antwortete Lance mit einer brummigen, unfreundlichen Stimme. Er klang leicht gereizt und konfus, gerade so, als wäre er sich nicht ganz sicher, ob er überhaupt mit jemandem sprechen wollte. Das konnte ich nur zu gut verstehen, zumal er ja damit rechnen mußte, daß der Anrufer von der Polizei war.

»Hier Stoner«, meldete ich mich.

Seine Stimme festigte sich unmerklich. »Sie waren in LaForges Wohnung?«

»Ja.«

»Dann haben Sie also gesehen, was mit ihm passiert ist. Bevor Sie die Polizei verständigen, möchte ich nur, daß Ihnen klar ist, daß Laurie und ich nichts damit zu tun haben. Haben Sie gehört? Nichts. Es ist völlig egal, ob Sie mir das glauben oder nicht. Tatsache ist nur, daß ich Preston mag. Er war ein guter Kerl. Er hatte zwar so seine Fehler, aber Bösartigkeit kann man dazu mit Sicherheit nicht zählen.«

Nachdem er mir das einmal klargemacht hatte, kam Jellicoe aufs Geschäftliche zu sprechen.

»Und jetzt hören Sie mir gut zu«, fuhr er fort. »Sie wollen das Mädchen zurück, aber Sie erzählen der Polizei nichts über uns. Haben Sie gehört? Denn wenn Sie das tun, dann sind wir sie auf jeden Fall los.«

»Warum haben Sie sie dann nicht zu LaForge gebracht?« fragte ich. »Warum hat er sich dann umgebracht?«

»Das habe ich ja gar nicht gewußt«, entfuhr es Lance, und hinter diesen Worten steckte eine überraschende Gefühlstiefe. »Er war bereits tot, als wir kamen. Ich verstehe das alles nicht so recht. Ein Mann wie er. Also, ich verstehe das wirklich nicht.«

Ich glaubte Lance Jellicoe nicht. Zumindest konnte ich mir so etwas nicht vorstellen. Zugleich merkte ich jedoch auch, daß ich mich ständig daran erinnern mußte, daß er mit Sicherheit ein Zuhälter und möglicherweise auch ein Mörder war – so weit war sein Ton von dem entfernt, was ich eigentlich erwartet hatte.

»Wo ist das Mädchen?« fragte ich schließlich.

»Das werden Sie noch rechtzeitig erfahren.« Und plötzlich war sein Tonfall kein bißchen mehr seltsam. »Sie treffen sich morgen abend mit Laurie. Bringen Sie eines der Bilder mit. Sie wird Ihnen das Nötige über Cindy Ann sagen.«

Ich überlegte mir die Sache kurz. Ich verstand zwar nicht ganz, was das mit dem Bild sollte, aber zumindest bestand kein Zweifel an der Tatsache, daß die Jellicoes daran interessiert waren, die Polizei aus dem Spiel zu lassen. »Gut, ich komme«, erklärte ich mich einverstanden. »Aber die Bedingungen bestimme ich. Wir treffen uns, wo und wann ich will. Und falls Sie irgendwelche dummen Tricks versuchen sollten, Lance, sind die Bilder und ein kleiner Bericht über die Sache am nächsten Tag bei der Polizei, haben Sie mich verstanden?«

»Schießen Sie schon los.«

»In der Busy Bee, morgen abend um sechs.«

»Sie wird dasein.« Damit hängte er auf.

Ich legte den Hörer ebenfalls auf und starrte auf die Schreibtischplatte. Wenn ich einer von diesen Typen wäre, die sich ständig am Kopf kratzen oder an ihrem Kinn ziehen und zerren, ich hätte mir eine halbe Glatze geschabt und mein Kinn wie einen Knetgummi in die Länge gezogen. Ich wurde einfach nicht schlau aus dem Ganzen. Da rief nun Jellicoe plötzlich an, zeigte mit einem Mal Interesse an den Fotos und fügte sich praktisch in sein Schicksal, sich von mir erpressen zu lassen. Er mußte entweder von Abel

Jones oder von Preston LaForge über mich und mein kleines Fotoalbum erfahren haben. Daran bestand kein Zweifel. Ich konnte nur nicht begreifen, was zum Teufel ihm an einem schäbigen Bild liegen sollte, das niemand mit ihm und seiner Organisation in Verbindung hätte bringen können. Ich ließ mir die Sache so lange durch den Kopf gehen, bis mir der Grund dafür mit einem Mal ganz klar vor Augen stand. Und dann blieb mir nichts anderes mehr übrig, als lauthals loszulachen – ein heftiger und plötzlicher Ausbruch schadenfroher Heiterkeit. Und doch war das Ganze alles andere als komisch. Wenn ich mir das alles nämlich schon ein paar Stunden früher überlegt hätte, wäre Preston LaForge möglicherweise in diesem Augenblick noch am Leben gewesen.

»Was ist denn?« fragte Jo unsicher.

»Er glaubt sicher, daß er auf diesen Fotos ist!« sagte ich halb zu mir.

»Auf welchen Fotos?«

Ich sah sie kurz an. Sie hatte ihren Kopf zur Seite geneigt und blickte mich erwartungsvoll an. Sie hätte eigentlich das Recht gehabt, darüber aufgeklärt zu werden, aber ich hatte auch tausend Gründe, ihr nichts darüber zu erzählen.

»Bist du auch sicher, daß du das wirklich wissen willst?«

Sie nickte. »Ich denke, daß mir das eigentlich sogar zusteht, oder nicht?«

»Ja, das finde ich eigentlich auch.« Ich zog die unterste rechte Schreibtischschublade heraus und holte den Schuhkarton mit den Fotos hervor. »Das sind Fotos von Cindy Ann Evans. Hugos Cindy Ann. Sie wurden von den Jellicoes aufgenommen.« Ich klopfte leicht auf den Deckel der Schachtel und reichte sie Jo. »Jetzt verstehst du vielleicht, weshalb sie der Alte unbedingt zurückhaben will.«

Ich sprach weiter mit ihr, während sie sich die Fotos ansah. Da ich jedoch wußte, wie ihre Reaktion sein würde, vermied ich es tunlichst, einen Blick auf sie zu werfen. Sie würde Ekel, Wut und Schrecken empfinden – dieselben Reaktionen, die auch ich verspürt hatte. Außerdem mußte ich über die Jellicoes sprechen. Ich mußte meine Gedanken und Ideen jemandem mitteilen; ich brauchte es, daß jemand sie sich anhörte, damit sie auf diese Weise etwas realer – oder zumindest plausibler – erschienen.

»Ich glaube, die Jellicoes wollen diese Bilder zurück, weil sie denken, sie wären auf einigen davon drauf. Aber sie sind sich natürlich nicht ganz sicher. Und genau das ist es, was mich interessiert. Zusammen mit Cindy Ann Evans auf einem Foto zu sein, muß anscheinend einiges bedeuten. Wie hätte sonst Lance Jellicoe das Risiko eingehen können, mich anzurufen und sein Alibi zu verscherzen, indem er mir gestand, daß er heute nacht in LaForges Wohnung war?«

Ich sah zu Jo hinüber. Sie hatte ihre Hände um den Schuhkarton gelegt und besah sich seinen Inhalt, als handelte es sich dabei um ein paar Schnappschüsse aus vergangenen Jahren.

»Am liebsten würdest du doch von all dem nichts wissen, oder?« fragte ich sanft.

»Weshalb sollte ich das nicht?« antwortete sie in einem teilnahmslosen Tonfall, der jedoch über ihre Erschütterung nicht hinwegtäuschen konnte. »Ich kann mir nicht vorstellen, daß du mir etwas Schlimmeres erzählen könntest als das, was ich da gerade gesehen habe.«

»Ich habe dich ja gewarnt.«

Sie erschauderte. »Nicht genügend.« Jo blickte von ihren Händen zu mir auf. »Was ist mit dem Mädchen passiert, Harry? Weißt du das?«

»Bis heute abend war ich mir nicht sicher; aber jetzt...«

Ich holte tief Atem und fuhr schließlich fort: »Ich glaube, sie ist tot, Jo.«

Ich sagte das sowohl um meiner selbst willen wie auch ihretwegen; ich dachte, es würde vielleicht etwas die Schrecklichkeit dieser Tatsache vermindern, wenn ich mir sie voll bewußt machte. Aber das Ganze hatte nur zur Folge, daß ich an Hugo denken mußte und an den schrecklichen Ausdruck von LaForges Gesicht. Und was Jo betraf – sie blickte wieder in ihren Schoß nieder und fing zu weinen an. »Mein Gott, das ist ja entsetzlich. Warum hätten sie so etwas tun sollen? Sie ist doch noch ein Kind.«

Ich ließ mich schwer in meinen Sessel zurückfallen. Es tat mir leid, daß ich sie in die Sache eingeweiht hatte. Und es tat mir auch leid, daß ich es mir selbst eingestanden hatte. »Ich weiß auch nicht, warum. Ich weiß nur, daß die Jellicoes auf keinen Fall wollen, daß irgendwelche Fotos in Umlauf kommen, die sie mit Cindy Ann Evans in Verbindung bringen könnten. Und das kann in meinen Augen nichts anderes bedeuten, als daß Cindy Ann Evans ganz schön in der Klemme steckt. Ich könnte mich natürlich auch täuschen. Aber sie ist plötzlich verschwunden. Und LaForge ist tot, vielleicht von eigener Hand; aber der Auslöser hierfür war der Umstand, daß ich ihm heute nachmittag diese Fotos da gezeigt habe.«

»Das ist aber doch nicht deine Schuld«, warf Jo heiser ein. Sie wischte sich mit den Fingerspitzen die Augen. »Was hat er denn überhaupt mit dem Mädchen zu tun gehabt?«

Ich dachte nicht daran, zweimal denselben Fehler zu machen. Nicht in diesem Augenblick, wo Jo so verletzbar war. Und nicht mit einem eben erst toten LaForge. Schließlich schuldete ich ihm etwas für sein Bemühen, sich einmal anständig zu erweisen, zumal mir in diesem Moment der Preis für das Bitterste an der ganzen Geschichte nicht allzu hoch erschien.

»Nichts«, erwiderte ich also nur lakonisch. »Er war einfach ein Bekannter der Jellicoes. Ich habe ihn nur dafür eingespannt, mit ihnen in Verbindung zu kommen. Preston war ein unglücklicher Mann, der sich durch sein Image des All-American-Boy einfach überfordert fühlte. Und zufälligerweise bin ich ihm genau am letzten Tag seines Lebens über den Weg gelaufen.«

»Na ja, das ist eben Pech«, meinte Jo und beendete damit dieses Thema.

Sie stand auf und ging langsam aufs Schlafzimmer zu. »Pech für euch beide.«

15

Der Montag fing nicht weniger schlimm an, als der Sonntag geendet hatte. Um halb neun Uhr rief Hugo Cratz an, und ich versuchte, ihn eine halbe Stunde lang davon zu überzeugen, daß alles in bester Ordnung sei und er nur weiterhin bei seinem Sohn in Dayton bleiben solle. Sehr früh am Morgen oder spät am Abend ist es nicht gerade leicht, überzeugend zu lügen – Vertreter und Gerichtsvollzieher wissen das sehr wohl, und vermutlich hatte auch Hugo Cratz von dieser Binsenweisheit schon einmal gehört. So sehr ich mich auch bemühte, meine verschlafene Stimme möglichst munter und zuversichtlich klingen zu lassen, etwas von der letzten Nacht – etwas von dem Horror, den Jo als Pech abgetan hatte – mußte doch übriggeblieben und durchgesickert sein. Und das entging natürlich Hugo nicht – genausowenig, wie einem Hund der Hundegeruch in einem alten Teppich entgeht.

»Also jetzt mal im Ernst, Harry«, sagte er mit krächzender Stimme. »Was ist nun eigentlich los? Ich habe schließlich ein Recht, das zu erfahren, oder nicht?«

Genau dasselbe hatte Jo gesagt, und genau wie Jo hatte er damit auch recht. Er hatte ein Recht, zu erfahren, was hier los war. Aber nach den Ereignissen der letzten Nacht war ich einfach noch nicht in der Lage, ihm das zu erzählen. Also versuchte ich, mich nach besten Kräften um das Schlimmste zu drücken, und bereitete ihn zugleich bereits auf das vor, was mir geschwant hatte, als ich Preston LaForges demolierten Schädel gesehen hatte. »Im Moment stehen die Chancen, daß ich sie finde, nicht besonders günstig, Hugo. Ich spiele sogar schon mit dem Gedanken, daß es vielleicht gar keine so schlechte Idee wäre, doch die Polizei hinzuzuziehen.«

»Die Polizei!« entfuhr es ihm. »Verdammt noch mal, ich habe Ihnen doch ganz deutlich klargemacht, daß ich nicht will, daß die Polizei da herumschnüffelt. Also, wenn Sie die Nase voll haben, mir zu helfen, dann sagen Sie mir das gefälligst. Es gibt schließlich noch genügend andere Leute, an die ich mich wenden kann.«

An wen zum Beispiel, hätte ich beinahe gefragt.

Und dann hätte ich noch beinahe gesagt: »Und was ist, wenn sie tot ist?« Aber das wäre ein gewaltiger Fehler gewesen, wenn sich das als falsch erweisen sollte. Blieb mir also nichts anderes übrig, als ihm zu versichern, daß ich mich schon weiter um die Sache kümmern würde. Insgeheim betete ich jedoch darum, daß ich die Jellicoes dazu bringen konnte, mir zu erzählen, was aus Cindy Ann geworden war.

Gerade das erschien mir jedoch mit Fortschreiten des Tages immer unwahrscheinlicher. Zumindest kam ich, über meinem Morgenkaffee und der Zeitung brütend – Jo duschte und zog sich an –, zu dem Schluß, daß es wohl kaum in der Absicht der Jellicoes stehen konnte, mir derartige Informationen zukommen zu lassen. Zumal ich ihnen ja meinerseits nichts Entsprechendes anzubieten hatte, was sie auf ein kleines Tauschgeschäft hätte eingehen lassen können. Sobald Laurie eines der Bilder gesehen und gemerkt haben würde, daß darauf weder sie noch Lance zu sehen waren, konnte ich einpacken. Das heißt, wenn ich sie nicht davon überzeugen konnte, daß ihnen die Fotos gefährlicher werden konnten, als sie das auf den ersten Blick zu tun schienen, und wenn ich sie nicht weiterhin im unklaren darüber halten konnte, was auf diesen Aufnahmen wirklich zu sehen war. Das Ganze würde natürlich nicht ganz ohne Risiken sein. Und das vor allem dann, wenn Jellicoe mich hinsichtlich LaForges Tod angelogen hatte und mich nun auszutricksen versuchte. Letzten Endes lief alles auf diese eine Frage hinaus: Wie weit konnte ich mit den Jellicoes gehen? Und die einzige Person, die mir darauf eine Antwort geben zu können schien, war Tracy Leach – die Frau, von der ich letzte Nacht noch auf jeden Fall die Finger lassen wollte.

Es ist schon ganz schön deprimierend, immer wieder feststellen zu müssen, wie schlecht es um derlei gute Vorsätze bestellt ist. Ich dachte dabei an die von Preston, die von Jo und vor allem meine eigenen. Das alles nur ›Pech‹ zu nennen, würde ihr auf Dauer nicht allzuviel helfen, und sie machte auch nicht gerade den besten Eindruck, als sie ins Wohnzimmer kam. Sie setzte sich auf die Couch, worauf ich ihr eine Tasse Kaffee und den *Enquirer* reichte. Sobald ihr Blick auf die erste Seite mit dem großen Bild von Preston und der reißerischen Schlagzeile gefallen war, sprudelte es in einem wirren Ausbruch nur so aus ihr hervor.

»Du hast einen ganz schön miesen Job, Harry!« murmelte sie. »Ich finde ihn widerlich. Und ich finde auch das widerlich, was ich gestern nacht gesehen habe. Und dasselbe gilt auch für die Leute, mit denen du zu tun hast. Aber vor allem finde ich im Moment auch dich widerlich, daß du in die ganze Sache verwickelt bist.«

Sie schoß von der Couch hoch, aber ich erwischte sie gerade noch an der Hand. »Es ist nicht so, daß ich ein Feigling und Drückeberger wäre«, fuhr sie fort. »Das weißt du selbst am besten. Ich habe schon genügend Schreckliches in meinem Leben mitgemacht. Und ich werde auch das hier überstehen. Die Sache ist nur, daß ich nicht weiß, ob ich mich auf eine Beziehung mit einem Mann einlassen will, der einen Beruf hat wie du. Ich habe genug von all dem Leid und den ewigen Scherereien. Ich möchte etwas...« Ihre grauen Augen wanderten durch den Raum, als wäre das Wort, nach dem sie suchte, irgendwo in einer Ecke verborgen, und sie sagte schließlich: »Ich möchte etwas Ruhigeres.«

Sie entzog sich mir und teilte mir mit: »Ich gehe jetzt nach Hause und lasse mir die Sache noch einmal in Ruhe durch den Kopf gehen.« Sie war schon fast an der Tür, als sie noch einmal herumwirbelte und einen anklagenden Finger gegen mich richtete. »Ich glaube, ich könnte dich lieben, verdammt noch mal! Und ich glaube, ich tue es sogar schon. Und was ich gerne wissen möchte, ist nur, wie du dir das vorstellst.«

»Ich liebe dich auch«, erwiderte ich hilflos. Aber wie könnte man diesen Satz in solch einer Situation wohl auch anders sagen.

»Na, großartig!« Jo öffnete die Tür. »Ich arbeite heute abend in der Bee«, rief sie mir über die Schulter zurück zu. »Um zehn Uhr habe ich frei.«

Ich hatte mir eine hellgraue Hose und ein blaues Hemd angezogen, und nun durchwühlte ich meinen Kleiderschrank nach einem navyblauen Blazer, der zumindest nicht ganz den Eindruck machte, als hätte ich ihn im letzten Moment während des letzten Sommerschlußverkaufs ergattert. Schließlich wollte ich bei Miß Tracy Leach einen einigermaßen anständigen Eindruck erwecken, und als ich dann in der strahlenden Morgensonne vor diesem Juwel von ihrem Haus stand und den spärlichen Verkehr in der Ida Street beobachtete, kam ich mir auch relativ respektierlich vor.

Ich hatte mir vorzustellen versucht, wie sie wohl aussehen würde, als ich nach Mt. Adams gefahren war. Aber wie soll eine reiche, junge Frau mit einem leicht abwegigen sexuellen Geschmack und einem Preston LaForge zum Freund schon aussehen? Sie konnte genausogut eines von diesen handfesten, draufgängerischen Dallas-Cowgirls sein wie eines von diesen ätherischen jungen Dingern mit blauädriger, porzellanweißer Haut und großen, nervösen Augen. Sicher war mir nur eines. Sie mochte gut gekleidete Besucher.

Während ich so zu diesem herrlichen Haus mit seinen roten Türen aufsah, kam ich zu dem Schluß, daß sie wohl eher dem ätherischen Typ zuzurechnen sein würde – eine von diesen schüchternen, ernsten und halbwegs hübschen jungen Frauen, die sich vor allem in Gesellschaft schwacher und unsicherer Männer wohl fühlen. Der Typ, der in aller Welt Hunderte von ›Freunden‹ hat und unter diesen Freunden in einem nie endenden Teufelskreis aus oberflächlichen Gesprächen und erfolglosen Romanzen die Runde macht. Vermutlich war sie dünn, blond und zerbrechlich. Sie würde sich elegant kleiden und mit leiser Stimme sprechen. Mir gefiel die Frau, die ich mir auf diese Weise zusammengereimt hatte, und ich beschloß, sie dementsprechend auch mit Samthandschuhen anzufassen.

Ich klopfte einmal gegen die rote Eingangstür.

Ein blasser, strohblonder Mann öffnete. Er trug eine navyblaue Nadelstreifenhose und ein weißes Kellnerjackett – ohne etwas darunter. Sein Gesicht hatte den zerbrechlichen Ausdruck des jungen Truman Capote; aber wie auf diesen Fotos des jungen Capote war in seinen blaßgrünen Augen ein gefährlicher Schimmer, und sein Mund, der wesentlich röter war als der Rest seines Gesichts und sich davon abhob, als wäre er in Hochrelief herausgearbeitet, wies eindeutig brutale Züge auf. Er hatte einen schlanken, drahtigen Körper, wirkte aber keineswegs schwächlich. Um seinen Hals spielten dicke Muskelstränge, und sein nackter, blasser Brustkorb wies die deutlich entwickelte Muskulatur eines Bodybuilding-Fanatikers auf. Er war etwa vierzig Jahre alt und trug sein jungenhaftes Gesicht, als hätte er es gründlich satt, immer wieder gesagt zu bekommen, wie jung er noch aussah.

»Ja?« begrüßte er mich. »Was gibt's?«

»Ich hätte gern mit Tracy gesprochen. Ist sie zu Hause?«

Mein Gegenüber grinste hämisch, und das ließ ihn sogar etwas älter als vierzig aussehen. »Soll das ein Witz sein?« fragte er ruhig, wobei mir jedoch keineswegs entging, wie sich die Muskeln unter seinem Kellnerjackett spannten. »Wenn das nämlich einer sein sollte, dann finde ich ihn überhaupt nicht komisch.« Sein Gesicht nahm plötzlich einen völlig veränderten Ausdruck an, so daß ich für einen Augenblick schon dachte, er würde zu weinen anfangen. »Ich habe eine schlimme Nacht hinter mir; und falls Tony oder Mark oder sonst jemand von diesen Leuten Sie hier rüber geschickt haben sollte, um mich ein bißchen zu verarschen, dann muß ich Sie jetzt leider darauf hinweisen, daß ich im Moment nicht zu Späßchen aufgelegt bin. Vielleicht haben sie Ihnen das nicht gesagt, aber ich bin nicht schlecht in Karate. Und ich sage Ihnen eines, wenn sie hier nicht in zwei Sekunden verschwunden sind, bekommen Sie von mir eine Lektion, die Sie so schnell nicht vergessen werden.«

Ich trat von der Tür zurück und blickte enttäuscht an mir herab – das heißt, vor allem an meinen Kleidern, die ich doch eigens für Miß Tracy Leach ausgesucht hatte. Ich wollte lachen, aber im selben Moment wurde mir auch klar, daß ihn das auf der Stelle zum Zuschlagen bringen würde. Außerdem war es wirklich kein sonderlich guter Witz. Wäre ich nicht immer so verflucht sentimental, hätte ich das Ganze außerdem schon etwas früher ahnen können. Geschieht dir recht, sagte ich mir im stillen – die Welt immer nach meinem Bild zu formen.

»Oh – *Sie sind* Tracy Leach«, sagte ich also schließlich. »Entschuldigen Sie bitte.«

Er nickte.

»Tut mir leid, daß ich mich da so getäuscht habe, Mr. Leach. Ich wollte hier keinen dummen Witz machen. Ich dachte nur immer, Tracy wäre ein Mädchen.«

»Tracy?« wiederholte er und blinzelte mich dabei befremdet an. »Kenne ich Sie von irgendwoher?

»Nein. Aber ich kannte Preston LaForge, und er hat von Ihnen gesprochen.«

Als ich Prestons Namen nannte, zuckte Leach leicht zusammen und faßte sich an den Bauch. »Sie sind also dieser Detektiv!« stieß er mit gepreßter Stimme hervor. »Sie sind also der Mann, der ihn auf dem Gewissen hat!«

Leach beugte sich vor und richtete sich dann so ruckartig wieder auf, als wäre in seinem Rückgrat irgend etwas eingeschnappt. Er stieß einen Schrei aus, der einem das Blut in den Adern gerinnen ließ, und zugleich schoß sein linker, unbeschuhter Fuß gegen meinen Kopf vor.

Den Schrei hätte er lieber weglassen sollen. An sich heißt es, damit brächte man seinen Gegner zum Erstarren. Bei mir jedenfalls übte er genau den gegenteiligen Effekt aus. Ich sprang zur Seite, so daß sein Fuß an meiner Schläfe vorbeischoß, und im nächsten Augenblick stürzte ich auch schon auf ihn los und schlug ihm das rechte Bein weg, so daß er hintüber ins Haus fiel.

Er setzte sich auf, worauf ich ihn, allerdings nicht sonderlich erfolgreich, wieder niederzudrücken versuchte. Er schrie, trat um sich und schlug wie ein erbostes Kind heftig mit dem Kopf um sich. Einige dieser Stöße trafen meine Handgelenke und Beine und kamen zum Teil meinen Knien gefährlich nahe.

»Mensch, lassen Sie doch diesen Blödsinn!« brüllte ich ihn an.

Als er trotzdem nicht damit aufhörte, zog ich ihm eins über – eine kurze Rechte, die genau seine Kinnspitze traf.

Sein Körper wurde schlaff, und sein Kopf rollte auf den Teppich.

»Mein Gott!« stieß ich, noch etwas außer Atem, hervor, während ich aufstand.

Ich rieb mir meine schmerzenden Beine und warf Tracy einen kurzen Blick zu. Zumindest für die nächsten paar Minuten würde er das Treten auf jeden Fall sein lassen, so daß mir ein paar Augenblicke Zeit blieben, mir meine Umgebung etwas näher zu betrachten. Ich befand mich in einem altmodischen, rosenfarbenen Wohnzimmer, das – wie nicht anders zu erwarten – mit chinesischen Malereien, Beardsley-Drucken, viktorianischen Samtsesseln, geschnitzten, orientalischen Teak-Schächtelchen mit Messinggriffen und einem mächtigen Glasschrank voller teurer Nippes eingerichtet war. Das typische Wohnzimmer einer reichen, exzentrischen alten Dame. Viele Homosexuelle haben ja, was ihre Wohnungseinrichtung betrifft, einen Witwengeschmack – mit dem einen kleinen Unterschied, daß das Ganze etwas mehr Pep hat, gerade so, als ob die alte Dame auf ihre alten Tage noch Gefallen an Sex gefunden hätte. Mich deprimierte das alles nur. Tracy Leach deprimierte mich, und das gleiche galt auch für Preston LaForge, den netten amerikanischen Jungen von nebenan.

Da es nicht so aussah, als würde Tracy von selbst wieder zu sich kommen, packte ich ihn am Kragen seines Kellnerjackets und schleppte ihn zu einer von diesen flachen chinesischen Kisten hinüber. Ich nahm die silberne Schale, die darauf stand; sie war mit Wasser gefüllt, und darauf schwammen mehrere Rosenblätter. Ich kippte ihren Inhalt über Leachs Kopf und trat zurück.

Er prustete heftig und fing an, sich die Rosenblätter vom Gesicht zu wischen.

Wieder bei Sinnen, setzte er sich auf und blickte entsetzt auf den Teppich. »Diese Dinger sind ganz schön teuer«, hustete er. »Wer soll für die Reinigung aufkommen?« Dabei stand er mühsam auf und starrte immer noch auf den Wasserfleck auf dem Teppich.

»Weshalb lassen Sie nicht einfach Oscar kommen; der kann Ihnen dann die ganze Wohnung neu einrichten«, meinte ich trocken.

Leach sah mich überrascht an. »Sie kennen Oscar?«

Ich konnte mir ein Lachen nicht verkneifen.

»Was ist daran so komisch?« Leach kniete sich nieder und strich mit der Hand über den Teppich.

Für den Bruchteil einer Sekunde hatte ich das Gefühl, er würde mich noch einmal angreifen. Also warnte ich ihn: »Versuchen Sie es lieber nicht noch einmal, Tracy.«

»Blöder Macker«, zischte er mich an und richtete sich wieder auf.

Ich verschränkte meine Arme und schüttelte den Kopf. »Mit euch Burschen ist es doch immer dasselbe, nicht? Die Welt ist immer in zwei Lager unterteilt – in die Macker und die Schwulen.«

»So ist es nun leider mal.«

»Bringen Sie mich bloß nicht zum Kotzen, Tray«, stauchte ich ihn zurecht. »Ich weiß etwas zuviel über Sie, um auf diesen ganzen Blödsinn hereinzufallen. Sie kaufen sich kleine Jungs und

Mädchen. Genau wie Preston. Wahrscheinlich haben Sie sich auch ein paar mit ihm geteilt →ein kleiner Tip unter Freunden; oder habe ich da etwa nicht recht? Also kommen Sie mir bitte nicht auf die selbstgerechte Tour.«

Tracy Leach wrang etwas Rosenwasser aus seinen Ärmeln und ging zu einem der schweren Samtsessel. »Was wollen Sie eigentlich von mir?« kam er zur Sache.

»Ein paar Informationen über die Jellicoes.«

Er setzte sich vorsichtig nieder und sah mich ungläubig an. »Sie müssen mich wohl für verrückt halten. Sie haben doch selbst gesehen, wie es Pres ergangen ist. Wie in Gottes Namen kommen Sie also auf die Idee, ich würde mich noch einmal auf dasselbe einlassen?«

Ich zuckte mit den Achseln. »Ich dachte eben, daß Sie vielleicht etwas für einen toten Freund tun wollten.«

»Und was zum Beispiel?« fragte er bissig.

»Tja, Sie könnten mir ja zum Beispiel dabei helfen herauszufinden, wer ihn umgebracht hat.«

»Er hat sich doch selbst umgebracht«, entgegnete Leach. »Bei Preston mußte das ja früher oder später einmal kommen, und zwar hätte es dabei nicht die geringste Rolle gespielt, was ich oder irgend jemand sonst für ihn getan hätte.« Er seufzte betrübt und richtete sich in seinem Sessel auf. »Er wurde einfach nicht damit fertig, schwul zu sein. Er machte alle möglichen dummen und gefährlichen Sachen. Er riß dumme Witze, stellte sich in aller Öffentlichkeit bloß. Er wollte eigentlich die ganze Zeit über nichts anderes, als daß man ihn erwischte und nach Hause schickte.« Leach massierte sein Gesicht, als wäre es ein verkrampfter Muskel. »Ich bin nicht wie Preston, Mr....?«

»Stoner.«

»Stoner. Ja, ich habe bereits früh in meinem Leben eine Entscheidung gefällt, wenn man das so nennen kann. Und die meiste Zeit fahre ich damit recht gut; ich habe es nie bereut. Und da Sie mich vorhin darauf angesprochen haben, wie weit ich mich Preston gegenüber verpflichtet fühlte. Na ja, Sie werden das vielleicht nicht verstehen, aber ich habe Preston geliebt und ich habe immer versucht, ihm zu helfen, solange er noch am Leben war. Aber jetzt...« Leach ließ seine Hände auf die Sessellehnen fallen.

Für einen Moment betrachtete ich ihn prüfend. Dem armen Teufel noch einmal ein paar überzuziehen, würde Cindy Ann

Evans nicht groß helfen. Also langte ich in meine Jackentasche, holte eine Visitenkarte hervor und legte sie auf das chinesische Kästchen. »Na gut, Tray. Rufen Sie mich an, falls Sie Ihre Meinung ändern sollten.«

»Sie wissen ganz genau, daß ich das nicht werde«, entgegnete er. »Ich weiß nicht, weshalb ich Ihnen das überhaupt sagen sollte. Ich mag Sie nicht. Und ich bin auch keineswegs damit einverstanden, wie Sie mit Preston umgesprungen sind. Aber wenn Sie nur ein bißchen Grips in der Birne haben, dann lassen Sie Ihre Finger da raus. Die beiden gehen über Leichen. Und wenn Sie glauben, Sie könnten wegen des Verschwindens des Mädchens so einfach Ihre Nachforschungen anstellen, werden sie Sie umbringen.

Und jetzt verschwinden Sie hier«, fügte er schließlich hinzu. »Verschwinden Sie hier, und lassen Sie mich in Ruhe.«

Ich trat durch die Eingangstür in die grelle Julisonne hinaus und versuchte dabei auf einen vernünftigen Grund zu kommen, der mich daran hindern sollte, mir auf der Stelle einen neuen Job zu suchen.

16

Ich brauchte etwa eine halbe Stunde bis hinunter zum Fluß, wo ich dann durch die öde Industriezone von Riverview fuhr – vorbei an den riesigen Öllagern und Rangierbahnhöfen, wo das Schienengewirr ein grimmiges Lächeln zum Julihimmel emporschickte. Und dann hörten die Öltanks und die Tankfahrzeuge allmählich auf, und ich konnte den Fluß wieder sehen, den düster braunen Ohio, der sich entlang der Hügel am Kentucky-Ufer nach Südwesten schlängelte.

Noch fünf Meilen in Richtung Westen, und ich kam zu dem verlassen dastehenden Holzhaus in der Flußniederung. Ich parkte den Wagen an der Uferseite der Straße ein, schaltete den Motor ab und blieb noch für einen Augenblick sitzen. Ich konnte den Fluß wieder riechen; der Wind trug seinen Geruch über die öde Landschaft die Uferböschung herauf. Aber diesmal erinnerte er mich nicht an den Dschungelmoder aus dem Krieg – nicht dieser feuchte Fäulnisgeruch, durchdrungen vom Gestank des Dieselöls und vom Rauch der LZs. Dieses Mal war es der Duft von Tray Leachs spanischem Haus und von Cindy Ann Evans selbst. Die Gerüche süßen und heimlichen Verfalls, halb im Verborgenen und doch halb darauf bedacht, entdeckt zu werden. Und für mehr als einen kurzen Augenblick stand mir dann mit der nackten Klarheit der Wahrheit vor Augen, was ich eigentlich wirklich zu finden versuchte. Eine Leiche, die wie dieser abgefahrene, schwarze Reifen in Abel Jones' Vorgarten herumliegen würde? Einen Mörder? Eine Verschwörung? Nein, das alles war es nicht. Der kleine Mann in mir wußte es besser – und das insbesondere nach alledem, was ihm durch das Zusammentreffen mit Leach und Preston LaForge aufgegangen war. Er wollte die Ursache. Er wollte das Übel selbst an der Wurzel ausreißen.

Und plötzlich war auch ich wieder dafür. Aus Gründen, die ich Jo nie hätte erklären können. Aus Gründen, die ich nicht einmal mir selbst erklären konnte. Aber ich wollte plötzlich wieder all dieses im Verborgenen vor sich hin schwelende Übel aufdecken und an den Pranger stellen.

Ein Mann mit nacktem Oberkörper war aus Abel Jones' Haus getreten und blickte nun, mit einer Hand seine Augen beschattend, zu meinem Pinto herüber. Selbst aus hundert Metern Entfernung konnte ich mit Sicherheit sagen, daß er nicht Abel Jones war. Sein Haar war zu lang, und seine sonnenverbrannte Haut hatte die Farbe einer Mahagony-Tür. Er starrte etwa eine Minute zu mir herüber und kam dann die Böschung zur Straße herauf. Seine mächtigen Arme schwangen dabei wie bei einem Bären an seinem Oberkörper auf und ab. Als er noch etwa zehn Meter von meinem Pinto entfernt war, stieg ich aus und lehnte mich gegen den Wagenschlag, eine Hand in der Jackentasche am Griff meiner Pistole. Ich würde mir erst nicht lange ein paar schlaue Fragen überlegen müssen; zumindest für den Anfang würde das Reden schon er besorgen. Ich machte mir nur Gedanken, was wohl kommen würde, wenn er damit fertig sein würde. Der Bursche war kein übler Brocken, und je näher er kam, desto wilder sah er auch aus.

»Was suchen Sie denn hier?« fragte er mich, als er vor mir stand. Er war älter, als ich erst gedacht hatte. Schätzungsweise um die Dreißig. Braunes Haar, hohe Backenknochen und mit einem leicht indianischen Einschlag in seinem dunkelhäutigen Gesicht.

»Ich suche Coral Jones«, sagte ich. »Sie weiß, wer ich bin.«

»Aber ich weiß das nicht«, erwiderte er trocken. »Vielleicht sagen Sie mir lieber mal, was Sie eigentlich wollen.«

»Mein Name ist Stoner. Coral hilft mir bei der Suche nach einem vermißten Mädchen.«

»Scheiße, Sie sollten lieber mal erst *ihn* finden.«

»Abel?« hakte ich nach.

»Ja.«

»Ist er denn weg?«

»Schon das ganze Wochenende.«

»Und Coral?«

Auf seinen roten Backenknochen wurde eine leichte Rötung bemerkbar – gerade genug, um mir das Gefühl zu geben, daß er sich nicht ganz sicher war, wie er diese Frage beantworten sollte, oder vielleicht, wie Coral erwartet hätte, daß er sie beantwortete.

»Vielleicht reden Sie da mal am besten mit ihr selbst«, meinte er schließlich.

Wir gingen also zum Vorgarten hinunter, wo vor der Veranda der alte Falcon herumstand. Wir traten ins Haus.

Dort hatte sich seit meinem letzten Besuch einiges verändert. Der Großteil der tragbaren Einrichtungsgegenstände – die Schießbudentrophäen – war in Pappschachteln verpackt, von denen ein halbes Dutzend auf dem Boden des Wohnzimmers aufgestapelt war. Über die größeren Möbelstücke waren Decken geworfen.

Coral Jones, den Kopf mit einem Schal im Schottenmuster umwickelt, beugte sich gerade über eine der Schachteln, als ich in den Raum trat. Sie trug knapp sitzende Blue Jeans und ein Männerhemd, das sie über der Taille verknotet hatte, anstatt es in die Hose zu stecken. Sie begrüßte mich mit einem freundlichen Lächeln, als sie mich sah, und sagte zu dem hemdlosen Mann: »Laß uns mal einen Augenblick allein, Bobby.«

»Bist du dir da auch sicher, Coral?« fragte er zurück, wobei er ihr mit den Augen anzudeuten versuchte, ich würde nur Scherereien bedeuten.

»Ich weiß, was ich tue, Liebling. Kümmere du dich nur um deine Angelegenheiten.«

Er atmete hörbar aus, sah sie einen Moment verwirrt an und ging dann aus dem Raum. »Ich bleibe in der Nähe«, rief er ihr noch über die Schulter zu.

»Ist er nicht süß«, meinte Coral mit einem Kichern.

»Wo haben Sie den Burschen denn aufgetrieben?« frage ich.

»Na ja; nachdem Sie letztes Mal weg waren, habe ich ein bißchen nachgedacht, und dabei kam mir unter anderm auch der Gedanke, daß ich eigentlich nicht die geringste Lust hatte, mich von Abel wieder mal verprügeln zu lassen. Also sagte ich mir: ›Mädchen, das brauchst du dir auch nicht im geringsten gefallen zu lassen.‹ Und als er dann wieder nüchtern war, habe ich ihm eben einfach erzählt, ich hätte genug von dem Ganzen. Er hat es besser verkraftet, als ich erst dachte. Oder vielleicht auch schlechter. Ich würde sagen, das hängt davon ab, wie man die Sache sieht. Jedenfalls ist er vor mehr als zwei Tagen weg, und ich habe ihn seitdem nicht mehr gesehen.«

Coral klopfte mit der Hand leicht auf eine der Schachteln. »Ich ziehe aus«, eröffnete sie mir gutgelaunt. »Noch einmal von vorne anfangen, wie ich Ihnen schon erzählt habe. Und so habe ich Bobby kennengelernt. Er hilft mir beim Umzug. Sieht er nicht blendend aus? Was meinen Sie?« Sie lugte durch die Haustür in den Vorgarten hinaus, wo Bobby auf und ab wanderte. »Ein bißchen jung ist er schon noch.« Sie errötete leicht. »Aber er stellt sich wirklich keineswegs dumm an.«

»Das kann ich mir vorstellen.«

Coral lachte. »Ich glaube, mehr oder weniger habe ich das alles irgendwie Ihnen zu verdanken. Was treibt Sie denn übrigens wieder hier heraus?«

»Ich brauche Ihre Hilfe, Coral. In letzter Zeit sind meine Vorzeichen nicht gerade günstig gestanden. Und ich kann wirklich sagen, daß ich Hilfe brauche.«

»Wegen dieses Mädchens?« fragte sie.

Ich nickte.

Coral deutete auf die Couch, und ich setzte mich. »Möchten Sie was zu trinken? Ich habe hier gleich eine Flasche stehen.«

Sie holte hinter der Couch eine halbvolle Flasche Old Grandad hervor und nahm aus einem Karton zwei Gläser. »Da«, sagte sie und reichte mir ein Glas.

Dann ließ sie sich neben mich auf die Couch plumpsen und kuschelte sich wie eine Katze, die es sich bequem macht, zurecht. »Was kann ich also für Sie tun?«

Ich warf ihr einen kurzen Blick zu – sonnengebräunt, hübsch und fast aus Hemd und Hose platzend. Sie lächelte schüchtern, als wollte sie damit sagen, daß sie nichts dagegen hätte, wenn es das wäre, was ich von ihr wollte. Und ich muß zugeben, daß das ein großer Teil von mir auch durchaus tat. Aber dann mußte ich an Jo denken, und das machte es mir leichter, mich an die Kandare zu

nehmen. Diese Absurdität, sich in diesem verrückten und willkür-
lichen Universum einer einzelnen Person zu verpflichten und ihr
Treue zu geloben, wo doch schon allein die Zeit, ganz zu schweigen
vom Zufall, von den Launen des Schicksals oder einem simplen
Wetterschwung, das alles zu Staub zerfallen lassen konnte. Völlig
absurd, sagte ich mir selbst. Und dabei wußte ich sehr genau, daß
es noch absurder war, sich gegen all das aufzulehnen. Also
schüttelte ich nur traurig und betrübt den Kopf und sagte: »Vielleicht bin ich vollkommen verrückt, Coral. Aber alles, was ich von
Ihnen will, sind nur ein paar Informationen.«

»Ich würde Ihnen gerne helfen, wenn ich kann.«

»Dann erzählen Sie mir alles, was Sie über Lance und Laurie
Jellicoe wissen. Seit letzten Freitag hat sich nämlich einiges geändert. Ein Mann ist tot, und vielleicht ist auch das Mädchen tot. Und
die Verantwortung dafür tragen in beiden Fällen diese zwei.«

»Kann sein«, warf Coral ein. »Wie ich Ihnen schon gesagt habe,
ist mit den beiden nicht gut Kirschen essen, aber nach allem, was
ich gesehen habe, dürfte ihnen Mord doch eine Schuhnummer zu
groß sein.«

»Und was wäre dann ihre Schuhnummer?«

»Erpressung«, antwortete sie trocken. »Erpressung und rauher
Sex. Und danach, was Abel mir so erzählt hat, müssen die beiden
über eine ganz schön umfangreiche Liste von Kunden verfügen.
Das gefiel Abel immer am besten. Es machte ihm Spaß zu sehen,
wie die Mächtigen in den Dreck gezogen wurden. Mein Gott, ja,
Abel mochte es wirklich, jemanden in den Dreck gezogen zu
sehen.«

»Kennen Sie irgendwelche Namen oder Adressen. Kunden, mit
denen ich sprechen könnte, oder Häuser und Wohnungen, wo sie
ihre kleinen Jungs und Mädchen verstaut haben?«

Coral schüttelte den Kopf. »Für einen recht gesprächigen Menschen konnte Abel ganz gut dichthalten, wenn es um Dinge ging,
die wirklich wichtig waren.«

»Verfluchter Mist!« schimpfte ich. »Ich treffe mich heute abend
mit Laurie, und ich brauche doch etwas, womit ich sie ein bißchen
unter Druck setzen kann.«

Coral sah sich im Raum um, als wollte sie sich vergewissern, daß
niemand zuhörte. »Von Escorts Unlimited wissen Sie doch, oder?«

Ich nickte. »Ich weiß auch von dem Büro in der Plum Street und
von ihren Machenschaften in Newport.«

Sie zuckte mit den Achseln. »Dann weiß ich auch nicht, was ich Ihnen noch erzählen könnte. Abel arbeitete nur zeitweise für die beiden. Ich weiß, daß sie ihn öfter in Kentucky drüben einsetzten; er war manchmal auch mehrere Tage lang weg. Aber so gut, wie ich Abel kenne, konnte das alles mögliche bedeuten.«

Ich kippte den Rest meines Drinks hinunter und stellte das Glas auf eine der Schachteln. »Na ja, ich hab's zumindest versucht. Wird mir wohl nichts anderes übrigbleiben, als beim Bluffen mein Glück zu versuchen.«

»Warten Sie noch einen Moment«, unterbrach mich Coral. »Wissen Sie auch von dem anderen?«

Einen Augenblick lang verstand ich nicht, wovon sie sprach, was dieser etwas rätselhafte Satz bedeuten sollte. Das sollte dennoch nichts daran ändern, daß es mir kalt den Rücken hinunterlief. »Wie meinen Sie das?«

»Ich meine den Partner.« Sie sah ängstlich auf ihren Drink herunter. »Den anderen.«

»Aha!« Als ich das sagte, war mir, als wäre an diesem drückend heißen Nachmittag für einen kurzen Augenblick doch noch etwas Wind aufgekommen.

Sie blickte von ihrem Glas auf; in dem Bewußtsein, daß sie mir eben etwas erzählt hatte, was mir weiterhelfen würde, breitete sich auf ihrem Gesicht ein breites Lächeln aus. »Fragen Sie mich aber bitte nicht, wie er heißt. Verdammt, ich weiß nicht einmal sicher, ob er überhaupt ein Mann ist! Ich weiß nur so viel, daß noch jemand mit ihnen zusammenarbeitet. Abel kannte seinen Namen. Und ich hatte ganz das Gefühl, daß dieser Mann der führende Kopf von dieser Vermittlungsagentur war.«

»Und wie sieht dieser Partner aus?«

»Oh, Harry.« Sie klang, als würde sie im nächsten Augenblick in Tränen ausbrechen. »Woher soll ich das wissen?«

»Wissen Sie dann vielleicht, weshalb sie daran interessiert waren, daß Abel diese Bilder los wurde; ich meine diese Fotos wie das von Cindy Ann.«

Sie nagte an ihrer Unterlippe. »Sie hatten keine Verwendung dafür – das heißt, für die Bilder, auf denen nur die Mädchen zu sehen waren. Es gab da aber auch andere, die sie sich behalten haben.«

»Um damit alle möglichen Leute zu erpressen?«

Sie nickte.

»Wo haben sie diese Bilder aufgenommen?« fragte ich weiter.

»Das weiß ich nicht.«

»Und Sie wissen auch den Namen dieses Partners nicht?«

»Nein, leider. Abel weiß ihn. Aber ihn werden Sie wohl kaum je wiedersehen. Und daß ich nicht die geringste Lust habe, ihn noch einmal zu sehen, darauf können Sie Gift nehmen.«

Man konnte ihr richtig anmerken, wie sie sich bemühte, mir zu helfen, daß ich schon ein schlechtes Gewissen bekam, ihre Dankbarkeitsbezeigungen in ein regelrechtes Kreuzverhör ausarten zu lassen. Ich ließ es also gut sein, gab mich mit dem zufrieden, was ich herausbekommen hatte, und wechselte das Thema.

»Wollen Sie eigentlich mit diesem Brocken von Oakie losziehen?«

»Mhm.« Sie grinste, und ich spürte, wie die Anspannung aus ihrem ganzen Körper wich.

»Wovon lebt er denn eigentlich – Ihr Bobby?«

»Oh, er hat einiges in Aussicht, Harry.«

Sie hatte das in einer Art und Weise gesagt, die mir das Gefühl gab, daß sie genau das schon einige Male zuvor gesagt hatte. Und für einen Augenblick lang wurde ihr, glaube ich, auch bewußt, daß dieser Satz nicht das erste Mal über ihre Lippen gekommen war. Ihr schönes, dunkles Gesicht rötete sich leicht in der Erinnerung all der Abels und Bobbies mit ihren großartigen Zukunftsaussichten, die sich freilich nie bewahrheiten sollten. Und als ihr dann klar wurde, daß ich dasselbe dachte, errötete sie noch mehr und sah mit einem leichten Anflug von Trotz in ihren dunklen Augen zu mir hoch.

»Tja, ich gehe jetzt wohl besser«, beeilte ich mich zu sagen. »Passen Sie gut auf sich auf, Coral. Und falls Sie je einen Detektiv brauchen sollten, dann rufen Sie mich an.«

»Ich werde daran denken«, antwortete sie. »Nur werden wir heute abend schon halb in Colorado sein, so daß es ziemlich unwahrscheinlich sein dürfte, daß wir uns je wiedersehen werden.«

Und letztlich waren wir darüber, glaube ich, beide froh. Wir verabschiedeten uns voneinander. Bobby kam auf die Veranda gepoltert und hieb wie ein eifersüchtiger Hirsch, der sein Geweih an einem Baumstumpf wetzt, mit den Fäusten auf einen Stützbalken ein. Ich ging nach draußen. Er trat ins Haus und warf die Tür krachend hinter sich ins Schloß. Und als ich die Böschung zur Straße hinaufging, wo mein Wagen stand, hatte ich das Gefühl, an diesem kurzen Morgen wesentlich mehr gelernt zu haben, als ich erwartet hatte.

<h1 style="text-align:center">17</h1>

Ich fuhr zum Riorley Building. Auf dem Boden des Vorraums lag unter dem Briefschlitz genau ein Brief – ein Rundschreiben, in dem man mich aufforderte, für das Recht auf Arbeit zu stimmen. Der Anrufbeantworter hatte einen Anruf von einer Frau namens Ulgine Ruhl vermerkt. Ulgine sprach mit dem süßen, nasalen Trillern einer Solistin eines Baptisten-Kirchenchores. »Ich möchte, daß Sie meinen Wilmer für mich finden«, hatte sie angefangen, »weil...« Und das war es auch schon. Sie mußte sich die Sache mit Wilmer wohl mitten im Satz anders überlegt haben. Wahrscheinlich war ihr kein vernünftiger Grund eingefallen, weshalb sie ihn eigentlich wieder haben wollte. Ich war richtig stolz auf sie. Sie konnte Wilmer wirklich vergessen – irgendein Wichtigtuer mit einem großkarierten Anzug, einem goldenen Eckzahn und einer ausgesprochenen Vorliebe für Wein, Weib und nicht unbedingt Gesang im Sonntagsgottesdienst der Baptisten. Auf jeden Fall würde sie an dem Burschen nichts verloren haben.

Ich verbrachte eine gute Viertelstunde damit, mir verschiedene Drehbücher für den kommenden Abend auszumalen; zu welchem Zeitpunkt ich meine Enthüllungen anbringen würde und wieviel ich überhaupt enthüllen würde. Ich fühlte mich so gut, daß ich nicht einmal daran dachte, ein Foto mitzubringen. Ich würde mich ganz einfach auf das verlassen, was ich schon wußte, und würde sie über meine Beweismaterialien ruhig etwas im unklaren lassen.

Gegen zwei Uhr ging ich in die Cafeteria im Erdgeschoß hinunter und unterhielt mich dort mit Lou Billings, meinem Zahnarzt, dessen Praxis sich im dritten Stock des Riorley Building befindet. Sämtliche Gespräche im Raum schienen sich um Preston LaForge zu drehen, was ja an sich auch nicht allzu verwunderlich war. Und es sollte auch nicht lange dauern, bis Lou bei diesem Thema landete. Als Lou gerade über LaForges Motive zu theoretisieren begann, gesellte sich noch Jim Dugan zu uns. Jim ist Anwalt bei Gericht und hat ebenfalls sein Büro im Riorley.

»Eines kann ich Ihnen sagen, Lou«, sagte er. »Irgend etwas an der Sache stimmt nicht.«

»Wie kommen Sie darauf?« wollte ich wissen.

»Tja.« Dugan lehnte sich über den Tisch und flüsterte. »Sie haben da in seiner Wohnung ein paar seltsame Sachen gefunden. Das Management der Bengals versucht natürlich mit allen Mitteln, das zu vertuschen. Aber es sieht ganz so aus, als wäre er ein wenig...« Und dabei fuhr er in einer zweideutigen Geste durch die Luft.

Lou setzte sich in seinem Stuhl zurück und sah entrüstet drein. »Nein, also das glaube ich nicht; nicht bei LaForge.«

Dugan zuckte mit den Achseln. »Ich erzähle Ihnen nur, was ich gehört habe. Und ich sage Ihnen noch etwas. Er war letzte Nacht nicht allein, als er es getan hat. Er hatte Besuch.«

Ich wand mich ein wenig in meinem Stuhl. »Haben sie auch gesagt, von wem?«

Dugan schüttelte den Kopf und rückte sich mit seiner fleischigen Hand seine Hornbrille zurecht. »Könnte sein, daß sie das aus demselben Grund nicht sagen, aus dem sie auch verschweigen, was sie in seinem Schlafzimmer gefunden haben.«

Das ließ mich die Ohren spitzen.

Ich sagte Lou, ich hätte eine Verabredung, bezahlte und marschierte in Richtung Uptown los, wo sich das Gerichtsgebäude befindet.

An diesem Montag war am Courthouse Square nicht sonderlich viel los. Sah man einmal von den paar Leuten ab, die sich vor der Auskunft drängten, rührte sich im Erdgeschoß kaum etwas, und im ersten Stock sah es nicht viel anders aus. Die meisten alten Leute aus dem Büro des D. A. waren beim Mittagessen, aber ein bekanntes Gesicht tat ich schließlich doch auf. Es gehörte Carrie Harris, die gerade aus einer Tür mit der Aufschrift ›Privat‹ trat.

»Lange nicht mehr gesehen«, begrüßte ich sie.

Sie blieb stehen und starrte mich, ungeduldig mit dem Fuß wippend, an.

Carrie und ich, wir hatten uns nie besonders gut leiden mögen. Es hatte einfach nicht geklappt zwischen uns beiden. Sie war intelligent, biestig und auf eine blasierte, selbstgefällige Art hübsch – eine von diesen äußerlich attraktiven Frauen, deren Charme und wirkliche Schönheit etwa ebensoviel Tiefe hat wie gestanztes Blech; der Typ, der mit seinen dunklen, forschenden Augen jede Konversation bereits abgewürgt hat, bevor sie überhaupt begonnen hat. Sie hatte während der sechs Jahre, seit denen ich nicht mehr im selben Büro arbeitete wie sie, in einem jungen stellvertretenden

Staatsanwalt namens Harris ein geeignetes Objekt ihrer Aufmerksamkeit gefunden – ein Mann mit dem dünnen Lächeln eines Krokodils und einer vielversprechenden Zukunft in der Politik. Aber über solche alten Geschichten wächst nur langsam Gras. Und so konnte ich auch an Carries Gesichtsausdruck unschwer ablesen, daß sie die zwischen uns vorgefallenen Mißstimmigkeiten noch keineswegs vergessen hatte.

»Hast du eine Minute Zeit?« fragte ich sie.

Sie blickte auf ihre Uhr. »Vielleicht eine halbe.«

»Ich habe gehört, du hast geheiratet. Herzlichen Glückwunsch.«

Sie zuckte genauso mit den Achseln, wie ich das erwartet hatte. Das Joch der Ehe hatte bereits seine Spuren hinterlassen, was mir natürlich einen günstigen Anknüpfungspunkt bot.

»Ist wohl nicht so großartig, verheiratet zu sein, wie einem das immer vorgejubelt wird, was?« Das klang durchaus mitfühlend.

Über ihre dünnen Lippen huschte ein leichtes Lächeln; diese Gelegenheit, sich einmal gründlich zu beklagen, konnte sie sich nicht entgehen lassen – nicht Carrie.

Als ich sie darauf am Arm nahm, sah sie erst einmal entsprechend gekränkt drein, ließ sich aber dann doch auf einen kurzen Kampf mit ihrem Gewissen ein, den sie schließlich auch gewann. Und schon gingen wir gemeinsam in die Cafeteria hinunter, um uns zu unterhalten – über die alten Zeiten und ein wenig auch über die neuen.

Als unser Plauderstündchen schließlich vorüber war, ging es bereits auf vier Uhr. Ich hatte so ziemlich alles über Dick in Erfahrung gebracht, was für ein ausgekochter Bursche er war und wie Carrie sich des Gefühls nicht erwehren konnte, daß an der Beziehung zwischen einem Mann und einer Frau doch eigentlich etwas ›mehr‹ – ein bedeutungsschwerer Blick – hätte sein sollen. Nicht etwa, daß sie prüde wäre. Weit gefehlt. Sie liebte Sex und sie mochte es an ausgefallenen Orten und sie nähme immer die Pille. Und so weiter.

Ich muß zugeben, daß es mir dabei ein wenig heiß unter dem Kragen wurde. Carrie Harris war nicht von schlechten Eltern, und sie machte daraus auch kein Hehl. Darüber hinaus war sie jedoch auch die Sekretärin von Walker Parson, dem Oberstaatsanwalt. Zwischen allen möglichen Intimitäten schaffte ich es deshalb auch, sie über Preston LaForge auszuquetschen.

Im Büro des D. A. wußten sie alles über Preston. Er verfügte über eine recht umfangreiche Akte. Erregung öffentlichen Ärgernisses. Verführung Minderjähriger. Voyeurismus. Er hatte sich so ziemlich auf alle nur erdenklichen Arten danebenbenommen. Er war jedoch nie verurteilt worden, da nie eine Anklage gegen ihn ernsthaft durchgedrückt wurde. Dafür war er für die Bengals und die Stadt einfach zu wichtig; er war immer mit einer Rüge und dem Versprechen, sich zu bessern, davongekommen.

Nach dem, was ich von ihm mitbekommen hatte, hätte ich mir das eigentlich denken können. Was ich mir aber nicht im geringsten hätte träumen lassen, war das, was die Polizei in seinem Schlafzimmer entdeckt hatte. Der gute, alte Preston hatte dort eine Fotosammlung von sich aufbewahrt. Und den Hauptbestandteil dieser Sammlung bildeten Schnappschüsse von einem unbekannten sechzehnjährigen Mädchen mit einem schmalen, dünnlippigen Gesicht. Carries Angaben zufolge hatten sich Dutzende davon darunter befunden. Und auf den meisten waren irgendwelche sexuellen oder sadistischen Akte zwischen dem Mädchen und Preston zu sehen.

Aber das war noch nicht alles; neben diesen Fotos hatte die Polizei noch etwas gefunden.

Auf dem Nachttischchen lag neben dem Kästchen mit den Fotos ein Zettel. Darauf hatte Preston in seiner Kinderschrift geschrieben, daß er das Mädchen eines Nachts in betrunkenem Zustand ermordet, die Leiche verstümmelt und dann in den Ohio geworfen hatte. Darauf hätten ihn solche Schuldgefühle überkommen, daß er nicht mehr leben wollte und der Welt Lebwohl gesagt hätte.

Es gab Anzeichen, daß nach Prestons Tod jemand in der Wohnung gewesen war. Aber ansonsten schien Preston LaForges Selbstmord ein abgeschlossener Fall. Der D. A. hatte an eben jenem Nachmittag sogar schon um eine Genehmigung eingereicht, den Ohio unten an den Schleusen mit Netzen abzusuchen.

»Und besteht keine Möglichkeit, daß der Selbstmord nur vorgetäuscht war?« Ich versuchte bei dieser Frage so lässig und unbeteiligt wie möglich zu klingen, was mir aber nicht sonderlich gut gelang. »Der Abschiedsbrief könnte doch gefälscht gewesen sein.«

Sie schüttelte den Kopf. »Die Gerichtsmediziner waren dreimal in seiner Wohnung. Sie wollten absolut sichergehen. Walker hatte ihnen das ausdrücklich gesagt.« Sie zog ihre Nase leicht hoch. »Du kannst dir seine Enttäuschung nicht vorstellen, als ihm sowohl die Leute von der Ballistik wie der Amtsarzt und die Graphologen mitteilten, daß Mord in diesem Fall ausgeschlossen war. Du kannst dir ja denken, was er für sich hätte herausschlagen können, wenn er Preston LaForges Mörder zur Strecke gebracht hätte. Preston LaForge, das wäre vielleicht ein Ding gewesen! Er ist wirklich den ganzen Vormittag mit einem Gesicht rumgelaufen, als wäre er bei der Nominierung zum Gouverneur durchgefallen.«

»Und was ist mit den anderen Leuten, die in der Wohnung waren; ich meine die, die nach dem Selbstmord kamen?«

»Darüber sind wir uns noch nicht im klaren. Jedenfalls sieht es ganz so aus, als wären sie nicht länger als ein paar Minuten geblieben. Nur lange genug, um die Leiche zu entdecken und sich wieder aus dem Staub zu machen.«

»Und sie haben nichts mitgenommen?«

Sie schüttelte den Kopf. »Warum interessiert dich das eigentlich alles so genau, Harry?«

»Na ja«, erklärte ich ihr mit einem bitteren Lächeln meine Neugier. »Schließlich war das doch Preston LaForge.«

»Das Ganze ist wirklich kaum zu glauben, nicht?« bestätigte mich Carrie. »Eigentlich sollte man denken, ein Mann wie er hätte andere Möglichkeiten finden sollen, sich ein bißchen zu vergnügen.«

»Ja, das könnte man wirklich denken.«

»Die Chance, daß sie die Leiche jetzt noch finden, ist vermutlich ziemlich gering. Das meint jedenfalls Dick. Nicht, nachdem sie schon eine Woche oder so im Fluß liegt. Der Ohio hat einfach zu viele Altwasser und Sumpfstellen. Wahrscheinlich treibt sie in einem Jahr einmal ganz von selbst an die Oberfläche – ganz verquollen und aufgedunsen.« Sie erschauderte bei dieser Vorstellung leicht und drückte meine Hand. »Was sie wohl für ein Mensch war?«

»Einfach irgendein Mädchen«, antwortete ich schweren Herzens, »das vermutlich sehr unglücklich war.«

»Ja, wahrscheinlich«, fiel Carrie ein.

Gegen halb fünf war ich wieder in meinem Büro. Obwohl mich das Ganze nicht unerwartet getroffen hatte, war mir die Tatsache von Cindy Anns Tod doch ganz schön unter die Haut gefahren. Preston LaForge hatte einfach nicht den Anschein erweckt, als wäre er solcher Gewalttätigkeit fähig. Verrückt war er sicher gewesen; daran bestand kein Zweifel. Aber verrückt genug, um ein sechzehnjähriges Mädchen umzubringen? Ihre Leiche zu verstümmeln? Und dann auch noch so zu tun, als wollte er eben dem Mädchen, das er selbst ermordet hatte, auch noch helfen? Das war doch etwas mehr als verrückt, sozusagen ›verrückt mit großem V‹, wie das ein Freund von mir, der Psychiater ist, zu nennen pflegt. Na ja, und ich war zumindest verrückt mit kleinem v, mich gegen das Unabänderliche aufzulehnen. Das Mädchen war tot. LaForge war von eigener Hand gestorben, nicht ohne vorher noch einen kleinen Abschiedsbrief zu schreiben. Aber gegen die nackte, kalte Tatsache des Todes lehnt sich eben selbst der hartgesottenste Gefühlsmensch auf, wenn ihm all die Theorien auch noch so verdächtig erscheinen mögen, die das widerlegen, was Herz und Eingeweide als unumstößliche Tatsache hinstellen.

Ich zögerte erst eine Minute, bevor ich den Hörer abnahm. Aber diesmal konnte ich mich nicht mehr länger mit der angenehmen Vorstellung täuschen, daß sie noch lebte. Früher oder später hätte es auf alle Fälle so kommen müssen, sagte ich mir. Ganz gleich, ob es nun Preston gewesen war oder die Jellicoes oder irgend jemand sonst. Früher oder später mußte er der Wahrheit ins Gesicht sehen. Und ich mußte sie ihm früher oder später sagen.

Ralph, Hugos Sohn, meldete sich.

»Hallo!« begrüßte er mich aufgedreht. »Sie werden sicher mit Dad sprechen wollen.«

»Hören Sie, Ralph. Ich habe sehr schlechte Nachrichten für ihn.«

»Oh.« Seine gute Laune war mit einem Schlag verschwunden. »Es ist wegen des Mädchens, nicht? Die Sie für ihn suchen sollten?«

»Ja«, antwortete ich. »Sie ist tot.«

»Mein Gott!« Er schwieg einen Augenblick lang und fuhr dann fort. »Wir werden ihm das wohl sagen müssen.«

»Ja, denn früher oder später bekommt er es auf jeden Fall heraus. Im Augenblick wird die Sache zwar noch geheimgehalten, aber spätestens in ein paar Tagen wird sie natürlich Schlagzeilen machen.«

»Wie ist sie – wie ist das denn passiert?«

»Sie ist ermordet worden. Eine schlimme Geschichte, Ralph.« Er seufzte schwer. »Soll ich es ihm sagen?«

»Nein, das sollte besser ich übernehmen. Aber nicht am Telefon. Ich fahre morgen vormittag zu Ihnen hoch.«

»In Ordnung. Ich werde dafür sorgen, daß er zu Hause ist. Wollen Sie jetzt noch mit ihm sprechen?«

»Nein, nein. Das wird morgen noch hart genug werden.«

Ich hängte auf und lehnte mich in meinen Sessel zurück. Das war also Cindy Ann Evans gewesen. Käuflich, manipulierbar und krank an Herz und Kopf. Aber immerhin hatte sie so etwas wie eine gewisse ›Nettigkeit‹ an sich gehabt, wie es Preston LaForge genannt hatte, was jedoch vermutlich nichts anderes bedeutet hatte, als daß sie sich auf eine fatale Weise seinen Wünschen gefügig gezeigt hatte. Und doch waren dies vielleicht auch die schüchternen Ansätze eines guten Herzens – diese Anständigkeit, die Hugo so an ihr geliebt hatte und die ihr sogar eine so hartgesottene Person wie Laurie Jellicoe zugestanden hatte. Wer auch immer sie gewesen sein mochte, sie hatte es nicht verdient, so zu sterben, wie sie gestorben war. Und sie hatte es auch nicht verdient, von einem Paar von Mittelstandszuhältern und ihrem geheimen Teilhaber auf ein solches Ende zugesteuert zu werden – von Leuten, die nun nach ihrem Tod mit allen Mitteln versuchten, nicht mit ihrer Ermordung in Verbindung gebracht zu werden. Und genau das war der Grund, weshalb sie unbedingt diese verfluchten Fotos zurückhaben wollten. Sie wollten auf alle Fälle vermeiden, daß sich noch irgendwelches Beweismaterial in Umlauf befand, aufgrund dessen man sie mit dem ermordeten Mädchen und dadurch auch mit Preston LaForge in Verbindung hätte bringen können. Deshalb hatten sie auch die Wohnung des Ermordeten durchsucht; sie wollten alles entfernen, was die Polizei auf ihre Spur hätte bringen können. Die Untersuchungen zu einem Mordfall haben es so an sich, ihre Kreise zu ziehen; sie können nicht nur unangenehme, sondern auch gefährliche Folgen nach sich ziehen – und das vor allem dann, wenn man in gewisser Weise mitschuldig an dem Ganzen ist.

Tja, und ich arbeitete immer noch für Hugo Cratz. Zumindest bis zum nächsten Morgen. Und ich dachte auch, daß es uns beiden ganz gut tun würde, die Jellicoes hinter Gittern zu sehen. Der kleine Mann in mir war hellwach und dachte wie wild nach.

Meine Sache war es nun, dafür zu sorgen, daß die beiden lange genug in der Stadt blieben, daß die Polizei Anklage gegen sie erheben konnte. Denn eines schien ganz sicher; sobald sie einmal alle Spuren beseitigt haben würden, gäbe es nichts mehr, was sie daran hindern würde, still und heimlich das Weite zu suchen. Sie würden ihren Anrufbeantworter in dem Büro in der Plum Street abschalten, ein paar ausgewählte Kunden von Escorts Unlimited erpressen, tunlichst zu vergessen, daß dieses saubere Unternehmen je existiert hatte; und dann würden sie ihren Namen ändern, sich die Haare färben und für ein paar Jahre von der Oberfläche verschwinden, um sich dann in irgendeiner anderen Stadt auf dieselbe schmutzige Art und Weise wieder ihr Geld zu verdienen. Und es bestand nun einmal kein Zweifel an der Tatsache, daß ihnen das auch ohne großes Glück würde gelingen können. Solange sie niemand mit LaForge und Cindy Ann in Verbindung bringen konnte, waren die Jellicoes und ihr Partner aus dem Schneider.

Also mußte ich sie festnageln, indem ich sie über die Fotos im unklaren ließ. Außerdem mußte ich in der Zwischenzeit einen Zeugen beibringen, der sich bereit erklärte, zu bezeugen, was für eine Art von Unternehmen die Jellicoes aufgezogen hatten. Tracy Leach wäre dafür der geeignete Mann gewesen, wenn ich ihn dazu überreden konnte, mir zu helfen. Und vielleicht gelang mir das sogar, sobald er nur herausgefunden hatte, weshalb Preston sich umgebracht hatte. Das heißt, falls er nicht sowieso schon wußte, weshalb Preston sich eine Kugel durch den Kopf gejagt hatte, und falls er nicht selbst an dieser üblen Sache beteiligt war.

18

Ich wollte nicht zu spät in der Busy Bee auftauchen, um die Lage vorher noch etwas überprüfen zu können. Nicht, daß ich etwa erwartet hätte, die Jellicoes würden mir im Restaurant einen Hinterhalt legen. Das wäre wirklich reiner Wahnsinn gewesen, und das vor allem dann, wenn ich richtig ging in der Annahme, daß ihnen an nichts anderem lag, als möglichst schnell und unauffällig aus der Stadt verschwinden zu können. Aber es bestand natürlich auch die Möglichkeit, daß sie ebenso aberwitzig reagieren würden, wie Preston LaForge das getan hatte. Ich sah mich also erst einmal vorsichtig überall um, bevor ich aus meinem Pinto stieg.

Sicherheitshalber hatte ich meinen 45er Colt Commander eingesteckt – die einzige Waffe, die ich in meinem Büro in der Stadt habe. Ich trug sie mit einem Schulterhalfter unter dem linken Arm. Außerdem hatte ich einen Mikro-Kassettenrecorder mit eingebautem Mikrofon in meiner Jackentasche. Falls Laurie ebenso gesprächig sein sollte wie Lance am Sonntagabend, so wollte ich mir doch keineswegs die Gelegenheit entgehen lassen aufzunehmen, was sie zu sagen hatte. Was ich auf diese Weise auf Band aufnehmen würde, würde natürlich nicht für die Gerichtsverhandlung herhalten, aber zumindest konnte es genügen, um den Staatsanwalt die Ohren spitzen zu lassen.

Sobald ich mich also vergewissert hatte, daß sich auf dem Parkplatz keine verdächtige Person herumtrieb, stieg ich aus dem Wagen und schritt rasch auf die Ludlow hinaus, von wo aus ich dann die Busy Bee betrat.

Jo stand gerade an der Tür, als ich eintrat. Ihre Freude war unverkennbar, als sie sich, die Speisekarte in der Hand, mir zuwandte und mich lächeln sah.

»Du weißt doch, daß ich erst um zehn frei habe«, begrüßte sie mich.

»So? Ich dachte, ein Mann hätte auch das Recht, etwas zu essen, oder etwa nicht?«

Sie wirbelte dienstbeflissen herum. »Hier entlang bitte, mein Herr.«

Ich tätschelte ihr leicht ihre leckere Rückseite, und eine der Bedienungen lachte lauthals heraus. »*Harry*«, zischte sie mich an.

Jo brachte mich an einen Tisch im hinteren Teil des Raums. »Ich bring dir was zu trinken.« Damit wollte sie eben die drei Stufen zu der etwas höher liegenden Bar hinaufsteigen, als ich sie an der Hand packte.

»Ich werde gleich Gesellschaft bekommen, Jo«, teilte ich ihr mit. »Laurie Jellicoe.«

»Hier im Restaurant? Heute abend?«

Ich nickte. »Sie kann jeden Augenblick auftauchen.«

»Aber die werden dir doch keine Scherereien machen, Harry, oder? Das Ganze kann doch hoffentlich nicht gefährlich werden?«

»Nein, nein. Mach dir deswegen mal keine Sorgen.«

»Ich glaube dir nicht«, sagte sie mit angehaltenem Atem.

Darauf ging sie zur Bar hoch und kam eine Minute später mit einem Scotch zurück, den sie vor mir auf den Tisch stellte.

»Bitte, sei vorsichtig.«

»Ich werd's versuchen.«

Vom Eingang des Restaurants her rief jemand meinen Namen. »Harry! Harry!«

Ich hätte gar nicht aufzusehen brauchen. Wenn ich die Stimme am Telefon gehört hätte, ich hätte gefragt, ob ich ihren Vater sprechen könnte. Es war tatsächlich so übertrieben. Alles was recht ist, aber dazu hätte einfach ein gewaltiger, breitkrempiger Hut, eine monströse Perlenkette und eines von diesen gemusterten Kleidern gehört, die wie ein Ölfleck in einer Pfütze in allen nur erdenklichen Farben des Spektrums aufleuchten. Aber sah man einmal von ihrem perfekten Bühnenlächeln ab, fiel Laurie Jellicoe einfach aus der Rolle. Nicht etwa, daß sie nicht umwerfend angezogen gewesen wäre. Diesmal hatte sie Cardin im Kleiderschrank zu Hause gelassen – eine knappe Lamé-Bluse, deren Ausschnitt ein gutes Stück von ihren sonnengebräunten Brüsten zum Vorschein kommen ließ, und eine schwarze Seidenhose, die es kaum über ihr Hinterteil schaffte. Das mußte man ihr lassen; ihre Kleidung zeugte von kühl berechnender Raffinesse. Und ich sollte wohl daraus und aus ihrer überfreundlichen Stimme den Eindruck gewinnen, daß wir inzwischen weit darüber hinaus waren, uns bloß beim Vornamen zu nennen. Wir waren die dicksten Freunde. Anstatt mich jedoch zu erregen und anzulocken, machte mich Laurie Jellicoe ebenso nervös wie argwöhnisch.

»*Das* ist sie?« flüsterte mir Jo zu. »*Das* ist Laurie Jellicoe.«

»Eine kleine Überraschung, was?« sagte ich mit einem Lachen. »Aber jetzt geh schon an die Tür und bring die Arme an meinen Tisch.«

Jo zupfte ihr Kleid zurecht und machte sich auf den Weg zum Eingang. Ich langte in meine Jackentasche und schaltete den Kassettenrecorder ein.

Es sah nicht so aus, als hätte Jo auch nur ein Wort mit Laurie Jellicoe gewechselt, als sie sie an meinen Tisch führte. Aber Lauries Lächeln war nichts mehr als eine gequälte Grimasse, als sie sich an meinen Tisch setzte. Jo klatschte eine Speisekarte vor ihr auf den Tisch, und Laurie hielt weiterhin angestrengt an ihrem Lächeln fest, als wäre es für immer und ewig auf ihr Gesicht gemalt. Sobald Jo weggegangen war, wandte sich Laurie, immer noch lächelnd, mir zu und sagte in der süßesten Kleinmädchenstimme, die man sich nur vorstellen kann: »Diese Votze würde ich mir gerne zehn Minuten einmal alleine vorknöpfen.«

»Was hat Sie denn zu Ihnen gesagt?« fragte ich mit ungeheuchelter Neugier.

Laurie lachte nur – dieses Ballköniginnen-Lachen. »Das steht hier nicht zur Debatte.«

Sie griff nach einer Packung Zigaretten in ihre Handtasche, aber ihre Hand zitterte heftig. Ich hielt ihre Hand, damit sie sich wieder beruhigte. Sie kicherte und fuhr mir mit dem langen Nagel ihres Zeigefingers über die Handfläche.

»Sie wissen ja, daß ich Sie mag«, flötete sie mich an. Um das Gesagte noch zu unterstreichen, schüttelte sie ihr Haar ein wenig und blies eine gewaltige Wolke weißen Rauches aus. Und hinter dieser Wolke blitzten ihre Augen teuflisch hervor. »Wirklich schade, daß ich Sie nicht kennengelernt habe, bevor ich Lance geheiratet habe. Wir hätten sicher ein gutes Duo abgegeben. Ich mag vor allem Blasinstrumente.«

»Das kann ich mir vorstellen.«

»Mhm.« Sie spitzte mit gelangweilter Sinnlichkeit ihre Lippen und blies einen Rauchring über den Tisch. »Vielleicht sollten wir woanders hingehen.« Dabei äugte sie eifersüchtig zur Bar, wo sich Jo wie ein Raubvogel postiert hatte.

»Erst haben wir noch einiges zu besprechen.«

»Oh, dafür bleibt noch genügend Zeit. Gehen wir doch in den Park und unterhalten uns dort ein bißchen. In einer Stunde ist es dunkel. Dann können wir uns unterhalten. Und ich schwöre, daß das keine Falle ist, wenn es das ist, was Sie denken, Harry. Ein bißchen Natur, wäre das nichts?«

»Ich glaube nicht, daß Lance das sonderlich gefallen würde.«

Sie schnaubte. »Mein Gott, Lance und ich reden nicht einmal mehr miteinander. Noch weniger...«

»Warum?« wollte ich wissen.

»Warum was?«

»Weshalb reden Sie beide nicht mehr miteinander?«

»Preston«, sagte sie müde. »Er ist wütend wegen Preston.«

»Was ist mit ihm?«

Sie legte einen Finger an ihre Lippen. »Ich bin doch nicht auf den Kopf gefallen, mein lieber Harry. Ich bin doch nicht hierher gekommen, um Ihnen irgendwelche Geheimnisse zu erzählen.«

»Weshalb sind Sie dann hierher gekommen?«

»Wegen der Bilder. Zumindest denkt das Lance. Aber über die Fotos können wir uns später unterhalten. Ich brauche einen Mann, einen Liebhaber.«

»Und weshalb ausgerechnet mich?«

Laurie sah mich schmollend an. »Weil es nun eben mal so ist. Genügt das nicht?«

Ich schüttelte den Kopf, worauf über ihr Gesicht der Schatten eines Lächelns huschte. »Sie sind schon ein seltsamer Mann, Harry

Stoner. Vor ein paar Tagen haben Sie mich noch mit den Augen ausgezogen.«

»Ich bin eben in den paar Tagen um einiges erwachsener geworden.«

»Na gut, dann sagen wir eben, daß ich einsam bin. Sagen wir einmal, daß das für alle von uns eine sehr einsame und böse Woche war. Und ich brauche einfach jemanden, bei dem ich mir einbilden kann, ich wäre in ihn verliebt. Ist das nichts?«

»Und was springt für mich dabei heraus?«

Sie sah mich überrascht an. »Sie haben ja eine mächtig hohe Meinung von sich, mein Herr. Das hängt davon ab, was Sie *wollen*, daß für Sie dabei herausspringt.«

»Bargeld«, erwiderte ich trocken. »Sagen wir mal, zwanzigtausend Dollar.«

»Jetzt hören Sie mal gut zu, Dillinger«, fuhr sie mich an. »Ich brauche niemanden zu bezahlen, um das zu lieben.« Dabei blickte sie an ihrem Körper herunter, als wäre er etwas von ihr Losgelöstes und stünde auf einem Podest. »Mit Ihren miesen Witzen können Sie sich zum Teufel scheren.«

»Oh, das Geld war nicht für Sie gedacht, Laurie. Dafür einen Preis zu nennen, würde ich mir wirklich nicht anmaßen.«

Sie funkelte mich wütend an. »Und wofür denn dann?«

»Für die Fotos. Sie wissen schon, die Aufnahmen mit Ihnen und Lance und der armen Cindy Ann.«

»Was meinen Sie mit der *armen* Cindy Ann?«

»Wußten Sie das denn nicht, Laurie? Sie ist tot. Preston hat sie umgebracht.«

Der Ärger wich etwas aus Lauries Gesicht. »Sie wissen darüber?«

»Tja, ich habe eben so meine Freunde bei der Staatsanwaltschaft.«

»So ist das also«, gab sie klein bei. »Aber zwanzigtausend Dollar sind eine Menge Geld.«

»Allerdings. Aber wenn Sie die nicht zahlen können, werde ich wohl oder übel zur Polizei gehen müssen.«

»Das würde uns aber gar nicht gefallen.«

»Genausowenig würde ich das gerne tun.« Ich tätschelte ihre Hand. »Ich fände es schrecklich, so einen leckeren Bissen wie Sie in der Dose enden zu sehen.«

Sie kicherte nervös. »Das wäre allerdings die reine Verschwendung, oder etwa nicht?«

»Und deshalb möchte ich das Geld, Schätzchen. Und weil ich auch weiß, wie die Menschen so sein können, wie garstig sie manchmal werden, hätte ich auch gerne meine Sicherheiten. Sie müssen verstehen, daß ich mich des Gefühls nicht ganz erwehren kann, daß mir und meinen zwanzigtausend Dollar kein allzu langes Leben beschert wäre, wenn ich Ihnen diese Fotos aushändigen würde.«

»Und wie ließe sich dem abhelfen?«

»Oh, zum Beispiel mit ein paar Namen. Ein paar Einzelheiten über Ihre Geschäftspraktiken. Der Name Ihres Partners... ja, ich weiß auch von ihm, Laurie. Kurz und gut, ich hätte gerne eine kleine Erklärung von Ihrer Seite, die ich bei meinem Anwalt hinterlegen kann. Nur zur Sicherheit natürlich, verstehen Sie mich da nicht falsch. Und außerdem möchte ich genau wissen, wo Cindy Anns Leiche hingeschafft wurde.«

»Damit hatten wir nicht das geringste zu tun«, stritt sie steif ab. »Preston ist einfach ein bißchen ausgeflippt; er war ja immer schon ein bißchen verrückt, wenn Sie mich fragen.«

»Aber sie war immer noch eines von Ihren Mädchen, Laurie. Und damit meine ich, von *Ihren* Mädchen – von denen, die Sie so gerne ausgezogen haben und mit denen Sie, wie soll ich sagen, so gerne *gespielt* haben.«

Sie errötete nicht im geringsten. »Woher sollen wir sichergehen können, daß Sie wirklich diese Bilder haben?«

»Ich habe sie und noch einiges mehr. Allerdings wird Ihnen dafür einzig und allein mein Wort genügen müssen.«

»Ich weiß nicht recht«, überlegte sie. »Ich weiß nicht so recht, ob das genügen wird.«

»Das wird es wohl tun müssen, meine Liebe. Entweder Sie beschaffen mir innerhalb der nächsten vierundzwanzig Stunden das Geld und die gewünschten Informationen, oder ich erzähle der Polizei ein bißchen was von dem, was ich so alles weiß. Und wie die Sache um Preston LaForge im Augenblick steht, werden die keine zwei Minuten brauchen, Ihnen ganz gewaltig an Ihren süßen Hintern zu gehen. Und das täte mir wirklich leid, Laurie.« Ich streichelte ihre Wange. »Schließlich ist es doch wirklich ein verdammt süßer Hintern, oder nicht?«

»Das kann ich jetzt nicht allein entscheiden«, fing sie schließlich nach kurzem Zögern an.

»Sie meinen, Sie müßten sich deswegen erst mit Ihrem Partner besprechen. Mir soll das recht sein. Nach Newport ist es ja nur eine Stunde.«

Sie lehnte sich etwas zurück. »Das muß ich erst einmal mit Lance besprechen.«

Sie ließ ihre Blicke über mich wandern und seufzte. »Wollen Sie mich nicht wenigstens zu einem Drink einladen? Mein Mund braucht ein wenig Beschäftigung, wenn wir schon nicht diese kleine Tour zum Mt. Storm hinauf machen wollen.«

Ich grinste sie an. »Na gut. Einen für den Weg.«

19

Ich bestellte also einen Drink für uns beide, Laurie und mich. Doch es sollte nicht bei dem einen bleiben, und als sie schließlich gegen Viertel vor acht auf ihre goldene Cartier-Armbanduhr sah, meinte sie: »Ich sehe wohl jetzt besser zu, daß ich nach Hause komme.«

Sie schenkte mir ein bezauberndes Lächeln und murmelte: »Wirklich schade.«

»Wie Sie selbst mal gesagt haben, in einem anderen Leben vielleicht.«

»Ja, so wird es wohl sein.« Sie rührte mit der Fingerspitze in ihrem Drink. »Wissen Sie, es ist schon manchmal komisch, welchen Weg die einzelnen Leute so einschlagen. Ein paar Festumzüge in meiner Geburtsstadt; ein paar harte Jahre, in denen ich vergeblich hinter dem großen Erfolg hergerannt bin; und dann kommt irgendein Foto an die Öffentlichkeit und...« Ihre Stimme verstummte allmählich, und sie runzelte die Stirn.

Dies war einer dieser so vielsagenden Momente, in denen man bereits die fünfundsechzigjährige Frau in einem fünfundzwanzigjährigen Mädchen erkennen kann; der Mund heruntergezogen und faltig, die Haut über den hohen Backenknochen übermäßig angespannt, und die Knochen selbst spitz vorspringend, als wären sie im Fleisch eingekerkert. Ich verstand plötzlich, weshalb sie die ganze Zeit lächelte, obwohl der Rest ihres Gesichts nicht die geringste Spur von Freude aufwies. Sie vermied dadurch, so alt auszusehen, wie sie sich wirklich fühlte. Hätte sie für ihr Stirnrunzeln etwas bessere Gründe gehabt, ich hätte wahrscheinlich Mitleid mit ihr gehabt.

Sie stand auf. »Bis dann«, verabschiedete sie sich. »Im nächsten

Leben.« Und als sie das hinzufügte, leuchtete mit einem Schlag wie die Beleuchtung eines Kühlschranks wieder dieses künstliche Lächeln in ihrem Gesicht auf.

Sie verließ das Restaurant, und ich ließ mich in meinem Sitz zurück, schaltete den Kassettenrecorder aus, der sowieso schon lange zuvor abgelaufen war, und spielte mit dem Rest meines Scotch herum. Irgendwo in weiter Ferne konnte ich eine gewaltige Menge an Scherereien auf mich zukommen sehen. Über ihre genauere Natur war ich mir noch keineswegs im klaren; aber daß sie kommen würden, daran bestand kein Zweifel. Und auch das war mir sicher: Dieser Partner der Jellicoes, der das letzte Wort hatte, würde irgendwie dahinterstecken.

Denn zwischen den Jellicoes stand es nicht mehr gerade beim Besten. Zwei Menschen waren tot. Was sich erst als ein recht einträgliches Unternehmen erwiesen hatte, entpuppte sich nun als ein wahrer Alptraum. Es bedurfte nur einiger Tage Zeit und eines minimalen Quentchens Druck von meiner Seite, und die beiden würden sich hoffnungslos in den Haaren liegen. Und wer auch immer dieser dritte Mann war, wenn er sein Hirn nur ein bißchen zu gebrauchen verstand, so würde er sicher nicht ruhig mit ansehen, wie es ihm an den Kragen gehen würde. Nein, nein; er würde zuvor mir an den Kragen gehen, und möglicherweise auch den Jellicoes. Sollte ich das Ganze mit heiler Haut überstehen, wäre das ja nicht unbedingt das Schlechteste; ich hätte die ganze miese Bande genau dort, wo ich sie haben wollte – voller mörderischen Hasses und jederzeit bereit, die anderen ans Messer zu liefern, um selbst ungeschoren davonzukommen. Aber eben nur, wenn ich das Ganze wirklich mit heiler Haut überstand.

Jo schlenderte auf meinen Tisch zu und grinste mich spitzbübisch an. »Wie ich sehe, ist deine kleine Freundin ja schon gegangen.«

»Ja, vor einer Minute.«

»Man kann ja auch noch richtig den Schwefelgestank riechen, den sie hinter sich hergezogen hat.« Jo setzte sich mir gegenüber. »Übrigens, was ich da heute morgen gesagt habe...« Sie fuhr mit dem Finger über meine Faust. »Ich nehme es zurück.«

»Du liebst mich *nicht*?«

»Nein, das doch nicht. Das andere. Ich denke, jeder tut einfach das, was er tun muß; da gibt es nicht viel zu erklären. Ich fing an, darüber nachzudenken, warum ich hier in der Bee arbeite, und mir fielen dabei Hunderte von Gründen ein. Und doch war der stichhaltigste am Ende nur, daß ich tue, was ich tue, weil es irgendeinem inneren Gefühl der Verantwortung entspricht. Und vermutlich geht es dir mit deinem Job nicht viel anders, oder?«

»Ich war schon immer gut darin, für andere Leute etwas zu finden.« Ich fuhr ihr mit dem Finger über die Hand. »Das ist das beste, was ich bisher zu meiner Rechtfertigung anführen kann.«

Wir blickten uns leicht verlegen an.

»Hat sie dich einzuschüchtern versucht?« wollte Jo wissen.

»So würde ich es nicht sagen. Eher hat sie ein gewisses Interesse gezeigt.«

»Dieses Luder.«

»Sie hatte eine ähnliche Meinung über dich. Was hast du denn eigentlich zu ihr gesagt, als sie reinkam?«

»Ich habe nur eine Bemerkung gemacht über die Art, wie sie angezogen war«, gab Jo kurz angebunden zurück. »Am liebsten hätte ich ihr die Augen ausgekratzt. Sie ist schließlich diejenige, die für den Tod dieses Mädchens verantwortlich ist.«

Ich hatte das keineswegs vergessen – nicht für eine Sekunde.

Zwei Männer traten durch die Eingangstür der Busy Bee, so daß sich Jo von ihrem Sitz erhob. »Bis nachher?« verabschiedete sie sich hoffnungsvoll.

»Ich werde warten«, versicherte ich ihr.

Die Bee schloß um halb zehn. Ich war nun der einzige Gast und saß allein im Speiseraum. Die Bedienungen räumten die Tische ab, rauchten, machten Witze und prosteten sich gegenseitg mit leeren Cola-Gläsern zu. Ein Restaurant erwacht erst richtig zum Leben, wenn alle Gäste gegangen sind. Alle Anwesenden verhalten sich ganz natürlich und ungestelzt. Man ißt Überbleibsel; man gießt sich Drinks ein. Kein Mensch will nach Hause gehen. Es ist, als würde man aus einer gemütlichen Küche vertrieben.

Jo und ich unterhielten uns noch eine halbe Stunde mit Hank und den Mädchen an der Bar. Und um zehn Uhr schlichen wir dann durch den Kücheneingang nach draußen. Die Nachtluft war mild und romantisch. Ich konnte sie wie eine zarte, warme Hand an meinem Gesicht spüren. Ich war an diesem Tag bereits dreimal ganz schön in Versuchung geführt worden; also verlor ich keine Zeit, schleunigst nach Hause zu kommen. Ich muß wohl dermaßen entschlossen gewirkt haben, daß Jo erst dachte, irgend etwas mit dem Fall wäre schiefgelaufen. Ich ließ sie in dem Glauben, setzte sogar noch ein irres Grinsen auf und starrte wie ein Verrückter auf die Straße vor mir. Aber auf halbem Weg kam auch sie dann auf den wahren Grund. Und als ich dann schließlich den Wagen hinter dem Haus parkte, fühlten wir uns beide ein wenig betrunken und außer Atem.

Arm in Arm gingen wir zum Hauseingang. Und ich hatte gerade die Glastür aufgesperrt und mit der linken Hand aufgestoßen, um Jo in meiner Rechten ins Innere zu bugsieren, als ich ihn um das Treppengeländer zum ersten Stock hinauf lugen sah. Von seinem Gesicht konnte ich nicht allzuviel erkennen, nur diese Brieföffnernase und ein Büschel schwarzen Haares. Er trug ein kariertes Hemd, Jeans, eine blaue Mütze und eine hellblaue Sportjacke.

Er hätte mich in keinem günstigeren Moment erwischen können, und so war es natürlich auch genau geplant worden. Und wenn ich mich nun wie in einer Zeitlupensequenz in einem Peckinpah-Film bis ins kleinste Detail an das erinnere, was darauf geschah, so nahm das Ganze doch nicht mehr als höchstens dreißig Sekunden in Anspruch.

Sobald ich ihn ausgemacht hatte, wirbelte ich zu Jo herum. Sie lächelte und erwartete wohl irgendeinen Witz von mir, da das ja genau unserer Stimmung entsprochen hätte. Als sie jedoch mein Gesicht gewahr wurde, flog auch über das ihre ein Hauch von Verwirrung, und sie wollte eben etwas sagen. Ich stieß sie mit aller Kraft nach draußen aus dem Lichtschein der Gangbeleuchtung. Sie stieß einen leichten Schrei aus, stolperte und schoß krachend in einen Rosenstrauch vor dem Eingang. Ich konnte mich gerade noch auf die andere Seite hechten, als ich auch schon den ersten Schuß hörte.

Die ganze Eingangstür wurde aus den Angeln gehoben, und die Glassplitter stoben in einem Umkreis von mindestens zehn Metern durch die Luft. Der Türrahmen war nur noch ein gähnendes Loch. Ich wußte sofort, daß ich von ein paar Schrotkörnern in den Rücken getroffen worden war, fühlte jedoch keinen Schmerz – nur Wärme und Feuchtigkeit, als hätte mir jemand etwas Suppe über meine Jacke geschüttet.

Ich landete, Gesicht nach unten, im Kies des Aufgangs zum Haus. Jo rief meinen Namen. Ich zog meine Pistole aus der Jacke. Davon war meine Hand rot und schlüpfrig geworden. Aber ich dachte immer noch nicht an den Schmerz oder an das Ausmaß der

Wunde. Mit der Waffe in der Hand rollte ich mich in den Lichtschein vor dem Eingang und sah zum ersten Treppenabsatz hoch. Er lud gerade zwei neue Patronen nach. Für einen Bruchteil einer Sekunde beobachtete ich ihn dabei. Seine Hände schienen sich mit unglaublicher Schnelligkeit und Geschicklichkeit zu bewegen, und doch wirkten sie nicht im geringsten hektisch oder zerfahren.

Ich stützte meinen rechten Arm mit dem linken ab, als er gerade die Ladeklappe zuspringen ließ. Er blickte kurz auf und machte mich unten auf dem Zugang zum Haus aus; sein Gewehr zeigte jedoch noch nach oben die Treppe hinauf. Viermal drückte ich den Abzug meines Colts. Die Waffe machte sich fast selbständig und sprang beim vierten Schuß tatsächlich aus meiner Hand, um in einer heftigen Bewegung über den Beton zu schliddern. Weiß Gott, wo die anderen drei Schüsse eingeschlagen hatten; jedenfalls hatte eine Kugel Abel Jones' Brustkasten getroffen und war an seinem Hals wieder ausgetreten. Ich konnte die gelbe Wand hinter ihm sich rot färben sehen, als hätte eine unsichtbare Hand sie mit leuchtend roter Farbe bespritzt. Er beugte sich vor; sein Kopf fiel nach vorn, so daß alles, was ich sehen konnte, seine Augen waren, die sich durch den Druck des Geschosses in seiner Kehle weiß vorwölbten.

Und dann ging das Gewehr in seinen Händen mit einem fürchterlichen, rauchigen Knall los – voll die Treppe hinunter. Die Explosion hatte die Wirkung einer kleinen Granate. Sie riß aus den ersten drei Stufen ein mächtiges Stück heraus, wirbelte ein Gemisch aus Fliesen, Stein und Metall durch den Treppenaufgang und schmetterte Jones in hohem Bogen gegen die blutbespritzte Wand des Treppenabsatzes zurück, als wäre er an einem straffen Seil hochgerissen worden. Er landete auf seinem Hinterteil, die Beine gerade von sich gestreckt, und kippte mit dem Oberkörper nach vorn. Seine Flinte blieb auf dem untersten Treppenabsatz liegen.

Und dann breitete sich eine entsetzliche Stille aus. Er saß einfach nur so da – in all dem aufgewirbelten Staub und Blut. Und ich, bäuchlings auf dem Boden vor dem Eingang liegend, meine Pistole zwei Meter neben mir, spürte allmählich in meiner linken Seite einen heftigen Schmerz.

Und dann wurde es laut, ganz enorm laut sogar.

Im Innern des Hauses fingen Leute an herumzuschreien. Jo weinte in einer schrillen, gebrochenen Stimme: »Oh, mein Gott,

Harry.« Überall im Haus gingen Lichter an, so daß der kleine Vorplatz taghell erleuchtet war. Und dann konnte ich auf dem Treppenabsatz einen Mann sehen, der entsetzt auf den toten Killer herabblickte. Aus dem Treppenhaus wurde das Kreischen einer Frau vernehmbar. Der Mann auf dem Treppenabsatz bot ihr, still zu sein, stieg über die ausgestreckten Beine des Toten und arbeitete sich die heftig in Mitleidenschaft gezogene Treppe herab. Als er mich liegen sah, kam er auf mich zugerannt und beugte sich über mich.

Bevor er noch seinen Mund aufmachen konnte, sagte ich: »Die Frau. Kümmern Sie sich um die Frau.«

Er sah zu dem Rosenstrauch hinüber und dann wieder zu mir. »Ihr ist nichts passiert. Aber Sie hat es ganz schön erwischt.«

Dann tauchte Jo auf.

Sie blutete am Haaransatz, und das Blut rann ihre eine Gesichtshälfte herunter. Der Rest war kalkweiß und von dem Schreck so verzerrt, daß kaum mehr eine Ähnlichkeit mit Jos normalem Gesicht festzustellen war.

»Tun Sie doch etwas!« kreischte sie den Mann an.

»Ich tue doch mein Bestes. Gleich wird ein Krankenwagen da sein.« Er sah wieder zu mir herunter und fragte: »Wie fühlt es sich denn an?«

»Tut ganz schön weh«, antwortete ich.

»Mein Gott, Harry!« Jo stampfte verzweifelt mit dem Fuß auf.

»Mach dir keine Sorgen; mir fehlt nichts«, versuchte ich sie zu beruhigen. »Wirklich, ich bin völlig in Ordnung.«

Sie sah zu mir herunter und fing zu weinen an.

»Auf der linken Seite haben mich ein paar Schrotkugeln erwischt«, erklärte ich ihr. »Nichts Ernsthaftes. Das ist nicht das erste Mal, daß mir so etwas passiert. Ich kenne mich da also schon ein bißchen aus. Wenn ich keinen Schock bekomme, ist alles nur halb so wild. Die Tatsache, daß es mir weh tut, ist übrigens gut. Wenn es nämlich eine ernstere Wunde wäre, würde ich eine Stunde oder so überhaupt nichts spüren.«

»Wie kannst du bei all dem nur so ruhig bleiben?« brüllte mich Jo an.

»Was soll ich denn tun? Vielleicht einen hysterischen Anfall bekommen? Ich würde ja aufstehen, wenn ich mir nur sicher wäre, daß ich mir nicht ein paar Rippen gebrochen habe.«

»Bleiben Sie so liegen«, sagte der Mann und drückte mich mit seinen Händen auf den Boden zurück.

Irgend etwas daran mußte Jo komisch vorgekommen sein. Jedenfalls fing sie zu lachen an und wischte sich etwas Blut aus dem Gesicht. Dann kniete sie sich nieder und küßte mich auf die Lippen.

»Ich liebe dich«, flüsterte sie und strich mir das Haar aus der Stirn.

»Und ich liebe dich.«

Sie blickte über ihre Schulter zurück ins Treppenhaus, worauf ihr Gesicht einen Ausdruck annahm, als würde ihr im nächsten Moment übel. »Mein Gott, das ist ja entsetzlich«, brachte sie schließlich mit schwacher Stimme hervor.

Ich berührte sie leicht an der Hand. »Sieh da lieber nicht hin.«

»Er wollte dich umbringen.«

»Ja, und das hätte er auch um ein Haar geschafft.«

Sie sah wieder zu mir herunter. »Er ist tot.«

Sirenenlärm und Blaulicht füllte die Straße. Zwei weiß gekleidete Krankenwärter hoben mich auf eine Tragbahre und warfen mir eine Decke über. Als sie mich dann zum Krankenwagen trugen, ließ Jo keinen Augenblick meine Hand los.

»Hast du den Kerl im Haus gesehen?« hörte ich den einen zu dem anderen sagen.

»Ja«, erwiderte dieser. »Eine ganz schöne Sauerei haben die beiden da angerichtet.«

20

Drei Schrotkörner steckten in meinem Rücken, und zwar in einer ellipsenförmigen Linie, die sich von meiner linken Achselhöhle bis etwa zwei Zentimeter vor meinem Rückgrat erstreckte. Sie waren nicht tief genug eingedrungen, um irgendeinen ernsthafteren Schaden anzurichten, als den *Latissimus dorsi* zu verletzen. Schlimmstenfalls hätte ich mit einer Blutvergiftung zu rechnen, erklärte mir der diensthabende Arzt, als ich im General Hospital eingeliefert wurde.

»Das und die Polizei«, sagte er ernst. »Sie haben da ja heute nacht einen anderen Mann umgebracht.«

»Was würden Sie denn tun, wenn jemand mit einer abgesägten Schrotflinte auf Sie zielen und den Abzug drücken würde?«

Darauf antwortete er mir nichts.

Sie brauchten etwa zehn Minuten, um mir die Schrotkörner herauszuholen. Ich fühlte keinen Schmerz; sie hatten mir eine Xylocain-Spritze gegeben. Aber das Geräusch, das die Kugeln machten, als der Chirurg sie in einen Metallbehälter fallen ließ, konnte ich hören; und dann spürte ich ganz leicht, wie sie mir die Wunde nähten. Als sie damit fertig waren, hängte mich eine Krankenschwester an eine Flasche mit Glukose und legte mir um den Bauch einen Verband an. Dann brachten sie mich in den zweiten Stock in die Beobachtungsstation.

»Wie lange werde ich hierbleiben müssen?« fragte ich den Arzt.

»Einen Tag wahrscheinlich. Es besteht die Möglichkeit eines Ödems oder eines nachwirkenden Schocks. Deshalb werden wir Sie auf jeden Fall noch bis morgen früh hier behalten.« Er warf einen kurzen Blick auf meinen Verband. »Sie können wirklich von Glück reden. Ein paar Zentimeter mehr nach rechts, und diese Schrotkugeln hätten Ihnen das Rückgrat zerschmettert. Wie die Sache momentan aussieht, werden Sie auf jeden Fall für ein paar Wochen Rückenschmerzen haben, und Ihren linken Arm werden Sie auch eine Weile nicht gebrauchen können, zumindest nicht, um schwere Sachen zu heben. Aber abgesehen davon, wird man Ihnen wohl in kurzem von dem Ganzen nichts mehr anmerken.«

»Was ist mit Jo?« fragte ich ihn. »Das ist die Frau, die mit mir ins Krankenhaus gekommen ist.«

»Sie hatte einen üblen Schnitt in der Kopfhaut und ein paar Schrammen an Armen und Beinen. Aber keinerlei Anzeichen eines Bruches oder von Prellungen. Also insgesamt nichts Ernsthaftes.«

»Könnte ich vielleicht mit ihr sprechen?«

»Ich werde mal sehen.« Und damit trat er aus dem Raum.

Etwa eine Stunde später kam ein kleiner, häßlicher Mann in einem braunen Geschäftsanzug zu mir herein. »Lieutenant Alvin Foster«, stellte er sich vor und zog sich einen Stuhl an mein Bett heran. »Ich hätte Ihnen gern ein paar Fragen gestellt.«

Foster ging auf die Fünfzig zu; sein schütteres, schwarzes Haar wies bereits gewaltige Geheimratsecken auf. Er hatte ein dickes, großporiges Gesicht, gelbe Zähne, wulstige Lippen und dicke Ringe unter seinen grünen Augen. Er roch stark nach Tabak und Rasierwasser und sprach in einem dünnen, leicht krächzenden Tenor. Seine Stimme glich der von Walter Brennan, nur daß sie etwas heiserer und weniger weinerlich klang.

Er blickte mich mißvergnügt an und holte sich dann eine zerknautschte Packung Tareytons aus der Tasche. »Ich schätze, die werden schon nichts dagegen haben«, brummte er und klopfte sich eine Zigarette aus der Packung. Er zündete sie sich an und paffte eine mächtige weiße Rauchwolke zu Boden. »Wie ich sehe, waren Sie früher mal bei uns.«

»Nur im Büro des D.A.«, winkte ich ab.

Er fuhr mit der Hand durch die Luft. »Das ist doch das gleiche. Dieser Kerl da, den Sie heute nacht weggeputzt haben, haben Sie irgendeine Idee, weshalb er es auf Sie abgesehen hatte?« Er ließ mir keine Zeit für eine Antwort. »Das Ganze weist eindeutig die Handschrift eines Profi auf.« Er erklärte es mir mit seinen Händen. »Sehen Sie, der Kerl hockt auf dem Treppenabsatz. Einem Nachbarn erzählt er, daß er auf Sie wartet. Der Nachbar denkt sich nichts weiter dabei – weshalb sollte er auch? Na, und der Typ weiß, wo Sie wohnen, wann Sie nach Hause kommen und wie Sie durch die Tür kommen. Er hätte sich kein besseres Plätzchen aussuchen können als diesen Treppenabsatz. Vier Stufen erhöht und das Geländer, um sich aufzustützen. Dazu noch einen Dreißig-Grad-Winkel nach unten; die Füße hätte er Ihnen also auf jeden Fall abgesäbelt. Und was hätten Sie schon machen können, wenn Sie ihn rechtzeitig ausgemacht hätten? Mit der Tür und den Schlüsseln und dem Mädchen hatten Sie alle Hände voll zu tun. Für ihn war das Ganze also eine todsichere Sache.« Er klatschte seine Hände zusammen und sah mich boshaft an. »Eigentlich müßten Sie jetzt tot sein.«

»Ich hatte eben Glück. Ich habe ihn gesehen, bevor er seine Flinte auf mich richten konnte – gerade, als er hinter dem Treppengeländer hervorlugte.«

»So viel Glück kann man gar nicht haben, wenn Sie mich fragen«, entgegnete Foster trocken. »Aber hatten Sie seinen Besuch nicht vielleicht schon erwartet?«

»Nein.«

Er ließ seine Zigarette auf den Boden fallen und trat sie aus. »Dann wird das Ganze allerdings etwas problematisch.«

»Jetzt hören Sie mal, warum rufen Sie nicht mal kurz Bernie Olson von der Staatsanwaltschaft an. Er wird Ihnen klar und deutlich sagen, was für ein Mann ich bin.«

»Mhm.« Foster langte mit gequältem Gesichtsausdruck in seine Jackentasche, als wolle er sich eben kratzen. Statt dessen brachte er jedoch ein kleines Foto von Cindy Ann Evans zum Vorschein –

eines *meiner* Fotos. » Wir haben das bei dem Toten gefunden. Er hatte etwa zwanzig Stück davon in seiner Tasche stecken. Sagt Ihnen das irgend etwas?«

Ich ließ mir die Sache rasch durch den Kopf gehen. Jones hatte also meine Wohnung auf den Kopf gestellt, bevor er mir aufgelauert hatte. Das herauszufinden, würde der Polizei nicht allzu große Schwierigkeiten bereiten. Was er nun hören wollte, war der Rest, der Grund für das Ganze. Es war also nur eine Frage, wieviel ihm zu erzählen ich mich bereit erklärte.

»Das Mädchen heißt Cindy Ann Evans. Mein Auftrag war es, sie ausfindig zu machen.«

»Und hatten Sie dabei Erfolg?« meinte er spröde.

»Noch nicht. Sie ist verschwunden.«

»In wessen Auftrag handeln Sie?«

»Oh, diesbezüglich unterliege ich der Schweigepflicht.«

»Regeln sind doch bekanntlich dazu da, sie zu umgehen«, drang er mit einem häßlichen Ton in der Stimme in mich.

»Tut mir leid, da ist bei mir nichts zu machen.«

»Na gut, lassen wir das erst mal auf sich beruhen. Der Typ, der auf Sie geschossen hat, wissen Sie, wer er ist?«

»Nein, nie zuvor gesehen.«

»Er heißt Jones. Abel Jones. Irgend so ein Vogel aus Riverview; er hafte in der West Side ein paar Mädchen für sich laufen. Also nicht der Typ, der einen umlegt, wenn nicht gerade ein paar Dollar für ihn dabei herausspringen. Sieht ganz danach aus, als ob da jemand mächtig verärgert über Sie wäre.

Fällt Ihnen da nicht irgendein ›Freund‹ ein, dem es ganze fünf Riesen wert gewesen wäre, Sie nicht mehr hier herumlaufen sehen zu müssen?«

»In meinem Beruf«, konterte ich lässig, »macht man sich eben notgedrungen Feinde.«

Foster starrte mich eisig an. Er wußte, daß ich nicht die Wahrheit sagte, und dafür hätte er mich am liebsten geschlagen. An einem anderen Ort, zu einem anderen Zeitpunkt hätte er das auch vielleicht getan. Polizisten hassen Lügen wesentlich mehr als das eigentliche Vergehen, und nichts bereitet ihnen mehr Freude, als die Leute zu überführen, die ihnen eine Lüge aufgetischt haben. Wie die Prediger leben sie von der menschlichen Verderbtheit, und so sehen sie eben von Zeit zu Zeit auch gerne einmal ihre Vorurteile bestätigt. Das hebt sie in ihrem Selbstgefühl.

»Na gut, Stoner«, sagte er schließlich. »Wir sprechen uns später noch einmal.«

»Wann Sie wollen, Lieutenant.«

Er fuhr sich mit der Hand durch sein spärliches, schwarzes Haar. »Ich weiß zwar nicht so recht, vor wen Sie sich da nun stellen wollen, aber wir haben jeden Grund zu der Annahme, daß dieses Mädchen auf dem Foto ermordet wurde.«

Ich versuchte, einen überraschten Gesichtsausdruck aufzusetzen.

»Nein«, meinte er leichthin, »so leicht kommen Sie mir nicht davon.« Er ging zur Tür. »Denken Sie noch ein paar Tage über die Sache nach. Vielleicht fällt Ihnen ja noch ein, weshalb Sie jemand umbringen wollte. Ich glaube nämlich nicht, daß es bei diesem einen Mal bleiben wird, und das nächste Mal, mein Lieber, werden Sie wohl kaum noch einmal so viel – Glück haben.«

Damit hatte er vollkommen recht, und die vernünftige Hälfte in mir bestand bereits darauf: ›Erzähl ihm alles, was du weißt.‹ Aber das war eben die vernünftige Hälfte. Die restlichen fünfundsiebzig Prozent hielten weiterhin an der Erinnerung fest, wie Laurie Jellicoe mir die Hand gestreichelt hatte, wie sie mir mit ihrer zuckersüßen, drängenden Stimme geschworen hatte, das Ganze wäre keine Falle, wie diese Schrotflinte losgegangen war und dieses Chaos aus Glas und Stein um mich explodierte; und ich konnte immer noch den Geruch nach Pulverdampf und Blut riechen. Nein, allzuoft passierte es wirklich nicht, daß man auf mich schoß, daß ich meine Geliebte rücklings in einen Rosenstrauch voller Dornen stoßen mußte und daß ich beten mußte, daß sie nicht, tot von einer Kugel, auf dem Boden lag.

Und dann war da der Gedanke an Preston, wie er blutend auf diesem cremefarbenen Teppich gelegen hatte. Und an Cindy Ann, deren Leiche irgendwo im Ohio aufquoll wie Hefeteig in der Wärme. Und dieser wohlbekannte alte Reflex, der mich auf stur schalten läßt, wenn ein Polizist mich mit aller Gewalt zu etwas zu drängen versucht. Dazu das intuitive Gefühl, beruhend auf jahrelanger Erfahrung, daß Foster diesen Fall mit Sicherheit vermurksen würde, wenn ich ihn ihm mit einer tiefen Verbeugung und den besten Empfehlungen so einfach überlassen würde. Und damit wäre auch jegliche Gelegenheit vertan gewesen, daß die Jellicoes doch noch ihre gerechte Strafe ereilen würde, wenn man in so einem Fall überhaupt von so etwas wie Gerechtigkeit sprechen konnte.

High von dem Xylocain und meinen Rachefantasien, döste ich also in meinem Krankenhausbett vor mich hin und träumte bis ins letzte Detail genau, was ich mit Lance und Laurie und ihrem Partner anstellen würde, wenn ich ihrer habhaft werden sollte.

Irgendwann kam dann während der Nacht noch Jo in mein Zimmer und rief mich bei meinem Namen. Erst als jedoch am nächsten Morgen die Wirkung der Narkose nachließ und mein Rücken heftig zu schmerzen begann, kam ich wieder genügend in Kontakt mit der Realität, um ihr zu antworten.

Ich sah sie in einem Plastiksessel neben meinem Bett sitzen, als ich die Augen aufschlug. Durch die Vorhänge am Fenster fiel etwas Sonne ins Zimmer. Ich holte tief Atem, worauf mich der beißende Geruch des Desinfektionsmittels, das über die Air-condition-Anlage im Zimmer verbreitet wurde, für einen Moment leicht schwindlig machte.

Ich versuchte, meinen rechten Arm zu heben. Es ging zwar, aber nicht ohne erhebliche Schmerzen. Ich schaffte es, ihn so weit auszustrecken, um das Telefon auf dem Tisch neben meinem Bett zu mir herzuziehen. Der Zeitansage zufolge war es halb elf Uhr vormittag, und die Außentemperatur betrug 34 Grad. Jo hörte, wie ich den Hörer wieder auflegte, und setzte sich in ihrem Sessel auf. Sie trug einen Verband um die Stirn, und auf ihren Armen und Beinen waren mehrere Jodflecken zu sehen. Sie sah aber trotzdem auf eine leichte angeknackste Weise immer noch gesund und blühend aus. Sie erinnerte mich an Ava Gardner in der Rolle der Krankenschwester in *Schnee auf dem Kilimandscharo*. Das herzförmige Gesicht, das kohlenschwarze Haar, die olivfarbene Haut und die grauen Augen – müde und doch voller Sorge.

Sie lächelte mich an – das gequälte Lächeln eines Besuchers. Jedenfalls fühlte ich mich schon fast verpflichtet, sie darauf hinzuweisen, daß ich nicht im nächsten Augenblick das Zeitliche segnen würde.

»Das weiß ich auch.« Ihre Augen wanderten meinen Körper auf und ab, und sie begann zu weinen.

Sie stand auf und trat an mein Bett, worauf ich sie zu mir herabzog und küßte.

Sie sah für einen Augenblick beiseite. Und ich konnte spüren, wie sie gerade Abel Jones in diesem fürchterlichen Chaos im Treppenhaus liegen sah.

»Es ging einfach nicht anders«, rechtfertigte ich mich.

Sie nickte rasch. »Ich weiß. Aber dadurch wird es für mich nicht im geringsten weniger schrecklich.« Sie atmete schwer ein und blickte wieder zu mir herunter. »Ein Mann namens Foster hat mir ein paar Fragen gestellt wegen dieser Bilder, die du mir gezeigt hast.«

»Was hast du ihm gesagt?«

»Ich habe ihm gesagt, er soll mit dir sprechen. Ich habe gesagt, ich wüßte nichts darüber.«

»Ganz recht«, lobte ich sie.

»Er hat mir allerdings nicht geglaubt. Du wirst ihm doch von den Jellicoes erzählen, oder?«

»Wenn der richtige Zeitpunkt gekommen ist.«

»Aber das ist doch verrückt.« Sie lächelte unsicher. »Du willst doch nicht etwa, daß sie noch einmal probieren, dich umzubringen?«

»Darauf würde ich es an sich gerne ankommen lassen«, erwiderte ich bitter.

»Dann bist du tatsächlich verrückt!« Jos graue Augen blitzten auf, und dabei sprang sie von meinem Bett auf. »Ich gehe jetzt in die Cafeteria hinunter«, stieß sie voller Abscheu hervor. »Auf leeren Magen ist mir dieser Macho-Blödsinn einfach allmählich ein bißchen zuviel.«

»Mach dich nur nicht zu weit aus dem Staub«, erinnerte ich sie. »Ich denke, mich hier so gegen Mittag zu verdünnisieren.«

Sie warf mir einen Blick zu, als würde sie sich im nächsten Augenblick die Haare raufen. »Du bist *angeschossen*«, stieß sie zwischen den Zähnen hervor, als müßte sie einem besonders begriffsstutzigen Kind etwas zum hundertsten Mal erklären. »Du bist schwer verwundet. Du kannst unmöglich aufstehen, mein starker Held. Zumindest für eine Weile bist du jetzt ausgezählt.«

»Und ob ich aufstehen werde«, zischte ich nun zwischen *meinen* Zähnen hervor.

»Wahnsinn!« Sie drehte sich herum und schoß aus dem Raum.

Um elf Uhr fünfzehn kam der junge Arzt, der mich bei meiner Einlieferung behandelt hatte. »Na, wie geht's Ihnen denn?« Er warf einen Blick auf meinen Befund. »Sieht ja ganz so aus, als ob Sie's überleben würden. Haben Sie starke Schmerzen?«

»Mir genügt es«, erwiderte ich.

»Das wird auch noch einige Zeit so bleiben. Wir werden Ihnen gegen die Schmerzen etwas Kodein geben. Falls Sie Krämpfe bekommen sollten, werden Sie auch ein Entspannungsmittel für die Muskeln brauchen.«

»Würde es den sicheren Tod bedeuten, wenn ich mich heute nachmittag schon aus dem Staub machen würde?«

»Überleben würden Sie's schon. Aber ich glaube doch, daß es besser wäre, wenn Sie noch bis morgen früh warten würden. Um ganz sicherzugehen.«

»Oh, ich lebe gern gefährlich.«

Er zuckte mit den Achseln. »Wir können ja mal sehen.«

Er untersuchte die Verletzung und legte mir einen frischen Verband an. »Ich glaube, es ist o.k., wenn Sie unbedingt raus-wollen.«

Er ließ mir von einer Krankenschwester ein Rezept für die Schmerzmittel und frisches Verbandmaterial bringen und wies mich darauf hin, daß ich noch Nachblutungen bekommen würde. Ich sollte mir deswegen jedoch keine Sorgen machen. Er schärfte mir noch einmal ausdrücklich ein, mich nicht zu überanstrengen. Wir schüttelten uns noch die Hände, und das war es dann gewesen.

Es war gerade Mittag, als ich den Aufzug nach unten nahm, in die Eingangshalle hinaustrat, mich vor das Fenster der Cafeteria stellte und leicht gegen die Glasscheibe klopfte.

Als sie mich sah, blickte sie nur auf ihre Tasse Kaffee nieder und schüttelte den Kopf.

21

Zehn nach zwölf nahmen wir uns vor dem Krankenhaus in der Goodman Street ein Taxi und fuhren nach Hause. Es war nur eine sehr kurze Fahrt – vielleicht eineinhalb Meilen –, und der Fahrer, ein Schwarzer mit einem spärlichen Bart und einer kleinen kahlen Stelle am Hinterkopf, zeigte sich über den geringen Fahrpreis nicht sonderlich erfreut.

»Verdammt noch mal, die kurze Strecke hätten Sie doch auch zu Fuß gehen können«, raunzte er mich an, als er vor meinem Haus hielt. »So ein starker, kräftiger Kerl wie Sie.«

»Oh, ich bin ein exzentrischer Millionär, wissen Sie.« Und damit reichte ich ihm eine paar Dollarnoten.

Für ein paar Sekunden standen wir, Jo und ich, nur einfach so auf dem Gehsteig und starrten uns gegenseitig an – ich mit meiner Schachtel mit Verbandszeug und meinen Rezepten in der rechten Hand und mein linker Arm linkisch an mir herunterbaumelnd, und Jo in ihrem zerknitterten, verdreckten Kleid mit diesem Verband um ihre Stirn und all den Jodflecken auf Armen und Beinen. Ich mußte bei diesem Anblick einfach lachen, aber Jo sah mich weiter mürrisch an.

»Ich finde das überhaupt nicht komisch. Du könntest jetzt ohne weiteres tot sein. Ich weiß wirklich nicht, was daran so komisch sein soll.«

»Ich auch nicht«, versuchte ich sie zu beruhigen. »Aber auf jeden Fall ist es ein höllisch gutes Gefühl, an so einem herrlichen Morgen wie diesem am Leben zu sein.«

Sie murmelte irgend etwas über Katzen und ihre Falltechnik vor sich hin, und dann traten wir auf den Hauseingang zu, vor dem immer noch die Überreste der Glastür herumlagen. Die größeren Trümmer hatte bereits jemand rechts vom Eingang zu einem kleinen Schutthaufen zusammengeräumt. Das Treppenhaus war geputzt, die gelbe Wand abgewaschen, und die Stufen selbst waren notdürftig mit Brettern repariert. Wo eigentlich die Tür hätte sein sollen, klaffte immer noch ein gähnendes Loch, aber als ich dann ins Hausinnere trat, konnte ich aus dem Keller Hammergeräusche hören. Ich beugte mich leicht hinab und brüllte: »Leo?«

Das Hämmern brach auf der Stelle ab, ein schwerer metallischer Gegenstand fiel zu Boden, und im nächsten Augenblick konnte ich jemanden heftig fluchen hören. In seinem Overall und einem weißen T-Shirt polterte Leo, der Hausmeister, die Treppe herauf. Sein gewaltiger Bauch schwang dabei von einer Seite auf die andere, als hätte er sich über dem Gürtel einen Mehlsack unters Hemd gesteckt.

»Ach, Sie sind's«, sagte er in seiner brüchigen Stimme. »Es reicht wohl noch nicht, daß Sie das ganze Erdgeschoß demoliert haben: Sie müssen mir auch noch zehn Jahre meines Lebens rauben, was? Sie haben mich eben gerade halb zu Tode erschreckt.« Er holte sich ein getüpfeltes Halstuch aus seiner Gesäßtasche und wischte sich damit den Schweiß aus dem Gesicht. »Ich kann Ihnen schwören, daß da gerade zwei Drittel meines Lebens vor meinen Augen vorübergelaufen sind.«

»Welche zwei?« fragte Jo spitzbübisch.

»Das erste und das letzte«, gab er mit einem Augenzwinkern zurück. »Jedenfalls gibt es da in der Mitte ein gewaltiges Stück, an das ich lieber nicht zurückdenke.«

Er brach in schallendes Gelächter aus und wollte schon wieder die Treppe hinuntersteigen.

»Einen Moment noch, Leo!« hielt ich ihn zurück. »Ich wollte Sie noch was fragen.«

»Ja?« Er stützte einen Arm auf das Treppengeländer und sah ungeduldig zu mir hoch. »Ich habe eine Menge zu tun, wissen Sie.«

»Letzte Nacht, nachdem sie mich ins Krankenhaus gebracht haben, waren da noch irgendwelche Besucher für mich da? Vielleicht ein großer Kerl mit Cowboystiefeln? Oder eine hübsche Blondine, die aussieht wie Farrah Fawcett?«

»Oh, die wäre mir sicher nicht entgangen«, entgegnete er mit einem behäbigen Bauchwackeln. Dann warf er jedoch einen kurzen Blick auf Jo und errötete bis an die Haarwurzeln. »Die Antwort ist nein. Jedenfalls war letzte Nacht niemand hier. Nur heute früh hat jemand nach Ihnen gefragt. So ein nettes, junges Ding mit blondem Haar. Er hat wie ein ganzer Fliederbusch geduftet.«

»Leach«, sagte ich zu mir selbst.

»Er meinte, er wollte mit Ihnen sprechen. Ich glaube, daß er sogar eine Nachricht für Sie hinterlassen hat. Und wenn Sie mich jetzt bitte entschuldigen, ich habe noch einiges zu tun – diesen verdammten Saustall aufräumen, den Sie da angerichtet haben.«

Während Leo noch die Treppe hinunterwackelte, legte Jo eine Hand an ihren Mund und flüsterte. »Ist der immer so?«

»Immer.«

Ich schloß meinen Briefkasten auf und holte Tracys Nachricht heraus. Leo hatte recht gehabt; dem Papier entströmte ein leichter Fliederduft.

Jo lugte mir über die Schulter, während ich den Text las. »Ich muß Sie unbedingt sehen, Tracy.«

»Er ist *mein* Freund«, lispelte ich.

Sie lachte und knuffte mich in die Seite.

Es war die falsche Seite. Ich stöhnte auf und ließ das Verbandszeug und die Rezepte fallen.

»Oh, das wollte ich nicht«, entschuldigte sie sich und fing neuerlich zu lachen an.

Ich starrte sie an. »Aber *das* findest du wohl schon komisch, was?«

Sie versuchte, ein ernstes Gesicht zu machen, aber ihre Unterlippe zitterte von dem unterdrückten Lachen.

Mit einem neuerlichen Stöhnen sammelte ich meine Sachen vom Boden auf. »Typisch: Am Leben zu sein, hält sie für eine todernste Sache, aber über einen schmerzgeplagten Mann lacht sie.«

Wir gingen in den dritten Stock hoch, und als ich dann die Tür zu meiner Wohnung aufschloß, entfuhr Jo nur noch: »Mein Gott!« Ich warf das ganze Zeug auf die Couch und ging zur Kochnische, um mir einen Scotch einzuschenken.

»Für mich auch einen«, rief mir Jo nach.

Ich schenkte ein zweites Glas voll, und dann besah ich mir in aller Ruhe den Schaden.

»Von Feingefühl hielt Abel Jones wohl nicht allzuviel.«

Das Wohnzimmer war ein einziges Chaos. Schubladen waren herausgerissen, ihr Inhalt überallhin verstreut. Die Bücherregale waren abgeräumt, Polster von den Stühlen gerissen. Ich schaltete den Globemaster an, setzte mich auf die Couch und starrte finster auf die Überreste meiner Wohnung.

»Hier ist es genau das gleiche«, hörte ich Jo vom Gang rufen. Sie öffnete den Reißverschluß ihres Kleides und ließ es nach vorn auf ihre Arme fallen. »Ich würde sagen, ich fange am besten mal gleich mit dem Aufräumen an.«

Ich betrachtete sie, wie sie halb ausgezogen im Raum stand und mit hausfraulichem Scharfblick die Unordnung in der Wohnung abtaxierte. Ihr tief ausgeschnittener BH war aus leichtem Material, durch das die rosafarbenen Rundungen ihrer Brustwarzen durchschienen. Ich lehnte mich auf die Couch zurück und nahm einen kräftigen Schluck von meinem Scotch. »In welchem Zustand befindet sich denn das Bett?« fragte ich sie.

Sie lachte. »In welchem Zustand befindest du dich denn?« erwiderte sie trocken.

Sie stieg aus ihrem Kleid, stieß es mit der Fußspitze ins Schlafzimmer und folgte ihm dann, ihr fester, runder Hintern halb nackt über dem Bikinihöschen.

Ich schoß hinter ihr her, und als ich ins Schlafzimmer trat, saß sie bereits nackt auf dem Bett. Sie hatte ihre Hände an die Lippen gelegt, und darüber blitzten mich ihre Augen munter an.

Ich sah sie lange an, bis sie errötete.

»Mein Gott, wie ich dich jetzt brauche«, brachte ich schließlich schwer hervor.

Sie hatte sich inzwischen auf das Bett gelegt, und ihr Rücken und ihre Hüften wölbten sich leicht nach oben, als ich mich neben sie kniete. »Ich möchte, daß du mich liebst, Harry«, flüsterte sie, als ich mich über sie legte. »Ich möchte das alles nur noch...«

Ich legte meine Hand auf ihre Lippen und verschloß sie dann mit meinem Mund.

Vergessen.

Das war, glaube ich, das Wort, das sie hatte sagen wollen. Alles in einem Moment höchster Lust, in einer Explosion von Drüsen, Muskeln und Nervenenden hinwegzufegen.

Und in einem gewaltigen, befreienden und leidenschaftlichen Liebesakt machten wir uns auch daran. Reine Hitze, wie ein Strohfeuer auflodernd. Ihr Geschlecht naß von meinem Speichel und ihren eigenen klebrigen Säften. Mein rhythmisches In-sie-Versinken. Und das einzige Geräusch das sanfte Aufeinanderklatschen unserer Körper und die kleinen, drängenden Laute, die wir gegenseitig ausstießen.

Und bei Jo verfehlte das Ganze auch seine Wirkung nicht.

Als sie den Höhepunkt erreichte, legte sie ihre verdrehte Hand an ihre Wange, der Mund wie von unendlichem Erstaunen weit aufstehend, und dann rollte ihr Kopf, weg von meinem, auf das Leintuch des Bettes. Und als sie ihre Augen wieder aufschlug, schienen sie von aller Bitterkeit und allen bösen Erinnerungen geläutert. »Bleib noch bei mir«, flüsterte sie mir ins Ohr.

Ich lag auf ihr und fühlte ihr Herz langsam schlagen; der Schweiß rann über meinen Bauch und sammelte sich in den Hautvertiefungen über ihrem Becken. Nach ein paar Minuten ließ ich mich schließlich auf die Seite rollen. Jo kuschelte sich sanft an mich und war in kurzem eingeschlafen. Ich streichelte ihr schwarzes Haar, noch warm und feucht von vorher, und versuchte mir einzubilden, daß auch aus mir aller Schrecken und alle Wut gewichen wäre.

Aber bei mir funktionierte es nicht. Selbst als ich so neben ihr lag, wußte ich, daß innerhalb einer Minute alle Lust und alles Wohlbefinden von mir gewichen sein würde, und anstatt einfach vor mich hinzustarren, würde ich Hugos wäßrige oder Lauries lockende Augen vor mir sehen, oder ich würde mir den glasigen Blick von Cindy Anns toten Augen vorstellen.

Ich stand auf und ging leise ins Wohnzimmer.

Mein Rücken tat mir weh – ein dumpfer Schmerz, ab und zu von schrecklichem Stechen begleitet. Ich fühlte mich alt und krank und verzweifelt.

Das schlimmste war, daß ich nicht wußte, wo ich nun weitermachen sollte; das heißt, ich war mir nicht einmal sicher, ob ich überhaupt weitermachen wollte – ob ich meinen Atem anhalten und untertauchen sollte, in diese grüne Welt unterkühlten, brutalen Sex' und plötzlicher Gewaltausbrüche.

Für einen Augenblick lang spielte ich sogar mit dem Gedanken, Foster anzurufen. Die Sache war nur, daß ich keine Sekunde daran zweifeln konnte, was geschehen würde, wenn ich den Fall ihm übergab. Er würde sich mit Tracy Leach in Verbindung setzen, und der, öffentliche Bloßstellung und eine Gerichtsverhandlung vor Augen, würde natürlich mit einem Mal vergessen, daß er je etwas von den Jellicoes oder Escorts Unlimited gehört hatte. Was Lance und Laurie betraf, würde sie dem Lieutenant schöne Augen machen, während er sich wahrscheinlich ein bißchen wichtig machen und etwas von Belästigung in seinen nicht vorhandenen Bart murmeln würde. Außerdem würde ihr Anwalt mit irgendeinem Schrieb daherkommen, daß Escorts Unlimited nichts anderes als eine legitime Modellvermittlungsagentur ist, die von zwei jungen Leuten betrieben wird, die ständig von einem grobschrötigen Privatdetektiv, der immerhin erst letzten Montag einen Mann umgebracht hat, und einem nicht mehr recht zurechnungsfähigen alten Mann belästigt werden. Foster würde etwas Rauch in die Luft blasen, und dann würde er zu der Überzeugung gelangen, daß die Jellicoes zwar logen, daß er aber auch nicht das geringste dagegen unternehmen konnte. Nicht mit einem toten Preston LaForge und einer ermordeten Cindy Ann Evans und dazu keinem Fetzchen konkretem Beweismaterial, um diese beiden Toten mit den Jellicoes in Verbindung zu bringen. Und rein aufgrund meiner Aussage hatte der Staatsanwalt nicht die geringste Chance, zumal der Anwalt sicher nicht darauf hinzuweisen vergessen würde, daß meine persönliche Integrität keineswegs über alle Zweifel erhaben sei. Schließlich hatte ich versucht, diese zwei jungen Leute zu erpressen, und, zum Teufel noch mal, das Ganze war auch noch auf Band festgehalten; und die Polizei hatte meinen Kassettenrecorder und dazu noch meine Pistole und meine Lizenz.

Wie machst du nun also weiter, Harry? fragte ich mich.

Rufst du Tracy Leach an, damit das ganze Theater noch einmal von vorne anfängt? Willst du das Risiko eingehen, daß er und du und Jo umgebracht werden? Denn darin hatte Foster völlig recht gehabt. Wenn sie es allein aufgrund von ein paar Fotos riskiert hatten, dann würden sie sicher nicht davor zurückschrecken, es ein zweites Mal zu versuchen, falls ich keine Ruhe gab.

Oder läßt du die ganze Sache einfach sausen? Denn das zu entscheiden, ist jetzt genau der richtige Zeitpunkt. Jetzt hast du noch diese Wut im Bauch für dich arbeiten. Nächste Woche, oder vielleicht auch schon morgen, kann alles zu spät sein.

Verdammt noch mal! Ich ließ meine Hand heftig auf meinen Oberschenkel klatschen. Ich wollte wissen, wer dieser dritte Mann war. Einfach um meines eigenen Seelenfriedens willen. Um mir sagen zu können, ich hätte alles gesehen, bevor ich beseite trat, oder auch nicht.

Zum Teufel auch. Wer weiß schon, was er tut, bis er es dann tatsächlich tut?

Ich griff mir das Telefon und machte zwei Anrufe.

Der erste galt Ralph Cratz. Ich teilte ihm mit, daß ich es an diesem Tag nicht mehr schaffen würde, nach Dayton hochzukommen.

»Meinetwegen brauchen Sie sich deshalb keine Gedanken zu machen«, meinte er. »Aber ich glaube nicht, daß Dad sonderlich beglückt sein wird davon. Ich habe ihm erzählt, daß Sie heute vorbeikommen würden, und er hat Sie schon den ganzen Tag zu erreichen versucht. Er bildet sich ein, daß etwas schiefgegangen ist. Sie wissen ja, wie er ist. Und ich fürchte fast, daß er versuchen wird, nach Cincinnati zurückzufahren.«

»Versuchen Sie das mit allen Mitteln zu verhindern!« schärfte ich ihm ein und ertappte mich dabei, daß ich fast ins Telefon brüllte. »Sehen Sie um Gottes willen zu, daß er auf jeden Fall in Dayton bleibt. Wenn Sie nicht wollen, daß ihm etwas zustößt oder daß er gar umgebracht wird, dann tun Sie bitte, was ich sage.«

Ralph versprach mir, sein Bestes zu versuchen. »Aber Sie kennen ja meinen Vater«, fügte er am Schluß noch bedrückt hinzu.

Der zweite Anruf galt Tracy Leach. Ich wollte wissen, worüber er plötzlich unbedingt mit mir hatte sprechen wollen.

»Über Preston«, klärte er mich auf. Dem Tonfall seiner Stimme nach zu schließen, war Tracy Leach entweder sehr wütend oder sehr verängstigt. Was es nun allerdings war, hätte ich nicht sagen können.

»Und das wäre?«

»Wollen Sie wirklich, daß ich Ihnen das übers Telefon erzähle?«

stauchte er mich mit einem angeekelten Ton in der Stimme zurecht.

Ich dachte an das letzte Mal, da man mich zu einer kleinen Besprechung unter vier Augen eingeladen hatte, und beharrte darauf: »Ja, also was wollen Sie mir über Preston erzählen?«

»Sie sind wirklich ein mieser Scheißkerl«, zischte Leach durch den Hörer. Den Rest knallte er mir ebenso wütend wie kurz und bündig vor. »Die Polizei war bei mir. Sie haben mich wegen Preston gefragt. Sie sagten, er – sie sagten, daß dieses Mädchen seinetwegen tot wäre.«

»Das weiß ich bereits«, entgegnete ich trocken.

»Sie haben auch gesagt, daß er einen Brief neben den Fotos hinterlassen hätte.« Leach machte eine Pause. »Was ich Ihnen aber jetzt erzähle, habe ich der Polizei gegenüber nicht erwähnt. Preston hatte nie solche Bilder. Ich weiß das, da ich praktisch in seiner Wohnung gelebt habe. Diese Fotos haben ihm auf keinen Fall gehört. Was ich von dem Abschiedsbrief halten soll, weiß ich nicht. Es war jedenfalls seine Schrift. Sie haben ihn mir gezeigt. Aber eines kann ich Ihnen mit Sicherheit sagen«, seine Stimme überschlug sich fast, »Preston hat dieses Mädchen *nicht* umgebracht.«

Mir lief in diesem Moment trotz der Julihitze ein Schauder über den Rücken. »Er hat Cindy Ann nicht umgebracht«, wiederholte ich tonlos. Nicht wie eine Frage, sondern wie eine Behauptung. Ich drehte und wendete dieses Faktum, um zu sehen, wie es klingen würde, welches Echo es hervorrufen würde.

»Und das kann ich auch beweisen«, fuhr Tracy Leach fort. »Werden Sie sich also jetzt, verdammt noch mal, vielleicht auf Ihre Socken machen und bei mir vorbeikommen?«

»Bin schon unterwegs«, versicherte ich ihm und knallte den Hörer auf die Gabel.

22

Es war wieder dasselbe schwülstige Wohnzimmer einer Witwe, nur mit einem Unterschied. Er hatte den Teppich, den ich damals mit dem Rosenwasser verschmutzt hatte, entfernt und die ganze Wohnung schwarz drapiert. An den Wänden hingen schwarze Stoffbahnen, und die Möbel hatten schwarze Überzüge. Nun war es also das Zimmer einer Witwe in Trauer.

»Für Preston?« fragte ich und befingerte den Stoff eines der schwarzen Überzüge über einem der Sessel.

Tray Leach nickte.

Er hatte sich selbst auch schwarz eingekleidet. Schwarzes Hemd. Schwarze Hose. Schwarze Schuhe und Socken. Dazu noch dieses teilnahmslose, jungenhafte Gesicht, und er sah fast aus wie César, Dr. Caligaris Schlafwandler.

Er wirkte lächerlich, und das gleiche galt natürlich auch für den Raum. Das Ganze machte einen genauso hohlen Eindruck wie eine verspätete Beileidskarte. Ich fühlte mich etwas peinlich berührt.

»Ich habe heute schon ein Gebet für ihn gesprochen«, erzählte mir Tray. »Ich bin katholisch, aber natürlich exkommuniziert. Die Kirche ist ja bekanntlich hinsichtlich meiner sexuellen Vorlieben etwas anderer Ansicht. Aber ich gehe trotzdem noch manchmal zur Messe und ab und zu auch zur Beichte.« Er sah mich mit widerlicher Selbstsicherheit an. »Langweile ich Sie damit? Das täte mir wirklich leid. Aber Sie müssen wissen, daß seine Seele sich nach der Auffassung der Kirche nun in der Hölle befindet. Ob ich das allerdings glaube, weiß ich nicht so recht. Ich weiß aber, was einem seine Mitmenschen alles antun können, solange man noch am Leben ist. Ich sage Ihnen, die werden Preston in der Presse total zerreißen, aber das werde ich nicht zulassen. Er war ein schwacher Mensch, aber er war kein Mörder. Allein schon der Gedanke ist absurd. Er hätte diesem Mädchen genausowenig etwas zuleide getan, wie er mir etwas angetan hätte. Er mochte sie. Er hat mir das erzählt. Sie war nett zu ihm. Kinder können manchmal auf eine ganz selbstlose Weise nett zu jemanden sein, bevor sie dann beigebracht bekommen, wen sie zu mögen oder zu lieben haben und wen nicht.«

»Worüber hat er denn Sonntag nachmittag gesprochen, als er Sie besucht hat?«

»Über Sie natürlich. Und was Sie von ihm verlangt hatten. Er wußte natürlich nicht, was er tun sollte. Wissen Sie, bei Leuten wie den Jellicoes, wenn da ein Kunde einmal – na, wie soll ich sagen? – unzufrieden werden sollte, dann konnte er sich nie an höherer Stelle beschweren, da er nämlich befürchten mußte, daß die beiden sich mit irgendwelchen Fotos, Tonbandaufnahmen oder Filmen rächen würden. Die haben für jeden ihrer speziellen Kunden etwas auf Lager.«

»Was hatten sie denn über Preston?«

Leach beugte sich auf seinem Sessel nach vorn. »Darüber bin ich mir nicht sicher, und er wußte das auch nicht so recht.«

»Das verstehe ich nicht ganz.«

Tray stand auf und trat an den großen Glasschrank aus Rosenholz. Er öffnete die oberste Schublade, nahm ein Stück Papier heraus und kam damit zur Couch zurück. »Sonntag vor einer Woche war Preston auf einer Party in Louisville. Ich war ebenfalls eingeladen, sagte aber ab. Wissen Sie, für die Unterhaltung waren da nämlich die Jellicoes zuständig, und ich habe mit den beiden schon seit einiger Zeit nichts mehr zu schaffen. Die beiden können mir wirklich gestohlen bleiben. Dieses Gesindel hat langsam aber sicher Prestons Leben ruiniert.«

Leach sah plötzlich auf. »Vor allem sie konnte unvorstellbar gemein und fies werden. Sie reizte einen und quälte einen dabei zugleich. Ich glaube, dieser Frau würde ich alles zutrauen.«

»Auch einen Mord?« hakte ich nach.

»Ja, auch einen Mord. Sie liebt Leid, und sie liebt es, anderen Leid zuzufügen. Sie ist wirklich außergewöhnlich in dem, was sie tut. Und sie versteht es, das ganze stundenlang hinauszuzögern, bis man sie anfleht, dem endlich ein Ende zu machen. Und Sie dürfen mir glauben, daß ich weiß, wovon ich spreche. Diese Frau macht selbst mir Angst, und ich bin nicht gerade der Typ, der so schnell Angst vor jemandem bekommt.«

»Und was ist mit Lance?«

»Ach, er ist einfach ein sturer Bauerntölpel; genauso blöd und begriffsstutzig, wie er stark und brutal ist. Wahrscheinlich ist er aber nicht so fies und gemein wie sie. Zumindest nicht in seinen Gedanken, und das ist es ja, was eigentlich zählt.«

»Und würden Sie ihm einen Mord zutrauen?«

»Ich weiß nicht recht. Vermutlich schon. Wenn man ihn in die Enge triebe und er keinen anderen Ausweg mehr sähe. Aber in solch einer Situation ist wohl jeder eines Mordes fähig; das hängt dann nur von den Umständen ab.«

Er warf mir einen flüchtigen Blick zu, durch den mir bewußt wurde, daß er von Abel Jones wußte. Und dann wurde mir auch klar, daß er dabei keineswegs der einzige sein würde. Wahrscheinlich war die Sache in den Elf-Uhr-Nachrichten bereits über alle vier Kanäle gekommen.

»Sie wollten mir doch von einer Party erzählen?« kam ich wieder aufs Thema zurück.

»Ja. In Louisville. Das Ganze diente wohl dem Zweck, für irgendeine Sache Gelder zu beschaffen. Jedenfalls waren eine Menge einflußreicher Persönlichkeiten eingeladen. Sie würden mir sicher nicht glauben, wenn ich Ihnen einige der Namen nennen würde.«

Er erwähnte zwei – einen Senator und einen Lokalpolitiker von nationaler Berühmtheit.

»Es ist sozusagen ein offenes Geheimnis«, fügte Leach mit einem leicht verächtlichen Ton in seiner sanften Stimme hinzu. »Diese Politiker mögen es gern ein bißchen grob. Sie lassen sich gern ein bißchen schikanieren, diese starken Männer. Sie mögen es, von den Frauen unterdrückt zu werden. Und je mächtiger sie sind, desto mehr fahren sie darauf ab. Das gibt ihnen wenigstens einmal ein Gefühl der Machtlosigkeit, oder man könnte es auch ein Gefühl der Sterblichkeit und Fehlbarkeit nennen, das sie in ihrem Alltagsleben sonst nicht kennen.«

Es machte ihm offensichtlich Freude, die Leute, die er wohl für meine Idole halten mußte, von ihrem hohen Podest herunterzuholen. Ein böses Lächeln spielte um seinen grausamen Mund. »Ich könnte ihnen da eine ganze Menge Geschichten erzählen, die Ihnen die Haare zu Berge stehen lassen würden – und zwar alle über diese mächtigen und starken und amerikanischen aller Amerikaner.«

»Warum erzählen Sie mir nicht lieber, was mit Preston war?«

»Das kommt noch früh genug«, beruhigte er mich mit einem bösen Lachen. »Aber erst sollen Sie mir noch ein bißchen mit Ihren Illusionen zahlen. Die Geldangelegenheiten wurden damals also gleich zu Beginn des Abends abgewickelt. Um zwölf begann erst die eigentliche Party. Preston vertrug ja nichts. In betrunkenem Zustand war er unausstehlich; kein angenehmer Anblick, kann ich Ihnen sagen. Normalerweise war er immer schon hinüber, bevor der Abend sein Ende genommen hatte. Und das war an jenem Montag nicht anders. Er trank, riß seine Witze, und versuchte so zu tun, als gehöre er dazu.«

Tray lachte traurig vor sich hin. »Wissen Sie, das war es eigentlich, was er immer wollte – normal sein, dazugehören. Gegen zwei brachten dann die Jellicoes die Jungs und Mädchen. Preston erzählte mir, daß sie sie mächtig herausstaffiert und geschminkt hatten. Sie traten auf einem kleinen Podest auf, über dem sie so eine Spiegelkugel aufgehängt hatten. Die normale Raumbeleuchtung wurde ausgeschaltet, so daß nur die blauen Lichtreflexe von dieser Kugel über ihre Gesichter spielten. Er sagte, es wäre auf eine leicht unheimliche Weise sehr schön gewesen – als schneite es melancholische, blaue Schneeflocken auf diese schönen Kinder. Cindy Ann war unter ihnen. Haben Sie sie übrigens je gesehen?« Ich schüttelte den Kopf.

»Ich schon, einmal. Sie war wirklich ganz außergewöhnlich. Ihr Haar war knallrot, und ihre Haut erinnerte mich an zarte, weiße Spitzen. Und dann mit etwas Rouge im Gesicht, schwarz umrandeten Augen und einem goldenen Hemdchen – sie sah echt aus wie irgendein der Fantasie eines Dadaisten entsprungenes Wesen. Sozusagen ein expressionistisches Kind. Und dieses gewisse Etwas in ihren Augen – eine Art unberechenbarer, bösartiger Wildheit. Sie war wirklich enorm. Und dabei war sie natürlich auch ganz schön ordinär; sie hatte eine ganz schön spitze Zunge, und fluchen konnte die vielleicht. Aber zugleich konnte sie auf eine bemerkenswert erwachsene Art auch sehr liebevoll und einfühlsam sein. Sie hatte ein gewisses Verständnis für menschliche Schwächen, die sie einem wirklich sympathisch machte. Ich habe sie nur einmal gesehen. Das war bei Preston. Aber ich glaube, ich habe mich genau wie Preston ein bißchen in sie verliebt.

Jedenfalls war sie also auf dieser Party. Und sie war auch eine Weile in einem der Zimmer, die sie dafür vorgesehen hatten, mit Preston allein. Aber Preston wurde von der ganzen Sauferei übel, und irgend jemand kam und holte ihn und Cindy Ann aus dem Raum. Preston meinte, er könne sich nicht mehr erinnern, wer das gewesen wäre. Es war ziemlich dunkel überall, und überall diese hohen Tiere, die sich mal einen etwas ungewöhnlichen Abend machen wollten. Und dann fingen sie mit den Polaroids und den Acht-Millimeter-Filmen an; das war ja so üblich. Und ein paar von den Kindern posierten in dem grellen Scheinwerferlicht. Einige von ihnen wurden mißbraucht und dabei fotografiert. Preston stolperte darauf in irgendein anderes Privatzimmer, wo sie ebenfalls Scheinwerfer an hatten und eine Menge Leute herumstanden. Vom Bett her konnte er jemanden stöhnen hören. Das Gesicht des Mädchens konnte er nicht erkennen, aber sie bearbeiteten sie mit einem Dildo. Er sah eine Weile zu, und dann ging er wieder aus dem Raum, kippte noch mehr in sich hinein und klappte schließlich zusammen.«

»Und das ist schon alles?« fragte ich. »Nichts weiter?«

»Nicht ganz. Während er weg war, passierte etwas. Etwas Schreckliches. Laurie weckte ihn auf, indem sie ihm Wasser ins Gesicht schüttete. Der Raum, in dem er sich befand, war leer, als er aufwachte, und durch die Vorhänge konnte er sehen, daß es bereits dämmerte. Laurie flößte ihm etwas Kaffee ein und sagte ihm, er solle sich aus dem Staub machen – einem der Mädchen wäre etwas Schreckliches zugestoßen. Als er wissen wollte, was, sah sie ihn ganz seltsam an, als würde er ein Spiel mit ihr treiben. Wissen Sie, sie wollten ihn nämlich dazu bringen, daß er dachte, er wäre irgendwie daran beteiligt gewesen, und Preston ließ sich ja immer schon sehr leicht beeindrucken, so daß er auch diesmal anbiß.

An jenem Dienstagmorgen kam er dann völlig in Tränen aufgelöst zu mir. Ich päppelte ihn erst einmal wieder auf, und dann erzählte er mir eben die ganze Geschichte – genau so, wie ich sie Ihnen gerade erzählt habe. Ich drang in ihn, was denn dem Mädchen passiert sei. Und er sagte immer nur: ›Ich kann mich nicht erinnern, Tray. Ich war in diesem Zimmer, und dann war ich irgendwann einmal plötzlich weg, und dann kam Laurie mit dem Wasser.‹ Er hatte fürchterliche Angst. Er dachte, er könnte in seinem Suff das Mädchen umgebracht haben. Der arme Preston. Er kaute alles wieder, was ihm jemand erzählte, und nach einer Weile vergaß er dann völlig, daß ihm das alles nur jemand erzählt hatte, und er fing an zu glauben, er hätte es selbst erlebt. Und ich kann Ihnen wirklich sagen, daß er unmöglich imstande gewesen wäre, einen anderen Menschen umzubringen. So etwas hätte er einfach nie getan.«

»Und was steht auf diesem Zettel?« wollte ich nun von ihm wissen.

»Ein Geständnis. Ich brachte ihn dazu, die ganze Geschichte niederzuschreiben – genau so, wie er sie mir erzählt hatte. Ich faßte das Ganze eigentlich als einen Scherz auf, um ihm dann später, wenn er die Wahrheit herausfinden würde, beweisen zu können, wie kindisch und unbegründet all seine Ängste gewesen waren. Aber na ja, am Ende sollte die Sache eben doch einen anderen Verlauf nehmen.«

»Könnte ich das da mal sehen?«

Er reichte mir das Blatt Papier. Ich las es rasch durch.

Die Handschrift war die eines Kindes – in sauberen Druckbuchstaben – die Handschrift eines bußfertigen kleinen Jungen. Es war in simplen Worten die gleiche Geschichte, die mir Tray eben erzählt hatte, und sie war am Ende mit Preston LaForge unterzeichnet.

Ich gab ihm das Geständnis wieder, worauf er es an seinem alten Platz in der Schublade verstaute.

»Sie sind sich doch wohl darüber im klaren, daß dieses Papier nie als Beweismittel herhalten wird«, gab ich ihm zu verstehen. »Daraus läßt sich nicht erschließen, daß Preston Cindy Ann *nicht* umgebracht hat.«

»Und sie zerstückelt und im Ohio versenkt hat«, führte Leach mit sarkastischem Tonfall meinen Satz fort. »Und dann ist er wieder auf die Party zurück und hat sich völlig betrunken auf irgendein Bett plumpsen lassen?«

»Aber er könnte Sie doch angelogen haben, Tray. Vielleicht sollten Sie dazu herhalten, sein Gewissen zu beruhigen.«

Leach starrte mich voller wütender Verachtung an. »Ich habe ihn schwören lassen, daß er mir die Wahrheit gesagt hatte. Ich ließ ihn auf die Bibel schwören. Und ich kann Ihnen sagen, daß er mich nicht angelogen hat. Wofür halten Sie mich eigentlich? Ich bin doch kein Idiot. Ich habe Preston wohl gut genug gekannt, um sagen zu können, wann er irgendwas daherflunkerte, und wann nicht. Sie können mir glauben, was ich Ihnen da eben erzählt habe, ist die Wahrheit.«

Ich stieß einen leisen Seufzer aus und starrte auf die schwarze Drapierung an den Wänden. »Na gut, ich glaube Ihnen.«

»Gut. Und was wollen Sie nun machen?«

Ich stand auf und fing an, auf dem teppichlosen Boden vor der Couch auf und ab zu gehen. »Irgend jemand muß Preston davon überzeugt haben, daß er Cindy Ann umgebracht hat. Vermutlich, weil sie ermordet worden war und ich ein paar unangenehme Fragen gestellt hatte; und deshalb mußte jemand her, dem sie ihren Tod in die Schuhe schieben konnten.«

»Das glaube ich auch. Und ich weiß auch, wer ihm das alles eingesäuselt hat und wer für diese Fotos verantwortlich ist.«

»Laurie?«

»Ja, das ist genau das, was ihr Spaß macht.« Trays Stimme klang bitter.

»Gut. Dann nehmen wir also einmal an, Laurie kommt einige Zeit, bevor ich in Erscheinung treten soll, in Prestons Wohnung vorbei. Sie hat diese Bilder dabei und redet Preston ein, er hätte im Suff Cindy Ann umgebracht. Hätte das ausgereicht, ihn zum Selbstmord zu treiben? Sie haben ihn doch gekannt. Halten Sie das für möglich?«

»Eigentlich nicht«, entgegnete Leach. »Er ließ sich zwar leicht beeindrucken und manipulieren, und er neigte zu impulsivem Handeln. Aber ich kann mir unmöglich vorstellen, daß man ihn durch bloße Worte zum Selbstmord hätte treiben können. Sie muß ihm irgend etwas Entsetzliches gezeigt haben – etwas, das ihm allen Mut genommen haben muß. Als er nämlich Sonntagabend hier wegging, wirkte er durchaus zuversichtlich und bereit, mit Ihnen zusammenzuarbeiten. Er glaubte damals wirklich, er würde Cindy Ann zurückbekommen. Er war richtig glücklich, wie ein kleiner Junge.«

»Und dann taucht also Laurie auf. Anstatt Cindy Ann bringt sie jedoch etwas mit – ein Foto, ein Dia, irgend etwas –, das Preston zu der Überzeugung kommen läßt, er hätte Cindy Ann ermordet.«

»Sie muß tot sein«, überlegte Leach.

»Aller Wahrscheinlichkeit nach, ja. Aber es besteht natürlich trotzdem noch die Möglichkeit, daß die beiden nur den Anschein erwecken wollten.«

»Entschuldigen Sie«, sagte Tray plötzlich. »Würden Sie sich bitte hinsetzen! Sie machen mich ganz verrückt mit Ihrer Hin- und Herrennerei.«

»Entschuldigung.« Damit plumpste ich in einen knarzenden Queen-Ann-Sessel. Trays Gesicht durchzuckte es, als hätte ihm jemand ein Messer in den Bauch gerannt.

»Das ist ein echtes antikes Möbelstück!« knurrte er mich an.

Ich stützte meinen rechten Arm auf die Lehne, ließ meinen linken lose an mir herabbaumeln und dachte angestrengt nach, wie sich möglicherweise beweisen ließe, daß Cindy Ann nicht von Preston LaForge ermordet worden war. Es wäre nett gewesen, wenn ich sie hätte fragen können, was man mit ihr auf diesem seltsamen Fest damals angestellt hatte. Aber wie ein totes Mädchen fragen, wie sie umgekommen ist? Unmöglich, dachte ich, aber trotzdem brachte mich das Ganze auf eine Idee.

»Wann hatten Sie zum letzten Mal geschäftlich mit den Jellicoes zu tun?« wollte ich von Leach wissen.

»Drei Wochen vor dieser Party. Vor über einem Monat also.«

»Zählen Sie immer noch zu ihren bevorzugten Kunden?«

Er zuckte die Achseln. »Soviel ich weiß, schon.«

Ich betrachtete mir sein junges und zugleich altes Gesicht. Es hatte einen starren, grimmigen Ausdruck angenommen. Diesen Blick kannte ich zur Genüge. Letzte Nacht hatte ich kein bißchen anders ausgesehen. Er hatte jemanden verloren, den er geliebt hatte, und sann auf Rache.

»Wie sehr ist Ihnen denn daran gelegen, den Jellicoes einen kleinen Denkzettel zu verpassen?« fragte ich ihn.

»Einiges«, erwiderte er trocken.

»Auch genügend, um es auf einen Versuch ankommen zu lassen?«

»Was haben Sie vor?«

»Rufen Sie die beiden an. Das Geschäft läuft ja nach wie vor. Zumindest hat es das gestern nacht noch getan. Geben Sie für heute abend eine Bestellung auf. Nehmen Sie die Sendung in Empfang und – na ja, dann tun Sie, was Sie wollen.«

»Und das ist alles?«

»Ja, sonst nichts. Vergessen sie nicht, daß die beiden jetzt mit größter Vorsicht vorgehen werden. Vor allem in Ihrem Fall, wo Sie doch so eng mit LaForge befreundet waren.«

»Und was wollen Sie dabei machen?«

Ich deutete durchs Fenster nach draußen. »Ich werde dort draußen warten. Irgend jemand muß den Knaben doch bringen und wieder abholen. Und wenn dieser Jemand ihn abholt, dann wird er ihn wohl oder übel dorthin zurückbringen, wo sich auch die anderen Kinder aufhalten.«

Leachs Gesicht erhellte sich. »Jetzt verstehe ich; Sie wollen ihm folgen.«

»Genau. Wenn Cindy Ann nämlich wirklich tot ist, wird es dort auf jeden Fall ein paar Kinder geben, die sie gekannt haben und mit ihr auf dieser Party waren. Vielleicht wissen sie, was aus ihr geworden ist. Das einzige Problem ist, an sie heranzukommen, um sich mit ihnen unterhalten zu können.«

»Das kann angesichts der augenblicklichen Situation wirklich alles andere als einfach werden.«

»Überlassen Sie das ruhig mir. Wenn ich erst einmal da bin, werde ich auch irgendwie reinkommen. Ihre Aufgabe ist es jetzt nur, dafür zu sorgen, daß die Jellicoes auch wirklich liefern. Und vergessen Sie eines nicht, Tray. Wenn heute nacht jemand zu Ihnen kommt, dann kommt er möglicherweise, um Sie umzubringen.«

23

Es war fast fünf Uhr, als ich wieder nach Hause kam. Jo saß mit überkreuzten Beinen auf einem sonnenbeschienenen Flecken des Wohnzimmerbodens und ordnete die herumliegenden Papiere. Sie hatte sich ein Frotteetuch umgewickelt, und als sie mit ihrem offenen Haar, die weiße Rundung ihrer Brust durch die Falten des Tuches ganz leicht sichtbar, so im Sonnenlicht saß, glich sie einem jungen Mädchen, das über einem Stapel Briefe vor sich hinträumt.

»Wie alt bist du eigentlich?« fragte ich sie von der Tür her.

Sie blinzelte leicht, als sie aufsah, da ihr die Sonne mitten ins Gesicht fiel. »Du stellst vielleicht Fragen. Ich bin achtundzwanzig. Und wie alt bist du?«

»Sechsunddreißig.«

»Das kann nicht gutgehen«, brummte sie und wandte sich wieder dem Stoß Papier zu ihren Füßen zu.

»Irgend etwas Interessantes entdeckt?« Ich ging in die Kochnische und holte den Scotch und zwei Gläser.

»Du meinst außer dem Messingschlagring, dem Totschläger, dem Maschinengewehr und der Kiste mit den Granaten?«

»*Hast* du meine Pistolen gefunden?« fragte ich.

Sie deutete angeekelt auf den Schreibtisch, wo eine kurzläufige 38er und eine 357er Magnum mit durchbrochenem Lauf matt in der Sonne schimmerten.

Ich goß die Gläser voll, reichte ihr eines und ließ mich auf die Couch plumpsen.

»Irgendwelche Neuigkeiten?« fragte ich und nippte an meinem Drink.

»Hugo hat angerufen.«

Ich grunzte ärgerlich. »Etwas Neues nennst du das? Wann denn?«

»So gegen vier Uhr.« Sie sah noch einmal auf und blinzelte wieder. »Er ist wieder zurück aus Cincinnati, Harry. Er möchte, daß du zu ihm kommst.«

»Was!« Ich verschüttete fast meinen ganzen Whisky, als ich das Glas vor mir auf den Tisch knallte. »Dieser verrückte Alte!« fluchte ich und ging zum Telefon.

»Es geht ihm, glaube ich, nicht allzu gut. Ich mache mir seinetwegen Sorgen, Harry. Er hat gesagt, daß er seit der Abreise in Dayton Kopfschmerzen hat.«

»Das ist nur sein altes Getue«, brummte ich.

»Ich hatte aber nicht den Eindruck. Ich war schon fast soweit, daß ich ein Taxi gerufen hätte und zu ihm rausgefahren wäre. Aber ich dachte dann doch, es wäre besser, auf dich zu warten.«

»Wenn das wirklich wieder einer von seinen verfluchten Tricks ist...«

Jo sah mich ärgerlich an.

»Ist ja schon gut. Sehen wir eben mal nach ihm.«

Während Jo sich im Schlafzimmer anzog, durchstöberte ich das Chaos auf dem Fußboden nach meinen Holstern – einem Schultermodell und einem Schnellschußgürtel für eine 38er. Ich schlang mir den Gürtel um die Hüften und besah mir die beiden Pistolen. Sie waren relativ sauber und vollständig geladen. Ich steckte die kurzläufige Police Special in das Gürtelholster und verstaute die schwerere Magnum im Schulterhalfter. Dann zog ich meine Jacke aus und streifte mir die Lederriemen vorsichtig über meinen verletzten Arm und über die Schulter.

»Sieh zu, daß du allmählich fertig wirst«, sagte Jo, als sie ins Wohnzimmer zurückkam. Als sie mich dann so stehen sah, das Holster halb angelegt, fuhr sie erschreckt mit ihrer Hand an den Mund. »Mein Gott!« war das einzige, was sie noch hervorbrachte.

»Man kann eben nicht vorsichtig genug sein heutzutage«, versuchte ich das Ganze mit einem Witz herunterzuspielen. Das Lächeln, das ich dabei aufzusetzen versuchte, mußte jedoch etwas gequält gewirkt haben.

»Du bringst es wirklich noch so weit, daß man dich umbringt«, redete sie mit einer erschreckenden Gewißheit auf mich ein, als hätte sie das alles die ganze Zeit gewußt und sich bisher nur nicht eingestanden. »Ich liebe dich, und du treibst es noch so weit, daß man dich umbringt.« Sie ließ in einer hilflosen Geste ihre beiden Arme herabfallen und starrte mich ungläubig an. »Warum?«

Ich wand mich wieder in mein Jackett und leerte eine Schachtel Patronen in meine Jackentasche. »Ich weiß nicht, warum«, erwiderte ich.

»Etwas Besseres fällt dir dazu wirklich nicht ein?« Sie errötete leicht. »Ich verstehe das einfach nicht. Du könntest die Sache doch der Polizei überlassen. Warum überläßt du den Fall nicht der Polizei, kannst du mir das vielleicht sagen?«

»Weil die nur alles vermurksen würden.«

»Während natürlich du, Harry Stoner, der Mann, den niemand

halten kann...« Ihre Stimme erstarb langsam. »Ich liebe dich. Bedeutet denn das gar nichts für dich?«

»Es bedeutet mir alles.«

»Aber warum...« Sie rieb sich mit der Handfläche die Augen. »Nein, das ist einfach zuviel«, fuhr sie schließlich fort. »Mir ist bereits ein Mann durch sinnlose Gewalt verlorengegangen, und ich lasse mir nicht auch noch den zweiten nehmen.«

»Mir machst du das Ganze nicht im geringsten leichter«, fuhr ich sie wütend an. »Ich mache das, weil ich es machen muß. Weil ich nicht einfach meine Augen verschließen und so tun kann, als ginge mich das alles nichts an, wenn irgend jemand ein sechzehnjähriges Mädchen einfach beiseite räumt. Jetzt überleg doch mal; drei Menschen sind tot. Einen davon habe ich selbst umgebracht. Und wenn ich gestern nacht nicht so verdammt viel Glück gehabt hätte, könnten es inzwischen auch schon vier oder fünf sein.« Ich hatte mit einem Mal eine wahnsinnige Wut. Ich packte Jo an den Handgelenken und funkelte sie zornig an. »Was glaubst du denn, wie ich mich gestern nacht gefühlt habe, als ich dich in diesen verdammten Rosenstrauch gestoßen habe, und als ich dann diese Schrotladung hinter meinem Rücken explodieren hörte und nicht wußte, ob du davon nicht schon in Stücke gerissen warst? Glaubst du wirklich, ich würde mir so etwas von irgend jemandem gefallen lassen? Glaubst du das? Und glaubst du wirklich, ich würde es zulassen, daß jemand versucht, mich oder jemanden, den ich liebe, umzubringen? Nicht ich, das kannst du mir glauben.«

»Du tust mir weh!« jammerte Jo.

Ich ließ ihre Hände los. »Was ist? Kommst du?«

Sie würdigte mich keines Blickes, als wir die Wohnung verließen.

Schweigend fuhren wir nach North Clifton. Jo saß steif neben mir, düster vor sich hinbrütend. Ich setzte zweimal an, mich vor ihr zu rechtfertigen, überlegte es mir dann doch beide Male anders. Sie wollte nicht von ihrer Auffassung abweichen, und ich hatte keine Lust, meinen Standpunkt zu erklären.

Ich brauchte zehn Minuten bis zur Cornell. Ich fuhr die ahornbeschattete Straße voller malerischer Häuser entlang und parkte schließlich vor Hugos Haus. Die Nachmittagshitze war geschwängert von dieser toten, geisterhaften Stille, die ich schon vor fünf Tagen so bedrückend empfunden hatte, als ich das erste Mal die Cornell hochgefahren war, um einem hilflosen, alten Mann, der seine Kleine vermißte und nicht wußte, wo er sie finden sollte, eine halbe Stunde meiner kostbaren Zeit zu widmen.

Wir traten auf die Veranda mit den überall herumstehenden Gartenstühlen: Die Eingangstür war offen, und aus dem Dunkel im Inneren strömte uns ein leichter Modergeruch entgegen.

Ich klopfte zweimal gegen die Tür von Hugos Wohnung, die dem Druck meiner Hand nachgab. Der Alte hatte wohl noch einen zweiten Schlüssel gehabt.

Er schlief in dem Sessel mit dem gelben Überzug. Der Fernseher sabbelte leise vor sich hin. Sein Gesicht war blaß und kränklich.

»Hugo?« weckte ich ihn leise.

Er schlug seine wäßrigen, blauen Augen auf und lächelte mich an. »Hallo, Harry.«

»Verdammt noch mal, Hugo, warum sind Sie nicht in Dayton geblieben, wie ich Ihnen gesagt habe?«

»Ich habe es dort einfach nicht mehr ausgehalten. Zu laut und hektisch.« Er schnitt eine Grimasse und rieb sich seine Schläfen. »Mann o Mann, mir tut vielleicht mein Kopf weh.«

»Sie machen doch jetzt keine dummen Tricks, Hugo? Das ist jetzt ernst, oder nicht?«

Er versuchte ein schwaches Lächeln. »Nein, Harry. Diesmal ist es kein Theater. Diesmal hat es mich, glaube ich, tatsächlich erwischt. Ich hätte mich lieber doch nicht so anstrengen sollen. Na ja, jedenfalls habe ich jetzt einen neuen Herzanfall auf dem Hals.«

Jo trat ans Telefon. »Ich lasse einen Krankenwagen kommen«, sagte sie heiser.

»Ich konnte bei Ralph ja nicht einfach so weggehen, und das hat mich letztlich geschafft. Mußte ich doch einem von diesen Rotznasen tatsächlich drei Dollar geben, damit er sich für ein paar Stunden aus dem Staub machte. Und Ralph ist ja so ein Angsthase und hat sich natürlich auch gleich mordsmäßig aufgeregt – genau, wie ich mir das so gedacht hatte –, und dann ist er los, um nach Kevin zu suchen. Und während er dann weg war, habe ich meine Sachen zusammengepackt und bin zur Busstation gegangen.« Hugo lachte reumütig. »Aber dann habe ich diesen verdammten Koffer verloren, und während der Fahrt saß ich die ganze Zeit in der Sonne; und das hat mir schließlich den Rest gegeben.« Er schloß seine Augen und lehnte sich wieder in seinen Sessel zurück. »Ich habe Ihnen ja gleich gesagt, Harry, daß ich das nicht überleben würde. Und damit hatte ich vollkommen recht.«

»Wenn Sie, zum Teufel noch mal, in Dayton geblieben wären, dann säßen Sie jetzt nicht so da.«

Er schlug seine Augen auf und sah zu mir herüber. »Haben Sie sie gefunden, Harry? Haben Sie meine Kleine ausfindig gemacht? Und lügen Sie mich bitte bloß nicht an, ja? Jetzt ist sowieso schon alles egal. Ganz gleich, wie Sie's auch hindrehen, ich werde das Ganze nicht mehr heil überstehen. Aber ich will die Wahrheit wissen – und zwar solange ich auch noch etwas damit anfangen kann. Noch ein paar Stunden, und Sie können mich echt verges-sen. Ich weiß das. Das ist schließlich nicht das erste Mal, daß mir so etwas passiert. Ich gebe mich da also keinen Illusionen hin.«

Jo faßte ihn an der Hand, worauf er sie leicht anlächelte. »Machen Sie sich meinetwegen keine Sorgen. Vielleicht finden Sie das komisch, aber ich habe einfach keine Angst mehr davor; es läßt mich völlig kalt. Ich war in Dayton, und ich habe gesehen, was es bedeutet, alt zu sein. Ich kann Ihnen sagen, daß mir das nicht im geringsten gefallen hat; und ich wußte das eigentlich schon vorher. Ich war schon immer allein, wenn man einmal von George und Cindy Ann absieht.« Er schluckte schwer. »Sie ist doch tot, Harry, oder nicht? Meine Cindy Ann...«

Ich lächelte ihn an. »Aber was reden Sie denn daher! Sie ist doch nicht tot. Wenn Sie nur noch ein paar Tage in Dayton geblieben wären, wäre ich hochgekommen und hätte Ihnen alles erzählt.«

Er richtete sich leicht auf. »Sie ist nicht tot?«

Ich schüttelte den Kopf. »Aber mit den Jellicoes haben Sie schon richtig vermutet. Sie hat in Newport als Prostituierte für sie gearbeitet. Das ist eine lange Geschichte, aber ich habe von einem anderen Mädchen der Jellicoes herausbekommen, daß Cindy Ann genug hatte und sich aus dem Staub machen wollte. Und dieses Mädchen hat mit ihr in Newport gearbeitet und ihr bei der Flucht geholfen.«

»Wo ist sie denn hin?«

»Ihre Freundin sagte, nach Denver.«

Ein plötzlicher Schmerz ließ ihn das Gesicht verziehen. »Mein lieber Junge, ich hoffe nur, daß Sie mir auch wirklich die Wahrheit sagen. Sie sind sich also wirklich sicher, daß sie nicht tot ist?«

»Ja.«

»Aber dann verstehe ich immer noch nicht, weshalb sie dann einfach so weglaufen mußte. Ich hätte sie schon vor diesem Gesindel in Schutz genommen.«

»Vermutlich wollte sie nicht, daß Ihnen etwas zustößt«, gab ich ihm zu verstehen.

»Das könnte schon sein«, stimmte mir Hugo zu, nachdem er kurz überlegt hatte. »Sie dachte immer erst an die anderen, bevor sie einmal an sich selbst dachte. Und glauben Sie denn auch wirklich, daß Sie sie finden werden?«

»Na, wofür halten Sie mich denn, Hugo?« versuchte ich ihn aufzumuntern.

Er kicherte. »Stimmt; Sie werden sie sicher finden. Und wenn Sie sie dann gefunden haben, sagen Sie ihr, daß ich sie geliebt habe. Werden Sie das tun, Harry?«

Ich erwiderte nichts.

»Der Krankenwagen ist da«, rief Jo vom Fenster.

Kurz darauf klopften zwei weiß gekleidete Männer an die Tür und schoben eine Tragbahre in den Raum. Hugo schnauzte sie an: »Das Ding da brauche ich nicht; das können Sie ruhig draußen lassen.« Er wollte aufstehen, sank aber, leicht verduzt, wieder in den Sessel zurück. »Na ja, vielleicht werde ich das Ding doch brauchen«, meinte er schließlich verlegen.

Ich half ihm aus dem Sessel hoch. Unter seiner Strickjacke und seinen Khaki-Hosen war er nur noch Haut und Knochen.

Sie schnallten ihn auf die Tragbahre, und Hugo machte plötzlich einen höchst besorgten Eindruck. »Sie haben mich auch wirklich nicht angelogen, Harry?«

»Nein, Hugo, bestimmt nicht.«

Er seufzte. »Verdammt noch mal, schon eine ganz schön lächerliche Art zu sterben, was? Einfach wie ein schlaffer Sack rausgetragen zu werden. Bis dann, also, Harry.« Er hob in einer schwachen Geste seine rechte Hand.

Ich ergriff sie für einen Moment, worauf sich auf seinem Gesicht ein gequältes Lächeln ausbreitete. »Lassen Sie jetzt meine Hand ruhig wieder los«, flüsterte er matt. »Ich habe noch nie sonderlich viel davon gehalten, von einem anderen Mann berührt zu werden.«

»Ich werde Sie morgen besuchen kommen, Hugo.«

»Ja, sicher.«

Die zwei Männer trugen ihn aus der Wohnung.

Jo rannte ihnen nach. »Ich fahre mit ins Krankenhaus.«

An der Tür blieb sie noch einmal kurz stehen. »Ich nehme an, es wird nicht sonderlich viel nützen, dir zu sagen, daß du vorsichtig sein sollst. Oder dich zu überzeugen zu versuchen, nicht zu tun, was du vorhast.«

Ich schüttelte den Kopf.

»Dann weiß ich nicht, was ich noch sagen sollte.« Und damit brach sie in Tränen aus.

Sie schoben Hugo in den Krankenwagen. Jo drückte meine Hand und flüsterte: »Wiedersehen, Harry.« Und im nächsten Augenblick war sie auch schon aus der Wohnung. Vom Fenster aus beobachtete ich, wie sie hinten in den Krankenwagen kletterte und sich neben Hugo niederließ. Einer der Männer schloß die Wagentür, und sie fuhren los.

Ich fuhr eine Weile in den engen Straßen von Mt. Adams herum und wartete auf den Einbruch der Nacht, bis ich schließlich drei Häuser unterhalb von Tracy Leachs Haus unter einer überhängenden Weide parkte. Ich hatte mir in einem kleinen Lebensmittelgeschäft in St. Regis fünf Styroportassen mit Kaffee gekauft, und als ich nun im Wagen saß und den Himmel betrachtete, wie er sich von Purpur in tiefes Blau färbte, nahm ich mir eine und entfernte den Plastikverschluß. Es war schlechter, bitterer Kaffee. Aber nach den Geschehnissen in der Cornell Street fühlte ich mich unentschlossen und leicht benommen, und ich mußte doch noch die ganze Nacht hindurch klaren Kopf bewahren, wenn ich meinen Plan einigermaßen zufriedenstellend ausführen wollte. Ich hatte mir auch ein paar Bennies eingesteckt. Wenn es nicht anders gehen sollte, würde ich sie wohl oder übel schlucken müssen, obwohl mich diese Vorstellung nicht unbedingt hellauf begeisterte. Mit Speed denkt man immer zu viel gerade an das Erstbeste, was einem durch den Kopf schießt. Ich genehmigte mir eine zweite Tasse Kaffee und machte es mir auf meinem Sitz gemütlich. Obwohl ich mir alle Mühe gab, nicht an Jo oder an Hugo Cratz zu denken, kreisten meine Gedanken doch immer wieder um die beiden.

Gegen zehn Uhr hielt vor Leachs Haus dann ein gelber Dodge-Kombi. Unter den Weiden war es zuerst zu dunkel, als daß ich den Fahrer hätte erkennen können. Ich zog meine 38er und entsicherte sie. Sollte jemand ohne ein Kind im Arm auf das Haus zugehen, ich würde ihm auf der Stelle hinterherstürzen. Ich konnte einen Vorhang in Trays Fenstern sich bewegen sehen; eine der beiden roten Türen ging auf, und die Außenbeleuchtung wurde eingeschaltet. Leach trat ins Freie; er trug einen japanischen Kimono und

Sandalen und winkte dem Fahrer des Kombi zu. Der Wagenschlag ging auf, und heraus kam Lance Jellicoe. Er blickte sich nervös um und streckte dann seine eine Hand zurück ins Innere des Wagens. Sie wurde von einer wesentlich kleineren Hand ergriffen, und Lance zog einen netten kleinen Jungen in seine Arme, den er breit anlächelte und sanft am Rücken tätschelte. Der Junge grinste zurück, worauf Lance ihn auf dem Boden absetzte. Er war etwa zwölf und trug kurze Hosen und ein T-Shirt. Unter seinem blonden Pony hatte er ein hübsches, aber etwas ausdrucksloses Gesicht – Trays Gesicht, nur dreißig Jahre jünger. Der Junge rannte um den Kombi herum und auf den Eingang von Trays Haus zu. Als Tray irgend etwas zu ihm sagte, lachte er. Tray nahm ihn an der Hand, winkte mit der anderen Jellicoe zu und führte den Kleinen ins Haus. Das Licht ging aus, die rote Tür schloß sich, und Jellicoe sprang wieder in den Wagen und fuhr los. Ich duckte mich, als er an mir vorüberfuhr, und beobachtete ihn dann durch den Rückspiegel, bis die Rücklichter des Kombi verschwunden waren.

Ich setzte mich wieder auf und starrte auf Leachs Haus. Der Gedanke an das, was sich dort nun abspielen würde, bereitete mir Übelkeit. Außerdem hatte ich ein paar höchst philosophische Gedanken über Mittel und Zweck. Wirklich ein verdammt schlechter Witz, über den ich nur mit Mühe lachen konnte.

Ich sah auf meine Uhr. Es war Viertel nach zehn. Na gut, Harry, sagte ich zu mir selbst. Nur noch sechs oder sieben Stunden, und Jellicoe oder seine Frau würde die Straße wieder heraufgefahren kommen, um Junior abzuholen. Und dann würde es ernst werden. Ich nippte an meinem Kaffee und wartete.

24

Während der nächsten sechs Stunden gab es nicht allzuviel zu tun.

Ich saß im Wagen, starrte auf die Häuser in der Ida Street und lauschte der leisen Musik, die von der Celestial Road den Hügel herunterdrang. Etwa eine halbe Stunde lang beobachtete ich durch ein Dachfenster ein junges Paar bei seiner Unterhaltung. Sie war blond, Anfang Zwanzig, und trug einen einfachen Rock mit einer weiten, weißen Bluse. Er war noch jung, mit einem frischen Gesicht, benahm sich aber schon wie ein halber Geschäftsmann – ein bißchen eckig und steif und ziemlich formell. Ein seltsames

Paar, diese beiden; sie unterhielten sich erst eine ganze Weile über einem Teeservice aus Porzellan, bis sie dann ein paar Kerzen anzündeten und es sich auf einem Sofa bequem machten. Ich weiß nicht, was dann weiter passierte. Und es war mir auch egal.

Eine Nacht, wie man sie sich für Verliebte nicht besser hätte vorstellen können. Die Luft war noch von der Hitze des Tages durchtränkt und roch für meinen Geschmack etwas zu intensiv nach Geißblatt. Und ich saß also ganz allein da in meinem Wagen und wartete nur darauf, daß Tracy Leach mit seinem kindlichen Geliebten irgendwann einmal zu Ende kommen würde.

Hugo Cratz glitt währenddessen in irgendeinem Krankenhausbett langsam in den Tod und träumte von einem Mädchen, das er geliebt hatte. Und Jo träumte in ihrem Apartment in der Beeker Street von ihrem toten Mann und einem gewissen Harry Stoner – einem Detektiv, der nun traumlos in seinem Wagen saß und vor sich hin starrte. Er betrachtete die hohen, gelben Straßenlaternen mit ihren an der Spitze wie Giraffenhälse gekrümmten Masten, und er ließ seine Augen über die menschenleere, friedlich vor ihm liegende Straße gleiten, schwach erleuchtet und erfüllt vom Duft der Geißblattbüsche, die entlang des Viadukts wuchsen. Ein Licht nach dem anderen ging aus. Die Nachtgeräusche verstummten, und mit ihnen auch das gelegentlich durch die Luft schwirrende Lachen von Männern und Frauen in angeregter Unterhaltung. Gegen drei Uhr hörte auch die Musik auf, die von der Celestial Road heruntergekommen war. Es wurde still, und die Luft kühlte sich um einige Grade ab. Nichts mehr bewegte sich, nur noch die Zweige der Weide, unter der mein Wagen stand, wiegten sich leise.

Ich würgte noch mehr bitteren Kaffee hinunter, rauchte, sang ein paar Lieder – nur so für mich – und wartete auf den gelben Kombi, der erst kam, als sich der Himmel im Osten bereits leicht violett zu färben begann. Um fünf leuchteten die grellen Scheinwerfer des Dodge plötzlich vom Nordende der Ida Street her auf. Als das Fahrzeug den Seasongood Pavillion umrundete, verschwanden die Lichter für einen Augenblick, um dann von neuem aufzublitzen, als der Dodge den Abschnitt der Ida Street heraufkam, wo nach dem Park auf der Westseite die ersten Häuser stehen und wo auf der Ostseite, wo ich stand, eine mit dichtem Buschwerk und tiefhängenden Weiden bestandene Böschung bis an die Straße heranreicht.

Kurz darauf konnte ich dann auch schon das Motorengeräusch

hören, und dann wurde auch der Kombi selbst sichtbar. Das Scheinwerferlicht blitzte momenteweise in den Chromteilen der entlang der Straße geparkten Wagen auf. Ich duckte mich.

Jellicoe hielt vor Leachs Haus und blieb dort mit laufendem Motor stehen. Eine leichte Bewegung in einem der Vorhänge, und die Außenbeleuchtung ging wieder an – ein mattes Gelb im Zwielicht des Morgengrauens. Dann kam der kleine Junge aus der roten Tür gestürmt. Jellicoe öffnete die Wagentür auf der Beifahrerseite, und der Kleine kletterte in den Kombi. Der Wagen setzte sich langsam in Bewegung und fuhr in südlicher Richtung an mir vorbei und auf den Viadukt zu, um dann auf dem abschüssigen Stück, das zur Stadt hinunterführt, zu verschwinden.

Ich ließ den Pinto an und wendete auf der Straße. Lance hatte zwar eine halbe Meile Vorsprung, aber ich machte mir keine Sorgen, ihn zu verlieren. Den Hügel hinab führen von der Ida Street keine Seitenstraßen ab; sie schlängelt sich mühsam durch die Bäume zur Stadt hinunter, und der Dodge fuhr langsam und würde sich auf den verlassenen Straßen um diese Tageszeit ohne Schwierigkeiten ausmachen lassen. Zum erstenmal in dieser Nacht spürte ich wieder so etwas wie Leben in mir, als ich voller angespannter Aufmerksamkeit die Ida Street mit ihren Serpentinen hinunterglitt und in der Ferne den gelben Kombi vor einer Ampel unter einer Brücke in den East Bottoms warten sah. Ich verlangsamte meine Fahrt und hielt schließlich sogar am Randstein. Auf der Front Street war überhaupt kein Verkehr, und ich wollte nicht, daß Jellicoe mich sah.

Ich sah auf meine Uhr. Es war zehn nach fünf.

Als die Ampel grün wurde, bog Lance nach links in die Columbia Parkway ab. Das war das Zeichen für mich, nun aufs Gas zu drücken und wieder die Verfolgung aufzunehmen.

Der Kombi fuhr die Columbia in westlicher Richtung, vorbei an den roten Ziegelbauten der südlichen City und vorbei am Stadion, das von den Häusern der Stadt herüber gründlich und wie ein riesiges Skelett erleuchtet wurde. Dann bog er in die I-75 ein. Ich folgte ihm im Abstand von etwa einer halben Meile. Auf dem Expreßway waren bereits einige Wagen und Laster in Richtung Süden unterwegs. Nicht gerade viel, um sich dahinter zu verstecken, aber ich hängte mich schließlich an einen größeren Lieferwagen und scherte ab und zu auf die Überholspur, um mich zu vergewissern, daß der gelbe Dodge immer noch vor mir war.

So kamen wir schließlich an dem mächtigen Zylinder des Quality Court Motel vorbei, dessen oberstes Stockwerk rundum rot erleuchtet war. Und dann die Sandsteinschlucht hinauf, in der sich der Expreßway in sanften Kurven zu dem flachen Plateau über dem Fluß hinaufwindet. Die Fahrstreifen sind hier durch eine durchgehende Betonmauer voneinander getrennt, und dadurch ist an diesen Stellen der Verkehr sehr dicht.

Als wir das Ende der Schlucht erreichten, fielen von Osten bereits die ersten Lichtstrahlen über die Landschaft und scheuchten die letzten Violettöne vom Morgenhimmel. Vorbei am Erlanger Sport Center, und in grellem Orange ging die Sonne auf. Ich klappte die Sonnenblende herunter und fischte im Handschuhfach nach meiner Sonnenbrille – ein gar nicht so ungefährliches Unterfangen bei knapp hundert Stundenkilometern.

Einmal die Vororte hinter uns, flaute der Verkehr wieder ab, und wir fuhren durch golden in der Sonne schimmernde Getreidefelder, in denen die Farmer mit ihren Traktoren bereits an der Arbeit waren. Weiter nach Süden, vorbei an Schweinefarmen und Kuhweiden, unter Hochspannungsleitungen und Betonüberführungen hindurch und über Landstriche, eintönig und ohne besondere Kennzeichen wie eine leere Fläche auf einer Landkarte.

Und dann, nach einer Dreiviertelstunde – die Sonne war bereits in voller Größe am Himmel zu sehen und hatte begonnen, die Luft aufzuheizen – sah ich ihn an einer Ausfahrt mit der Aufschrift *Belleview* vom Expreßway abbiegen. Ich verlangsamte meine Fahrt und ließ mehrere Autos an mir vorbei, bis er von der Ausfahrt in eine Landstraße eingebogen war und in Richtung Westen weiterfuhr. Ich nahm dieselbe Ausfahrt und fand mich auf einer alten zweispurigen Straße wieder, eingesäumt von Telegrafenmasten und eingezäunten Weizenfeldern, die so nahe an die Straße heranreichten, daß ich mir an ein paar Stellen ohne weiteres ein paar Ähren durch das Wagenfenster hätte pflücken können.

Der Himmel war inzwischen hell erleuchtet; er schimmerte in strahlendem Blau im Rückspiegel. Ich behielt den gelben Fleck vor mir scharf im Auge. Hier und da führten Feldwege über die Hauptstraße, gekennzeichnet durch die dicken Schmutzspuren, welche die Farmfahrzeuge hinterlassen hatten. Und nach einer Viertelstunde Fahrt auf dieser Straße bog schließlich der gelbe Kombi in eine dieser Nebenstraßen ab und verschwand hinter einem Maisfeld.

Das war es also; wir waren am Ziel unseres kleinen Ausfluges aufs Land angelangt.

Ich wartete fünf Minuten, bog dann ebenfalls in diese Nebenstraße ein und bremste den Wagen ruckartig ab. Dicker Staub wirbelte um mich auf und legte sich träge auf Karosserie und Windschutzscheibe. Ich kurbelte ein Fenster herunter, worauf sofort trockene, überhitzte Luft ins Wageninnere drang. Es muß in diesem Feld über vierzig Grad gehabt haben, obwohl es kaum erst sieben Uhr früh war. Ich nahm mein Fernglas aus dem Handschuhfach, stieg aus und sah die Straße hinunter. Von Feldern gesäumt, führte sie noch etwa eine Meile oder so weiter und schien dann abrupt in einen Graben abzufallen, an dessen Rand der Kombi nun stand. Ein Stück weiter hinten lag inmitten von ein paar Bäumen ein weiß getünchtes Farmhaus mit einem roten Ziegeldach. Das Haus hatte recht stattliche Ausmaße – zwei Stockwerke und sowohl an Vorder- wie Rückseite eine Veranda. Gegen Norden zu machte ich einen silbernen Schimmer aus, bei dem es sich um den Anfang eines kleinen Flußlaufes hätte handeln können, und dahinter breiteten sich fächerförmig eine Reihe von sanft gewellten Hügeln aus, die mit Johannisbrotbäumen, Ahorn und Fichten bestanden waren. Der Platz vor dem Haus erinnerte mich von seiner Oberflächenstruktur her an ein Gehirn; der graslose, gelbliche Boden war dort in gewaltigen Windungen erodiert. Hinter dem Haus befand sich eine eingezäunte Rasenfläche, in deren Mitte ein kleiner Spielplatz zu sehen war. Von einer abgestorbenen Eiche hing ein alter Autoreifen, der als Schaukel diente. An der hinteren Veranda lag ein großer Gastank. Es war niemand zu sehen. Sie waren wohl alle nach drinnen gegangen, um zu schlafen – die Jellicoes und die Kinder, für die dieser Spielplatz gedacht war.

Ich setzte das Fernglas wieder ab und überlegte mir, wie ich vorgehen sollte. Mit dem Auto konnte ich unmöglich näher heranfahren, wenn ich nicht das Risiko eingehen wollte, sie alle aufzuwecken. Und einfach die Straße entlang zu gehen, fand ich auch nicht unbedingt angebracht, da ja zufällig einer von ihnen aus dem Fenster sehen konnte. Ich beschattete meine Augen und ließ meinen Blick über die Getreidefelder gleiten. Ein Maisfeld reichte direkt bis an den Garten hinter dem Haus heran. Wenn ich also noch etwa fünfhundert Meter bis zum Beginn dieses Feldes die Straße entlangging und es dann in westlicher Richtung durchquerte, kam ich direkt hinter dem Haus unter den Bäumen heraus. Von dort würde es dann ein leichtes sein, über den Garten auf die hintere Veranda zu schleichen. Und was dann passieren würde, hing von den Jellicoes ab.

Ich stieg wieder in den Wagen, fuhr etwa dreißig Meter zurück und stellte ihn dann so ab, daß er die Straße blockierte. Ich wollte damit verhindern, daß plötzlich jemand unerwartet auftauchte oder sich aus dem Staub machte. Ich zog meine Jacke aus und stieg aus. Von dem Maisfeld wehte ein heißer Wind zu mir herüber, der mir sofort die Schweißtropfen auf meinen bloßen Armen hervortrieb. Aber zumindest meinem Rücken tat die Hitze gut. Ich betastete nervös meine Pistolen, ähnlich einem Mann, der sich an seine Jacke greift, um sich zu vergewissern, daß er seine Brieftasche nicht vergessen hat. Dann ging ich los. Ich duckte mich ein wenig und hielt mich nahe an das Maisfeld zu meiner Rechten. Einmal bellte ein Hund, daß mir der Schreck in die Hosen fuhr. Aber sonst war kein Laut zu hören. Nur der Wind raschelte leise in den Halmen.

Als ich noch etwa zweihundert Meter vom Haus entfernt war, verließ ich die Straße und bahnte mir meinen Weg durch das Feld. Der Mais war etwa brusthoch und noch grün und roch nach milchigem Saft und Insektenvertilgungsmittel. Ich konnte ohne weiteres über die einzelnen Reihen hinwegsehen, als ich mich langsam auf das Haus zuarbeitete. Ab und zu scheuchte ich ein paar Vögel auf, und außer ein paar Mäusen kreuzte auch eine schwarz geperlte Schlange meinen Weg. Als ich dann schließlich die Eichen beim Haus erreichte, duckte ich mich hinter einem der knorrigen Stämme und beobachtete die Rückseite des Hauses.

Es befand sich in einem überraschend guten Zustand. Die Außenwandverkleidung war noch relativ neu und erst vor kurzem frisch gestrichen worden. Auch die Fensterläden machten noch keineswegs einen alten Eindruck. In dem Drahtgeflecht, das die Veranda umgab, fehlten die üblichen Löcher und Rostflecken. Das Ganze sah mir einfach etwas zu ordentlich und zu neu aus. Gerade so, als ob es zu Repräsentationszwecken gebaut worden wäre. Ich fragte mich nur, wer damit wohl hätte beeindruckt werden sollen. Ich konnte in die Küche sehen, wo das Sonnenlicht auf dem Fliesenboden und über den Aluminiumtöpfen und -pfannen spielte, die an einer Seitenwand aufgehängt waren. An die Küche schien sich ein größerer Raum anzuschließen, möglicherweise das Speisezimmer. Aber das ließ sich nicht mit Sicherheit sagen. An allen

Fenstern im ersten Stock waren die Jalousien heruntergelassen. Das ganze Haus machte einen höchst ordentlichen, anständigen Eindruck, wie sich vielleicht mancher stadtmüde Großstadtbewohner in seinen Träumen das Landleben ausmalt. Nur daß eben bei so einem Wetter kein Farmer mehr um diese Zeit im Bett liegen würde.

Die Rasenfläche, die zwischen mir und der hinteren Veranda lag, war mit allen möglichen Spielsachen übersät, und in ihrer Mitte stand dieses Klettergerüst, das ich bereits durch mein Fernglas ausgemacht hatte. Fünfzehn Meter offenes Gelände, und diese Distanz würde sich nicht verringern, wenn ich sie noch länger sinnierend anstarrte. Ich glitt also hinter der Eiche hervor, hüpfte über den niedrigen Drahtzaun und rannte auf das Haus zu.

Nachdem ich die Veranda erreicht hatte, drückte ich mich unter heftigem Herzklopfen gegen die Hauswand. Niemand fing zu kreischen an, oder goß heißes Öl aus einem der Fenster im ersten Stock auf mich herab. Eigentlich enttäuschte mich das ein wenig. Wenn man sich schon so ängstigt, dann doch wenigstens zu Recht. Ich hatte das Gefühl, ich hätte einfach durch die Vordertür ins Haus treten können, ohne daß sich jemand groß darum gekümmert hätte. Die Jellicoes waren also entweder unvorstellbar leichtsinnig, oder sie fühlten sich in ihrem ländlichen Schlupfwinkel absolut sicher. Das Schloß der Tür zur Veranda ließ sich ganz einfach mit einem Taschenmesser öffnen. Die Tür öffnete sich geräuschlos und ich trat auf den Bretterboden der Veranda. Dort standen ein paar Gartenstühle und eine Sitzbank herum; außerdem lagen wieder ein paar Spielsachen auf dem Boden verstreut. Ich ging durch den türlosen Durchgang in die Küche.

Wonach ich suchte, war ein Büro oder ein Arbeitszimmer – irgendein Raum also, in dem sie irgendwelche Unterlagen aufbewahrten. Aber ich würde dazu erst vielleicht meine Nase in eine ganze Menge Zimmer stecken müssen, und das brachte natürlich ganz erhebliche Risiken mit sich. Ich führte mir deshalb noch einmal kurz zu Gemüte, mit welcher Sorte von Leuten ich es hier zu tun hatte, und das hatte zur Folge, daß ich mir den Gedanken, mich auf mein Glück zu verlassen, verdammt schnell aus dem Kopf schlug.

Schließlich hatte es mich einige Anstrengung gekostet, sie zu überraschen, und angesichts dessen schien es einfach purer Wahnsinn, diesen kleinen Vorteil nicht zu nutzen. Ich holte also tief Atem, stieß ihn wieder aus und kam zu einer Entscheidung. Am besten machte ich mich zuallererst an den unangenehmsten Teil des ganzen Unternehmens – das heißt, es galt, erst einmal die Jellicoes außer Gefecht zu setzen. Und dann konnte ich mich ja immer noch um die Kinder und die schriftlichen Unterlagen kümmern, falls sie hier überhaupt so etwas wie Buch führten.

Ich sah mich in der Küche um und entschied mich für einen Topf mit einem langen Griff. Schließlich wollte ich ja nicht gleich so ein Getöse hervorrufen, daß die ganze Mannschaft hier angerückt kam. Nur Lance oder Laurie, oder schlimmstenfalls auch alle beide.

Die Küchentür ging nach innen auf. Ein Gummipfropfen auf dem Fußboden verhinderte, daß sie gegen die Wand schlug, wenn man sie zu weit öffnete, und dadurch blieb zwischen Tür und Wand gerade genügend Platz, daß sich ein Mann dort verstecken konnte, ohne von jemandem, der in die Küche trat, gesehen zu werden. Mit dem Rücken zur Wand, den rechten Arm ausgestreckt, würde ich mich etwa sechzig bis siebzig Zentimeter von der Türöffnung entfernt befinden, so daß der Lauf meiner Pistole genau auf Lances Brust beziehungsweise auf Lauries Kopf zeigen würde. Wenn er schnell genug durch die Tür kam, konnte ich ihm von hinten eine überziehen. Sollte er jedoch vorsichtig sein, würde mir nichts anderes übrigbleiben, als den Abzug zu drücken, sobald er um die Schwelle lugte. Aus dieser Entfernung war es keine Frage, ob ich ihn etwa nicht treffen oder genügend verwunden würde können. Er würde ohne Zweifel auf der Stelle zusammenbrechen.

Ich konnte mich mit diesem Gedanken zwar keineswegs anfreunden, aber ich hatte im Augenblick keine andere Wahl. Lance war ein höchst gefährlicher Bursche. Ich war mir nicht sicher, was ich außerhalb der Küche antreffen würde. Es mußte also so geschehen, wie ich es mir ausgedacht hatte. Und es mußte in der Küche passieren, und zwar bald. Ich ging zu der Wand, an der die Töpfe aufgehängt waren, nahm den Topf mit dem langen Griff vom Haken und ließ ihn zu Boden fallen. Er krachte laut scheppernd auf die Bodenfliesen.

Dann hörte ich über mir ein Geräusch. Mein Herz begann zu hämmern.

Jemand stand aus dem Bett auf. Ich konnte das Quietschen der Bettfedern hören und dann Tritte. Eine Männerstimme sagte etwas Unverständliches. Eine andere, höhere, antwortete. Und dann ein Lachen.

Wunderbar. Ich wünschte mir, er würde noch den ganzen Weg zur Küche herunter weiterlachen.

Ich drückte mich also an die Wand hinter der Tür, nahm die Magnum aus dem Schulterhalfter, stemmte meine Füße auf den Boden, streckte meinen rechten Arm aus und entsicherte meine Pistole.

Dann hörte ich von der Vorderseite des Hauses Stufenknarren. Die Fußtritte wurden lauter und kamen näher. Seine Schritte waren gemächlich, aber fest. Und bevor ich noch einmal Luft holen konnte, war er bereits durch die Tür und beugt sich nieder, um den Topf aufzuheben. Er war nackt; sein Rücken war behaart. Ein großer, kräftiger Mann mit gewaltigen Muskeln an Armen und Beinen. Mir wurde auf der Stelle klar, daß ich ihn nicht würde niederschlagen können – jedenfalls nicht mit meiner Verletzung. Also zielte ich genau auf seine Wirbelsäule und flüsterte: »Lance.«

Für eine Sekunde blieb er stocksteif in dieser Haltung stehen – noch nicht wieder zu voller Größe aufgerichtet, den Topf in der Hand und den Rücken mir zugekehrt. Ich beobachtete seine Beinmuskeln. Mir dauerte diese Reglosigkeit zu lange, denn sie bedeutete, daß er sich auf mich stürzen würde. Und das wiederum bedeutete, daß ich ihn würde erschießen müssen, wo er gerade stand. Unter Schmerzen legte ich meine linke Hand um mein rechtes Handgelenk.

»Immer schön langsam, Lance«, warnte ich ihn leise. »Keine falsche Bewegung, oder...«

Er zitterte am ganzen Körper; auf seinem Rücken bildeten sich Schweißperlen. Er gab ein tiefes, heftiges Geräusch von sich, als würde er alle Luft aus seinen Lungen pressen. Und dann richtete er sich endlich ganz langsam zu voller Größe auf.

Wenn er nicht nackt gewesen wäre, ich glaube, er hätte mich angegriffen, heftig herumwirbelnd und sich mit all seiner enormen Körpermasse auf mich stürzend. Aber es gibt nichts, was verletzlicher wäre als ein nackter Körper. Und Lance war immerhin Mensch genug, um sich dieser Verletzlichkeit bewußt zu werden, als es für ihn galt, zu einem Entschluß zu kommen.

»Was haben Sie denn hier zu suchen?« grunzte er, ohne sich umzudrehen. »Was, zum Teufel, wollen Sie eigentlich?«

»Tja, im Augenblick will ich eigentlich nur, daß Sie Laurie rufen; sie soll hier herunterkommen. Und zwar in einem netten Tonfall, Lance. So, als würden Sie sie ins Bett rufen.«

»Laurie!« dröhnte er los. »Komm mal kurz runter.«

Nicht gerade der große Verführungskünstler, dieser Lance. Aber schließlich war er ja auch nicht gerade der Feinfühligste. Und das brauchte er auch gar nicht zu sein, zumindest nicht mit Laurie als Lebensgefährtin.

»Drehen Sie sich um«, befahl ich ihm. »Und jetzt gehen Sie zu dem Stuhl dort und setzen sich hin.«

Er stand mir nun gegenüber. Der Ausdruck seines großen, eckigen, hübschen Texasgesichts war absolut mörderisch.

Ich deutete auf eine Sitzgruppe an der Westwand. »Setzen Sie sich da hin, und halten Sie die Klappe, verstanden?«

Er tat wie befohlen und setzte sich auf einen der Stühle.

Kurz darauf hörte ich Lauries Schritte. »Schatz?« murmelte sie verschlafen. »Was ist denn los?«

Dann kam sie durch die Tür und sah ihn am Frühstückstisch sitzen. »Hallo, Werteste«, begrüßte ich sie nun.

»Oh, hallo, Harry«, flötete sie mir entgegen. »Wir dachten, Sie wären im Krankenhaus.« Sie drehte sich zu mir um und lächelte.

Diese Frau war wirklich ein Rätsel für mich. Sie versuchte nicht, sich zu bedecken; sie zuckte nicht einmal mit einer Wimper, als sie so splitternackt vor mir in der Sonne stand. Und sie war wirklich eine Augenweide, das kann ich unmöglich bestreiten.

»Gehen Sie zum Tisch rüber, Laurie.« Ich deutete mit dem Lauf meiner Pistole in die gewünschte Richtung, worauf sie mich gekränkt anschmollte.

»Ich dachte, Sie hätten mehr Fantasie, Harry«, gab sie in ihrer besten Kleinmädchenstimme zurück. Sie ging auf den Tisch zu. »Da steckt also Tray dahinter. Wir werden wohl ein Wörtchen mit ihm reden müssen, sobald diese Angelegenheit hier bereinigt ist.« Dabei blickte sie eisig auf Lance herab.

»Sei still«, herrschte er sie an.

»Wir wollen ja wohl nicht die Kleinen aufwecken«, drängte ich. »Beeilen wir uns also ein bißchen. Los«, damit deutete ich auf Laurie, »holen Sie eine Schnur.«

Sie ging schnurstracks auf eine Schublade neben der Spüle zu und holte ein Knäuel Spagat hervor. »Und jetzt fesseln Sie ihn mal schön, Laurie. Aber *richtig*, haben Sie mich verstanden? Ich weiß nämlich, daß Sie das ganz hervorragend können, Schätzchen. Darin haben Sie doch eine Menge Übung.«

Sie grinste teuflisch und machte sich an die Arbeit. Und das

Endergebnis ließ sich wirklich sehen. Er lag mit dem Gesicht nach unten auf dem Boden, die Arme nach hinten gestreckt und die Beine in den Knien angewinkelt.

»Ich kenne noch ein paar ganz besondere Tricks«, meinte sie. »Wollen Sie die mal sehen?«

Ich schüttelte den Kopf. »Und jetzt knebeln Sie ihn noch.«

Sie nahm ein Geschirrtuch von der Spüle und stopfte es Lance in den Mund. Als sie damit fertig war, sah er aus wie ein eingeschnürter Vogel.

»Und Sie setzen sich jetzt«, befahl ich ihr.

Sie setzte sich an den Tisch, und ich überprüfte die Knoten.

Sie hatte ihre Sache wirklich gut gemacht. Jemanden, der sich nicht gerade gut mit Knoten auskannte, hätte sie damit ohne weiteres hereinlegen können. Aber ich war nicht umsonst bei den Pfadfindern gewesen und konnte deshalb mit einem Blick sehen, daß er sich in fünf Minuten befreit und in sechs Minuten mich umgebracht haben würde. Aus irgendeinem Grund brachte mich diese kleine Arglist zum Kochen.

Ich trat einen Schritt zurück und trat Lance voll ins Gesicht. Sein Kopf schnellte nach links zurück und klappte dann auf den Küchenboden. Auf seiner Wange wurde eine große, blutige Schramme sichtbar.

Kaum hatte ich ihn getreten, als Laurie auch schon aufkreischte und auf die Tür zuschoß. Ich konnte ihr gerade noch einen Fuß stellen, als sie an mir vorbeistürzte, so daß sie bäuchlings hinfiel.

»Mein Gott«, stöhnte sie.

»Halt's Maul!« fuhr ich sie hämisch an.

Ich trat zu ihr und packte sie an ihrem schönen, blonden Haar.

»Sie tun mir weh!« kreischte sie neuerlich los.

»Ich dachte, so etwas gefällt dir, mein Schätzchen. Stecknadeln und Zigaretten und dazu die Schmerzensschreie von irgend so einem armen Wurm.«

Ich zog sie an den Haaren hoch. Und nun legte Laurie Jellicoe vielleicht zum erstenmal seit zehn Jahren einen Arm über ihre süßen Brüste und eine Hand vor ihr Geschlecht, so daß sie mit zitternden Knien und schreckverzerrtem Gesicht wie eine züchtige Eva vor mir stand.

Ich stieß sie gegen die Wand, daß ihr ein Schrei entfuhr.

»Und jetzt werden wir uns ein bißchen unterhalten, meine Teuerste.«

»Ja«, nickte sie ruckartig, »was...«

»Unsere privaten Querelen will ich mal aus dem Spiel lassen«, fiel ich ihr ins Wort. »Jones ist außerdem sowieso tot. Aber was ich gerne hören möchte, ist: Was ist mit Cindy Ann Evans passiert?«

»Preston hat sie umgebracht«, sprudelte es aus ihr hervor.

Ich schüttelte den Kopf und schlug ihr auf den Mund.

Laurie Jellicoe urinierte auf den Boden.

»Lassen Sie mich bitte ins Bad gehen«, flehte sie. »Mir ist speiübel.«

»Ist es das, was Cindy Ann gesagt hat, Laurie? Hat sie auch in die Hosen gemacht, als du sie umgebracht hast?«

Für einen Moment stockte ihr der Atem. »Ich«, stotterte sie, »ich hab' sie nicht umgebracht.«

»Wer dann?«

Sie erschauderte, und ich schlug sie noch einmal.

»Wer dann?«

»Auf der Party«, stöhnte sie und hielt sich den Bauch. »Es war jemand auf der Party.«

»Wer?«

»Bascomb, Howie Bascomb.«

»Der Grundstücksmakler?«

Sie nickte. »Mir ist wirklich übel. Bitte!«

»Dann ist dir eben übel, meine Liebe. Und warum habt ihr dann den Mord Preston angehängt?«

Ihr Gesicht lief feuerrot an. Sie konnte es nicht mehr länger zurückhalten. Sie beugte sich leicht vor und übergab sich auf den Küchenboden. Als sie wieder zu mir aufsah, war ihr Gesicht haßverzerrt. Und ich konnte ihr das nicht zum Vorwurf machen.

Aber genausowenig hatte ich Lust nachzugeben. Sie hatte es verdient. Vielleicht nicht von meinen Händen; aber sie hatte es verdient, und im Augenblick war ich der einzige, der wußte, wie sehr.

»Ich will eine Antwort, Laurie«, drohte ich ihr. »Oder ich kann dir schwören, daß ich dich zwinge, das da wieder aufzufressen.«

»Das war nicht ich«, stieß sie zwischen ihren Zähnen hervor. »Wir sind erst in seine Wohnung gekommen, als er schon tot war.«

Ihre Augen glommen wie Rasierklingen. »Dafür werde ich Sie umbringen. Irgendwie werde ich Sie umbringen. Und nicht einfach schnell. Bei dir werde ich es machen wie bei Cindy Ann. Nur noch viel schlimmer.« Ihre Stimme versagte. »Ja, viel schlimmer noch.«

»Daran würde ich keinen Moment zweifeln. Aber zur Sache: Wer hat Preston da reingezogen? Wer hat die Fotos in seine Wohnung gebracht?«

Sie funkelte mich an.

Ich schlug ihr noch einmal ins Gesicht, daß ihr das Blut aus der Nase schoß.

Aber sie funkelte mich nur weiter an. Die Demütigungen, die sie über sich hatte ergehen lassen müssen, hatten ihr plötzlich das Rückgrat gestärkt. Mir wurde mit einem Mal bewußt, daß ich sie noch bis zum nächsten Morgen weiter herumprügeln konnte, und sie würde doch kein Sterbenswörtchen mehr herausrücken.

Also schleppte ich sie zu dem Stuhl und fesselte und knebelte sie. Ich hätte ihr auch die Augen verbinden sollen. Sie hörte keine Sekunde damit auf, mich anzustarren, mich mit ihren Augen zu foltern. Als ich sie gut verschnürt hatte, fesselte ich auch Lance noch richtig. Ich ließ die beiden in der Küche zurück und durchstöberte das Haus.

Im ersten Stock hatten sich in einem Schlafzimmer sechs entzückende Kinder – zwei Jungen und vier Mädchen – versteckt. Sie hatten den Lärm von unten gehört und drängten sich dicht aneinander. Sie hatten Angst, aber daran waren sie offensichtlich gewöhnt. Einige von ihnen hatten von Zigaretten Verbrennungen auf ihren Bäuchen und häßliche Narben an Armen und Beinen. Sie waren ohne Ausnahme unter sechzehn. Und sie machten alle einen recht verwahrlosten und heruntergekommenen Eindruck. Blasse, magere, blonde Kinder mit dem Aussehen von Flüchtlingen.

Schließlich brachte ich ein Mädchen, die älteste von ihnen, zum Reden.

Sie war in Cindy Anns Alter, blond und genauso blaß. Sie hatte ein schönes Gesicht und große, wundervoll grüne Augen. Während die anderen ängstlich und verschüchtert wirkten, hatte sie etwas leicht Großspuriges an sich. Ihr Name war Cissy Hill.

Cissy hatte einen unverkennbaren Kentucky-Tonfall, als sie mir erzählte, daß sie keine Eltern mehr hatte. Alle Kinder waren Waisen, und so unglaublich das auch klingen mag, dieses ordentliche, weiße Farmhaus nannte sich doch offiziell ein Heim für Waisenkinder. Daher also der neue Anstrich.

»Eigentlich sind wir gar keine richtigen Waisenkinder. Wir hatten alle Familie. Alle bis auf Becky. Aber sie sind dann irgendwann einmal gestorben oder bei einem Autounfall ums Leben gekommen wie meine. Und dann haben sie uns hierher geschickt. So übel ist es hier gar nicht, außer wenn Laurie wütend wird. Dann wird es echt schlimm. Aber sonst gefällt es mir hier ganz gut. Schließlich kriege ich nicht erst hier ab und zu mal Prügel. Mir ist das völlig egal, ob ich die einfach so beziehe oder für Laurie und Lance. Außerdem kriegen wir dafür immer schöne Sachen zum Anziehen.«

Ich bat sie, mir den Rest des Hauses zu zeigen.

Das entlockte ihr ein wissendes Lächeln. »Sie meinen wohl, wo sie die Bilder haben, oder?«

Ich stimmte ihr zu, daß ich genau das gemeint hatte.

Sie erklärte sich einverstanden, warnte mich aber noch, den Rest der Kinder inzwischen in dem Schlafzimmer einzuschließen, da sie sonst nach unten gehen würden, um bei Lance und Laurie zu sein. Also sperrte ich die fünf ein und folgte Cissy nach unten in einen holzvertäfelten Raum mit schwarzen Vinyl-Möbeln und Fotos von Laurie an den Wänden. Am Ende des Raumes stand ein Schreibtisch, an den Cissy nun trat und sagte: »Hier drinnen; aber er ist abgeschlossen.«

Ich rüttelte am Griff der Schublade, die aber nicht nachgab. Also gab ich Cissy zu verstehen, sie solle beiseite gehen, worauf sie aufgeregt flüsterte: »Mein Gott, Sie werden das Ding doch nicht etwa aufschießen!«

Aber genau das tat ich mit meiner Magnum. Es gab einen fürchterlichen Knall, und die Schublade zersplitterte.

»Irre!« kreischte Cissy begeistert.

Ich trat wieder an den Schreibtisch und zog heraus, was von der Schublade noch übrig war. Sie enthielt Fotos, ein paar Acht-Millimeter-Filme und ein dickes, schwarzes Notizbuch mit Namen und Adressen. Außerdem stand darin alles aufgezeichnet, womit die Jellicoes ihre Kunden erpreßten. Das würde vollauf genügen, um ihnen das Handwerk zu legen und sie hinter Gitter zu bringen. Ich bat Cissy, mir eine Tüte zu besorgen. Sie holte eine aus dem Schrank und hielt sie mir auf, daß ich den ganzen Inhalt der Schublade hineinkippen konnte. Und dann machten wir es uns auf dieser schwarzen Vinyl-Couch bequem und unterhielten uns über Cindy Ann, während Laurie Jellicoe von allen vier Wänden schweigend auf uns herabsah.

»Warst du auch auf dieser Party, als sie umgebracht wurde?« wollte ich von Cissy wissen.

Ihr Gesicht nahm einen traurigen Ausdruck an. »Ja, natürlich. Es war schrecklich.«

»Wie ist das denn eigentlich passiert?«

»Ich bin mir, ehrlich gesagt, nicht ganz sicher. Sie waren in einem anderen Zimmer als wir, und es war schon sehr spät. Plötzlich hörten wir einen Knall – genauso, wie Sie eben vorhin in den Schreibtisch geschossen haben. Und dann kam Lance raus, und Laurie redete die ganze Zeit auf ihn ein und versuchte ihn zu beruhigen. Ihm paßte es gar nicht, was da passiert war. Er hatte schon immer ein weiches Herz, was man von ihr nicht unbedingt sagen kann. Jedenfalls bin ich nicht sicher, was da eigentlich passiert ist. Ich mochte Cindy Ann. Sie war ungefähr so alt wie ich, wissen Sie. Und die anderen sind ja alle noch richtige Kinder.« Sie war tatsächlich älter als der Rest der Kinder, und es würde nicht mehr lange dauern, und diese wundervollen grünen Augen würden erbarmungslos wie die eines Raubvogels nach potentiellen Kunden und Opfern Ausschau halten. Sie merkte, wie ich sie beobachtete, und lächelte ordinär. »Na ja, und nach diesem Knall schickten sie uns dann plötzlich ganz schnell nach Hause, und seitdem habe ich Cindy Ann nicht mehr gesehen.«

Ich starrte auf den Schreibtisch, und dabei überkam mich plötzlich der Gedanke, daß ich die Wahrheit nie herausfinden würde – jedenfalls nicht, wenn mir auch dieses Mädchen nichts über den Hergang der ganzen Geschichte erzählen konnte. Vielleicht lag Cindy Anns Leiche tatsächlich irgendwo im Ohio, oder man hatte sie an einem geheimen Ort verscharrt oder verbrannt. Jedenfalls schien sie so vollständig aus der Welt geschafft, als hätte sie nie existiert. Die Jellicoes oder ihr stiller Teilhaber hatten sich ihrer einfach entledigt, nachdem sie ein betrunkener Makler zum Spaß oder in einem Anfall umgebracht hatte.

»Kommt hier manchmal jemand raus zu euch, um mit den Jellicoes zu sprechen?« fragte ich schließlich Cissy weiter aus.

»Klar, er«, stieß sie angewidert hervor. »Dieser blöde alte Knacker.«

»Wen meinst du damit?«

»Diesen Mann. Er kommt hier manchmal mit diesem fiesen Nigger raus. Aber meistens kommt nur der Nigger allein. Er paßt auf uns auf, wenn Lance und Laurie nicht da sind. Der alte Knacker mag Lance nicht besonders. Er redet meistens nur mit Laurie.«

»Wie sieht er denn aus?«

»Wie ein alter Mann eben, und eine Brille hat er.«

»Na gut; ich glaube, das wâr's, Cissy.«

Sie sah mich neugierig an. »Was soll denn jetzt aus uns werden, Mister? Was werden Sie jetzt tun?«

»Ich werde die Polizei verständigen und dafür sorgen, daß ihr in ein anständiges Heim überwiesen werdet.«

»Dachte ich mir's doch«, murmelte sie düster vor sich hin. »Dann ist es zu Ende mit dem ganzen Spaß; in diesen Heimen ist es doch stinklangweilig.«

Ich lachte. »Na, so schlimm wird es sicher auch wieder nicht werden, Cissy. Auf der High School gibt es eine Menge Jungs und Mädchen in deinem Alter.«

»In meinem Alter vielleicht schon; aber die haben doch von nichts 'ne Ahnung.«

»Dann kannst du ihnen ja vielleicht ein bißchen was beibringen.«

»Hey!« fuhr sie auf, und ihr Gesicht erhellte sich dabei. »Auf diese Idee bin ich ja noch gar nicht gekommen.«

Auf dem Schreibtisch stand ein Telefon. Ich nahm den Hörer ab und verständigte die Highway Patrol. Die nächste Polizeistelle konnte ich vergessen; die Burschen dort waren sicher ausgiebig bestochen worden. Und nach dem zu schließen, was Leach über die Gäste auf dieser Party erzählt hatte, konnte ich nicht einmal sichergehen, ob ich mich auf die Staatspolizei würde verlassen können. Also ging ich auf Nummer Sicher und verständigte auch das FBI. Ich gab beiden meinen Standort durch – auf der Straße nach Belleville etwa sechs Meilen nach Westen. Außerdem erklärte ich ihnen kurz die Lage. Sie versicherten mir, sofort ein paar Leute loszuschicken. Und dann ging ich wieder in die Küche, um nach Lance und Laurie zu sehen.

Er kam allmählich wieder zu sich, und sie saß immer noch da, wobei sie mich in Gedanken langsam zu Tode quälte.

Cissy lugte durch den Türspalt und meinte: »Stinken tut das vielleicht!«

Gegen zehn kamen dann die Männer von der Highway Patrol, und zehn Minuten später fuhr auch ein khakifarbener Wagen von der Regierung vor dem Farmhaus vor. Nach ein paar Minuten juristischer Querelen über ihre Zuständigkeitsbereiche machten sich die Beamten dann schließlich an die Arbeit, und die langwierigen Untersuchungen zu dem Fall Lance und Laurie Jellicoe nahmen ihren Anfang.

25

Ich verbrachte auf der Polizeistation der Highway Patrol in Belleville drei Stunden damit, meine Rolle in dem Fall zu erklären. Die Kinder, und hier vor allem Cissy, gaben bereitwillig über alle Fragen Auskunft, die ihnen gestellt wurden. Und so dauerte es auch nicht lange, bis in der Wache eine ganze Reihe von Stenographen auf vollen Touren am Arbeiten war. Das Ganze war wirklich eine üble Sache, in die eine Menge Leute aus dem ganzen Bundesstaat verwickelt waren. Irgend jemand hatte die Jellicoes offiziell als Heimleiter zugelassen, und jemand hatte ihnen speziell ausgewählte Kinder überweisen lassen. Die Staatsanwaltschaft würde also einiges zu tun bekommen, wenn sie dieses Gewirr von personellen Verwicklungen klären wollte. Gegen zwei Uhr wimmelte das kleine Büro dann bereits von allen möglichen Kommissaren und Sonderbeauftragten aus der Regierungshauptstadt.

»Das ist vielleicht ein Ding«, meinte einer der Polizisten zu mir. »Wenn man die beiden so sieht, es ist wirklich kaum zu glauben.«

Ich nickte. »Ein nettes Paar.«

Das letzte, was ich von den Jellicoes sah, war, wie sie in einen Polizeiwagen verfrachtet wurden. Lances Kinn war blutig und geschwollen, und Laurie hatte eine geplatzte Oberlippe, aber abgesehen davon, waren sie wirklich ein bildsauberes Paar. Sie hielten sich ihre von Handschellen umschlossenen Hände vors Gesicht, als das Blitzlichtgewitter der Fotografen über sie hereinbrach. Ein Deputy-Sheriff trat dazwischen und verscheuchte die Presseleute.

Cissy, die inzwischen eine kleine Schwäche für mich entwickelt hatte, stand gerade neben mir und begann zu weinen. »So ein Mist!« schimpfte sie. »Jetzt ist es vorbei mit dem lockeren Leben.«

»Nimm's nicht so tragisch«, tröstete ich sie. »Du wirst sehr bald merken, daß du ohne die beiden wesentlich besser dran bist.«

Um drei Uhr kamen ein paar Beamte vom Jugendamt, um die Kinder abzuholen. Als sie dann die Kinder für die Abfahrt fertig machten, rannte Cissy noch einmal auf mich zu, warf mir ihre Arme um den Hals und gab mir zum Abschied einen leidenschaftlichen Kuß auf den Mund. Mich machte der Gedanke traurig, daß ihr vermutlich nie bewußt werden würde, wie verkehrt dieser Kuß gewesen war.

»Wiedersehen, Liebling«, strahlte sie mich gut gelaunt an. »Jetzt geht es ab ins Arbeitslager.«

»Paß gut auf dich auf, Cissy.«

»Das werde ich.« Und damit ging sie zu den anderen zurück, drehte sich dann aber noch einmal um. »Mir ist noch etwas eingefallen, was ich dir schon im Haus erzählen wollte. Du weißt doch, dieser Mann, wegen dem du mich gefragt hast – der Mann, der manchmal Lance und Laurie besucht hat?«

»Ja?«

»Ich kann mich zwar nicht mehr an sein Gesicht erinnern, aber an seinen Wagen erinnere ich mich sehr wohl.« Ihr Gesicht nahm einen verträumten Ausdruck an. »Es war ein Cadillac.« Sie ließ das letzte Wort förmlich auf der Zunge zergehen. »Ein rosaroter Cadillac, und er hatte ein ganz komisches Ding auf dem Kühler!«

Mir lief es kalt den Rücken hinunter. »Zwei Stierhörner?«

»Ganz genau«, erwiderte sie überrascht.

»Woher wußtest du das denn?«

»Ach, ich habe einfach nur so geraten.«

»Komisch.« Sie sah mich einen Augenblick lang fragend an, und dann breitete sich wieder dieses Lächeln auf ihrem Gesicht aus. »Also Wiedersehen, Harry. Eines Tages werde ich dich besuchen kommen; darauf kannst du zählen.«

Auf dem Gang der Polizeiwache befand sich ein öffentlicher Fernsprecher. Ich klaubte mir etwas Kleingeld zusammen, setzte mich in die Zelle und zog die Falttür hinter mir zu. Dabei fing über meinem Kopf leise ein kleiner Ventilator zu surren an. So saß ich dann etwa fünf Minuten einfach da und spielte mit den Münzen, bis sie sich ebenso warm wie meine Handfläche anfühlten. Ich dachte über Red Bannion nach – einen ganz gewöhnlichen alten Mann mit einer Brille und einem rosaroten Cadillac.

Das Ganze paßte wie die Faust aufs Auge. Er verfügte genau über die erforderlichen Verbindungen im ganzen Bundesstaat, um den Jellicoes den Einstieg ins Geschäft zu ermöglichen und ihnen die Ortspolizei auf der Farm vom Leib zu halten. Und es war auch Red Bannion gewesen, der mir Preston LaForge auf den Hals gehetzt hatte, als ich anfing, unangenehme Fragen über Cindy Ann zu stellen. Und wenn man Laurie einmal trauen wollte, dann war es auch Red Bannion gewesen, der in diesem Unwetter Preston einen kleinen Besuch abgestattet und ihn so sehr in die Enge getrieben hatte, daß er Selbstmord beging.

Das alles paßte hervorragend zusammen.

Das war auch der Grund, weshalb Lance in der Nacht des Selbstmords so aus dem Häuschen geraten war. Prestons Tod war tatsächlich nicht sein Werk gewesen. Vielleicht hatte er zu jenem Zeitpunkt noch nicht einmal gewußt, was eigentlich passiert war. Und möglicherweise galt das auch für Laurie. Aber am nächsten Abend hatte sie dann bereits Bescheid gewußt – als sie sich in der Busy Bee mit mir traf. Und sie hielt mich mit den Drinks und ihrem Geplauder hin, damit Abel Jones genügend Zeit blieb, meine Wohnung zu durchsuchen und mir einen Hinterhalt zu legen. Auch das war vermutlich eine Idee Reds gewesen. Er hatte drei Fotos gesehen, aber dann wollte er sie lieber alle haben. Und Abel Jones war gerade der geeignete Mann dafür, begierig darauf, Red Bannion einen kleinen Gefallen zu erweisen.

Der gute alte Red, der mir nach allen Kräften helfen wollte.

Na ja, in gewisser Hinsicht hatte er mich ja auch gewarnt, obwohl er natürlich wissen mußte, daß ich LaForge auf den Pelz rücken würde. Tatsächlich hatte er es darauf sogar angelegt. Preston gerät in Panik und bringt mich um. Cindy Anns Tod wäre damit also geklärt gewesen. Die Jellicoes machen im alten Stil weiter, und kein Mensch würde sich etwas dabei denken. Escorts Unlimited muß wirklich ein einträgliches Unternehmen gewesen sein, wenn sich ein Mann wie Red Bannion auf solche Risiken einließ, seinen Fortbestand zu gewährleisten. Aber wenn man andererseits in Erwägung zieht, daß er dabei Howie Bascomb, dem die halbe Riverside gehört, nebst einiger führender Persönlichkeiten aus Boone- und Franklin-County in der Tasche stecken hatte, läßt es sich unschwer vorstellen, daß er vor diesen Risiken nicht zurückschreckte.

Ich klimperte mit den Münzen in meiner Hand und lauschte dem Surren des Ventilators über mir, der die stickige Luft in der Telefonzelle kaum erträglicher machte. Es führte kein Weg um die Sache herum. Früher oder später würde ich mir die Frage wohl oder übel stellen müssen, inwieweit Porky Simlab in Reds kleines Ganovenstück verwickelt war. Oberflächlich betrachtet, schien es ausgeschlossen, daß die Jellicoes in irgendeinem Zusammenhang mit der Charles Street standen. Aber oberflächlich betrachtet, hatte andererseits Red Bannion natürlich auch den Eindruck eines anständigen und entschlossenen Mannes erweckt, dem alles daran gelegen zu sein schien, ein paar zweifelhaften Charakteren das Handwerk zu legen.

Nun ja, nach all den zehn Jahren war ich Porky einiges schuldig. Und schließlich stand mir ja noch der Umstand zur Seite, daß das Ganze sich vielleicht doch nicht so verhielt, wie ich mir dachte. Es gab nicht viele Personen in meinem Leben, denen ich mich in diesem Maße verpflichtet fühlte – jedenfalls, wenn das der richtige Ausdruck für das Gefühl war, das ich diesem liebenswerten, alten Gauner mit seinem Mundzwinkern entgegenbrachte. Aber nach allem, was ich an diesem Morgen mit Lance und Laurie Jellicoe angestellt hatte und was am Abend zuvor zwischen mir und Jo passiert war, nachdem Hugo zu Grabe getragen worden war, spürte ich in mir das Bedürfnis, mich irgend jemandem gegenüber loyal zu verhalten – einfach aus dem Gefühl heraus, mir beweisen zu müssen, daß ich trotz allem noch ein anständiger Mensch war, oder vielleicht auch ein sentimentaler Narr. Einen Unterschied dazwischen festzustellen fällt mir allerdings nicht immer gerade leicht.

Ich steckte ein paar Münzen in den Apparat und wählte die Nummer des Hauses in der Charles Street. Wenn es wirklich möglich sein sollte, Porky hier herauszuhalten, ich würde mein Bestes versuchen. Ich würde ihm die Polizei erst dann auf seinen faltigen Hals hetzen, wenn ich mir ganz sicher war, welche Rolle er bei dem Ganzen spielte.

Bannion hob sofort nach dem ersten Klingeln ab. »Ja bitte?« meldete er sich. »Hier Red Bannion.«

»Harry am Apparat; hallo, Red.«

»Oh, Harry«, begrüßte er mich freundlich. »Wir haben da so was gehört, man hätte gestern nacht auf Sie geschossen. Das hat doch wohl nicht gestimmt, oder? Aber ich habe Sie ja gewarnt vor diesen Burschen.«

»Ja, das haben Sie allerdings.«

»Was ist denn los, Harry? Stimmt irgend etwas nicht?« Der alte Kerl war wirklich schnell von Begriff. Ich glaube, daß er aufgrund meiner Stimme bereits genau herausgehört hatte, was anlag.

»Ich weiß Bescheid, Red«, sagte ich müde. »Ich weiß alles über die Jellicoes und die Farm bei Belleville draußen. Ich weiß auch über Preston Bescheid, und ich weiß, was mit Cindy Ann passiert ist.«

»So ist das also«, antwortete er.

»Warum, Red? Warum haben Sie das getan?«

»Mein Gott, ist das vielleicht eine Frage! Wegen des Geldes natürlich. Weshalb sonst?«

Ich atmete schwer. »Ich werde zur Polizei gehen, Red. Ich dachte nur, daß ich Ihnen diesen Anruf noch schuldig wäre.«

»Tun Sie das ruhig, Harry. Tun Sie, was Sie für das Beste halten.«

Das beunruhigte mich. »Das macht Ihnen gar nichts aus?«

Und nun machte er wieder dieses seltsame Geräusch, dieses traurig nachdenkliche »Äh«.

»Ich werde nicht in den Knast wandern, mein Lieber. Dafür kenne ich zu viele Leute. Damit will ich aber keineswegs sagen, daß Sie mir nicht eine Menge Scherereien machen könnten. Nein, mein Lieber, das will ich damit keineswegs sagen. Sie wissen eine ganze Menge über mich, und ich weiß auch nicht, wem Sie schon alles darüber erzählt haben. Aber eines kann ich Ihnen sagen, Harry: Mit den Gerichten kenne ich mich aus, und Sie können mir die Polizei auf den Hals hetzen, daß mir Hören und Sehen vergeht, aber beweisen werden die mir nicht das geringste können. Das mit dem Mädchen, zum Beispiel. Ich brauche nicht erst groß ein Rechtsanwalt zu sein, um zu wissen, daß es ohne eine Leiche auch kein Verbrechen gibt.«

»Wo ist sie, Red? Wo haben Sie sie denn versteckt?«

Er gab ein erheitertes Schnauben von sich. »Zum Teufel noch mal, Harry, wofür halten Sie mich. Wenn ich Ihnen das erzählen würde, bräuchten wir doch gar nicht mehr länger reden. Ich bin eben ein Spieler, Harry, und das ist schon immer so gewesen. Wenn Sie wissen wollen, was mit Cindy Ann passiert ist, dann müssen Sie eben zu mir kommen. Aber ich warne Sie, mein Sohn. Kommen Sie auch gut vorbereitet.« Etwas Ruhiges und Winterhaftes breitete sich in Reds Stimme aus – etwas wie dieser blaue Schnee, den Preston auf jene schönen Kinder hatte fallen gesehen. »So wäre das sicher besser. Nur Sie und ich. Ich bin wirklich nicht gerade scharf darauf, diese Sache vor Gericht kommen zu sehen. Soviel Zeit bleibt mir ja gar nicht mehr. Wenn Sie also etwas über dieses Mädchen wissen wollen, dann treffen Sie mich in etwa einer Stunde in Willie Keelers Kino, ja?«

Ich antwortete nichts.

»Es ist wirklich nur eine minimale Chance, Harry. Eigentlich biete ich Ihnen nur die Möglichkeit an, mir eine vor den Latz zu knallen – und natürlich eine Chance, etwas über das Mädchen herauszufinden. Ich an Ihrer Stelle würde dieses Angebot ausschlagen. Aber ich bin natürlich nicht Sie.«

Und damit hängte er auf.

Ich hatte schon dreißig Stunden nicht mehr geschlafen und fühlte mich etwas zu mitgenommen, um noch zu fahren. Also warf ich die Bennies ein. Ich setzte mich auf eine Bank neben der Telefonzelle und wartete, bis sie ihre Wirkung taten. Nach zehn Minuten lief ich wieder auf vollen Touren. Ich meldete mich beim diensthabenden Sergeant ab und trat durch den Eingang der Polizeistation in den wolkenlos blauen Nachmittag hinaus. Der Pinto stand auf einer Kiesfläche neben der Wache. Ich stieg ein, ließ die Räder auf dem losen Kieseluntergrund durchdrehen, wirbelte etwas Staub auf und war in einer Minute zurück auf dem Expreßway, Richtung Norden.

Während ich nun über den Highway glitt, dachte ich über Red Bannion nach. Er würde versuchen, mich beiseite zu schaffen. Daran bestand nicht der geringste Zweifel. Aber erst mußte er herausbekommen, wieviel ich wirklich wußte und wem ich was erzählt hatte. Das war jedenfalls die einzige plausible Erklärung für meine Unbekümmertheit. Vielleicht lag das auch nur an den Bennies. Jedenfalls hatte ich das seltsame Gefühl, daß ich durch diesen herrlichen Sommernachmittag fuhr, um an einem altmodischen Drama über Rache und Vergeltung teilzunehmen. Ich war richtig ein wenig betrunken von der Absurdität dieses Gedankens. Ein richtiger Show-down, und das vor den Schuhgeschäften und Wäschereien der North Main Street. Genau wie in den alten Tagen des Golden Deer, als Red noch das Amt des Polizeichefs bekleidet hatte und Seventh Street nur so von Schüssen widerhallte. Der Gedanke daran kitzelte irgendeine finstere Ecke in mir wach. Aber ich mußte mich unbedingt beruhigen und klaren Kopf behalten. Ich durfte über all dem nicht vergessen, daß sich diese Angelegenheit vermutlich nur würde bereinigen lassen, wenn wir beide uns Auge in Auge gegenüberstanden. Und das alles nur vorgeschobene Vernünftigkeit, einzig und allein dem Zweck dienend, diesen wahnsinnigen und irrationalen Drang zu verdecken – diesen unhaltsamen Trieb, herauszubekommen, was aus dem Mädchen geworden war, und dann Rache zu nehmen. Und nicht nur für sie, auch für mich wollte ich mich rächen. Und er wird davonkommen, Harry, flüsterte mir dieser kleine Mann ins Ohr. Er wird davonkommen, genauso wie er es dir gesagt hat. Er wird einen Richter bestechen, ihm genehme Geschworene einschmuggeln, und er wird den Gerichtssaal als ein freier Mann wieder verlassen. Und mit diesem Gedanken wollte sich dieser kleine Mann einfach nicht abfinden. Diesen Riß in unserer Welt wollte er einfach nicht wahrhaben.

Ich erschauderte und versuchte mich von der Vernünftigkeit all dessen zu überzeugen, während die Landschaft wie in einem Traum an mir vorüberglitt.

Die Sonne stand schon relativ tief, als ich die weitgezogenen Kurven in der schwefelgelben Schlucht zum Fluß hinunterfuhr. Rechts von mir blitzte das Quality Court Motel in der Sonne, und all die Geschäfte und Parkplätze, die am Morgen noch wie tote Schatten geschienen hatten, waren nun voller Farbe und Leben. Ich rauschte an ihnen vorbei und über den Ohio, auf dem gerade ein paar Lastkähne unter der Brücke hindurchglitten. Und dann war ich wieder in der Stadt, wo ich die Columbia hinauf auf die Hängebrücke zuhielt, auf der ich den Fluß in Richtung Newport schließlich ein zweites Mal überquerte.

Es war einer von diesen wenigen herrlichen Sommertagen, an denen der Himmel in klarstem Blau erstrahlt. Der heiße Wind hat den Smog flußabwärts geblasen, und man kann plötzlich wieder sehen – Zahlen, Schriften und die Oberflächenstruktur der Haut. Ganz so, als hätte man plötzlich ein neues Paar Augen bekommen. Der Pinto bog in die Main Street mit ihren endlosen und ebenso einförmigen wie reizlosen Geschäften ein. Und dann kam das Vordach von Willie Keelers Kino in Sicht, von Hunderten von gelben Birnen schwach erleuchtet. Direkt davor parkte der große, rosarote Cadillac, und daran stand die schlaksige Gestalt Red Bannions gelehnt und blickte gelassen die Straße auf und ab. Ich parkte hinter ihm ein. Ich vibrierte voller ungesunder Erregung, als ich aus dem Wagen stieg, und ich konnte den Druck meiner beiden Waffen gegen meinen Körper spüren, als wären sie das einzige gewesen, was ich trug.

Red hielt eine Filmrolle in seiner rechten Hand. Er winkte mir damit zu und deutete auf den Eingang des Kinos. Ich warf einen genauen Blick auf die Wagen, die in der Nähe geparkt waren, und wurde mir plötzlich mit voller Deutlichkeit der Gefahr bewußt, in die ich mich da begeben hatte. Aber nun war es zu spät, plötzlich doch noch den Vernünftigen spielen zu wollen. Ich holte einmal tief Luft und folgte Bannion in das Foyer des Kinos.

Im Innern war es ziemlich kühl – und auch ziemlich dunkel. Ich brauchte ein paar Sekunden, um meine Augen daran zu gewöhnen.

Willie Keeler war nirgendwo zu sehen, was mich sehr beunruhigte.

Außer uns hielt sich im Kinofoyer nur noch ein recht verwegen aussehender junger Bursche auf, der hinter dem Süßwarenstand auf einem Stuhl lümmelte. Er trug eine blaue Kappe und starrte uns ebenso gelangweilt wie gehässig an.

Bannion würdigte ihn keines Blickes, als er an dem Stand vorbeikam und das Büro betrat. Dort setzte er sich hinter Keelers Schreibtisch und faltete seine Hände vor den Lippen.

»Machen Sie bitte die Tür zu, Harry, ja?«

Das tat ich, worauf er auf einen Stuhl vor dem Schreibtisch deutete, auf den ich mich setzte.

Er betrachtete mich einen Augenblick, seine Hände immer noch vor seinen Lippen gefaltet. So sehr ich mich auch bemühte, ich wurde aus diesem Blick nicht schlau. Es war dasselbe müde Kleinstadtpolizistengesicht mit den kalten, leidenschaftslosen Augen, die durch die Gläser der Brille leicht vergrößert erschienen. Und dieselben unauffälligen Kleider – der lehmig braune Freizeitanzug und das einfache weiße Hemd, ohne Krawatte; die gleichen Sachen, wie sie auch Porky trug. Während er nun so vor mir saß, sich mit einem Finger an der Oberlippe kratzte und mich völlig ausdruckslos beäugte, sah er tatsächlich genauso aus wie der gewitzte, alte Polizist, der er war.

»Tja«, fing er nach einer Weile schließlich an. »Wir hätten da also ein kleines Problem.«

»Nicht ganz, Red«, korrigierte ich ihn. »Sie haben ein Problem.«

»Na ja, ich glaube, ich habe schon genügend Schwierigkeiten gehabt in meinem Leben. Also werde ich auch das hier überstehen.«

»Nein, Red«, sagte ich kalt. »Diesmal werden Sie nicht ungeschoren davonkommen.«

»Vielleicht haben Sie recht.« Damit setzte er sich in seinem Stuhl auf und schob mir die Filmrolle über den Schreibtisch zu. »Da ist sie.«

»Wer?«

»Dieses verfluchte Mädchen. Diese verdammte Cindy Ann.«

Ich sah erst auf die Filmrolle vor mir und dann auf Red.

Er setzte sich wieder in seinem Stuhl zurück und starrte dumpf vor sich hin auf die Schreibtischplatte. »Wissen Sie, Harry, man kann sich alles genauestens überlegen und jede noch so unwahrscheinliche Möglichkeit einplanen. Und dann kommt irgend so ein Arschloch mit einer daher, an die man nie gedacht hat, und schon ist alles im Eimer. Ich wollte den Tod dieses Mädchens nicht, nicht im geringsten. Im Gegenteil, das hätte mir gerade noch gefehlt. Aber dann dreht plötzlich so ein blöder Fettsack mit zuviel Alkohol in der Birne durch, und ...« Er schlug mit den Fingerspitzen leicht auf die Schreibtischkante. »... schon habe ich Sie am Hals.«

Red öffnete die Filmbüchse. Auf Keelers Schreibtisch befand sich ein Kleinbetrachter, mit dem er sich vermutlich immer die Filme für die Automaten im Foyer ansah. Red klopfte die Filmrolle auf seine Handfläche heraus, legte sie ein und schaltete das Gerät ein.

Erst konnte man kaum erkennen, was eigentlich geschah. Wer auch immer die Kamera bedient hatte, verstand wohl nicht gerade viel vom Filmen. Der Bildausschnitt hüpfte von Gesicht zu Gesicht und blieb dann schließlich auf dem Bett.

Und da war sie – Hugos Cindy Ann. Preston LaForge war über ihr, und für ein paar Sekunden verdeckte er völlig ihren Körper. Alles, was man sehen konnte, waren sein nackter Rücken und ihre weißen Beine, die seitlich unter seinen Pobacken hervorragten. LaForge begann, schneller zu pumpen – die Geschwindigkeit seiner Bewegungen wurde durch die Geschwindigkeit des Films noch übertrieben. Und dann hörte er plötzlich auf, sich zu bewegen, krümmte seinen Rücken und drückte sich mit beiden Armen vom Bett hoch. Und nun konnte man unter seinem Brustkorb auch wieder Cindy Anns blasses Gesicht sehen, das wollüstig verzerrt war. Ihr kleiner Mund öffnete sich zu einem schweigenden ›Oh‹, und dann wurde der Film an der Schnittstelle für einen Augenblick weiß.

Wieder kam das Bett ins Bild, diesmal jedoch von einem etwas näheren Blickpunkt. Cindy Aann saß darauf, mit dem Rücken zur Wand, und man konnte ihren nackten Körper von der Stirn bis etwas unterhalb der Hüften sehen. Sie hatte einen Vibrator zwischen den Beinen und preßte ab und zu genüßlich die Knie zusammen, wobei man sehen konnte, wie sie stöhnte. Jemand trat für einen Moment vor die Linse, verschwand aber sofort wieder von der Bildfläche. Cindys Gesicht hatte einen verzückten Ausdruck angenommen. Sie warf ihren Kopf hin und her, bewegte mit den Händen den Vibrator und leckte sich ihre schmalen Lippen. Sie war gerade nahe daran, in einen Orgasmus zu kippen, und man konnte sehen, wie die blasse Haut auf ihrer Brust Flecken bekam.

Ihr rotes Haar – es wirkte in dem Schwarzweißfilm dunkel – wogte wie Tang in der Brandung um ihr Gesicht. Und als sie gerade anfing zu kommen – ihre Augen geschlossen, ihr Mund in lautlosem Stöhnen aufgerissen –, legte ihr jemand eine Pistole an den Kopf und drückte den Abzug.

Cindy Anns rechte Schädelhälfte explodierte in spritzendem Blut, und sie fiel aus dem Bildfeld. Nun waren Arme und erschreckte Gesichter zu sehen, die Kamera wurde herumgerissen, und dann wurde es hell auf dem kleinen Monitor. Der Film war zu Ende.

Red atmete hörbar ein und schaltete das Gerät ab. Der Motor lief winselnd aus, und das lose Ende des Films schlug noch ein paarmal klatschend gegen die Rolle.

Als ich vom Monitor aufblickte, sah ich die Pistole in seiner Hand.

»Harry, Sie müssen mir glauben. Ich wollte das wirklich nicht.«

»Natürlich«, erwiderte ich, und meine Stimme klang dabei, als käme sie aus einer anderen Welt. »Mir wird jetzt nichts anderes übrigbleiben, als Sie umzubringen, Red.«

»Ich habe schon befürchtet, daß Sie zu diesem Entschluß kommen würden, Harry. Mir wäre es vermutlich nicht anders gegangen, wenn ich in Ihrer Haut stecken würde.«

»Sie hätten sich wenigstens um diesen kranken, perversen Scheißkerl kümmern können, der das getan hat«, redete ich ihm ins Gewissen. »Oder wäre auch das zuviel verlangt gewesen, Red?«

Er seufzte. »Daran habe ich sehr wohl gedacht. Das können Sie mir glauben, Harry. Aber dieser Mann verfügt über eine Menge Macht und Einfluß. Und ich schätze, ich konnte mich einfach nicht dazu bringen, diesen Mistkerl umzubringen – nicht wegen eines Kindes wie ihr.«

Ich schnellte von meinem Stuhl hoch und schnappte nach seiner Pistole.

Aber er reagierte mit unglaublicher Schnelligkeit und hieb mir den Lauf seiner Waffe quer über die Wange.

»Versuchen Sie das nicht noch einmal, mein Lieber!« warnte er mich finster. »Sonst puste ich Ihnen den Kopf weg, bevor Sie sich's versehen haben.«

Er hatte meine Wange ziemlich tief aufgeschlitzt. Ich konnte das Blut herunterfließen spüren. Red holte ein Taschentuch aus seiner Hosentasche und warf es mir über den Schreibtisch zu.

»Halten Sie das mal besser dagegen.«

Ich preßte das Taschentuch an meine Backe und funkelte ihn an. »Und was jetzt?«

»Wir machen eine kleine Fahrt ins Blaue, Harry..«

Er stand auf. »Jetzt nehmen Sie mal Ihre Knarre da vom Gürtel und werfen sie auf den Tisch. Aber schön vorsichtig, mein Sohn. Alles mit zwei Fingern, wie bei feinen Leuten beim Tee.«

Ich zog die Pistole aus dem Holster und legte sie auf den Schreibtisch.

»Und jetzt die unter der Schulter, Harry; und zwar genau wie vorher.«

Ich brachte die Magnum zum Vorschein.

»Ein tolles Ding«, meinte Bannion bewundernd. »Ja, und jetzt werden wir beide schön ordentlich zum Wagen rausgehen. Und machen Sie keine Tricks, Harry; ich bringe Sie sonst auf der Stelle um. Für mich ist es inzwischen schon egal, ob man mich dabei sieht oder nicht. Irgendwie werde ich mich immer herausreden können. Sie verstehen mich doch richtig, oder?«

Ich nickte.

»Gut.« Er packte die Filmrolle wieder ein und steckte sie sich in die Tasche. »Und jetzt gehen wir.«

Ich öffnete die Tür und trat ins Foyer hinaus.

Red nickte dem Verkäufer zu. »Da drinnen liegen ein paar Kanonen rum, mein Sohn. Würdest du die vielleicht für uns aufräumen?«

»Brauchen Sie Hilfe mit dem Kerl da?« meinte das Jüngelchen mit einem Blick auf mich.

»Nein, es geht schon so«, winkte Red mit einem zufriedenen Grinsen ab.

26

Als wir in das grelle Sonnenlicht auf die Main Street hinaustraten, saß bereits jemand auf dem Fahrersitz des Cadillac. Unser Fahrer hatte eine hellbraune Hautfarbe, einen zerzausten Ziegenbart, große, gelbe Wolfszähne und die typischen aufgequollenen Wangen eines ehemaligen Boxers. Offensichtlich hatte er selbst in seinen besten Tagen einiges einstecken müssen, sich dadurch aber genausowenig entmutigen lassen. Die Umgebung seiner beiden

Augen war stark vernarbt, und auch sein linkes Ohr war ziemlich entstellt, als hätte ihm jemand eine Messingglocke an sein Ohrläppchen gehängt, als er noch ein Kind war. Er trug ein gehäkeltes Mützchen, ein weißes T-Shirt und eine gelbe Reyonhose mit einer knallroten Naht. Er roch nach Schweiß und Whisky und sah mich mit einer Art wilder Vorfreude an, als Red mich ins Wageninnere stieß; ähnlich muß wohl ein Kannibale eine in Aussicht stehende Mahlzeit taxieren.

»Das ist Rafe«, stellte ihn Red vor, als er sich neben mich auf den Rücksitz setzte. »Sie werden ihn sicher noch näher kennenlernen, Harry.« Red griff in eine Tasche seiner Jacke und brachte ein Paar Handschellen zum Vorschein. »Strecken Sie schon Ihre Hände aus, mein Sohn.«

Als ich einen Moment zögerte, gab er mir mit dem Lauf seiner Pistole einen kräftigen Stoß gegen den rechten Arm.

»So ist es schön«, lobte er mich und legte mir die Dinger an.

Er deutete mit der Waffe auf Rafe, der auf dieses Zeichen hin den Wagen anließ und losfuhr. Wir machten uns in südlicher Richtung auf den Weg.

Red machte es sich auf seinem Platz bequem. »Ich will Ihnen mal ein bißchen was über Rafe erzählen, Harry. Er war mal Boxer, sogar mit professionellen Ambitionen. Stimmt doch, Rafe, oder nicht?«

Rafes Kopf hob und senkte sich. »Jawohl, Sir«, antwortete er leise.

»Rafe mag keine Weißen. Einer von ihnen hat nämlich seinen Bruder umgebracht. Habe ich da recht, Rafe?«

»Jawohl, Sir.« Rafes Wortschatz schien offensichtlich nur aus diesen beiden Worten zu bestehen – eine hervorragende Qualifikation für einen Job wie den seinen.

»Er hat ihm in Lima oben die Kehle durchgeschnitten, als er nur noch sechs Monate absitzen hätte müssen. Ich bin für die Begräbniskosten aufgekommen. Aber das hat im wesentlichen nichts an Rafes Einstellung geändert. Tja, der letzte Weiße, den ich ihm überlassen habe, hat ganze zwölf Stunden zum Sterben gebraucht. Wahrscheinlich hätte das Ganze sogar noch länger gedauert, wenn da noch etwas Blut übrig gewesen wäre, das sein armes Herz durch die Adern hätte pumpen können. Haben Sie je einen Mann sterben gesehen, Harry? Ich meine nicht schnell; nein, langsam. Rasierklingenschnitte und Lötkolbenverbrennungen. Darum wird so jemand, wenn's dem Ende zugeht, auch schon ganz schläfrig von all den Schmerzen. Er sieht sich an, wie er zugerichtet worden ist, und es juckt ihn schon gar nicht mehr.«

»Haben Sie Preston so kleingekriegt? Haben Sie ihm mit Rafe gedroht?«

Bannion lachte. »Aber nein. Dem brauchten wir nur ein paar Bilder zu zeigen. Wir haben den Film so geschnitten, daß es aussah, als hätte er sie erst gefickt und dann eigenhändig umgebracht. Für mich war das keine Frage, was er tun würde, als ich wieder weggegangen bin. Aber ich hatte natürlich Rafe draußen warten lassen – nur für den Fall.«

Wir passierten die Stadtgrenze und fuhren weiter in Richtung Süden, durch Hügelland, das mit Gras und Fichten bewachsen war. Dann wand sich die Straße aus der Flußniederung hoch. Nun begannen in Abständen von einem Kilometer alle möglichen Läden aufzutauchen – kleine Cafés und Imbißstuben und zwei Tankstellen, eingekeilt zwischen einer Unmenge von Schrottautos. Und dann kamen wir endgültig aufs Land. Riesige Tabakfelder, kilometerweit mit Stoffbahnen überspannt, erstreckten sich zu beiden Seiten der Straße.

»Sieh mal, da.« Red deutete aus dem Fenster.

Ein Farmer brannte in einem Getreidefeld die Stoppeln ab, und der schwarze Rauch erfüllte den Abendhimmel.

»Ich hätte hier nie weggehen sollen«, meinte Red nachdenklich. »Aber verdammt noch mal, das war damals die Zeit der Wirtschaftskrise, und ein Mensch braucht schließlich was zu futtern. Und außerdem hat Porky meiner Ansicht nach immer das Richtige getan.« Er blickte durch das Wagenfenster auf den Rauch hinaus und seufzte. »Das war heute wirklich nicht gerade ein Glückstag für mich, was?« Er sah wieder zu mir herüber. »Sie haben die Jellicoes hinter Gitter gebracht, Harry. Ja, das haben Sie.«

Ich antwortete nicht.

»Wirklich saubere Arbeit«, fuhr Red fort und wiegte dabei seine Pistole in seiner Hand, als prüfe er ihr Gewicht. »Sie sind ein glänzender junger Polizist, mein Sohn. Ich hab' Sie schon immer gemocht.« Für einen Moment schüttelte er seine Waffe. »Ich werde versuchen, Ihnen die Sache so gut wie möglich zu erleichtern. Aber sterben müssen Sie, das ist keine Frage. Aber es muß ja nicht unbedingt auf Rafes Art sein.«

Immer wieder dasselbe alte Spiel – der gute Polizist und der Bösewicht. Nur daß er diesmal beide Rollen zugleich innehatte.

Bannion hatte nie wirklich aufgehört, im Innersten seines Herzens ein Polizist zu bleiben. Vielleicht war dies sogar die einzige Sache, an der er wirklich je mit ganzem Herzen gehangen hatte.

»Ich muß da ein paar Dinge wissen, Harry«, fuhr er freundlich fort. »Ich muß auf jeden Fall wissen, wie weit Sie da Ihre Finger drinstecken haben. Vielleicht sieht es nicht nach gerade viel aus, was ich da anzubieten habe, aber eines können Sie mir glauben, Harry; spätestens morgen mittag wird sich Ihnen das alles in einem ganz anderen Licht darstellen. Lassen Sie sich das also noch mal durch den Kopf gehen, ja?«

Er ließ sich in seinem Sitz zurück und starrte mit wäßrigen Augen nach vorne auf die Straße. Er war tatsächlich am Weinen, so sehr hatte ihn die Darlegung der Hoffnungslosigkeit meiner Situation gerührt.

Ich lachte laut heraus.

Bannion nahm eine Sonnenbrille aus seiner Tasche und setzte sie sich auf, während er gleichzeitig seine Hornbrille wieder in der Tasche verstaute. Er fuhr sich mit der Zunge über die Lippen und starrte durch die grünen Gläser seiner Sonnenbrille vor sich hin.

Es muß bereits kurz vor sieben Uhr gewesen sein, als wir schließlich vom Highway abbogen. Hinter den Bäumen im Westen ging die Sonne unter, und wir fuhren auf einer geteerten Seitenstraße direkt auf sie zu. Die umliegenden Hügel waren dicht mit Bäumen bestanden. Ich hatte fast den Eindruck, als befänden wir uns in einem Park oder Naturschutzgebiet. Unter den Bäumen war es bereits dunkel, und nur die Sonne glühte noch rot über die umliegenden Hügel. Rafe schaltete die Scheinwerfer ein und bog links in einen Kiesweg ab, der direkt in den Wald führte. Diesem Weg folgten wir etwa eine halbe Meile, bis uns das Scheinwerferlicht des Cadillac von den Fensterscheiben einer kleinen Hütte entgegenreflektierte, die unter den Bäumen versteckt lag. Der verwitterte Holzbau erinnerte mich an eine Jagdhütte; er stand auf Pfählen erhöht, und das steile Dach ragte auf einer Seite weit über eine kleine Veranda vor. Alles erweckte den Anschein, als wäre hier seit Jahren niemand mehr vorbeigekommen.

»Wir sind da.« Red tippte Rafe auf die Schulter.

Rafe schaltete die Zündung aus, und tödliches Schweigen erfüllte das Wageninnere.

»Ruhig hier, was?« meinte Bannion.

Er stieg aus, ging zu meiner Seite herüber und öffnete die Tür. »Los, raus mit Ihnen, Harry.«

Rafe stieg ebenfalls aus und reckte seine langen, muskulösen Arme.

Ich sah mich rasch um.

Auf der Westseite der Hütte befand sich eine Steinmauer. Von Osten her reichte der Wald bis auf drei Meter an sie heran. Dahinter schien der Boden steil nach unten abzufallen. Ich konnte an der Kante zu dieser Böschung ein paar Stufen erkennen.

Ich schätzte, daß wir uns etwa siebzig Meilen südwestlich von Newport befanden, und zwar auf einem Privatgrundstück auf halbem Weg zwischen Cincinnati und Louisville.

Red stieß mich auf den Eingang der Hütte zu. »Los, rauf da!«

Schon seit mehr als zwei Stunden verspürte ich in meiner Schulter einen dumpfen Schmerz, und die Stelle in meinem Gesicht, wo mich Red mit dem Lauf seines Revolvers erwischt hatte, stach heftig. Aber ich war einfach zu müde, um mir daraus groß etwas zu machen. Ich trottete also den Weg zu der Hütte entlang und die vier Stufen zur Veranda hoch, und dort stand ich dann und wartete auf Bannion und Rafe.

In einer Stunde oder so würde ich tot sein – das heißt, wenn ich Glück hatte.

Es war nicht etwa so, daß ich keine Angst verspürt hätte. Ganz im Gegenteil. Ich war noch mehr angewidert über mich, als ich Angst hatte. Und ich war noch wütender, als ich angewidert war. Wenn ich nicht vor drei Stunden noch so verdammt sicher gewesen wäre, daß Bannion im Grunde seines Herzens genauso fühlte wie ich, ich würde nicht auf dieser verdammten Veranda stehen. Statt dessen würde ich jetzt auf Porkys Veranda in der Charles Street stehen und ihm gerade erklären, weshalb die Männer von der Higway Patrol gerade eben mal seine Barbecue-Party stören müßten.

Wenn es wirklich um etwas ging, hatte sich Bannion nicht im geringsten als sentimental erwiesen. Sein Verstand arbeitete genau, wie es sich für einen Polizisten gehört – einfach und geradlinig. Für ihn würde so etwas immer nur eine Frage des besten Mittels zum Zweck sein. Und angesichts dessen würde es nicht im geringsten zu irgendeinem dramatischen Show-down kommen, in dem in letzter Minute über Rache und Vergeltung entschieden würde. Wenn ich nicht so verflucht romantisch und ichbezogen gewesen wäre, so sehr darauf bedacht, das alles ganz allein zu Ende zu bringen, ich hätte das alles sofort kommen sehen müssen, sobald ich in dieses Kino trat und hinter dem Süßwarenstand dieses rauflustige Bürschchen sah. Nur eines verstand ich nicht ganz. Warum hatten sie mich hier erst siebzig Meilen in die Wildnis geschleppt, um den Abzug zu drücken?

»Warum sind wir eigentlich hier?« wollte ich von Red wissen.

»Sie wollten doch unbedingt dieses Mädchen finden, oder etwa nicht?« meinte er besserwisserisch. »Na ja, dort hinten ist eine Kalkgrube, und in der liegt sie, Harry. Und in der werden sehr bald auch Sie liegen, Harry. Es heißt doch, es wäre ein gewisser Trost, wenn man weiß, wo seine Knochen ruhen werden.«

Er stieß die Tür der Hütte auf und zerrte mich ins Innere.

Mein Blick fiel auf einen Holztisch mit zwei Stühlen und einen Kamin am anderen Ende des Raumes. Über uns waren die Dachbalken zu sehen, und überall hingen Spinnweben. Alles war mit Staub bedeckt, und selbst die Fenster starrten vor Schmutz.

Red zündete eine Petroleumlampe an und stellte sie auf den Tisch.

»Mach Feuer, Rafe.«

Der Schwarze ging wieder nach draußen, um Feuerholz zu sammeln.

Red ließ sich auf einen der Stühle am Tisch nieder und blickte durch seine grünen Gläser zu mir auf. Er sah aus, als hätte er zwei Petroleumlampen als Augen.

»Tja, mein Sohn, sieht ganz so aus, als wären wir am Ende der Straße angelangt. Ein langes Leben haben Sie zwar nicht gehabt, aber dafür ein ereignisreiches.«

»Noch bin ich nicht tot, Red.«

»O doch, das sind Sie schon; Sie haben's nur noch nicht gemerkt.«

Er lehnte sich zurück und wiegte die Waffe in seiner Hand.

Einen Moment lang dachte ich daran, mich auf ihn zu stürzen. Dies war der richtige Augenblick, während Rafe sich draußen irgendwo herumtrieb. Der Raum hatte etwa zwanzig Quadratmeter, und er saß genau in der Mitte – drei Schritte von mir entfernt. Ihm würde etwa eine Sekunde zum Reagieren bleiben. Das hieß, die erste Kugel würde genau dann durch meinen Bauch schlagen, wenn ich mich über ihn stürzte. Viel höher würde er den Lauf in einer Sekunde nicht bringen. Aber zum Teufel, er würde das gar nicht nötig haben.

»Sie können es ruhig probieren«, meinte er grinsend. »Ich an Ihrer Stelle würde das auch.«

»Wenn ich an Ihrer Stelle wäre, Red, wären Sie schon längst tot.«

»Warum in aller Welt haben Sie das dann gemacht? Das verstehe ich einfach nicht. Warum sind Sie ins Kino gekommen? Sie mußten doch damit rechnen, daß ich Sie nicht wieder einfach so nach Hause gehen lassen würde.« Er grinste; seine Zähne schimmerten gelb im Lampenlicht. »Sie dachten zu dem Zeitpunkt wohl noch, Sie könnten es mit einem Sechzigjährigen lässig aufnehmen, was?« Er lachte gehässig. »Da haben Sie sich aber gründlich getäuscht, mein Sohn. Sie sind wirklich ein Narr, sich für einen halb verrückten alten Knacker und ein Mädchen mit nichts in der Birne umbringen zu lassen. Porky würde sich richtig schämen für Sie.«

Ich mußte etwas versuchen. Und zwar bald. Also sagte ich: »Porky weiß bereits Bescheid.« Ich beobachtete seine Reaktion.

Ich konnte mich doch in Bannion nicht total getäuscht haben. Selbst Kleinstadtpolizisten kennen so etwas wie Ehrgefühl, auch sie haben eine, wenn auch vielleicht noch so feine sentimentale Ader. Und wie ich mir ausrechnete, daß Porky der wunde Punkt in Reds Gewissen war, konnte ich auch vermuten, daß Porky nicht an Reds sauberen Machenschaften beteiligt war. Red würde also nicht unbedingt interessiert daran sein, daß Porky über seinen kleinen Nebenerwerb wußte. Ich hatte richtig geraten, denn Bannion fuhr auf dem Stuhl nach vorne und lugte mich über den Rand seiner grünen Sonnenbrille argwöhnisch an.

»Das ist eine Lüge«, sagte er völlig ruhig und gelassen.

Ich lehnte mich gegen die Wand zurück. »Gleich, nachdem ich das alles mit den Jellicoes erledigt hatte, habe ich mit Porky telefoniert, Red. Er weiß alles über Sie.«

Bannion wiegte die Pistole in seiner Hand. »Rafe!« brüllte er.

Eine Sekunde später schoß der Gerufene auch schon durch die Tür.

»Nimm diesen Scheißkerl mit nach draußen und bring ihn um. Ich muß in die Stadt zurück.«

»Jawohl, Sir. Und was soll ich mit der Leiche machen?«

»In die Kalkgrube, Rafe. Ich bin morgen früh wieder zurück.«

Er ging auf die Tür zu. »Nimm ihn dir noch ein bißchen her, Rafe, bevor du ihn erschießt«, sagte er über die Schulter zurück. »Der Bursche muß noch etwas Respekt beigebracht bekommen, bevor er stirbt.«

Er trat durch die Tür und auf die Veranda hinaus. Und kurz darauf wurde die Stille des Waldes durch das Geräusch des anspringenden Motors unterbrochen.

Rafe beobachtete mich, während der Motorenlärm sich allmählich zwischen den Bäumen verlor. Sein Gesicht hatte einen bösartigen und stumpfsinnigen Ausdruck, und ich konnte sehen, wie sich seine Armmuskeln leicht bewegten. Er hatte eine Pistole in seinem Gürtel stecken. Er lächelte, als mein Blick auf sie fiel.

»Warum versuchst du's denn nicht?« meinte er teilnahmslos. »Du bist doch groß und stark genug.«

Ich zeigte ihm meine Handschellen.

Er schüttelte den Kopf. »Jetzt noch nicht. Setz dich an den Tisch, los.«

Ich ging durch den Raum und setzte mich.

»Willst du vielleicht was trinken?« Er ging zu einem Karton in der Ecke neben der Tür und holte eine Flasche heraus. Rafe hatte den geschmeidigen Gang eines Boxers. Tänzelnd hüpfte er an mir vorbei. Man konnte es ihm richtig ansehen, wie es ihm Spaß machte, mich warten zu lassen, bis er bereit war. Er öffnete die Flasche – es war Whisky –, setzte sie an die Lippen und nahm einen kräftigen Schluck. Und dabei ließ er mich nicht einen Moment aus seinen stumpfsinnigen, braunen Augen.

Wie viele alte Boxer hatte auch Rafe etwas Sanftes und Kindliches in seinem Gesicht. Ich hoffte, daß dies Ausdruck seiner Dummheit und nicht nur eine Folge seiner vielen Narben war. Wie ein Idiot bewegte er sich jedenfalls nicht, das war zumindest sicher. Er war flink und gewandt und geschmeidig. Einer dieser wenigen Männer, die sich in vollem Vertrauen in ihren Körper bewegen. Er war etwa meine Größe, aber an die acht bis zehn Pfund schwerer.

Rafe hatte ziemlich weit hinten in seinem Mund einen Goldzahn, der ab und zu im Schein der Petroleumlampe aufblitzte, wenn er plötzlich lächelte und sich dabei seine dicken, wulstigen Lippen öffneten. Er ließ die Flasche lässig an seiner Seite herabbaumeln, als er durch den Raum auf mich zukam, und dann zerschmetterte er sie in einer plötzlichen, heftigen Bewegung an meinem Schädel.

Ich stürzte von meinem Stuhl und auf den Boden, worauf er mich noch kräftig gegen die Brust trat.

Ich wußte nicht, wohin ich zuerst hätte greifen sollen. Ich spürte die Glassplitter in meiner Kopfhaut, und mein Brustkorb schmerzte wie verrückt. Also krümmerte ich mich wie ein Embryo zusammen. Er ging ein paarmal um mich herum und trat mich an allen möglichen Körperstellen. Harte, schnelle Tritte. Als er sich schließlich meinen Unterleib vornahm, verlor ich das Bewußtsein.

Ich lag immer noch auf dem Boden, als ich allmählich wieder zu mir kam, und ich hatte mich immer noch zusammengekrümmt wie ein Baby. Es war schon spät. Durch die Fenster der Hütte drang von draußen das Summen der Nacht herein.

Rafe hatte im Kamin Feuer gemacht, das nun den Raum flakkernd erleuchtete. Die Petroleumlampe hatte er heruntergedreht; sie glimmte auf dem Tisch schwach vor sich hin.

Ich befeuchtete mir mit der Zunge die Lippen. Ich konnte sie noch bewegen.

Wie sich der Rest von mir anfühlte, ist schwer zu beschreiben. Vielleicht gab es an meinem Körper noch ein paar Stellen, die nicht von einer Prellung brannten. Man hatte mich schon mehrere Male in die Mangel genommen, aber so schlimm wie dieses Mal war es mir dabei noch nie ergangen. Mein Körper schmerzte innen wie außen, und mir wurde plötzlich schlagartig bewußt, daß ich meine absolute Grenze erreicht hatte. Hätte er mich noch einmal getreten, ich hätte solche inneren Blutungen erlitten, daß es um mich geschehen wäre. Selbst Atem zu holen, bereitete mir fürchterliche Schmerzen.

»Oh, da wären wir ja wieder.«

Er saß über mir am Tisch. In seiner Hand befand sich eine neue Flasche, und neben der Lampe glitzerte etwas Metallisches und Schreckliches.

Ich versuchte, mich herumzuwälzen, und ächzte fürchterlich.

»Mhm«, murmelte er zufrieden. »Das war erst die erste Runde, mein Freund. Und wie du erst die zweite hassen wirst.«

Er stand auf, packte mich an den Handschellen und zog mich zu dem anderen Stuhl, der ihm gegenüber am Tisch stand.

»Los, aufstehen!« brüllte er und zerrte mich hoch.

Für einen Augenblick dachte ich, ich würde gleich wieder umkippen. Er ließ mich auf den Stuhl plumpsen und setzte sich mir gegenüber.

Und dann nahm er das Rasiermesser und fuhr prüfend mit dem Daumen über die Schneide.

»Bitte!« flehte ich. »Erschieß mich doch.«

Er lachte, und dieses Lachen war wirklich schrecklich. In seinen Augen lag ein verrückter Schimmer, als er mich anstarrte.

»Nein, nein, Freundchen. Das ist erst die dritte Runde.«

»Warum?« Ich schluckte etwas Blut und mußte mich anstrengen, meine Augen auf ihn gerichtet halten zu können.

»Wie der Alte vorhin schon gesagt hat, ich mag dich nicht. Als ich in Vietnam war, da hatten wir in meiner Einheit so einen Burschen wie dich dabei. Mein lieber Mann, du hättest sehen sollen, was ich mit dem angestellt habe.«

»Bei welcher Einheit warst du denn da?« fragte ich blöde.

»LURPs«, antwortete er trocken. »Warst du auch da?«

Ich nickte.

Er lehnte sich zurück und blickte mich an. »Dann können wir uns ja Runde zwei vielleicht doch sparen.«

Ich bekam allmählich wieder ein Gefühl für meinen Körper. Zumindest wußte ich schon, in welche Richtung ich sah. Außerdem konnte ich meinem rechten Arm bewegen. Noch ein paar Minuten Zeit, und ich würde sogar stehen können. Und ich brauchte diese paar Minuten.

»Ich war bei einer Patrouille, die sie im La Drang-Tal ausgelöscht haben«, fuhr er fort. »Kannst du dich noch soweit zurückerinnern?«

»Sicher; das war fünfundsechzig.«

»Genau!« Er schlug mit der flachen Hand auf den Tisch. »Ich sag dir, der Vietkong hat jeden einzelnen Mann in meiner Einheit weggeputzt – alle bis auf mich. Ich hab' mich unter den ganzen Leichen versteckt, als sie sie alle angepiekst haben, um auch sicherzugehen, daß wir alle tot waren.« Ich beobachtete sein Gesicht. Es hatte einen traurigen und nachdenklichen Ausdruck angenommen. »Seitdem ist bei mir irgend etwas ausgeklinkt; seitdem bin ich irgendwie nicht mehr ganz richtig im Kopf. Und als sie dann noch Tommy umgebracht haben.« Er sah mich über den Tisch hinweg an. »Mann, du siehst vielleicht aus.«

»Ich fühl' mich auch ganz schön beschissen.«

»Na ja, ich laß dich ja jetzt auch in Frieden. Du hast schon genug eingesteckt. Kannst du gehen?«

Das konnte ich inzwischen, aber ich konnte mit Sicherheit noch nicht laufen. Wenn ich etwas unternehmen wollte, dann mußte das hier im Raum geschehen. Und zwar schnell. »Nein«, antwortete ich.

»Nimm mal 'nen Schluck davon.«

Ich zuckte zusammen, als er die Flasche in die Hand nahm.

Rafe grinste herzlich. »Keine Angst, mein Junge, ich tu' dir nichts mehr. Los, trink schon.«

Ich zeigte ihm die Handschellen, worauf er in seiner Hosentasche nach dem Schlüssel suchte. »So, jetzt geht es gleich besser«, murmelte er und schloß mir die Handschellen auf. Er hielt mir die Flasche entgegen, und ich versuchte zitternd, nach ihr zu greifen. Er saß direkt vor mir. Die Petroleumlampe stand einen halben Meter neben mir. Sonst befand sich nichts auf dem Tisch. Das Rasiermesser hatte Rafe inzwischen wieder eingesteckt.

Ich ergriff die Flasche um den Hals und fing an, sie auf meine Lippen zuzuführen. Er beobachtete mich dabei, einen Arm auf den Tisch gestützt, und ermunterte mich mit den Augen.

»Los, das geht schon«, drängte er mich und beugte sich dabei leicht vor.

Ich setzte die Flasche an meine Lippen und stieß sie dann in einer Stechbewegung genau gegen Rafes Stirn.

Sie zersplitterte auf der Stelle, und Rafe brüllte vor Schmerz auf, als das Blut hervorspritzte.

Er fuhr sich mit den Händen an den Kopf, rot von seinem Blut und dem Whisky. Und ich packte die Lampe – ich verbrannte mir an dem Glaszylinder die Finger – und schleuderte sie ihm mitten ins Gesicht. Sie zerbrach noch in meiner Hand, und im nächsten Augenblick stand auch schon Rafes Gesicht in Flammen.

Er warf sich rücklings vom Stuhl und rollte kreischend über den Boden. Er schlug wie wild um sich, da inzwischen auch sein T-Shirt zu brennen begonnen hatte. Und dann war für eine halbe Minute lang sein ganzer Oberkörper von bläulichen Flammen umzüngelt.

Ich hätte ihm geholfen, wenn ich gekonnt hätte. Aber ich brauchte über eine Minute, um auf die Beine zu kommen, und bis dahin hatte er bereits aufgehört zu kreischen und sich wie eine sterbende Motte auf dem Fußboden zu wälzen. Er lag etwa zweieinhalb Meter vom Tisch entfernt auf dem Rücken; die Knie hatte er angezogen, und seine Arme hatte er weit von sich gestreckt. Die eine Seite seines Gesichts sah aus wie brodelnde Zuckermasse, und sein Oberkörper und seine Arme waren über und über mit noch rauchenden verkohlten Stellen übersät. Es stank höllisch.

Ich stützte mich auf auf den Tisch, kaum fähig, gerade zu stehen.

Rafe lag auf dem Boden, ohne sich zu rühren.

Und dann rappelte er sich auf.

Dieser Tote, verschmorte Scheißkerl rappelte sich doch tatsächlich noch einmal auf.

Erst wollte ich meinen Augen nicht trauen, als ich ihn beobachtete, wie er sich auf den Bauch drehte und sich stöhnend aufzurichten versuchte. Es sah aus, als machte er mit seinen verkohlten Armen Liegestütze. Ich kreischte entsetzt auf, als ich ihn bereits halb stehen sah, und dann packte ich mit dem Aufwand meiner letzten Kräfte den Stuhl neben mir und schleuderte ihn auf ihn.

Ich traf ihn über der Brust, und er ging wieder zu Boden. Als wäre er auf Eis ausgerutscht. Ich stürzte mich auf ihn, riß ihm seine Pistole aus dem Gürtel, richtete sie auf seinen Kopf und drückte den Abzug. Es gab einen bösen Knall, und Rafes Kopf zerbrach wie eine Eierschale. Aus seiner Kehle kam ein leichtes Gurgeln.

Auf allen vieren arbeitete ich mich wieder zum Tisch zurück. Und da saß ich nun, die Pistole auf die verkohlte Leiche gerichtet, und wartete, daß er noch einmal aufstand. Ich konnte einfach nicht glauben, daß er tot war, wie er im flackernden Feuerschein einfach so dalag. Ich mußte die Pistole wohl zwanzig Minuten so auf ihn gerichtet haben, bis mir endlich bewußt wurde, daß er dieses Mal nicht mehr auf die Beine kommen würde.

27

In dem Karton neben der Tür war noch eine dritte Flasche Whisky. Und so bestritt ich dann den Rest der Nacht; ich saß in dem immer schwächer werdenden Glimmen des Feuers im Kamin am Tisch, trank ab und zu von dem Whisky und träumte mit offenen Augen von Rafe, wie sein Gesicht in Flammen aufgegangen war; es war mit einem Schlag aufgelodert, jäh wie ein zusammengeknülltes Stück Zeitungspapier, das mit irgendeiner hoch brennbaren Flüssigkeit getränkt ist. Der Gestank in der Hütte war kaum auszuhalten. Der einzige Grund, weshalb ich nicht nach draußen ging, bis es zu dämmern begann, waren meine Beine; ich konnte sie bis zum Morgen nicht bewegen, und auch dann nur unter fürchterlichen Schmerzen. Ich ging nach draußen auf die Veranda und übergab mich.

Dann setzte ich mich auf das Geländer – eine Hand als Halt gegen die Hüttenwand gestemmt, die andere um die Whiskyflasche gekrümmt – und beobachtete, wie es im Osten allmählich heller wurde. Donnerstag ist heute, sagte ich zu mir selbst. Ich sah auf meine Uhr. Es ist Donnerstag, halb sieben Uhr früh. Die Temperatur beträgt...

Ich konnte es kommen spüren, und ich unternahm nichts, es aufzuhalten. Ich saß einfach da, während der Himmel sich allmählich von einem tiefen Purpur in ein weißliches Blau färbte, und weinte – um Hugo und Cindy Ann und Jo und mich, der ich dieses Ding da getötet hatte, das nun wie ein verkohltes Stück Holz in der Hütte lag.

Die Vögel fingen zu singen an. Meisen, Drosseln und ab und zu das tiefe, heisere Krächzen einer Krähe. Ich saß da und wartete, meine Augen auf den Weg geheftet, der sich durch den Wald schlängelte. Ich wartete auf das Geräusch eines Wagens, auf das Aufblitzen der Sonne in diesen Stierhörnern. Ich hielt die Pistole in meiner Hand, während ich wartete. Mein Kopf war völlig leer von Gedanken. Ich war viel zu erschöpft, um nachzudenken oder einen Plan zu fassen.

Und zehn nach neun hörte ich es dann. Ich konnte den Cadillac schon hören, bevor er zwischen den Bäumen auftauchte. Ich ging von der Veranda, in der einen Hand die Whiskyflasche, in der anderen die Waffe, und kauerte mich an die Ostwand der Hütte, wo ich von der Straße aus nicht gesehen werden konnte.

Der Wagen war inzwischen nähergekommen. Die Reifen knirschten behutsam durch den Kies. Und dann war das Motorengeräusch so laut, daß ich fast das Gefühl hatte, ich hätte mein Ohr gegen die Motorhaube gelegt. Und dann erstarb es.

Der Wagenschlag ging auf, und dann konnte ich auf dem trockenen Boden seine Tritte hören.

»Rafe?« rief er vom Fuß der Veranda zur Hütte hoch. »Rafe?«

Er ging die Stufen zur Veranda hinauf, machte dann aber plötzlich halt. Die Treppe knarzte leicht, als wiegte er sich darauf hin und her.

»Harry?« fragte er leise. »Harry, sind Sie da drinnen?«

Er hatte inzwischen seine Pistole in der Hand.

»Ich komme jetzt rein«, rief er.

Ich duckte mich gegen die Hüttenwand. Die helle Morgensonne schien mir in die Augen, und über meinen Rücken wucherten die Ranken eines Efeus, der an den Stützpfosten und der Seitenwand der Hütte emporwuchs. Ich hörte seine Tritte auf der Veranda; sie verlangsamten sich von Mal zu Mal, bis er endlich vor der Tür stand, in der einen Hand seine Pistole, die andere am Türgriff.

»Rafe?« rief er noch einmal.

Ich schlich mich näher an die Veranda heran, bis ich direkt unter ihr war, umgeben von Efeu und Löwenzahn. Ich zwang mich, mich trotz der Schmerzen nur geduckt vorwärts zu bewegen, und mußte die Zähne zusammenbeißen, um nicht laut aufzustöhnen und in einem verrückten Impuls zur Veranda hochzurufen: »Hier bin ich, Red! Hier unten!«

Die Bretter über mir knarrten, als er sich gegen die Tür lehnte. Es würde nicht lange dauern, sobald er einmal die Bescherung da drinnen gesehen hatte. Er würde aus der Hütte geschossen kommen, die Stufen von der Veranda herab und über den Vorplatz zum Wagen, der funkelnd in der Sonne stand. Ich wartete auf das Geräusch der sich öffnenden Tür.

Und dann kam es endlich – ein leichtes Ächzen.

Ich zog mich hoch, so daß ich nun direkt vor dem Geländer der Veranda stand. Ich stellte die Whiskyflasche auf den Bretterboden, stützte mich mit einem Arm auf und streckte meine Hand mit der Waffe zwischen dem Geländer hindurch; sie war genau auf die offene Tür gerichtet.

Und dann ein unheimliches Geräusch – gerade so, als hätte die Hütte eben ihren stinkenden Todesatem ausgestoßen. Und ich wußte, daß er ihn nun gesehen hatte. Vielleicht hatte er erst seinen Augen nicht trauen wollen. Vielleicht war er sich erst nicht ganz sicher gewesen, ob das, was da vor ihm lag, auch wirklich ein menschlicher Körper war. Und dann war er darauf zugetreten, wie ich mich damals an Preston LaForges Leiche herangepirscht hatte, der ganze Körper von all dem Adrenalin unter Hochspannung. Und als er die Leiche dann aus nächster Nähe gesehen hatte, war er entsetzt zurückgefahren – entsetzt über das, was er vor sich sah, und über die Tatsache, daß ich irgendwo da draußen auf ihn wartete.

»Kommen Sie raus, Red«, rief ich ihm von der Veranda her zu. »Kommen Sie raus!«

Nichts rührte sich in der Hütte.

»Kommen Sie *raus!*« brüllte ich auf die weit aufklaffende Tür ein.

Meine Stimme erschreckte mich. Ich war mir nicht sicher, wie lange ich mich noch würde zusammenreißen können, ohne umzukippen oder total durchzudrehen. Ein Teil von mir wollte bereits schreiend und tobend in die Hütte stürzen und im Laufen wie wild um sich schießen.

Aber ich brachte mich dazu, nicht an mich zu denken, sondern an ihn. Ich brachte mich dazu, ihn mir vorzustellen, wie er da drinnen neben Rafes verkohlter Leiche stand, ein paar Schweißtropfen auf seinem faltigen Gesicht und zwischen den spärlichen Haaren auf seiner Kopfhaut. Ich überlegte, was er nun denken würde, wie sein methodisches Polizistengehirn nun arbeiten würde, alle möglichen Alternativen abwägend und auswertend. Er mußte wissen, daß ich verletzt war. Wie sehr freilich, konnte er nicht ahnen. Aber er muß wohl überlegt haben, ob er mich nicht vielleicht so lange hinhalten konnte, daß ich die Nerven verlor. Er brauchte nur lange genug einfach so dazustehen, und ich würde dann früher oder später einfach umkippen. Denn er hatte meine Stimme gehört, er konnte sich ein ungefähres Bild von meinem Zustand machen.

Ich mußte etwas unternehmen, um ihn zum Handeln zu zwingen, denn sonst hätte er mich tatsächlich geschafft, indem er einfach wartete, wie er das geplant hatte. Ich fuhr mit meiner Hand über das rauhe, rissige Holz der Veranda, und es kam mir dabei vor, als wäre es das einzig wahre Element des ganzen Universums.

Diese ganze verdammte Hütte war nichts anderes als ein gigantischer Haufen Zunder. Ein Funke, und der Wind würde lodernde Flammen über die Veranda treiben. Erst noch langsam, würde es vielleicht fünf Minuten dauern, bis das Ganze richtig zu brennen anfing. Aber dann würde die Hütte mit einem Schlag zu einem Flammenmeer auflodern und alles, was sich in ihrem Innern befand, in einem ebenso kurzen wie heftigen Schwall hinwegfegen.

Ich nahm die Whiskyflasche und goß den Rest ihres Inhalts auf die Bretter der Veranda. Dann holte ich mein Feuerzeug aus der Tasche und warf es angezündet auf das Holz. Blaue Flammen züngelten entlang der Ostseite der Veranda auf und trieben mich ein paar Schritte von ihr zurück.

»Jetzt werden Sie da drinnen schön rösten, Red.« Ich beobachtete die Flammen, die sich Zentimeter für Zentimeter über den Bretterboden der Veranda auf die Hütte zufraßen. »Hören Sie mich? Sie werden genauso verbrennen wie Rafe.«

Die Flammen fingen bereits an zu knistern, und unter dem Vordach sammelte sich schwarzer Rauch.

Ich stand etwa drei Meter vor dem Treppenabsatz und wartete. Er mußte inzwischen gemerkt haben, was los war. Der Rauch zog bereits durch die Tür ins Innere der Hütte.

Und dann rief er: »Harry, ich komme raus. Nicht schießen!«

Er warf einen Revolver durch die Tür nach draußen; er schlidderte über die Veranda und polterte die Stufen herab.

»Nicht schießen, Harry; ich bin nicht bewaffnet.«

Ich richtete meine Pistole auf die Türöffnung.

Und dann kam er heraus, mit seiner linken Hand den Rauch wegfächelnd und gegen die Hitze anblinzelnd. Er sah mich stehen, und im nächsten Augenblick schoß sein rechter Arm hoch. Ich feuerte.

Red griff sich mit seiner Linken an die Brust und fiel gegen den Türpfosten zurück, in seiner rechten Faust eine zweite Waffe.

»Mein Gott!« stöhnte er. »Sie haben mich umgebracht.«

Er glitt langsam mit dem Rücken den Türpfosten herab, bis er, die Beine von sich gestreckt, auf dem Bretterboden der Veranda saß. Sein Gesicht war bleich, seine Brust blutbesudelt, und seine rechte Hand krampfte sich immer noch um die Pistole. Er atmete schwer.

Und dann sah er die Flammen um sich aufzüngeln.

»Harry!« kreischte er und streckte seine blutverschmierte Hand nach mir aus. »Helfen Sie mir doch!«

Ich stand einfach nur da und beobachtete ihn, wie er auf die Flammen vor sich starrte. Sie hatten inzwischen die Nordwand der Hütte erreicht und züngelten gelblich um die Tür, an der Bannion saß.

»Harry!« schrie er noch einmal. »Ich werde bei lebendigem Leib verbrennen!«

Er blickte zu mir her – sein Gesicht zwischen den hell auflodernden Flammen und dem Rauch schreckverzerrt.

»Oh, mein Gott!« stöhnte er entsetzt.

Er versuchte, seine Beine zurückzuziehen, aber sie versagten ihm den Dienst. Er warf mir noch einen letzten verzweifelten Blick zu und führte mit letzter Kraft die Pistole in seiner Rechten an seine Lippen. Und dann drückte er ab.

28

Am Fuße der Steinstufen, die in den Abhang hinter der Hütte gesetzt waren, fanden sie das, was von Cindy Ann Evans noch übriggeblieben war. Ein Stück Stoff mit einem Blutflecken, das schon leicht verblichen war. Und ihre Knochen in einer Kalkgrube mit den Umrissen eines Lächelns, die neben einem Geräteschuppen lag. Alles andere war durch das ätzende Magnesium bereits zerfressen; nichts war mehr übrig von dem, das sie mit dieser Welt verbunden hatte. Kein Leben und keine Liebe mehr.

Ich war nicht dabei, als die Männer von der Highway Patrol sie fanden. Mein Zustand hätte es mir zu diesem Zeitpunkt allerdings schon erlaubt, zu der Hütte hinauszufahren.

Ich hatte jedoch durchaus triftige Gründe für meine Abwesenheit – zwei gebrochene Rippen, meine verbrannte Hand, die Stelle an meiner linken Backe, die mit zehn Stichen genäht worden war, und der Teil meines Kopfes, der von Rafes Whiskyflasche getroffen worden war. Fünf Tage lang brauchte ich, um wieder einigermaßen auf die Beine zu kommen. Und fünf Tage lang hockte ich allein in einem Krankenhaus nördlich von Louisville herum und dachte an Jo. Sie sollte jedoch nie kommen. Sie verständigten sie, als ich eingeliefert wurde. Ich hatte darum gebeten. Aber die Tage vergingen, und ich schlich auf den Gängen herum und erschreckte die Schwestern mit meinem Gesicht – mehr denn je das Gesicht einer leicht zerstörten Statue. Ab und zu spielte ich mit anderen Patienten Karten. Aber sie tauchte nicht auf. Sie teilten mir mit, daß sie während des ersten Tages einmal angerufen hatte, um sich zu vergewissern, daß ich mit dem Leben davonkommen würde. Und als ich dann am fünften Tag nicht mehr anders konnte und in der Busy Bee anrief, sagte mir Greenberg, sie sei nicht mehr da.

»Wo ist sie denn hin?« wollte ich wissen.

»Ich weiß nicht, Harry. Sie rief samstags an und kündigte. Eines der Mädchen ist noch zu ihr rausgefahren, aber die Wohnungsbesitzerin konnte ihr nur noch sagen, daß Jo ausgezogen und aus der Stadt abgereist war.«

»Hat sie irgendeine neue Adresse hinterlassen?«

»Nein, nichts.«

Und als sie mich dann am sechsten Tag fragten, ob ich nach Corinth mit raus kommen wollte – so heißt der nächste Ort in der Nähe der Jagdhütte – sagte ich ab.

Aber den ganzen Nachmittag lang, in der trägen Hitze der Krankenhausgänge, konnte ich diese Kalkgrube vor mir sehen. Und ein Teil von mir fühlte sich so an, als wäre auch er dort hineingestoßen und langsam zerfressen worden und als hätte sich damit ein Teil von mir aufgelöst, der mich an diese Welt band. Ich würde sie schon wieder finden, sagte ich mir. Schließlich war das doch mein Beruf, den Leuten das wiederzubeschaffen, was sie verloren hatten. Dafür hatte ich sogar eine ausgesprochene Begabung, wie ich ihr gegenüber so schön gesagt hatte. Nur gibt es manchmal auch Dinge, die gar nicht gefunden werden wollen. Die Menschen halten sie im verborgenen oder zerstören sie. Und dann sind sie für immer verloren. Und das einzige, was sich noch aufspüren läßt, ist der Platz, den sie einst eingenommen haben, ähnlich jenen Hohlräumen im Eruptionsgestein von Pompeji, wo sich die heiße Lava um ein Geschirrstück oder Arbeitsgerät legte und es verbrannte, sich dann aber zugleich so rasch abkühlte, daß sie die Form des zerstörten Gegenstandes beibehielt. Die Sache selbst – für immer verloren.

Am siebten Tag kam ein höherer Beamter der Highway Patrol, begleitet von Alvin Foster, zu Besuch. Die beiden gaben ein seltsames Paar ab. Der eine groß und militärisch stramm, mit glänzendem Lederzeug, Goldtressen und einigen Streifen am Ärmel, und dazu diese unvermeidliche Pilotenbrille im Gesicht. Und der andere, schäbig und zerknittert, nach Tabak stinkend, und sein Allerweltsgesicht mürrisch und mißvergnügt.

»Wir hätten da nur noch ein paar Dinge mit Ihnen zu besprechen, Mr. Stoner; nur der Vollständigkeit halber.« Der Mann von der Highway Patrol hieß übrigens Lee, und dementsprechend führte er sich auch auf. »Diese zwei Männer, die Sie da umgebracht haben – ich meine, wir haben da keine Möglichkeit nachzuweisen, daß das nicht genauso geschehen ist, wie Sie uns das geschildert haben. Wie für uns die Sache inzwischen aussieht, hätten die beiden früher oder später sowieso dran glauben müssen.« Er rückte sich seine Brille zurecht und schien mich anzublinzeln, als blickte er durch ein geschwärztes Glas in die Sonne. »Aber in diesem Fall waren eben doch Sie daran beteiligt, nicht? Lieutenant Foster meinte übrigens auch, daß Sie schon in Cincinnati einen Mann getötet haben. Natürlich aus Notwehr. So ist das bei Ihnen ja anscheinend immer, oder?«

Foster nickte.

»Manche Leute haben da eben hin und wieder Glück.« Er fummelte wieder an seiner Brille herum und blinzelte. »Aber nicht hier, bei uns in Franklin-County.« Das klang zweifellos sehr bestimmt. »Jedenfalls in Zukunft nicht mehr. Haben wir uns da richtig verstanden?«

Mir blieb in diesem Fall wohl nichts anderes übrig, als mit Ja zu antworten.

»Sollten Sie in Zukunft wieder einmal auf dieser Seite des Flusses zu tun haben – nun ja, dann sehen Sie mal zu, daß das nicht mehr passiert. Haben Sie mich da verstanden?«

»Ja, das habe ich verstanden«, versicherte ich ihm.

»Gut.« Er schien nun genügend Dampf abgelassen zu haben; zumindest ließ er nun eine Hand lässig auf dem Griff seiner Pistole ruhen, während die andere in den Gürtel gehakt war. »Howie Bascomb haben wir bereits verhaftet. Es wird natürlich nicht allzu einfach werden, ihn wegen Mordes zu belangen, falls sich die Jellicoes stur stellen sollten. Aber ich glaube, die beiden werden schon spuren. Der Mann hat sich bereits durchaus gefügig gezeigt, wenn wir die Anklage wegen Beihilfe zum Mord fallenlassen und statt dessen auf Totschlag plädieren. Ich bin mir ziemlich sicher, daß Calvin Young, unser D. A., dazu bereit wäre. Mein lieber Mann, ich kann Ihnen noch gar nicht sagen, wie viele Leute da noch in diese Sache hineingezogen werden. Richter Stebbins von euch drüben in Boone-County, Alderman Russo aus Newport.«

Ich nannte noch den Senator, dessen Namen Tracy Leach mir gegenüber erwähnt hatte.

»Ja, ihn auch«, bestätigte Lee nervös. »Man wird Sie natürlich zum gegebenen Zeitpunkt zu den Verhandlungen vorladen.« Darauf warf er Foster einen kurzen Blick zu und fuhr fort: »Was mich betrifft, wäre das, glaube ich, alles.«

Foster sagte erst eine Weile nichts. Er starrte mich nur nachdenklich an, als wäre ich eine Spezies Mensch, mit der er bisher noch nicht in Berührung gekommen war. »Mut haben Sie, Stoner«, fing er schließlich an. »Das muß man Ihnen lassen. Aber ob Sie auch nur ein Fünkchen Verstand in Ihrem Kopf haben, das wage ich zu bezweifeln.«

Ich lachte.

»Das ist nicht im geringsten witzig«, knurrte er. »Drei Tote sind nicht gerade zum Lachen. Aber würden Sie mir vielleicht zum Schluß noch eines verraten? Warum zum Teufel haben Sie nicht mit uns zusammengearbeitet? Was zum Teufel war Ihnen dieses höllische Risiko wert?«

Ich wandte meine Augen von seinem Gesicht ab und sagte leise: »Sie.«

»Wer, ›Sie‹?«

»Das Mädchen. Cindy Ann.«

»Ach so«, meinte er leicht überrascht. »Das Mädchen aus der Kalkgrube.«

»Ja«, antwortete ich. »Sie, die alle aus der Welt räumen wollten.«

Am Donnerstag nahm mich ein Streifenpolizist nach Newport mit, wo vor dem Kino immer noch mein Wagen stand.

»Wußten Sie eigentlich schon, daß sie letzte Woche den Besitzer dieses Kinos tot aufgefunden haben?« fragte mich der Polizist. »Er saß in seinem Kino und sah sich mit all den anderen Streifen dort einen Film an.« Er lachte brüllend über seinen eigenen Witz.

»Weiß man schon, warum?«

»Er hatte eine Menge Feinde«, meinte der Polizist. »Sie wissen ja, mit Städten wie dieser hier ist es schon komisch. Ich hab' schon mal in Las Vegas gearbeitet, deshalb kenne ich mich mit so was aus. Man könnte glauben, in Newport ginge alles. Aber weit gefehlt. Diese lockeren Städte haben genauso ihre Moral und ihre Gesetze.«

»Ich schätze, das kommt davon, wenn man zu lange nur mit einem Auge sieht.«

Der Polizist warf mir einen fragenden Blick zu.

». . . und das andere immer zudrückt«, fuhr ich fort.

»Ja, genau«, stimmte er mir zu. »Das ist es – das Fehlen jeglicher Perspektive.«

Er ließ mich vor dem Kino raus, und ich stieg in meinen Wagen und fuhr los – in Richtung Charles Street. Dort machte ich vor Porky Simlabs Veranda halt, wo wie gewöhnlich eine recht beachtliche Menge versammelt war.

Ich ging über den Rasen auf das Haus zu, als mir vor der Treppe zur Veranda ein stämmiger, junger Mann entgegentrat, den ich noch nie zuvor gesehen hatte. Er legte mir eine Pfote auf die Brust, als wäre er eine riesige Dogge, die kurz einmal gestreichelt werden wollte. Und meinte: »Stehen geblieben, mein Freund.« Er war wirklich ein aalglatter Bursche, mit einem leicht bösartigen Schimmer in seinen strahlend blauen Augen. Ich fragte mich schon, wie lange Porky nun ohne Red noch über die Runden kommen würde.

Denn dieser Kerl hatte von so etwas wie Loyalität sicher noch nie etwas gehört.

»Sagen Sie Porky, Harry Stoner wäre da.«

Er warf mir einen kurzen Blick zu und trat dann auf die Veranda.

»Kommen Sie rauf«, rief er mir nach etwa einer Minute zu.

Porky saß wie üblich auf der Veranda. Er hatte einen Trauerstreifen am Ärmel seines braunen Freizeitanzugs, aber abgesehen davon sah er aus wie immer.

»Oh, hallo, mein Sohn«, begrüßte er mich finster.

»Tag, Porky.«

»Was wollen Sie denn *heute* hier?«

»Es ist wegen Red . . .« fing ich an. »Ich hatte keine andere Wahl.«

»Das habe ich mir schon gedacht.«

Ich beobachtete sein dickes Bauerngesicht. Seine Schweineäuglein waren in dem Moment kalt geworden, als er mich gesehen hatte. Tot und kalt. »Und wie war das mit Ihnen, Porky? Hatten Sie auch keine andere Wahl?«

»Was meinen Sie damit, Harry?«

»Das wissen Sie ganz genau, mein Lieber. In dieser Stadt passiert nicht so leicht etwas, ohne daß Sie davon Wind bekommen. Sie wußten doch von Reds kleinem Nebenverdienst. Sie haben eben ein Auge zugedrückt und so getan, als würden Sie das alles nicht sehen. Und das alles wegen alter Zeiten? Wegen eines alten Freundes?«

Er antwortete erst eine Weile nichts, und dann schob er sein Kinn vor und setzte seine dicken Stummelbeine fest auf den Boden der Veranda. »Ich will Sie hier nicht mehr sehen, Harry. Lassen Sie sich hier nie wieder blicken, ja?«

Sein junger Bewacher tauchte dienstbeflissen hinter mir auf, aber Porky winkte ihm mit seiner fetten Babyhand ab. »Das ist nicht nötig, Lucius. Der Herr ist gerade am Gehen.«

»Der Witz ist nur, daß er Angst hatte, Sie könnten davon erfahren. Und letzten Endes wurde ihm das zum Verhängnis.«

Porkys Gesicht lief rot an. »*Sie* haben ihn umgebracht«, sagte er ausdruckslos. »Und das werde ich nicht vergessen.«

Ich machte eine Kopfbewegung zu dem jungen Burschen hinter mir. »Sehen Sie sich lieber vor, Porky. Wenn selbst Red schon dachte, er könnte Ihnen ein paar Dollar aus der Tasche holen, während Sie ihm den Rücken zukehrten, dann stellen Sie sich nur mal vor, wozu dieser Typ da in der Lage wäre.«

Er grinste wie ein kleiner Gauner in einem drittklassigen Film. »Ich werde daran denken.«

Und das würde er wahrscheinlich auch wirklich tun, dachte ich, als ich von der Veranda trat. Unter einer so freundlichen und leutseligen Oberfläche, wie Porky Simlab sie an den Tag legte, konnte sich nur das Herz eines Räubers verbergen.

Es ging auf zwei Uhr, als ich meinen Pinto auf dem Parkplatz des Krankenhauses abstellte.

Ich fragte an der Auskunft in der Eingangshalle nach Hugos Zimmernummer, worauf man von mir wissen wollte, ob ich ein Verwandter oder ein Freund sei.

»Ein Freund«, gab ich an.

»Dann sollten Sie wissen, daß sein Zustand äußerst kritisch ist. Er ist schon seit fast einer Woche kaum mehr bei Bewußtsein. Die Chancen, daß er das Wochenende noch überlebt, sind sehr gering.«

Ich holte tief Atem und ließ ihn langsam wieder aus meiner Lunge. »Hat er – alles, was er braucht?«

»Anfang der Woche war sein Sohn hier, und soviel ich weiß, hat er eine Schwester für ihn besorgt.«

Ich ging zum zweiten Stock hoch, wo die Alten ohne Überlebenschancen liegen, den Gang hinunter und vorbei an der Schwesternstation, wo ich hinter dem Plexiglasfenster zwei hübsche, junge Schwestern sich kichernd unterhalten sah.

Und dann stand ich vor Zweihundertzehn. Ich klopfte und trat ein. Er saß auf dem Bett und starrte gedankenversunken durch das offene Fenster auf den Parkplatz hinunter, wo die Autos in der Sonne funkelten. Er trug einen dünnen Morgenmantel, aus dessen Ärmeln seine Arme wie dünne Stecken hervorragten. Die Decke war sorgfältig über seiner Brust gefaltet. Es war niemand im Zimmer.

»Tag, Hugo.«

Er wandte seinen Kopf und blickte zu mir auf. Erst kein Zeichen des Erkennens, aber dann lächelte er.

Ich trat ans Bett und drückte ihm die Hand, und dabei sah er auf meine Hand herab, wie ein kleines Kind eine neue Rassel betrachtet. Alles war für ihn wieder neu. Jede Geste, jedes Gesicht. Alles neu.

Er sah wieder von meiner Hand auf, neigte seinen Kopf mit dem schütteren, weißen Haar zur Seite und versuchte zu sprechen. Ein paarmal bewegte er seinen Mund, aber die Worte, mit denen er sich sonst automatisch gefüllt hatte, wollten nun nicht kommen. Und er unternahm erst noch einen zweiten Versuch, um herauszufinden, was aus ihnen geworden war, bevor er mit einem Ausdruck leichter Bestürzung in seinen wäßrig blauen Augen beiseite sah.

Ich tätschelte seine Hand. »Hugo, ich habe sie gefunden; es geht ihr gut.«

Er sah mich unsicher an.

»Cindy Ann geht es bestens, Hugo. Sie war in Denver – genau, wie ich dachte. Und dort habe ich sie ausfindig gemacht und dann nach Sioux Falls nach Hause geschickt.«

In Hugos Kopf begann es zu schalten, und schließlich füllten sich seine Augen mit Tränen, und seine dünnen Lippen fingen an zu zittern. Er faßte mich an der Hand.

»Ich habe ihr gesagt, daß Sie sie geliebt haben.« Die Worte kamen mir nur schwer über die Lippen.

Meine Kehle begann, sich zusammenzuschnüren. »Und sie meinte, sie würde Sie auch lieben.«

Er versuchte von neuem, etwas zu sagen. Seine Lippen mühten sich jedoch vergeblich ab, seinen Gedanken Ausdruck zu verleihen. Sie brachten keine Worte mehr zustande.

Auf dem Fußboden meines Vorzimmers lag ein Scheck von Meyer, und eine kurze Nachricht von Jo, die schon vor über einer Woche abgestempelt worden war. Ich steckte die Karte in meine Jackentasche und ging ins Büro.

Die Wespen waren bereits wieder zugange.

Ich legte meine Füße auf den Schreibtisch und starrte sie, in Gedanken an Hugo Cratz versunken, an.

Ich konnte mir nicht vorstellen, daß er mir geglaubt hatte, was Cindy Ann betraf.

Hugo war eben immer schon ein Mann gewesen, der sich nichts vormachen ließ. Und sie war alles gewesen, was er gehabt hatte.

BLAUE KRIMIS

Krimis die echtes Lesevergnügen bieten. Große Autoren, viel Spannung und Action, mörderische Geschichten

02/2245

02/2238

02/2195

02/2203

02/2206

02/2209

02/2215

02/2233